NIELEGALNI

# NIELEGALNI

VINCENT V. SEVERSKI

Wydawnictwo Czarna Owca | Warszawa 2014

*Redakcja*
Mirosław Grabowski

*Korekta*
Weronika Girys-Czagowiec
Jolanta Spodar
Maciej Korbasiński

*Projekt okładki*
Magda Kuc

*Skład*
Marcin Labus



Wydanie I

*Druk i oprawa*
Opolgraf S.A.
Wydrukowano na papierze Ecco Book Cream 60g/m², vol. 2,0
dystrybuowanym przez antalis

ISBN 978-83-7554-293-6

Wydawnictwo

ul. Alzacka 15a, 03-972 Warszawa
www.czarnaowca.pl
Redakcja: tel. 22 616 29 20; e-mail: redakcja@czarnaowca.pl
Dział handlowy: tel. 22 616 29 36; e-mail: handel@czarnaowca.pl
Księgarnia i sklep internetowy: tel. 22 616 12 72; e-mail: sklep@czarnaowca.pl

Zbieżność wydarzeń opisanych
w niniejszej książce z prawdziwymi
jest na ogół przypadkowa, ale nie zawsze.
Niektórzy w tej powieści zobaczą siebie.
Przedstawiłem te postacie tak,
jak je widziałem, i chciałbym,
żeby takie pozostały w mojej pamięci.

Vincent V. Severski

NIELEGAŁ

NIELEGAŁ to oficer wywiadu działający za granicą pod przybraną tożsamością. W odróżnieniu od oficerów legalnych rezydentur nie obejmuje go immunitet dyplomatyczny. Tożsamość nielegała budowana jest najczęściej na podstawie tak zwanych danych wtórnikowych, to znaczy „skradzionego" życiorysu autentycznej osoby, lub zgodnie z fikcyjnym, lecz wiarygodnym wzorem. Narodowość i – co za tym idzie – obywatelstwo dobiera się tak, by nie wzbudzał podejrzeń i mógł się swobodnie przemieszczać. Największe wywiady świata wykorzystują nielegałów do najtrudniejszych zadań, dlatego są oni narażeni na szczególne niebezpieczeństwo. Tę formę działalności wywiadowczej opanował i rozwinął w okresie międzywojennym Związek Radziecki, a do mistrzostwa doprowadził ją po II wojnie światowej. Nielegałowie są najpilniej strzeżoną tajemnicą tych nielicznych służb na świecie, które są w stanie posługiwać się tą jedną z najtrudniejszych, najbardziej skomplikowanych i najbardziej niebezpiecznych technik wywiadowczych.

# 1

Pomruk czterech wirujących silników potężnego airbusa 340 zapowiadał bliski start.

Wraz z grupą spóźnionych pasażerów jako ostatni wszedł na pokład Konrad Wolski. Stewardesa Lufthansy w nienagannym granatowym kostiumie wskazała mu drogę do przedziału klasy biznes.

Wrzucił plecak do luku bagażowego i ciężko opadł na fotel przy oknie. Wszystkie miejsca oprócz sąsiedniego były zajęte. Po prawej stronie, w środkowym rzędzie, siedział mężczyzna około trzydziestki, w białej koszuli, bez krawata, i z wyraźnym zaangażowaniem pisał na laptopie. Konrad przyglądał mu się przez chwilę i pomyślał, że jest przecież trzecia w nocy. Będzie tak stukał do rana?

– Nieważne... – mruknął do siebie, nieco zrezygnowany. Nie był w dobrym nastroju, czuł skutki alkoholu wypitego przez ostatnie dwa dni.

Miał nadzieję, że szybko się rozluźni i zaśnie, że napięcie i rozczarowanie bezowocną akcją w górach Jemenu ustąpią chociaż na jakiś czas. Od początku wiedział, że szanse powodzenia są niewielkie, a nie była to przecież jego pierwsza misja wywiadowcza, mimo to obwiniał się o jej fiasko.

Przez całą poprzednią noc, w miarę rozbrajania minibaru w pokoju 347 hotelu Al Bustan Rotana, William Stenton starał się mu wytłumaczyć, że to nie jego wina, taki po prostu mają zawód. Jednakże wraz z upływem czasu Konrad coraz bardziej się rozrzewniał, a William popadał w coraz większą determinację. Każdy z nich bronił swojej opinii do tego stopnia, że następnego dnia zgodnie zrezygnowali ze śniadania.

Konrad lubił pracować z Williamem. Widział, że jest on zupełnie inny niż pozostali oficerowie Secret Intelligence Service, a w końcu znał ich wielu – od herbowych arystokratów, walijskich górników, Irlandczyków, Żydów do zadziwiających londyńczyków, jakich można spotkać między Brixton, Soho a East Endem. Jednym z nich był właśnie Stenton, trochę młodszy od Konrada, ale z dużym szpiegowskim talentem, bezbłędną znajomością arabskiego, polskim cwaniactwem, odpornością Rosjanina i urodą fińskiego chłopa.

To już nasza kolejna wspólna robota, a chemia wciąż się zgadza – pomyślał. No i dobrze... bo lubię tego Brytola!

Miał totalny zamęt w głowie. Osądził, że stanowczo przesadzili z ilością czerwonego wina i burbona, wypitą podczas dwugodzinnego oczekiwania na lotnisku w Dubaju.

Bill wyleciał godzinę wcześniej do Londynu – pomyślał z zazdrością – a mnie czeka jeszcze przesiadka we Frankfurcie. W Warszawie będę dopiero o jedenastej.

Spojrzał na zegarek.

Najgorsza godzina! Reszta dnia stracona.

Przez moment mu zaświtało, że po drodze z lotniska mógłby wpaść do Agencji na Miłobędzką, ale natychmiast zrozumiał, że właściwie nie ma powodu i że takie myśli to zwykły odruch Pawłowa.

Ciekawe, czy w Wydziale udało się uzyskać coś nowego w sprawie tego cholernego „Karola", Safira as-Salama.

Zadziwiający przypadek, ten „Karol"! Po raz kolejny Konrad analizował sprawę i chociaż znał ją tak dobrze jak siebie samego, to wciąż nie mógł znaleźć odpowiedzi na wiele pytań, w tym na najważniejsze: Dlaczego? Dlaczego Polak konwertyta, dwa fakultety, pięć języków: arabski, francuski, angielski, niemiecki i włoski, mistrz walk wschodnich, został łącznikiem między Al-Kaidą w Jemenie i Pakistanie a resztą świata? Co zrobił, że powierzono mu ważną i delikatną funkcję zaufanego współpracownika Sajeda al-Szariego? Musiał udowodnić swoje oddanie dżihadowi i Koranowi, przelewając krew niewiernych! To jasne! Ta myśl napawała Konrada wściekłością.

Trudno to teraz zweryfikować, ale prawdopodobnie to on pomógł lokalnym terrorystom porwać naszego ambasadora w Jemenie w 2000 roku. Może to właśnie była jego przepustka do Al-Kaidy.

Rozmawialiśmy ze wszystkimi, którzy go znają, i nikt nie potrafił znaleźć rozsądnej odpowiedzi. Kim on jest? Dlaczego napisał do swojej parafii w Ursusie, że występuje z Kościoła katolickiego? Już tyle miesięcy Konrad powtarzał sobie te same pytania. Gdyby znał na nie odpowiedź, już dawno dopadłby „Karola".

A tu ciągle to męczące, idiotyczne „dlaczego?". Przypadek nie do wyjaśnienia, chociaż wszyscy myślą, że wiedzą, w czym rzecz. Jak ten mój szef, generał szpiegostwa! On też zawsze wszystko wie... Dlaczego kanadyjski geniusz Gerald Bull budował superdziało dla babilońskiego geniusza Saddama? Dlaczego został zamordowany? Proste pytania, trudne odpowiedzi. „Generał" zawsze odpowiada na pytanie „dlaczego?" zdaniami wielokrotnie złożonymi i nie jest to odpowiedź zaczynająca się od „nie wiem, ale..." czy „bo to jest tak...". Konrad wciąż czuł niesmak po nieudanym pościgu za Safirem bezdrożami Szabwy i rozpierała go wściekłość towarzysząca porażce.

Musi wiedzieć, że go ścigamy, ma to przecież wkalkulowane w swój los, to jego ryzyko! Cóż, sam sobie wybrał... Co też mi chodzi po łbie! – obruszył się. Przecież dlatego znowu zwiał, że wie, iż jest dla nas bezcenny.

Leżał w opuszczonym fotelu, przymknąwszy powieki, gdy ktoś delikatnie szarpnął go za ramię.

Stewardesa z przyklejonym do twarzy uśmiechem przypomniała o podniesieniu fotela i zapięciu pasów. Poczuł ulgę, gdy przerwała mu te męczące myśli.

Zapiął pas i dopiero teraz zauważył, że tygodnie spędzone w górach Jemenu i Omanu zdjęły z niego kilka kilogramów. Jeszcze przez chwilę się mocował, by rozsznurować i zdjąć buty trekkingowe, po czym oparł głowę o szybę i obserwował, jak samolot toczy się po płycie lotniska. Przygasło światło i ciężki airbus rozpoczął swój długi rozbieg, by wreszcie poderwać się do spokojnego, miarowego lotu.

Przeleciałem w swoim życiu już chyba na Księżyc i z powrotem, ale do startów nigdy się nie przyzwyczaję. Z wyjątkiem airbusa 340! – pomyślał, wciąż wyglądając przez okno w nadziei, że w końcu zobaczy słynną palmową wyspę i mapę świata. Samolot jednak dopiero się wznosił i z tej wysokości niewiele było widać. Wpatrzony w widok za oknem, Konrad nawet nie zauważył, kiedy zgasł sygnał „zapiąć pasy" i zapaliło się światło.

Rozłożył fotel, który wychylił się niemal horyzontalnie. Lubił latać klasą biznes, bo przy jego wzroście, prawie metr dziewięćdziesiąt, zapewniała mu odpowiedni komfort.

Stewardesa podała kartę posiłków. Bez zastanowienia zamówił rybę i podwójną whisky, mając nadzieję, że szybko zaśnie. Obiecał sobie, że zaraz po powrocie weźmie tydzień wolnego i pojedzie pożeglować na Mazury. Myśl o jeziorach i soczystej zieleni bez czterdziestostopniowego upału sprawiła mu wyraźną przyjemność. Poczuł, jak poprawia się jego nastrój.

Włączył monitor kina pokładowego i przejrzał zestaw tytułów. Wybrał na chybił trafił film *300*. Tymczasem stewardesa przyniosła mu szklaneczkę whisky z brzęczącym lodem. Założył słuchawki i włączył film. Postanowił zaczekać na posiłek, a potem oglądać tak długo, aż zaśnie.

Nie zasnął. Obejrzał do końca i ze zdziwieniem stwierdził, że film zrobił na nim wrażenie. Zaczął się intensywnie zastanawiać, co go tak poruszyło. Czy to, że komiksowa, barwna i tandetna historia trzystu Spartan nie odbiegała tak bardzo od świata, w którym żył? Świata szpiegów, wywiadów, pełnego kłamstwa i hipokryzji, choć także przyjaźni i bohaterstwa. Świata, w którym nic nie jest tym, na co wygląda, świata, w którym nie istnieją słowa „wiem" i „nie wiem", kolory zaś są kwestią umowy. Nie ma nazwisk, tylko imiona, a prawdziwe są może jedynie twarze.

Ale w tym filmie wszystko wydaje się takie jasne, szczere... Chciałbym, żeby takie było moje życie, chciałbym być takim Leonidasem.

Odbierał film zmysłami wyostrzonymi przez alkohol. Odreagowywał w ten sposób ostatnie ciężkie miesiące. Był to naturalny odruch obronny, który pozwalał chociaż przez chwilę wierzyć, że świat jest prostszy i ludzie są lepsi. Że istnieją honor, godność i zasady. Jak żona, to taka jak Gorgo, jak zdrajca, to taki jak Efialtes, jak zwierzchnicy, to tacy jak eforowie, a moralność i polityka, które w filmie uosabiał Teron, oparte na jasnych, prostych regułach.

Ale tak nie jest i nigdy nie będzie. W tym zawodzie naprawdę trudno znaleźć jakiś wyraźny punkt odniesienia. Trudno więc wierzyć także w Boga, o ile to w ogóle możliwe. A w zasadzie lepiej nie wierzyć. Widać zresztą, jak pobożność oficerów maleje wraz ze wzrostem ich doświadczenia.

Jeśli szpieg w cokolwiek wierzy, to tylko w to, że może mu się uda – myślał Konrad, leżąc w fotelu przykryty kocem, i nagle zorientował się, że nie pamięta, czy zjadł już posiłek, czy nie. Na oczach miał opaskę i czuł, że ołowiane ręce odmówiłyby mu posłuszeństwa, gdyby kazał im się ruszyć.

## 2

Obudził się, lecz pozostał jeszcze w łóżku. Pokój wypełniało blade światło rozpoczynającego się dnia.

Nazywam się Hans Jorgensen – pomyślał.

– Nazywam się Hans Jorgensen – powiedział półgłosem, akcentując nienaturalnie mocno „H" i „J". – Jestem Duńczykiem i mieszkam w Szwecji.

Zapalił lampkę i spojrzał na zegar: dochodziła piąta trzydzieści. Usłyszał głośne trzaśnięcie metalowej klapki w drzwiach, gdy doręczyciel wrzucił do środka gazetę. Lubił ten dźwięk, poranny sygnał dnia zapowiadający nowe wydarzenia.

W mieszkaniu unosił się wyraźny aromat kawy.

Automat też już się obudził – pomyślał i poczuł przypływ dobrego nastroju.

Przez chwilę leżał jeszcze w łóżku i myślał o Ingrid, która przez tyle lat parzyła mu kawę dokładnie o piątej trzydzieści. Odkąd odeszła, jej rolę przejęło to bezduszne urządzenie.

Poderwał się żwawo, zadowolony, że mimo osiemdziesiątki na karku wciąż jest w dobrej formie. Wiedział, że osiągnął to nie bez wysiłku.

Wykonał kilka ćwiczeń, by rozluźnić stężałe po nocy mięśnie. Przypomniał sobie, że nie wykupił jeszcze karnetu na basen, na który uczęszczał regularnie przez ostatnie trzydzieści siedem lat.

Włożył szlafrok i zaczął przygotowywać śniadanie. Z lodówki wyjął tubkę pasty rybnej Kalles. Przyjrzał się bliżej opakowaniu i stwierdził, że wczoraj upłynął termin przydatności do spożycia. Sporo jeszcze zostało, więc wycisnął tubkę do końca. Wystarczyło na dwie kromki ciemnego chleba.

– Jak typowy stary Szwed – powiedział, chociaż rzadko myślał o sobie w ten sposób.

Podszedł do drzwi, podniósł z podłogi gazetę „Svenska Dagbladet" i jak codziennie podczas śniadania zaczął ją przeglądać. Najpierw rzucił okiem na pierwszą stronę i tytuły artykułów. Szybko jednak przeskoczył do stron z ogłoszeniami. W dziale „sprzedam", sunąc palcem po tekście, przejrzał uważnie anonse na literę „Z". Nie potrzebował okularów.

Czynność tę wykonywał dzień w dzień od czterdziestu trzech lat i ani razu jej nie zaniedbał. Mimo że z niemałym trudem opanował obsługę Internetu, wolał posługiwać się gazetą.

Przepracowawszy ponad czterdzieści lat jako naczelnik wydziału Urzędu Imigracyjnego w Sztokholmie, odszedł na emeryturę tuż przed kolejną komputeryzacją. Wiedział aż nazbyt dobrze, że nie poradziłby sobie w nowych warunkach. Był jednak dumny ze swojego przywiązania do czegoś, co nazywał tradycją i zasadami Hansa.

Na ostatnim miejscu w kolumnie „sprzedam" dostrzegł ogłoszenie: „Zainteresowani szkicem E. Dahlbergha, Ryga, tel. 0859011678".

Drgnął, poczuł narastające podniecenie. Zawsze tak reagował, gdy czytał ten anons, choć ostatnio nie zdarzało się to często. Próbował sobie przypomnieć, który to już raz.

Nie jestem pewien – pomyślał – ale chyba co najmniej pięćdziesiąty.

Podszedł do biblioteki, wyjął książkę, w której zaznaczał numery stron odpowiadające kolejnym ogłoszeniom. Obliczył, że to jest pięćdziesiąte piąte, i aż się zdziwił, stwierdziwszy, że poprzednie ukazało się zaledwie dwa miesiące wcześniej. A był czas, że nie ukazywało się przez dwa lata.

Stanął przed lustrem w przedpokoju i uśmiechnął się do siebie. Miał poczucie, jakby satysfakcja mieszała się z młodzieńczym wigorem. Ten stan, którego doświadczał całkiem często, kojarzył mu się zawsze z pegazem. Nie wiedział właściwie dlaczego, ale darzył sympatią to niby-zwierzę, którego tandetna figurka stała na regale. Ingrid kupiła ją wiele lat temu na targu staroci na Skärholmen.

Przeszedł do salonu. Spojrzał na zdjęcie uśmiechniętej Ingrid, obejmującej wysoką sylwetkę ich syna Carla w granatowym mundurze oficera Szwedzkiej Marynarki Wojennej.

Przez chwilę się zastanawiał, gdzie on teraz może być. Od wielu dni nie miał z nim kontaktu. Ale tak jest zawsze, gdy Carl wyjeżdża na ćwiczenia.

Musiał zająć się ogłoszeniem. Wiedział, że ma na to tylko dwanaście godzin. Nie obawiał się żadnych komplikacji. Był profesjonalistą i nigdy się nie pomylił.

Spokojnie dokończył śniadanie, powtarzając w pamięci numer telefonu. Przychodziło mu to z łatwością dzięki wyćwiczonej zasadzie skojarzeń. Umiejętność zapamiętywania faktów, obrazów, a cyfr w szczególności, opanował już dawno i mimo upływu pięćdziesięciu pięciu lat wciąż doskonale sobie radził. Był przekonany, że pomylić się nie może. Ważniejsze było jednak to, że znów zdał swój egzamin z alzheimera. Bał się tej choroby bardziej niż jakiejkolwiek innej. Znał ją dobrze, bo zmagała się z nią Ingrid.

Mimo że od wielu lat był na emeryturze, czuł ogromną potrzebę aktywności. Nie przeszkadzało mu, że jest teraz wykorzystywany w mniejszym stopniu niż dawniej. Tak czy owak wciąż cieszył się zaufaniem i był potrzebny.

– Życie w samotności wymaga szczególnego hartu. I ja go mam. Taka samotność długodystansowca – mruknął pod nosem.

Kolejny raz przyłapał się na tym, że coraz częściej mówi do siebie. Znów pomyślał o Carlu. Odkąd odeszła Ingrid, tęsknił za nim jeszcze bardziej i trochę dał się ponieść emocjom.

No proszę, zabrakło mleka do kawy. Ona nigdy by o tym nie zapomniała – pomyślał. Więc co? Mam dzisiaj dwie sprawy do załatwienia: kupić mleko i odpowiedzieć na ogłoszenie.

– Jestem czasami trochę za bardzo cyniczny – powiedział do siebie i stwierdzenie to sprawiło mu przyjemność.

Wziął prysznic i ubrał się.

Stał teraz na środku salonu. Lubił go, choć wielu mógł się wydawać staromodny i niepraktyczny. Nigdy nie przekonał się do produktów Ikei, bo zawsze odrzucała go myśl, że będzie musiał je skręcać. Żałował jedynie, że po odejściu Carla z domu sprzedał wszystkie jego meble, tak jakby chciał wyrzucić go z pamięci, a to przecież nieprawda.

Nie ma to jak moja przedwojenna komoda – pomyślał, patrząc na ponury mebel, który Ingrid kupiła gdzieś na pchlim targu. Przechodząc obok, przejechał palcem po blacie, żeby sprawdzić poziom kurzu.

W przedpokoju włożył zieloną kurtkę Barboura, którą miał od piętnastu lat, i stojąc już z kluczami w ręku, spojrzał jeszcze raz na pokój i kuchnię. Utrwalił ten widok w umyśle jak na fotografii. Starał się zapamiętać ustawienie wszystkich przedmiotów do najdrobniejszego szczegółu. Odkąd został sam, zawsze tak robił, kiedy opuszczał mieszkanie na dłużej. Może niepotrzebnie, ale podświadomość nie pozwalała mu o tym zapomnieć.

Zamknął za sobą drzwi, dwukrotnie się upewniając, czy zamek zaskoczył. To bardziej intuicja niż przezorność, ale od czasu włamania do sąsiadów stał się jeszcze bardziej ostrożny.

Zszedł z pierwszego piętra i wyszedł na pustą ulicę. Poczuł silne szarpnięcie wiatru. Było już oczywiste, że tego dnia nie będzie ładnej pogody. Zaczerpnął głęboko powietrza i poczuł się wyraźnie ożywiony.

Podszedł do swojego wysłużonego volvo 245, które stało na parkingu za domem, chociaż nieco dalej miał garaż. Wielokrotnie myślał o zmianie samochodu, ale z tym pojazdem wiązały się jego najważniejsze wspomnienia.

Ingrid była znacznie lepszym kierowcą niż ja – skonstatował i złapał się na tym, że coraz częściej ją idealizuje. To takie typowe dla samotnego człowieka…

Wsiadł do zimnego samochodu, włączył silnik, ogrzewanie i na końcu radio. Rozległy się dźwięki *Stabat Mater* Vivaldiego. Lubił tę kompozycję. Wcześniej słuchali jej zawsze z dużej płyty winylowej podczas wielkanocnego śniadania.

Przypomniał sobie małego Carla z opadającą na oczy jasną czupryną i pogodną Ingrid krzątającą się wokół świątecznego stołu.

Nie słyszał tego utworu od jej śmierci.

Teraz musiał jechać do swojego letniego domu nad brzegiem morza, kilka kilometrów od miejscowości Åkersberga, na północ od Sztokholmu.

Gdy ucichła muzyka, zdał sobie sprawę, że siedział w samochodzie kilkanaście minut. Miał jeszcze czas na sprawdzenie numeru telefonu zamieszczonego w ogłoszeniu, ale był zły na siebie, że przypomniał sobie o tym tak późno. Właściwie nic się nie stało, niemniej potraktował to jako ostrzeżenie: powinien być bardziej skoncentrowany.

Jest wcześnie rano, muszę się rozruszać – pomyślał, odrzucając w ten sposób podejrzenie, że się starzeje.

Zjechał na stację benzynową Shella na Värmevägen, kupił kartę telefoniczną za dwadzieścia pięć koron i zadzwonił z automatu. Odebrała zaspana kobieta, zaskoczona pytaniem o sztych Dahlbergha. Po chwili, żeby się upewnić, wykonał jeszcze jeden, tym razem głuchy telefon na ten sam numer. Od początku wiedział, że nie ma się czym niepokoić, ale teraz poczuł się jeszcze lepiej.

Dojazd do Åkersbergi zajął mu o tej porze trzydzieści minut.

Wszedł do domu. Rozejrzał się i od razu nabrał pewności, że wszystko jest w takim samym porządku jak trzy tygodnie temu, kiedy stąd wychodził.

Otworzył okna, by wpuścić trochę świeżego powietrza. Wyszedł na taras i odetchnął głęboko. Wstawał dzień. Cisza, przeplatana wiatrem i niewyraźnym odgłosem morskich fal, działała kojąco.

Po chwili zrobiło mu się zimno. Wszedł do domu, zdjął kurtkę i włożył grubszą, której używał do pracy w ogrodzie. Bardziej jednak nie chciał pobrudzić swojego starego barboura, który nie nadawał się do prania. Był z nim związany jak z najbliższym towarzyszem i wcale nie uważał, że to może być śmieszne.

Podszedł do włazu w podłodze, obok wejścia do kuchni, i z pewnym trudem go otworzył. Poczuł znajomą lekką woń stęchlizny.

Czy to może być zapach starości?

– Co za idiotyzm! – powiedział do siebie po cichu.

Nie lubił słowa „starość" i szybko odpędził tę coraz bardziej natrętną myśl. Teraz ma się czym zająć, czymś ważnym, ważniejszym niż tak prozaiczna sprawa jak starość.

Stał przez chwilę przed ciemnym i wilgotnym wejściem do piwnicy. Zszedł jedenaście stopni w dół po prawie stuletnich schodkach. Potknął się na uszkodzonym dziewiątym stopniu, ale szybko odzyskał równowagę. Zapalił światło, chociaż i bez niego trafiłby bezbłędnie. Przy świetle czuł się jednak pewniej. Znowu zapomniał rękawiczek. Owinął dłoń rękawem kurtki i zaczął rozgarniać narzędzia ogrodowe.

Nagle odskoczył. Czarny kosmaty pająk tkwił w bezruchu na ogromnej szarej pajęczynie.

Zawahał się tylko sekundę i wymierzył staranny cios butem.

– Chyba nigdy się z tego nie wyleczę – wyszeptał.

Wydawało mu się, że już dawno pokonał tę słabość, ale lekka gorycz w ustach wskazywała, że jednak nie do końca. Jak przez mgłę zobaczył niebieski, niedoświetlony pokój z dzieciństwa i prawie usłyszał przeraźliwy krzyk chłopca stojącego naprzeciw brunatnej zasłony, po której powoli sunął tłusty pająk... i śmiech dziewczynki z warkoczami. Olga... Ale niewyraźny obraz szybko się rozpłynął.

Powrócił do pracy. Odstawił narzędzia i otworzył dobrze zamaskowane przejście do drugiego, niedużego, wąskiego pomieszczenia. Zgasił światło w piwnicy i zamknął za sobą drzwi. Teraz mógł włączyć światło w bunkrze.

Powiódł ręką po murze, wyczuł niezauważalne dla innych zgrubienie i delikatnie przesunął w prawo kamienną narośl. Kiedy usłyszał zgrzyt, pewnym ruchem przyciągnął do siebie wystający kawałek ściany.

Ciekawe – pomyślał – tyle lat, a mechanizm działa bez zarzutu. Muszę go jednak naoliwić.

Był dumny ze swojego pomysłu, a jeszcze bardziej z jego realizacji. Poprzednia, klasyczna skrytka, mimo że wykonana przez fachowców, była, jak się później okazało, bardziej zawodna. Służyła mu tylko dziesięć lat.

Teraz jest dobrze. Bardzo dobrze – pomyślał.

Schowek miał co najmniej siedemdziesiąt centymetrów głębokości i tyle samo szerokości. Był za to dość niski.

Z wnętrza wyjął gruby notatnik w skórzanej oprawie i z mosiężnym zamkiem szyfrowym. Usiadł na krześle przy stole, nad którym wisiała metalowa lampa ze stuwatową żarówką. Otworzył notatnik na pierwszej stronie. Od góry, w pięciu pierwszych wierszach, biegły grupy pięciocyfrowych odręcznych zapisów, pozostała część kartki była jeszcze niezapełniona. Z pojemnika na stole wybrał zwykły, dobrze zaostrzony ołówek. Wpisał numer telefonu z ogłoszenia w „Svenska Dagbladet" i dodał do niego pierwsze dziesięć cyfr zapisanych powyżej.

Przysunął się do stołu, opuścił lampę i przez chwilę nasłuchiwał odgłosów z zewnątrz.

Po zsumowaniu powstał dwukrotnie dłuższy nowy zestaw cyfr. Na wyklejce okładki notatnika znajdował się tezaurus, który pozwolił odczytać tekst poprzez przypisanie kolejnym dwóm cyfrom odpowiedniej litery. Powoli wyłonił się tekst: „5 dni, miejsce 12".

Szybko przerzucił kartki do czerwonej zakładki i sprawdził, czy pamięć go nie zawodzi, choć dobrze pamiętał miejsce numer 12 w Visby na Gotlandii, które sam przygotował.

– Nareszcie! – westchnął w poczuciu zadowolenia.

Od dłuższego już czasu nie otrzymywał ofensywnych zadań operacyjnych, jedynie ustaleniowe czy zabezpieczające, choć czasami dość skomplikowane. Dlatego już dwukrotnie prosił Centralę o przysłanie nowych dokumentów legalizacyjnych. Swoje duńskie papiery wykorzystywał już wielokrotnie, toteż za każdym kolejnym razem zwiększało się niebezpieczeństwo wpadki.

Sięgnął głębiej do ciemnego schowka i wyjął zawinięty w naoliwioną szmatkę pistolet Walther PP. Rozwinął go, położył na stole i pomyślał, że może trzeba go wyczyścić. Nie pamiętał, kiedy robił to ostatni raz. Nigdy z niego nie strzelał. Nie miał emocjonalnego stosunku do broni. Nawet nie był pewien, czy amunicja po tylu latach może się jeszcze do czegoś przydać.

A właściwie do czego? Ciekawe, że też się tym nie interesują – pomyślał z przekąsem.

Zawinął pistolet i włożył z powrotem do skrytki. Jednocześnie wyjął hermetyczną kopertę ze swoimi dokumentami. Sprawdził je i stwierdził po raz kolejny, że paszport stracił już ważność. Zaklął. Był prawie pewien, że nareszcie wysłuchano jego błagań i że na Gotlandii odbierze nowe dokumenty. Od jakiegoś czasu ta sprawa dziwnie go denerwowała, chociaż zdarzały się i gorsze sytuacje w relacjach z Centralą.

No tak! Zrobił się już ze mnie typowy zgryźliwy Svensson! – pomyślał z autoironią.

Tak jak zwykle kartkę z rozszyfrowaną wiadomością wyrwał z notatnika i spalił w dużej kamiennej misce. Teraz najważniejsza była realizacja zadania. Lubił to uczucie, wrażenie przeprogramowania. Stawał się jakby automatem, niezawodnie pracującą maszyną, mechanicznym cudem dawnych rzemieślników, a nie jakimś zapisem w programie komputerowym.

# 3

Samolot wylądował w Warszawie piętnaście minut przed czasem. Pilot pożegnał się z pasażerami, informując, że na zewnątrz jest trzydzieści stopni ciepła. Rozwiało się marzenie Konrada o deszczu i chłodzie.

Zanim zgasły silniki, w samolocie zabrzmiały różnobarwne sygnały telefonów komórkowych.

Konrad miał dwa SMS-y. Pierwszy od Marcina – „Czekamy" – i drugi od Williama – „W porządku? Nigdy więcej mieszanki! Będę za tydzień. OK?". Zdał sobie sprawę, że zapomniał o ustaleniach, jakie zrobili z Williamem w Dubaju. O konieczności pilnego podsumowania sprawy Safira i wypracowania jakiejś nowej koncepcji dalszego działania.

Myśl o wyjeździe na Mazury, jeszcze przed chwilą tak miła, stała się nagle nierealna.

Przecież muszę napisać raport z wyjazdu, co w optymistycznym wariancie zajmie mi przynajmniej tydzień. Nie zdążę się przygotować do dyskusji z Williamem, a jeszcze czekają na mnie sprawy bieżące. Z pewnością w Wydziale nagromadziło się ich mnóstwo… ale dzięki Bogu Sara czuwa nad tym wszystkim.

W holu przylotów nowego terminalu na Okęciu, w stałym, dyskretnym miejscu, czekał Marcin.

Wysoki, w ciemnych okularach za minimum półtora tysiąca złotych, z włosami zaczesanymi do tyłu za pomocą potężnej dawki żelu i kilkudniowym zarostem, w granatowym garniturze i białym podkoszulku, wyglądał jak groteskowy szpieg macho z koszmarnego snu reżysera polskich seriali sensacyjnych. Tak się ubrać potrafił tylko on.

Swoim widokiem rozbawił Konrada, tym bardziej że on sam przypominał teraz Jeffa Corwina, poszukiwacza przygód z kanału Animal Planet. Nigdy się głębiej nie zastanawiał, czy to artystyczna dusza zmusza Marcina do tych metamorfoz, czy też próbuje on w ten sposób wabić kobiety, co przecież i tak przychodziło mu łatwo.

– Witam w ojczyźnie, szefie – rzucił Marcin na powitanie i założył okulary na czoło jak włoski żigolak. Wziął od Konrada plecak i skierował się prosto do wyjścia. – Sara czeka przed terminalem... wiadomo, tu jest zakaz palenia – dodał, co było oczywiste, bo Sara paliła nieustannie, jednak w miarę możności starała się przestrzegać zakazów.

Na zewnątrz było wyjątkowo duszno.

Sara stała przy popielniczce. Na widok Konrada uśmiechnęła się pogodnie.

– Nareszcie jesteś! Stęskniliśmy się za tobą... Jak lot? – zapytała z teatralnym grymasem, gdy Konrad objął ją po przyjacielsku. – Czuję i widzę, że trochę męczący... Szkoda, że nie dopadliście tego Safira, ale nie martw się, mamy nowe informacje na jego temat. Nie przesłałam ich, bo wymagają weryfikacji. Sam zresztą ocenisz. Poza tym to nie takie pilne... ale ciekawe! – Mówiła z szybkością karabinu maszynowego. – Schudłeś! Ładna opalenizna! – dorzuciła, taksując go wzrokiem.

Wsiedli do granatowego volkswagena touarega zaparkowanego w garażu.

– Jedziemy do domu... Kabaty? – zapytał Marcin z wahaniem.

– A ty myślałeś, że dokąd, do roboty? Jedziemy do domu! – odpowiedział Konrad.

– Sorry, szefie, ale Sara mówiła, że numer dwa od rana dopytuje się o szefa. Czy już szef przyleciał... i takie tam. Dlatego pomyślałem, że... – urwał w pół zdania.

– O co chodzi, Saro? – zapytał spokojnie Konrad. – Przecież znaliście termin mojego powrotu. Nie poinformowałaś go?

Był absolutnie pewny, że Sara powiadomiła numer dwa, czyli zastępcę szefa Agencji do spraw operacyjnych, podpułkownika Lecha Zabłockiego, z powodu zwalistej sylwetki powszechnie zwanego „Ciężkim". Od razu zrozumiał, że ten chce go widzieć – choć raczej nie w sprawie „Karola" – bo jak zwykle ma kłopoty z podjęciem jakiejś decyzji. Przyzwyczaił się już do tego, ale ukrywał charakter i niekompetencję „Ciężkiego" przed młodszymi oficerami, by nie szkodzić dodatkowo i tak już zszarganemu autorytetowi służb specjalnych.

– Oczywiście, że go poinformowałam! – odpowiedziała sucho Sara, patrząc przez okno. – Jak wrócę do Centrali, to zadzwonię i powiem, że jesteś zmęczony po podróży i będziesz jutro o dziesiątej. No, chyba że „Ciężki" wyznaczy inny termin... A może sam teraz do niego zadzwoń i zamelduj, że już jesteś – dodała trochę oficjalnie, choć dobrze wiedziała, że tego nie zrobi.

Przez siedem lat przekopała z nim świat od Kamczatki do Bośni, od Archangielska do Mombasy i znała go na tyle dobrze, by mieć pewność, że jego szacunek dla ciągle zmieniających się i czasem przypadkowych przełożonych był w istocie szacunkiem dla kraju, przyjaciół i siebie samego.

Konrad nie zareagował i było to dla niej oczywiste.

Marcin ostro prowadził potężnego touarega z widoczną radością dużego dziecka. Konrad nie lubił takiej zabawy, ale mu na nią pozwalał, przynajmniej do pierwszego upomnienia. Teraz jednak stanęli w niekończącym się korku na skrzyżowaniu Poleczki i Puławskiej i Marcin cierpiał.

– Byłam dwa tygodnie temu w twoim mieszkaniu. Umyłam lodówkę, bo jak zwykle zapomniałeś ją opróżnić przed wyjazdem. Trzeba było wietrzyć całe mieszkanie po makreli, która wyglądała, jakby ją ktoś ubrał we włochaty zielony kożuch. Smród niemiłosierny! – Sara zmieniła temat. – Marcin wysadzi mnie przy sklepie, a ciebie zawiezie do domu. Ja tymczasem zrobię zakupy. Co chcesz do jedzenia? – zapytała.

– Cokolwiek! – odpowiedział.

Czuł się trochę nieswojo za każdym razem, gdy inni, a w szczególności podwładni, wyświadczali mu jakąkolwiek przysługę. Ale godził się na to. Tłumaczył sobie, że żyją w związku, który nie jest tylko zwykłą przyjaźnią, i takie gesty są czymś naturalnym, co wiąże ich emocjonalnie, bo przecież w tym zawodzie nie można rządzić za pomocą rozkazów i poleceń. Może to trochę cyniczne – jak uważał – ale wszyscy świadomie się na to godzą. Więcej! Chcą i potrzebują tego, bo to odruch samoobronny przed ciemną stroną ich codziennego życia w Wydziale Specjalnym „Q" Agencji Wywiadu.

To lekkie, podobne do wstydu skrępowanie czuł zawsze wtedy, gdy Sara robiła dla niego o jeden krok więcej, niż było to normalnie potrzebne.

Uczucie to towarzyszyło mu od czasu, gdy wyszedł ze szpitala w Sarajewie i zrozumiał, że żyje dzięki niej. Do dzisiaj nie potrafi pojąć, jak ta dziewczyna zdołała wyciągnąć go nieprzytomnego z płonącego domu, z kulą w nodze, i dowieźć do odległego o pięćdziesiąt kilometrów Sarajewa. Ilekroć prosił ją o szczegóły tamtych wydarzeń, odpowiadała z uśmiechem: „Zaniosłam cię na rękach, szefie".

Za tę i za wiele innych akcji Sara cieszyła się uznaniem wszystkich oficerów, którzy z nią pracowali i znali jej dorobek. Dlatego tak naprawdę to ona liczyła się najbardziej w Wydziale „Q", a nie kapitan Marek Belik, którego przyniósł kolejny zakręt historii.

Sara paliła kolejnego papierosa, wydmuchiwała dym przez lekko uchylone okno samochodu i nie widziała, że Konrad na nią patrzy. Nie widziała, ale zawsze potrafiła wyczuć na sobie czyjś wzrok.

Wróciła z zakupami i włożyła je do lodówki. Marcin siedział w kuchni i przeglądał stary numer „Polityki".

– Zaraz jedziemy! Musisz odpocząć – zarządziła zdecydowanie, wchodząc do pokoju, gdzie rozpakowywał się Konrad. – Zapalę jeszcze papierosa... na balkonie... chodź ze mną! Chcę ci coś powiedzieć. – Mówiąc to, spojrzała na Marcina.

Usiedli w słońcu na balkonie, a Konrad opuścił markizę.

– Posłuchaj... – zaczęła – dzieje się coś dziwnego. Wydział Bezpieczeństwa Wewnętrznego prowadzi dochodzenie, prawdopodobnie w sprawie Marcina. Nie mam najmniejszego pojęcia, o co chodzi, wiem tylko, że wzywali go już kilka razy. Próbowałam z nim rozmawiać, ale unika odpowiedzi i bagatelizuje sprawę. Jestem pewna, że dostał polecenie, by nic nam nie mówić. To go męczy! Widać jak na dłoni... znasz Marcina... Mam też wrażenie, że od pewnego czasu trochę się zmienił, jakby się czegoś wstydził. Zaczyna mnie to wszystko irytować, wiesz przecież, w jakich operacjach w tej chwili uczestniczy. Kończy przygotowania przed wyjazdem do Afganistanu, a to trudna i niebezpieczna akcja, wymaga koncentracji i opanowania. To ja ją nadzoruję, to mój pomysł, moja koncepcja i moje decyzje. – Sara mówiła szybko, cicho i z głęboką determinacją. – Marcin jest w wyraźnym stresie... i boję się, że może popełnić błąd. Nie powinno być żadnych niedopowiedzeń! Ale nie chciałam na niego naciskać i pomyślałam, że zaczekam na ciebie.

Nagle zmieniła ton i zaczęła mówić spokojnie, Konrad jednak zdawał sobie sprawę, że takie dwuznaczne sytuacje działają na nią wyjątkowo irytująco.

– I jeszcze coś – kontynuowała. – Rozmawiałam z Belikiem, pytałam go wprost, o co chodzi z Marcinem. Zupełnie zlekceważył sprawę, a przecież wiesz, że szef WBW jest jego kumplem. I właśnie to mnie zastanowiło! On musi wiedzieć, o co chodzi, ale ukrywa to przede mną, mimo że jestem przełożoną Marcina. – Zgasiła niedopalonego papierosa, co jasno oznaczało, że jest wściekła.

– Nie denerwuj się. Jutro zajmę się tą sprawą – powiedział uspokajająco Konrad.

Sara zawsze przejawiała nadwrażliwość na punkcie lojalności i zaufania – i nic dziwnego, bo sama była uczciwa wobec firmy i przyjaciół. Ale nie do końca rozumiała – lub nie chciała tego zaakceptować – że istnieje też szara strefa życia wywiadu. Konrad takie sprawy zawsze brał na siebie, bo chciał chronić Wydział przed demoralizacją, teraz jednak zrozumiał, że na dłuższą metę to nie ma sensu. Sara jest zbyt inteligentna, by tego nie widzieć, i już na tyle doświadczona, że powinna sama się zmierzyć z tymi problemami – pomyślał Konrad.

– Jeżeli jest tak, jak mówisz, to najprawdopodobniej sprawa nie dotyczy Marcina, tylko Wydziału... może jakiejś naszej sprawy lub kogoś z kierownictwa. – Zastanowił się przez moment. – Pewnie mnie, bo, jak widzisz, zajęli się Marcinem podczas mojej nieobecności, a szef przecież powinien o wszystkim wiedzieć... Mogli na mnie zaczekać. – Zrobił krótką przerwę i po chwili zastanowienia rzucił już bardziej zdecydowanie: – Czuję, o co tu chodzi! Ludzie z WBW są więcej niż lojalni wobec kierownictwa, to wiadomo, ale mają zero doświadczenia i kompetencji. Najlepszy dowód, że od razu wyczułaś, że coś się dzieje. Może to właśnie w tej sprawie numer dwa chce mnie pilnie widzieć... Jednego jestem pewien: to nie dotyczy ciebie... nie dotyczy też Belika, z oczywistych powodów. W sprawach zawodowych Belik jest na przyzwoitym poziomie, ale nigdy nie będzie jednym z nas i dobrze o tym wie. Jest już u nas rok, nic sam nie zrobił, nic nie wymyślił i cały czas chodzi za naszymi plecami do „Ciężkiego"... Wiem o tym! Przecież muszą o czymś rozmawiać! O czym?! – Konrad zdał sobie sprawę, że chyba się zagalopował. – Nie denerwuj się, Saro. My wiemy dobrze, że nie mamy nic do ukrycia i że nie popełniliśmy żadnych błędów, a błąd w sztuce jest zawsze do obrony.

W rzeczywistości Konrad wiedział, że nowe kierownictwo Agencji Wywiadu, zgodnie zresztą z panującą w kraju atmosferą i nowymi wzorami, używa WBW jako oręża do załatwiania swoich spraw.

Zawsze tak było, ale tak źle jak teraz to jeszcze nigdy. Wśród kierownictwa pojawiają się pierwsze symptomy kompleksu Angletona*, a to zaczyna już być groźne – pomyślał Konrad. Wiedział, że mimo oficjalnych zapewnień „Generała", jakoby liczyły się tylko kompetencje zawodowe, trzy lata jego służby w wywiadzie PRL dyskwalifikują wszystkie następne i to, co w tym czasie zrobił. Nie czuł żalu, wiedział, że będzie musiał wkrótce odejść. To jedna z naszych polskich paranoi i dotyczy nie tylko wywiadu. Miał poczucie zawodowego spełnienia i satysfakcję, że przygotował takich oficerów jak Sara, Lutek czy Marcin, którzy są nadzieją polskich służb specjalnych, a co najważniejsze – jego towarzyszami broni i jedynymi przyjaciółmi. Gehlen** miał więcej szczęścia – pomyślał z sarkazmem.

– Będziesz rozmawiał z Marcinem? – zapytała Sara, wstając.

– Nie! Po co? – ocknął się Konrad. – Nie teraz... nie chcę go stawiać w niezręcznej sytuacji. Zobaczymy, co sam zrobi – odpowiedział bez emocji, bo nie pierwszy raz spotykał się z podobną sytuacją.

– Zbieraj się, Marcin. Jedziemy! Trzeba dać szefowi odpocząć! – powiedziała Sara głośno, stojąc już w przedpokoju.

Marcin poderwał się tak gwałtownie, że aż przewrócił krzesło.

– Zaczekaj, Saro. O czymś zapomniałem. – Konrad wrócił do pokoju i wyjął z plecaka niedużą paczkę. – To prezent! Dla ciebie... kupiłem go na suku w Sanie. Ręczna robota. Mam nadzieję, że ci się spodoba.

Wyjęła z opakowania inkrustowany miedziany dzbanuszek.

---

* James Angleton (1917–1987) – szef sztabu kontrwywiadu CIA, znany z zaciekłości w tropieniu kretów.

** Reinhard Gehlen (1902–1979) – hitlerowski generał, szef niemieckiego wywiadu na Wschodzie, po wojnie twórca wywiadu RFN – Federalnej Służby Wywiadowczej.

– Piękny! Dziękuję! Pamiętałeś o mnie... to miłe! – powiedziała to tak serdecznie, jak tylko potrafiła, i pocałowała go w policzek.

Gdy wychodzili, Konrad wyszeptał Marcinowi do ucha:

– Zrób coś ze sobą, to nie jest twój styl!

Zmrużył oko, pokręcił głową i włożył mu do kieszeni woreczek z herbatą imbirową.

# 4

Drogę do Visby przećwiczył wcześniej wielokrotnie, więc nie musiał się specjalnie przygotowywać. Prawdę mówiąc, znał ją na pamięć.

Do Nynäshamn, skąd odchodził prom na Gotlandię, udał się kolejką podmiejską z przesiadką w Västerhaninge. Zajęło mu to półtorej godziny. Mógł oczywiście jechać samochodem, ale trwałoby to znacznie dłużej.

Może gdyby... Ingrid! Przy okazji pojechalibyśmy na Fårö, na spacer wzdłuż rauków* – przemknęło mu przez myśl.

Czasami zabierał ją na takie wyjazdy. Dla niej to były tylko jego delegacje albo mniej lub bardziej spontaniczne wycieczki. Nigdy niczemu się nie dziwiła i przyjmowała wszystkie jego pomysły jak coś naturalnego.

Do Visby dopłynął szybkim promem SF 1500 linii Destination Gotland w ciągu trzech godzin i dwudziestu minut. Podczas podróży obejrzał film, lecz nie próbował nawet wczuć się w jego akcję i teraz nie potrafiłby nawet powiedzieć, o co w nim chodziło. Morze było silnie wzburzone, więc po półgodzinie pomruk silników zaczął działać usypiająco.

* Naturalne formacje skalne o unikatowym kształcie, który zawdzięczają działaniu wiatru i wody.

Nie lubił szybkich promów.

W bufecie, gdzie za jedyne towarzystwo miał ponurego harleyowca, zjadł klopsiki z sałatką ziemniaczaną i wczesnym popołudniem zszedł z promu. Przedtem jeszcze przez chwilę podziwiał z górnego pokładu piękny widok średniowiecznego Visby, którego mury miejskie zawsze kojarzyły mu się z Carcassonne, gdzie był z Ingrid w 1963 albo 1964 roku.

Z promu zszedł wprost na ulicę Färjeleden. Minął po lewej stronie port jachtowy, nad którym kołysało się na silnym wietrze kilkadziesiąt metalowych masztów. Wokół niósł się ostry dźwięk uderzających o nie stalowych linek.

Skręcił lekko w prawo i jeszcze przez chwilę szedł wąskimi uliczkami. Porywy siekącego deszczem zimnego wiatru, zupełnie nietypowego dla Gotlandii o tej porze roku, próbowały wyrwać mu z ręki duży czarny parasol.

Szedł prosto do dobrze znanego mu hotelu Clarion Wisby na Strandgatan 6, który stał tuż obok portu, lecz już w obrębie murów miejskich, i utrzymany był w stylu średniowiecznego zajazdu.

Dostał jednoosobowy pokój z oknem wychodzącym na port widoczny nad pejzażem stromych czerwonych dachów okolicznych kamieniczek.

Wziął szybki prysznic. Włożył koszulę i spodnie, po czym wyciągnął się na łóżku przykrytym szarą narzutą. Potrzebował teraz kilku minut relaksu, zanim pójdzie na spacer. Do miejsca, które zawsze odwiedzał, kiedy był na Gotlandii.

Niedaleko od murów obronnych, na wschód, stoi nieduży kamienny krzyż. Z trudem już można odczytać wykuty na nim napis: „Roku Pańskiego 1361 Goci wpadli w ręce Dunów. Świeć, Panie, nad ich duszą". Ten napis i to miejsce masowego mordu dokonanego na mieszkańcach Gotlandii miały dla niego szczególne znaczenie.

Złożył pod krzyżem kupioną po drodze czerwoną gotlandzką różę i wyszeptał: „Pamiętam o tobie, Olgo". Spędził tam dwie, może trzy minuty i tą samą drogą wrócił do hotelu.

W restauracji zjadł lekką kolację i resztę dnia spędził w pokoju, czytając kolejną książkę Petera Englunda – tym razem był to *Niezwyciężony*. Nawet nie zauważył, kiedy zasnął.

Rano wstał w wyjątkowo dobrym nastroju, jak zwykle o piątej trzydzieści, i przed szóstą był już gotowy. Włożył stonowane pistacjowe spodnie chino, podkoszulek, grubą białą koszulę z kołnierzykiem na guziki i żeglarskie buty firmy Green-Red. Wiatrówkę na zamek błyskawiczny wziął w rękę.

Miał jeszcze czas do hotelowego śniadania, wystawianego o szóstej. Postanowił zatem obejrzeć miejsce, które było celem jego przyjazdu. Wcześniej planował, że zrobi to po śniadaniu, ale prognoza pogody na ten dzień, zamieszczona w „Svenska Dagbladet", nie zapowiadała niczego dobrego.

Zanim ruszył, posiedział jeszcze chwilę, wygodnie rozparty, w stylowo urządzonym ogrodzie zimowym, próbując dostrzec niebo przez szklany dach.

Miejsce, które miał odwiedzić, oddalone było od hotelu o zaledwie trzysta metrów. Szło się tam szeroką jak na Visby Strandgatan lub labiryntem wąskich zaułków i przejść, by dotrzeć w końcu do rozległego parku, gdzie tutejsi mieszkańcy i turyści obchodzą czerwcowy Midsommar. O tej porze dnia było to jeszcze odludne miejsce.

Niezwykłe… jak dobrze pamiętali o wyborze odpowiedniej pory roku – pomyślał z zadowoleniem Hans Jorgensen.

Większą część parku zajmował ogród botaniczny, a w nim, obok ruin małego romańskiego kościoła Świętego Olafa, stała nieduża altana spowita gęstym listowiem dzikiego wina. Było szaro i mimo że słońce już dawno wzeszło, trudno było powiedzieć, która może być godzina.

Na pobliskiej Studentallen, biegnącej wzdłuż wewnętrznej strony murów, pojawili się nieliczni przechodnie. Pomyślał, że na promenadzie nad morzem musi wiać jeszcze mocniej. Uważnie obserwował okolicę i starał się zachowywać jak typowy starszy pan na porannym spacerze.

Intuicja, a może raczej suma zespolonych zmysłów, podpowiadała mu, że wszystko jest w porządku. Nie zauważył niczego niepokojącego.

Spokojnym, wyraźnie zrelaksowanym krokiem wrócił do hotelu tą samą drogą, nieznacznie tylko ją modyfikując.

Coraz liczniejsi przechodnie przypominali, że dzień wstał już na dobre. I chociaż słońca nie było, to deszcz również przestał padać.

Wyszedł z hotelu koło południa. Na początku krążył wąskimi, krętymi uliczkami starego miasta. Improwizował, potrafił to robić, czuł, jakby miał to we krwi. Doświadczenie i pewność siebie budowały w nim spokój i wewnętrzną równowagę. Był skoncentrowany jak szachista, który ma przed sobą słabszego przeciwnika i wie, że wygra.

Przystawał przed wystawami, zatrzymał się, by zawiązać but lub wyrzucić chusteczkę. Wykorzystywał każde naturalne miejsce, które pozwalało mu na obserwację otoczenia. Nieliczni przechodnie nie wzbudzali jego podejrzeń. Mechanizm wewnętrznej samokontroli pracował na najwyższych obrotach, rytmicznie i pewnie.

Od wyjścia z hotelu minęło około czterdziestu pięciu minut. Nie musiał się spieszyć ani tym bardziej sprawdzać czasu, by właściwie zrealizować to, co zaplanował. Musiał jednak być pewny, że zrobi to bezpiecznie.

Wyszedł z wąskiej uliczki na Store Torg i wszedł do kawiarni, jednej z nielicznych czynnych o tej porze w mieście.

Był jedynym gościem, wybrał miejsce przy oknie, z którego miał widok na cały duży plac, kamienny szkielet kościoła po lewej, schodkową fasadę średniowiecznego budynku z napisem „Gutekällaren" i rząd zaparkowanych samochodów. Zawsze go denerwowało, że władze miasta godzą się na parkowanie wozów na najładniejszym placu.

Zaczął padać deszcz. Przejechał zmoknięty rowerzysta i przeszła para staruszków skulona pod wielkim szarym parasolem. Przez następne dwadzieścia minut na placu pojawiło się kilka najwyraźniej zupełnie przypadkowych osób.

Poczuł się pewnie. Wiedział już, że nikt go nie śledzi. Postanowił, że przeczeka deszcz i dopiero potem ruszy dalej. Wypił dwie filiżanki kawy i porozmawiał ze śniadym właścicielem lokalu.

Po półgodzinie przestało padać i niemal od razu pojawiły się słabe promienie słońca. Wyszedł z kawiarni i skręcił w lewo, stromo pod górę, w Sant Drottensgatan. Zatrzymał się na chwilę przed wystawą jubilera, skąd miał dobry widok w dół na drogę, którą przeszedł.

– Czysto, czysto, czyściuteńko – powiedział półgłosem z wyraźnym zadowoleniem.

Robiło się coraz słoneczniej i zza chmur przeświecały już intensywnie niebieskie fragmenty morskiego nieba. Kluczył jeszcze chwilę uliczkami w pobliżu murów i oglądał wystawy sklepów, coraz bardziej skracając odległość od miejsca przeznaczenia. Ściany domów ginęły wśród ciężkich kiści czerwonych gotlandzkich róż.

Poczucie bezpieczeństwa spowodowało, że przez chwilę pozwolił sobie na mimowolne rozluźnienie i utratę czujności. Skarcił się natychmiast za ten przejaw beztroski. Wolał nie myśleć, jak jego brak profesjonalizmu mógł się odbić na karierze Carla.

Dotarł do Bramy Wschodniej. Na placu, przed wejściem na stare miasto, kręciło się już wielu turystów. Wszedł do pobliskiego lokalu Ali's Kiosk & Grill.

O tej porze roku w Visby mało kto tu zaglada. Świetnie! – pomyślał.

Był sam. Usiadł w rogu sali, by mieć na oku wejście do lokalu. Zjadł sałatkę z rukoli i wypił lekkie piwo. Zajęło mu to trzydzieści minut i w tym czasie nikt nie wszedł do środka. Uznał, że sytuacja dojrzała już na tyle, że powinien przystąpić do realizacji zadania.

Ścieżką wzdłuż murów obronnych udał się do Bramy Północnej, przez którą mógł wejść do parku, a potem do ogrodu botanicznego. Nie pomyślał jednak, że po deszczu ścieżka będzie grząska, i mocno zabłocił buty. Był za to trochę zły na siebie, ale szedł dalej. Zaczął nawet przyspieszać kroku, chciał mieć to już za sobą, jak najszybciej, a może bardziej chciał wiedzieć, co tam jest!

Napięcie i stres ostatnich kilkunastu godzin dawały już o sobie znać i przez moment pomyślał, że nie może nad sobą zapanować.

– To przecież normalne – uspokoił się.

Poczuł dreszcz przebiegający po plecach. Miał wrażenie, że myśli mu uciekają. Fragmenty wspomnień i wrażeń zaczęły się mieszać. Przestraszył się, że za chwilę zacznie biec, a przecież nie mógł tego zrobić.

Przypomniał sobie, jak mały Carl, w krótkich spodenkach i ze łzami w oczach, nie chciał się ustawić do zdjęcia.

Przeszedł przez Bramę Północną i znów znalazł się w obrębie murów. Po kilkudziesięciu metrach przez niską żelazną furtkę wszedł do parku. Spokojnym, wyćwiczonym krokiem przemierzał asfaltowe alejki. Minął młodą kobietę z wózkiem, pochłoniętą rozmową przez telefon komórkowy. Nikogo więcej nie zauważył.

Po kilkunastu minutach zbliżył się do altany. Jeszcze raz się zatrzymał, podciągnął skarpetkę i zlustrował otoczenie. Czuł lekkie stężenie mięśni. Wszedł do środka i po prawej stronie, na wysokości głowy, zobaczył zawieszoną żółto-zieloną kulę, która wyglądała jak pokarm dla ptaków.

Dooobrze! Wszystko w porządku! Teraz szybko i dokładnie… – pomyślał, nieco uspokojony tym widokiem.

Wyciągnął z kieszeni kurtki czarne skórzane rękawiczki i szybko je włożył. Zdecydowanym ruchem, może trochę zbyt nerwowo, zerwał kulę. Rozdarł ją i wyjął ze środka małą czarną tulejkę, którą zacisnął mocno w dłoni.

Nagle po drugiej stronie altany usłyszał zbliżające się szybko kroki. Poczuł ucisk w żołądku i na chwilę znieruchomiał. Nic nie widział. Delikatnie rozsunął gęste liście pokrywające altanę i zauważył sylwetkę śmieciarza w niebieskim kombinezonie. To był zły znak i nie mógł opanować wściekłości.

Wrócił do hotelu, naruszając zasady bezpieczeństwa, ale to niespodziewane spotkanie wytrąciło go z równowagi, czym sam był zaskoczony.

Zamknął drzwi od wewnątrz i zabezpieczył łańcuszkiem. Usiadł za biurkiem. Ostrożnie złamał u nasady szklaną tulejkę. Wyjął z niej centymetrowy papierowy rulonik i rozwinął delikatnie.

Kartkę w całości wypełniały pięciocyfrowe liczby wysokości dwóch milimetrów. Kantem dłoni rozprostował papier i położył na nim szybkę, którą przywiózł ze sobą. Tezaurus znał na pamięć i mógł rozszyfrować tekst prędko i bezbłędnie. W miarę jak zestawiał litery, na jego twarzy coraz wyraźniej pojawiało się zdumienie. Czegoś podobnego już dawno nie robił!

Zdziwił się nawet trochę, dlaczego on, ale poczucie satysfakcji i rozluźnienie z łatwością stłumiły te myśli. Czekała go przecież ciekawa podróż.

Nauczył się prostego tekstu na pamięć, ale dla pewności zrobił kilka kodowanych notatek. Dopiero potem zdał sobie sprawę, że w instrukcji nie ma ani słowa o jego nowych dokumentach.

Zaklął.

# 5

Postanowiła, że dzisiaj położy się wcześniej. Była zmęczona kierowaniem Wydziałem pod nieobecność Konrada. Dlatego trochę ją dotknęło, że wyraził się pozytywnie o umiejętnościach Belika. Ona najlepiej wiedziała, że ten facet nie ma zielonego pojęcia o ofensywnym wywiadzie operacyjnym, o operacjach specjalnych. Przychodził do niej ze wszystkim, z każdym pytaniem, z każdą sprawą, a dokumenty trzeba było po nim ciągle poprawiać. Ale był kumplem „Ciężkiego", zastępcy szefa Agencji!

Sara ukrywała trochę niekompetencję Belika, żeby chronić Konrada. Miał tyle spraw na głowie. Czasami był tak wybuchowy i nieobliczalny, że mógł nawet nie zauważyć, iż szkodzi sobie samemu.

Konrad Wolski – mniejsza o to, jak brzmiało jego prawdziwe nazwisko – był najważniejszą osobą w jej życiu, które, jeśli nie liczyć krótkiego dziennikarskiego epizodu, związała z wywiadem. Rok wcześniej zakończyła luźny związek z pochopnie odświeżoną sympatią ze szkoły średniej. Od tego czasu nie miała życia prywatnego, a jej cały świat koncentrował się wokół pracy i dzielił na swoich i obcych.

W wywiadzie operacyjnym służyła już trzynaście lat i też nie nazywała się Korska. Nie miało to zresztą żadnego znaczenia. Nazwisko to ostatnia rzecz, jaka identyfikuje oficera wywiadu.

Kiedy rozpoczynała współpracę z Konradem, miała już swoje osiągnięcia, poważne werbunki agentury na Wschodzie. Dopiero jednak przy nim poczuła smak odpowiedzialności za trudne i niebezpieczne operacje. W gronie najbliższych opowiadała czasami, jak to wszystko się zaczęło.

Siedem lat temu, gdy wrócił do Polski po kilku latach pracy gdzieś za wschodnią granicą, Wydział „Q" jeszcze nie istniał. Ni stąd, ni zowąd Konrad pojawił się w ówczesnym Wydziale XX, który uznawała za obszar swojej wyłącznej dominacji.

Często widywali się na korytarzu. Ale Konrad nigdy nie mówił jej „dzień dobry" ani nie zwracał na nią specjalnej uwagi. Uznała go więc za zarozumiałego gbura i palanta. I nie pomogło mu nawet to, że był najprzystojniejszy, nie tylko na tym korytarzu. Któregoś dnia wezwał ją ówczesny szef Wydziału, który znał Konrada jeszcze z niesłusznych czasów PRL, i zapytał, czy chciałaby z nim pracować. Odpowiedziała, niemal krzycząc: „Nigdy! Z takim chamem?!".

Szef zaproponował jej wtedy układ: „Popracuj miesiąc z Konradem. Jeśli po tym czasie nadal będziesz uważała, że to palant i gbur, wycofam cię natychmiast".

– Nigdy już do niego nie przyszłam – kończyła zwykle swoją historyjkę, której nie znał tylko Konrad.

Podobał jej się także jako mężczyzna, chociaż potrafiła to zręcznie maskować. Musiał się podobać również innym kobietom. Miał swój oryginalny styl, i w stroju, i w zachowaniu, niemożliwy do skopiowania. Wysoki, może nawet za bardzo, o wyćwiczonej szczupłej sylwetce, z czarnymi włosami z nieznaczną domieszką srebra i sinym zaroście, nawet rano.

Sara widziała jego zdjęcia z czasów, gdy miał dwadzieścia pięć, trzydzieści lat, i nigdy nie zamieniłaby go na tę wcześniejszą wersję. Podobało jej się też samo imię. Nie wiedzieć czemu doskonale pasowało do jego śródziemnomorskiej urody, chociaż miała uzasadnione powody, by uważać, że to raczej semicki typ. To był jedyny Konrad, jakiego kiedykolwiek spotkała, i czasem bała się, że może natrafić na innego.

Ufała mu bezgranicznie, bo po latach znała go lepiej, niż on sam siebie, i wiedziała, jaki jest naprawdę. Sprawiało jej satysfakcję, że pracuje z człowiekiem, którego oficerowie darzą prawdziwym szacunkiem.

W sprawach zawodowych był zdolny do niezwykłych czynów, pomysłowy i nie zawsze wystarczająco cierpliwy. W sprawach osobistych, małych sprawach dnia codziennego, niezaradny jak dziecko. Zupełnie tego nie zauważał. Zawsze wyglądał na skonfundowanego, gdy zorientował się, że mu pomagała. A ona przecież zarządzała całym systemem „opieki specjalnej nad szefem", który obejmował prawie wszystkich oficerów Wydziału Specjalnego „Q", o czym Konrad również nie miał pojęcia. Robili to z przyjemnością i pełnym oddaniem, bo każdy z nich zaliczył już z szefem ostrą robotę za granicą i wiedział, że może na niego liczyć, na jego doświadczenie i przyjaźń. Dla nich nie miało znaczenia, że był w wywiadzie PRL, chociaż wszyscy przyszli do służby już po 1990 roku.

Sara Korska miała za sobą początki dobrze zapowiadającej się kariery dziennikarskiej. Początkowo w prasie niszowej, która szybko okazała się tubą polskich nacjonalistów. Współpracę zakończyła, nie pobierając nawet wynagrodzenia. Potem pracowała przez rok w „Rzeczpospolitej" i jakiś czas w „Gazecie Wyborczej". Szybko jednak zorientowała się, że ten zawód nie daje oczekiwanej satysfakcji, nie stawia przed nią wyzwań, a była wtedy znacznie bardziej naiwną idealistką, niż jest teraz. Zgłosiła się wówczas jako wolontariuszka do pracy w obozach dla uchodźców w Sudanie. Otrzymała już przydział, gdy przeczytała w gazecie ogłoszenie o naborze do Agencji Wywiadu.

Praca w wywiadzie była jak przejście do świata nowych wartości, prawdziwej przyjaźni. Mimo że na co dzień obcujesz tam z brudami, sam musisz pozostać czysty.

Zaufała po raz pierwszy mężczyźnie, starszemu o dziewięć lat. Powiedziała mu o sobie wszystko już na samym początku znajomości, kiedy czuła, że potrzebuje opieki, i nigdy potem się na nim nie zawiodła.

Tyle lat! Czasami ogarniał ją strach, gdy pomyślała, że może go zabraknąć. Wtedy, jak na filmie w HD, przewijały się w jej pamięci obrazy z Bośni, kiedy przez pięć kilometrów ciągnęła go w nocy, nieprzytomnego, na dziecinnym wózku do pierwszego posterunku wojsk ONZ w Zenicy i nikt nie chciał jej pomóc. Pamiętała strach, omdlewające od wysiłku ręce i własny krzyk odbijający się od pustych domów.

Teraz była zła na siebie, że znów przywołała te wspomnienia przed snem, i złapała się na tym, że zdarza jej się to coraz częściej. Jak jakiś zły znak, zła wróżba.

# 6

*Moskwa, październik 1939*

– Towarzyszu Zarubin, przystąpcie do referowania. Oczekujemy od was jasnego przedstawienia sprawy. Jesteście doświadczonym, inteligentnym oficerem wywiadu, więc liczymy, że wasza informacja pozwoli nam wyciągnąć właściwe wnioski. Nie muszę wam chyba mówić, że sprawa polska ma teraz dla kierownictwa partii i osobiście towarzysza Stalina nadzwyczajne znaczenie. Zawsze miała, ale teraz ma szczególnie! – zakończył swoje lekko patetyczne przywitanie Ławrientij Beria.

Nie oczekiwał na reakcję Zarubina. Znał go słabo i trudno mu było polegać na opinii Jeżowa, ale krążące na Łubiance opowieści o wyjątkowym profesjonalizmie i stos donosów, które nazywały go bezwzględnym, grubiańskim i nieobliczalnym karierowiczem, w zupełności wystarczały. Lubił właśnie takich, nie znosił ideowych czekistów.

Beria siedział za długim stołem, nakrytym zielonym suknem, pośrodku trzyosobowej komisji kierownictwa NKWD. Patrzył Zarubinowi prosto w oczy i obracał w palcach ostro zatemperowany ołówek.

W sali wisiała chmura papierosowego dymu i chociaż nie było to małe pomieszczenie, Zarubin, kiedy tylko wszedł, zdał sobie sprawę, że pierwsze trzy mózgi NKWD musiały tutaj spędzić już dłuższy czas.

Sądzą, że wiedzą, co trzeba robić! – pomyślał pewny siebie. Zobaczymy, jak poznają szczegóły. Przecież ani Beria, ani kierownictwo INO* nie mieli nawet czasu zapoznać się szczegółowo z tematem. I to jeszcze potrwa. Zajęcie zachodniej Ukrainy i Białorusi planowane było przecież od dawna. Plan awaryjny, nad którym tak się napracowałem, po odejściu Jeżowa i jego ludzi zaginął. Stało się zatem bardzo... bardzo... dobrze, nie ma dokumentów! – rozważał z poczuciem satysfakcji. Jeżow jeszcze żyje, ale to już pewnie tylko kwestia dni. Czyli... towarzysze... teraz ja będę pociągał za sznurki, a to w tych czasach i przy tym szefie przepustka do przetrwania. Obudzili się nagle! I to osobiście towarzysz Stalin! A więc? Doskonale! – skonstatował ze szczerym szacunkiem dla siebie major bezpieczeństwa państwowego Wasilij Michajłowicz Zarubin, czekista z dziewiętnastoletnim stażem i ręką wręcz stworzoną do nagana.

Siedział teraz na krześle wyprostowany, tak by pokazać wzorowo skrojony i dopasowany mundur. Dbał o wygląd i wymagał tego samego od podwładnych.

Ostre jesienne słońce wpadało przez duże brudne okno i świeciło Zarubinowi prosto w oczy. Z trudem powstrzymywał grymas i nie mógł dostrzec twarzy członków komisji, siedzących szeregiem, plecami do okna – trzech postaci, które sprawiały wrażenie ponurego sądu granitowych, bezdusznych cieni.

Jak sąd trójkowy – pomyślał Zarubin i zastanowił się, czy to może być śmieszne. Nie wątpił, że jest obserwowany, ale nie widział tego. Widział natomiast Berię, a przede wszystkim jego pince-nez, jakby pokryte mgłą, poruszające się niezauważalnie w takt oddechu, i krążący w palcach ołówek.

Czuł się jak aktor na scenie i ta rola bardzo mu odpowiadała. Jako oficer wywiadu miał to we krwi. Umiejętność odgrywania spontanicznych i zaplanowanych maestrii, jak to określał, była jego mocną stroną i słynął z tego wśród oficerów

---

* INO – Inostrannyj Otdieł, potoczna nazwa wywiadu NKWD, chociaż od lipca 1939 roku był to Departament V NKWD.

i przełożonych. Z powodzeniem wykorzystywał tę swoją tajną broń, realizując zadania dla dobra Kraju Rad, ale również na własne potrzeby. Trudno nawet powiedzieć, co było ważniejsze, bo w obu przypadkach stawką było przetrwanie.

Wstęp Berii Zarubin przyjął z satysfakcją i potraktował jako dobry znak. Sam jednak nigdy się nie zastanawiał, czy jest inteligentny. To sztuka manipulacji i inspiracji były jego najmocniejszymi atutami. Sprawdziły się szczególnie w 1937 roku. Najinteligentniejsi pierwsi dostali kulę w łeb. Jemu się udało, lecz od tego czasu musiał się mieć na baczności, choć nieokreślony, wiszący w powietrzu zapach nadchodzącej wojny odsuwał to ryzyko coraz bardziej. Tacy jak on są teraz na wagę złota, a niewielu ich zostało!

Jako Wielki Manipulator zawsze potrafię znaleźć właściwą drogę i wyjść z kłopotów – powtarzał w głębi duszy Zarubin i miał podstawy, by tak o sobie myśleć.

Po chwili milczenia, jak aktor przed deklamacją, otworzył leżącą przed nim czerwoną teczkę i wyjął z niej plik zapisanych odręcznie kartek.

– Towarzyszu przewodniczący, towarzysze – rozpoczął spokojnym, wyraźnym, dobrze akcentowanym głosem, siedząc sztywno w pozycji służbowej. – Sytuacja operacyjna na kierunku polskim po pierwszym września jest trudna, jak to można określić, albo inaczej, trudna do określenia... Wymaga szczegółowych objaśnień i, jak sądzę, najlepiej będzie... towarzyszu przewodniczący... jeśli zacznę referować sprawę od powstania Wydziału Polskiego Departamentu „S" i przedstawię proces budowania jego modus operandi aż do chwili obecnej. Pozwoli to na lepsze zrozumienie, z jakimi problemami i wyzwaniami, nie pomijając naturalnie niewątpliwych sukcesów, spotkał się radziecki wywiad nielegalny w byłej białej Polsce. Poruszać będę, z oczywistych powodów, przede wszystkim te aspekty naszej aktywności, które dotyczą terenów zajętych obecnie przez Rzeszę Niemiecką.

Zaczerpnął powietrza.

– Wkroczenie Armii Czerwonej na zachodnią Ukrainę i Białoruś praktycznie zakończyło działalność wywiadowczą na tym terytorium, i to, muszę wyraźnie podkreślić, z powodzeniem. W związku z wzięciem do niewoli masy polskich oficerów, urzędników, inteligentów i opanowaniem ważnych ośrodków administracyjnych otwierają się przed nami ogromne, choć trudne jeszcze do jednoznacznej oceny, możliwości na przyszłość – kontynuował Zarubin trochę sztywnym i urzędowym językiem. – Powrócę do tej kwestii w dalszej części swojego referatu.

Nie posługiwał się notatkami, mówił płynnie z pamięci.

– Na posiedzeniu Politbiura trzydziestego stycznia tysiąc dziewięćset trzydziestego roku przedstawiony został znany towarzyszom raport kierownictwa INO, relacjonujący i jednocześnie oceniający stan prowadzonych wówczas działań wywiadowczo-operacyjnych. Wyraźne wytyczne Politbiura i osobiście towarzysza Stalina zobowiązywały nas, ówczesne OGPU*, do zdecydowanego zintensyfikowania pracy wywiadowczej. Dotyczyły między innymi państw sąsiadujących, w tym oczywiście białej Polski. Byłem wówczas młodym oficerem i przebywałem we Francji, gdzie organizowałem naszą nielegalną rezydenturę, ale dzięki zaufaniu partii i kierownictwa od początku uczestniczyłem w opracowaniu programu pionu „S", mającego realizować dyrektywę – powiedział Zarubin bez cienia skromności. – Kierownictwo INO podjęło decyzję, by w celu maksymalnie efektywnej realizacji wytycznych towarzysza Stalina zdecydowanie rozbudować pracę z pozycji rezydentur nielegalnych, o czym towarzysze wiedzą.

Zarubin próbował skracać dystans, jaki dzielił go od komisji, a szczególnie od Berii.

– Dotychczasowe wyniki pracy wywiadowczej, prowadzonej z pozycji naszych przedstawicielstw czy bezpośrednio

---

* Objedinionnoje Gosudarstwiennoje Politiczeskoje Uprawlenije, poprzedniczka NKWD.

z pozycji ZSRR, poddane zostały przez towarzysza Stalina uzasadnionej krytyce. Zatem ciężar odpowiedzialności spadł na nas, czyli pion „S", który pokazał już wcześniej, że ta nowa metoda pracy wywiadowczej ma przyszłość. Daje nadzwyczaj dobre rezultaty, ale wymaga stosunkowo dużej pracy, którą trzeba włożyć w przygotowanie nielegała... Co najważniejsze, burżuazyjne służby specjalne, w szczególności kontrwywiad, wciąż pracują na poziomie z okresu Wielkiej Wojny... może z wyjątkiem Niemiec i w jakimś sensie byłej Polski. Brak im elastyczności i otwartości na nowe idee, dlatego tę walkę wygrywamy – ciągnął Zarubin.

– Towarzyszu majorze, do rzeczy! – zdecydowanie odezwał się szef INO NKWD Paweł Michajłowicz Fitin, ale Zarubin się tym nie przejął, bo wiedział, że Beria lubi polityczne wstępy.

– Idea światowej rewolucji, uznanie świata pracy i postępu dla Kraju Rad – kontynuował – spowodowały masowy napływ rewolucjonistów gotowych oddać życie w walce z burżujami i kapitalizmem. Tajne oddziały w partiach komunistycznych, kierowane przez znaną nam jednostkę w Kominternie, sprawdziły się doskonale, dostarczając kandydatów na nielegałów. Spośród nich wybraliśmy brylanty, które, jak to się mówi, podlegały dalszej obróbce. Z dziesięciu kandydatów warunki spełniał jeden, a wymagania wciąż podnosiliśmy. Wyniki pracy Departamentu „S" od tysiąc dziewięćset trzydziestego roku do dzisiaj są więcej niż zachęcające. Dotyczy to plasowania oficerów tego pionu i rozbudowy rezydentur na terenie Anglii, Francji, Niemiec, Włoch i wielu innych krajów. Nasze działania w tym zakresie referowałem szczegółowo poprzednio, ale w wielu wątkach, których wówczas nie poruszyłem, wiążą się one ze sprawą polską.

Zarubin zajrzał do swoich notatek. Zauważył, że Fitin otwiera leżący przed nim zeszyt i zaczyna coś notować. Nie znał go jeszcze dobrze, chociaż znał prawie wszystkich czekistów, żywych i martwych, jak mówił. Fitin był człowiekiem z zewnątrz, nowym. Miał dopiero trzydzieści dwa lata, o jedenaście mniej niż Zarubin, i jeszcze się uczył. Rezultat swoich dotychczasowych spotkań z Fitinem Zarubin ocenił jako dodatni. Ostrożnie dodatni, bo nie wiedział jeszcze, jak ułożą się relacje nowego szefa INO z Berią, który znał się dobrze na służbach, ale słabo na wywiadzie, a Fitin był inteligentny i szybko robił postępy.

Wygląda na to, że Paweł Michajłowicz ma przed sobą przyszłość – zastanawiał się Zarubin, nie przerywając wystąpienia. Po czystce sprzed dwóch lat i w obliczu niejasnych perspektyw jego nominacja musiała być głęboko przemyślana. Z pewnością była to decyzja Stalina, nie ma wątpliwości, ale jaka naprawdę jest pozycja Berii, nikt nie wie. Oznacza to mimo wszystko, że Beria nie powinien już czuć się tak pewnie. Fitin to zupełnie nowa postać, niemal znikąd, jakiś redaktor pisma dla kołchoźników… a ma zaufanie Politbiura. Będzie więc potrzebował doświadczonego i lojalnego współpracownika, towarzysza Zarubina! Myśl ta sprawiła mu niespodziewaną przyjemność.

Uznał, że skończył ostrożny występ dla Berii. Teraz musi się skoncentrować. Będzie mówił do Fitina.

– Plan budowy nielegalnej rezydentury pionu „S" w Polsce uznaliśmy za jedno z priorytetowych zdań. Kraj ten miał i zawsze będzie mieć szczególne znaczenie dla naszych interesów strategicznych. Sytuacja wewnętrzna w Polsce po wojnie dwudziestego roku i budowa państwa burżuazyjnego to czas budzenia się silnego antybolszewizmu. Klerykalny nacjonalizm Polaków stanowił poważną przeszkodę w rozwoju partii komunistycznej. Musieliśmy się zatem oprzeć na mniejszościach narodowych, co de facto było półśrodkiem i w pewnym stopniu obróciło się przeciwko nam. Nie doceniliśmy antysemityzmu Polaków. Wojskowo-burżuazyjne rządy w Polsce skierowały ostrze swoich służb specjalnych przede wszystkim przeciwko ZSRR. I trzeba obiektywnie przyznać, że stworzyły, w porównaniu z innymi państwami, nadzwyczaj sprawne służby, tak zwany Oddział Drugi Sztabu Generalnego.

Zarubin tylko dla pozoru zaglądał do notatek.

– Jeżeli dodać do tego jeszcze fakt, że Polska stała się siedzibą wszelkiej maści renegatów białej Rosji, to sytuacja w tym kraju jest szczególna i wciąż stwarza zagrożenie dla naszego bezpieczeństwa. Polskie służby blisko współpracowały z Francuzami i Brytyjczykami, miały kontakty nawet z Japończykami, wiemy o tym. Kierunki naszego zainteresowania Polską od tysiąc dziewięćset dwudziestego drugiego roku ulegały zmianie. Do tysiąc dziewięćset trzydziestego czwartego udało nam się w wystarczającym stopniu spenetrować środowiska białych emigrantów i tym samym zneutralizować ich wykorzystanie przez polski wywiad, zwłaszcza że Polacy musieli skoncentrować się w większym stopniu na sytuacji w Niemczech, co trwało aż do wybuchu wojny.

Fitin zaczął się kręcić na krześle, więc Zarubin pomyślał, że lepiej przejść do konkretów.

– Nasze rezydentury nielegalne w Europie Zachodniej osiągnęły nadzwyczaj dobre rezultaty w uzyskiwaniu dostępu do kodów i szyfrów dyplomatycznych, co pozwoliło naszemu radiowywiadowi na kontrolę korespondencji większości państw zachodnich. Niestety, tak dobrych wyników nie udało się osiągnąć względem Niemiec i Polski.

– Towarzyszu Zarubin – odezwał się nagle dziwnym, nienaturalnym głosem Beria i nie podnosząc wzroku, mówił dalej: – Rozumiem, że jesteście zaprzyjaźnieni z „Andriejem". Czy to, co powiedzieliście przed chwilą, ma na celu jego obronę?

Zarubin zdrętwiał. Nie spodziewał się takiej reakcji, ale ton głosu Berii nie pasował do pytania. Stracił na chwilę orientację. Nie mógł zrozumieć, o co chodzi.

– As naszego wywiadu nielegalnego, „Andriej", czyli Dmitrij Aleksandrowicz Bystroletow, przechodzi od pewnego czasu procedurę sprawdzeniową – ciągnął Beria. – Myślę, że komisja weryfikacyjna, która ma ocenić jego działalność na Zachodzie, zainteresuje się również waszą opinią. Dobrze, że już przynajmniej znamy jej zarys. Niezwykłe sukcesy „Andrieja" w sprawie oferentów Giovanniego de Rya, Ernesta Oldhama i innych wymagają szczegółowego zbadania. To prawda, że uzyskane od nich szyfry oraz kody włoskie i brytyjskie okazały się niezwykle pomocne w pracy naszego dekryptażu. „Andriej" nie jest jednak oficerem i ma dosyć pokrętną osobowość, zatem trudno ocenić, gdzie zaczynają się u niego fantazjowanie i improwizacja i czy przypadkowo nie graniczą jeszcze z naiwnością – prowadził spokojnie swój wywód Beria.

Zarubin od razu zrozumiał, że szef NKWD zna dobrze sprawę Bystroletowa, a jego cichy, uspokajający ton nie wróży niczego złego, tym bardziej że „Andriej" siedzi już od ponad roku. Inaczej dawno byłoby po nim – pomyślał.

– Naiwny fantasta, agent naturszczyk – ciągnął Beria. – Nawet gdyby był najinteligentniejszy i na śmierć oddany sprawie Związku Radzieckiego, w starciu z Brytyjczykami ma małe szanse. Anglicy, obok Niemców, są naszym głównym przeciwnikiem, wiecie o tym dobrze. Sztukę inspiracji i dezinformacji opanowali perfekcyjnie i „Andriej" może być ich ofiarą. Są też bezwzględni, a to nie wszystkim tak dobrze wychodzi... – powiedział z przekąsem, a Fitin lekko obrócił głowę i spojrzał na niego z niedowierzaniem – jak nam! – dokończył Beria z pełną powagą i dodał: – Ale najlepiej wychodzi nam inspiracja i dezinformacja. Zadaniem komisji jest wyjaśnić, czy Bystroletow kierował Oldhamem, czy też Brytyjczycy kierowali Bystroletowem, czy błąd popełnił „Andriej", czy może Centrala, a może było jeszcze inaczej. Nie zakładamy winy umyślnej, natomiast wina nieumyślna ma w zawodzie wywiadowcy tak wiele odmian, że mało kto z zewnątrz zdaje sobie z tego sprawę, i jest nie mniej, a czasami bardziej niebezpieczna niż umyślna. Nieprawdaż? – Spojrzał z zaciekawieniem na Fitina. – Sprawą

Bystroletowa interesuje się osobiście towarzysz Stalin – zakończył krótko.

Zarubin był zaskoczony, że Beria wypowiada się o „Andrieju" w tak łagodny sposób. Miał dziwne uczucie, że Dmitrij przeżyje. Był nawet zadowolony, że Beria sam rozwinął wątek Bystroletowa, bo w swoim wystąpieniu chciał się powołać na uzyskane od niego informacje. Zatem ma rozwiązane ręce, bo, jak widać, śledztwo najprawdopodobniej zmierza do wykazania inspiracji Anglików, a jego sprawa się z tym nie łączy.

Lubił i szanował Dmitrija za jego niebywały naturalny szpiegowski talent, dzięki któremu nie musiał kończyć specjalnych szkół, by zrealizować zadanie. Nie był przecież oficerem, lecz agentem, inteligentnym i ekscentrycznym, a to bardzo często nie podoba się szefom z partyjnej nominacji, bez elementarnej znajomości języków i kultury Zachodu.

Zarubin myślał tak też o sobie, ale w odróżnieniu od szczerego i trochę naiwnego Dmitrija potrafił posługiwać się swoimi umiejętnościami jak niebezpiecznym orężem. Był przecież oficerem. Zachęcony teraz postawą Berii, postanowił nieco zmienić schemat swojego wystąpienia.

– Tajna sekcja Komunistycznej Partii Polski, zgodnie z wytycznymi Kominternu, wytypowała w tysiąc dziewięćset dwudziestym ósmym roku trzech towarzyszy do pracy w pionie wywiadu nielegalnego. Wszyscy ukończyli z dobrymi wynikami Uniwersytet Mniejszości Narodowych imienia Marchlewskiego i zostali skierowani do OGPU pod pseudonimami: „Sosna", towarzysz Arnold Krantz, „Jura", towarzysz Jakub Szulc, i „Lana", towarzyszka Mira Skibiniecka. Dwaj pierwsi są pochodzenia żydowskiego, „Lana" – białoruskiego. Dobór narodowościowy był efektem uzgodnień tajnej sekcji Kominternu i kierownictwa OGPU. Również w mojej ocenie należy mieć ograniczone zaufanie do osób narodowości polskiej – stwierdził Zarubin.

– Czy nie zapomnieliście o czymś, towarzyszu Zarubin? – wtrącił z przekąsem Beria. – Zapomnieliście, kto jest ojcem założycielem naszej służby?!

Zarubin spuścił wzrok, ale Beria nie czekał na jego reakcję. Wiedział, co Zarubin miał na myśli, i uważał dokładnie tak samo.

– Na przełomie tysiąc dziewięćset dwudziestego ósmego i dwudziestego dziewiątego roku cała trójka została przerzucona do Polski – ciągnął major. – Dla „Sosny" i „Jury" sporządzone zostały dokumenty na obywateli polskich pochodzenia niemieckiego. Obaj rzeczywiście pochodzą z zachodniej Polski, niegdyś pod panowaniem Niemiec. Legenda dla nich została opracowana w najdrobniejszych szczegółach: „Sosna" przedsiębiorca, „Jura" arystokrata, natomiast „Lana", Polka, dziennikarka. Pochwalić trzeba tajną sekcję KPP za dobre przygotowanie legendy dla naszych ludzi i pomoc w ich adaptacji środowiskowej w Polsce – podkreślił Zarubin. – Głównym zadaniem „Sosny" i „Jury" było dotarcie do kręgów wojskowych Polski, natomiast „Lana" miała się zająć sferami politycznymi. W szczególności zależało nam na uzyskaniu dostępu do Oddziału Drugiego Sztabu Generalnego.

Zarubin zaczął teraz częściej zaglądać do notatek.

– W tysiąc dziewięćset trzydziestym pierwszym roku „Sosna" zwerbował do współpracy Władysława Kolińskiego, wówczas kapitana Wojska Polskiego. Otrzymał on kryptonim „Saxon". Był szlachcicem, można nawet powiedzieć, że arystokratą. Pochodził z rodziny o silnych antyrosyjskich tradycjach. Jego dziadek został powieszony w czasie polskiego powstania tysiąc osiemset sześćdziesiątego trzeciego roku, „Saxon" uczestniczył w wojnie tysiąc dziewięćset dwudziestego roku w tak zwanych pułkach wielkopolskich, znanych ze zbrodni przeciw żołnierzom radzieckim. Koliński był zagorzałym zwolennikiem sojuszu polsko-niemieckiego przeciw ZSRR i podczas spotkań prywatnych dosyć swobodnie wyrażał swoje poglądy.

Przerwał na chwilę.

– No tak, Koliński pochodzi z Poznania – powiedział półgłosem, przeglądając notatki, po czym już głośno kontynuował: – Był agresywny, arogancki, próżny, bezkompromisowy, miał przerost ambicji, duże długi oraz słabość do kobiet. Brał udział w zamachu majowym i należał potem do bliskiego grona marszałka Piłsudskiego.

Zarubin poczuł, że jest jakby w transie. Nie widział rozmówców, tylko myśli, jak obrazy, w idealnym porządku przesuwały mu się przed oczami.

– „Sosna" zwerbował go pod flagą niemiecką nadzwyczaj łatwo. Do dzisiaj zapewne Koliński jest przekonany, że pracuje dla Niemców. Wrócę do tej sprawy nieco później – powiedział.

– Co to znaczy „nadzwyczaj łatwo", towarzyszu Zarubin? Możecie to wyjaśnić? – zapytał Fitin.

Zarubin spodziewał się tego pytania.

– „Saxon" przed werbunkiem został wyjątkowo dobrze rozpracowany. Wiedzieliśmy o nim prawie wszystko. Zresztą otwarcie proniemieckie poglądy wypowiadało w tym czasie wielu oficerów z kręgów związanych z Piłsudskim. Podsumowując, można w skrócie powiedzieć, że „Saxon" jakby czekał na werbunek, choć oczywiście nie był oferentem. Już po drugim spotkaniu z „Sosną" zadeklarował ideowe podejście do sojuszu z Niemcami, oczywiście wsparte poważną kwotą pieniędzy. W rzeczywistości jest on zwyczajnym hipokrytą. Licząc się z możliwością podstawienia nam „Saxona" przez polski kontrwywiad, przeprowadziliśmy wobec niego dwie... – Zarubin spojrzał w notatki – nie, trzy dobrze zaplanowane kombinacje sprawdzeniowe, które dały jednoznacznie negatywny wynik. Po ugruntowaniu werbunku „Sosna" polecił „Saxonowi" zdecydowane wyciszenie jego otwarcie proniemieckich zachowań i generalnie powstrzymanie się od deklaracji politycznych, co ten wykonał bez zastrzeżeń. Przeszedł różne szczeble kariery wojskowej. Ostatnie stanowisko piastował w Głównym Inspektoracie Wojska Polskiego jako kontroler w stopniu pułkownika, stan na sierpień tysiąc dziewięćset trzydziestego dziewiątego roku. Przydział mobilizacyjny: Sztab Naczelnego Wodza.

Zarubin był autentycznie przekonujący i sprawiał wrażenie zadowolonego z przejrzystości swoich słów.

– W ciągu ośmiu lat „Saxon" przekazał nam szereg ważnych danych dotyczących planów mobilizacyjnych, dyslokacji jednostek, uzbrojenia Wojska Polskiego i innych. Szczególnie wartościowe były informacje o stanie armii polskiej w pasie wschodnim, wysoko ocenione przez nasz Sztab Generalny i osobiście towarzysza Stalina. „Sosna" otrzymał za to specjalne podziękowania kierownictwa partii.

– Jak rozumiem, „Saxon" przez tyle lat nie zorientował się, dla kogo pracuje – wtrącił spokojnie Fitin. – Jeżeli tak było, to chwała dla „Sosny", ale jak uzasadnialiśmy nasze zainteresowanie informacjami dotyczącymi ZSSR? I drugie pytanie: czy istnieje możliwość odkrycia przed „Saxonem", kto jest rzeczywiście jego partnerem?

Beria się ożywił i wpatrywał w Zarubina przez swoje pince-nez.

– Nie sądzę, byśmy w ogóle mogli stawiać sprawę w ten sposób – odparł szybko, zdecydowanym głosem Zarubin, bo od razu zauważył, że Fitin jeszcze słabo rozumie, na czym polega filozofia wywiadu. – Może nie powiedziałem tego wyraźnie – ciągnął – ale „Saxon" jest ideowym antykomunistą i polskim nacjonalistą. Gdybyśmy się odkryli, byłoby to szokiem nawet dla takiego hipokryty jak on. Trudno przewidzieć jego reakcję, ale w mojej ocenie rozłożyłoby to naszą współpracę. „Saxon" przekazywał informacje wojskowe z pasa wschodniego, gdyż uważał, że armia polska jest niedostatecznie przygotowana do starcia z ZSSR, a zbyt wiele inwestuje w przygotowania do wojny z Niemcami. Ostatnie spotkanie odbyło się przecież... w lipcu trzydziestego dziewiątego roku – odczytał z notatek. – Dojście Hitlera do władzy i zaostrzenie stosunków polsko-niemieckich nie złagodziło jego podejścia do sojuszu antysowieckiego. Nie ma zatem potrzeby, byśmy zmieniali formułę współpracy z „Saxonem" i zdejmowali niemiecką flagę.

To ostatnie stwierdzenie Zarubin wygłosił z pełnym przekonaniem.

– „Saxon" wykorzystywany był w jednym z naszych najważniejszych przedsięwzięć operacyjnych w Europie, obecnie nabierającym szczególnego znaczenia strategicznego dla bezpieczeństwa ZSSR. Towarzysze znają w ogólnych zarysach sprawę kryptonim „Krab" – powiedział Zarubin, myśląc, że nie zaszkodzi trochę się zabezpieczyć. – Sprawa „Krab" dotyczy niemieckiego systemu szyfrowania opartego na maszynie Enigma, najnowocześniejszego i praktycznie nie do złamania. Tak oceniają go nasi specjaliści. W tysiąc dziewięćset trzydziestym roku „Andriej" przy pomocy towarzyszy francuskich zwerbował młodego oficera wojskowej służby wywiadowczej Deuxième Bureau o kryptonimie „François". Rok później został on oddelegowany do radiowywiadu francuskiego i współpracował przez pewien czas blisko z pułkownikiem Gustave'em Bertrandem, kryptonim „Orieł", szefem tej jednostki. Mimo że nie miał bezpośredniego dostępu do interesujących nas źródeł, na podstawie jego informacji mogliśmy ustalić następujące fakty...

Zarubin znów pochylił się nad swoim notatnikiem i odliczywszy pięć głębokich oddechów, kontynuował:

– Pod koniec lat dwudziestych, w bliżej nieznanych okolicznościach, Polacy przejęli egzemplarz niemieckiej maszyny szyfrującej Enigma i powołali w Biurze Szyfrów Oddziału Drugiego specjalny zespół naukowców mających rozpracować system. Początkowo nasi kryptolodzy nie mogli uwierzyć, by przedsięwzięcie to miało jakiekolwiek szanse powodzenia, tym bardziej że było prowadzone przez Polaków, ale w miarę napływu nowych informacji od naszych źródeł sytuacja wyglądała coraz poważniej. W tysiąc dziewięćset trzydziestym drugim roku na podstawie szczątkowych informacji od „François" ustaliliśmy, że znany nam dobrze agent francuski Rodolphe Lemoine, pseudonim „Joseph", prawdopodobnie dokonał werbunku niemieckiego szyfranta. Sprawę zleciliśmy naszym ludziom w Berlinie. Nasze źródło w niemieckim kontrwywiadzie nie miało żadnych konkretnych informacji, jednak na podstawie analizy wytypowaliśmy, że Lemoine zwerbował szyfranta Hansa-Thilo Schmidta. Nie chcieliśmy zbyt intensywnie chodzić koło Schmidta, żeby go nie przypalić, bo przyjęliśmy założenie, że wcześniej czy później uzyskamy przez Francuzów lub Polaków dostęp do Enigmy, a im wcześniej, tym lepiej, więc Schmidta trzeba było chronić. Paradoksalnie korzystne było, że niemiecki kontrwywiad nic o tym nie wiedział.

Zarubin dostał zadyszki, mówiąc szybko i bez przerwy. Krew napłynęła mu do twarzy i poczuł kłujący ból w oku. Zupełnie nie zwracał uwagi na trzy postacie, ale czuł, że słuchają go uważnie. Teraz najbardziej liczył na Fitina.

– W tysiąc dziewięćset trzydziestym pierwszym roku kontakt z Rodolphe'em Lemoine'em, czyli „Josephem", od „Andrieja" przejął „Ludwig", występujący pod amerykańską flagą...

– Czyli Ignacy Reiss – wtrącił niespodziewanie Fitin.

Zarubin spodziewał się w tym miejscu reakcji, ale nie mógł pominąć roli „Ludwiga" w sprawie „Krab".

– Na szczęście – ciągnął – udało się zlikwidować tego zdrajcę jeszcze w tysiąc dziewięćset trzydziestym siódmym roku. Trudno jednak ocenić, jakich dokonał szkód. Wciąż to badamy... Próbowaliśmy wymieniać z Francuzami materiały dotyczące szyfrów i kodów różnych państw, ale po analizie okazało się, że próbują nas dezinformować.

– Nie możemy wykluczyć, że był to właśnie skutek zdrady Reissa, choć dowodów bezpośrednich brak – znów odezwał się Fitin, wyraźnie zwracając się do Berii.

– Postanowiliśmy sfinalizować kontakt z „Josephem" i podjąć próbę jego werbunku – spokojnym głosem kontynuował Zarubin. – Niestety, bez powodzenia. Utrzymywaliśmy ten kontakt jeszcze przez jakiś czas. Liczyliśmy, że uda nam się ustalić, jaki jest zakres penetracji niemieckich szyfrów przez Deuxième Bureau, ale to, co uzyskaliśmy, miało niewielką wartość. Nie dowiedzieliśmy się zbyt dużo o polsko-francuskiej współpracy nad Enigmą.

– Towarzyszu Zarubin – odezwał się Fitin – werbunek „Josepha" z góry był skazany na niepowodzenie, to przecież oczywiste.

Zarubin nie przejął się krytyką, bo nie on prowadził tę operację, a jej autorzy już nic nie mogli powiedzieć na swoją obronę. Zresztą nastały inne czasy i trzeba agresywnie iść do przodu – pomyślał.

– W tym samym czasie – kontynuował – „François" informował o częstych wyjazdach „Orieła" do Warszawy i przyjazdach polskich kryptologów do Paryża. Nasi specjaliści przyjęli założenie, że Polacy musieli dokonać znaczącego postępu w rozpracowaniu systemu Enigma, natomiast Francuzi mieli przez Schmidta dostęp do kodów. Razem dało to przypuszczenie, że Polacy czytają niemieckie szyfry Enigmy. Szczątkowa informacja o francusko-polskiej współpracy pojawiła się też w raporcie naszego młodego wówczas agenta z Londynu... – Zarubin poszukał w notatkach. – Tak, Harolda Philby'ego... Nie zapisałem jego pseudonimu, przepraszam... W tysiąc dziewięćset trzydziestym drugim roku „Saxon" dostał zadanie zbliżenia się do oficerów Oddziału Drugiego. To było trudne zadanie dotrzeć do tego hermetycznego środowiska, a musieliśmy przykładać szczególną wagę do bezpieczeństwa „Saxona". Łatwo było go przypalić, a nie był w tym czasie jeszcze wystarczająco przeszkolony i przygotowany. Pracował nad sprawą „Krab" przez siedem lat i spisał się nadzwyczaj dobrze, za co został sowicie wynagrodzony. Oczywiście mogliśmy wykorzystać go bardziej ofensywnie, podjąć ryzyko, może nawet go poświęcić, ale w ciągu ostatnich dwóch lat jego informacje wojskowe miały duże znaczenie w związku z przygotowywanym zajęciem Polski.

Beria podniósł głowę i delikatnie przytaknął, jakby potwierdzał słowa Zarubina.

– Od strony francuskiej dotarcie do „Kraba" straciliśmy wraz z przeniesieniem „François" do Algierii. Zastanawialiśmy się nad przewerbowaniem Schmidta, ale Centrala oświadczyła, że nie wyrazi na to zgody, dopóki nie uzyskamy dostępu do Enigmy, a przede wszystkim do wyników pracy Polaków. Z początkiem tysiąc dziewięćset trzydziestego trzeciego roku nastąpiła intensyfikacja współpracy z Francuzami. Wyczulenie kontrwywiadu polskiego wobec wszystkich interesujących się komórką kryptoanalizy Biura Szyfrów Cztery Oddziału Drugiego daleko wykraczało poza normę. BS Cztery otrzymało praktycznie nieograniczone środki finansowe, a jego nowa siedziba w Pyrach pod Warszawą była szczelnie zabezpieczona. Pewną dezorientację w naszych działaniach wprowadziła informacja od agenta „Karla" z Abwehry, według której Niemcy wiedzieli o pracach Polaków, ale byli pewni, że system Enigmy jest nie do złamania. Ośrodek w Pyrach jeszcze we wrześniu trzydziestego dziewiątego roku, przed wejściem Niemców do Warszawy, został opróżniony. Nie wiemy dokładnie, kiedy i co się z nim stało. Trzeba założyć, że został odpowiednio wcześnie ewakuowany. Najcenniejsi są ludzie, ich wiedza. Nie znamy nazwisk, nie wiemy zatem, kogo i gdzie szukać.

– Co się dzieje z „Saxonem"? – zapytał krótko Fitin.

– Ze względów bezpieczeństwa kontakt z nim utrzymywał tylko „Sosna", który zgodnie z planem w połowie września przeszedł do strefy zajętej przez Armię Czerwoną. Łączność z „Saxonem" jest stosunkowo prosta i bezpieczna. Prywatnie „Sosna" zna dobrze jego żonę i obu synów. Prędzej czy później „Saxon" odezwie się do rodziny – powiedział

Zarubin, nie podnosząc wzroku. – „Sosna" przygotowuje się w tej chwili do powrotu do Polski pod legendą szwajcarskiego biznesmena i szlifuje akcent. Powinien znaleźć się w Warszawie jak najszybciej, gdyż brakuje nam informacji o tym, co się dzieje w niemieckiej strefie.

W tym momencie otworzyły się drzwi i do sali wszedł młody, wysoki enkawudzista. Przemaszerował przepisowo kilkanaście metrów, trochę nienaturalnie stukając wysokimi butami, zameldował się służbiście i zwracając się do Berii, powiedział:

– Towarzyszu przewodniczący...

Nie dokończył, gdyż szef NKWD podniósł się z krzesła i uciszył go znakiem dłoni, zdejmując jednocześnie swoje pince-nez.

Wszyscy wstali. Beria odwrócił się, otworzył okno i przechodząc obok Zarubina, rzucił krótko:

– Kontynuujcie.

Przewodniczącego NKWD odprowadziło do drzwi jeszcze mocniejsze stukanie butów podążającego za nim oficera.

## 7

Konrad spał prawie dwanaście godzin w swojej dobrze zaciemnionej i wyciszonej sypialni.

Obudził się już o piątej rano, zapuchnięty, z bólem głowy i odciśniętą na policzku fałdą poduszki. Czuł silne odrętwienie w lewej nodze, spowodowane uszkodzeniem nerwu przez pocisk. Bolało go zawsze rano, dopóki się nie rozruszał. Ciągle sobie obiecywał, że podda się operacji, ale nigdy nie miał na to czasu.

Przejrzał się w lustrze i uznał, że nie jest jeszcze w zadowalającym stanie.

Muszę pójść do fryzjera! Zadbać jakoś o siebie! Wkrótce będę miał czterdzieści cztery lata! – pomyślał, patrząc na swoją nieogoloną twarz i przekrwione oczy.

Dokończył rozpakowywania plecaka i torby, wrzucając ubranie od razu do pralki. Wypił z butelki obowiązkowy poranny kefir Robico, jedyny, który mu smakował jak jego ulubiony rosyjski.

Włożył stary, sprany bawełniany dres i zbiegł po schodach. Zrobił kilka przysiadów i ruszył w prawo. Najpierw do ulicy Wilczy Dół, później znów w prawo, wzdłuż bazy metra, do skraju Lasu Kabackiego. Pokonał prawie dwa kilometry między torami a skrajem lasu, minął Moczydłowską i niemal dotarł do Żołny.

Teraz poczuł się dobrze. Skręcił w lewo i potem prosto, szeroką aleją, przez bogaty, wysoki las, pobiegł do Pyr, gdzie obok tablicy upamiętniającej matematyków, którzy złamali kod Enigmy, odpoczął chwilę, zanim Leśną wrócił do Kabat.

Po biegu czuł, że żyje, że ma siłę, że jest wytrwały i zdrowy.

Dochodziła już szósta, gdy usiadł w swojej kuchni urządzonej dopiero miesiąc przed wyjazdem do Dubaju i zaczął czekać, aż jajko ugotuje się na twardo. Widok słońca nad Lasem Kabackim, jak obraz wypełniający kuchenne okno, zapowiadał piękny dzień.

W tej kameralnej euforii wydawało mu się, że słyszy metaliczny głos Cata Stevensa zmieszany z fortepianem i gitarą. Tak mu to pasowało do widoku z okna, że zaczął głośno śpiewać, za głośno jak na tę porę dnia:

*Morning has broken, like the first morning.*
*Blackbird has spoken, like the first Bird.*
*Praise for the singing, Praise for the morning,*
*Praise for the springing fresh from the Word…*

Zorientował się, że zapomniał drugiej zwrotki, więc powtórzył pierwszą kilka razy, ciesząc się jej słowami.

W pewnym momencie dotarło do niego, że nic nie wie o sytuacji w kraju. Minęły przecież dwa miesiące, a to wystarczająco dużo jak na dynamikę polskiego życia politycznego, nawet w okresie wakacji.

Włączył kuchenny telewizor i od razu na ekranie pojawił się Marcin Kamiński, człowiek o twarzy klowna, zwany powszechnie wiceprezydentem. Kamiński był szefem kancelarii prezydenta Stanisława Zielińskiego i uchodził za drugą osobę w państwie, ale byli tacy, którzy uważali, że to właśnie on jest prezydentem RP, a jeżeli nie, to wkrótce nim będzie. Bezwzględny, arogancki, inteligentny, o niejasnym rodowodzie, znienawidzony przez inteligencję, ale ukochany przez postpeerelowski katolicki elektorat. Konrad znał go osobiście i wiedział, że te opinie są bliskie prawdy.

Gdy nie było w pobliżu dziennikarzy, Kamiński lubił powtarzać, że jest politykiem, co znaczy, że jest oszustem i kłamcą i jak nie całuje dzieci w główkę, to kradnie im lizaki, ale nigdy nie pali za sobą mostów. Konrad zapytał go kiedyś, czy czytał Toma Clancy'ego, ale on z uporem twierdził, że nie ma czasu na takie głupoty.

Przepłukał jajko zimną wodą i zaczął przygotowywać sobie śniadanie – mleko, tost i miód. Słyszał głos Kamińskiego dochodzący gdzieś zza pleców, ale jakoś nie mógł się skupić na jego słowach. Nagle przypomniał sobie z rozbawieniem, jak ktoś nazwał obecną ekipę rządzącą Partią Brzydkich w Bordowych Krawatach.

– Rzeczywiście – powiedział do siebie – w tej ekipie nie ma chyba ani jednego przystojnego mężczyzny. Wszyscy muszą równać do Kamińskiego. Jakby wszystkie osobliwości urody RP zwarły szeregi w poczuciu zagrożenia swej odmienności. Kompleks karła i dzwonnika z Notre Dame w jednym. Tacy mogą się poszczycić dużym, stałym elektoratem.

Konrad miał zdrowy dystans do polityki i polityków, chociaż był z tym światem nierozerwalnie związany. Dla niego życie państwa i społeczeństwa toczyło się w dwóch wymiarach, które łączą jedynie suche informacje z klauzulą „ściśle tajne".

Ale tylko my wiemy, ile nas kosztuje ich zdobywanie i jakimi metodami to robimy – myślał, patrząc na Kamińskiego. Za to nie wiemy, czy tacy jak on potrafią je czytać i podejmować na ich podstawie decyzje dla dobra tego kraju. Człowiek by zwariował, gdyby ciągle zaprzątał sobie tym głowę. Szkoda, że dziennikarze, nasi „młodsi bracia w zawodzie", tak słabo się orientują w istocie funkcjonowania państwa i tak łatwo pozwalają politykom na kruszenie jego podstaw...

Zastanowił się przez moment, czy nie za bardzo fantazjuje, ale uznał, że jednak nie. W Polsce tak naprawdę dziennikarze i politycy żyją w symbiozie, żywiąc się sobą wzajemnie... no... może nie wszyscy...

Skończył śniadanie, wyłączył telewizor i poszedł wziąć prysznic.

Włożył jasnobeżowy sportowy garnitur, niebieską koszulę bez krawata i buty typu oxford. Sprawdził, czy ma przygotowane wszystkie dokumenty z podróży. Był w dobrym, pogodnym nastroju.

Zjechał windą do garażu i podszedł do swojego dwudziestopięcioletniego czarnego saaba 900 cabrio. Z niezadowoleniem stwierdził, że maskę pokrywa cienka, prawie niewidoczna warstwa kurzu. Ten samochód należał do niego już ponad dziesięć lat i jeszcze do niedawna był to jedyny taki model w Warszawie. Z każdym rokiem, gdy stawał się coraz starszy, nabierał też coraz większej szlachetności, zupełnie inaczej niż pozostałe marki. Tylko kierowcy saabów pozdrawiają się wzajemnie, bo uważają, że o samochodach wiedzą więcej niż wszyscy inni.

Zaczynał się ciepły, słoneczny dzień, więc Konrad złożył dach. Wyjechał z garażu, skręcił w prawo w Wąwozową, potem w KEN i ruszył prosto w kierunku centrum.

# 8

*Moskwa, październik 1939*

Wyjście Berii trochę zdezorientowało Zarubina, wybiło go z rytmu. Przez chwilę nie wiedział, od czego zacząć, lecz wtedy odezwał się Fitin.

– Przejdźcie, towarzyszu Zarubin, do omówienia pracy „Jury" i „Lany".

– „Jura", towarzysz Jakub Szulc, do roku tysiąc dziewięćset trzydziestego piątego pełnił w nielegalnej rezydenturze w Warszawie funkcje zabezpieczające i pomocnicze. Występował pod legendą austriackiego arystokraty, miał też papiery węgierskie. Latem tego roku „Saxon" przekazał informację o majorze, obecnie podpułkowniku Zdzisławie Kornacie-Ciszewskim, urodzonym w tysiąc dziewięćsetnym roku, pseudonim „Wareg".

Mówiąc to, Zarubin raz po raz zaglądał do notatek.

– „Wareg", szlachcic z Pomorza, cały czas służył w Komendzie Garnizonu Warszawa. Wdał się w ojca, który strwonił majątek na hazardzie. Typ bawidamka, bywalec warszawskich salonów, polityczny dyletant, ukryty morfinista. Zwerbowany przez „Jurę" w grudniu trzydziestego piątego roku na bazie finansowej, pod flagą niemiecką. Do współpracy wciągany stopniowo, aż do pełnego uzależnienia od naszych pieniędzy i morfiny. Przekazywał informacje wojskowe, dosyć fragmentaryczne. Miał za to dobre rozpoznanie kadry Wojska Polskiego. Sporządził liczne oceny i charakterystyki wyższych oficerów, pozytywnie ocenione przez Centralę. Niektóre z nich zostały przeznaczone do dalszego rozpracowania. „Wareg" był nadzwyczaj przydatny do weryfikacji danych uzyskiwanych od „Saxona". Dobry konspirator, przez lata z powodzeniem ukrywał swoje uzależnienie od morfiny, co mogło kosztować go karierę w wojsku. Mistrz kamuflażu i pozorów ukształtowanych przez podwójne życie, z łatwością zatem zaakceptował jeszcze jedną rolę. Brak podstaw do podejrzeń o nielojalność. – Zarubin mówił krótkimi, jasnymi zdaniami, które zwięźle opisywały „Warega". – Mieszkał z matką w małym domu na warszawskim Żoliborzu, kupionym za jej oszczędności i zadłużonym. Pomogliśmy mu częściowo go spłacić. Miał z tego powodu chwilowe problemy z żandarmerią, która zaczęła się interesować pochodzeniem pieniędzy. Sprawę zatuszowała matka, zaślepiona miłością do jedynaka. Wiedziała o jego uzależnieniu od morfiny i kryła go. Można powiedzieć, że „Wareg" jest klasycznym typem gotowym na współpracę z każdym, przypuszczam, że nawet z nami. Dobrze, że byliśmy pierwsi.

Zarubin pokazał surowy, służbowy uśmiech.

– Ostatnie spotkanie „Jury" z „Waregiem" miało miejsce w sierpniu trzydziestego dziewiątego roku. Ustalony został wówczas system łączności na wypadek wojny, prosty, przez matkę „Warega". „Jura" został wycofany razem z „Sosną" we wrześniu.

Zawahał się na chwilę.

– Referując sprawę „Saxona", zapomniałem powiedzieć, że zarówno on, jak i „Wareg" otrzymali kategoryczny zakaz samowolnego nawiązywania kontaktu z władzami niemieckimi, bo mogłoby ich to doprowadzić do dekonspiracji. Wydaje się, że dobrze zrozumieli powagę chwili. Taką mam nadzieję. Zatem podjęcie kontaktu z „Saxonem" i „Waregiem" będzie obciążone pewnym ryzykiem. To zadanie powierzymy „Sośnie", a potem ocenimy, jaki przyjąć kierunek dalszego postępowania. Zasadniczo w rezerwie mamy

„Lanę", która pozostała w Warszawie, ale nie znamy jej sytuacji po wkroczeniu Niemców. Jest to zgodne z przyjętym planem działania na okres wojny. „Sosna" wznowi z nią kontakt natychmiast po powrocie do Polski.

Znowu przerzucił notatki.

– W tysiąc dziewięćset trzydziestym czwartym roku „Jura" zwerbował do współpracy Henryka Złotowskiego, pseudonim „Marek", znanego opozycyjnego publicystę, poetę, działacza społecznego i politycznego. Urodzony w tysiąc osiemset osiemdziesiątym piątym roku, mieszka pod Warszawą we własnym domu. Żonaty z Marią Wiktorią Sobańską, pochodzącą z arystokratycznej rodziny. Troje dzieci w wieku dwudziestu pięciu, osiemnastu i dziesięciu lat. Sytuacja materialna dobra. „Marek" wywodzi się z zamożnej zeświecczonej rodziny żydowskiej, która w połowie dziewiętnastego wieku przeszła na chrześcijaństwo i po powstaniu tysiąc osiemset sześćdziesiątego trzeciego roku osiedliła się w Polsce. Pierwszą informację na temat „Marka" przekazali nam towarzysze z KPP w tysiąc dziewięćset trzydziestym trzecim roku. Wynikało z niej, że „Marek" jest ukrytym sympatykiem partii komunistycznej. Dokonali równocześnie wstępnych sprawdzeń i obserwacji „Marka", który w Polsce jest dobrze znany i cieszy się dużym autorytetem w środowiskach opozycyjnych wobec rządów wojskowo-faszystowskich. W trzydziestym drugim roku, pobity przez „nieznanych sprawców", spędził dwa miesiące w szpitalu. Utrzymuje bliskie osobiste kontakty z przywódcami wszystkich partii opozycyjnych, oprócz skrajnych nacjonalistów. Przed rewolucją „Marek" studiował w Petersburgu prawo i obracał się w środowisku komunizujących studentów. Nie należał do żadnej organizacji, był zbyt niezależny, ale cieszył się pełnym zaufaniem tych grup. Interesowała się nim carska ochrana, a jej zachowane materiały dają mu dobre świadectwo. Zastępca przewodniczącego NKWD w Leningradzie, towarzysz Andriej Grigorjewicz, był w tamtym czasie jego przyjacielem i wystawił mu bardzo pozytywną opinię.

– Czy są na to jakieś dokumenty? – zapytał Fitin.

Zarubin spodziewał się tego pytania, gdyż Andriej Grigorjewicz sam już niczego nie mógł potwierdzić, rozstrzelany w pierwszej turze dwa lata temu.

– Tak, jest szczegółowy raport w tej sprawie – odpowiedział szybko Zarubin i kontynuował: – W związku z powyższym Centrala zaakceptowała werbunek „Marka" na bazie ideowej. Dokonał tego, jak już mówiłem, „Jura" w trzydziestym czwartym roku, bez większego wysiłku. „Marek", rozczarowany rządami wojskowych i faszyzacją życia w Polsce, sytuacją we Włoszech i w Niemczech oraz upadkiem zachodniej demokracji, jednoznacznie zadeklarował gotowość współpracy z Krajem Rad. To nadzwyczaj inteligentny i ideowy człowiek. Myślę też, że wspomnienia z okresu petersburskiego pozostawiły w nim głębokie ślady, tym bardziej że przeżywał w tym czasie swoją pierwszą wielką miłość.

Zarubin, urodzony wywiadowca, czuł osobistą satysfakcję, kiedy przedstawiał „Marka". Chociaż ta sprawa wpadła im sama w ręce i nie była wynikiem trudnego, wymagającego najwyższego kunsztu operacyjnego rozpracowania, jak w wypadku „Saxona" czy „Warega", ani nie dawała tak ważnych informacji wojskowych, to jednak udowadniała, że są ludzie, którzy wierzą w światową rewolucję. Bo Zarubin też w nią wierzył. Szczerze.

Oprócz tego nielegalna rezydentura w Warszawie mogła się pochwalić umiejętnością stosowania różnorodnych technik operacyjnych, a co za tym idzie – wywiadowczą wrażliwością, i chociaż Zarubin nie był autorem tych sukcesów, to jednak splendor spływał teraz także na niego.

Otworzyły się drzwi i do sali wrócił Beria. Zarubin zamilkł, wsłuchując się w krótkie kroki na skrzypiącej cicho podłodze. Poczuł wyraźną woń alkoholu. Beria zamknął okno i usiadł na swoim miejscu, wydając dziwne, głębokie westchnienie, jakby mu to sprawiało trudność.

Zarubin, nie czekając na pozwolenie, kontynuował:

– Przez cały okres współpracy „Marek" przekazał nam ponad dwa tysiące stron informacji. Zrealizował trzy operacje o charakterze inspiracyjnym i dwie dezinformacyjne. Centrala, w zależności od okresu, oceniała pracę „Marka" bardzo dobrze lub dobrze. Można stwierdzić, że jeżeli chodzi o kierunek wywiadu politycznego, „Marek" zaspokajał praktycznie wszystkie nasze potrzeby, wykazując także dużo własnej inicjatywy.

Zarubin spodziewał się, że Beria czy Fitin zareagują na te słowa, przeczące zasadzie, że wywiad nie może być syty. Odpowiedziało mu jednak milczenie, chociaż zawiesił głos jakby w oczekiwaniu na ich komentarz.

Poczuł się dobrze i miał wrażenie, że kontroluje sytuację. Odczuwał już jednak zmęczenie.

– W czerwcu bieżącego roku „Marek" za naszą zgodą wyjechał wraz z żoną i najstarszą córką do Francji, dokąd zaprosili go przyjaciele. Przebywa tam do chwili obecnej. Wiemy, gdzie jest, i w najbliższym czasie nasza paryska rezydentura pionu „S" zamierza podjąć z nim kontakt. W Polsce pozostał u rodziny jego najmłodszy syn.

## 9

Wydział Specjalny „Q" od niedawna mieścił się na dwudziestym piętrze jednego z warszawskich wieżowców, pod legendą firmy konsultingowej Vigo.

Zadania, jakie realizował, ich szczególna delikatność, konieczność zachowania nadzwyczajnych środków bezpieczeństwa i konspiracji spowodowały, że został przeniesiony z Centrali na Miłobędzkiej w anonimowe i dobrze zabezpieczone miejsce, trochę na zasadzie, że najciemniej pod latarnią.

Wydziału strzegły najnowocześniejsze urządzenia elektroniczne i własne rozwiązania techników wywiadowczych. Najważniejsza jednak była dyscyplina i zaufanie do pracujących w nim oficerów. Nikt spoza czternastoosobowego zespołu Wydziału i ścisłego kierownictwa AW nie wiedział, co się kryje pod nazwą firmy Vigo. Krąg wtajemniczonych był ściśle ograniczony i kontrolowany przez Wydział Bezpieczeństwa Wewnętrznego

Konrad zostawił samochód w podziemnym garażu, złapał windę i kluczem włączył przycisk dwudziestego piętra.

Potem wszedł do śluzy bezpieczeństwa i ustawił twarz do kamery, która po chwili zielonym światłem potwierdziła jego identyfikację i otworzyła zamek.

Ledwie przestąpił próg Wydziału, natknął się na Marcina o korzystnie zmienionym wyglądzie. Podwładny, stojąc z kubkiem kawy na korytarzu, wyraźnie go oczekiwał.

– Szefie, wiem, że po powrocie szef ma mnóstwo spraw na głowie i że zaraz jedzie do Centrali, ale gdyby szef był tak miły i przed wyjściem znalazł dla mnie pięć minut... – powiedział takim tonem, jakby mu na tym bardzo zależało.

– Dobrze... po odprawie. Bądź w pobliżu.

Konrad klepnął Marcina w plecy i ruszył dalej. Całe biuro było poprzedzielane szklanymi ścianami, więc wszyscy zauważyli jego przybycie.

Wszedł do swojego pokoju, natychmiast podkręcił klimatyzację i otworzył sejf.

W tym samym momencie zjawił się Marek Belik, a zaraz po nim Sara. Przywitali się krótkim „cześć", bez podawania ręki. Taki już mieli zwyczaj i zawsze go przestrzegali. Może chcieli się w ten sposób odciąć od przesadnej dbałości o formy, jakiej hołdowało kierownictwo AW, a może uważali, że w Wydziale są jak rodzina – w rodzinie przecież nikt się nie wita przez podanie ręki.

Sara ubrana była pogodnie, lekko. Jak zawsze w spodniach, z długimi złotoblond włosami spiętymi wysoko z tyłu, wyglądała atrakcyjniej niż zwykle. Chociaż co pewien czas zaskakiwała Konrada, to jednak nigdy nie dawał po sobie poznać, że robi na nim wrażenie. Zresztą nie tylko na nim, bo większość dziewczyn pracujących w AW próbowała ją naśladować, i w stylu, i w pracy.

Usiadła w głębokim fotelu i oczywiście zapaliła papierosa, nawet nie prosząc o zbędne w tym wypadku pozwolenie.

Muszę ją w końcu zapytać, dlaczego używa zapalniczki Zippo. Nigdy nie widziałem, by jakakolwiek dziewczyna korzystała z takiej ciężkiej i dużej maszynki... jak amerykańscy komandosi, nie przymierzając – przeleciało Konradowi przez myśl.

Belik oparł się o stół i założył ręce na piersi, jak zwykle zaginając krawat gryzący się z koszulą.

Jak żona wypuszcza go tak z domu? – pomyślał Konrad, patrząc na jego krawat i zapuchniętą twarz. Powinna też pożyczyć mu trochę pudru.

Marek nie prowadził żadnych agentów, więc nie musiał „poświęcać się dla ojczyzny", jak mówiło się w Wydziale o długich nocnych rozmowach z ludźmi zza wschodniej granicy. Zatem było oczywiste, że pił z dyrektorem, podpułkownikiem „Ciężkim", który agenta też nigdy nie spotkał.

Konrad zauważył przez szybę, że przyszła już Ewa, jego sekretarka. Pomachał jej ręką na powitanie i wykonał gest oznaczający trzy kawy.

– Siadaj, Marek... – powiedział i wskazał fotel obok Sary, a sam przysiadł na swoim biurku. – Ewa zaraz poda kawę, a do tego czasu powiedzcie mi... czym mnie dzisiaj zmartwicie? – zaczął żartobliwie. – Ja zmartwię was tylko tym, że Safir, pseudonim „Karol"... lub odwrotnie... znów nam się wyślizgnął. W Jemenie zebraliśmy z Williamem sporo ciekawych i nowych informacji na jego temat, ale ślad nam się urwał na granicy z Omanem. William przyjedzie do nas za tydzień. Do tego czasu musimy uporządkować wszystko, co zgromadziliśmy w tej sprawie przez ostatnie dwa miesiące.

Sara i Marek słuchali go w milczeniu. Tymczasem Ewa sprawnie, prawie niezauważalnie podała kawę.

– Jutro – kontynuował Konrad – skrzykniemy zespół i przedstawię wam wyniki moich działań, które porównamy z tym, co przez ten czas udało się wam uzyskać. Dzisiaj chcę zająć się wyłącznie sprawami organizacyjnymi Wydziału. Muszę odświeżyć swoją bieżącą wiedzę.

– Chcesz robić zebranie Wydziału? – zapytał Marek trochę niepewnie. – Sporo ludzi nie ma, są na wyjazdach, więc nie wiem... czy jest sens. Lutek jutro wychodzi ze szpitala. – Konrad spojrzał nań z niepokojem, więc Marek pospieszył z wyjaśnieniem: – Złapał w Zimbabwe jakąś tropikalną chorobę i przeleżał trzy tygodnie w szpitalu w Harare. Wszystko już jest w porządku, zaopiekowała się nim nasza ambasada. Robotę wykonał na piątkę z plusem – ciągnął. – Będzie z tego chleb i dla nas, i dla naszych partnerów. Lutek ląduje w Warszawie w piątek. Odbiorę go z lotniska.

– Co to za choroba?

– Nie pamiętam! Ale mam gdzieś zapisane... – odparł niepewnie Marek. – Poszukać?

– Nie! Nie teraz. Potem! – uciął Konrad, chociaż zaniepokoił się sprawą Lutka. – Nie, nie będę robił zebrania. Poczekam, aż zbierze się kworum – zażartował. – Pewnie czeka mnie dzisiaj jeszcze wizyta w Centrali, u pana numer dwa. Zbierzemy się w poniedziałek! – zdecydował krótko i zapytał: – Czy są M-Irek?

– Nie ma ich. Buszują na jakichś targach w Szanghaju – odpowiedziała Sara. – Wciąż szukają tej mitycznej cyfrówki, którą można robić zdjęcia i zobaczyć, co jest pod bielizną.

Obiecałam im, że pokażę im się na żywo, jeżeli znajdą ten aparat. – Uśmiechnęła się figlarnie.

M-Irek to duma, chluba, nadzieja i Bóg wie co jeszcze Wydziału i Konrada, bo są jego tworem. M-Irek to Mirosław i Ireneusz, zwani też „$Q^2$". Dwukrotnie lepsi od Bonda, bo jest ich dwóch – jak się mówiło w Wydziale.

Na pierwszy rzut oka obaj byli oficerami operacyjnymi, tak jak inni, różnili się jednak od całej reszty odmiennym sposobem postrzegania świata.

Ich żywioł to cyfry, cząsteczki, herce, bity, strumienie, luksy i cała masa innych słów i zjawisk, na które przekładali otaczającą ich rzeczywistość, jakby żyli w innym wymiarze, niepojętym dla zwykłych śmiertelników.

M-Irek cieszyli się w Wydziale „Q" mitycznym szacunkiem, bliskim temu, jaki oddaje się bóstwom, bo też krążyli w innym świecie, niezrozumiałym, ale potrzebnym. Dlatego oficerowie zwracali się do nich z prośbami o rozwiązywanie problemów niemożliwych, zdawałoby się, do rozwiązania. Najczęściej wynikających z dość słabej, niestety, znajomości obsługi komputerów, co M-Irkowi szczególnie działało na nerwy. Wyjątkiem w Wydziale był Marcin, którego M-Irek traktowali jak mlecznego brata.

Konrad bez ograniczeń pozwalał im na poszukiwanie nowych rozwiązań technicznych, najlepszych, najciekawszych, wszędzie tam na świecie, gdzie tylko uznał, że jest to możliwe.

Efekty ich pracy znalazły szczerych i gorących, ale często też zazdrosnych zwolenników w CIA, NSA i kilku innych nie mniej profesjonalnych organizacjach.

– Z pilnych spraw, Konradzie, mam w zasadzie tylko jedną – powiedziała Sara. Podniosła się i swoim zwyczajem odstawiła filiżankę na stojący przy drzwiach bufet. – „Travis" prosi o pilne spotkanie. Myślę, że trzeba mu natychmiast odpisać, by chłopak się nie denerwował. Pewnie nie wiesz, ale sytuacja na Białorusi jest jeszcze bardziej napięta niż w czasie, kiedy wyjeżdżałeś. – Sara powiedziała to tak, jakby wkrótce miało tam wybuchnąć powstanie.

Konrad zdawał sobie sprawę, że do spraw białoruskich Sara podchodzi bardzo emocjonalnie, bo to był teren jej łowów, pierwszych poważnych sukcesów, a oficer linii „S", kryptonim „Travis", okazał się jej prawdziwym arcydziełem. To ona wypatrzyła go wśród studentów w Białymstoku, namówiła do pracy w wywiadzie, wychowała, wykształciła i wyszkoliła na kogoś więcej niż dobrego nielegalnego oficera. Poświęciła na to kilka lat, znacznie więcej, niż normalnie od niej wymagano. Przygotowanie dla niego „historii" wydawało się zadaniem ponad możliwości Sary i całego Wydziału. W końcu jednak „Travis" został przerzucony na Białoruś i dzisiaj jest młodym, dobrze zapowiadającym się porucznikiem KGB w Mińsku, jednym z ważniejszych nielegałów Wydziału Specjalnego „Q". Jego prawdziwą tożsamość znało zaledwie trzech oficerów, a twarz – tylko Sara i Konrad. Myśleli o nim zawsze jak o jednym z nich i tak go traktowali.

– Proponuję wywołać moje spotkanie z „Travisem" za tydzień w Moskwie, zgodnie z zatwierdzonym planem łączności. W obecnej sytuacji politycznej Warszawa ani Wilno nie wchodzą w grę, chociaż byłoby to bardziej bezpieczne. Patrzcie, do czego doszło! Prostata Łuki ma wpływ na sytuację wywiadowczą terenu – powiedziała z ironią zmieszaną pół na pół z nienawiścią do Łukaszenki. – To moje trzecie spotkanie z „Travisem" w Moskwie, więc sądzę, że wystarczy, jak będzie mnie zabezpieczać tylko Tadek... dobrze sprawdził się podczas ostatniego wyjazdu do Turkmenistanu... i proponuję darować mu panikę podczas poprzedniej roboty w Moskwie – zaproponowała Sara na pozór służbowo, bo wiedziała, że w tej sprawie i tak ona decyduje.

Konrad chciał zapytać o szczegóły wywołania spotkania przez „Travisa", gdy rozległ się dzwonek telefonu na jego biurku. Odruchowo spojrzał na Ewę, która przełączała rozmowy, i zobaczył jej gest, bez wątpienia sygnalizujący, że na linii jest „Ciężki". Rzucił okiem na zegar i ze zdziwieniem zauważył, że jest ósma czterdzieści. Szef nigdy nie rozpoczynał pracy przed dziewiątą piętnaście. Od razu go tknęło, że stało się coś ważnego.

– Szef! Ciekawe co? – rzucił krótko do Sary i Marka, a oni zrobili przesadnie zdziwione miny.

– Witam, szefie! – Konrad odebrał rozmowę na interkomie.

– Witam w kraju, panie naczelniku Wolski! Jak udała się wycieczka? Coś już do mnie dotarło... od pani Sary. Upał panu nie zaszkodził?

„Ciężki" był bardzo formalny i łatwo dało się wyczuć, że dzwoni w zupełnie innej sprawie. Użył słowa „wycieczka", bo wiedział, że to denerwuje Konrada. „Ciężki" był ignorantem, który nigdy nie realizował zadań za granicą. A mówiąc w ten sposób, złośliwie deprecjonował jego pracę, sugerując, że taki wyjazd do Jemenu to czysta przyjemność. W rzeczywistości kryła się za tym zwykła zazdrość.

– Wszystko w porządku, szefie! Trochę schodzi mi skóra z pleców, ale już się oskubałem. Właśnie mam krótką naradę z zastępcami...

Nie dokończył, bo „Ciężki" mu przerwał.

– Panie naczelniku, proszę, żeby pan do mnie jak najszybciej przyjechał. Mamy tutaj taką niezwykłą i pilną sprawę, prosto z pałacu. Jak pan przyjedzie, wszystko panu wytłumaczę... Za ile może pan być?

– Zaraz wyjeżdżam – odpowiedział Konrad i „Ciężki" rozłączył się bez słowa. – Sami słyszeliście – zwrócił się do Sary i Marka.

Oboje podnieśli się bez słowa i ruszyli do wyjścia.

– Saro, zaczekaj! – rzucił, gdy Marek już zniknął za drzwiami. – Marcin chciał ze mną rozmawiać... mówił coś, że koniecznie przed moim wyjazdem do Centrali. Pewnie się bał, że to w jego sprawie... Powiedz mu, co słyszałaś. Uspokój go. Pogadam z nim, gdy wrócę.

# 10

*Moskwa, październik 1939*

– Przejdę teraz do omówienia ostatniego punktu mojego referatu – kontynuował Zarubin. – „Lana", towarzyszka Mira Skibiniecka, włączona została w skład nielegalnej rezydentury w Warszawie z zadaniami pomocniczymi. Zakładaliśmy, że pod kierunkiem „Sosny" i „Jury" wychowamy dobrego nielegała, z perspektywą przerzucenia dalej, do Wielkiej Brytanii. „Lana" ma wybitne zdolności językowe, jest zdyscyplinowana, inteligentna, pomysłowa i całym sercem oddana sprawie. Jeżeli dorzucić do tego młody wiek... ma teraz dwadzieścia sześć lat i wyróżnia się słowiańską urodą... to jej możliwości są nieograniczone.

Beria wyraźnie się ożywił. Zarubin spodziewał się tego i wyciągnął już przygotowane, lekko wyretuszowane zdjęcie „Lany". Podniósł się sprężyście i podszedł do Berii, który zapalił zieloną lampkę i zbliżył do jej światła fotografię. Wpatrywał się w nią nienaturalnie długo.

– Prawdziwa piękność! – powiedział, wciąż się uśmiechając wąskimi, jakby pozbawionymi warg ustami i zabawnie przerzucając wzrok z „Lany" na Zarubina i z powrotem.

Po chwili oddał mu zdjęcie i Zarubin wrócił na miejsce.

– „Lana" bardzo dobrze się spisywała, zabezpieczając „Sosnę" i „Jurę" i realizując zadania ustaleniowe. Na wniosek rezydenta otrzymała kilkakrotnie pochwały Centrali. Jej inteligencja i wrażliwość operacyjna przyniosły niespodziewane efekty. Pomógł nam też trochę przypadek. Przerzucając „Lanę" do Polski, przygotowaliśmy dla niej legendę dziennikarki. Na miejscu jednak się okazało, że są poważne trudności, by tę legendę właściwie ugruntować i zabezpieczyć.

Przerwał na chwilę, jakby chciał zaznaczyć, że przechodzi do nowego rozdziału.

– Od dziecka jej zamiłowaniem było śpiewanie. „Lana" ma niepowtarzalny talent muzyczny.

Beria, wyraźnie pobudzony, wiercił się nienaturalnie. Na twarzy Fitina po raz pierwszy pojawił się nie bardzo służbowy uśmiech.

– „Jura" również ma talent muzyczny i w wolnych chwilach lubił pisać piosenki. Miał też prywatne kontakty z warszawskimi artystami, co było jednym z elementów budowania jego legendy. Skądinąd uzyskiwał w tym środowisku bardzo ciekawe informacje. Ale do rzeczy!

Zarubin powiedział to specjalnym tonem, żeby wybadać stopień zainteresowania komisji tą sprawą.

– Nie, nie! To bardzo ciekawe, proszę kontynuować – zareagował natychmiast Beria, jakby się obawiał, że to już koniec.

Zarubin miał satysfakcję, że dobrze się przygotował. Nie spodziewał się nawet, że tak łatwo przyjdzie mu sterować komisją. W końcu jest Wielkim Manipulatorem!

– „Jura" napisał dla „Lany" piosenkę, a ją samą zarekomendował swojemu znajomemu, właścicielowi kabaretu Złota Żaba... – Zarubin zawiesił głos i żeby jeszcze trochę podgrzać atmosferę, zajrzał do notatek. – Piotrowi Wikowskiemu. „Lana" poszła na przesłuchanie i tak bardzo spodobała się Wikowskiemu, że ten postanowił wykonać z nią w duecie piosenkę *Sierdce*, która była w tym czasie prawdziwym szlagierem w Warszawie...

– Mówicie o tej piosence z filmu? – przerwał mu Beria w pół zdania.

– Tak jest! Z filmu *Wiesiołyje riebiata*, który w Polsce był wyświetlany pod tytułem *Świat się śmieje* i zdobył wielką popularność.

– Nie tylko tam – wtrącił Fitin. – Dobra muzyka Dunajewskiego i świetna parodia amerykańskiego kina...

– „Lana" ma nawet coś z Lubow Orłowej... – odezwał się ponownie Beria i dodał pewnym głosem: – Towarzysz Stalin bardzo lubi ten film.

Zarubin odczekał około trzydziestu sekund i dopiero wtedy zaczął mówić dalej. Zauważył, że historia „Lany" wyraźnie się spodobała, a to był dobry znak, który znacząco mu poprawił i tak już dobre samopoczucie.

– „Lana" zaczęła występować w Złotej Żabie trzy razy w tygodniu, z coraz większym powodzeniem. Uzyskiwała z tego nawet pewien dochód. Był rok tysiąc dziewięćset trzydziesty siódmy. Kabaret znajdował się niedaleko polskiego MSZ i odwiedzany był przez dyplomatów, a także przez białych emigrantów, głównie Rosjan i Gruzinów. W miesiąc po rozpoczęciu występów „Lana" otrzymała kosz kwiatów z wizytówką hrabiego Tarnowskiego, dalej pseudonim „Larry". Po kilku dniach ponownie, ale tym razem hrabia przyszedł osobiście do jej garderoby. Okazało się, że jest to młody, przystojny arystokrata i, co najciekawsze, radca minister w MSZ. Sprawiał wrażenie zauroczonego „Laną".

Teraz Zarubin mówił płynnie z pamięci, patrząc w wyraźnie pobudzone twarze.

– Spotykali się przez dwa miesiące niemal codziennie, a Tarnowski obsypywał „Lanę" kwiatami i drogimi prezentami. Sprawiał wrażenie zaślepionego, przychodził na każdy jej występ. Niestety, muszę to wyraźnie powiedzieć, „Lana" nie poinformowała rezydenta o swoim kontakcie z Tarnowskim. Zrobiła to dopiero na początku trzydziestego siódmego roku. „Sosna" natychmiast wysłał informację do Centrali i przeprowadził z nią rozmowę. W jego ocenie „Lana" była zaangażowana emocjonalnie w ten związek, wyraziła jednak pełną dyspozycyjność do realizacji zadań. „Sosna" uznał jej wyjaśnienia za wiarygodne i szczere, a ponieważ Moskwa w tym czasie nie przesyłała instrukcji – Zarubin wyraźnie podkreślił to tonem głosu, ale i tak był pewien, że wszyscy wiedzieli dlaczego – podjął decyzję o pasywnym kontynuowaniu tego związku, czyli de facto romansu „Lany" z Tarnowskim. Ona sama zapewniała, że nie doszło do kontaktów intymnych.

– Zuch dziewczyna! – odezwał się Fitin ku zaskoczeniu Zarubina. – Bardzo dobrze rozegrała sprawę, zachowała nie tylko wartościowy kontakt z Tarnowskim, lecz także równowagę emocjonalną i psychiczną. A wszystko to z pożytkiem dla służby. Musimy pamiętać, że naturalność tego związku ma swoją wartość, oczywiście dopóki jest on pod naszą kontrolą. W tym wypadku chyba nie mamy wątpliwości? – zapytał na koniec, zaskakując Zarubina dość elastycznym podejściem do sprawy, nietypowym, nie tak pryncypialnym, jak to było praktykowane dotychczas.

Było to dziwne o tyle, że Zarubin nie skończył jeszcze omawiać sprawy, więc przedwczesna deklaracja Fitina była pewnie na coś obliczona. Zarubin miał nieodparte wrażenie, że Fitin jest inny niż wszyscy jego poprzednicy. Co to znaczy? – zaczął się zastanawiać.

Beria nie reagował.

– Ostatecznie Centrala zaakceptowała status quo i zgodziła się na rozwijanie kontaktu z Tarnowskim „we wszystkich korzystnych dla sprawy kierunkach, z zastosowaniem wszelkich niezbędnych środków i metod". W związku z tym „Lana" zamieszkała z Tarnowskim i wkrótce została przedstawiona rodzinie hrabiego. Nie spotkała się z dobrym przyjęciem, jednakże w najmniejszym stopniu nie wpłynęło to na ich relacje, a nawet więcej, pogłębiło jego zaangażowanie i determinację. „Lana" o wszystkim informowała „Sosnę" i skrupulatnie realizowała polecenia, które tak konstruowano, aby były też zgodne z jej emocjami i potrzebami, o czym ona oczywiście nie wiedziała. Po jakimś czasie pojawił się problem z rodziną „Lany", którego praktycznie nie rozwiązaliśmy do dzisiaj. Zresztą Tarnowski, typ kosmopolity, nie nalegał, nie dopytywał się niepotrzebnie i w pewnym sensie nie utrudniał nam pracy. Przez te lata „Lana" dobrze się zaadaptowała w środowisku, miała licznych znajomych i przyjaciół. Od trzydziestego siódmego roku uzyskała od Tarnowskiego, w sposób kapturowy, szereg bardzo ciekawych informacji, głównie dotyczących polityki zagranicznej Polski. „Larry" mówił jej wszystko, a pracował w Wydziale Niemieckim MSZ. Dwukrotnie spędzali razem wakacje we Francji. „Larry" dużo podróżował służbowo do Niemiec, Francji, Włoch i Wielkiej Brytanii, a potem o wszystkim jej opowiadał, z najdrobniejszymi szczegółami. Na początku bieżącego roku oficjalnie się oświadczył, a stan jego zaangażowania emocjonalnego silnie się pogłębiał, z okresami chorobliwej wręcz zazdrości włącznie. Głównie po jego powrotach z zagranicy. Zgodnie z decyzją Centrali „Lana" oświadczyny przyjęła, ale daty ślubu nie wyznaczyli. Stanęliśmy wobec problemu: jak dalej prowadzić sprawę? Czy podjąć próbę werbunku „Larry'ego", a jeżeli tak, to w jakiej konwencji, pod jaką flagą? Pytań było wiele, ale na żadne nie mieliśmy satysfakcjonującej odpowiedzi. Brakowało przekonującego modus operandi. Dlatego Centrala w porozumieniu z „Sosną" i „Laną" podjęła decyzję o czasowym wstrzymaniu się od aktywnych działań, tym bardziej że uzysk informacyjny od „Larry'ego" był dobry, a sytuacja międzynarodowa szybko się zmieniała. Na początku sierpnia „Larry" został zmobilizowany jako porucznik rezerwy z przydziałem do Sztabu Naczelnego Wodza. Od tego czasu przebywał poza domem. Nie wiemy, gdzie dokładnie. Nigdy wcześniej nie mówił, że jest oficerem rezerwy, a „Lana" nie miała pretekstu do zgłębienia tematu. Na początku września poinformował, że wyjeżdża z Warszawy wraz ze Sztabem Naczelnego Wodza na wschód. Był w złym stanie psychicznym, bardzo boleśnie przeżywał rozstanie. Obiecał, że zrobi wszystko, by wrócić. Od tego czasu brak jest o nim informacji, zresztą nie mamy też łączności z „Laną", o czym mówiłem.

Zarubin kończył już swoje wystąpienie. Zamknął teczkę, kładąc na niej dłonie, by dyskretnie spojrzeć na zegarek.

– Przedstawiłem najważniejsze sprawy prowadzone przez naszą nielegalną rezydenturę w Warszawie. Trzeba jednak dodać, że cała trójka zbierała też informacje kapturowo, wspierając realizację przedsięwzięć podejmowanych przez jednostki specjalne kierowane do Polski bezpośrednio ze Związku Radzieckiego. Od początku, to znaczy od przybycia do Polski, aż do tego roku nasi agenci uczestniczyli w dobrze znanej towarzyszom operacji „Mołodcy". Wydatnie przyczynili się do jej sukcesu, szczególnie „Jura", który w najgorętszym okresie kierował naszymi oficerami wewnątrz Organizacji Ukraińskich Nacjonalistów, co doprowadziło do jej radykalizacji i w efekcie do wzrostu napięcia na zachodniej Ukrainie. Przyczyniło się to w poważnym stopniu do załamania oficjalnej współpracy polsko-ukraińskiej i nasilenia pacyfikacji prowadzonych przez wojsko polskie na tych terenach...

– Już dobrze, towarzyszu Zarubin – przerwał mu Beria w pół słowa – wystarczy, ten temat jest nam doskonale znany. Trochę wyolbrzymiacie rolę waszych nielegałów w tej sprawie, ale niech wam będzie. Myślę, że i tak wszyscy tu obecni możemy zgodnie ocenić, że wyniki pracy waszej rezydentury w Warszawie są dobre.

Zarubin miał uczucie, że za chwilę uniesie się w powietrze, tym bardziej że Fitin służalczo kiwał głową w takt słów Berii.

– Rzeczywiście pion wywiadu nielegalnego zrobił ogromne postępy od tysiąc dziewięćset trzydziestego roku i muszę was pochwalić za rzetelne wykonanie dyrektywy Politbiura.

Zarubin nie wierzył własnym uszom.

– Polecam przygotowanie całościowego raportu – kontynuował Beria – także z naszych poprzednich spotkań. Macie na to tydzień. Zostanie on przedstawiony na posiedzeniu Politbiura i osobiście towarzyszowi Stalinowi. Wojna wrześniowa całkowicie zmieniła sytuację polityczno--wojskową w Europie. Zniknął nareszcie jeden aktor, Polska jako państwo, ale sprawa polska jeszcze się nie zakończyła i w zgodnej ocenie kierownictwa partii będzie miała istotne znaczenie dla polityki ZSSR. Nie ma państwa, ale są Polacy. Z historii wiemy, że jest im obojętne, czy jesteśmy biali, czy czerwoni, bo i tak będą z nami walczyć. Zakończyliśmy z sukcesem pewien etap i rozpoczynamy przygotowania do następnego, a potem... do następnego. Odbiliśmy Białoruś i Ukrainę i mamy w końcu granicę z Niemcami. Nasze armie stanęły twarzą w twarz, i to właśnie w Polsce. Rozumiecie przecież, towarzyszu Zarubin, że nie będą one tak stały wiecznie. – Beria był bardzo przekonujący, chociaż mówił o rzeczach oczywistych. Po chwili zastanowienia dodał: – Czeka nas dużo pracy, towarzysze. Polecam zatem podjąć natychmiastowe działania, przy wykorzystaniu wszystkich naszych możliwości, w celu określenia, jaki jest aktualny stan sprawy polskiej, gdzie jesteśmy. Udało nam się wpłynąć, razem z Niemcami, na Rumunów, by zatrzymali i internowali rząd polski. Jednak wiemy, że do Francji spływają rzesze uchodźców z Polski, a w szczególności elit wojskowych i politycznych. Należy natychmiast przekazać zadania naszym ludziom we Francji i Wielkiej Brytanii. Nie muszę oczywiście mówić o odbudowaniu kontaktów z naszą polską agenturą...

Nagle Berii przerwał Fitin.

– Informowałem już, że pojutrze przyjeżdża do nas delegacja Gestapo i będziemy poruszali ten temat.

Beria pokiwał tylko głową i kontynuował:

– Towarzyszu Zarubin, proszę się spieszyć z przygotowaniem raportu. Natychmiast po jego zakończeniu udacie się do obozów dla polskich jeńców, które właśnie zakończyliśmy organizować. Dobierzecie sobie zespół współpracowników. Oczywiście nie będziecie występować jako INO. Trzymamy tam wziętych do niewoli oficerów i innych białych Polaków. Przebywają oni w obozach Starobielsk, Kozielsk i Ostaszków. Dokonaliśmy wstępnej selekcji i w obozie w Ostaszkowie trzymamy między innymi oficerów Oddziału Drugiego, choć pewności nie ma, bo Polacy nie chcą współpracować i są do nas wrogo nastawieni. Co jest zrozumiałe.

Beria uśmiechnął się szyderczo.

– Zwykli czekiści nie mogą nawiązać z nimi kontaktu – ciągnął w tym samym tonie. – Nie rozumieją ich psychiki, nie mają pojęcia o Polsce, brak im elementarnych umiejętności i Polacy nimi manipulują. Musicie się tym pilnie zająć. Wierzę, że ze swoją znajomością Zachodu i języków potraficie umiejętnie pozyskać ich zaufanie i wejść w to środowisko. Oddzielcie ziarno od plew, ustalcie, które osoby mogą być dla nas przydatne. Może przy okazji dowiecie się czegoś o „Saxonie" i „Waregu". To trudne zadanie, ale wierzę, że podołacie. – Beria zachęcał Zarubina łagodnym głosem z odrobiną wyczuwalnej sympatii. – Wasza żona też jest oficerem wywiadu? – zapytał ni stąd, ni zowąd, chociaż dobrze o tym wiedział.

– Tak jest, towarz...

– Towarzyszu Zarubin... – odezwała się po raz pierwszy trzecia postać komisji, Wsiewołod Nikołajewicz Mierkułow, pierwszy zastępca Berii. – Znam was dobrze i cenię jako oddanego sprawie czekistę.

Zarubin zdał sobie sprawę, że był tak skoncentrowany na Berii i Fitinie, iż zupełnie o nim zapomniał. O istnieniu Mierkułowa, wciąż popijającego wodę, przypominało jedynie stukanie karafki o szklankę. Po prostu nie mieścił się w scenariuszu Zarubina. Nie można mówić do trzech osób. Nie obejmuje tego standard techniki oficera wywiadu.

Tymczasem Mierkułow przybrał poważny ton.

– Towarzyszu Zarubin, wydam dyspozycje, by udzielono wam wszelkiej niezbędnej pomocy, otrzymacie specjalne pełnomocnictwa, ale spieszcie się, bo macie czas tylko do wiosny.

Fitin ze zdziwieniem spojrzał na Mierkułowa, ale zaraz się opanował.

– Rozumiecie?! – niemal wysylabizował znany z aktorskiego talentu Mierkułow. – Potem już takich możliwości nie będzie.

Zapadła cisza. Zarubin dużo widział, dużo wiedział, jeszcze więcej słyszał, toteż doskonale zrozumiał, o czym mówił Mierkułow. Przez chwilę nie potrafił uporządkować myśli. W tym kraju zdarzyło się wiele, ale tego nie mógł pojąć, był na to za inteligentny. Czuł, że to błąd, ogromny błąd, za który przyjdzie kiedyś drogo zapłacić.

Popatrzył na Berię i Mierkułowa. Kaukaski styl – pomyślał. Czy oni w ogóle wiedzą, jak myśli i wygląda reszta świata poza filmami i raportami wywiadu? Otrząsnął się jednak, bo nigdy nie zawiódł się na swojej intuicji i wrodzonej mimikrze, ważnej umiejętności pozwalającej czekiście przeżyć.

– Rozumiem, towarzyszu zastępco przewodniczącego – zameldował dobitnie.

– Jeszcze jedna sprawa – powiedział Mierkułow. – Na terenach zachodnich przejęliśmy polskiego majora, Jerzego Nałęcza-Sosnowskiego. Jest ranny. Konwojenci, polscy żandarmi, prawdopodobnie chcieli go rozstrzelać. Został przewieziony do naszego szpitala na Łubiance. Wiecie, o kogo chodzi? – zapytał.

– Oczywiście! – natychmiast odpowiedział Zarubin. – To as wywiadu polskiego w Niemczech, barwna postać, znana w całej Europie. Byłem akurat w Niemczech, kiedy został aresztowany... chyba w trzydziestym czwartym roku. W pewnym stopniu kontrolowaliśmy jego sprawę przez naszych agentów w niemieckim kontrwywiadzie.

W trzydziestym szóstym Niemcy wymienili go na siedmiu agentów Abwehry. W Polsce został tuż przed wojną aresztowany i skazany. Sprawę znamy dosyć dobrze, informował o tym „Wareg", który miał dobre kontakty w prokuraturze wojskowej.

– Sosnowskim zajmuje się teraz nasza Zoja Woskriesienska, ale chciałbym, żebyście i wy włączyli się do sprawy – powiedział Mierkułow.

– Tak jest! – odpowiedział Zarubin.

– Jak widzicie, nie przesadzałem, kiedy mówiłem, że czeka was dużo pracy. Liczymy na was i wasz Wydział! – dorzucił Beria.

– Jest jeszcze jedna sprawa, zupełnie nowa – zwrócił się Fitin do Berii. – Odbyliśmy wstępne konsultacje z towarzyszem Zarubinem i Wydziałem Polskim. Całość projektu zostanie wkrótce przedstawiona w specjalnym raporcie, który jest w trakcie przygotowania.

Na twarzy Berii pojawiło się zainteresowanie.

– Projekt przewiduje utworzenie na bazie Wydziału Polskiego rozszerzonego oddziału specjalnego i przeniesienie go w pobliże granicy niemieckiej, na przykład do Brześcia Litewskiego. Prowadzenie działań operacyjno-wywiadowczych z tej pozycji powinno w znacznym stopniu zwiększyć efektywność naszej pracy, a także rozwinąć, z wykorzystaniem polskiego elementu, rozpoznanie wywiadowcze sił i ruchów Niemców po drugiej stronie granicy. Da nam to również możliwość bliższej współpracy z Gestapo i jednocześnie ich rozpracowania. Z Brześcia do Warszawy jest przecież niespełna dwieście kilometrów... Przedsięwzięcie ryzykowne, ale możliwe do realizacji. Wymaga oczywiście odpowiednich przygotowań – zakończył Fitin pytającym tonem.

Beria, który cały czas słuchał uważnie, spojrzał na Mierkułowa.

– A co ty o tym myślisz, Siewa? – zapytał. – Odważne, jeszcze tak nie działaliśmy, ale cóż, czasy są trudne i mogą być jeszcze trudniejsze.

– Trzeba szukać nowych rozwiązań – oznajmił Mierkułow.

– Ciekawe... Czekam na raport – powiedział Beria, wstając.

# 11

Pokój wypełniały kłęby dymu papierosowego wymieszane z oparami wódki, piwa i uryny z zepsutej toalety. W rogu pokoju stał telewizor włączony na MTV bez głosu.

Pułkownik Andriej Olegowicz Stepanowycz z mińskiego KGB czuł, że jeżeli zostanie dłużej, to za chwilę urwie mu się film. Podjął już decyzję: najwyższy czas iść do domu, zwłaszcza że mieszka niedaleko.

Wydawało mu się, że głosy pięciu pijanych mężczyzn zlewają się w jeden potężny ryk. W żadnym wypadku nie mógł zasnąć, bo miał nieodparte wrażenie, że koledzy ze Służby Celnej, nie mniej pijani od niego, tylko czekają, żeby odebrać mu jego zasłużone pięć tysięcy dolarów.

Później powiedzą, że gdzieś zgubiłem. To skurwysyny... Takim nigdy nie można ufać! – pomyślał z wysiłkiem.

Co prawda nie napracował się zbytnio, by zasłużyć na te pieniądze, bo i nie było przy czym, zabezpieczał jedynie transport papierosów do Polski, ale piątka mu się należała, bo jest najstarszy stopniem. Już dawno nie dostał takiej kasy, więc ciągle odruchowo wsuwał rękę do kieszeni, sprawdzając, czy pieniądze są na swoim miejscu. I po każdej takiej kontroli było mu coraz przyjemniej.

– Cisza! – krzyknął chyba ciut za głośno i opierając się o chybotliwy stół, spróbował wstać. – Baczność! Towarzysz pułkownik wychodzi do domu – powiedział niezbyt wyraźnie do zamilkłych nagle kompanów. – Nie sprowadzać mi tu żadnych kurew, jak pójdę. To jest... kurwa... przyzwoite mieszkanie konspiracyjne Komitetu Bezpieczeństwa Państwowego Republiki Białoruś. Zrozumiano?! – Z trudem utrzymywał się w pionie. – Nie trzeba mi tu żadnych awantur. Nie dzisiaj, kiedy wszyscy są przy kasie. A z kurwami zawsze są kłopoty! Zrozumiano?! – Mimo że mówił bełkotliwie, starał się być poważny.

Nawet w tym stanie doskonale wiedział, że Służba Bezpieczeństwa Prezydenta tylko czeka, by przywalić chłopcom z KGB, i jego kasa poszłaby niechybnie na wczasy w Egipcie dla jakiegoś wałka Łukaszenki.

Patrzył na czerwone twarze pięciu mężczyzn siedzących wokół stołu i nie był pewny, czy dotarło do nich to, co powiedział.

– Wasia! Chodź tu... chłopie! Odpowiadasz za zakończenie tej imprezy. – Zachłysnął się powietrzem i odbiło mu się niebezpiecznie. Po chwili dokończył: – Pilnuj tych celników, to amatorzy, i żeby nie skończyło się jak poprzednio. Zrozumiałeś, durniu?! – rzucił do kapitana Krupy, najmłodszego w towarzystwie i, jak mu się wydawało, w miarę trzeźwego.

– Odprowadzę was do domu... towarzyszu pułk... niku! – Kapitan poderwał się tak gwałtownie, że aż upadło za nim krzesło. Stanął na baczność, wychylając się do tyłu wbrew prawom fizyki, ale nikt nie zwrócił na to uwagi.

– Idź w cholerę, Wasia! Mam do domu... może... dwieście metrów! Może mniej. Masz mi dopilnować tej imprezy. Zrozumiałeś, durniu?! – Stepanowycz niepewnym krokiem posuwał się w kierunku drzwi.

– Tak jest! Towa... szu... niku! – odpowiedział kapitan Krupa, jakimś cudem prostując się w postawie zasadniczej.

– Idź, chłopcze, do kuchni, tam na stole są ogórki... tylko weź te zamknięte. I flaszkę daj. – Stepanowycz radził sobie teraz zupełnie dobrze. – Jest tam też reklamówka... No idź, Wasia! Włóż to do niej i przynieś.

Krupa, chwytając się framugi drzwi, ruszył do kuchni.

– Jutro też jest dzień! – refleksyjnie rzucił pułkownik i zaraz dodał: – Daj moje fajki ze stołu... Jutro trzeba jakoś przeżyć! Nie?!

Znalezienie ogórków, wódki, papierosów i torby Media Markt zajęło kapitanowi dużo czasu.

Stepanowycz stał oparty plecami o drzwi i wyglądał, jakby zasnął.

– Wszystko gotowe, tow... szu puł... niku! – zameldował zadowolony Krupa, wyciągając przed siebie czerwoną reklamówkę.

– Chodź tu, Wasia! – Pułkownik ocknął się, brutalnie przyciągnął Krupę za kark i z wolna wyszeptał mu do ucha: – Pilnuj swojej kasy! Ci celnicy to złodzieje i jak im pozwolisz, to cię opierdolą. I tak zarobili dwa razy więcej na tych fajkach, niż mówią. Ale ja to ustalę, Wasia! I wszystko oddadzą z procentem. Zobaczysz! – Wciąż nie zdejmował mu ręki z karku. – Ty jesteś dobry chłopak, Wasia! Trzymaj się mnie, a dobrze na tym wyjdziesz. – Poluźnił uścisk, ale Krupa wciąż stał w postawie zasadniczej, z zamkniętymi oczami.

Stepanowycz z trudem zszedł z trzeciego piętra, nie odrywając dłoni od poręczy. Brak żarówek na klatce schodowej nie ułatwiał mu zadania.

Wyszedł przed budynek i poczuł ciepłe, świeże nocne powietrze. Wyjął papierosa i zaczął intensywnie szukać w kieszeniach zapalniczki. Ruchy krępowała mu torba z ogórkami i wódką.

Po chwili zaciągnął się mocno darmowym papierosem z ostatniego transportu i jak pędzący parowóz wypuścił w górę dym.

Czuł się dobrze, jak człowiek sukcesu i władzy.

– *The sky is the limit* – powiedział głośno po angielsku swoje ulubione zdanie, jedyne zresztą, jakie znał w tym języku, i ruszył w kierunku domu gęsto zadrzewioną asfaltową alejką.

Blade światło nielicznych latarni wskazywało kierunek. Była sobota i na osiedlu, mimo ciepłej nocy, panowała nienaturalna o tej porze cisza. Szedł powoli, próbując, ze zmiennym szczęściem, trzymać się ścieżki.

Nagle przystanął, odwrócił się i spojrzał do tyłu. Miał wrażenie, że ktoś za nim idzie. Czuł czyjąś obecność.

Przez chwilę wytężał wzrok, lecz słabe światło i bujne zarośla nie pozwalały mu nic dostrzec. Nie bał się. Czuł się pewnie. Na oficerskim osiedlu nikt by go nie tknął, chociaż i tu czasami zdarzały się drobne awantury.

W pewnym momencie zauważył, że kilka metrów od niego nienaturalnie poruszyły się liście. Chwycił ręką za marynarkę na piersi, gdzie miał grubą kopertę z pieniędzmi.

Tam ktoś jest! – pomyślał i pożałował, że nie wziął broni.

– Wasia? To ty, bałwanie?! – powiedział gromko, by dodać sobie odwagi. – Wyłaź, bo cię zastrzelę! – Udał, że sięga po ukryty pistolet.

Zdawał sobie sprawę, że w tym stanie jest bezbronny. Wiedział też, że to nie może być Wasilij Krupa. Stał jeszcze chwilę, obserwując przez zmrużone oczy zarośla. Znów mu się wydało, że ktoś tam jest. Nie był pewny, czy to złudzenie, czy rzeczywiście widzi kształt postaci i jaśniejszą twarz zatopioną w ciemnej zieleni.

Czuł, jak pulsuje mu krew w skroniach i mocno bije napędzone wódką serce.

Skurwysyny! Chcą mnie oczyścić z kasy! – dotarło do niego nagle z całą siłą.

Wypełnił go niepokój, jakiego dotąd nie znał, a przecież nic nie widział. Pewnie mu się tylko zdawało, że ktoś go śledzi. Im bardziej nie rozumiał, co się z nim dzieje, tym większą czuł panikę.

Przyspieszył kroku. Wyostrzone zmysły działały jak nowe. Już widział bramę swojego domu.

Energicznie otworzył mocno sfatygowane, skrzypiące drzwi. Po omacku przeciągnął lewą ręką i odszukał skrzynki na listy, za którymi był włącznik światła. Znalazł go bezbłędnie i nacisnął, ale światło zapaliło się tylko na wyższych piętrach, rzucając na dół zaledwie słabą poświatę.

Teraz już poczuł się bezpiecznie. Był w domu. Zrobił pierwszy krok po schodach i zatrzymał się.

Kątem oka dostrzegł zarys wysokiej postaci. Stała nieruchomo po prawej stronie, w ciemnej wnęce, przy wejściu do piwnicy. Andriej Olegowicz nie uciekał, znieruchomiał jak ołowiany posąg. Chciał tam spojrzeć, ale się bał!

Minęły dwie, trzy sekundy. I nagle poczuł potężne, bezbolesne uderzenie w plecy i równocześnie na twarzy silny uścisk czyjejś dłoni. Po chwili spadły na niego dwa następne uderzenia. Zrobiło mu się gorąco na całym ciele. Jego nozdrza podrażnił słodki, dziwny zapach, ugięły się pod nim nogi i ciepła, wilgotna plama rozlała mu się po plecach.

– To nóż! Nóż… – usłyszał własny głos, uciekający i metaliczny.

Zawirowało mu w oczach. Chciał zwymiotować. Zobaczył, jak w zwolnionym tempie przesuwa się nad nim znajoma twarz. Zrozumiał, że leży, i chciał coś powiedzieć, ale nie mógł wydobyć z siebie głosu.

Dwie mocne dłonie sprawnie przeszukiwały mu kieszenie, wyciągając kopertę z pieniędzmi, portfel i pęk kluczy. Jeszcze przez chwilę mocowały się z plastikową torbą, która owinęła się wokół nadgarstka. Potem usłyszał trzaśnięcie drzwi wyjściowych i szybko oddalające się kroki.

Było cicho i coraz zimniej.

# 12

– Panie prezesie, przyszedł profesor Kazimierz Barda – zaanonsowała przez telefon sekretarka.

Doktor Henryk Małecki wstał z fotela i z ledwo zauważalnym ociąganiem wyszedł z gabinetu.

– Serdecznie witam, panie profesorze, w siedzibie Instytutu Pamięci Narodowej. To dla nas i dla mnie osobiście zaszczyt gościć twórcę polskiej cybernetyki i informatyki. Bardzo przepraszam, że musiał pan tak długo czekać na to spotkanie, ale sam pan rozumie, jak bardzo jestem teraz zajęty. – Prezes ściskał rękę wysokiego, dystyngowanego pana po osiemdziesiątce.

– Nic nie szkodzi. Mam teraz sporo wolnego czasu, chociaż moja macierzysta uczelnia we Wrocławiu nadal powierza mi jakieś zadania i nie pozwala ostatecznie się zestarzeć. Wciąż mam kontakt ze studentami. – Głos profesora brzmiał dźwięcznie, wręcz młodzieńczo.

Przeszli do gabinetu prezesa i usiedli w głębokich fotelach przy przygotowanym wcześniej stoliku.

– Czym mogę panu służyć, panie profesorze? Może odrobinę koniaku, pora jest już właściwa, lecz może temperatura na zewnątrz zbyt wysoka? – zapytał Małecki oficjalnie.

– Z przyjemnością, panie prezesie. Myślę, że dobrze mi to zrobi po podróży, tym bardziej że lekarze nie zabraniają mi tego trunku mimo moich osiemdziesięciu ośmiu lat.

– Nieprawdopodobne! Świetnie pan wygląda, panie profesorze! – Małecki był autentycznie zaskoczony.

– Panie prezesie, ile czasu może mi pan poświęcić? – zapytał Barda prosto z mostu.

– Ile będzie trzeba! Nie mam już dzisiaj żadnych spotkań – skłamał Małecki, bo kolejka interesantów nigdy się nie kończyła, ale miał nadzieję, że profesor to zrozumie i nie będzie przeciągał rozmowy.

– Sprawa, z którą do pana przychodzę, jest, jak mi się wydaje, dosyć nietypowa. Pewnie z racji piastowanego urzędu ma pan cały szereg nietypowych spraw... albo może wyłącznie nietypowe... zresztą za chwilę sam pan oceni. Muszę jednak bardzo wyraźnie podkreślić, że ta rozmowa ma dla mnie osobiście ogromne znaczenie. Mógłbym nawet śmiało powiedzieć, że to najważniejszy dzień w moim życiu, co pewnie pana zdziwi, panie prezesie.

I rzeczywiście Małecki był zdziwiony tym, co usłyszał. Praktycznie nie spotykał się z osobami, które figurowały w katalogach IPN. Zanim zgodził się na rozmowę z Bardą, sprawdził go we wszystkich możliwych rejestrach. Wydało mu się niepojęte, że ktoś taki jak profesor, który wykładał przecież na zagranicznych uczelniach, nigdy nie zainteresował służb specjalnych PRL. Chociaż zdarzały się takie przypadki... Ale to tylko zwiększało jego zdziwienie tym, co przed chwilą usłyszał.

Profesor zawiesił głos i przyciągnął do siebie filiżankę z kawą i koniak. Małecki miał wrażenie, że jego gość zastanawia się, czy dobrze zrobił, przychodząc tutaj. Był coraz bardziej ciekaw, co ma do powiedzenia.

– Proszę mi wybaczyć, panie prezesie, że zapytam tak bezpośrednio. Rozumiem, że nasza rozmowa... nie jest rejestrowana? Zgadzam się na robienie notatek, ale nie na nagrywanie. – Profesor był uprzejmie stanowczy.

– Ależ, panie profesorze! – Małecki zrobił minę, jakby się lekko obraził, chociaż często nagrywał spotkania. – Może w takim razie poproszę mojego asystenta Zenona Ruperta, by sporządzał notatki? – zapytał.

Profesor skinął głową i sięgnął po kieliszek. W tym czasie Małecki poprosił przez telefon asystenta, by przyszedł do jego gabinetu. Zauważył, że profesor pociągnął duży łyk koniaku, jakby chciał dodać sobie odwagi.

– Pan Rupert jest bardzo zdolnym młodym naukowcem, jednocześnie moim doktorantem. Mam do niego pełne zaufanie, gdyż znam go od dziecka. Jego ojciec to mój najbliższy przyjaciel, jeszcze z czasów działalności podziemnej.

– Słyszałem gdzieś to nazwisko... – powiedział Barda.

– Tak, to syn naszego ministra obrony Zbigniewa Ruperta. Charakterystyczne, nie da się pomylić, prawda? – Małecki sięgnął po swój kieliszek.

Rupert wszedł do pokoju gwałtownie, bez pukania. Podszedł do profesora z wyciągniętą ręką i sztucznym uśmiechem na twarzy.

– Witam pana profesora – rzucił krótko.

Widać było, że już wcześniej wiedział, kogo zastanie w gabinecie.

Od razu zrobił na Bardzie bardzo złe wrażenie – zbyt pewnego siebie, aroganckiego młodego człowieka – i chociaż profesor prawie całe życie spędził z młodzieżą, rzadko spotykał się z takim brakiem szacunku.

– Panie profesorze – powiedział Małecki – przedstawiam panu magistra Zenona Ruperta.

Barda podał mu rękę, nie wstając z fotela, ale odniósł wrażenie, że Rupert nie zrozumiał tego gestu.

– Zenek – zwrócił się Małecki do Ruperta – usiądź, będziesz robił notatki z naszej rozmowy.

– Prawdę mówiąc, wszystko to, co panowie za chwilę usłyszą, powinno być objęte klauzulą „ściśle tajne". Tak to się mówi? – zapytał Barda, choć dobrze wiedział, co ten termin oznacza. – Rzecz dotyczy mojego życia i spraw, które nie powinny być zapomniane.

Słowa „życia i spraw" zabrzmiały mocno, groźnie. I chciał, żeby tak właśnie zostały odebrane.

– Rozmawiałem niedawno z moim synem, który od dwudziestu lat jest wykładowcą na Massachusetts Institute of Technology. Jemu pierwszemu opowiedziałem tę historię i to właśnie on mi doradził, bym zwrócił się z tą sprawą do Instytutu Pamięci Narodowej. Przyznam szczerze, panie prezesie, że nie jest to najlepszy sposób zakończenia mojej odysei, ale nie mam wyboru. – Na chwilę zawiesił głos. – A może jest to jednak jedyny wybór, jakiego teraz mogę dokonać, bo, jak mówią mi lekarze, muszę się szybko decydować.

Profesor mówił spokojnie, dobierając słowa, i nie zwracał uwagi na reakcje prezesa, a tym bardziej siedzącego za biurkiem wyłysiałego przedwcześnie doktoranta. Miał wrażenie, że kręci mu się trochę w głowie od koniaku, że jeszcze nie jest gotowy, że może jednak nie powinien nic mówić.

– Zdarzyło się to w lipcu czterdziestego trzeciego roku w lasach na Polesiu, na południowy wschód od Grodna. Teraz to jest Białoruś. Oddział nasz, wchodzący w skład Zgrupowania AK na Grodzieńszczyźnie, był jednostką do zadań specjalnych. Dowodził nim major Stanisław Waszczykowski, pseudonim „Broda". Wraz z bratem zostaliśmy wówczas przydzieleni do tego oddziału, z bezpośrednią podległością „Brodzie". Mój nieżyjący już dzisiaj brat Jan, starszy ode mnie o cztery lata, był oficerem zawodowym WP. Do września trzydziestego dziewiątego roku służył w Oddziale Drugim Sztabu Generalnego Wojska Polskiego, Referat Wschód, w Warszawie. W chwili wybuchu wojny był już kapitanem, ja natomiast młodym podchorążym. Nie będę wchodził teraz w szczegóły, powiem jedynie, że zgodnie z planami operacyjnymi na wypadek wojny przeszliśmy pod koniec września trzydziestego dziewiątego, z dobrymi papierami, do strefy sowieckiej, gdzie mieliśmy oczekiwać w ukryciu na dalsze instrukcje. Mieszkaliśmy w starym domku na przedmieściach Grodna. Gdzieś na przełomie stycznia i lutego tysiąc dziewięćset czterdziestego roku nawiązał z nami kontakt łącznik z Warszawy. Od tej chwili do wybuchu wojny sowiecko-niemieckiej zajmowaliśmy się rozpoznaniem i budową organizacji wywiadowczej na zapleczu Rosjan. W szczególności interesowała nas współpraca niemiecko-sowiecka, stan przygotowań ZSRR do wojny i tym podobne sprawy.

Profesor mówił płynnie, ze swobodą. Rupert dokładnie wszystko notował, ale Małecki już słyszał takie historie.

– Byliśmy wtedy podkomendnymi Oddziału Drugiego Komendy Głównej ZWZ. Jednym z ważniejszych zadań, jakie wypełnialiśmy do chwili wybuchu wojny, była identyfikacja i jeśli zaszła potrzeba – Barda zawahał się przez moment – likwidacja współpracowników NKWD oraz wszelkiego rodzaju renegatów i donosicieli w naszych szeregach. Prowadzenie działalności konspiracyjnej i wywiadowczej w tych czasach i na tym terenie było nadzwyczaj trudne, NKWD bowiem miało bardzo sprawną i dobrze zorganizowaną strukturę oraz liczne grono gorliwych współpracowników. Udawało nam się uniknąć prowokacji i aresztowania, gdyż pracowaliśmy z bratem sami, a naszą łączniczką była „Hania". Wyjątkowa, niezwykła osoba...

Barda przerwał na sekundę, a Małecki wyczuł natychmiast, że załamał mu się głos.

– Mieliśmy do niej pełne zaufanie. Przed wojną przeszliśmy specjalistyczne przeszkolenie dotyczące specyficznych zasad służby wywiadowczej przeciw Sowietom. W Grodnie brat pracował w elektrowni, a ja w miejscowej gazecie młodzieżowej, gdzie zostałem nawet członkiem Komsomołu. W naszym otoczeniu nikt nie wiedział, że jesteśmy braćmi. Po wybuchu wojny z ZSRR otrzymaliśmy nowe zadania. W ramach akcji „Wachlarz". Pan to oczywiście zna, prawda, prezesie?

Małecki pokiwał głową jakby z politowaniem.

– Zaczęliśmy wtedy pracować w niemieckiej firmie transportowej jako kierowcy i dużo jeździliśmy po Białorusi, co znacznie ułatwiało nam działalność. Znaliśmy język, warunki, no i nie baliśmy się zapuszczać w rejony opanowane przez sowiecką partyzantkę. Pod koniec czterdziestego drugiego roku w naszej jednostce w Grodnie, której podlegaliśmy, nastąpiła wsypa. Niemcy aresztowali „Hanię" i musieliśmy uciekać. „Hania" to prawdziwy bohater i żołnierz, nawet nie znaliśmy jej nazwiska, po prostu przedstawiła się jako „Hania" i tak zostało. Umarła cicho, samotnie, w niemieckim więzieniu w Grodnie... Popełniła samobójstwo. Tylko ona wiedziała, że jesteśmy braćmi, i znała nasze prawdziwe nazwiska. Kontaktowała się z naszymi rodzicami w Wilnie.

Profesor był wyraźnie wzruszony. Wyglądało na to, że było w tym wspomnieniu coś więcej niż tylko pamięć.

– Dostaliśmy przydział do oddziału „Brody"... Jak mówiłem, była to jednostka specjalna. Większość żołnierzy pochodziła z miasta: chłopcy dobrze wykształceni, z inteligenckich rodzin, w większości oficerskich, o silnej motywacji i oddani sprawie. W oddziale panował wspaniały duch przyjaźni i braterstwa, chociaż przyszło nam wykonywać wątpliwe, według obecnych standardów, zadania. Wtedy była jednak wojna i takich wątpliwości nie mieliśmy. Teraz jedno zdjęcie w mediach, krótki film dokumentalny przedstawiający śmierć na żywo wzbudza gorące emocje. Wówczas, powiem to szczerze, miewaliśmy wątpliwości tylko wtedy, gdy trzeba było zlikwidować Polaka. W pozostałych wypadkach nie mieliśmy żadnych.

Zauważył, że zaczyna odchodzić od sedna sprawy, więc wrócił do przerwanego wątku.

– „Broda" wiedział, że jesteśmy spokrewnieni, ale nie że jesteśmy braćmi. Wiedział jedynie, że ja byłem podchorążym rezerwy z Warszawy, a Jan oficerem liniowym. Jednym z naszych zadań było rozpracowywanie sowieckiej partyzantki na Wileńszczyźnie i Polesiu. Podlegaliśmy bezpośrednio Komendzie Głównej AK. Nasze relacje z sowiecką partyzantką od początku były złe, ale po ujawnieniu zbrodni katyńskiej wiosną czterdziestego trzeciego pogorszyły się jeszcze bardziej. W naszym oddziale było wielu żołnierzy, którzy stracili kogoś w Katyniu, a inni cały czas szukali bliskich i już przeczuwali, co mogło się z nimi stać. Wraz z postępami Armii Czerwonej w czterdziestym trzecim roku nastąpiła intensyfikacja działań Sowietów na tyłach, nie tylko przeciw Niemcom czy białoruskim nacjonalistom, lecz także przeciw żywiołowi polskiemu lub propolskiemu na Wschodzie. Czasami trudno było jednak odróżnić, kto jest kim.

Barda wyjął z teczki cienki niebieski skoroszyt, który położył na kolanach i otworzył. Małecki zobaczył kartki wypełnione pismem maszynowym. Dobrze znał wygląd archiwalnych dokumentów.

– Muszę sobie trochę pomóc, już nie wszystko pamiętam. – Profesor uśmiechnął się, jakby był czemuś winny, i poprosił o wodę.

– Panie profesorze, nie musimy się spieszyć, mamy czas – powiedział Małecki, coraz bardziej zainteresowany historią Bardy, i przez interkom połączył się z sekretarką.

Rupert, siedząc za biurkiem, z wypiekami na twarzy i pustym uśmieszkiem wpatrywał się w profesora.

– W lipcu czterdziestego trzeciego roku rozbiliśmy jednostkę specjalną NKWD. Był to nieduży oddział, w sile dwóch plutonów, działający w ramach sowieckiego zgrupowania partyzanckiego, które z nami sąsiadowało. Śledziliśmy ich od dłuższego czasu i mieliśmy rozkaz likwidacji. Oddział ten w zależności od potrzeb mógł występować jako niemiecki, sowiecki lub polski. Tak zostali przygotowani i wyposażeni. Czekając na przybycie Armii Czerwonej, w niemieckich mundurach mordowali wszystkich, jako Polacy – Białorusinów lub Litwinów, w sowieckich – Polaków, i tak dalej, aż do osiągnięcia zaplanowanych efektów... Jego dowódcą był kombryg mińskiego NKWD Wiaczesław Michajłowicz Siergiejew. Otrzymywał rozkazy bezpośrednio z Moskwy, a dowódca zgrupowania był zobowiązany z nim współpracować. Nie podobało się to jednemu z sowieckich dowódców partyzanckich i... dzięki jego pomocy, jak można by to określić... udało nam się ten bandycki oddział ostatecznie zlikwidować.

– To bardzo ciekawe, co pan mówi, panie profesorze. Fakty tego rodzaju z terenów wschodnich mamy bardzo słabo udokumentowane, choćby dlatego, że niewielu świadków już pozostało – odezwał się Małecki i jasne było, że jeszcze się nie domyśla, co Barda chce mu powiedzieć.

– Z oddziału pozostało przy życiu kilkunastu bojców, których wzięliśmy do niewoli. Niestety, nie przeżył żaden oficer. Ich przesłuchiwaniem zajmowaliśmy się razem z bratem. Naszym najważniejszym zadaniem było udokumentowanie zbrodni dokonanych przez nich na miejscowej ludności, niezależnie od tego, w jakim mundurze występowali. Takie mieliśmy wyraźne rozkazy Komendy Głównej i z Londynu. Sami też byliśmy wystarczająco zdeterminowani, no i pełni nienawiści, szczerze mówiąc. Na początku rozstrzelanych zostało dwóch bandziorów, którzy rokowali najmniejsze nadzieje na współpracę i uzyskanie informacji... Sądu nie było, bo... nie musieliśmy udowadniać winy! Efekt egzekucji, jak zawsze w takich sytuacjach, łatwo dało się przewidzieć! Większość jeńców była natychmiast gotowa do współpracy, a niektórzy chcieli nawet przyłączyć się do naszego oddziału i walczyć z komunistami. Ciekawe, prawda?

Zamilkł na chwilę, jakby chciał, by słuchacze docenili zawartą w jego słowach ironię.

– Jednym z najbardziej żarliwych „antykomunistów" okazał się niejaki... – zaczerpnął głęboko powietrza – Siemion Andriejewicz Zubow, w oddziale prawie od początku jego powstania. Wyjaśnienia składał obszerne i czynił to chętnie, choć był typem dosyć prymitywnym, zresztą jak większość tych bojców. Zadziwiające... zupełnie nie poczuwał się do winy za swoje zbrodnie. Uważał, że wykonywał rozkazy... że to normalne. Myślał, że my też tak postępujemy. Najciekawsze jednak, że przy okazji jego przesłuchania wypłynęła zupełnie inna sprawa, która, nawiasem mówiąc, przedłużyła mu nieco życie. To, co nam powiedział Zubow, i to, co z tego wynika, stanowi właśnie główny powód mojej wizyty, panie prezesie...

Barda przerwał i położył obie dłonie na skoroszycie, który wciąż trzymał na kolanach.

– Oto, panie prezesie – zaczął po chwili – kopia oryginalnego protokołu przesłuchania Zubowa. Może nie tyle protokołu, ile naszego bardzo szczegółowego raportu, jaki został przesłany do Komendy Głównej AK, a następnie, wiem to dobrze, do Oddziału Drugiego Sztabu Naczelnego Wodza w Londynie. Niestety, musiałem wymazać z niego kilka słów, a właściwie nazwisk. Pan wybaczy, ale nie będę wyjaśniał dlaczego. Mam nadzieję, że właśnie pan powinien to doskonale zrozumieć. Gwarantuję jednak autentyczność dokumentu. W tamtych czasach raporty sporządzaliśmy w jednym egzemplarzu, który następnie był przekazywany do KG. My z bratem wszystko pisaliśmy przez kalkę, robiąc kopie, co było pewnym złamaniem przepisów, ale uważaliśmy, że tak trzeba, bo łączność była wówczas zawodna. Przedstawię teraz panu w skrócie najistotniejsze fragmenty przesłuchania Zubowa i to, co nastąpiło później, a czego nie znajdzie pan w tym dokumencie...

Barda cały czas zwracał się bezpośrednio do Małeckiego, wyraźnie pomijając Ruperta, który prawdopodobnie wyczuwał niechęć profesora.

– Zubow od lutego tysiąc dziewięćset czterdziestego roku do wybuchu wojny, to jest do czerwca czterdziestego pierwszego, służył w plutonie wydzielonym sto trzydziestego drugiego batalionu konwojowego NKWD w Brześciu Litewskim, a dokładniej w twierdzy brzeskiej. Miał stopień sierżanta bezpieczeństwa, ale w oddziale partyzanckim utrzymywał, że był przed wojną zwykłym szeregowym. Z takich jak on... i jemu podobnych zbójów... utworzono wydzieloną kompanię specjalną, o której mówiłem wcześniej. Wśród zwykłych partyzantów sowieckich, którzy już zdążyli poznać NKWD, Zubow i podobni mu kamraci mieli małe szanse na przeżycie miesiąca. Po zajęciu twierdzy brzeskiej we wrześniu trzydziestego dziewiątego władze sowieckie utworzyły tam potężną bazę wojskową, zamkniętą i dobrze chronioną. Na początku stycznia czterdziestego roku Zubow otrzymał rozkaz zorganizowania z wybranych przez siebie enkawudzistów plutonu przeznaczonego do ochrony dwupiętrowej willi, która stała w obrębie murów twierdzy. Miał też przygotować ten budynek na przybycie nieznanego mu wówczas oddziału NKWD z Moskwy. Rozkazy otrzymywał wyłącznie od dowódcy batalionu, a po przybyciu jednostki do Brześcia, jak twierdził, przeszedł pod bezpośrednie rozkazy jej dowódcy. Polecenia związane z przybyciem jednostki, a zatem dotyczące wydzielenia willi i przygotowania pomieszczeń, wydawał dowódcy twierdzy i dowódcy batalionu NKWD nie kto inny, tylko sam Mierkułow. Zgodzi się pan, że to trochę dziwne. Niemniej jednostka, o której wspomniał Zubow, bardzo nas zainteresowała i zaczęliśmy drążyć temat.

– Tak, panie profesorze, to rzeczywiście interesujące, ale nie odbiega tak bardzo od ówczesnej praktyki w ZSRR. Mierkułow dość często interweniował osobiście w istotnych dla niego sprawach. W tym jednak wypadku mamy do czynienia z jakąś nadzwyczaj ważną i tajną jednostką NKWD, i to akurat w Brześciu. Wszystko razem stanowi ciekawy splot okoliczności... – Małecki sprawiał wrażenie rzeczywiście zainteresowanego sprawą.

– Dokładnie w ten sam sposób myśleliśmy latem czterdziestego trzeciego roku. Zubow mówił chętnie, bez oporów. Myślę też, że szczerze.

Profesor zamyślił się na moment, jakby zgubił wątek.

– W połowie stycznia przyjechał do Brześcia kapitan bezpieczeństwa Jewgienij Abramowicz Pokrowski, żeby obejrzeć dom przeznaczony dla jednostki. Gościli go wtedy dowódca twierdzy i kierownictwo NKWD, z którymi pił dwa dni. Odnosili się do niego jak do kogoś nadzwyczaj ważnego.

Raz pojechał też na niemiecką stronę. Zubow i dwóch enkawudzistów towarzyszyło mu niemal cały czas... W końcu Pokrowski polecił, by Zubow wprowadził jakieś nieistotne zmiany w systemie ochrony willi, i ocenił obiekt jako gotowy do objęcia. Dom stał w lesie, w południowej części twierdzy, około trzystu metrów od Bramy Południowej. Pod koniec stycznia lub na początku lutego do twierdzy przybyli goście. Nie oczekiwał na nich nikt z dowództwa twierdzy, tylko Zubow i jego zastępca. Samochodem osobowym przyjechał major bezpieczeństwa Wasilij Zarubin, któremu towarzyszył Pokrowski. Autobusem przywieziono dziewięciu niższych oficerów NKWD. Wszyscy zamieszkali w willi. Przywieźli ze sobą kilka skrzyń, maszyny do pisania i wiele innych potrzebnych rzeczy. Zaraz po przyjeździe otrzymali własną łączność telefoniczną. Obiekt ochraniało na zmianę dwudziestu enkawudzistów, ale nie mieli prawa wstępu do wnętrza. Jedynie Zubow i jego zastępca mogli tam wchodzić, ale też nie wszędzie. Zubow nie interesował się, co to była za jednostka... i nawet nie chciał wiedzieć, jak wyznał szczerze... lecz w twierdzy mówili, że to specjalna jednostka wywiadu podległa bezpośrednio Berii. W takiej sytuacji rzeczywiście lepiej było się tym nie interesować.

Profesor przerwał na chwilę, by napić się wody i przeczytać coś w materiałach.

– Gdzieś słyszałem nazwisko Zarubin... Tak... na pewno słyszałem! – Małecki zmarszczył czoło i przesłonił oczy dłonią.

– Z całą pewnością słyszał pan o Zarubinie i gdy tylko rozwinę wątek, zaraz pan sobie przypomni – powiedział Barda. – Zarubin był dowódcą jednostki, ale rzadko w niej bywał. Częściej pojawiał się dopiero od czerwca tysiąc dziewięćset czterdziestego roku. Zawsze podróżował w towarzystwie jednego lub dwóch oficerów. Czasami byli to oficerowie z jego jednostki, a czasami zupełnie mu nieznani. Zubow rozmawiał z Zarubinem dwa, trzy razy o jakichś nieistotnych sprawach. Robił wrażenie poważnego, surowego enkawudzisty. Widać było... jak dobrze pamiętam, Zubow użył takiego określenia... że wszyscy się go bali. Tak naprawdę to oznacza, że pozostali oficerowie traktowali go z najwyższym szacunkiem i poważaniem. Musimy cały czas mieć na uwadze poziom intelektualny Zubowa – podkreślił profesor. – Trzeba było niezwykłego samozaparcia, by wydobyć z niego to, co wiedział, a nie zdawał sobie sprawy, że wie. Jak mówił Zubow, Zarubin był bardzo elegancki, czysty, „taki nie nasz", bez wojskowych manier. Zubow nie wiedział, kim on jest, jak go traktować, bo był inny, dziwny. Ponieważ nie pasował do znanego mu świata, bał się go jak nikogo dotąd. Starał się go unikać i był zadowolony, że rzadko przyjeżdżał. Bieżące kontakty utrzymywał z Pokrowskim, który dowodził jednostką, i porucznikiem Smirnowem. Odróżniali się mocno od Zarubina, byli jak normalni czekiści. Zubow jednak nigdy z nimi nie pił, bo jako podoficer nie był zapraszany. Natomiast sami, najczęściej pod nieobecność Zarubina, potrafili pić ostro. Szczególnie dużo alkoholu płynęło na wiosnę czterdziestego roku. Nie tylko często wyjeżdżali, lecz także przybywało do nich wielu mundurowych z najróżniejszych formacji, najczęściej z NKWD, ale i cywilów, niektórzy bardzo dobrze ubrani. Na pewno nie byli to „nasi"... tak określił ich Zubow. Odwiedzający willę zawsze wjeżdżali przez Bramę Południową samochodem osobowym z firankami z tyłu, tak by nie było widać twarzy. Auto prowadził osobiście jeden z oficerów. Tak samo te osoby odwożono, bez żadnej kontroli. Kilkakrotnie willę odwiedzali Niemcy, po trzech, czterech, niektórzy w mundurach. Niestety, Zubow nie potrafił rozróżnić formacji. Najciekawsza jednak była wiadomość, którą usłyszał od swoich żołnierzy. Otóż czterech oficerów z willi regularnie przechodziło w cywilnym ubraniu pojedynczo na niemiecką stronę i przebywało tam dłuższy czas. Byli to porucznicy Borkowski i Mienszykow, dwóch pozostałych nazwisk nie zapamiętał. Zapytałem wówczas Zubowa, czy przechodzili oni na drugą stronę za zgodą Niemców? Odpowiedział, że wyglądało to jak kontrabanda. Czyli najprawdopodobniej bez zgody Niemców. Zubow zabronił żołnierzom komukolwiek o tym mówić. Sam jednak też był przekonany, że zajmują się przemytem. Bo skąd by mieli tyle eleganckich rzeczy? Tak to komentował wówczas Zubow.

– No tak, panie profesorze, wygląda na to, że ta tajemnicza jednostka wywiadowcza NKWD, o której nigdy do tej pory nie słyszałem, w jakimś niejasnym jeszcze dla mnie wymiarze zajmowała się sprawami polskimi. To nadzwyczaj ciekawe! Bezpośredni nadzór Mierkułowa... specjalne pełnomocnictwa... umiejscowienie jednostki w Brześciu, w środku potężnej twierdzy, sto kilometrów od Warszawy, kilometr od ówczesnej granicy z Niemcami, i wszystkie pozostałe informacje... nadzwyczaj ciekawe! – Małecki był poruszony.

– Przytoczyłem tylko najbardziej znaczące fragmenty tego, co nam powiedział Zubow. Znacznie więcej szczegółów znajdą panowie w naszym raporcie, w który trzeba się uważnie wczytać.

Profesor przerwał i zamyślił się na chwilę.

– Zastanawiałem się, czy w ogóle tę sprawę poruszać. W końcu oparta jest wyłącznie na wyjaśnieniach prostego człowieka, który stał w obliczu śmierci. Przez wiele lat próbowałem odnaleźć jakiekolwiek informacje, które potwierdzałyby wiarygodność tego, co powiedział Zubow, cokolwiek! Teraz, gdy jestem na emeryturze, zacząłem czytać książki, na które wcześniej zawsze brakowało mi czasu. Przeczytałem między innymi *Archiwum Mitrochina*. Od deski do deski. Z istotnych powodów osobistych. – Barda zrobił się bardzo poważny. – W tej książce natknąłem się na nazwisko Zarubina. Był tam fragment mówiący o jego powiązaniach z obozem w Kozielsku i ze zbrodnią katyńską. Dopiero wtedy przypomniałem sobie o Zarubinie z opowiadań Zubowa. Zajrzałem do Internetu, przeczytałem książki poświęcone zbrodni katyńskiej i zupełnie sporo znalazłem o tym asie sowieckiego wywiadu...

– Oczywiście! – wykrzyknął Małecki. – Swianiewicz! Pisał o nim profesor Swianiewicz! Ostatnio także Władimir Abarinow w *Oprawcach z Katynia*. – Wstał i gestykulując, zaczął chodzić po pokoju, aż dostrzegł zdziwiony wzrok Ruperta. – Musimy się tą sprawą koniecznie zająć, przejrzeć nasze materiały, porozmawiać ze świadkami. Może poszerzymy naszą wiedzę.

– To jeszcze nie koniec, panie prezesie! Ta historia ma też inny wymiar. Ale zanim przejdę do dalszej części zeznań tego gieroja Zubowa, jedna uwaga... jakże dla mnie ważna! Przeczytałem na stronie internetowej, że Zarubin zmarł w Moskwie w tysiąc dziewięćset siedemdziesiątym czwartym roku jako Bohater Związku Radzieckiego. Dzisiaj jego portret wisi w siedzibie Służby Wywiadu Zagranicznego Federacji Rosyjskiej jako wzór dla młodych oficerów. Człowiek, który selekcjonował naszych oficerów na śmierć, wiedział, co ich czeka, i cynicznie to wykorzystywał, jest bohaterem nowych, podobno demokratycznych służb specjalnych. Takich Zarubinów znalazłoby się pewnie więcej, tylko o nich nie wiemy, ale za to wiemy, dlaczego Rosja nigdy się nie zgodzi na ujawnienie pełnej prawdy o tej zbrodni, o śmierci moich kolegów. Z powodu jakichś Polaków mieliby zdejmować portrety swoich bohaterów? Nigdy na to nie pójdą. Znam Rosjan!

Profesor był poruszony. Po raz pierwszy powiedział na głos to, co od dawna nie dawało mu spokoju, choć być może dla wielu było oczywiste. Poczuł ulgę, nawet satysfakcję, zanim jeszcze doszedł do najważniejszej kwestii.

– O świcie dwudziestego drugiego czerwca tysiąc dziewięćset czterdziestego pierwszego roku Niemcy zaatakowali Związek Sowiecki. Obłożyli twierdzę brzeską ogniem artyleryjskim od wczesnych godzin rannych. Historia walk o tę twierdzę jest stosunkowo dobrze znana, nie będę jej powtarzał. Obrosła legendami, opartymi na mniej lub bardziej sprawdzonych faktach, a produkowanymi przez mistrzowską w tym rzemiośle sowiecką propagandę. Jednakże pewien epizod, o którym teraz powiem, znał w czterdziestym trzecim roku chyba już tylko Zubow... Jak twierdził, „willa Zarubina"... tak ją nazwijmy... była gotowa do ewakuacji już od maja czterdziestego pierwszego roku. Uderzenie Niemców okazało się jednak zupełnym zaskoczeniem także dla zakwaterowanych w niej oficerów, chociaż w tym dniu było ich na miejscu tylko kilku. Zubow pamiętał Mienszykowa, Smirnowa, oczywiście Pokrowskiego. Pozostałe nazwiska znajdziecie w raporcie. Zarubina nie było w twierdzy ani prawdopodobnie w Brześciu. Wiosnę czterdziestego pierwszego roku Zubow określił jako czas najbardziej intensywnej pracy Zarubina w całym okresie jego służby w tej jednostce. Walki o twierdzę od początku były bardzo ciężkie i gwałtowne. Niemcy szturmowali raz za razem, powoli łamiąc obronę. „Willa Zarubina" była w bezpośrednim zagrożeniu, gdyż leżała trzysta metrów od zewnętrznych umocnień. W godzinach porannych, w przerwie ostrzału, Pokrowski wezwał Zubowa i polecił mu wybrać dwóch sprawdzonych enkawudzistów. Udali się do pomieszczenia na piętrze, w którym Zubow nigdy przedtem nie był. Na środku pokoju płonęło ognisko, w którym dwóch oficerów z pośpiechem paliło dokumenty. Pokrowski kazał żołnierzom zabrać z pokoju przygotowaną zieloną metalową skrzynię, która była dodatkowo zabezpieczona smarem. Zanieśli ją do samochodu osobowego stojącego za domem. Żołnierzy odprawili. Rozpoczął się intensywny ostrzał. Zubow z Pokrowskim, unikając pocisków, z trudem dotarli przez Bramę Terespolską do cytadeli. Pod ciężkim ostrzałem dojechali samochodem do niewielkiego zagajnika za cerkwią, gdzie był już przygotowany dół głębokości około półtora metra. Według Zubowa musiał zostać wykopany na chwilę przed ich przyjazdem i dokładnie pasował do rozmiarów skrzyni. Wyciągnęli ją z niemałym trudem, gdyż Pokrowski był wyjątkowo szczupły i okazał się bardzo słaby fizycznie, skrzynia zaś ważyła ponad sto kilogramów. Zakopali ją i dokładnie zakryli darnią, a miejsce oznaczyli dużym głazem, chociaż i tak łatwo było je zapamiętać. Zubow oczywiście, jak słusznie pan podejrzewa, nie zapytał Pokrowskiego, co zawiera skrzynia. Także dlatego, że wtedy martwił się już bardziej o siebie niż o Kraj Rad. Natomiast Pokrowski sam powiedział Zubowowi coś takiego... – Profesor otworzył skoroszyt, poprawił okulary i przez krótką chwilę czegoś szukał w tekście. – „Teraz tylko my wiemy, gdzie to jest zakopane. To serce naszej jednostki. Twierdzy na pewno nie oddamy, ale skrzynię musimy ukryć na czas działań wojennych, na wszelki wypadek. Gdyby jednak coś mi się stało, masz poinformować kombryga Zarubina, gdzie zakopaliśmy skrzynię. Odpowiadasz za to życiem, twoja rodzina też, i wszyscy znajomi".

W gabinecie prezesa IPN zapadła długa cisza.

– Czyli... – zaczął niby nieśmiało Małecki – możemy przyjąć wstępne, robocze założenie, że tajna jednostka sowieckiego wywiadu pod kierownictwem katyńskiego komisarza Zarubina, pracująca na kierunku polskim, zdeponowała swoje archiwum półtora metra pod ziemią na terenie twierdzy brzeskiej. Czy ja dobrze myślę, panie profesorze? Niech pan powie, że nie mam racji! – Prezes Małecki był mocno poruszony i stał się nagle bardziej oficjalny.

– Sądzę, że możemy... – odpowiedział Barda w podobnym tonie.

– Przecież tam mogą znajdować się dokumenty, materiały, informacje... – Małecki wręcz zachłysnął się własnymi słowami. – To... to może przewrócić naszą wiedzę o historii współczesnej Polski, o Katyniu, o fundamentach naszych stosunków z Rosją, kto wie, co jeszcze. Niesamowite, trudno w to uwierzyć! – Prezes mówił na głos, ale najwyraźniej sam do siebie. – No tak, ale czy... pana wizyta u nas dzisiaj oznacza, że... ta skrzynia wciąż tam jest? – Małecki wyraźnie otrzeźwiał. Przecież było dwóch świadków, Zubow i Pokrowski, trudno uwierzyć, by Rosjanie zostawili tę sprawę samą sobie. To musiało być dla nich zbyt ważne! – Nie... nie! Trzeba chyba o wszystkim zapomnieć! Sam już nie wiem, co o tym myśleć...

Małecki trochę gubił się w swoich wypowiedziach, ale czuł, że gdyby mógł dostać tę skrzynię, gdyby to marzenie było w ogóle możliwe do spełnienia, to wówczas przeszedłby do historii, tej rzeczywistej, a nie chwilowej i wątpliwej, z którą musi się zmagać na co dzień w IPN. Pałac, premier, Bruksela, Moskwa, media... Wszystko będzie można zbudować od nowa – fantazjował. Czuł, że jest w tym coś nadzwyczaj ważnego, choć trudno mu było to sformułować.

Profesor Barda nie miał w tej chwili pojęcia, jakie myśli krążą w głowie prezesa. Przychodząc do IPN, zakładał, że jego informacja może zostać wykorzystana przez polityków. Podjął jednak decyzję, że w imię prawdy musi to zrobić, gdyż nie ma już czasu.

– Otóż, panie prezesie, nie wiem, czy pana zmartwię, czy ucieszę, ale wszystko wskazuje na to, że skrzynia wciąż tam jest! – powiedział do Małeckiego, patrząc mu prosto w oczy i dostrzegając, jak zmienia się grymas na jego twarzy. – W czasie oblężenia twierdzy, już na samym początku, pocisk trafił bezpośrednio w „willę Zarubina", zabijając wszystkich jej mieszkańców z wyjątkiem Pokrowskiego i Smirnowa, którzy przebywali w cytadeli. Taką wersję podał mi Zubow i nie miałem powodów, by mu nie wierzyć. Ale ważniejszy był dalszy los Pokrowskiego, drugiego świadka zakopania skrzyni. Po zakończeniu walk w twierdzy, w połowie lipca, Zubow widział go w dużej grupie jeńców, oficerów oddzielonych od pozostałych. Byli to głównie oficerowie z dowództwa, polityczni, NKWD i jacyś cywile. Tego samego dnia zostali wyprowadzeni nad okopy w pobliżu Bramy Terespolskiej i rozstrzelani. Pokrowski jako czekista i Żyd nie miał żadnych szans na przeżycie. Czy mógł komuś przekazać informację o skrzyni, komuś, kto przeżył? Teoretycznie tak, lecz uważam, że tego nie zrobił. W tym czasie nie było jeszcze wiadomo, jakie praktyki stosują Niemcy wobec jeńców sowieckich, i mógł liczyć na to, że przeżyje...

– A Zubow? Co jeszcze zeznał, panie profesorze? – zapytał Małecki.

– Zubow w przebraniu szeregowca piechoty dostał się do niewoli. W obozie urządzonym w twierdzy przebywał do grudnia czterdziestego pierwszego roku, kiedy uciekł z kilkoma innymi jeńcami. Ukrywał się do wiosny czterdziestego drugiego w okolicznych wsiach, żyjąc z rozboju. W tym czasie wstąpił lub raczej został wcielony do sowieckiej brygady partyzanckiej. – Profesor przerwał na chwilę, widząc zmrużone oczy Małeckiego. – Pewnie zakłada pan, że poinformował o skrzyni swoich nowych dowódców? – zapytał, gdyż wyczuwał niedowierzanie prezesa. – Otóż nie, Zubow był prymitywny, ale przebiegły, bardziej, niż na to wyglądał. Odkąd uciekł z obozu, uznał, że skrzynia to jego polisa na życie, w razie gdyby złapali go Niemcy czy Polacy, i prawie się nie pomylił... Prawie! Liczył, że w skrzyni mogło być złoto lub inne kosztowności, bo w jego mniemaniu jednostka Zarubina zajmowała się też kontrabandą. Chciał to po wojnie spieniężyć i ułożyć sobie dostatnie życie. Niestety, miał pecha, i to podwójnego. Skrzyni nie spieniężył i nie dała mu polisy na życie. Kiedy uznaliśmy, że uzyskaliśmy od niego wszystko, co nam było potrzebne, że nie może nam przekazać już nic więcej, oddaliśmy go do dyspozycji dowódcy naszego oddziału. Zubow został rozstrzelany, nim zdołał się zorientować. Nie próbowaliśmy go bronić. To był zwykły zbrodniarz. Przebrany za żołnierza Armii Krajowej, brał więcej niż czynny udział w wymordowaniu kilku rodzin w białoruskiej wsi Miedwiedki, co zgodnie potwierdzili pozostali jeńcy. Sprawa tej masakry była jednym z wątków naszego śledztwa.

W raporcie, który panu za chwilę przekażę, znajdzie pan jej szczegółowy opis.

Małecki patrzył na Bardę wzrokiem sługi czekającego na rozkaz.

– W tym skoroszycie jest nasz raport z przesłuchania Zubowa i, co najważniejsze, dokładny plan miejsca ukrycia skrzyni na terenie twierdzy brzeskiej. Pozostawiam panu decyzję, co z tym zrobić – powiedział Barda, podniósł się z fotela i wręczył prezesowi grubą teczkę.

– Zajmiemy się tym! Natychmiast! – zareagował z opóźnieniem Małecki.

Profesor czuł się już bardzo zmęczony. Zaczął się zastanawiać, czy powinien teraz powiedzieć to, co było dla niego najważniejsze. Ale Małecki nie zrobił na nim dobrego wrażenia, a atmosferę dodatkowo psuła obecność Ruperta.

Czy oni są w stanie zrozumieć, dlaczego przez dwadzieścia pięć lat pracowałem dla brytyjskiego wywiadu? Dlaczego zdecydowaliśmy się z bratem na taki wybór? Czy Jan, którego widziałem przecież ostatni raz w czterdziestym szóstym roku przed jego wyjazdem do Londynu, jako oficer MI6 zgodziłby się na ujawnienie całej prawdy o naszym życiu po wojnie, cichej walce z komunizmem? Od jego śmierci minęło już dwadzieścia pięć lat… Jak mogę decydować za niego?!

Profesor siedział zatopiony w myślach i patrzył na Małeckiego obojętnym wzrokiem. Czuł, że czas wracać do domu.

Prezes odprowadził go do wyjścia i wrócił do pokoju. Zastał Ruperta przeglądającego z uwagą teczkę profesora.

– Zenek, zostaw te materiały, najpierw ja muszę je przejrzeć. Zrób notatkę z przebiegu spotkania i postaraj się, by była jak najbardziej szczegółowa – powiedział spokojnie Małecki i włożył dokumenty do swojego sejfu.

– Może mógłbym je przejrzeć? Tylko dzisiaj. Bardzo by mi pomogły w przygotowaniu notatki. Jutro bym je zwrócił, panie prezesie. – Głos Ruperta był nienaturalny, nietypowy, jakby chciał coś wyprosić, ale Małecki tego nie zauważył. Wciąż był pod wrażeniem spotkania z profesorem i myśli rozbiegały mu się na wszystkie strony.

– Porozmawiamy jutro. Idź już do siebie – powiedział krótko, jakby go ignorował.

Usiadł w fotelu naprzeciwko okna i próbował podsumować to ponadczterogodzinne spotkanie z Bardą. Jednak zamiast wyciągnąć racjonalne wnioski, chłodno ocenić to, co usłyszał, czuł, że musi przede wszystkim przedyskutować tę sprawę z Marcinem, gdyż sam nie jest w stanie określić, jakie ona może mieć skutki polityczne, a tym bardziej jak można ją wykorzystać. Co robić?!

– Pani Halinko, proszę mnie połączyć przez rządówkę z pałacem, z ministrem Marcinem Kamińskim – powiedział przez interkom.

Po chwili oczekiwania na jego biurku zadzwonił telefon.

– Witaj, Marcin! Co słychać?... Twoje wystąpienie w Belwederze było świetne, niektórzy mówią, że aż za dobre! Ha, ha, rozumiesz?!... U mnie w porządku, dziękuję. Też myślę, że powinniśmy się zobaczyć, i to natychmiast!... Spokojnie, bez nerwów! Miałem dzisiaj nadspodziewanie ciekawą i długą wizytę pewnego emerytowanego profesora z Wrocławia. Musisz koniecznie posłuchać tej opowieści. Na pierwszy rzut oka to takie wojenne historyjki, jakich mam tu pełno. Ale tym razem to coś zupełnie innego! To niezwykłe!... Tak? Dobrze!... Nazywa się Kazimierz Barda, to znana postać w świecie nauki, ma osiemdziesiąt osiem lat i myślę, że nie zdaje sobie sprawy ze znaczenia tego, co mi opowiedział... Dobrze, mogę. Jutro o trzynastej w restauracji Dom Polski. Cześć!

# 13

Postanowił, że pojedzie dzisiaj do Sztokholmu kolejką podmiejską. Odkąd władze wprowadziły opłaty za wjazd samochodem do centrum, częściej korzystał z komunikacji publicznej. Nie był przesadnie oszczędny, jak zwykli szwedzcy emeryci. Nie przywiązywał specjalnej wagi do pieniędzy, bo nigdy mu ich nie brakowało i gdyby chciał, mógłby sobie pozwolić na znacznie więcej.

Bardziej teraz liczył się dla niego czas, a dojazd samochodem trwał dwa razy dłużej niż kolejką. Oprócz tego wolał poruszać się pieszo, bo kiedy jeździł samochodem, zawsze miał trudności z ustaleniem, czy jest obserwowany.

Z Jakobsbergu do centrum kolejka jechała dokładnie dziewiętnaście minut. Wsiadł do pociągu o dziesiątej pięćdziesiąt osiem. W wyciszonym i nowoczesnym wagonie miał czas, by spokojnie pomyśleć.

Nie czuł się dobrze. Mimo że wziął dwie tabletki iprenu, wciąż bolała go głowa. Wszystko przez rozmowę z Carlem, który zadzwonił do niego z samego rana. Tak czekał na sygnał od syna, ale gdy odebrał telefon i miał z nim porozmawiać, zupełnie się pogubił.

Legendowanie różnych czynności, do którego się uciekał, by ukryć swoje szpiegowskie rzemiosło, było w rzeczywistości zwyczajnym kłamstwem, chociaż nigdy tego tak nie określał. Nigdy nie kłamał w domu wobec Ingrid czy Carla, nigdy nie kłamał w sprawach osobistych. Był szczery i uczciwy, na śmierć i życie oddany rodzinie, solidny i odpowiedzialny w pracy. Uważał, że jego drugie życie toczy się w innym wymiarze i że rodzina nie ma z tym nic wspólnego.

Ingrid, za którą wciąż tęsknił, pożegnała się z nim świadoma swego przeznaczenia i uszczęśliwiona wspólnie spędzonymi wspaniałymi latami. Ani razu się nie zastanawiał, czy wyjawić jej prawdę. Zresztą czy kiedykolwiek byłby na to odpowiedni moment? Nie mógł tego zrobić ani w pierwszym dniu, kiedy się spotkali, ani w ostatnim. Ale teraz czuł jakiś dziwny, mocny żal. Za czymś nieokreślonym. Gdzieś jednak w głębi duszy wiedział, że zrobił coś nie tak w swoim życiu, i nie dawało mu to spokoju.

Teraz miał tylko Carla. Z taką dumą patrzył, jak otrzymuje pierwszy stopień oficerski, a dzisiaj syn jest już komandorem.

– Jakże chciałbym zobaczyć wnuki! – wyszeptał.

Moje drugie życie odejdzie razem ze mną, kiedy tylko będzie trzeba... ze względu na Carla – pomyślał.

Już dawno temu się z tym pogodził. Bał się tylko, czy potrafi dostrzec ten jeden jedyny właściwy moment, kiedy będzie musiał to zrobić.

Jego dwa światy mogły istnieć tak długo obok siebie, bo był do tego dobrze przygotowany – technikę legendowania miał we krwi. Nawet nie mógł sobie przypomnieć choć jednego dnia, by było inaczej.

Ten poranny telefon od Carla zburzył jego idealny porządek. Oba światy przecięły się po raz pierwszy. Dotąd uważał, że to absolutnie niemożliwe, nigdy bowiem nie popełnił błędu. Zawsze pamiętał o rocznicy śmierci Ingrid. To był święty dzień jego i Carla, kiedy tylko we dwóch spotykali się na cmentarzu Haga Norra. Tak było zawsze, odkąd zostali sami. Lecz tego ranka, kiedy Carl zadzwonił i zapytał, o której pojadą na cmentarz, on odpowiedział jak automat, że musi jechać do Umeå na spotkanie ze znajomym. Carl, który miał wziąć urlop na ten dzień i specjalnie przylecieć do Sztokholmu, bez słowa odłożył słuchawkę.

Oba światy gwałtownie splotły się ze sobą, kłamstwo z legendą, i pierwszy raz nie potrafił rozwiązać tego problemu. Ani zrozumieć! Po prostu nie potrafił!

Patrzył na swoje niewyraźne odbicie w szarym oknie pociągu i czuł żal przechodzący w fizyczny ból.

Była dokładnie jedenasta siedemnaście, kiedy pendeltåg dojechał na Dworzec Centralny.

Poprzedniego dnia wieczorem jak zwykle dokładnie zaplanował swoją trasę po mieście. Musiał odebrać zamówiony bilet na prom do Gdańska. To miała być jego pierwsza podróż do Polski.

Wyszedł z przejścia podziemnego i stanął przed dworcem, bez parasola, choć zanosiło się na deszcz. Obok niego przelewał się tłum ludzi spieszących do metra, na lunch, do pociągu. Zdał sobie sprawę, że nie zwraca na nich uwagi, nie patrzy na twarze, ubrania, jakby go to w ogóle nie obchodziło. Nie mógł zrozumieć, dlaczego nagle przestało mieć to dla niego znaczenie, i poczuł nieznaną mu dotychczas ulgę. Postanowił, że wbrew temu, co zaplanował sobie wczoraj, uda się po bilet prosto do Morskiego Biura Podróży na Gamla Stan. Po raz pierwszy w życiu podjął decyzję, że nie będzie się sprawdzał!

– Akurat nie dzisiaj, nie mam siły, nie dzisiaj – powiedział cicho do siebie.

Ruszył naprzód krótką ulicą Klara Vattugrand, po czym wszedł przez bramę na teren niedużego skweru wokół kościoła Świętej Klary. Wydawało mu się, że nogi ma odlane z ołowiu.

Po kilkudziesięciu metrach wyszedł przeciwległą bramą na Klara Östra Kyrkogata, gdzie nagle zatrzymał się i spojrzał za siebie, w perspektywę przykościelnego parku. Zrobił to odruchowo, nienaturalnie. Nigdy nie sprawdzał się tak agresywnie.

Czy to strach? Chyba pierwszy raz! – pomyślał ze zdziwieniem.

Nie planował tego. Nawet gdyby była za nim obserwacja, akurat tutaj i w ten sposób nikogo nie byłby w stanie zauważyć. By zamaskować nieudolny ruch, zaczął się rozglądać dookoła, jakby czegoś szukał, a potem schylił się i udawał, że podnosi coś z ziemi. Zdał sobie sprawę, że musi to wyglądać jeszcze bardziej nienaturalnie, wręcz śmiesznie. Kiedyś wpadłby w panikę, lecz teraz było mu to obojętne.

W całym swoim życiu oficera nielegała nigdy nie miał obserwacji. Dobrze wiedział, że gdyby choć raz ją ustalił, oznaczałoby to, że został zdekonspirowany. Ale ta myśl była tak odległa, że prawie nierzeczywista. To się nigdy nie zdarzyło. Oficerowie z legalnej Rezydentury w ambasadzie raz mają obserwację, raz nie. Kontrwywiad wie, że są szpiegami. Zabawa polega na tym, kto kogo przechytrzy. W końcu chroni ich immunitet dyplomatyczny. W jego przypadku było zupełnie inaczej – nie chroniło go nic i w razie wpadki czekało go długoletnie więzienie. Nikt by się nawet do niego nie przyznał. On też nie mógł pójść na układ z kontrwywiadem, bo wtedy czekała go pewna śmierć z ręki własnych kolegów.

Sztokholm, z którym tak bardzo się zżył, też miał dla niego dwa wymiary. Zieleń parków i skwerów, wszechobecna woda upstrzona łodziami, łódeczkami, statkami, żaglowcami i monstrualnymi promami. Czysta, przepełniona harmonią barw architektura. Urocze zaułki dziewiętnastowiecznego Södermalmu i Östermalmu, święto raków, letnie koncerty w Skansenie na Djurgården i zimą w ogrzanych kościołach. I komisarz Martin Beck z kryminałów Sjöwall i Wahlöö.

Istniał w jego życiu też ten drugi Sztokholm – jednokierunkowych ulic, wąskich przejść, ślepych zaułków, bram przechodnich, odludnych ławek w parku i prawie pustych restauracji, do których nikt nie chodzi.

Hans Jorgensen podążał szybkim krokiem krótką Brunkeberggatan, mijając nielicznych przechodniów. Wyszedł na Drottninggatan i nagle wtopił się w gęsty tłum płynący nieskładnie w obie strony. Po stu metrach skręcił w lewo, w wąską i pustą Vattugatan, i po chwili wyszedł na mały zadrzewiony plac z fontanną, gdzie usiadł na jedynej wolnej ławce.

Starał się bacznie obserwować otoczenie. Jego uwagę przyciągnął stary człowiek, który dziarskim krokiem przechodził między koszami na śmieci, szukając w nich puszek.

Jest pewnie w moim wieku – przemknęło mu przez myśl.

Gdy starzec zniknął z pola widzenia, Jorgensen podniósł się i wszedł do bocznego wejścia centrum handlowego Gallerian. Zjechał na pasaż ruchomymi schodami. Przystanął na chwilę, by się odwrócić i popatrzeć, kto zjeżdża za nim. Znów zrobił to odruchowo. To miejsce wykorzystywał już wielokrotnie, by się sprawdzić, i teraz zadziałał jak automat. Dwie zajęte rozmową młode kobiety, wyglądające na urzędniczki z pobliskiego ministerstwa, nie wzbudziły w nim żadnych podejrzeń.

Przecisnął się przez potok ludzi na pasażu, mijając wypełnione w godzinach lunchu restauracje i sklepy, by w końcu wyjść na Regeringsgatan. Przeszedł szybko na drugą stronę, z trudem unikając jadących w obie strony samochodów. Skręcił w prawo i wyraźnie zwolnił, by kątem oka obserwować drugą stronę ulicy.

Doszedł do pomnika Gustawa Adolfa, minął parking przed gmachem opery i zatrzymał się nad brzegiem fiordu, obserwując przez chwilę wędkarzy nad wzburzoną wodą.

Zastanowił się, czy na Gamla Stan powinien pójść krótszą drogą przez Norrbro, czy nieco dłuższą przez Strömbron.

Stał, patrząc na żółto-brązową majestatyczną bryłę Pałacu Królewskiego po drugiej stronie mostu, gdy uzmysłowił sobie, że przeszedł mu ból głowy. Ale rozgoryczenie, jak cierń, wciąż w nim tkwiło.

Ruszył prosto, przez Norrbro, mijając grupę japońskich turystów fotografujących z przejęciem wszystko dookoła. Przeszedł przez most, minął po prawej oddzielony skwerem gmach Riksdagu – i już był pod pałacem.

Kilka metrów nad ziemią, na wysokim podjeździe, czuwały dwa lwy, opierając łapę na kuli, jakby to była piłka odebrana przed chwilą dzieciom. Zatrzymał się i próbował sobie przypomnieć, gdzie czytał, że te dwa najpiękniejsze szwedzkie lwy przywiózł do Sztokholmu z Warszawy, bez zgody władz polskich, król Karol Gustaw. Wydawało mu się, że czytał o tym w książce Petera Englunda, ale nie był tego pewien. Możliwe, że wszystko mu się pokręciło.

Dla narodu szwedzkiego, który tu właśnie świętował ze swoim monarchą najważniejsze wydarzenia, to miejsce szczególne. Jorgensen także się z nim utożsamiał. Przeżywał narodziny, śluby i śmierci członków królewskiej rodziny Bernadotte, chociaż nigdy nie informował o tym Moskwy. Ostatni raz był na Lejonbacken razem z Ingrid dziewiętnastego czerwca 1976 roku, kiedy Karol XVI Gustaw poślubił Sylwię Sommerlath. Jak zawsze dziewiętnastego czerwca!

Te polskie lwy dobrze pilnują szwedzkiej monarchii – pomyślał Jorgensen i po raz pierwszy dotarło do niego, że rozumuje, jakby był monarchistą. To było coś zupełnie nowego, coś, co nawet go rozbawiło. Od razu poczuł się lepiej.

Skręcił w prawo, doszedł do schodów prowadzących na dziedziniec pałacowy i prawie wbiegł po nich na górę, skąd miał widok na ulicę ciągnącą się dziesięć metrów pod nim.

Był już na Gamla Stan. Ominął łukiem z lewej strony dziedziniec, po którym przesuwały się grupy turystów oczekujące na zmianę warty. Za Storkyrkan skręcił w Källargränd i po kilkudziesięciu metrach znalazł się na Stortorget.

Do biura podróży mam już tylko parę kroków – pomyślał.

Skręcił w Köpmangatan, wąską, starą, brukowaną uliczkę antykwariatów, sklepów z pamiątkami i galerii.

Po chwili wszedł do Morskiego Biura Podróży. Głośno zabrzmiał staromodny dzwonek nad drzwiami. Wewnątrz było kilka osób. Pobrał numerek i usiadł na krzesełku. Był trzeci w kolejce.

Obserwował, jak dwie wyraźnie zdenerwowane młode kobiety głośno rozmawiają z pracownikiem biura. Między nimi stał milczący mężczyzna w australijskim kapeluszu.

Jorgensen przez chwilę miał wrażenie, że mówią jakimś dziwnym, nieznanym mu językiem, zanim dotarło do niego, że to polski. Kobieta z ciemnymi odrostami mówiła głośno i wyraźnie, więc zaczął się jej przysłuchiwać. Ze zdumieniem stwierdził, że rozumie poszczególne słowa, że zaczynają się składać w określony sens. Nie słyszał tego języka już wiele lat, a przecież urodził się w Polsce i żył wśród Polaków, chodził do polskiej szkoły. To był taki odległy świat, który niespodziewanie ożył.

Tak często myślał o Oldze, rodzicach, czasami o kolegach, ale nigdy nie o Polsce. „Nazywam się Hans Jorgensen" – powtarzał sobie przez tyle lat. Ale tak naprawdę kim jestem? Kim jest mój syn? Urodziłem się w Polsce, Związek Radziecki mnie uratował i wychował, Szwecja jest moją ojczyzną, mój syn jest Szwedem! Kim jesteśmy? Ocknął się, gdy wraz z dzwonkiem wyświetlił się jego numer.

Sprawnie załatwił odbiór biletu i wyszedł na ulicę. Zatrzymał się przed wystawą, na której kolorowy plakat zachęcał do odwiedzin Gdańska.

To tam zaczęła się wojna – pomyślał z uczuciem, jakby to była jego osobista sprawa.

Spędzi w Gdańsku sześć godzin, ale nie będzie miał czasu zobaczyć miasta, o którym tyle słyszał.

– Kiedyś pojedziemy tam prywatnie, razem z Carlem – powiedział do siebie.

## 14

– Cześć, Małgosiu moja – powiedział Konrad, wchodząc do sekretariatu szefa Agencji Wywiadu, generała brygady Zdzisława Pęka.

– Witaj, naczelniku Radku. Dawno cię nie widziałam – odparła, wychodząc zza biurka. – Opalenizna nie wskazuje na Mazury.

– Trochę podróżowałem tu i tam…

– Nie bądź taki skromny! Znam cię dobrze! – Uśmiechnęła się i pocałowała go w policzek.

– Co nowego? – zapytał Konrad i ruchem głowy wskazał na drzwi do gabinetu szefa.

Grymas na jej twarzy mówił, że jej relacje z szefem ani trochę się nie zmieniły.

– Zobacz! – Ściszyła głos. – Kazał mi wyrzucić z sekretariatu tę starą palmę. Była piękna, pamiętasz? No, ale miała dwadzieścia pięć lat, rozumiesz? – Konrad pokręcił głową. – Zawsze była zielona! Nie zauważyłam nigdy, żeby była czerwona. Paranoja! – Roześmiała się cicho.

– Gdyby Koloseum było u nas, też pewnie kazałby je zburzyć…

– Przedwczoraj – przerwała mu, jeszcze bardziej ściszając głos – siedziałam do jedenastej w nocy, a jak wychodzili, to nawet „przepraszam" nie usłyszałam. Pół dnia popijali.

– Kto? – zapytał Konrad, przeczuwając, że to spotkanie ma jakiś związek z jego wezwaniem do Centrali.

– Minister Kamiński, prezes IPN Małecki, szef i „Ciężki"… Byli w doskonałym nastroju.

Oczywiście! „Mamy pilną sprawę, prosto z pałacu". Teraz przynajmniej wiem, od kogo z pałacu, ale co tu robił Małecki? – pomyślał.

Otworzyły się drzwi i do sekretariatu wszedł energicznie „Ciężki", wypełniając sobą połowę pomieszczenia.

– Witam, panie naczelniku! Idziemy do szefa! – zakomunikował, wyciągając rękę na powitanie.

Było już dobrze po dwunastej, gdy Konrad wyszedł z gabinetu szefa, z grubą zieloną teczką w ręku. Zabrał swój telefon komórkowy z kasetki i pożegnał się z Małgosią. Zjechał windą do podziemnego garażu, gdzie zaparkował służbowe audi A4.

Przejazd przez miasto o tej porze zajął mu ponad trzydzieści minut. Tym bardziej że musiał się jeszcze upewnić, czy nie jest przypadkiem śledzony, gdyż siedziba firmy Vigo na dwudziestym piętrze była jedną z najpilniej strzeżonych tajemnic Agencji.

Gdy tylko wszedł do Wydziału, zauważył przez szybę Sarę rozmawiającą przez telefon i dał jej znak, by natychmiast do niego przyszła. Sekretarce polecił, by poprosiła też Marka Belika, i zakazał jej łączenia rozmów.

Zebrali się w ciągu minuty. Usiedli za stołem konferencyjnym, każdy w innym końcu. Konrad położył przed sobą zieloną teczkę.

Widząc jego naburmuszoną minę, Sara wiedziała już, że czeka ich jakaś nowa robota. Nigdy tego po sobie nie okazywała, ale Konrad w takich sytuacjach trochę ją śmieszył.

Zaraz przygryzie dolną wargę – pomyślała.

– No to mamy robotę ekstra! – powiedział, przygryzając na moment dolną wargę. Sara musiała się powstrzymać, żeby nie wybuchnąć śmiechem. – Na terenie twierdzy brzeskiej zakopane jest przedwojenne archiwum NKWD. Mamy je wykopać i dostarczyć do IPN! Sprawą interesuje się osobiście on… z dużego pałacu – wyrecytował i zamilkł.

Po dłuższej chwili pierwsza odezwała się Sara.

– To co? Zostaliśmy teraz archeologami? Co jest grane, naczelniku Radku? Nie ma w RP specjalistów od takich zadań? Albo ja czegoś tu nie rozumiem, albo robisz sobie jaja, albo zaraz to wyjaśnisz! Co za twierdza?

– No i tu, pani zastępco naczelnika Saro, jest pies pogrzebany. To twierdza brzeska, w Brześciu zwanym Litewskim, tyle że on nie leży na Litwie, ale na Białorusi. To miasto po drugiej…

– A to co innego! To ciekawe! – przerwała mu i tym samym lekko ironicznym tonem dodała: – Jeszcze czegoś podobnego nie robiliśmy. Trzeba sprawdzić, czy mamy jakichś górników w Wydziale.

Konrad patrzył na Marka, który w ogóle nie zareagował, chociaż powinien był coś powiedzieć, bo nie uczestniczył w zbyt wielu akcjach specjalnych.

Wiedział o tej sprawie już wcześniej! To jasne – pomyślał Konrad. Na pewno wczoraj przy kielichu „Ciężki" wszystko mu wygadał. Stąd dzisiaj u Marka ta poalkoholowa czerwień. Oni w coś grają!

– Ale bez żartów! To może być bardzo skomplikowana i ryzykowna operacja – kontynuowała Sara poważnym już tonem. – Znam dobrze sytuację operacyjną na Białorusi... Już to czuję! To będzie wymagać dużych sił i środków, a przecież mamy inne operacje w toku...

– Najwyższy priorytet! – przerwał jej Konrad i było jasne, że takie polecenie otrzymał od szefa.

– Coś mi się tu nie podoba! – Sara z głośnym pstryknięciem zapaliła papierosa. – Archiwum dla IPN, najwyższy priorytet, pałac prezydencki... Mamy odłożyć operacje, do których przygotowujemy się od miesięcy, i te, które realizujemy, żeby dostarczyć jakieś stare papiery? Czy ty to rozumiesz? Konrad! Ten kraj oszalał na punkcie teczek!

Wyglądała na prawdziwie poruszoną. Marek w dalszym ciągu milczał, a Konradowi wydawało się, że unika jego wzroku.

– Posłuchaj, dziewczyno. – Głos Konrada zabrzmiał nieprzyjemnie. – Taki mamy rozkaz. Nie nasza sprawa o tym dyskutować! Musimy to zrobić i tyle. A wcześniej sprawdzić, czy to w ogóle jest możliwe... Mamy na to półtora miesiąca.

Sara popatrzyła na niego ze zdziwieniem. Nigdy nie powiedział do niej „dziewczyno", i to takim tonem. Wypadło to tak nienaturalnie, że aż ją zabolało. Zamilkła.

– Tutaj – wskazał na teczkę – mam wszystkie materiały dotyczące tej sprawy. Znam ją ogólnie. Teraz muszę się z nią zapoznać szczegółowo. Dzisiaj jest czwartek, więc... – zastanowił się chwilę – zbierzemy się w poniedziałek i przedstawię wam moją ocenę. Potem wy to przeczytacie. Do końca przyszłego tygodnia powinniśmy mieć gotowy szkic operacji... jakiś plan, który przedstawimy szefowi. Najpóźniej w przyszły piątek musimy zwrócić oryginalne dokumenty do IPN. Takie nam wyznaczył terminy.

– To wszystko? – zapytała chłodno Sara i podniosła się do wyjścia.

– Wszystko – odpowiedział Konrad takim samym tonem.

Gdy tylko wyszli i został sam, skinął na Marcina, który od dłuższego czasu kręcił się za drzwiami, wyraźnie szukając z nim kontaktu.

– O co chodzi, Marcin? – zapytał.

– No... chciałem z szefem porozmawiać. Mam taką osobistą sprawę. No... taką nie do końca osobistą. Nie wiem, co robić!

– Przyjedź do mnie w sobotę wieczorem. Wypijemy piwo, pogadamy, okay? – zaproponował, bo był pewny, że w biurze Marcin nie zdobędzie się na szczerość.

Marcin odpowiedział skinieniem głowy i smutnym uśmiechem. Konrad wstał, objął go ramieniem i razem wyszli z pokoju.

Wszedł do pokoju Sary, która siedziała tyłem do wejścia i patrzyła przez okno, paląc papierosa. Wiedziała oczywiście, że wszedł, ale nie zareagowała. Było jej przykro.

– Idziesz dzisiaj na piwo? – zapytał, stojąc za jej plecami.

– Nie mam ochoty! – rzuciła chłodno.

– To nie było pytanie. Idziesz dzisiaj na piwo! Ze mną! Zielona Gęś, o dziewiętnastej! Rozumiesz?

Miły ton jego głosu nie pasował do wypowiadanych słów. Sara powoli zaczęła sobie uświadamiać, że Konrad zachował się tak obcesowo, bo widocznie z jakiegoś powodu musiał!

Pewnie dlatego, że siedział tam Belik. To jasne! – dotarło do niej nagle i zrobiło jej się miło, ale i głupio, że źle oceniła Konrada.

– Oczywiście! – odrzekła, wciąż siedząc do niego tyłem.

– Saro – kontynuował. – Ściągnij natychmiast M-Irka! Nieważne, gdzie są. Mają być w Polsce najpóźniej w sobotę rano! – powiedział takim tonem, by nie było wątpliwości, że są ku temu poważne powody, i pokiwał znacząco głową.

Nie musiał mówić nic więcej. Zrozumiała go doskonale.

## 15

Witalij Bobriukow miał dwadzieścia osiem lat i dopiero od roku pracował w ambasadzie Federacji Rosyjskiej w Warszawie jako trzeci sekretarz do spraw prasowych. Była to jego pierwsza zagraniczna placówka, a przyjazd tu stanowił naturalną konsekwencję zatrudnienia w Wydziale Polskim Służby Wywiadu Zagranicznego, dokąd trafił przed czterema laty zaraz po szkole wywiadu.

Życie i praca w Polsce bardzo mu odpowiadały, chociaż miał wcześniej inne, może ciekawsze propozycje wyjazdu.

Lubił Polskę i Polaków, ich poczucie humoru, lubił polskie jedzenie, kulturę, a nade wszystko swoją nową alfę romeo. Bardzo lubił Warszawę, w której lekkość życia, w porównaniu z przytłaczającą Moskwą, była dla niego wartością szczególną, gdyż sam pochodził ze spokojnego Irkucka.

Był kawalerem, więc prowadził w Warszawie intensywne i ciekawe – jak mu się wydawało – życie towarzyskie, spotykając się z polskimi rówieśnikami i młodymi dyplomatami akredytowanymi w Polsce.

Wszystko byłoby idealnie, gdyby nie męczący obowiązek spowiadania się z tego, gdzie był i co robił. Każdego dnia rezydent domagał się od niego efektów, jakby rozmowa z dziewczyną przy kawie miała jakieś znaczenie dla bezpieczeństwa i przyszłości Rosji. Na domiar złego nie doceniał go jako oficera wywiadu, nie przydzielał mu żadnych poważnych zadań i wciąż mieszał się do jego życia osobistego, co było szczególnie irytujące.

Szef i mentor Witalija, Michaił Popowski, uprzedzał go, że rezydent to człowiek zgorzkniały, starej daty, który nie lubi młodych oficerów. Ale Bobriukow nie przypuszczał, że może być aż tak uciążliwy.

Doskonale pamiętał, jak przed jego wyjazdem do Warszawy, na przyjęciu pożegnalnym w Moskwie, Popowski powiedział przy wszystkich kolegach, że on, Witalij Bobriukow, jest wybitnie utalentowanym i inteligentnym oficerem. Stawiał go za przykład! I mówił, że wraz z nim w świat wywiadowczy wkracza nowa generacja, pozbawiona syndromu sowieckich służb, bez ojców Bohaterów Związku Radzieckiego czy agentów KGB. Choć nie wszystkim to stwierdzenie się spodobało, dla Bobriukowa miało specjalne znaczenie, bo Popowski, oficer średniego pokolenia, sam był synem generała KGB. On zaś miał matkę robotnicę, a ojca nigdy nie widział.

Teraz siedział w swoim pokoju w gmachu ambasady przy Belwederskiej. Właśnie skończył pisać dla MSZ codzienną analizę publikacji w polskich gazetach na temat zbliżających się wyborów prezydenckich. Zaczynał się przygotowywać do lektury artykułu w „Polityce" o sytuacji w polskich służbach specjalnych, gdy wszedł rezydent i jak zwykle bez słowa podał mu kartkę z zapisaną liczbą 14. W ten prosty sposób wyznaczał godzinę, na którą wzywał oficerów na rozmowę do zabezpieczonego przed podsłuchami pomieszczenia. Bobriukow wciąż z trudem się przyzwyczajał do tych trochę śmiesznych, jak mu się wydawało, zasad konspiracji na terenie ich własnej ambasady.

– Spóźniliście się, Bobriukow! – powiedział rezydent, nie podnosząc wzroku, chociaż według wiszącego nad jego głową zegara była dokładnie czternasta. – Siadajcie!

Podniósł się zza stołu i podszedł do otwartej już szafy pancernej wypełnionej stosem dokumentów. Sięgnął do najwyższej półki i wyjął cienki skoroszyt, który położył na stole.

– To jest teczka obsługi schowka „Klucz" dla agenta „Hooka". Znacie ten schowek, Bobriukow? – zapytał oschle, chociaż doskonale wiedział, że Witalij przed wyjazdem zapoznał się z obsługą, bo był wyznaczony do tej sprawy jako drugi oficer Rezydentury.

Rezydent jednak nie wiedział, że Bobriukow zna „Hooka" osobiście. Kilka lat wcześniej, z naczelnikiem Popowskim, uczestniczył w kombinacjach sprawdzeniowych agenta „Hooka". Początkowo nie było pewne, czy nie został on podstawiony przez polskie służby, i co jakiś czas trzeba było go weryfikować.

– Oczywiście! – odpowiedział.

– Weźcie teczkę, przypomnijcie sobie szczegóły i za dwie godziny oczekuję precyzyjnego planu realizacji zadania – oznajmił rezydent, kładąc akcent na „dwie godziny".

– Tak jest! – odparł natychmiast Bobriukow.

Agent o pseudonimie „Hook" obsługiwany był ostatnio głównie za pomocą schowków. Standardowo jeden schowek wykorzystywano najwyżej dwa, trzy razy.

Centrala podjęła decyzję, by z uwagi na miejsce pracy i nadzwyczajną newralgiczność agenta ograniczyć do minimum jego kontakty osobiste z oficerami Rezydentury. „Hook" nie był jednak wystarczająco sprawdzony, by zapewnić mu specjalną łączność elektroniczną, a tym bardziej przekazać go na kontakt nielegała. Jednakże co pewien czas, gdy wyjeżdżał za granicę, odbywano z nim spotkania kontrolne. Bobriukow wiedział o tym doskonale.

Wiedział też, że schowek obsługiwał dotychczas Sasza Miszkin, ale od dłuższego czasu polski kontrwywiad siedział mu nieustannie na ogonie. Zresztą w mniejszym lub większym stopniu wszyscy oficerowie warszawskiej Rezydentury SWZ byli pod wzmożoną obserwacją.

Bobriukow dziwił się trochę, że Polacy się nim nie interesują i poświęcają mu znacznie mniej uwagi niż innym oficerom Rezydentury. Na początku myślał, że nie potrafi wykryć obserwacji, i bardzo go to denerwowało, ale kiedy zaczął się posuwać do bardziej agresywnych sposobów sprawdzania, wynik też okazał się negatywny. Doszedł do wniosku, że ABW nie interesowała się nim pewnie dlatego, że przyjechał na nowe stanowisko, którego nie obsadzał do tej pory żaden oficer wywiadu. Nie utrzymywał zbyt bliskich kontaktów towarzyskich ze znanymi pewnie Polakom starszymi kolegami. Był też kawalerem i z nieukrywaną sympatią odnosił się do Polski.

W moskiewskiej Centrali i w warszawskiej Rezydenturze świetnie się orientowali, że kontrwywiad ABW od roku prowadzi bardzo agresywną i dobrze zamaskowaną obserwację prawie wszystkich oficerów, co mocno utrudniało im realizację zadań, a przede wszystkim obsługę agentów, których mieli kilkunastu.

Bobriukow znał agenta „Hooka" wystarczająco dobrze, by mieć do niego raczej ograniczone zaufanie. Dlatego obsługa schowka – w jego przekonaniu – była ryzykowna. Wiedział, że gdyby został przyłapany przez Polaków na gorącym uczynku, mógłby zapomnieć o karierze. Oficjalnie wróciłby do Moskwy jako bohater. Ale rzeczywiste koszty byłyby wysokie. Długo nie wyjechałby do krajów Unii Europejskiej, NATO czy też zaprzyjaźnionych, a perspektywa Uzbekistanu, Kirgizji czy Afryki nie napawała go radością. Najbardziej byłoby mu jednak żal opuszczać Polskę.

– Nie ma wyboru... trzeba wykonać to zadanie! – powiedział do siebie Bobriukow i szybko odpędził wizję wpadki. Zlecenie rezydenta oznaczało, że „Hook" dał znak, iż skrytka jest pełna. Należy ją jak najszybciej opróżnić...

Ucieszył się, że jest to schowek o kryptonimie „Klucz" – klasyczny, bezpieczny i łatwy w obsłudze. Wyszukiwanie i przygotowywanie skrytek było stałym zadaniem wszystkich oficerów w Rezydenturze. Ożywioną wyobraźnię i fantazję obowiązywały jednak ścisłe zasady. Obsługa powinna być prosta, bezpieczna i możliwa do realizacji nawet pod obserwacją, choć wykonanie samego schowka lub jego kamuflażu było czasami arcysztuką mistrzów techniki wywiadowczej. Ale jeżeli agent jest zdrajcą, to nawet najlepszy schowek na nic się zda. Wtedy decyduje kontrwywiad i przed prowokacją może uchronić tylko cud albo przypadek.

Bobriukow po raz kolejny przejrzał szczegółowo instrukcję obsługi schowka. Skrytka była plastikową, wodoszczelną, idealną imitacją niedużego kamienia. Pierwowzór został wcześniej pobrany z miejsca, w którym miała być złożona jego kopia. Kamień nie mógł się odróżniać od innych w tym miejscu ani od swojego naturalnego otoczenia. Oznaczony był farbą fluorescencyjną widoczną jedynie w świetle małej latarki ukrytej w zapalniczce. Umiejscowienie kamienia było dokładnie oznaczone danymi zapisanymi w GPS. Tym razem skrytka została złożona w lesie na trasie do Gdańska, dziesięć metrów od parkingu samochodowego, przy pomniku Obrońców Mławy.

Nie minęły nawet trzy kwadranse i Bobriukow miał już gotowy projekt realizacji zadania, ale postanowił zaczekać, aż upłyną nakazane dwie godziny, by nie narażać się na kolejne uszczypliwe komentarze rezydenta. Zwłaszcza że ten wyszedł właśnie z pokoju, przezornie zamknąwszy swoją szafę pancerną.

Witalij Bobriukow wyciągnął się na niewygodnym krześle i założył ręce za głowę. Wyglądał jak wczasowicz na tarasie górskiego schroniska. Pomyślał przez chwilę, że rezydent z pewnością ma w tym pomieszczeniu zainstalowaną kamerę, nawet rozejrzał się wokół, ale w gruncie rzeczy było mu to obojętne.

Teraz wcale nie myślał o realizacji zadania. Było proste, a ryzyko jest przecież od pierwszego dnia służby wkalkulowane w ten zawód. Stwierdził jedynie, że obsługa schowka, jaką sobie obmyślił, zabierze mu sobotni wieczór, który zamierzał spędzić ze znajomymi Polakami, a szczególnie z Kasią o kasztanowych włosach. I zrobiło mu się trochę smutno, bo dziewczyna odwzajemniała jego zainteresowanie. Nikt w ambasadzie nie miał jednak o tym pojęcia, a już ostatnią osobą, która powinna to wiedzieć, był rezydent. Bobriukow zdawał sobie sprawę, że romans z Kasią jest niezgodny z zasadami pracy w wywiadzie i że on może mieć przez to poważne kłopoty. Pozwalał sobie jednak na rozwój tego uczucia, przynajmniej w marzeniach.

Drzwi do pokoju otworzyły się gwałtownie i wszedł rezydent. Bobriukow spojrzał na zegar: dochodziła szesnasta.

– No i co? – zapytał szef.

– Mam gotową koncepcję! – odparł Witalij.

– Tacy jak ty zawsze mają gotową koncepcję! Wszystko wam się wydaje łatwe i proste! Jak dostaniesz w dupę, to ci się od razu pokomplikuje, mądralo! – Rezydent nie był bardziej złośliwy niż zwykle, więc Bobriukow specjalnie się nie przejął. – No? Słucham, pan Bobriukow! – Użycie polskiego zwrotu grzecznościowego miało być w jego odczuciu ironiczne. Przecież zwracał się do Rosjanina.

– Dzisiaj jest piątek. Jutro po pracy pojadę pod legendą turystyczną do Gdańska. Zapowiadają dobrą pogodę, a ja jeszcze tam nie byłem. Żeby lepiej uzasadnić legendę wyjazdu, zaproszę ze dwóch znajomych. Najlepiej jakichś Polaków...

Bobriukow od razu pomyślał, że zaprosi tylko jedną osobę i że będzie nią Kasia. Już wcześniej proponował jej wspólny wypad. Miał namiar od kolegi z Konsulatu Generalnego w Gdańsku na zaciszny i elegancki Hotel & Spa w Oliwie.

Jeżeli nie będzie mogła pojechać, to wtedy poszukam kogoś innego – pomyślał ze smutkiem. Tylko kogo?

– Mam – ciągnął – trzy lub cztery osoby, które, jak sądzę, chętnie skorzystałyby z takiego zaproszenia. Trasę do Gdańska i sam pobyt w mieście wykorzystam na to, by się solidnie sprawdzić. Zajmie to piątek wieczór, całą sobotę i niedzielę rano. Po takim czasie ewentualna obserwacja będzie musiała się ujawnić.

– Jak do tej pory, Bobriukow, toście jeszcze ani razu obserwacji nie ustalili – wtrącił rezydent ze złośliwym uśmiechem.

– Jeżeli nie będę miał obserwacji, to wtedy można założyć, że Polak, osoba towarzysząca, jest na kontakcie kontrwywiadu i to im wystarcza, żeby trzymać mnie pod kontrolą. Ale to będzie przecież weekend. Każdy musi odpocząć, obserwacja też.

– Obserwacja nigdy nie odpoczywa, Bobriukow! Zapamiętaj to sobie! Czego was teraz uczą na tej akademii? Oficer wywiadu szuka obserwacji, nawet gdy śpi, rozumiesz?

– Tak jest, towarzyszu pułkowniku! – odgryzł się Witalij, ale rezydent chyba tego nie wyczuł. – Obsługi schowka dokonam w drodze powrotnej. Wyjazd z Gdańska zaplanuję tak, by do pomnika w Mławie dotrzeć, gdy będzie się już ściemniać. Zatrzymam samochód pod pozorem czynności fizjologicznych. Dobrze byłoby sprawdzić to miejsce w drodze do Gdańska, ale to chyba zbyteczne ryzyko zatrzymywać się tam dwa razy – powiedział pytającym tonem i spojrzał na rezydenta.

– Jasne, że zbyteczne! Lepiej, Bobriukow, żebyś zabrał ze sobą kobietę. Nie będzie ryzyka, że zechce pójść z tobą na stronę. – Rubaszny śmiech wskazywał, że rezydent jest zadowolony ze swojego dowcipu.

– To nie będzie łatwe! Ale spróbuję jakąś znaleźć! – odparł Witalij z poważną miną.

W duchu widział już, jak jedzie swoją ukochaną alfą romeo z Kasią i spędzają dwa dni w pubach oraz uroczych zakątkach Gdańska i Sopotu. I w dodatku za to wszystko płaci pan rezydent! Ta myśl sprawiła mu szczególną przyjemność.

Schowek też obsłuży, bo to proste i łatwe, i będzie kolejny plusik w służbie. W końcu rzecz dotyczy agenta „Hooka", jednego z ważniejszych, jakich miał rosyjski wywiad w Polsce.

Ciężki jest zawód szpiega! – pomyślał i uśmiechnął się mimowolnie do rezydenta, który uznał to prawdopodobnie za akceptację jego pomysłu.

– No dobrze, Bobriukow. Coś tam wymyśliłeś. Teraz bierz papier i pisz szczegółowy raport. Co i jak. I jeszcze jedno – dodał. – Materiał, który pobierzesz ze schowka, ten od „Hooka", masz natychmiast dostarczyć do Moskwy. Samolot jest zarezerwowany na poniedziałek. Zadowolony? Osobiście pisał w tej sprawie ten twój były szef... Popowski.

Bobriukow czuł, że rezydent nawet nie próbuje kryć sarkazmu.

– Zostaniesz w Rosji dłużej, asie wywiadu z Irkucka. Więc się odpowiednio przygotuj. Rozumiesz?

## 16

Konrad bez trudu znalazł miejsce w ogródku pubu Zielona Gęś, wolnym o tej porze roku od tłumu studentów z okolicznych uczelni i akademików.

Usadowił się tak, by – jak przystało na dobrze wyszkolonego oficera wywiadu – mieć na oku otoczenie. Nigdy nie wiadomo, na kogo można się natknąć. Także w kraju.

Sara szła od strony metra. Ubrana w obcisłe dżinsy ultramaryna i bajecznie kolorową koszulkę, którą kiedyś razem kupili w Kambodży. Długie blond włosy spięła wysoko z tyłu, tak że wystrzelający jak fontanna koński ogon kołysał się w takt jej kroków. Wyglądała jak ktoś dokładnie pośrodku między manifą a paradą równości, chociaż odkąd rozpoczęła pracę w AW, przestała się interesować takimi sprawami, bo w tym środowisku są one nieaktualne. Sama była tego najlepszym przykładem. Lubiła powtarzać, że pełne równouprawnienie będzie wtedy, gdy na dyskryminację zaczną skarżyć się mężczyźni.

Konrad już z daleka zauważył, że się uśmiecha. Usiadła naprzeciwko, plecami do ogródka.

– Ty też zdążyłeś się przebrać... Byłeś w domu? – zaczęła, zapalając papierosa.

– Odstawiłem samochód. Mam ochotę na kilka piw. Co dla ciebie?

– Cola z lodem i cytryną! – powiedziała i po chwili milczenia, gdy Konrad szukał wzrokiem kelnerki, zapytała: – Co się dzieje? Co jest grane? Rozumiem, że miałeś wystarczająco ważny powód, by odezwać się tak niegrzecznie. Nie wyczułam tego od razu, bo po prostu zrobiło mi się przykro, ale zaraz zdałam sobie sprawę, że to nie w twoim stylu. Więc o co chodzi? – zakończyła, już bez uśmiechu.

Przez dłuższą chwilę nie reagował na jej słowa i omiatał wzrokiem otoczenie, ale widać było, że robi to odruchowo, zatopiony w myślach, jakby szukał odpowiednich słów. Tak się przynajmniej Sarze wydawało.

– Sorry, nie chciałem cię urazić! Przecież wiesz... – zaczął tak, jak tego oczekiwała. – Widzisz, twoja reakcja na to, co powiedziałem, była spontaniczna i prawdziwa. Myślę dokładnie tak jak ty, ale nie znasz wszystkich okoliczności sprawy, o których nie mogłem ci powiedzieć przy Marku. W mojej ocenie on już o tej sprawie wiedział wcześniej od „Ciężkiego". Kiedy na niego patrzyłem, na jego twarzy było wypisane czerwonym pisakiem: ja o wszystkim wiem. Musieli czekać na mój powrót, bo w końcu jestem wciąż szefem Wydziału, a procedury służbowe obowiązują...

– Czytasz w moich myślach! Nigdy nie byłeś konformistą, przecież wiem! – przerwała mu Sara.

– Nie mogłem kontestować polecenia szefa, bo Mareczek natychmiast poinformowałby o tym „Ciężkiego", ale dobrze, że ty to zrobiłaś. Miałem inne powody, by tak się zachować, chociaż nie czułem się z tym dobrze. Wyjaśnię ci to... a przynajmniej spróbuję.

Głos Konrada brzmiał teraz tak jak zawsze, uczciwie i lojalnie. Szanowała go za to.

– Kiedy przyjechałem do Centrali, Małgosia...

– Sekretarka szefa?

– Tak. Powiedziała mi, że przedwczoraj biesiadowało tam towarzystwo, Kamiński, Małecki z IPN, szef i „Ciężki". Rozumiesz? – zapytał, ale Sara niepewnie pokiwała głową. – Od razu poczułem, że coś jest na rzeczy...

– Kamiński z pałacu? – zapytała z pewnym wahaniem.

– Dokładnie...

Sara zrobiła zdziwioną minę. Nigdy żadnego z nich nie spotkała, chociaż wielokrotnie miała okazję, bo zawsze dostawała zaproszenia na zakrapiane grille do ośrodka AW w Magdalence, na które chętnie przychodzili oficjele z małego i dużego pałacu. Konrad chodził, bo musiał, ale ona omijała to środowisko szerokim łukiem.

– Na czym skończyłem...? Aha... no i potem dowiedziałem się o sprawie. Ani pana generała Zdzisia, ani „Ciężkiego" nie interesował mój pościg za Safirem. To był pierwszy sygnał, że sprawa tego archiwum NKWD w Brześciu ma jakiś dziwny wymiar. Od razu zacząłem podejrzewać drugie dno... – Konrad ciągnął swoją relację z narastającą emocją. – Oczywiście ani słowem nie wspomnieli o przedwczorajszej imprezie z Kamińskim i Małeckim. Żadnych nazwisk, tylko że to ważna sprawa dla kierownictwa państwa i tego typu dyrdymały.

– Kto mówił? „Generał" czy „Ciężki"?

– „Ciężki" nie odzywał się w ogóle. Szef jak zwykle wygłaszał długie nieskładne tyrady, z których zrozumiałem połowę...

– Z błędami ortograficznymi i dużymi literami – wtrąciła ironicznie, by trochę rozluźnić coraz bardziej nakręcającego się Konrada.

– Tak! Trzeba się nieźle napracować, żeby pojąć, o co mu chodzi – podchwycił ulubiony temat żartów oficerów. – W końcu zrozumiałem, że próbował pracować nad moją motywacją, a przecież mnie zna i wie, że wykonam polecenie najlepiej, jak mogę. Po co to robił? Tym razem był jednak inny... chyba się denerwował... i to jest drugi element, który wzbudził moje podejrzenia. I teraz najważniejsze... – Urwał na moment, pokiwał głową i dokończył: – Po raz pierwszy w życiu dostałem polecenie realizacji zadania z wyznaczonym terminem. Do końca sierpnia! – Konrad podkreślił to możliwie najmocniej. – Rozumiesz? Do końca sierpnia! – powtórzył. – Bo w październiku są wybory prezydenckie!

– Czekaj. Moment. Niech się zastanowię... – Sara wyraźnie wczuła się już w jego tok myślenia. – Uważasz, że oni chcą wykorzystać to archiwum do jakichś rozgrywek politycznych? Przecież mają IPN i Małeckiego, i bataliony wiernych hunwejbinów – powiedziała, ściszywszy głos.

– No widzisz! Doskonale! Ty też czytasz w moich myślach! Niedługo nie będziemy musieli rozmawiać.

Roześmiali się oboje.

– Dobrze. Teraz puść wodze wyobraźni. Potrafisz to robić jak mało kto. – Konrad nachylił się bliżej i oparł łokciami o ławę. – Mamy archiwum wywiadu NKWD z materiałami dotyczącymi Polski międzywojennej, tak?

– Tak, ale...

– Jako zawodowiec zdajesz sobie sprawę, co tam może być. Mocny ładunek! Kamiński, Małecki, nasz szef też wiedzą, ile to może być warte, tylko że oni patrzą na sprawę inaczej: jak to można wykorzystać politycznie.

– Oni zawsze tak patrzą. Na wszystko! Nie odkryłeś niczego nowego...

– I znając tych ludzi, jestem pewien, że nie zawahają się użyć tych materiałów, by utrzymać się u władzy, nie zważając na konsekwencje wewnętrzne i międzynarodowe, szczególnie w odniesieniu do Rosji... a właściwie najlepiej kosztem Rosji! A przecież nie wiemy, co tam jest. Może duchy, a może strachy. Coś mi mówi, że w powietrzu wisi katastrofa. Dla wszystkich! Oni sobie z tego nie zdają sprawy, zadęci w obłędzie naprawiania Rzeczpospolitej!

– Naród to kupi! – skwitowała celnie krótki wywód Konrada.

– Dokładnie o tym mówię! I o to im chodzi!

– Co robimy? – zapytała.

– Rysuje mi się pewien pomysł, bardzo ryzykowny, w pewnym stopniu nielegalny. Właściwie całkiem nielegalny... ale o tym później. Przez weekend przeczytam dokładnie materiały i przemyślę to jeszcze raz. Jest jednak inny aspekt sprawy, który od samego początku musimy uwzględniać. Posłuchaj! – Konrad dokończył piwo i dał znać kelnerce, żeby przyniosła następne. – Jeżeli sprawa przyszła do nas z zewnątrz, wie o tym pałac i IPN, to trzeba postawić pytanie: kto jeszcze o tym wie? Według mnie, jak znam życie i nasz biznes, to nie tylko Kamiński i Małecki. To byłoby za proste. Przyjmuję założenie, że Jaseniewo też o tym wie. Pytanie tylko: ile, co i jak szczegółowo?

– Co ty, Konrad?! – Sara wyraźnie się zaniepokoiła. – Skąd mogą wiedzieć, że sprawa jest w naszym Wydziale? Zwariowałeś! Musieliby mieć u nas kreta...

– Rosjanie to nie durnie. Przecież muszą wiedzieć, że brakuje im jakichś dokumentów. U nich nic nie ginie! Według „Generała" i fragmentów, które przeczytałem, archiwum rzeczywiście może tam być. A jeżeli Ruskim czegoś brakuje, to będą tego szukać, aż znajdą...

– Nie możemy jednak wykluczyć, że go tam już nie ma, może nawet od dawna...

– Nie możemy. Masz rację. Ale prawdopodobieństwo, że wciąż tam jest, wydaje się duże... – Konrad spojrzał jej głęboko w oczy i zapytał: – Chyba im tego nie zostawimy?

– Jasne, że nie! – Sara zrobiła bojową minę, jak zawsze gdy czuła zapach prochu.

– Ale jeżeli weźmie się za to nasz przyjaciel Michaił Popowski, to nie będzie łatwo... A któż inny w Jaseniewie lepiej by się do tego nadawał? – wyrzucił z siebie Konrad w poczuciu prawdziwego wyzwania.

Sara słuchała go w skupieniu. Akceptowała i rozumiała każde jego słowo. Zdawała sobie sprawę z tego, jak trudna technicznie i ryzykowna może być ta operacja, a jednocześnie – jak wątpliwy może być jej efekt dla interesów Polski. Poczucie odpowiedzialności i sumienie oficera polskiego wywiadu starło się z rozsądkiem. Wiedziała, że Konrad też tak myśli, lecz sama nie potrafiła znaleźć rozwiązania, zdecydować, co robić. Liczyła na niego, bo nigdy się na nim nie zawiodła. Ufała mu bardziej niż sobie samej. On wie, co trzeba robić, i zaczęła już wyczuwać, o co mu chodzi, gdy powiedział „w pewnym stopniu nielegalny".

– Porozmawiamy o szczegółach w poniedziałek. Wytrzymasz? – zapytał Konrad.

Wydawał się skoncentrowany, ale Sara miała wrażenie, że jest zmęczony i coś go gnębi.

– Jeszcze jedno piwo? – Nie czekając na odpowiedź, dała znak kelnerce. – Zadzwoniłam do M-Irka, jak prosiłeś. Będą w sobotę rano. Choć nie byli zadowoleni, że muszą tak szybko wracać... kłopoty z przebukowaniem biletów. Możesz mi powiedzieć, o co chodzi? Dlaczego potrzebujesz ich teraz? Czuję, że to ma coś wspólnego z tą sprawą... tak?

– Tak. Jutro powiem ci i pokażę, o co chodzi... Muszę szybko zrobić kopię jednego z archiwalnych dokumentów, które dostałem w pakiecie od szefa. Ta kopia będzie punktem wyjścia do naszych dalszych działań.

W popielniczce leżały cztery niedopałki. Sara trzymała w palcach piątego papierosa i od kilku minut ociągała się z jego zapaleniem. Robiła tak czasem, gdy była czymś mocno zaabsorbowana. W drugiej dłoni oczywiście ściskała zapalniczkę Zippo.

Odkąd kilka lat temu rzucił palenie, wydawało mu się, że człowiek z papierosem wygląda żałośnie i śmiesznie zarazem. Często o tym mówił, ale nigdy nie chciał się przyznać, że to typowy odruch neofity. Wyjątkiem była Sara, której nie mógł sobie wyobrazić bez papierosa. Uważał nawet, że palenie podkreśla jej ostry seksapil i że gdy wypuszcza dym, przypomina Marlenę Dietrich z najlepszych czasów. Nie mógł jej tego jednak powiedzieć, bo mogłaby się obrazić na takie porównanie. Czasami po wypiciu czterech piw, co zdarzało się jej niezwykle rzadko, lubiła powtarzać, jak to możliwe, że Sharon Stone wciąż ją kopiuje z takim powodzeniem. I bez piwa wielu kolegów było gotowych się z tym zgodzić. Dla Konrada jednak Sara była atrakcyjna sama w sobie i nie potrzebowała żadnego punktu odniesienia.

– Daj papierosa! – powiedział i nie czekając na odpowiedź, sięgnął po leżącą na stole paczkę.

Sara wiedziała, że to dowód jego rozgrzanej psychiki, chociaż zawsze się tłumaczył, że lubi czasami zapalić, ale tylko przy piwie. Jadąc na to spotkanie, liczyła na miły, kumplowski wieczór, rozmowę o wszystkim i niczym z najbliższym przyjacielem, rozmowę, jakiej brakowało jej od pewnego czasu. Nie była nastawiona na to, co ją spotkało. Nie czuła oczywiście żalu, bo to nie pierwszy raz, kiedy musiała z czegoś rezygnować. Ciężar sprawy, o której powiedział jej Konrad, był na tyle duży, że potrafiła wczuć się w jego rolę.

Doskonale wiedziała, że wyprawa do Jemenu nie była wycieczką i Konrad musi być jeszcze zmęczony i zestresowany. Jego stan emocjonalny udzielił się także jej i choć nie wiedziała jeszcze, co będzie dalej, była gotowa na wszystko.

# 17

Ciało pułkownika Stepanowycza znalazła wczesnym rankiem sąsiadka wyprowadzająca psa. Wyjątkowo szybko na miejscu pojawiła się milicja, a kilkanaście minut później zespół dochodzeniowy KGB, który natychmiast przejął sprawę.

Od dawna nie zdarzyło się zabójstwo tak wysokiego stopniem oficera białoruskich służb specjalnych, a w dodatku zastępcy naczelnika mińskiego kontrwywiadu. Dlatego szef KGB zameldował z samego rana o zdarzeniu prezydentowi Aleksandrowi Łukaszence, który natychmiast polecił, by nadzór nad śledztwem objęła Służba Bezpieczeństwa Prezydenta.

Kapitan Wasilij Pietrowicz Krupa położył się niedawno i spał mocno. Leżał na kanapie, w butach i rozpiętych spodniach, w pokoju wypełnionym kwaśnym zapachem alkoholu, papierosów i potu, gdy zadzwonił telefon. Krupie wydawało się, że śni, ale bolesny dźwięk dzwonka zmusił go do odszukania aparatu.

– Wasia?! Jesteś tam? – rozpoznał swojego bezpośredniego przełożonego, majora Kondratowicza. – Obudź się! Wasia!

– Co jest? – zapytał z ociąganiem.

– Wasia! Ktoś wczoraj zabił Stepanowycza!

Głos w słuchawce brzmiał tak nierealnie, że Krupa pomyślał, że wciąż śpi. Powoli jednak zaczęło do niego coś docierać.

– To ty... Kola? Co ty... ty... pierdolisz? Jakiego... Stepanowycza? – I nagle poczuł, że otrzeźwiał. – Jak to?!... Zabili?! Kto? Kiedy?

– Wczoraj w nocy, jak wracał pijany do domu. Dostał dwa albo trzy razy nożem na swojej klatce schodowej... Zbieraj się natychmiast! Wszyscy mają się stawić w Centrali! Natychmiast! Będzie Służba Bezpieczeństwa. – Głos w słuchawce się urwał.

Krupa siedział na kanapie i miał wrażenie, jakby ciało odmówiło mu posłuszeństwa i zaczęło się wypełniać ciepłym odrętwieniem. Przesiedział tak kilka minut, aż poczuł, że zasycha mu w gardle.

Wypił duszkiem pół butelki ciepłego, zwietrzałego napoju podobnego do coca-coli i ledwo zdążył dobiec do łazienki, gdzie solidnie zwymiotował. Obmył twarz zimną wodą i usiadł na sedesie, by złapać trochę powietrza.

Z niemałym trudem zdjął z siebie ubranie i wszedł pod prysznic. Strumień zimnej wody pomógł mu pozbierać fragmenty poszarpanych myśli.

Wtedy zdał sobie sprawę z sytuacji. Ogarnęło go przerażenie – cała jego kariera, budowana z takim wysiłkiem, mogła runąć w jednej chwili. Nie potrafił zebrać myśli, by zastanowić się, co robić.

W miarę szybko doprowadził się do porządku. Włożył czyste ubranie, ale nie mógł nic zjeść. Wydawało mu się, że wytrzeźwiał, chociaż jego odbicie w lustrze nie pozostawiało złudzeń, że jest inaczej.

Wsiadł do samochodu i ruszył do siedziby KGB na prospekcie Niezawisimosti. Na dziedziniec wjechał od ulicy Komsomolskiej i zaparkował.

Wszedł do dużej sali gimnastycznej, wypełnionej huczącym gwarem męskich głosów. Od razu zauważył grupę oficerów swojego wydziału, stojącą nieco na uboczu. Zbliżył się do bladego i wyraźnie zdenerwowanego Kondratowicza, ale nie zdążył się odezwać, bo do pomieszczenia wkroczyło kilku mundurowych i cywilów i nagle wszyscy zamilkli.

Na podwyższenie wszedł nieznany mu mężczyzna około czterdziestki, w ciemnym garniturze, i Krupa od razu zdał sobie sprawę, że to ktoś ze Służby Bezpieczeństwa Prezydenta.

Salę wypełniała niemal idealna cisza.

– Dzisiaj w nocy został zamordowany pułkownik Andriej Stepanowycz – odezwał się mężczyzna gromkim, pewnym głosem. – Wydział Śledczy Komitetu Bezpieczeństwa Państwowego prowadzi intensywne dochodzenie w sprawie wyjaśnienia wszystkich okoliczności zabójstwa. Na polecenie prezydenta naszej republiki, Aleksandra Łukaszenki, Służba Bezpieczeństwa sprawuje...

Krupa czuł, jak drżą mu nogi, i miał wrażenie, że wszyscy to widzą. Nie mógł zrozumieć, co mówi oficer bezpieki, gdyż jego głos rozpływał się w ogromnym pomieszczeniu.

Ocknął się, gdy poczuł lekkie szturchnięcie w bok. Zobaczył, że stoi za nim porucznik Oleg Popow z Wydziału Technicznego, jego kolega z boiska.

– Co się dzieje? Co robimy?... Nie dosłyszałem... Co on powiedział? – pytał zdezorientowany Krupa.

– Wasia! Na jutro mamy napisać raporty... co robiłeś wczoraj w nocy... takie tam. Teraz będziemy dmuchać w alkomat. Ciekawe, czy w całym KGB po piątkowej nocy ktoś będzie miał same zera.

Ściszony głos Popowa zabrzmiał ironicznie, ale Krupa tego nie wyczuł, bo myślał chaotycznie, co ma napisać w swoim raporcie. I nagle dotarło do niego z niewyraźną jeszcze nadzieją, że przecież nikt nie wie o jego interesach z celnikami.

Oni też wyprą się wszystkiego, jeżeli śledczy do nich dotrą... Jedziemy na tym samym wózku! Boże... Jak łatwo można wrobić mnie w to morderstwo... Bezpieka jakiegoś sprawcę musi znaleźć! Musi być sukces, nawet jeśli go nie będzie. Prędzej czy później na pewno ustalą, kto, gdzie i z kim pił! Pierdolone życie! Ja to mam, kurwa, pecha! Trzeba napisać coś wiarygodnego, a potem zobaczymy. Kurwa... coś trzeba wymyślić!

Krupa, zatopiony w myślach, z tłumem oficerów posuwał się wolno do wyjścia, nie zwracając uwagi na Popowa, który postępował tuż za nim.

Gdy wyszli przed budynek, Popow wciąż był obok.

– Chłopcy z bezpieki robią hucpę – rzucił do Krupy. – Pokazówka od Łukaszenki dla KGB, kto rządzi w tym kraju! Co ta bezpieka może wiedzieć o robocie operacyjnej...

– *Rozbirajutsia kak swinja w apielsinach* – wtrącił ponuro Krupa.

– Winnego będą szukać u nas, żeby nas zdołować i wsadzić nocha we wszystkie nasze sprawy... Zobaczysz! Mają teraz swoje pięć minut... – ciągnął Popow. – Prezydent będzie miał argumenty, by zmienić kierownictwo KGB na swoje, jak tylko znajdą sprawcę... u nas oczywiście. Rozumiesz?!

Krupa czuł, jak wielki kamień opada mu w brzuchu, bo doskonale wiedział, że Popow ma rację, a on sam na takiego sprawcę pasuje idealnie.

– Wiem od kolegi ze śledczego, że to był prawdopodobnie napad rabunkowy. Pewnie Stepanowycz był umoczony w jakieś interesy... nie z tym, z kim trzeba. Wiemy, jak to jest. Nie... Wasia? A może... zwykłe zbóje? – powiedział Popow tonem, który zrobił na Krupie dziwne wrażenie.

– To na pewno jakieś bandziory! Znałem Stepanowycza dobrze i wiem, że nie brał.

– Też mi się tak wydaje, Wasia. Przesłuchiwać pewnie będą przede wszystkim tych, którzy go dobrze znali i z nim pracowali. Będziesz miał okazję im to powiedzieć, może wtedy pójdą w kierunku wersji zbójeckiej.

– Może to jakiś ratunek – pomyślał Krupa z nadzieją.

Lubił Popowa, chociaż nie znał go zbyt dobrze, bo boisko to za mało. Zresztą nikt go nie znał, bo Popow nie pił i był zatwardziałym sportowcem. Chodził własnymi ścieżkami, ale cieszył się szacunkiem za koleżeńskość i dyskrecję.

– Wasia... Coś ty źle wyglądasz. Z kim wczoraj piłeś? Pójdziemy wieczorem do bani? Dobrze ci zrobi – zaproponował Popow. Trafił na odpowiedni moment, bo Krupa nie chciał być dzisiaj sam.

Oleg Popow miał prawie metr dziewięćdziesiąt wzrostu i mógł się poszczycić wyjątkowo wysportowaną sylwetką. Do służby wstąpił w dwa lata po zakończeniu studiów na Uniwersytecie Grodzieńskim. Z podgolonymi skroniami i gęstym jeżykiem na czubku głowy wyglądał na zwykłego trzydziestodwulatka i dokładnie tyle miał. Poza tym nie wyróżniał się niczym szczególnym.

Krupa spóźnił się pięć minut. Zajechawszy na parking przed wejściem do klubu sportowego KGB, wysiadł z wyraźnym trudem. Z bagażnika wyjął sportową torbę i reklamówkę, w której pobrzękiwały butelki z piwem. Podszedł do Popowa, omiatając wzrokiem pusty parking.

– Patrz! Sobota, a nikogo nie ma!

– Sklepy monopolowe dodatkowo dzisiaj zarobią. Po porannym przedstawieniu u nas towarzysze będą mieć zajęcia w podgrupach. To dobrze... nie? Będziemy sami w bani – stwierdził Popow z uśmiechem.

Ten jego ton trochę drażnił Krupę. Już rano miał wrażenie, że Popow jest jakiś nienaturalnie ironiczny, jakby nie rozumiał, że śledztwo w sprawie zabójstwa Stepanowycza może i o niego zahaczyć.

Jak Służba Bezpieczeństwa prowadzi dochodzenie, to zawsze coś znajdzie, na każdego... – pomyślał z lekkim niepokojem kapitan Wasilij Krupa. Przekręty, korupcję, zaniedbanie, oszustwa, a może nawet jakiegoś szpiega. Dobrze powiedział Popow, że dzisiaj będą zajęcia w podgrupach, bo każdy ma coś na sumieniu i padł na nich blady strach! Kurwa! Tyle lat nie wziąłem ani grosza! Pierwszy raz mi się zdarzyło, bo zachciało mi się nowego samochodu – wciąż rozważał, gdy szli w kierunku klubu. Miał wrażenie, że Popow coś mówi, ale jego słowa do niego nie docierały.

– Co ty, Wasia? Ogłuchłeś?! – Zobaczył zdziwiony wzrok Popowa i usłyszał trochę podniesiony głos. – Napisałeś raport, pytam!

– Nie! A... kiedy mamy je oddać? – zapytał szczerze zdziwiony, bo ten szczegół umknął mu zupełnie.

– Jutro rano... Wasia! Co ty, jeszcześ nie wytrzeźwiał?

– Jakoś mi to wyleciało... Będę pisał dzisiaj wieczorem. Po bani zawsze mi się umysł rozjaśnia – zażartował, by ukryć, że zupełnie zapomniał o tak ważnej sprawie.

W bani było mocno napalone i zapach płonącego drewna wypełniał już szatnię, w której ubierało się kilku młodych piłkarzy. W pomieszczeniu obok bani Popow postawił na stole piwo oraz pociętą w talarki kiełbasę i kiszone ogórki. Zasiedli za stołem owinięci w ręczniki.

– A ty, Oleg, już napisałeś swój raport? – zapytał Krupa, otwierając piwo.

– Też jeszcze nie! – odparł Popow i po chwili zapytał: – Może napiszemy wspólnie?

Mimo że nie miało to najmniejszego sensu, pytanie Popowa zabrzmiało bardzo poważnie. Tak się przynajmniej Krupie wydawało, bo mówiąc to, Oleg zawiesił głos i spojrzał na niego z dziwnym, surowym wyrazem twarzy. Tak innym od jego dotychczasowego ironicznego nastroju. Krupa jednak zignorował propozycję, biorąc ją za kolejny żart.

Weszli do osmolonej bani, pachnącej wysuszonym drewnem i świeżą brzozą. Oleg od razu mocno polał rozżarzone kamienie i pomieszczenie wypełniła gorąca para.

– Co teraz będzie, Oleg? Jak sądzisz... – zapytał Krupa.

W odpowiedzi nie usłyszał jednak nic nowego. Na takie pytanie każdy w KGB odpowiedziałby tak samo. Trochę oczywistych frazesów, okraszonych banałami.

Nagle przypomniał sobie, że ma w domu trzy tysiące dolarów, które dostał wczoraj od celników.

A jeżeli oni są zamieszani w zabójstwo Stepanowycza? – pomyślał w przypływie zaniepokojenia. Muszę się natychmiast pozbyć tej forsy! Nie... może lepiej gdzieś ją schowam i przeczekam, a nuż wszystko się wyjaśni. Byłoby szkoda takiej kasy!

Wyjął z wiadra dwie mokre brzozowe wiązki i jedną podał Olegowi.

– Zamówiłeś już samochód, Wasia? Co ty chciałeś kupić? Nie pamiętam... Volkswagena passata? Ten twój opel chyba ledwo się już trzyma...

Krupa wciąż się zastanawiał, co zrobić z pieniędzmi, i myśl o odjeżdżającym samochodzie jeszcze bardziej go zasmuciła.

– Rozglądałem się... Mam znajomego, który ciągnie samochody z Niemiec. Obiecał mi znaleźć coś odpowiedniego. Ale wygląda, że nie wyrobię się finansowo. Stanowczy brak kasy!

– Mogę ci pożyczyć, jeśli chcesz. Ile potrzebujesz?

– Dzięki! Ale teraz nie miałbym z czego oddać. – Przez chwilę Krupie zrobiło się przyjemnie, bo po raz pierwszy ktoś bezinteresownie zaproponował mu pożyczkę.

– Nie krępuj się, Wasia. Mogę ci pożyczyć trzy tysiące baksów. Na pół roku. Jak się zdecydujesz, daj znać. Jesteś porządny chłop! Wiem, że oddasz.

Popow chlusnął wodą na kamienie i zaczął okładać Krupę po plecach brzozową miotłą, aż posypały się z niej liście i przylgnęły do ścian i ciała.

– Wiesz co, Oleg? Skoro masz wolną kasę, może rzeczywiście pożyczyłbym te trzy tysiące – odparł po chwili Krupa, który zrozumiał, że właśnie znalazł sposób na rozwiązanie swojego problemu. Od razu zrobiło mu się lżej na duszy, wymęczonej od porannego telefonu Kondratowicza. – Chcesz, żebyśmy spisali jakąś umowę... coś w tym rodzaju? – zapytał.

Popow pokręcił głową.

Po kilkunastu minutach, spoceni i oblepieni zielonymi listkami, wyszli z bani i wzięli zimny prysznic. Otworzyli po następnym piwie, które smakowało jak po długiej podróży przez pustynię, chociaż było to tylko zwykłe żygulowskoje.

– Masz alibi na piątkową noc? – zapytał niespodziewanie Popow.

– Jasne! – niepewnie odpowiedział Krupa. – Czemu pytasz?

– Nic, tylko tak... bo ja na przykład nie mam! – Znów w jego głosie zabrzmiała nutka ironii. – Z piątku na sobotę siedziałem w domu i oglądałem telewizję. Ale nic nie piłem, bo nie piję sam... A Stepanowycz był podobno mocno wlany. Czyli w zasadzie można powiedzieć, że mam coś więcej niż alibi – roześmiał się.

– Oleg, ty chyba jesteś ostatnią osobą, którą można by o to podejrzewać! Zresztą sam mówiłeś, że to mogła być robota jakichś chuliganów... nie?

– Tak słyszałem. Myślałem o tej sprawie – zaczął Popow, jakby deklamował na akademii. – Według mnie to było tak: Stepanowycz, wbrew temu, co o nim mówią, robił lewe interesy. Z czego miał taki samochód, ciuchy, daczę i forsę na dupy?! No... chyba nie z pensji! Nie jesteś przecież naiwny, Wasia, co? – Krupa pokiwał znacząco głową, krążąc wzrokiem gdzieś po stole. – Zastępca szefa kontrwywiadu, jeżeli robił interesy, to nie jakieś bazarowe przekręty. Taka figura, z takimi kontaktami musiała wyciągać poważną kasę. To czym był zajęty z piątku na sobotę? Założę się, że liczył pieniądze i pił ze wspólnikami. Jeżeli były przy tym jeszcze jakieś kurwy, to bezpieka już na pewno wszystko wie. No... zgodzisz się, Wasia? Nie? – ciągnął dalej w tym samym stylu. – Poszło pewnie o rozliczenia... albo wiedział za dużo... albo nie podzielił się z kim trzeba, jak to w takich interesach, i dostał kosą po brzuchu. Oficjalna wersja będzie inna... nawet jeżeli ustalą prawdę. Bo kto by tu pracował, gdyby nie mógł zarobić na boku? Wie to Łukaszenka, wie nasze kierownictwo i wie bezpieka... Przyznam, że nie przepadałem za Stepanowyczem, ale mi go szkoda – zakończył Popow i sięgnął po następne piwo.

Kurwa! – pomyślał Krupa. Skąd on to wie? Wszystko pasuje jak ulał, tylko, kurwa, to nie ja go dziabnąłem! Może w tym interesie byli też inni, ja przecież nie wiedziałem wszystkiego. Ci celnicy, kurwa... oni byli podejrzani... to mafia. Stepanowycz też im nie ufał! Mogiła... kurwa! Tak czy inaczej mogiła!

Krupa już zupełnie nad sobą nie panował. Patrzył na Popowa szeroko otwartymi oczami, ze śmiesznym wyrazem twarzy, i poczuł, że znów się poci, choć już dawno ostygł po wyjściu z bani.

– No... mogło tak być... może masz rację! – Słowa i ton wypowiedzi Krupy rozchodziły się jak ręce i nogi u żołnierza z zaburzeniami koordynacji.

– A ty, Wasia... co wczoraj robiłeś? – zapytał Popow jakby od niechcenia i poszedł pod prysznic.

Szum lejącej się ostrym strumieniem wody nieco zagłuszał słowa, mimo to Krupa wyraźnie słyszał, jak Oleg mówi dalej:

– Nietęgo wyglądałeś z rana! Jeżeli nie piłeś ze Stepanowyczem i nie urwał ci się film, to masz alibi... Idziemy do bani! – zarządził po wyjściu spod prysznica.

Milczący Krupa podniósł się z ociąganiem i wszedł za Popowem, który już polał kamienie i usadowił się na najwyższej ławce. W bani było bardziej gorąco niż poprzednio. Wilgotne, wypełnione gorącą parą powietrze piekło w nozdrza i uszy, nie pozwalało swobodnie oddychać. Wydawało się, że myśli mogłyby się stopić jak wosk.

Siedzieli w ciszy, strzepując co chwila pot zmieszany z wodą. Wyglądało, jakby każdy z nich, zatopiony w myślach, rozważał, co powinien teraz zrobić, powiedzieć.

– To ja piłem wczoraj ze Stepanowyczem i... – odezwał się cicho Krupa z nisko zwieszoną głową, patrząc pod nogi.

Zrobił to instynktownie, nie planował wyznać tego Popowowi, ale czuł gdzieś głęboko w podświadomości, że sam się z tym wszystkim nie upora, że potrzebuje rady, a Oleg doskonale to zrozumie, będzie wiedział, co trzeba robić. Poczuł nagle ulgę, bo liczył, że Oleg mu pomoże. Nie miał pojęcia jak, ale był tego pewny.

Popow nawet na niego nie spojrzał.

– Od razu wiedziałem – zareagował krótko.

– Skąd? – Krupa spojrzał na niego ze zdziwieniem.

– Wasia! Ja pracuję tylko w zabezpieczeniu technicznym. To ty jesteś oficerem operacyjnym i powinieneś wiedzieć lepiej niż ja, że każdy podejrzany ma winę wypisaną na twarzy. Masz szczęście, że rano trafiłeś na mnie! Co by było, gdyby czepił się ciebie jakiś prowokator czy donosiciel? Wyobrażasz sobie?!... Gorąco. Wychodzimy? – Popow nagle zmienił ton i Krupa był już pewien, że mówiąc mu o swoim problemie, dobrze zrobił.

Poczuł ogarniający go spokój i rozluźnienie. Patrzył na Popowa jak na najbliższego przyjaciela i zrozumiał teraz, że pomysł pójścia do bani był zaplanowany. Oleg z pewnością chce mu pomóc, bo przecież nie sobie. Wybrał łaźnię, bo to teraz najbezpieczniejsze miejsce w mieście. Zrobił to dla niego!

– Ja wiem, że ty go nie zabiłeś! Znam cię na tyle, by wiedzieć, że nie byłbyś w stanie tego zrobić. Dlatego chcę ci pomóc. Możesz na mnie liczyć! Zakładałem, że się zorientujesz, dlaczego zaprosiłem cię do łaźni, i w końcu sam wszystko powiesz. Gdybyś mi nie powiedział, musiałbym założyć, że coś ukrywasz, że masz jednak z tą śmiercią coś wspólnego. Teraz ci wierzę! – Głos Popowa brzmiał poważnie, patetycznie, ale ciepło, i Krupie kręciły się łzy w oczach.

Nigdy nikt z kolegów, służbowo czy prywatnie, nie powiedział do niego: „Możesz na mnie liczyć", a tym bardziej „Wierzę ci". Stosunki w białoruskim KGB przypominały dawne komunistyczne układy, wymieszane z mafią, chciwością, podłością i ludzkim marzeniem o lepszym życiu.

– Tak! Piłem z nim... w piątek wieczorem. Byliśmy w lokalu konspiracyjnym w pobliżu jego domu, powinieneś wiedzieć... bo nadzorujesz to gospodarstwo. Było tam jeszcze dwóch celników. Stepanowycz zaproponował mi udział w zyskach z transportu papierosów do Polski. Ten jeden raz! Nawet nic nie musiałem robić...

– Wasia! Ty nic nie rozumiesz? On cię po prostu w ten sposób kupił! Stałeś się jego własnością, i o to chodziło. Pewnie też chciał pokazać tym celnikom, że ma za sobą jakąś większą strukturę w KGB... a może się bał. Celnicy są pod kryszą rosyjsko-białoruskiej mafii i bezpieki Łukaszenki – oznajmił Popow tonem człowieka dobrze znającego temat.

– Dostałem trzy tysiące baksów za nic, ale wziąłem. Byłem pijany, zresztą jak wszyscy. Stepanowycz wyszedł pierwszy koło północy. Nie pamiętam dobrze... Pamiętam za to, że chciałem go odprowadzić do domu. Patrz... Niesamowite! Stepanowycz mówił mi, że celnicy to mafia. Miałem wrażenie, że się ich boi. Teraz czuję do siebie wstręt. Jaki człowiek jest głupi... i chciwy! Zachciało mi się samochodu! Powiedz, Oleg... kiedy ten pierdolony reżim się rozwali, kiedy zaczniemy żyć normalnie. Ja bym tego Łukaszenkę sam...

– Daj spokój, Wasia! – przerwał mu Popow.

– Powiedz! A ty... tak nie myślisz? Nie uwierzę, że nie. – Krupa był wyraźnie pobudzony. – Kurwa, przecież sytuacja, w jakiej się znalazłem, jest niczym innym, jak tylko efektem tego popierdolonego systemu, w którym tkwimy... – Chciał coś jeszcze powiedzieć, ale zachłysnął się własnymi słowami jak powietrzem i zamilkł.

– Wasia! Ty jesteś jakiś opozycjonista! – roześmiał się Popow.

– Żebyś wiedział! – odparł Krupa. – Tylko nie było dobrej okazji się zapisać... Podobno mam też jakieś polskie korzenie.

– To uważaj! Bo dodatkowo zrobią z ciebie jeszcze polskiego szpiega. Albo amerykańskiego – powiedział Popow ze sztucznym uśmiechem.

– Nie dobijaj mnie!

Stuknęli się mocno butelkami i poszli do bani trzeci raz.

Krupa sam nie wiedział, czy to rozluźnienie spowodowane wypitym piwem i łaźnią, czy rozmowa z Popowem, czy też wszystko razem, ale coś spowodowało, że poczuł się znacznie lepiej. Nie wiedział jeszcze, co zrobi. Miał jednak nieodparte wrażenie, że nie będzie źle.

– Oleg... o co ci chodziło, jak powiedziałeś, że napiszemy raport razem? Nie rozumiem... – Krupa rzeczywiście tego nie zrozumiał, ale teraz, po tym, jak się przyznał, zaczęło go to intrygować.

Popow ostro polał kamienie, które zasyczały, wyrzucając po chwili niewidoczną gorącą parę. Skulili się jak porażeni ogniem.

– A jak sądzisz?

– No... nie wiem... Nie kręć! Mów!

– Wysil się, Wasia!

– Nie wiem!

– Nie brakuje ci czegoś?

– Nie rozumiem...

Przerzucali się przez chwilę krótkimi, urywanymi frazami, bo gorące powietrze parzyło gardło przy głębszym oddechu. Gdy Krupa poczuł, że serce rozpiera mu pierś, rzucił: „Mam dość!" – i wyszedł.

Położyli się na ławkach i przez chwilę odpoczywali w ciszy, łapiąc chłodne powietrze.

– Wasia! – odezwał się w końcu Popow wyraźnym głosem, ze starannym akcentem. – Wspólnie napiszemy raport, to znaczy, że... mogę dać ci na ten wieczór... alibi. Pojmujesz, chłopie?!

Krupa poderwał się gwałtownie z ławki i usiadł. Spojrzał na Popowa z niedowierzaniem graniczącym ze śmiesznością. Czegoś nie mógł zrozumieć. Popow już wcześniej zburzył całą jego logikę, ale teraz to jakby zdzielił go pałką w głowę.

Dlaczego... dlaczego chce tak zaryzykować? – pomyślał z lekkim zaniepokojeniem. Po co mu to?! Czego on ode mnie chce? Przecież nie pieniędzy, bo sam mi je proponował.

I wtedy kaskadę natrętnych pytań powstrzymało przyjemne odkrycie: To ratunek! To wszystko załatwia! Dam mu, cokolwiek zechce! Wspaniale...

– Tak... Oleg... rozumiem! – zaczął Krupa trochę niepewnie. – Dziękuję ci... z całego serca... ale dlaczego chcesz to zrobić? Przecież możesz mieć przez to poważne kłopoty...

– Może mi nie uwierzysz – wszedł mu w słowo Popow – ale pomyślałem, że jeżeli ci nie pomogę, to ten reżim cię zje. Rozszarpie na kawałki! – Zawiesił na chwilę głos i przetarł twarz. – I będziesz stał jak ofiara przywiązana do pala w rzymskim cyrku, a widzowie, obojętni na to, czy jesteś winien, czy nie, rozkoszować się będą twoją śmiercią, ciesząc się, że to żaden z nich, że poświęcając ciebie, ktoś darowuje im jeszcze czas. – Popow mówił dziwnym, jakby uroczystym tonem. – Nienawidzę tego reżimu! Gdybym mógł, zwalczałbym go z bronią w ręku!

– Ja też! Przecież mamy broń! – poparł go natychmiast Krupa. Wykrzyknął to z głębokim wewnętrznym przekonaniem, chociaż trochę przeraził się własnych słów.

Zrozumiał, że te dwa wypowiedziane głośno zdania połączyły go z Popowem na śmierć i życie. Był przekonany, że są tacy sami. Tak mu wierzył, tak teraz ufał sobie, że nawet przez myśl mu nie przeszło, iż Oleg może być prowokatorem.

# 18

Przeleżał w łóżku całą noc, ale nie był pewien, czy spał. Teraz nie myślał o politykach, ich grach ani o skutkach, jakie może mieć dla kraju ujawnienie archiwum. Najważniejsze było, jak je zdobyć, i cała jego wyobraźnia operacyjna pracowała tylko nad tym. Rozumiał, że musi wziąć sprawę w swoje ręce, bo jeżeli nie zajmie się tym Wydział „Q", to mogą wysłać tych harcerzyków przebranych za żołnierzy, co wróżyłoby totalną katastrofę.

Zrezygnował z obowiązkowego joggingu, zastępując go długą, gorącą kąpielą, i po śniadaniu pojechał do pracy pustymi jeszcze ulicami. Musiał jak najszybciej przejrzeć materiały, które otrzymał wczoraj od „Generała". Miał wyznaczony termin realizacji, więc czas zaczął już uciekać. Teraz liczą się dni. Jeszcze nie wiedział, czy to, co planuje zrobić, ma sens, czy poszczególne elementy będą do siebie pasować, czy wszyscy staną na wysokości zadania. Miał więcej pytań niż odpowiedzi.

W biurze nie było jeszcze nikogo. Konrad zrobił sobie kawę i usiadł w fotelu, z nogami na biurku. Starał się uporządkować myśli. Zebrać to, co już wie, czego jest pewien, i to, co jeszcze pozostawało niewiadomą. Wierzył w swoje doświadczenie i intuicję, które nigdy dotąd go nie zawiodły, chociaż czasami stawką było życie współpracowników i jego własne.

Cel operacji jest określony. Przychodzi zatem pora na wybranie aktorów i scenografii oraz reżyserię. Odwrotnie niż w teatrze. Dopiero teraz pisze się scenariusz, w którym planuje się ruchy tylko dla połowy sceny. Dlatego umiejętność improwizowania jest prawdziwą sztuką i każdy akt tego przedstawienia powinien się kończyć happy endem, i to w najlepszej do przewidzenia formie.

Konrad czuł, że myśli sprawnie, logicznie, że jego mechanizm zaczyna rytmicznie pracować. Jednak teraz było inaczej, bo po raz pierwszy zdecydował się zrobić coś, o czym kiedyś nawet by nie pomyślał, i miał pełne poczucie odpowiedzialności za to, co się teraz stanie. Otuchy dodawała mu świadomość, że stoi za nim Wydział. Sara, Lutek, Marcin, M-Irek – musi im powiedzieć wszystko, niech sami zdecydują, czy gotowi są podjąć ryzyko, bo to może być ich ostatnia operacja.

W biurze zaczynał się już poranny ruch i Konrad przerwał rozmyślania. Poszedł do sekretariatu zrobić sobie jeszcze jedną kawę. Wrócił do pokoju i wyjął z sejfu teczkę dotyczącą archiwum NKWD z twierdzy brzeskiej.

Podszedł do drzwi i obrócił na zewnątrz wiszącą na nich pamiątkową tabliczkę z napisem CLOSE YOUR EYES.

Prawie wszyscy wyszli z biura. W piątek, jeśli nie działo się nic specjalnego, kończyli pracę, o której chcieli, choć rzadko wcześniej niż przed siedemnastą.

Konrad zapoznał się dokładnie z zawartością teczki. Zrobił notatki dotyczące wszystkich elementów sprawy, które budziły wątpliwości czy też miały jakiekolwiek znaczenie dla jego dalszych planów. Zobaczył, że Sara krząta się jeszcze w swoim pokoju, zadzwonił do niej i poprosił, żeby przed wyjściem wpadła do niego.

– Skończyłem – oznajmił, gdy tylko weszła. – Nadzwyczaj interesujące! Dam ci materiały w poniedziałek...

– Nie! – przerwała mu w pół zdania. – Daj teraz! Przyjdę w sobotę i niedzielę, to sobie poczytam. Nie zamknęłam jeszcze sejfu...

– Okay! – Konrad przesunął w jej kierunku leżącą na biurku zieloną teczkę. – Też będę jutro w pracy, muszę porozmawiać z M-Irkiem. Lądują o szóstej rano? Tak? – zapytał.

– Tak! – potwierdziła bez wahania. – W takim razie ja też przyjdę. O której będziesz? Marcin odbiera M-Irka z lotniska, więc mogą tu być około siódmej. Umawiamy się na ósmą?

– Świetnie! – odpowiedział z widocznym zadowoleniem, bo nie miał sumienia wzywać jej w sobotę do pracy. – To się nawet dobrze składa. Omówimy pewien element naszej sprawy, o którym napomknąłem ci wczoraj.

Przysiadł swoim zwyczajem na biurku, odchylając się nieco do tyłu i podpierając rękami. Sara lubiła tę jego pozycję i nieraz się zastanawiała, w jakim filmie ją podpatrzył.

– Ale jest jeszcze coś, co musimy pilnie załatwić... – Zamyślił się na moment, przymknąwszy powieki. – Mówiłaś, że „Travis" chce się pilnie spotkać. Jak szybko możesz wywołać to spotkanie?

– Choćby i zaraz! Pytanie... kiedy będzie mógł wyjechać z Mińska? Jeśli wszystko dobrze pójdzie i nic mu nie przeszkodzi, to pewnie w Moskwie stawi się już w... kilka dni. Jest jeszcze problem mojej wizy... czy mi ją wydadzą do tego czasu. Mogę jechać na paszporcie dyplomatycznym, ale to jest ostateczność. – Sara patrzyła na Konrada, oczekując jego decyzji, pewna, że spotkanie z „Travisem" musi być elementem jego planu, którego jeszcze nie znała.

– Tak, tak, Saro... dobrze myślisz! „Travis" jest mi potrzebny do naszej roboty w Brześciu – powiedział to tak, że Sara roześmiała się na głos. – Co cię tak śmieszy? Coś nie tak?

Konrad był szczerze zdziwiony, a Sara, wciąż się śmiejąc, z niedowierzaniem pokręciła głową.

– Wywołaj spotkanie, ale nie do Moskwy, bo mam złe przeczucia, tylko do Kijowa. Tam jest bezpieczniej! Pojedziesz sama, bez zabezpieczenia. Absolutnie nie odnotowuj tego spotkania w dokumentach „Travisa". W Wydziale też nikt nie może wiedzieć, że wyjeżdżasz na robotę. Rozumiesz?

Konrad mówił składnie, cicho i szybko. I choć nawet się nie domyślała, o co chodzi, było dla niej jasne, że Konrad wie, co robi.

– Powiesz wszystkim, że wyjeżdżasz do rodziny. Weźmiesz nieużywany dotychczas komplet dokumentów z rezerwy specjalnej. Weźmiesz też czysty telefon od M-Irka, bez karty, ale z GPS. Jeden z tych, których nie wykorzystaliśmy ostatnio w Libanie. Przyjedziesz do rodziny w Lublinie i zostawisz tam swój służbowy telefon. Schowaj go gdzieś w bezpiecznym miejscu. Powinien być włączony, tak by cały czas wysyłał sygnał i był zalogowany w miejscowych diapazonach. Nie zapomnij tylko o wyciszeniu dzwonka.

– Wszystko rozumiem! Nie od dzisiaj robię w tym biznesie. Skracaj... – Sara była trochę wkurzona, że nie docenia jej inteligencji.

– Potem pojedziesz na granicę ukraińską i przejdziesz z mrówkami na drugą stronę. Wymyśl sobie jakąś legendę. Już na terenie Ukrainy kupisz kartę telefoniczną i kiedy się zalogujesz, M-Irek będą mieli twój numer. Następnie pojedziesz do Kijowa. Musisz improwizować! Teren znasz dobrze. Dasz sobie radę. Będziemy za tobą szli z satelity. „Travis" zna miejsce spotkania w Kijowie?

Konrad siedział wciąż w tej samej pozycji na rogu biurka, skoncentrowany na tym, co mówił, ale sprawiał wrażenie, jakby jego myśli były już kilka kroków dalej.

– Oczywiście! – odpowiedziała bez wahania, trochę zdziwiona, że pyta o coś tak oczywistego. – Spotkanie z „Travisem" powinno się odbyć z zachowaniem szczególnych środków bezpieczeństwa. Są sygnały od naszych źródeł, że Służba Bezpieczeństwa Ukrainy pod nowym szefem szuka okazji, by dobrać się nam do skóry... – Przerwała niespodziewanie. – Ale... ale jest coś jeszcze ważniejszego, o czym nie wiesz, bo cię nie było.

Sara podniosła się, zgasiła niedopalonego papierosa i poszła do swojego pokoju. Wróciła po kilku minutach z jakimś dokumentem w ręku.

– Zobacz! To jest szyfrogram od naszego oficera „Ariesa" z Rygi, który prowadzi werbunek białoruskiego dyplomaty z tamtejszej ambasady… ustalonego oficera GRU pod przykryciem. Pamiętasz?

– Pamiętam! I co?

– Białorusin poinformował „Ariesa", że jakiś czas temu coś się stało w Centrali mińskiego KGB. Podobno zginął jakiś wysoki rangą oficer i bezpieka Łuki szaleje. Białorusin dowiedział się o tym od ich oficera bezpieczeństwa z ambasady, kagiebowca, ale nic więcej nie udało mu się uzyskać. Porównałam daty, kiedy to się stało… – Sara wyjęła dokument z rąk Konrada i spojrzała na kalendarz.

– Tak, dokładnie tydzień temu… jest data – wyprzedził ją Konrad.

– Posłuchaj teraz! Otóż zorientowałam się, że pierwszą wiadomość z prośbą o pilne spotkanie „Travis" wysłał na dwa dni przed tym wydarzeniem. Później milczał przez kilka dni i teraz znowu. – Sara na chwilę zmieniła ton i rzuciła ostro: – Trzeba opierniczyć przy okazji naszego oficera w Rydze, bo informację od Białorusina uzyskał pięć dni temu, a szyfrogram przysłał przed dwoma dniami.

– Myślisz, że prośba „Travisa" może mieć z tym jakiś związek? – zapytał.

– Może tak, może nie! Musimy jednak uwzględnić, że sytuacja wewnątrz KGB na pewno jest napięta. Jeżeli zajęła się tym bezpieka Łuki, to nasz „Travis" może mieć kłopoty z łącznością i wyjazdem z Mińska. Nie wiemy, co się stało, ale według Białorusina z Rygi to nie jest byle pryszcz – ciągnęła swój wywód Sara. – Jeżeli „Travis" decyduje się na wywołanie spotkania w warunkach zwiększonego ryzyka, to musi mieć ku temu ważny powód. To bardzo dobry oficer… świetnie wyszkolony i wie, co trzeba robić, nie ryzykowałby bez potrzeby… – Spojrzała pytająco na Konrada. – Ale cholera wie. Jeżeli w Mińsku trwa polowanie, „Travis" może przywlec za sobą ogon do Kijowa. Wtedy byłoby po nim!

– Spokojnie, Saro. Da sobie radę. To przecież twój wychowanek. Jednak musimy się zabezpieczyć, bo to, co mówisz, ma sens. Dlatego spotkanie obsłużysz zgodnie z trzecim stopniem bezpieczeństwa. Będzie cię to kosztować dużo pracy, ale...

– Daj spokój, Konrad! To oczywiste! „Travis" to mój przyjaciel – powiedziała i po chwili zmieniła wątek: – Nie wyjaśniłeś mi jeszcze, o co chodzi. Czemu „Travis" chce się spotkać, tego się dowiem... ale czego ty od niego oczekujesz w sprawie brzeskiej?

– Saro! Wytrzymaj jeszcze chwilę... wszystkiego się dowiesz. Problem w tym, że ja sam tak do końca nie wiem, czego od niego oczekuję. Wiem jedno: że musimy się z nim skonsultować. Jego wiedza może być... ona jest bezcenna. Może nawet decydująca. Nie mamy nikogo lepszego. „Travis" nie był przygotowywany do tego typu akcji, ale jest uniwersalnym naturszczykiem...

– Jakim naturszczykiem?! To zawodowiec! Jak ty i ja! A może nawet lepszy! – obruszyła się Sara.

– Nie to miałem na myśli. Oczywiście. Przepraszam.

– Okay. Będę czekała. – Podniosła się z fotela i stojąc już w drzwiach, zapytała: – A co miałeś na myśli?

# 19

Popow dotarł do domu grubo po dwudziestej trzeciej. Mieszkał na czwartym piętrze zniszczonej chruszczówki z widokiem na brzozowy las i dwa kominy pobliskiej ciepłowni.

Po raz pierwszy wejście po schodach sprawiło mu tyle trudności. Czuł się jak Hillary po zdobyciu Mount Everestu, tyle że bez radości zwycięstwa.

Nie spał ponad dwie doby! Myśli kłębiły mu się bezładnie, tak że nie potrafił rozróżnić wydarzeń ostatnich dni, prostego następstwa faktów, i jak automat mimowolnie powtarzał wciąż w myślach sekwencje ze spotkania z Krupą. Wydawało mu się, że zrealizował wszystko, co sobie zaplanował, ale nie miał z tego nawet cienia satysfakcji.

Z pewnym trudem odnalazł w kieszeni klucze i po omacku trafił do zamka, oswojony z chronicznym brakiem żarówki na korytarzu. Wszedł do mieszkania, wyłączył alarm, rzucił na podłogę torbę z mokrym ręcznikiem i usiadł na taborecie w ciemnym przedpokoju. Jak wyrwane z albumu zdjęcia przesuwały mu się przed oczami obrazy z jego życia, ułożone w niezrozumiałym dlań porządku.

Ogarnęło go wydobywające się gdzieś z wnętrza bolesne odczucie samotności. Chciało mu się krzyczeć. Usłyszeć własny głos, wlewający się w każdy zakątek pustego mieszkania wypełnionego nieruchomą ciszą.

Był na to przygotowany, wiedział od początku, że będzie mógł liczyć tylko na siebie i że będzie musiał sam podejmować decyzje. Ale dopóki nie stało się to, co się stało, uważał, że jego los toczy się zwyczajnie, całkiem naturalnie. Wydawało mu się, że zawarł coś w rodzaju umowy na życie, która w rzeczywistości jest tylko grą albo zabawą i z której zawsze można zrezygnować. Teraz nie mógł sobie nawet przypomnieć, czy się zastanawiał, jaką podjąć decyzję. Czy miał jakiś wybór?

Ciąg wydarzeń, który rozpoczął się kilka dni wcześniej, i wszystko to, co się potem stało, zlewało się w jedno, bez początku i końca.

Gdzieś wewnątrz tkwiła jednak uporczywa myśl, że musiał to zrobić, by ratować siebie i innych. Nie szukał usprawiedliwienia. Tak było! Taka była prawda! Istniała niezależnie od niego. Czy tego chciał, czy nie. Dlatego było mu jeszcze ciężej, że los akurat jemu przydzielił to zadanie.

Siedział nieruchomo w ciemnym przedpokoju na małym taborecie, który dotąd służył mu tylko do wiązania butów, i szeroko otwartymi oczami patrzył w głąb czarnego korytarza. Niewyraźny obraz zaczął z wolna falować, a po chwili zakrył się mgłą.

Jak mały chłopiec, zdziwiony swoją pierwszą raną, otarł ręką łzę z policzka i spróbował, czy jest słona.

# 20

Była sobota rano, piętnaście po siódmej. Ciepły dzień w pustej niemal Warszawie.

Konrad wszedł do biura ostatni. Sara siedziała już w swoim pokoju nad dokumentami, które dostała wczoraj, a M-Irek rozpakowywali w swoim pokoju bagaże pełne elektronicznych gadżetów, katalogów i broszur, świeżo przywiezionych z wyprawy do Chin. Sekundował im Marcin, odganiany jak natręt przez kolegów, którzy traktowali swoje rzeczy jak świętość i nie pozwalali nikomu ich dotykać. Przynajmniej dopóki sami się nie nimi nie pobawili.

Konrad wszedł do pokoju M-Irka i przywitał się z każdym z osobna.

– Widzę, że jak zwykle nie traciliście czasu – powiedział, patrząc na imponujący zestaw elektroniki, rozłożony już na stole zgodnie z jakimś tajemnym porządkiem.

– To jeszcze nie wszystko! Z Szanghaju jedzie dwieście kilogramów cargo! – odezwał się z dumą Mirek.

Konrad pokiwał z uznaniem głową, lecz widać było, że sukcesy M-Irka w Chinach są teraz dla niego mało ważne.

– Musiałem was ściągnąć, bo mamy sprawę niecierpiącą zwłoki... Spaliście w samolocie? – zapytał z nieco formalną troską.

– Spaliśmy wyśmienicie! Jesteśmy do dyspozycji – odpowiedział tym razem Irek, bo tak już mieli uzgodnione, że mówią na zmianę. Żeby było sprawiedliwie.

– Odebrałeś Lutka? – zwrócił się Konrad do Marcina. – W jakim jest stanie?

– Lutek? Nastrój ma dobry. Jak zawsze bojowy. Nie znać po nim żadnej choroby. Jest w domu...

– Jedź po niego! – polecił Konrad.

Znał Lutka od lat. Można nawet powiedzieć, że poznał go bardzo dobrze, choć nie przyszło mu to szczególnie trudno, bo Lutek był całkowicie przejrzysty i mówił tylko wtedy, gdy miał rozkaz. Można było go akceptować albo nie – inna możliwość nie wchodziła w rachubę. Dlatego Konrad doskonale wiedział, że gdyby nawet coś Lutkowi dolegało, nikt by tego nie zauważył.

Lutek nie był zawodowym oficerem wywiadu, choć kierował w Wydziale małą trzyosobową sekcją takich jak on. Był oficerem GROM, przeszedł wojnę na Haiti i w Bośni, gdzie spotkali się po raz pierwszy. Z wyróżnieniem ukończył kurs snajperski w Tampie na Florydzie i przyswoił sobie wszystkie inne – trudne do zrozumienia, a tym bardziej do opisania – umiejętności oddziałów specjalnych. Potrafił wykonać zadania niewykonalne. Jego fizyczna i psychiczna odporność dawała gwarancję sukcesu we wszystkim, czego się podjął. A do zadań podchodził z pełną odpowiedzialnością. Mówił niewiele, nigdy nie dyskutował... no, chyba że ktoś próbował się mądrzyć na temat broni, wyposażenia wojskowego, technik obserwacji czy walki.

Konrad przygarnął go do Wydziału, gdy dowiedział się, że po odejściu z GROM bez emerytury ten komandos pracuje jako bramkarz w knajpie na Czerniakowie. Lutek nie potrafił i nie chciał zrozumieć meandrów nowej rzeczywistości. Dlatego napisał raport, zabrał swój worek i poszedł sobie.

– Kiedy go przywieziesz, niech przyjdzie do mnie. Wy też... – zwrócił się Konrad do M-Irka.

– A ja? – zapytał Marcin.

– Tak, ty też!

Konrad wyszedł z pokoju i poszedł do Sary, która zauważyła go już znacznie wcześniej i dyskretnie obserwowała, rozdarta między myślą o tym, co się dzieje w pokoju M-Irka, a lekturą wojennego raportu profesora Bardy.

– Pracujesz? – zapytał z grzeczności, bo to było przecież oczywiste.

– Niezwykle ciekawa historia! – powiedziała z uczuciem, jakiego Konrad dotąd u niej nie zauważył. – Wspaniały człowiek ten profesor Barda, chciałabym go poznać. Wiesz... – usadowiła się wygodnie w skórzanym fotelu i założyła ręce za głowę – miałeś rację, mówiąc wczoraj przy piwie, że politycy widzą w tym zupełnie co innego niż my. Mimo że to się wydarzyło tyle lat temu, podstawowe zasady pracy wywiadu wcale się nie zmieniły. Są satelity, elektronika, GPS i tego typu gadżety, ale najważniejszy jest zawsze człowiek.

– Gdy byłem na szkoleniu w TSS* w Stanach kilka lat temu, poznałem Davida Barretta, założyciela tej szkoły – wtrącił Konrad, choć prawie nigdy nie wspominał o kursach, jakie przeszedł za granicą. – Powiedział kiedyś przy piwie coś, co utkwiło mi w pamięci na zawsze. „Jedyną rzeczą, jaka zmienia się na ulicach i w zaułkach wszystkich miast świata, są imiona graczy i technologia, której używamy, ale gra jest wciąż ta sama". Taki truizm, ale brzmi dobrze.

– Rzeczywiście. Dobrze powiedziane – skomentowała dosyć obojętnie i szybko. – Mogę sobie wyobrazić, co znajduje się w tej skrzyni – wróciła szybko do tematu i zawahała się na chwilę, jakby chciała powiedzieć coś specjalnego, coś ważnego. – To są materiały operacyjne sowieckiego wywiadu z okresu Drugiej Rzeczpospolitej! Konkretni ludzie, konkretne sprawy, operacje, nazwiska...

---

* Technical Surveillance Sciences – działająca od 1982 roku renomowana szkoła prywatna z siedzibą główną w Coral Springs na Florydzie i ośrodkami regionalnymi w kilku innych stanach. Zatrudnia byłych oficerów amerykańskich służb specjalnych, którzy uczą technik prowadzenia obserwacji i walki z nią we wszystkich aspektach.

– Zwróciłaś uwagę na niejakiego Zarubina? – zapytał Konrad, siadając w fotelu pod oknem.

– Tak, widziałam to nazwisko w raporcie profesora. Notatki ze spotkania jeszcze nie czytałam – odpowiedziała.

– Wczoraj wieczorem przejrzałem dostępne w Internecie informacje dotyczące Zarubina i dokładniej książkę Mitrochina. Profesor wspominał o niej w rozmowie z Małeckim... Przynajmniej tak jest napisane w notatce ze spotkania, sporządzonej przez asystenta Małeckiego, niejakiego Ruperta. – Konrad wyraźnie zaczął się rozkręcać, zwłaszcza że dobrze znał historię sowieckiego wywiadu. – W okresie międzywojennym Zarubin należał do asów wywiadu nielegalnego. To był w Rosji czas tak zwanych Wielkich Nielegałów, to wtedy zwerbowali Kima Philby'ego i innych. Dlatego uważam... jestem przekonany... – Konrad odruchowo przygryzł dolną wargę – że „willa Zarubina" w twierdzy brzeskiej była jednostką wywiadu nielegalnego INO NKWD. Oczywiście prowadzili również pracę z pozycji rezydentury warszawskiej i działania bezpośrednie, ale tobie nie muszę mówić, że rezydentura nielegalna to *cream of the cream* wywiadu... – Kontynuując, przeszedł na kolejny, wyższy poziom emocji. – To Sowieci stworzyli w tamtych czasach fundamentalne zasady wywiadu nielegalnego. Zachód dopiero się tego uczył, o ile w ogóle miał o tym jakiekolwiek pojęcie. W pionie nielegalnym były prowadzone najlepsze sprawy, działali najlepsi agenci. A jeśli wziąć jeszcze pod uwagę ówczesne czasy i możliwości Rosjan, to ci, którzy dla nich pracowali, nie byli przeciętnymi ludźmi. Zresztą nie musieli nawet wiedzieć, że pracują dla Sowietów, przecież my teraz też tak robimy. To musiały być osoby z samego szczytu. Jestem tego pewny!

Sara słuchała Konrada z uwagą i choć mówił rzeczy oczywiste dla oficera wywiadu, to jednak po raz pierwszy spotkała się z sytuacją, w której historia sprzed pół wieku mogła wciąż żyć i wpływać na losy Polski. Ta myśl i to, co usłyszała, spowodowało, że nagle otworzył się przed nią świat zupełnie zapomniany. I poczuła dreszcz wzruszenia, jakiego nigdy dotąd nie zaznała.

– Zarubin – kontynuował Konrad – pracował wśród naszych oficerów w Kozielsku. Co tam robił oficer wywiadu? No... werbował, badał, poznawał! Szukał informacji. To oczywiste! Czy z powodzeniem?! No cóż... pewnie coś mu się trafiło. Jeśli puścić wodze fantazji, to można spytać, co z katastrofą samolotu generała Sikorskiego i wieloma innymi sprawami... Saro, pomyśl! – Konrad wstał i zaczął chodzić po pokoju. – Tradycja Drugiej Rzeczpospolitej to fundament, na którym opierają się nasze dzisiejsze ideały, z którego wywodzą się nasi bohaterowie. Ale my wiemy, jak świat wygląda po drugiej stronie lustra. Robimy to przecież na co dzień, żyjemy z tym, więc wiemy, że zawsze może się okazać, że niektórzy nasi bohaterowie nie byli naszymi bohaterami. I co wtedy? Czy komuś dzisiaj potrzebna jest ta prawda? – Mówił coraz szybciej, podniesionym głosem. – Szczególnie w takim państwie jak dzisiejsza Polska, państwie polityków kręcących się jak pies wokół własnego ogona, którzy nie rozumieją swojej historii i nie potrafią się z nią rozliczyć. Zobacz, co robią z aktami IPN! I co jeszcze mogą zrobić! W Jaseniewie po każdej aferze teczkowej u nas stukają się kieliszkami i z radością patrzą, jak Polacy sami się załatwiają w imię wolności i demokracji. Siedzą, patrzą i wznoszą toasty. I jeszcze ten nasz szef... – Zamilkł na chwilę. – Popatrz, Saro. Zdenerwowałem się, słuchając samego siebie. Czy to normalne? – Uśmiechnął się trochę sztucznie.

– Wiesz... też się zdenerwowałam. Gdybym była na miejscu Ruskich, to IPN byłby moim oczkiem w głowie. Wystarczy jeden dobrze uplasowany agent, i można bujać Polską, aż dostanie wymiotów. Rozumiem cię doskonale! Każdy z nas to rozumie! Prawie każdy! – Wstała powoli z fotela, podeszła do Konrada, położyła mu dłonie na ramionach i obróciła twarzą do siebie. – Wiem, co chcesz zrobić!

Zaległa cisza. Sara patrzyła na Konrada, wciąż trzymając go za ramiona, i wydawało jej się, że na jego twarzy pojawił się uśmiech, który nie mógł oznaczać nic innego, jak tylko to, że...

– Tak, Saro, chcę zrobić dokładnie to, co myślisz... – usłyszała jego głos.

# 21

– Misza...

– Tak jest, towarzyszu generale – odpowiedział w słuchawce telefonu służbowo brzmiący głos.

– Krugłow będzie trochę wcześniej, więc nie wychodź od siebie. Czekaj na mój telefon... Znasz Krugłowa? – zapytał generał armii Aleksander Lebiedź, przewodniczący Służby Wywiadu Zagranicznego Federacji Rosyjskiej.

– Osobiście nie, tylko z mediów i korytarzowych komentarzy... od kolegów pamiętających go z czasów, gdy tu pracował. Był ponoć dobrym zawodowcem, ale zawsze marzył o Kremlu. Zastępca szefa administracji prezydenta to chyba właściwe dla niego stanowisko... – Mówiąc to, Michaił Popowski, naczelnik Wydziału Polskiego SWZ, zdawał sobie sprawę, że jego słowa nie są całkiem zgodne z obiegowymi opiniami o Krugłowie.

– Już dobrze, Miszka... nie bądź takim cynicznym dyplomatą. Wszyscy wiemy, jaki to arogant i karierowicz, ale nasz, i to jest ważne. Chodziło mi tylko o to, czy potrafisz z nim rozmawiać. Czy wiesz... jak? Z kimś takim jak on... Rozumiesz, o co mi chodzi?

– Dam sobie radę, towarzyszu generale – odpowiedział pewnie Popowski.

– W porządku – stwierdził bez przekonania Lebiedź. – Jak ojciec, Misza? Wyszedł już ze szpitala? – I po kilku sekundach dodał: – Powiedz mi, jak będzie z powrotem w domu. Chcę go odwiedzić. Tylko nie zapomnij!

– Tak jest, towarzyszu generale. Zabieg odbył się bez komplikacji, ale, prawdę mówiąc, rokowania są nie najlepsze. W domu będzie prawdopodobnie w poniedziałek. Brat go przywiezie...

– Wyślę po niego mój samochód. Musi wiedzieć, że o nim pamiętam. To mój przyjaciel... No dobrze, porozmawiamy o tym później. A teraz czekaj, Misza, aż cię wezwę. I... nie rób przedstawień! – zakończył Lebiedź i nie czekając na reakcję Popowskiego, odłożył słuchawkę.

Niski, mocno łysiejący, z wystającym brzuchem, Krugłow rozsiadł się w głębokim skórzanym fotelu, jakby sam był gospodarzem spotkania, i zapalił papierosa, chociaż wiedział, że Lebiedź nie znosi dymu papierosowego. W gabinecie nie było nawet popielniczki, więc generał czekał, aż Krugłow o nią poprosi, i to czekanie sprawiało mu satysfakcję.

– Jak twój syn, Sasza? Dobrze mu idzie biznes? – zapytał Krugłow, jakby go to cokolwiek obchodziło.

– Tak! Wszystko w porządku, bardzo dobrze! Otwiera nowe przedstawicielstwo w Finlandii – odpowiedział formalnie Lebiedź.

– No to pięknie! Zanim przejdziemy do naszej sprawy, mam dla ciebie dobrą wiadomość. Władimir Władimirowicz, po dokładnym zapoznaniu się z waszym projektem budżetu służby na przyszły rok, dołożył wam... na mój wniosek oczywiście... jeszcze więcej, prawie dziesięć procent. Polecił już premierowi uwzględnić to w budżecie resortowym. Macie też zgodę na rozszerzenie tej waszej afrykańskiej operacji, zapomniałem kryptonimu...

– „Ałmaz" – powiedział Lebiedź, zadowolony z tej decyzji, bo przynosiła ona służbie poważne dochody. – Jak będę widział się z prezydentem, to podziękuję mu osobiście – rzucił pro forma i dodał: – Cieszy, że kierownictwo państwa docenia SWZ.

– Sasza, coś ty się tak nabzdyczył?! Myślisz, że my... Władimir Władimirowicz i ja... zapomnieliśmy, skąd wyszliśmy?! Prezydent uważa cię za swojego przyjaciela i nauczyciela. Nie udawaj, że nie wiesz! Wywiad dostanie wszystko, macie wspaniałe wyniki, i to jest twoja zasługa.

Kruglow bardzo się starał, by brzmiało to szczerze, tak szczerze, jak to tylko możliwe. Ale Lebiedź dobrze wiedział, że Kreml szykuje mu boczny tor, bo prezydent coraz częściej wyręczał się Kruglowem, chociaż wiedział, że w Jasieniewie nie jest on mile widziany.

– Daj koniak, Sasza, i zaczynamy... – rzucił ciepłym głosem Kruglow i zgasił papierosa na talerzyku z serwisu do kawy.

– Tatiana, podaj koniak i popielniczkę – polecił Lebiedź przez interkom sekretarce, po czym zwrócił się do swego rozmówcy: – Zarysowała się bardzo ciekawa sytuacja w sprawach polskich. Jak wiesz, już od lat pracuje specjalna komisja Tichomirowa, badająca nasze zasoby archiwalne po ucieczce Mitrochina. W ramach komisji działają sekcje terytorialne, między innymi polska. Przez lata niewiele mogła się posunąć, efekty były mizerne. Jednym z najważniejszych problemów, które utrudniały jej pracę, był brak akt spraw agenturalnych pionu nielegalnego z okresu przed wybuchem wojny. Jak ustaliła komisja... i są na to dokumenty... w tysiąc dziewięćset czterdziestym roku Wydział Polski INO NKWD został przeniesiony do twierdzy brzeskiej. Jednak wszystkie jego oryginalne akta zaginęły w czerwcu czterdziestego pierwszego roku. Naczelnikiem w tym czasie był Wasilij Zarubin, który jedyny ocalał z kilkunastoosobowego składu Wydziału, bo dwudziestego drugiego czerwca był w Moskwie...

– Nie wiedziałem, że Zarubin był naczelnikiem Wydziału Polskiego „S". To ciekawe. Słyszałem, że pracował nad polskimi oficerami będącymi wówczas w naszej niewoli... Wspaniały człowiek! Legenda! Szkoda, że został tak potraktowany po powrocie z USA. – Kruglow sprawiał wrażenie, że dobrze zna tę postać.

– Tak czy inaczej po dwudziestym drugim czerwca oryginalne materiały zaginęły. W Centrali zachowała się jedynie korespondencja między Brześciem a Moskwą. W tym czasie Zarubin ciągle był w podróży i do Brześcia nie zaglądał zbyt często. Przed wybuchem wojny kierował naszą siatką w Jugosławii. Natomiast nad bieżącą pracą Wydziału sprawował pieczę niejaki Pokrowski, po którym słuch zaginął. Nie wiadomo też, co się stało po wybuchu wojny z naszymi nielegałami w Polsce, a było ich troje. Do września trzydziestego dziewiątego roku prowadzili w Polsce czterech agentów. Zresztą, co jest oczywiste, nikt pewnie wtedy nie miał głowy zajmować się tą sprawą. Zawierucha wojenna, Polska zeszła na daleki plan... Zarubin wyjechał w czterdziestym pierwszym roku do naszej Rezydentury w USA. Dopiero w czterdziestym drugim Stalin polecił intensyfikację pracy wywiadowczej w sprawach polskich. Pamiętaj, że nielegalna rezydentura w Warszawie była tylko fragmentem naszych działań na tym kierunku. W tysiąc dziewięćset czterdziestym trzecim roku Zarubin na polecenie Centrali sporządził notatkę, w której odtworzył z pamięci swoją wiedzę na ten temat. Było tego sporo, ale zapamiętał tylko dwa nazwiska naszych agentów. Między innymi niejakiego Henryka Złotowskiego, znanego w przedwojennej Polsce opozycyjnego działacza i ukrytego sympatyka Związku Radzieckiego.

– Byli wtedy tacy Polacy?! – roześmiał się Krugłow.

– Posłuchaj teraz! – powiedział Lebiedź ze zgrabnie zagranym przejęciem. – Jeden z naszych archiwistów, młody entuzjasta, zaczął dłubać przy tej sprawie. I co się okazało! Złotowski zmarł w tysiąc dziewięćset czterdziestym drugim roku w Londynie. Jego żona, arystokratka, w czterdziestym piątym roku wyszła ponownie za mąż, za pułkownika Tadeusza Zielińskiego, i po wojnie oboje wrócili do Polski. Zieliński był represjonowany i zmarł w więzieniu. Zobacz, to wszystko ustalił nasz entuzjasta na podstawie Internetu! I teraz! – Generał wyraźnie dozował napięcie. – Z notatki Zarubina wynika, że Złotowski wyjechał z Polski przed wybuchem wojny tylko z żoną i córką, a jego syn został u rodziny w kraju. W tysiąc dziewięćset trzydziestym dziewiątym roku miał osiem lat...

– Zieliński, o ile wiem, to w Polsce popularne nazwisko – wtrącił Krugłow. – Są ich tysiące. Jak u nas Iwanowów...

– Znasz jakiegoś Zielińskiego w Polsce? – zapytał Lebiedź, patrząc z szerokim uśmiechem na Krugłowa, i zaraz dodał: – Właściwie to pytanie powinienem postawić naszemu prezydentowi.

– Nie... No nie... niemożliwe! Nie... – Krugłow wyprostował się w fotelu i sięgnął po papierosy. – Coś się chyba popierdoliło temu twojemu młodemu entuzjaście – powiedział niepewnym tonem, ale nieschodzący z twarzy Lebiedzia uśmiech nie pozostawiał wątpliwości, że nie ma racji.

– Daj spokój! Stanisław Zieliński, prezydent Polski? – Krugłow czuł, jak krew napływa mu do twarzy. – No to się Władimir Władimirowicz ucieszy! Prezent na urodziny jak znalazł. Popatrz, tyle nam krwi napsuł na Ukrainie! I to kto? Syn naszego agenta i komunisty!

– Mało tego! Rodzina Złotowskich to przechrzty! A w obecnej Polsce to chyba jeszcze gorzej. Rozumiesz? – powiedział głośno Lebiedź. – Nasze archiwum to złoto, to serce, mózg i nerw wywiadu. Znaleźliśmy teczkę carskiej ochrany na Złotowskiego, z czasów gdy studiował w Petersburgu. Wyobrażasz sobie! Trzeba jednak pamiętać, że każde archiwum żyje własnym życiem i jeżeli niewłaściwie się z nim obchodzisz, może bardziej zaszkodzić niż pomóc. Taki syndrom Mitrochina. To czegoś uczy, nie? Ludzie przychodzą i odchodzą, a archiwum trwa i wciąż się powiększa...

– Co my możemy z tym zrobić? Masz jakiś pomysł? Mój szpiegowski siódmy zmysł mówi mi, że mamy klucz do tej cholernej Polski! – stwierdził z entuzjazmem Krugłow.

Jaki ty jesteś naiwny i arogancki, Krugłow! – pomyślał generał Lebiedź. Jak ty możesz doradzać prezydentowi?! Trzeba będzie o tym porozmawiać z Władimirem Władimirowiczem. Zupełnie nie zdajesz sobie sprawy, człowieku z siódmym zmysłem, że ta sprawa może jeszcze bardziej zaszkodzić nam niż Polakom – szybko ocenił, wciąż się uśmiechając.

– Oczywiście! W rzeczy samej! – odpowiedział z nieuchwytną ironią. – Może nie klucz, tylko wytrych, który może, ale nie musi otworzyć drzwi. Wszystko zależy od tego, czy zrobi go dobry ślusarz i do jakiego zamka. Innymi słowy, to nie jest takie proste, jak się wydaje, a to jest dopiero początek. Spójrz na całą sprawę jako oficer wywiadu, a nie urzędnik administracji. I co z tego, że to wiemy?! To za mało... żeby nawet zacząć myśleć o czymkolwiek. Jakie to może mieć korzyści dla Rosji, będziemy mogli ocenić dopiero wtedy, gdy wyeliminujemy wszystkie te aspekty, które mogą przynieść nam szkody, zarówno wewnętrzne, jak i międzynarodowe. Posłuchaj dalej... albo nie, zaczekaj chwilę – rzucił i od razu wstał, by nie dać Krugłowowi okazji do protestu. – Naczelnik Wydziału Polskiego, Misza Popowski, czeka. Będzie nam potrzebny do dalszej rozmowy.

– Tak. Słyszałem o nim. Syn Wiktora Stepanowicza?

– Wiktor jest umierający... ma raka. To wspaniały człowiek. Znałeś go?

– Osobiście nie, ale słyszałem o nim wiele dobrego od prezydenta – odpowiedział Krugłow.

Lebiedź podszedł do interkomu.

– Tatiana, poproś Miszę – powiedział i wrócił na fotel. – Wiesz, Miszę nazywają nowym Tuchaczewskim, bo taki odważny, inny... niezależny. Bo kieruje ofensywą na Polskę! Widzisz... on rzeczywiście ma coś z Tuchaczewskiego.

– Oby to nie było jego przekleństwem! – odparował Krugłow, jakby nie lubił marszałka, i zapytał: – Jego ojciec był naszym rezydentem w Warszawie?

– Otóż to! Ale niejawnym. Bardzo długo, w latach siedemdziesiątych. Misza kończył tam szkołę. Stąd zna polski. Potem i on był w Warszawie, w naszej Rezydenturze, przez sześć lat, od dziewięćdziesiątego pierwszego roku, o ile dobrze pamiętam. Polski wyszlifował tak, że jest prawie nie do odróżnienia. Spisał się nadzwyczaj dobrze! Pamiętasz operację „Luba"?

– Nie bardzo! Co to było?

– To był jeden z pierwszych elementów programu „Car Puszka", który trwa do dzisiaj. Projekt „Luba" dotyczył polskiego premiera. Nie pamiętasz? – zapytał Lebiedź.

– Tak, tak! Teraz sobie przypominam! Jak to się zakończyło? – Krugłow kłamał, bo zupełnie tego nie pamiętał. Wówczas zajęty był już wyłącznie swoją karierą.

– Porozmawiamy o tym później, jak starczy czasu. Zaraz przyjdzie Misza i dokończymy to, co jest głównym tematem naszego spotkania. Zresztą warto, żebyś poznał bliżej naszą pracę na kierunku polskim, a Misza jest jej ważnym aktorem i zna szczegóły.

Lebiedź nie liczył na zainteresowanie Krugłowa. Chciał tylko zrobić na nim wrażenie, którym ten być może podzieli się z prezydentem. To z pewnością nie zaszkodziłoby samemu generałowi, tym bardziej że zamierzał zaproponować konkretne działania i liczył na to, że prezydent podejmie właściwe decyzje. Był już za stary i zbyt zmęczony, by tłumaczyć im, co jest odpowiednie, a co nie, i nie urazić przy tym ich wysokiego mniemania o swoich szpiegowskich kompetencjach.

– Nie przypominam sobie, żebyś ostatnio był na kolegium, kiedy omawialiśmy sprawy polskie – dodał z przekąsem.

Krugłow nie zareagował. Siedział zamyślony.

Otworzyły się drzwi i do pokoju wszedł Michaił Popowski. Około czterdziestki, przystojny, o smagłej, trochę kaukaskiej urodzie, w modnie skrojonym granatowym garniturze. Nie miał bordowego krawata.

– Major Popowski melduje się, towarzyszu generale! – powiedział pewnym głosem, stojąc przy drzwiach.

Krugłow spojrzał na niego znad okularów i w sposób typowy dla oficerów z kompleksem tłustego karła zapytał:

– Macie, majorze, licencję na zabijanie?

Zachichotał uradowany, klepiąc się rękami po kolanach.

– Nie mam. Nie jestem też muzułmaninem ani buddystą – odparował natychmiast wyjątkowo spokojnie major Popowski.

– Chodź, Misza. Siadaj. Czego się napijesz? – zapytał Lebiedź.

– Niczego. Dziękuję, towarzyszu generale.

– Coś taki skwaszony? Stało się co?

Popowski pokręcił głową. Rozpiął marynarkę, usiadł i założył nogę na nogę. Zauważył, że Kругłow z zainteresowaniem przygląda się jego dobrze dobranym, eleganckim czarnym butom marki Reporter.

– O czym to ja... – zaczął spokojnie Lebiedź. – Aha! Zieliński... Informacja na jego temat jest kompilacją danych oficjalnych, kopii naszych dokumentów, a przede wszystkim analizy dokonanej przez archiwum. Czyli w sensie profesjonalnym jest to dopiero materiał wyjściowy do dalszego opracowania. W naszych zasobach brak oryginalnych akt dotyczących Złotowskiego, a tylko takie mogłyby stanowić wymierną wartość operacyjną. Dopiero po ich dokładnej analizie należałoby się zastanowić, czy można je wykorzystać, i wysunąć koncepcję dalszego działania.

– Co tam! Mamy ważną sprawę, którą trzeba bezwzględnie wykorzystać. Brakuje akt Złotowskiego? No to trzeba je zrobić! Przecież nasza technika ma takie możliwości – wymyślił szybko Krugłow.

Boże, on nic nie rozumie! Jak on ukończył Akademię Andropowa?! – pomyślał Lebiedź, wymieniając spojrzenie z Popowskim.

– Oczywiście, że nasza technika ma takie możliwości i jest w stanie spreparować dowolne pismo czy dokument, nawet akt urodzenia Dymitra Samozwańca. Tylko po co?! Nie o to chodzi! Techniczne przygotowanie pisma to sztuka sama w sobie, ważniejsze jest jednak, co to pismo zawiera. W przypadku Złotowskiego musielibyśmy mieć bardzo szczegółową wiedzę dotyczącą jego życia w przedwojennej Polsce, spraw osobistych, realiów tego czasu, różnorodnych okoliczności i ich powiązań...

– Złotowski jako agent musiał pisać informacje ręcznie lub na swojej maszynie – włączył się do rozmowy Popowski – zatem praktycznie podróbka jest niewykonalna. Wykrycie błędu byłoby łatwe i mogłoby nas drogo kosztować. Zapomnijmy o tym!

– To co? Sprawa jest więc... nie do wykorzystania?! Jaka szkoda! – Kругłow wyglądał na szczerze zawiedzionego.

– Otóż nie do końca. Rzecz jest bardziej skomplikowana, niż to się na pierwszy rzut oka wydaje. I co więcej, interesująca, może nawet bardzo interesująca. – Misza wyraźnie przejął inicjatywę. Wiedział, że generał już od dłuższego czasu męczy się z Krugłowem, a obowiązek rozmowy z kimś nielubianym wyczerpuje go podwójnie.

Wyjął z marynarki mały kołonotatnik.

– Sądzimy – kontynuował – że sprawa Złotowskiego... i nie tylko, bo dotyczy też innych osób... w razie sukcesu może nadać nowy impuls projektowi „Car Puszka". Poza tym ma też inny wymiar, niezwykle ważny dla interesów naszego kraju.

– Może więcej konkretów, Sasza! Nie jestem przecież amatorem – zwrócił się Krugłow do generała z lekkim zniecierpliwieniem, wyraźnie omijając Popowskiego.

– Otóż wygląda na to, że materiały, dotyczące Złotowskiego i pozostałych naszych agentów w Polsce, naszych oficerów, nielegałów, prowadzonych operacji i Bóg wie co tam jeszcze jest, znajdują się zakopane na terenie twierdzy brzeskiej – odpowiedział Lebiedź.

Na okrągłej twarzy Krugłowa pojawiło się głupawe zdziwienie, zupełnie jak u dziecka, któremu ktoś wyrwał lizaka.

– To jak puszka Pandory zmutowana z Mitrochinem, a w tamtych czasach zasady konspiracji daleko odbiegały od tych, które obowiązują teraz, i pewnie jest tam mnóstwo danych – ciągnął generał. – Sądząc z notatki Zarubina z tysiąc dziewięćset czterdziestego trzeciego roku oraz analizy naszych archiwistów i historyków, archiwum, o którym mówimy, może mieć poważne znaczenie polityczne. Nie muszę przypominać, jak Polacy rozgrywają sprawę Katynia. Wtedy, przed wojną, Polska miała dla nas podstawowe, wręcz strategiczne znaczenie. Teraz wszystko zależy od tego, w czyich rękach znajdzie się to archiwum! Ta broń wciąż może strzelać! – Zawiesił na chwilę głos, by zrobić na Krugłowie jeszcze większe wrażenie. – Zdajesz sobie z tego sprawę?

– Ależ oczywiście! Jakżeby inaczej?! Natychmiast poinformuję o tym prezydenta, na pewno zwoła posiedzenie kolegium. No dobrze... Powiedz mi, Sasza, jaki masz plan? Kiedy to wykopiesz? – Krugłow sprawiał wrażenie bardzo poważnego.

– Wiemy, że jest zakopane na terenie twierdzy w Brześciu, ale nie wiemy dokładnie gdzie! – odezwał się Misza Popowski. – To ogromny teren, częściowo muzealny, częściowo wojskowy. Budynki zostały w większości zniszczone podczas wojny, prawie nic nie wygląda tam tak jak przed czerwcem czterdziestego pierwszego roku.

– Skąd wiemy, że archiwum jest właśnie tam i że zostało zakopane? – dopytywał się Krugłow.

– Wskazuje na to analiza wszystkich okoliczności i wydarzeń w czterdziestym pierwszym roku. Początkowo nasi specjaliści uważali, że archiwum wpadło w ręce Niemców, którzy przecież wiedzieli o jednostce Zarubina w twierdzy i którym z pewnością zależało na przechwyceniu dokumentów. Mogli przejąć naszą polską agenturę, dlatego zniknęli nasi nielegałowie w Warszawie, potem pewnie przejęli to Amerykanie, i tak dalej. Taka była wersja, jak to się mówi, do wczoraj! – Popowski mówił ze swobodą, jak na spotkaniu towarzyskim.

– To była idiotyczna decyzja przenosić Wydział Polski do Brześcia! Pewnie stał za tym Beria, co? – zapytał Krugłow.

– To był pomysł Fitina, ówczesnego szefa wywiadu NKWD, i Zarubina. Beria i Mierkułow tylko go zatwierdzili. Pamiętaj, że to były inne czasy. Wtedy taka idea wydawała się odważna i niepozbawiona sensu – szybko zareagował Lebiedź. – Zostawmy to teraz, to już nie ma znaczenia. Istotne są konsekwencje i to, co powinniśmy zrobić. Misza, przedstaw nasze pomysły.

– Jak powiedział towarzysz generał, ani Niemcy, ani Amerykanie nie mają tego archiwum, ale to słaba pociecha. Może nawet byłoby lepiej, gdyby przepadło gdzieś w podziemiach Langley, bo oni i tak by nie zrozumieli, co posiadają.

Pokój wypełnił gromki śmiech.

– Mamy w Polsce agenta, kryptonim „Hook". Według uzyskanych przez niego informacji niedawno w Instytucie Pamięci Narodowej w Warszawie miało miejsce spotkanie. Zgłosił się tam człowiek, który przekazał szczegółową informację o miejscu ukrycia archiwum w twierdzy brzeskiej. Co jednak najważniejsze, informacja ta jest dobrze udokumentowana, a źródło jej pochodzenia wiarygodne. Przyjmujemy zatem założenie, że archiwum znajduje się tam! – stwierdził Popowski.

– Doskonale! Czyli... jest szansa na jego przejęcie. Agent, ten... „Hook", jest sprawdzony? Czy Polacy nas w coś nie wrabiają? – zapytał podniecony Krugłow.

– „Hook" jest typowym oferentem. Zwykła szmata. Sam do nas przyszedł. To nadzwyczaj próżny i chciwy człowiek. Pracuje dla pieniędzy i zaspokojenia swoich chorych ambicji, chociaż formalnie udaje ideowca. Tak też go traktujemy, jako ideowca, dla dobra współpracy. Wykorzystywany jest w zupełnie innych sprawach, to archiwum wyszło niejako przy okazji. Jak każdy oferent przeszedł skomplikowany proces weryfikacji i kombinacje sprawdzeniowe. Pozytywnie. Najważniejsze jednak, że dał nam i wciąż daje informacje, które się potwierdzają. Na przewerbowanie oczywiście podatny, ale pod względem psychicznym nie nadaje się do udziału w grze operacyjnej czy dezinformacji...

– Nie rozumiem... To na chuja nam taki agent! Duże ryzyko, że Polacy wsadzą nas na konia – skomentował Krugłow z miną znawcy problemu.

– Polacy szybko by się zorientowali, że jest nieprzydatny do bardziej zaawansowanych operacji, bo może przynieść więcej szkód niż pożytku – kontynuował Popowski, nie zwracając uwagi na Krugłowa. – W tej antyrosyjskiej atmosferze i w sytuacji, jaka panuje w polskich służbach, prędzej by mu urządzili proces pokazowy. Krótko mówiąc, informację o archiwum traktujemy jako pewną, tym bardziej że mamy też wiele innych danych, o których teraz nie będę mówił. – Popowski starał się uniknąć podawania szczegółów identyfikujących agenta. Lebiedź oczywiście dobrze wiedział, o kogo chodzi, ale Krugłow nie musiał. – Jak już powiedziałem, agent przekazał wiarygodną informację, że archiwum jest w twierdzy brzeskiej. Niestety, nie wiemy dokładnie gdzie, w którym miejscu. Według informacji agenta znajduje się wewnątrz cytadeli, ale pewności nie ma.

– Przecież nie przekopiemy całej twierdzy! Są urządzenia do wykrywania przedmiotów pod ziemią! – ożywił się Krugłow.

– Tak, magnetometr. Mamy też inne. Zresztą wykorzystanie ich w tym przypadku jest mocno wątpliwe, skoro nie dysponujemy dostatecznie precyzyjnymi informacjami – skomentował krótko Popowski. – Istnieje jednak dokładny plan z oznaczonym miejscem ukrycia skrzyni. Ten plan przekazał człowiek, który poinformował IPN o całej sprawie. Naszemu agentowi, niestety, nie udało się uzyskać tego dokumentu. Czyli, krótko mówiąc, Polacy znają dokładną lokalizację. My nie!

Krugłow patrzył to na Popowskiego, to na Lebiedzia, dziwnie otwierając usta, jakby brakowało mu powietrza.

– To nie znaczy, że nie możemy nic zrobić – rzekł pocieszająco Lebiedź. – Będzie nas to kosztowało sporo pracy, mamy jednak całkiem dobry pomysł.

– Nie ma rzeczy niemożliwych dla rosyjskiego wywiadu! – rzucił z zadowoleniem Krugłow.

– Jeżeli plan istnieje – ostudził go Popowski – to mogę się założyć, że Polacy zrobią wszystko, żeby to archiwum wydobyć. Znam ich dobrze i wiem, że takiej sprawy nie odpuszczą. To dumny i honorowy naród. A w dodatku chory na punkcie swojej martyrologii i cierpienia. Mówią o sobie, że są Chrystusem narodów i cierpią za innych...

– Towarzyszu majorze – wtrącił ostro Krugłow – zostawcie te bujdy, bo zwątpię, czy nadajecie się do wywiadu.

– To jest bardzo piękna polska fobia literacka. My też takie mamy...

Popowski poczuł nagle na sobie palący wzrok generała Lebiedzia.

– Nie są też głupi... – szybko zrozumiał, co ma dalej mówić – i wiedzą, jaką wartość, jakie znaczenie mogą mieć ukryte tam dokumenty...

– O tym porozmawiamy później, Sasza! Teraz omów tylko sprawy dotyczące planu operacyjnego – przerwał Lebiedź.

– Uważam, że plan znajduje się w Agencji Wywiadu w Warszawie, w ich Wydziale Specjalnym „Q", i pewnie już się zastanawiają, jak się do tego dobrać.

– Skąd to wiecie? – zapytał wyraźnie zdziwiony Krugłow.

– Nie wiem. Zakładam. Mamy zupełnie niezłe rozpoznanie tego, co się dzieje w Polsce, także w ich służbach. Polacy przez lata skutecznie niszczyli swoje służby specjalne, w tym wywiad. Wojskowe zniszczyli zupełnie, a cywilne prawie. Gdyby nie to, że Polacy, podobnie jak my, mają wrodzony talent do szpiegostwa, to już nie mielibyśmy tam przeciwnika.

– Sasza, nie przesadzaj. Nie jest z nimi tak źle. Pamiętaj, że są w NATO i Unii, a ty ciągle nie wiesz, jak ich traktować, i miotasz się między miłością a nienawiścią. Może to takie rosyjskie, ale nie jesteś Dostojewskim, tylko oficerem wywiadu. Mniej gorącego serca, a więcej chłodnego umysłu. Jesteś taki jak ojciec – powiedział miłym głosem Lebiedź.

– Wydziałem Specjalnym „Q" kieruje znany nam dobrze Konrad Wolski – ciągnął już spokojniej Popowski. – Spotkałem go pierwszy raz w dziewięćdziesiątym dziewiątym roku w Czeczenii. Ma teraz czterdzieści pięć lat, co na polskie standardy oznacza, że jest starym oficerem. Wyjątkowo utalentowany i doświadczony. Niestety, nic więcej o tym Wydziale nie wiemy. Jego siedziba znajduje się poza ich głównym obiektem. Wolski jest dosyć często widywany w Centrali, i to wszystko. Kto pracuje w tym Wydziale, ile osób, czym się zajmują, nie wiemy. Skoro został tak głęboko utajniony, musiały być ku temu powody. I to nas martwi, bo Wschód to dla nich na pewno priorytet. Nasza obserwacja w Warszawie próbowała ustalić lokalizację tego Wydziału, ale też bez rezultatu. W ramach operacji „Maszyna", którą prowadziliśmy przez dwa lata, zebraliśmy dokumentację fotograficzną większości oficerów, numerów rejestracyjnych ich samochodów…

– Co to była za operacja? – wszedł mu w słowo Kruglow.

– Wyjaśnię ci to – zaczął Lebiedź. – Przez dwa lata podstawialiśmy pod ich Centralę nasze samochody wyposażone w cyfrowe kamery rejestrujące i fotografowaliśmy wchodzących, wyjeżdżających oficerów i ich samochody, i tak dalej. Robiliśmy też co jakiś czas zdjęcia satelitarne tego obiektu i parkingów. Zebrany tym sposobem pokaźny materiał posłużył do stworzenia bazy danych. Bardzo nam tu pomógł program komputerowy, opracowany przez naszych specjalistów z myślą o pewnej akcji w Paryżu, która nie wypaliła.

– Operacja „Maszyna" też niewiele nam pomogła w rozpracowaniu Wydziału „Q" – kontynuował Popowski. – Co prawda nasi analitycy ustalili, że wielu oficerów znikło z budynku Centrali przy Miłobędzkiej, ale mogło być ku temu bardzo wiele naturalnych powodów. Wewnątrz Agencji, niestety, już od dawna nikogo nie mamy, ale pracujemy nad tym.

– Majorze Popowski, nie bardzo rozumiem, w czym problem. Mówicie trochę pokrętnie. Do czego zmierzacie? – Krugłow zrobił się trochę agresywny, chociaż wypił tylko trzy kieliszki koniaku.

– Jedynym sposobem przejęcia archiwum jest nakrycie Polaków, gdy będą je wykopywać. I to jest możliwe! Najważniejsze, byśmy odpowiednio wcześniej wiedzieli, kiedy ruszą do akcji.

Major siedział od początku w tej samej pozycji, a Krugłow wciąż się wiercił w fotelu.

– No dobrze. A skąd będziemy to wiedzieli? – zapytał.

– „Hook" ma pewne możliwości, by określić z dużym przybliżeniem termin akcji. Zastanowimy się jeszcze, czy operację w Brześciu uda nam się zrealizować własnymi siłami, czy będziemy musieli też ruszyć naszą agenturę w białoruskim KGB. Czego wolelibyśmy uniknąć.

– Dlaczego?

– Są poważne zastrzeżenia co do lojalności i szczelności naszych agentów w tamtejszym KGB – wtrącił generał. – Całkiem możliwe, że sprawa by wyciekła, zanimby się zaczęła...

– Pierdolone Białorusy w łapciach z kory brzozowej! – obruszył się Krugłow. – Z nimi tak zawsze! Bladź, co daje dupy Moskwie, Brukseli i Warszawie.

– To jest koncepcja, którą też musimy uwzględniać, towarzyszu przewodniczący. – Popowski złośliwie skomentował chamstwo Krugłowa, ale on tego nie wychwycił. – Sytuacja jest jednak dynamiczna i może uda się wypracować pewniejszy sposób realizacji zadania. Nie mamy jednak zbyt dużo czasu.

– Muszę to wszystko jeszcze przemyśleć – powiedział pewnym głosem Krugłow, jakby chciał sprawić wrażenie, że on tu o wszystkim decyduje.

– Pragnę jeszcze tylko dodać – zareagował szybko Popowski – że nasza koncepcja, mimo pozornej słabości, zgodna jest z teorią unikania wykluczających się sprzeczności Koppenberga, którą przecież... wszyscy znamy.

Lebiedź spojrzał natychmiast na Miszę i ukradkowo się uśmiechnął.

– Oczywiście, że jest zgodna – przyznał Krugłow, po czym podniósł się z trudem z fotela i poszedł do toalety.

– Misza, ja cię kiedyś obiję! Zobaczysz! – wyszeptał Lebiedź, bo wiedział, że nie ma żadnej teorii Koppenberga i że jest to stary chwyt Miszy, który w ten sposób sprawdzał, czy rozmówca rozumie, co się do niego mówi.

– Generale, sami widzicie. Trzeba rozmawiać z prezydentem. Nie mamy czasu – równie cicho powiedział Popowski.

– Idź już. Ja jeszcze pogadam z Krugłowem. Tak czy inaczej jest nam potrzebny. Jutro zadzwonię do prezydenta.

Krugłow wyszedł z toalety, poprawiając spodnie. Zbliżył się do okna i przez chwilę, zamyślony, spoglądał z piętnastego piętra na rozległy, zielony podmoskiewski krajobraz.

– Z mojej strony to już wszystko, towarzyszu generale. Pozwólcie się odmeldować – powiedział Popowski, wstając.

Krugłow spojrzał w jego stronę i skinął głową.

– Dobrze, majorze! – odpowiedział Lebiedź. – Bądź pod telefonem, mogę cię jeszcze potrzebować.

Gdy tylko za Popowskim zamknęły się drzwi, zapytał Krugłowa:

– Widzę, że Misza ci nie pasuje. O co chodzi?

– Nie, dlaczego? Jest mi obojętny. Co może mnie obchodzić jakiś major? Ma dobrze robić, co do niego należy. To wszystko. Drażni mnie tylko ta jego filmowa bondusiowatość. Tuchaczewski się, kurwa, znalazł!

– Popowski to jeden z naszych najlepszych oficerów. Emocjonalny, owszem, ale twardy i uparty do bólu. Do tej operacji podchodzi bardzo osobiście, bo ma rachunki do wyrównania z tym Wolskim z Agencji Wywiadu – stwierdził Lebiedź.

Krugłow spojrzał na generała pytająco, jakby nie rozumiał, kto to Wolski, i z głośnym stęknięciem usiadł w fotelu.

– W dwa tysiące piątym roku, podczas tej „pomarańczowej rewolucji", Popowski prowadził operację mającą zabezpieczyć i wywieźć zasoby archiwalne Służby Bezpieczeństwa Ukrainy. Pamiętasz? Wtedy nikt nie wiedział, co się może stać. Cały Zachód próbował się dorwać do ukraińskich służb. Misza się napracował, a Wolski po prostu kupił prawie wszystko na kilku dyskach od dwóch pijanych pułkowników z SBU w jakiejś knajpie koło ich Centrali. Misza chciał mu to odebrać, ale się nie udało i Wolski pomachał mu jeszcze na pożegnanie. Teraz rozumiesz! Wolski to jego wyzwanie, prawdziwy przeciwnik…

– Tak! Teraz go rozumiem. To może być wkurwiające, jeśli zrobił cię jakiś Polaczek! – skomentował Krugłow. – Ale muszę, Sasza, coś jeszcze z tobą przedyskutować. A w zasadzie chcę, żebyś mi przedstawił ocenę pracy naszego wywiadu na kierunku polskim. Wkrótce odbędzie się kolegium w tych sprawach. Wiesz, Władimir Władimirowicz zna temat dobrze, informujesz go na bieżąco, ale ja byłem zajęty innymi problemami. Muszę się swobodniej poruszać w tej tematyce na kolegium. Rozumiesz mnie?

– To oczywiste! – odpowiedział Lebiedź.

Czuł, że Krugłow zwróci się do niego z prośbą, której nie będzie mógł odmówić. Zastanawiał się nawet, dlaczego do tej pory, mimo że jest odpowiedzialny za koordynację pracy wywiadu i Ministerstwa Spraw Zagranicznych, Krugłow nigdy głębiej się tymi sprawami nie interesował. Dopiero teraz!

Może to on jest szykowany na moje miejsce. Zresztą wszystko mi jedno! Szkoda tylko takich oficerów jak Misza – pomyślał.

– Jak pamiętasz, do początku lat dziewięćdziesiątych mieliśmy swoje problemy i Polska dopiero majaczyła gdzieś tam na horyzoncie. Gdzie wtedy byłeś?

– W kontrwywiadzie, w wydziale zajmującym się ambasadą USA – odpowiedział szybko Krugłow.

– Polską oczywiście interesowaliśmy się zawsze. Ale w czasach KGB w zupełnie innym ujęciu. Po rozwiązaniu Układu Warszawskiego, rozwaleniu Sojuza i powrocie naszych wojsk dotychczasowe priorytety naszej pracy przestały być aktualne. Także w odniesieniu do Polski. Zresztą brakowało nam wtedy specjalistów. Towarzystwo rozbiegło się na wszystkie strony robić biznes i sporo czasu zajęło zebranie go do kupy. Nie mieliśmy specjalistów od spraw polskich. To rzeczy oczywiste, wszyscy je znamy, nie będę ich powtarzał.

– Z naszego Wydziału zostało wtedy tylko dziesięciu chłopa! Gdyby jankesi o tym wiedzieli! – skomentował Krugłow z uśmieszkiem i po chwili dodał już poważnie: – A może wiedzieli?

– Doskonale wiedzieli! Nie zapominaj o sprawie Amesa. – Lebiedź zdziwił się, że Krugłow ma podstawowe braki w znajomości pracy wywiadu.

– Kiedy tylko pojawiły się pierwsze sygnały, że Polska będzie aspirować do NATO i Unii, zapadła decyzja rozbudowy i poważnego wzmocnienia Wydziału Polskiego. Zbiegło się to z zakończeniem procesu przebudowy naszej służby. Stworzyliśmy potężny zespół analityczny, złożony z socjologów, politologów, historyków i doświadczonych oficerów, który miał wypracować naszą strategię działalności wywiadowczej wobec Polski. Ten zespół, choć w nie tak licznym składzie, świetnie działa do dziś. W krótkim czasie określił podstawowe założenia przyszłej pracy wywiadu, zgodne zresztą z ocenami naszego MSZ. Zasadniczą rolę odegrała tu teza, że Polska to potencjalny konkurent i oponent Rosji w Europie Środkowo-Wschodniej. Nałożyła się na to niepodległość Ukrainy, którą nasi analitycy określili jako przyszły główny kierunek ekspansji politycznej Polski przeciw Rosji. I nie pomylili się!

– No tak! Oczywiście! Polska była chyba drugim krajem, który uznał niepodległość Ukrainy... a chcieli być pierwszym! – wtrącił Krugłow.

– Problem zaogniało gwałtowne zacieśnianie się bliskiej współpracy z USA, dużo szybsze niż z europejskimi partnerami. To zaczynało być dla nas naprawdę groźne – mówił Lebiedź tonem człowieka dobrze znającego temat. – Wiesz, wtedy na Kremlu nie wszystko postrzegano we właściwy sposób i we właściwych proporcjach.

– Co było zrobić? Taką ekipę dobrał sobie Jelcyn! – skomentował Krugłow, chociaż był wtedy zwykłym funkcjonariuszem Federalnej Służby Bezpieczeństwa. Władimir Władimirowicz odkrył go, gdy został szefem FSB, bo Krugłow zajmował się wtedy Czeczenią.

– Trwało, jak pamiętasz, umacnianie władzy. Ale nie u nas! Myśmy sobie doskonale zdawali sprawę z rysujących się dla Rosji zagrożeń i podejmowaliśmy odpowiednie działania. Jewgienij Maksimowicz miał wizję, wiedzę i doświadczenie – podkreślił Lebiedź, by pokazać Krugłowowi, jak mu daleko do autorytetu poprzednich szefów SWZ. – Analiza zespołu, wypracowana na początku lat dziewięćdziesiątych, do dzisiaj zadziwia swoją aktualnością i przenikliwością. Do dzisiaj jest drogowskazem dla naszego wywiadu.

Krugłow słuchał teraz uważnie. Wydawało się, że jest autentycznie zainteresowany tym, co mówi Lebiedź.

– Zobacz! Amerykanie planują założenie swoich baz wojskowych w Polsce. Obawialiśmy się tego już wtedy, robiliśmy wszystko, by odsunąć tę groźbę, bo wiedzieliśmy, że będzie nas to kiedyś drogo kosztować. Czy nam się udało? Zobaczymy! – Lebiedź, mówiąc to, nie sprawiał wrażenia zasmuconego. – W ocenie zespołu, zaktualizowanej po jakimś czasie, Polska jako obiekt naszego zainteresowania wywiadowczego ma praktycznie jednowymiarowe znaczenie. Nie jest dla nas źródłem zaawansowanych technologii, światowych finansów, problemów gospodarczych czy wojskowych. Polska ma być przede wszystkim przyjazna Rosji, obojętnie w jakiej formie, bo to przecież nasz korytarz do Europy. Rozwój gospodarczy tego kraju ma dla nas pewne znaczenie, ale odkąd jest on w Unii, niewiele możemy zdziałać w tym zakresie. Jednak Polska zadowolona i przeżywająca gospodarczy boom będzie bardziej pewna siebie na arenie międzynarodowej, a przez to też bardziej chętna do współpracy z nami. Tak czy inaczej konflikty społeczne, nieodłączne od rozwoju gospodarczego, będą występować jeszcze długo, a to ułatwia nam realizację naszych celów... Czyli? Nadbudowa nie nadąża za bazą – roześmiał się Lebiedź. – I pomyśleć, że Marksa wykreślili z panteonu mędrców! – Zauważył, że Krugłow z akceptacją kiwa głową. – Taka jest nasza strategia, a taktyka zmienia się oczywiście zależnie od okoliczności. W każdym razie Polska musi być związana z nami przyjaźnią. No... nie taką jak kiedyś... Przyjaźń partnerska z Polską może nam tylko pomóc w relacjach z Brukselą, Berlinem i Paryżem. Wroga nam Polska będzie tylko utrudniać nasz dialog i współpracę z wielkimi Unii. Potrzebny nam czas, bo Rosję czeka wielka rewolucja modernizacyjna. Bez pomocy Europy nie oprzemy się Chinom...

– Tak, to prawda... Nie wiadomo... czy Chiny, czy Europa – wtrącił Krugłow z miną mędrca.

– W końcu Francuzi i Niemcy, biorąc sobie Polaków do towarzystwa, wiedzieli, co robią. Zresztą Bałtów i Węgrów też. I jasne było, że porozumienia z nami to im nie ułatwi.

Mimo pojednania w Katyniu Polacy wciąż mnożą historyczne żądania. Teraz chcą wysłać archeologów, żeby rozgrzebywali jakieś groby na Syberii. Wyobrażasz sobie?! Obecna ekipa w Warszawie okopała się gdzieś na pozycjach z tysiąc dziewięćset trzydziestego dziewiątego roku i żyje antyrosyjskim i antysowieckim resentymentem. Stworzyli z tego fundament swojej polityki... Próbują też trochę pogrywać tak z Niemcami, ale na dłuższą metę to nie wchodzi w rachubę. Najchętniej pewnie pojeździliby sobie po Żydach, ale to by się nie spodobało USA – stwierdził Lebiedź.

– A kto by nie chciał pojeździć na Żydach? – dodał niby dowcipnie Krugłow.

– Podsumowując: największym problemem w relacjach z Polakami jest ich podejście do historii, na którym oparli swoją strategię wobec Wschodu, i to trzeba zmienić. Rozumiesz teraz, co się może stać, jeśli Zieliński i obecna ekipa dostaną to archiwum. Myślę, że trzeba temu zapobiec, w ich i w naszym interesie – zakończył wątek Lebiedź i po chwili dodał: – Mamy pewien plan. Odważny i niebezpieczny, mimo to nie bez szans na sukces.

– Słaba Polska, ale na pasku... – skomentował z wdziękiem Krugłow. Widać było, że nic nie zrozumiał.

– Nie o to chodzi. Jak będziemy gotowi, to przedstawimy go na kolegium – stwierdził generał i szybko przeszedł do innego tematu. – Zapytasz pewnie, jak to się przekłada na naszą pracę operacyjną. W rzeczywistości koncentrujemy się na inspiracji i dezinformacji i do tego głównie wykorzystujemy naszą polską agenturę. Wiele się nauczyliśmy podczas operacji dyskredytującej polskiego premiera w dziewięćdziesiątym piątym roku. Okazało się, że było to nadzwyczaj łatwe, a pozytywne skutki tej operacji odczuwamy do dzisiaj.

Rozległo się pukanie i do pokoju weszła sekretarka.

– Andriej Michaiłowicz prosi o telefon – powiedziała, zwracając się do Krugłowa.

– No tak! Wiem, o co chodzi. Będę musiał zaraz jechać. To bardzo ciekawe i ważne, o czym mówisz. Dokończymy później, dobrze? – Skinął Lebiedziowi głową. – O sprawie brzeskiej natychmiast poinformuję Władimira Władimirowicza. Z pewnością będzie chciał porozmawiać z tobą o szczegółach.

– Zaczekaj chwileczkę! – Lebiedź starał się ukryć niepokój. – Jest jeszcze jeden aspekt tej operacji, o którym nie mówiliśmy. Warto, żebyś zwrócił na to uwagę prezydentowi.

Krugłow wstał już z fotela i wpychał koszulę w spodnie.

– Operację prowadzić będziemy na terenie Republiki Białorusi – ciągnął generał. – Zdajesz sobie sprawę, co by było, gdyby to archiwum wpadło w ręce Łukaszenki?! Już on by wiedział, jak to wykorzystać przeciwko nam i Polakom. Aż strach pomyśleć!

– No tak, tego nie wziąłem pod uwagę. To rzeczywiście może być problem! – skomentował Krugłow z miną mędrca. – Mam o tym porozmawiać z prezydentem? Czy ty to zrobisz?

– Ja to zrobię… – odpowiedział Lebiedź. – Tak czy inaczej major Popowski uwzględnia tę okoliczność w przygotowaniu planu operacyjnego. Właściwie istnieje możliwość wykorzystania naszych ludzi w białoruskiej KGB, przynajmniej do neutralizacji tej siły. Tu teoretycznie nie powinno być problemów. Gorsza sprawa ze Służbą Bezpieczeństwa Łukaszenki! – zakończył.

## 22

Konrad dotarł do domu wyjątkowo szybko. Przejazd z centrum miasta na Kabaty zajął mu tylko piętnaście minut. Jechał swoim saabem z prędkością relaks, jak ją określał, to znaczy tak, by czuć orzeźwiający wiatr na twarzy, ale bez konieczności wkładania czapki. Mimo że w Warszawie było sporo kabrioletów, Konrad miał wrażenie, że jego antyczny już samochód przyciąga większą uwagę niż inne. Nie było kierowcy, który nie zwróciłby na niego uwagi.

Od dawna zdawał sobie sprawę, że ściąganie na siebie uwagi jest sprzeczne z podstawowymi zasadami profesji oficera wywiadu, ale jego odwzajemnione uczucie do tego właśnie samochodu było silniejsze.

Zaparkował w garażu i wjechał windą na czwarte piętro. Gdy wszedł do mieszkania, przypomniał sobie, że nie kupił piwa, więc zszedł do małego sklepu koło domu i kupił sześć piw Warka Strong w butelkach. Marcin miał być za godzinę.

Zdążył jeszcze wziąć prysznic i zmienić ubranie. Uruchomił zestaw muzyczny Sony podłączony do radia internetowego i wybrał swoją ulubioną stację.

Z głośników popłynęły dźwięki, które już znał.

W pierwszej chwili przeleciało mu przez myśl, że to wokaliza z jakiegoś utworu Preisnera. Nagle zatrzymał się w bezruchu. Stojąc pośrodku pokoju, słuchał, jak za melodią podąża czysty, piękny kobiecy głos, który go otacza i paraliżuje. Czuł dreszcze przebiegające po ramionach, nagle zrobiło mu się zimno. Miał wrażenie, że zapada się do wnętrza, a myśli jak w transie biegną za głosem pieśni. Bał się tylko, że ten głos za chwilę zamilknie, i na ułamek sekundy ta świadomość przemieniła się w rozpacz.

W końcu przebudził go głos spikera. Nie wiedział, czy stał tak minutę, czy kwadrans ani skąd w jego dłoni wziął się pusty kubek. Z odczuciem relaksującego fizycznego zmęczenia i pustym szumem w głowie opadł na kanapę. Dochodził do siebie powoli, nie mogąc się uporać z coraz bardziej dręczącą myślą, skąd zna to nagranie. Niewątpliwie już gdzieś je słyszał. I to na pewno nie był Preisner! Nie mógł tylko zrozumieć, dlaczego poprzednio nie wywarło na nim takiego wrażenia! Kiedyś częściej wpadał w takie stany pod wpływem muzyki, ale już dawno mu się to nie zdarzyło. Być może sprawa archiwum tak pobudziła jego emocje, że muzyka zadziałała jak narkotyk.

Może... Muszę ustalić, co to było, bo będzie mnie to nieustannie męczyć – pomyślał.

Wziął głęboki oddech i przypomniał sobie, że nie wstawił piwa do lodówki. W kuchni zapisał godzinę – 18.32 – i postanowił, że wyśle do redakcji radia maila z pytaniem o ten utwór.

Dzwonek domofonu odezwał się za piętnaście siódma. Konrad otworzył bramę, nie podnosząc słuchawki, i zostawił uchylone drzwi. Po chwili wszedł Marcin z plecakiem, w którym pobrzękiwały butelki.

– Piwo już kupiłem! – krzyknął do niego z kuchni Konrad. – Jesteś głodny? – zapytał.

– Owszem! – odparł Marcin.

– Do wyboru. Możemy zamówić pizzę lub chińszczyznę. Mają tutaj doskonałą zupę pekińską i krewetki w cieście sezamowym. Co bierzemy?

– Wolę chińszczyznę.

– Przejrzyj ulotkę restauracji Mistrz Azja i zamawiaj. Zjemy na balkonie, okay? – Konrad zdjął z lodówki brązową kartkę i podał Marcinowi.

Marcin przeniósł się na kanapę do salonu, wziął telefon i ściszył ryczące radio.

Usiedli na balkonie. Konrad podał piwo i opuścił markizę, zacieniając miejsce, w którym siedzieli.

– Szefie... – zaczął Marcin. – Chciałem porozmawiać o pewnej sprawie, która wydawała mi się ważna, ale po tym, co szef powiedział dzisiaj rano w firmie, nie mogę o niczym innym myśleć. Wszystko mi się miesza!

– Co ci się miesza, Marcinku?

– No, może nie miesza, ale jestem pod wrażeniem... Zrozumiałem coś, o czym wcześniej nie miałem pojęcia. Chcę powiedzieć, że... – zawiesił głos – że może szef na mnie liczyć. Zrobię wszystko, co tylko będzie trzeba. Nie chcę, by szef myślał, że to sprawa osobista… chociaż też… ale po prostu uważam, że tak trzeba. – Jego głos brzmiał trochę dziecinnie, ale szczerze i poważnie. – Dziękuję, że wziął mnie szef do tej roboty, że mi zaufał, zanim się dowiedział, o czym chcę dziś z szefem porozmawiać.

– To nie ma dla mnie znaczenia – odparł Konrad.

– Dla mnie ma, szefie! I to duże!

– Jesteś jeszcze młodym, ale już doświadczonym oficerem. Masz nosa do tej roboty i nigdy się na tobie nie zawiodłem…

Konrad powstrzymał się, by mu nie powiedzieć, że zwyczajnie go lubi, bo nie chciał, aby jego oficerowie, z wyjątkiem Sary, mieli poczucie zbytniego skracania dystansu. Po prostu nie używał takich słów, ale oni i tak wiedzieli, jak jest.

– Właśnie dlatego, że tak szef mówi, że mi ufa, że będę uczestniczył w tej operacji, czuję się jak zbity pies! Czuję się podle!

Marcin był autentycznie smutny. Konrad nigdy nie widział go w takim stanie i lekko się zaniepokoił. Już chciał coś powiedzieć, lecz Marcin ciągnął dalej:

– Szefie! Powiem tak! Jeżeli po tym, co szef usłyszy, wyrzuci mnie z Wydziału… czy cokolwiek… zrozumiem to! Mój stosunek do szefa się nie zmieni… Zawsze będzie szef moim mentorem. Efendim. – Marcin trzymał cały czas piwo w ręku, ale nie pił.

– Nie kręć już! Bez tych dyrdymałów! O co chodzi? – zapytał Konrad zdecydowanym, ale miłym tonem, by ulżyć mu w wyraźnie już męczącym wywodzie.

Marcin wypił jednym pociągnięciem pół szklanki piwa i odstawił ją powoli na stół.

– Jestem szpiegiem…

– To dobrze! – wtrącił żartobliwie Konrad. – Wszyscy jesteśmy szpiegami.

– Nie! Źle się wyraziłem. Nie o to chodzi…

– Rosyjskim, niemieckim, tureckim…?

– Wydziału Bezpieczeństwa Wewnętrznego – wydusił z siebie po chwili Marcin i jak zbity pies spojrzał Konradowi prosto w oczy.

– No? I co z tego? – obojętnie zareagował Konrad.

– Jak to co z tego? – odparł zdziwiony Marcin. – Zgodziłem się donosić, co się dzieje w Wydziale! Donosić na szefa, na Sarę, na wszystkich! Złamałem się, kurwa! Czuję do siebie wstręt! A teraz to już w ogóle jestem śmieciem!

– Spoko. Po kolei. Jak to było? Opowiedz od początku.

– Mam wrażenie, że to robota naszego naczelnika.

– No więc właśnie. Zastanów się. Po co im taki donosiciel jak ty, skoro mają u nas Belika? Bez sensu! – skomentował Konrad tylko po to, żeby go uspokoić.

Doskonale wiedział, że Marcin jest im potrzebny jak listek figowy, by znaleźć coś na niego, Konrada, i w końcu pozbyć się go z Wydziału i Agencji. Pewnie potrzebne jest miejsce dla jakiegoś kumpla z ABW. A w Agencji Wywiadu zawsze można coś znaleźć na każdego, bo takie jest życie na krawędzi.

– To było tak. Jakieś dwa miesiące temu, akurat gdy szef wyjechał, wezwała mnie ta Lonia, niedouczona, „Mała Głowa". I nieudolnie legendując, próbowała uzyskać ode mnie informację, co się dzieje w Wydziale. Najbardziej ją interesowały relacje między szefem i Sarą. Pytania zmierzały w kierunku spraw intymnych... – Marcin przerwał i przewrócił oczami. – Powiedziałem, że nic nie wiem, że wszystko jest normalnie. Wcześniej słyszałem od kogoś, że Lonia nie lubi Sary... no... takie tam... Rozumie szef, jak dziewczyny się ścigają, to zawsze sobie obetrą kolana albo coś jeszcze... I rzeczywiście jej pytania szły trochę za daleko. Tak mi się wydawało.

– Ciekawe... Tylko to? – zapytał obojętnie Konrad, ale to, co usłyszał, mocno go zaniepokoiło.

– Skąd! – ciągnął Marcin z coraz większym zaangażowaniem. – Chciała też wiedzieć, czy nie robi szef jakichś przekrętów finansowych, nie naciąga na dietach zagranicznych... tego typu pytania. Czy kontroluje wydatki M-Irka. Czy spotyka się po pracy z Lutkiem albo ze starymi esbekami. Wzywa mnie raz w tygodniu i w imieniu swojego naczelnika zabrania mi mówić o tym komukolwiek. Ale mam nieodparte wrażenie, że „Mała Głowa" robi to nie tylko z jego polecenia, lecz także z powodów osobistych. Jakie ona ma moralne prawo pytać o takie rzeczy, kiedy sama znana jest z najgłośniejszego skandalu erotycznego w dziejach Agencji? Bo o innych jej sukcesach jakoś nikt nie słyszał. I jeszcze ten jej strój i makijaż! Jak ruska papuga...

– Marcin! – krzyknął Konrad, bo choć sam też tak uważał, wolał przerwać to samonakręcanie, w jakie jego podwładny wyraźnie popadł. – Nie ma problemu, jeżeli mówisz jej prawdę. A znam cię i wiem, że nie jesteś konfabulantem. Ja nie mam nic do ukrycia... – Konrad zawiesił głos. – A w zasadzie nie miałem. Do dzisiaj. I mam tylko wyrzuty sumienia, że wciągnąłem was w sprawę tego archiwum...

– Szefie, to nie tak! Ja naprawdę wierzę, że to, co robimy, jest słuszne.

– Dziękuję ci!

Wyraz twarzy Marcina zmienił się nie do poznania. Widać było, jaką ulgę sprawiło mu to wyznanie i obojętna reakcja Konrada, którą odczytał jako wotum zaufania. I miał rację, bo to nie sprawa jego donosicielstwa czy wybujałej fantazji seksualnej pani Loni zrobiła na szefie wrażenie. Konrad uzmysłowił sobie coś, co już wiedział, ale teraz dotarło to do niego z jeszcze większą siłą. To, o czym Marcin w swojej szczerej naiwności nie miał pojęcia, a czego był narzędziem i ofiarą. W ciągu ostatnich lat partia rządząca, kierując się własną ideą naprawy państwa, podstęp, podejrzliwość, arogancję wyniosła do rangi cnót. Manipulowanie materiałami IPN stało się orężem. Jednak wcześniej Konrad nigdy nie przypuszczał, że owe cnoty zostaną przeniesione także do życia wewnętrznego Agencji Wywiadu. Ofiarą padli, jak widać na przykładzie Marcina, młodzi oficerowie, niedoświadczeni i jeszcze nieodporni na podłość i podstęp. Tak naprawdę w pracy wywiadowczej nie można nic nikomu kazać, a tym bardziej straszyć badaniem na wykrywaczu kłamstwa. Sukces możliwy jest wyłącznie w atmosferze zaufania i oddania sprawie. Tylko wtedy oficer może przetestować siebie, swoją odwagę i pomysłowość.

W naszej Agencji – pomyślał Konrad – wystarczą dwa, trzy takie przypadki jak sprawa Marcina, by wirus demoralizacji zaczął zżerać najsłabszych. A w takiej służbie, jaką jest wywiad, nie ma nic gorszego. I jeszcze ten profesorek z Torunia, przyjaciel „Generała", specjalista teoretyk od służb specjalnych, który agenta na oczy nie widział, miesza jakimiś pomysłami o rozedrganiu... czy coś takiego. Czy w tym Toruniu nie ma już normalnych ludzi? Jak można być profesorem od służb specjalnych? Nie ma takiej nauki i nigdy nie będzie, bo inaczej powstałaby już dawno. Razem z nauką o prostytucji. Ogólnych zasad szpiegostwa można się nauczyć, to dwie nieduże książki, ale oficerem wywiadu trzeba się urodzić i często nie są do tego potrzebne żadne szkoły. Szpiegostwo to są wszystkie paranauki świata razem wzięte, od parapsychologii i prawa zaczynając, na teoriach kwantowych i paraspeleologii kończąc. Dlaczego politycy, ich doradcy, profesorowie niszczą własną służbę, takich oficerów jak Marcin? Przecież sami chcieli mieć już tylko swoich, młodych, nieskażonych komuną! Czy po takim gwałcie Marcin będzie jeszcze normalnym oficerem? Czy udział w zaplanowanej przeze mnie operacji pomoże mu uwierzyć, że służymy słusznej sprawie i jesteśmy prawdziwymi towarzyszami broni? Czy już nigdy nie będzie donosicielem i nie sprzeniewierzy się sobie samemu?

Konrad siedział zatopiony w nieuporządkowanych myślach i patrzył na Marcina, który z rozradowaniem i zaangażowaniem coś opowiadał, kiedy rozległo się brzęczenie domofonu.

– Pieniądze leżą w przedpokoju – powiedział z ulgą do Marcina, który poderwał się z fotelika, by odebrać zamówioną chińszczyznę.

Na dzisiaj miał już dość. Nie Marcina, tylko tych natrętnych myśli. Dlaczego w Agencji jest tak, jak jest, i dlaczego nikomu nie zależy, żeby było lepiej? A przecież jeszcze niedawno polski wywiad był w pierwszej piątce.

Co to był za utwór? – próbował sobie przypomnieć. Na pewno nie Preisner ani Morricone.

## 23

Trzy flagi lekko powiewały w podmuchach bryzy. Monumentalne cielsko promu Scandinavia stało nieruchomo w porcie Nynäshamn. Przez chwilę Jorgensenowi się wydawało, że zna ten statek.

W tłumie ludzi wypełniającym duszną halę odpraw czekał niecierpliwie, aż zaczną wpuszczać na pokład. Był już trochę zmęczony. Dojazd z Jakobsbergu kolejką, która zatrzymywała się na niezliczonych stacjach, trwał ponad godzinę.

Jorgensen starał wsłuchiwać się w rozmowę chłopaka i dziewczyny, którzy objuczeni plecakami stali tuż za nim. Nagle temperatura głosów w hali wzrosła i wszyscy zaczęli się przesuwać w kierunku wejścia na prom.

Najpierw długi korytarz, a potem strome schody. Był zadowolony, że wziął tylko torbę na ramię. Koszula na zmianę, zapasowe skarpetki, bielizna, kosmetyki i ciężkie brązowe pudełko obite starym mosiądzem – to wszystko.

Usiadł na rozkładanym łóżku w kabinie numer 6020 i sprawdził, czy będzie mu się wygodnie spało. Przez chwilę nasłuchiwał głosów dochodzących z kabiny obok, najwyraźniej jakiejś polskiej rodziny. Pomyślał, że dzieci pójdą wkrótce spać i hałas za ścianą umilknie. Nagle z zadumy wyrwał go ostry głos spikerki witający gości na promie i zachęcający do zapoznania się z zasadami bezpieczeństwa. Stwierdził z satysfakcją, że wszystko doskonale zrozumiał. Podszedł do okna, z którego rozpościerał się widok na pobliską kamienną wyspę porośniętą sosnami.

To był błąd, że zdecydowałem się jechać na swoim prawdziwym paszporcie, ale przecież nie miałem wyjścia – pomyślał. Jechać na nieważnym paszporcie byłoby jeszcze bardziej niebezpieczne. Ale nie ma co się martwić! Już jestem na promie i wszystko będzie dobrze! Z Polakami nie powinno być problemów, szczególnie teraz, kiedy już nie ma granic – próbował się uspokajać.

– Pójdę obejrzeć prom! – powiedział do siebie i zaczął się rozglądać za miejscem, w którym mógłby schować swoje brązowe pudełko.

Nie było wielkiego wyboru, więc ukrył je pod pościelą na złożonej piętrowej pryczy. Zresztą dlaczego ktoś miałby je ukraść? Na co ono komu?

Przez chwilę się zawahał, czy nie wyjąć pudełka i po prostu nie postawić go na stoliku. Zaraz jednak do niego dotarło, że nawet przypadkowa strata uniemożliwiłaby mu wykonanie zadania w Gdańsku. Ale jakoś się tym specjalnie nie przejął. Aż go to zdziwiło. Kiedyś nosiłby je przy sobie, a w nocy trzymał pod poduszką. Zostawił pudełko tam, gdzie było, i wyszedł z kabiny, dokładnie sprawdzając, czy drzwi się zamknęły.

Spacerując po promie, ze zdumieniem stwierdził, że ściany ozdobione są fotografiami Gotlandii. Na jednej, wiszącej na pokładzie restauracyjnym, zauważył fragment ogrodu botanicznego w Visby, z wyraźnie widoczną zieloną altaną, w której niedawno był.

Stanął i zaczął studiować zdjęcie kawałek po kawałku, każdy element, ulicę, dom, ścieżkę. Wczytywał się w nie z najwyższą uwagą. Miał wrażenie, że kryje się w nim jakaś mityczna tajemnica, zagadka, na którą odpowiedź zna tylko on. Stał tak może kilkanaście minut, nie był pewien. Zorientował się, gdy poczuł na plecach wzrok starszej pani siedzącej na foteliku obok recepcji.

Wyszedł na pokład i zaczerpnął letniego, rześkiego morskiego powietrza. Zastanawiał się, dlaczego to zdjęcie zrobiło na nim takie wrażenie.

Nie jestem przesądny... przecież to nic nie oznacza. Skąd u mnie takie myśli?

Stał oparty o barierkę, spoglądając w dół na szarozieloną toń morskiej wody, gdy poczuł czyjeś dotknięcie.

Zobaczył niskiego, krępego mężczyznę o okrągłej nieogolonej twarzy, zbyt długich włosach i wesołych oczach. W grubych, zniszczonych dłoniach nieznajomy trzymał wycelowanego weń papierosa.

– Czy pan ogień może ma? – zapytał.

Jorgensen dosłyszał w jego głosie coś miłego, znajomego. Te słowa zabrzmiały miękko i lekko, łagodnie, nie tak jak polski, który dotąd słyszał. Po prostu inaczej. Jednak znajomo.

– Nie, nie palę! – odparł prawie identycznym śpiewnym językiem. – Skąd pan jest? – zapytał z zaciekawieniem i obdarzył mężczyznę szczerym uśmiechem.

– Z Białorusi... koło Grodna żyjemy. A wy?

– Ja też tam kiedyś mieszkałem. – Jorgensen starał się mówić powoli, wyraźnie, z radością człowieka, który po latach odzyskał mowę.

– A wy *tiepier* kto? Szwed? – Nieznajomy patrzył na Jorgensena okrągłymi oczami.

– Mieszkam w Szwecji od dawna, ale urodziłem się w grodzieńskiej obłasti, we wsi Miedwiedki. Wiesz może, gdzie to jest? – Było to pierwsze od lat tak długie zdanie wypowiedziane przez niego po polsku i chyba najważniejsze.

Nawet przez chwilę nie pomyślał, że ujawnił swoją prawdziwą tożsamość, i to obcej osobie. Ale nie czuł zagrożenia ze strony anonimowego Białorusina. Potrzeba rozmowy, kontaktu z kimś stamtąd była tak silna, że gotów był zatrzymać go nawet na siłę.

– Nie, nie wiem – odpowiedział Białorusin.

– No tak, tej wsi już przecież nie ma – zreflektował się Jorgensen. – Mogę postawić wam piwo? – zapytał nagle.

– Ja z kolegą, ale bardzo chętnie...

– Może być z kolegą. To dobrze. Porozmawiamy trochę...

Białorusin wyglądał na zadowolonego. Wyciągnął rękę.

– Nazywam się Andriej, a mój kolega Alosza.

Jorgensen zamarł, trzymając ciężką dłoń Andrieja. Myślał, jak ma się przedstawić, i nie mógł sobie przypomnieć.

## 24

O wpół do pierwszej M-Irek zadzwonili do Konrada.

– Gotowe, szefie.

– Zaraz do was przyjdę. Nikogo nie wpuszczajcie – odpowiedział.

Gdy wszedł do ich pokoju, oszklone ściany były już zasłonięte roletami. Wnętrze wypełniało słońce wpadające przez ogromne okno.

M-Irek stali za dużym stołem, na którym leżały dwa kolorowe dokumenty w foliowych koszulkach. Konrad pochylił się nad blatem i przyglądał się im przez chwilę. Następnie naciągnął lateksowe rękawiczki, wyjął z folii oba dokumenty, położył jeden obok drugiego i usiadł na krześle. Oglądał je w ciszy, dokładnie, uważnie, jak stary, doświadczony filatelista podejrzewający fałszerstwo Złotego Mauritiusa.

– Panowie, jestem pełen uznania. Cudo! Arcydzieło fałszerstwa! – Podniósł się z krzesła i kręcąc głową na znak niedowierzania, czy też raczej uznania, ze szczerym uśmiechem dodał: – To jest nasz megawirus, koń trojański. Dzieło godne największych mistrzów. Musi się sprawdzić!

– Szefie! Jak widać, oba dokumenty nie są identyczne...

– I nie miały być – szybko rzucił Konrad.

– Zgodnie z założeniem są one do siebie łudząco podobne...

– Skąd wzięliście papier? Wygląda nadzwyczaj autentycznie...

– Szefie! Jeżeli mamy przedstawić rezultaty naszej pracy, to niech się szef na chwilę zamknie – powiedział Irek zupełnie poważnie.

– Teoretycznie najtrudniejsze było zdobycie przedwojennych kredek. Okazało się jednak, że jak zwykle niezastąpieni są kolekcjonerzy, hobbyści i inni maniacy, z których usług czasami korzystamy... – rozpoczął Mirek.

– I Internet – dodał Irek. – Tym razem za niewielką opłatą wypożyczyliśmy komplet oryginalnych przedwojennych kredek niemieckiej firmy Staedtler. Nie wiemy, jakich kredek użyto do sporządzenia dokumentu, i praktycznie jest to obecnie nie do ustalenia.

– Jeżeli nie ma materiału porównawczego, nikt tego nie ustali – z wielką powagą stwierdził Mirek.

– Oryginalny dokument został sporządzony przez oficerów przedwojennego polskiego wywiadu, wykonany natomiast w... czterdziestym drugim lub czterdziestym trzecim roku? – Irek spojrzał pytająco na Konrada.

– Jeżeli tak – kontynuował Mirek – to uznaliśmy, że musimy użyć kredek, z których korzystali ówcześni polscy kartografowie wojskowi. Inaczej nie będzie to przekonujące. Dzięki polskim hobbystom ustaliliśmy, że w wojsku używano głównie produktów firmy Staedtler.

– Zatem kredki pasują! Co dalej? – rzucił z niecierpliwością Konrad.

– Mamy kredki… Teraz potrzebny był przedwojenny papier. W tym momencie musimy się przyznać do poważnego przestępstwa…

Konrad spojrzał ze zdziwieniem, podejrzewając M-Irka o kolejny niestandardowy pomysł. A przecież i tak, zlecając im tę robotę, powiedział wyraźnie: „Nieważne, jak to zrobicie. Ma być gotowe za dwa dni".

– Otóż papier pochodzi z pracy magisterskiej niejakiego Mieczysława Bieguna z tysiąc dziewięćset trzydziestego piątego roku. Na początku i na końcu były puste kartki. Tak się wtedy robiło, żeby było ładniej, bardziej elegancko…

– Poważnie – dodał Irek.

– No to ciach, i wycięliśmy…

– A skąd wzięliście pracę tego Bieguna? – zapytał Konrad.

– No właśnie… Z Biblioteki Narodowej.

– A dlaczego praca magisterska jakiegoś Bieguna jest w Bibliotece Narodowej? Gdzieś słyszałem to nazwisko…

– Też nie wiemy! – odpowiedzieli zgodnie jak na komendę.

– No dobrze, w końcu wycięliście puste kartki… tak? Biblioteka nie straciła zatem żadnego tekstu, ani jednego słowa, ni literki… Nawet nie jestem pewny, czy doszło do uszkodzenia dzieła… prawda? – Ton Konrada jednoznacznie wskazywał na lekką ironię.

– Mamy kredki, mamy papier… Teraz szkic! Co ma być na dokumencie… – zaczął poważniej Mirek.

– Zawartość dokumentu, jego treść to robota Lutka – wyjaśnił Irek. – Wykonał nieprawdopodobną pracę. Siedział nad zdjęciami satelitarnymi twierdzy brzeskiej i w Internecie przez siedemdziesiąt godzin, bez snu, żywiąc się swoimi koktajlami warzywno-owocowymi.

Położył na stole ogromny arkusz. Zdjęcie satelitarne cytadeli twierdzy w Brześciu było poznaczone różnokolorowymi kreskami, kółkami, cyframi, literami. Na brzegach widniały również jakieś obliczenia. Konrad miał wrażenie, że brak w tym elementarnego porządku i logiki.

– Według Lutka skrzynia...

– A gdzie on jest? – zapytał nagle Konrad.

– Śpi!

– Chyba przesadza z tą skromnością. Będę musiał z nim porozmawiać...

– Według Lutka – powtórzył Irek – skrzynia jest tutaj! – wskazał czerwone kółko. Następnie podszedł do drugiego stołu i przyniósł identycznych rozmiarów arkusz, który położył na zdjęciu satelitarnym.

– Co to takiego? – zainteresował się Konrad.

– Tym razem pomógł nam hobbysta z Niemiec. To kopia polskiego przedwojennego planu twierdzy. Bardzo dokładna, już nie tajna. Powiększyliśmy z Lutkiem jej fragment do pełnej zgodności ze skalą zdjęcia i nałożyliśmy jedno na drugie.

Tymczasem Mirek zakrył okno i zapalił światło pod szklanym blatem. Pojawił się wyraźny obraz, składający się z rysunku, zdjęcia i znaków postawionych przez Lutka. Konrad przyjrzał się dokładniej tej niezwykłej kompozycji i dopiero teraz zauważył, że praca Lutka miała określony porządek i sens.

– Na podstawie szkicu profesora i jego opowieści Lutek dokonał analizy topograficznej twierdzy i wytypował miejsce zakopania skrzyni. Najpierw na podstawie planu od Niemca, potem nałożył na to zdjęcie satelitarne. Wyszło, że to tutaj, plus minus dwa metry. – Irek wskazał ręką czerwone kółko. – Lutek jest pewny w dziewięćdziesięciu dziewięciu procentach! To są ściągnięte z Internetu zdjęcia horyzontalne tego miejsca. – Podał Konradowi plik fotografii A4.

– Nie będzie łatwo! No dobrze, pokażcie mi teraz to drugie miejsce – powiedział, przejrzawszy zdjęcia.

– Lutek wytypował punkt, który nazwaliśmy „Siurpriz”, po drugiej stronie cytadeli. Tak usytuowany, by można było go obserwować z dużej i bezpiecznej odległości, także w nocy. – Irek wziął wskaźnik i pokazał Konradowi zielone kółko na mapie. – Miejsce położone jest około trzystu siedemdziesięciu metrów na północny zachód od wejścia, po drugiej stronie niedużego zagajnika, niewidoczne z drogi głównej. W pobliżu są ruiny fortu. Punkt obserwacyjny Lutka jest tutaj – pokazał strzałką – około trzystu dwudziestu metrów na północ, na wałach otaczających twierdzę. Widoku nie zasłaniają żadne drzewa, a Lutek może stąd szybko i bezpiecznie ewakuować się do miasta i ukryć.

– Wygląda dobrze! Nazwa też mi się podoba... Dowcipnisie! – stwierdził z przekąsem Konrad. – Musimy to jednak jeszcze przećwiczyć, jak się wyśpi nasz gromowładny komandos. W porządku, co dalej?

– Teraz, szefie, gdy mieliśmy już punkt „Siurpriz”, mogliśmy przystąpić do produkcji właściwego dokumentu – rozpoczął Mirek. – Wyszliśmy z założenia, że to nie będzie oczywiście kopia, bo być nie może, lecz dokument łudząco przypominający oryginał, wskazujący na „Siurpriz” jako miejsce ukrycia skrzyni. Musiał też zawierać wszystkie cechy indywidualne oryginału profesora, jak charakter pisma, kolorystykę, zabrudzenia. W rzeczywistości udało nam się skopiować dokument, wprowadzając dodatkowe informacje, a inne wymazując, tak by nie było najmniejszej wątpliwości, że skrzynia jest w punkcie „Siurpriz”.

– A jeżeli Rosjanie zbadają dokument? Przecież nie są durniami, mogą podejrzewać, że to nasza inspiracja, że chcemy ich wpuścić w kanał. Zakładam, że będą chcieli zobaczyć oryginał, chociaż na chwilę, żeby go zbadać... – Konrad przechadzał się po pokoju, mówiąc, jakby się głośno zastanawiał.

– Dokument sprawia dobre wrażenie – wtrącił Irek. – Nawet dla znawcy, który weźmie go do rąk, jest absolutnie przekonujący... Najwyżej specjalistyczne badanie laboratoryjne mogłoby wzbudzić pewne wątpliwości... ale i to nie sądzę. Poddaliśmy go nawet utlenianiu, by kredka wyblakła i wyglądała bardziej naturalnie...

– Szefie, nie jesteśmy zawodowymi fałszerzami, znamy trochę technikę kryminalistyczną – odezwał się Mirek, jakby sądził, że Konrad jest niezadowolony – ale zrobiliśmy co w naszej mocy...

– Panowie, źle mnie zrozumieliście. To jest wspaniałe dzieło, niezwykłe! Powiem wprost: jestem dumny, że z wami pracuję, i dobrze o tym wiecie! Nie ma idealnego falsyfikatu, bo wówczas nie byłby to falsyfikat. A w naszej pracy, jak wiadomo, nie da się wszystkiego przewidzieć, zaplanować. Szczęście, przypadek i syndrom nieodrobionych lekcji są aktorami każdego naszego przedstawienia, czy tego chcemy, czy nie. I tak też jest w tym przypadku. Miejmy więc nadzieję, że Rosjanie to kupią! Wtedy ich mamy! – powiedział Konrad lekko podniesionym głosem i w duchu zawstydził się swojego patosu.

– Teraz ostatnia sprawa – przejął inicjatywę Irek. – Zabezpieczenie dokumentu na wypadek, gdyby ktoś próbował go skopiować...

– Panowie! Mówiłem już, że to nadzwyczaj ważne – przerwał mu Konrad. – Sądzę, że Rosjanie będą chcieli mieć choć kopię tego planu, by poddać go przynajmniej ogólnej analizie pod kątem jego wiarygodności. Wiarygodności zawartości merytorycznej, nie technicznej. Od tego dokumentu wiele zależy. Przede wszystkim dla nich! Na jego podstawie będą musieli podjąć ważne i mocno ryzykowne decyzje. Czy nasz plan się powiódł i czy dali się nabrać, dowiemy się na samym końcu. Ostatniego dnia. I wtedy też się okaże, czy popełniliśmy błąd, czy udało im się nas przechytrzyć i przejrzeć nasz podstęp... – Zobaczył zdziwione twarze M-Irka, zrozumiał i szybko się poprawił: – Może nie powinienem był powiedzieć „popełniliśmy błąd", tylko raczej „nie zdołaliśmy wszystkiego przewidzieć".

– Więc tak, szefie... – Mirek wziął duże szkło powiększające i podszedł do Konrada. – Tutaj, tutaj i tutaj umieściłem światłoczułe kropki. Teraz są one zupełnie niewidoczne. Każda jest innej czułości. Teoretycznie powinny pozwolić zidentyfikować, czy dokument został skopiowany na kserokopiarce, czy aparatem fotograficznym z błyskiem. To jest nasz eksperyment i trudno powiedzieć, czy się uda... taką przynajmniej mamy nadzieję.

– Wystawienie dokumentu na mocne światło słoneczne przez dłuższy czas lub silne oświetlenie z innego źródła może wywołać podobny efekt – dodał Irek – ale, jak rozumiemy, naturalnym miejscem przechowywania dokumentu jest szafa pancerna w IPN i najbardziej prawdopodobnym sposobem skopiowania będzie ksero. – Popatrzył pytająco na Konrada, który skinął głową.

– Zrobiliśmy coś jeszcze – wrzucił teraz Mirek. – Jak szef widzi, oryginalny dokument jest w foliowej koszulce i można go w ten sposób oglądać, ale gorzej z kserowaniem czy zdejmowaniem aparatem fotograficznym, gdyż obraz będzie dawać refleks. Trzeba najpierw wyjąć dokument z koszulki, co jest łatwe. A że papier jest teraz wyczyszczony z odcisków, niewykluczone, że złapiemy sprawcę także w ten sposób...

– Doskonale! Jest szansa, że się uda. Powinno... Sprawdzimy za tydzień. – Konrad był więcej niż zadowolony i szczerze chciał to okazać M-Irkowi. – Jeżeli kropka się zabarwi, to będzie znaczyło, że jest rosyjski kret. Potem musimy go wyłowić. Ale upewnimy się dopiero, gdy będziemy mieć skrzynię... – Zamyślił się na chwilę. – Jedno jest uzależnione od drugiego, a czy w naszej pracy istnieje zbieg okoliczności?

## 25

Granicę białorusko-ukraińską przejechał bez problemów. Miał dobre dokumenty i aktualną delegację służbową wystawioną przez państwową firmę, a w rzeczywistości produkt sekcji legalizacji Wydziału „Q" AW. Mimo to, kiedy przekraczał granicę, nie opuszczało go zdenerwowanie.

Wychodząc z domu, zabrał nawet ze sobą broń, ale zaskoczony bezsensem tego czynu wrócił i zostawił ją w skrytce. Teraz, już na dworcu w Kijowie, poczuł odprężenie i powracające poczucie równowagi.

Przez całą drogę zastanawiał się, co powiedzieć Sarze. Miał tylko dwie możliwości: wyjawić jej całą prawdę lub nie wyjawić nic. Wybór był teoretycznie prosty. To nie była sprawa jego uczciwości. Nie chodziło też o kłamstwo. Rozważając swoje postępowanie, „Travis" nie myślał o nim w tych kategoriach. Interesowało go tylko, kto weźmie odpowiedzialność za to, co się stało.

Jeżeli wszystko powie Sarze, wówczas odpowiedzialność spada na państwo. Trzeba będzie przeprowadzić formalne dochodzenie, przesłuchać świadków i tak dalej. Uczciwa ocena zdarzenia byłaby w gruncie rzeczy niemożliwa, gdyż musiałaby się oprzeć wyłącznie na jego wyjaśnieniach. A w takiej sytuacji, po oficjalnych zapewnieniach typu „rozumiemy", „nie miał pan innego wyjścia", powoli zacznie tworzyć się wokół niego atmosfera próżni. Zdawał sobie sprawę, że zostanie wydany wyrok, tyle że bez możliwości jego wykonania.

„Travis" doskonale wiedział – mówiła mu o tym Sara podczas szkolenia i nauczył się tego w KGB – że w służbach specjalnych obowiązuje kardynalna zasada: „Wszystkie wątpliwości tłumaczone są na twoją niekorzyść". Kiedyś wydawała mu się idiotyczna, lecz z biegiem czasu zrozumiał jej sens, szczególnie gdy musiał sam podjąć decyzję. Wtedy ta zasada jak bakteria wzmacnia system immunologiczny każdego oficera, ale też chroni całą służbę przed błędnymi decyzjami oficerów. Chroni państwo. Powinien się jej poddać i przyjąć swój los z pokorą. Wiedział jednak, że obejmie ona również Sarę, która przecież stworzyła „Travisa".

Czuł silną potrzebę, by komuś o tym powiedzieć. Zrzucić z siebie choć odrobinę tego strasznego ciężaru. Podzielić się odpowiedzialnością. Pomyślał jednak zaraz, że nie może tego zrobić. On ponosi całą odpowiedzialność. On podjął decyzję i musi ponieść jej konsekwencje.

Wziął taksówkę i kazał się zawieźć na plac Niezależności. Kijów znał słabo. Był tutaj dopiero drugi raz, więc musiał improwizować.

Zostało mu dużo czasu. Spotkanie z Sarą miał umówione dopiero na osiemnastą. Dzień był pochmurny, ale na szczęście nie padało.

Deszcz bardzo utrudnia realizację trasy sprawdzeniowej i wymusza większy wkład szpiegowskiego kunsztu – pomyślał bez entuzjazmu.

Usiadł na ławce i wyjął z teczki kanapkę z szynką i żółtym serem, którą przygotował sobie jeszcze w Mińsku. Obserwował otoczenie, chociaż i tak wiedział, że w tym miejscu nic nie zauważy, ale nie przejmował się specjalnie. Na dużej otwartej przestrzeni placu widział ludzkie punkciki poruszające się we wszystkich kierunkach. Gdzieś daleko, za rozbudzoną już fontanną, stała nieruchomo czarna postać archanioła Gabriela. Za nią wynurzała się z ziemi wielka szklana kula. W tle dostrzegł logo McDonald'sa i przez chwilę pomyślał o cheeseburgerze.

Sara na pewno już tu jest, gdzieś tam, wśród tych punkcików! Kiedy to sobie uświadomił, zrobiło mu się jakoś dziwnie przyjemnie. Jak to jest... dwoje oficerów polskiego wywiadu spędza osobno cały dzień w Kijowie, by wreszcie spotkać się w jednym miejscu.

Nie... nie mogę jej powiedzieć! – dotarło nagle do niego.

Miał poczucie, jakby ktoś inny podjął decyzję, a on natychmiast się z nią zgodził, bo wydawała się taka oczywista. Wszystko opiszę i zakoduję na pendrivie. Jako dokument do odczytania. Kiedyś... tak będzie najlepiej.

Zjadł kanapkę, ale nadal był głodny. Pomyślał o barszczu ukraińskim. Wyjął plan Kijowa i studiował go przez chwilę. Napił się ciepłej coli z butelki i ruszył powoli Chreszczatykiem w kierunku Dniepru. Szedł szerokim, zadrzewionym bulwarem i miał wrażenie, że wszyscy mijający go przechodnie poruszają się w przyspieszonym tempie, jak zamazane cienie w wideoklipie na MTV.

Zaczął się zastanawiać, jak opisać wydarzenia ostatnich dwóch tygodni. Jakich użyć słów. Jak oddać prawdę. O faktach, o sobie, swoich uczuciach. O tym, co czuje teraz. I dlaczego to zrobił. Nie wiedział, czy to ma być wyznanie, czy może jednak zeznanie. Jak napisać prawdę? Czy prosić o przebaczenie, a jeżeli tak, to kogo? Przeczytał tyle książek, obejrzał tyle filmów, wychowany w szczęśliwym domu, w którym wiara prawosławna była prawdziwym fundamentem. I nagle wszystko to na nic! Do niczego się nie przydało!

Jeżeli przez całe życie kierujesz się zasadami i przegrasz, to po co ci takie zasady? Może to nie są zasady! Jak to było? Muszę teraz na chłodno uporządkować wszystkie zdarzenia – pomyślał Oleg Popow, w rzeczywistości Igor Szaniawski, kapitan polskiego wywiadu.

Tak... to było w środę... pod koniec pracy. Stepanowycz przyszedł do mojego pokoju. Od razu coś mnie tknęło, bo chociaż się znaliśmy, nigdy wcześniej tego nie zrobił. Pułkownik kontrwywiadu, książę KGB... to on wzywał do siebie. W szczególności takich jak ja, z Wydziału Technicznego. Wszyscy wiedzieli, że to chciwy i do cna skorumpowany oficer. I bezwzględny!

Wiedziałem, że coś się stanie, że coś jest nie tak, jak tylko zobaczyłem go siadającego naprzeciw mnie, z tym świdrującym wzrokiem i ironicznym uśmieszkiem. Częstował mnie papierosami, chociaż wiedział, że nie palę. Pewnie chciał sprawdzić, czy się denerwuję. Założył nogę na nogę, zaciągał się mocno i wydmuchiwał dym powoli do góry, jak parowóz. Ale wcale nie wyglądał śmiesznie... Denerwowałem się. Wydawało mi się, że on to widzi i świetnie się bawi. Zaschło mi w ustach i zupełnie nie wiedziałem, co powiedzieć, chociaż starałem się patrzeć mu prosto w twarz. To było tak trudne... jak nigdy dotąd.

Nie pamiętam już teraz, czy to trwało sekundy, czy minuty... ale wydawało mi się, że się nigdy nie skończy. W pewnym momencie uśmiechnął się, tak trochę sztucznie, może nawet złośliwie. Podniósł brwi i zapytał: „Co u ciebie, Popow?". Gardło miałem jak z drewna, ale wykrztusiłem, że w porządku. Mój głos musiał brzmieć dziwnie i on mógł to zauważyć. Starałem się oddychać regularnie, spokojnie i nie przełykać śliny.

O coś go zapytałem czy coś powiedziałem... nie mogę sobie teraz tego przypomnieć. To dziwne! Pamiętam jedynie, że mnie zignorował. Wtedy powiedział... pamiętam te słowa dokładnie... powiedział: „Oleg, przyjdź o dwudziestej pierwszej do mieszkania na Kachowską. Chcę o czymś z tobą pogadać". To nawet miło brzmiało... tak mi się teraz wydaje. Nie, nie miło, tylko spokojnie. To było polecenie... nie rozkaz. Pewnie zobaczył zdziwienie na mojej twarzy, bo zaraz dodał: „To prywatna sprawa, ale w twoim interesie. Nie denerwuj się". Zgasił papierosa i po prostu wyszedł. Ile czasu trzeba, żeby wypalić papierosa? Pięć, sześć minut. Papieros był wypalony w jednej trzeciej, czyli to musiało trwać ze dwie minuty.

Zastanawiałem się, o co może mu chodzić. Przychodziły mi do głowy najróżniejsze myśli. Najbardziej prawdopodobne się wydawało, że to jakieś sprawy finansowe, korupcyjne... on był z tego znany. Byłem prawie pewien, że gdyby mnie rozkuli, to nie tak by się do tego zabrali. To oczywiste! Tak wtedy myślałem. Na pewno! Ale coś nie dawało mi spokoju... więc kiedy szedłem na spotkanie, wziąłem służbową broń. Zastanawiałem się, czy wziąć dyktafon, ale bałem się, że mnie przeszuka. Broń to broń, ale z dyktafonu trudno byłoby się wytłumaczyć. Zresztą nie wiedziałem, czy będzie sam...

„Travis" dotarł do końca bulwaru i zatrzymał się na placu Jewropejskim, przed hotelem Dnipro. Pomyślał, że powinien skorzystać z toalety, ale odstraszył go rząd wielkich ponurych SUV-ów z przyciemnianymi szybami. Nawet nie potrafił rozróżnić marki, nigdy wcześniej takich nie widział.

Przejściem podziemnym dostał się na drugą stronę placu i ruszył Wołodymirskim Uzwizem, łagodnie opadającym w kierunku Dniepru. Na wysokości filharmonii, z niemałym trudem unikając rozpędzonych samochodów, przeszedł na drugą stronę ulicy. Zaczęło się przejaśniać i pierwsze promienie słońca oświetliły bujną zieleń ciągnącą się po obu stronach ulicy. Widok był tak odmienny od płaskiego Mińska, że „Travis" się rozluźnił i na chwilę zapomniał o Stepanowyczu.

Zaraz, jak to on powiedział? Muszę sobie dokładnie przypomnieć. Każdy szczegół ma znaczenie... Był pijany... chyba pił sam przed moim przyjściem. Tak mi się wydawało, ale nie wiem dlaczego. Pewnie chciał dodać sobie odwagi. W końcu nie wiedział, czego może się po mnie spodziewać. Tak to teraz widzę... tak mogło być!

Powiedział chyba dokładnie tak: „Mam dla ciebie propozycję, Popow... W zasadzie to jest biznes albo coś w tym rodzaju". Uspokoiło mnie to przez moment, nie odzywałem się, ale zaraz dodał: „Wiem, że pracujesz dla Amerykanów... albo Polaków... zresztą to wszystko jedno, prawda?". Poczułem się, jakbym dostał wyrok śmierci, ale zaraz się połapałem, że on uważa mnie za agenta. A zatem nie wie, że jestem polskim oficerem, kapitanem… nielegałem! To całkowicie zmienia sytuację! Ma jakieś podejrzenia, poszlaki… Gdyby wiedział, że jestem wtórnikiem, oznaczałoby to tylko jedno… że mają u nas jakieś źródło!

On tymczasem ciągnął: „Byłeś Popow w rozpracowaniu od roku i zebrało się dość informacji, by jasno stwierdzić, że pracujesz dla obcego wywiadu". Robiłem głupią minę, która pewnie zupełnie nie pasowała do sytuacji. Nie mogłem też zrozumieć, dlaczego rozmawia ze mną w mieszkaniu konspiracyjnym. „Nie odzywaj się, Popow, tylko słuchaj… Wiem, że się nie przyznasz… nie jesteś taki głupi. Na pewno dobrze cię przeszkolili. – Jego ton zupełnie nie pasował do tego, co mówił. – Tylko ja wiem, że pracujesz dla nich. – Pokazał palcem na swoją głowę. – Byłeś w rutynowym rozpracowaniu kontrwywiadowczym… Za mało pewnie piłeś, no… i byłeś jakiś taki inny… nie? – Roześmiał się, jakby to był dobry dowcip. – Zaczęły spływać różne informacje na twój temat i ja to sobie wszystko ładnie poskładałem. Ale sprawy jeszcze nie założyłem! – Powiedział to z jakąś dziwną chytrością w głosie. – I mam nadzieję, że nie będę musiał… Rozumiesz?!".

Odezwałem się wtedy po raz pierwszy i jedyny, mówiąc, że nic nie rozumiem, ale on już doskonale wiedział, że rozumiem, że dobrze trafił, no… mniej więcej. Znalazłem się jakby w klinczu i nie mogłem nic zrobić. Cokolwiek bym powiedział czy też w ogóle się nie odzywał, byłem na przegranej. Nie mogłem już gwałtownie zaprotestować. Miałoby to sens tylko na samym początku rozmowy, ale wtedy bym się nie dowiedział, do czego zmierza.

Musiał mieć jakieś przesłanki, by zdecydować się na to spotkanie. Możliwe też, że po prostu zagrał va banque. Trudno uwierzyć, że byli w stanie namierzyć mnie na podstawie… normalnego operacyjnego rozpracowania.

Stepanowycz nie mógłby wtedy schować sprawy pod stół i pokazywać palcem na swoją głowę...

Przeszedł do sedna sprawy. „Za zdradę ojczyzny trzeba będzie, Popow, zapłacić – powiedział i uśmiechnął się półgębkiem. – Pięć tysięcy dolarów miesięcznie! Teraz rozumiesz... Popow?".

Myślałem, że się przesłyszałem! Szantażować szpiega?! Ale Stepanowycz był całkowicie poważny i zdecydowany.

„Rozumiem, że będziesz się musiał skontaktować ze swoimi mocodawcami... to oczywiste – ciągnął, jakby był pewny, że wszystko mu się uda. – Pięć tysięcy... to nie jest dla nich zbyt wygórowana suma i zdążą podjąć decyzję do piątku. Nawet pomyślałem, że sam mógłbym popracować za taki grosz. Ale doszedłem do wniosku, że to zbyt ryzykowne. Wolę czysty biznes. Bez zobowiązań. Chuj mnie obchodzi, co robisz, ale kasa ma być regularnie i na czas. Rozumiesz, Popow?! – Był już bardzo agresywny. – Powiedz swoim, że pułkownik Stepanowycz zapewnia ci kryszę! Pamiętaj, że byłem w Afganistanie, w specnazie. Nie próbujcie żadnych sztuczek, to wszystko będzie dobrze i wszyscy będą zadowoleni. Pojmujesz, chłopie?! Masz czas do piątku, potem piszę na ciebie raport i idziesz do pierdla, a może nawet dostaniesz kulkę... ale coś mi się zdaje, że nie będę musiał".

„Travis" odtwarzał rozmowę ze Stepanowyczem i miał wrażenie, jakby to było wczoraj. Był prawie pewny, że niczego nie opuścił. Dochodził już do placu Posztowego, gdy jakiś zagubiony japoński turysta z dużym plecakiem zapytał go po angielsku, gdzie jest Padole. „Travis" potrzebował chwili, by zauważyć, że ktoś w ogóle czegoś od niego chce.

Zrobiło się słonecznie i ciepło. Oleg Popow alias Igor Szaniawski był tak pochłonięty myślami o spotkaniu ze Stepanowyczem, że zupełnie zapomniał, by choć trochę się sprawdzać.

Wszedł na bulwar Sahajdacznego. Był tutaj pierwszy raz. Była to ładna, świeżo odremontowana ulica z dziewiętnastowiecznymi kamienicami i eleganckimi sklepami.

Przeszedł na lewą, oświetloną słońcem stronę. Kijów wyraźnie różnił się od Mińska. Nie tylko pięknym położeniem, ale przede wszystkim historyczną zamożnością. „Travis" cieszył się widokiem tej ulicy, tak jakby chciał odsunąć od siebie to, co musiał przemyśleć.

Dlaczego musiał wyeliminować Stepanowycza? Dopiero teraz dotarło do niego, że kiedy myślał o tym, co się stało, nigdy nie używał słowa „zabić".

Nagle po drugiej stronie ulicy zobaczył antykwariat. Od wyjazdu z Polski w żadnym nie był, a w Mińsku nie ma ani jednego antykwariatu z prawdziwego zdarzenia.

Wszedł do środka i z prawdziwą przyjemnością oglądał wystawione tam przedmioty i obrazy, choć nie było ich zbyt wiele i większość nie zasługiwała na nazwanie ich antykami. Wiele słabych podróbek, obliczonych widocznie na nowobogackich Ukraińców. Mimo to „Travis" czuł się przez chwilę jak w innym świecie. Przez pół godziny, z przesadnym pietyzmem, dotykał różnych przedmiotów.

W końcu wyszedł. Zobaczył po drugiej stronie otwarte bistro i pomyślał, że pachnąca kawa byłaby dobrym uzupełnieniem wizyty w antykwariacie.

Siedział na wysokim stołku pod oknem, naprzeciw swojego niewyraźnego odbicia w szybie, i obserwował coraz liczniej pojawiających się przechodniów, chociaż w bistrze był wciąż sam.

Zdawał sobie sprawę, że będzie musiał okłamać Sarę. Początkowo założył, że po prostu jej nie powie. Zrozumiał jednak naiwność tego planu. Musi skłamać, bo musi znaleźć jakiś powód natychmiastowego wyjazdu z Białorusi.

W sprawie Stepanowycza musiałem podjąć taką decyzję. To była obrona konieczna... czy stan wyższej konieczności.

Właśnie! Muszę myśleć tak, jakbym stał przed sądem i miał się sam bronić.

Zaraz po rozmowie ze Stepanowyczem wywołałem spotkanie z moim oficerem z Warszawy, ale i tak wiedziałem, że nie ma szansy, bym zdążył się z nim spotkać przed piątkiem. Musiałem podjąć decyzję. Tak naprawdę nie wiedziałem, co Stepanowycz o mnie wie. Wiedziałem, że jest przebiegły i niebezpieczny... Podobno w Afganistanie był jakiś czas zawieszony za, jak to określali, ponadnormatywne okrucieństwo. To nie jest człowiek z zasadami czy ideałami. Do werbunku na agenta absolutnie się nie nadaje. Dlatego przyjąłem założenie, że spełni swoją groźbę... To było realne zagrożenie.

Pozostały zatem dwa wyjścia: albo zniknę ja, albo on. Moje zniknięcie w ciągu dwóch dni było prawie niemożliwe. Trzeba byłoby również natychmiast wycofać rodzinę Popowów z Homla, ich córkę i jej dzieci. Czyli naszych ludzi, którzy dali mi nową tożsamość. Nie mogłem wykluczyć, że ci wspaniali i odważni staruszkowie i ich córka Wiera nie tylko mnie dali nową tożsamość. Gdybym zniknął sam, Stepanowycz natychmiast dotarłby do Popowów. Nie ma najmniejszej wątpliwości! Ich los i może też innych byłby przesądzony. Nie mogłem na to pozwolić, byli moją rodziną. Mieliby nagle wszystko rzucić i uciekać? Dokąd? Do Polski? Jak miałbym im to wytłumaczyć? Nawet nie mogłem jechać do Homla, bo musiałem założyć, że jestem śledzony...

Ktoś mógłby powiedzieć, że trzeba było dać mu te pięć tysięcy i zyskać miesiąc albo próbować się dogadywać. Ale Stepanowycz nie ma zasad i nie można mu ufać. Jestem przekonany, że brałby pieniądze i cały czas mnie rozpracowywał... przecież nie jest głupi i wie, że szukalibyśmy jakiegoś rozwiązania problemu. Gdyby zatem miał utrzymać swój biznes, musiałby kontrolować sytuację. Przede wszystkim zaś musiałby kontrolować mnie! Wiedzieć o mnie wszystko... A było oczywiste, że ma dobry trop. Nie mogłem ryzykować, że posunie się dalej. Tym bardziej że nie wiedziałem, z jakiego punktu startuje. A może miał wspólnika? Może ktoś jeszcze o tym wiedział? Pewnie zyskałbym na czasie... ale on też! Dobrze wiem, że jest plan mojego wycofania i zatarcia śladów, w tym ewakuacji Popowów. Ale nie w ciągu dwóch dni! Decyduje Centrala. Musiałem podjąć decyzję sam i... jestem świadom konsekwencji. Musiałem to przerwać! Tylko zniknięcie Stepanowycza mogło dać mi czas... teraz nie mam już najmniejszych wątpliwości. Ale wtedy, między środą a piątkiem... nie wszystko było takie oczywiste. Musiałem najpierw się uporać z samym sobą. Nie stchórzyć! I teraz wciąż nie wiem, czy tak naprawdę nie stchórzyłem. Czy można stchórzyć, jeśli cały czas żyje się w strachu?

Postanowiłem zrobić to tak, by wyglądało na napad rabunkowy albo porachunki. Nie miałem przecież gotowego planu. Myślałem dosyć chaotycznie, spontanicznie. Stepanowycz znany był z tego, że miał liczne podejrzane kontakty. Któż by podejrzewał, że wpadł na trop polskiego szpiega, na którym chciał zarobić?

W piątek zobaczyłem, że wychodzi z pracy z kapitanem Wasilijem Krupą. Zostawił samochód. Poszedłem za nimi. To nie było daleko. Od razu się zorientowałem, że idą na mieszkanie służbowe, w pobliżu domu Stepanowycza. Po drodze kupili wódkę i ogórki. To mieszkanie jest w dyspozycji kontrwywiadu, osobiście Stepanowycza, więc to nie mogło być spotkanie służbowe... to było dla mnie jasne. Nie bardzo pasował mi do tego Krupa, bo to sympatyczny chłopak, trochę naiwny. Teraz musiałem zaczekać i zobaczyć, z kim się spotkają.

Nie trwało to długo. Po piętnastu minutach przyjechało taksówką dwóch wyższych rangą celników z teczkami i torbami pełnymi prawdopodobnie wódki. Byli w doskonałym nastroju. Wyglądało, jakby mieli świętować jakiś biznes. Pewnie przemyt, no bo skąd ci celnicy? Było ciepło, więc otworzyli szeroko okno. Słyszałem ich głosy. Zrozumiałem, że spotkanie potrwa… może nawet do nocy.

Stepanowycz pewnie będzie szedł pieszo do domu. Pijany. Nadarzała się idealna okazja. Żeby tylko był sam! Udałem się do domu, włożyłem stary dres i wziąłem nóż. Po półgodzinie byłem z powrotem. Było już ciemno. Na zewnątrz nieliczni przechodnie, jakieś dzieci.

Z otwartego okna na drugim piętrze wyraźnie słyszałem podniesiony głos Stepanowycza. Czekałem na niego do dwudziestej trzeciej, zmieniając miejsca tak, by widzieć wejście do budynku i jednocześnie być w cieniu. Strasznie trzęsły mi się nogi… nie mogłem tego opanować. Nikt mnie chyba nie widział. Układ domów, zadrzewienie i topografia terenu zdecydowanie mi sprzyjały. Czekałem… wyszedł sam. Zacząłem się jeszcze bardziej trząść. Zapalił papierosa. Chwiał się na nogach. Szedł powoli słabo oświetloną asfaltową alejką. W ręku trzymał reklamówkę. Szedłem za nim, kryjąc się w cieniu… Nie mógł mnie widzieć. Nagle zatrzymał się i odwrócił, jakby coś usłyszał. Zamarłem, a on patrzył na mnie i nic nie widział. Wciąż nie mogłem opanować drżenia nóg. Zawołał po imieniu Krupę… Pewnie myślał, że to on. Zrobił ruch, jakby miał broń. Powiedział: „Wasia? Wyłaź, bo cię zastrzelę!”. Zrozumiałem, że jest uzbrojony. Nie wiem jak, ale w tych nerwach dotarło do mnie, że nie mogę podbiec do niego teraz… na alejce… mogę nie zdążyć. Dlaczego zdecydowałem, że tym miejscem powinna być jego klatka schodowa? Intuicja… Bo to było jedyne miejsce, gdzie mogłem się do niego zbliżyć. Nie pamiętam, jak się tam znalazłem przed nim. Pamiętam tylko, że gdy stanąłem w zaciemnionej wnęce, przestałem się trząść. To było dziwne uczucie.

Nie miał broni.

„Travis" zorientował się, że siedzi nad zimną i pustą filiżanką kawy. Wydawało mu się, jakby stracił poczucie czasu. Sprawdził zegarek. Wyglądało, że siedzi w bistrze już ponad pół godziny.

Był wyczerpany nieustannym myśleniem o Stepanowyczu, rozważaniem każdego szczegółu. Nie czuł jednak depresji. Dominowało przekonanie, że musi teraz zrobić coś ze sobą. Coś postanowić! Przed spotkaniem z Sarą, która nie powinna niczego zauważyć. Po powrocie do kraju i zabezpieczeniu wszystkich osób, przede wszystkim Popowów, złoży raport, dokładnie taki, jaki ma utrwalony w pamięci, i zwolni się ze służby. Miał wrażenie, jakby ktoś mu podpowiedział, jak powinien starać się o rozgrzeszenie. Po raz pierwszy od wielu dni poczuł do siebie zaufanie.

Wyszedł przed bistro i stanął na ulicy, na której przybyło przechodniów. Niebo było intensywnie niebieskie i znikł cień domów po drugiej stronie.

Ruszył zdecydowanym krokiem z powrotem ulicą Sahajdacznego w kierunku placu Posztowego. Po jego prawej stronie znajduje się kolejka linowa, zwana tutaj funikulerem. Wykupił bilet i zdążył wskoczyć do wagonu jako ostatni. W przedziale jechała rozbawiona grupa polskiej młodzieży z plecakami. Zrobiło mu się miło. Zupełnie jakby był w domu, w Polsce, z mamą i Olą, swoją jedyną miłością, która wciąż na niego czeka.

Pomyślał o nich po raz pierwszy od wielu dni i wiedział, że już wkrótce będzie z nimi, na zawsze.

Po kilku minutach wysiadł z kolejki i pieszo przeszedł do mieniącego się złotem, błękitem i bielą monastyru Michajłowskiego. Odprowadził wzrokiem znikającą grupkę Polaków i pomyślał, że już najwyższy czas iść w kierunku oddalonego o kilka kilometrów hotelu Salut.

Tam, w przejściu podziemnym, ma w wyznaczonym miejscu postawić Sarze znak, że jest bezpieczny i może odbyć spotkanie. Musi odnaleźć jeszcze taki sam znak postawiony przez Sarę i potem o osiemnastej zjawić się w restauracji Szafran na Worowskiego 3.

# 26

W nocy nad Moskwą przeszły burze z piorunami i rano ulice były jeszcze porządnie mokre, chociaż słońce świeciło nad miastem już od dawna.

Witalij przyleciał poprzedniego dnia wieczorem. Na lotnisku Szeremietiewo II przywitali go dwaj koledzy z Wydziału Polskiego. Odebrali od niego pakiet dyplomatyczny zawierający kartę pamięci, którą wcześniej wyjął ze schowka nieopodal pomnika pod Mławą. Przesyłkę od agenta „Hooka". Witalij nie wiedział, co jest w środku, ale słusznie podejrzewał, że sprawa musi być nadzwyczaj ważna i pilna, bo inaczej Misza Popowski nie ściągałby właśnie jego. I to w takim tempie.

Bobriukow czekał przy wejściu do stacji metra Riecznoj, na ulicy Fiestiwalnej. Obok, w mocno zniszczonej czteropiętrowej kamienicy, było mieszkanie konspiracyjne Służby Wywiadu Zagranicznego, w którym się zatrzymał.

Czuł podniecenie na myśl, że przyjedzie po niego naczelnik Popowski, który mieszkał w pobliżu. Ale jeszcze bardziej cieszył się z tego, że zobaczą to koledzy w Jaseniewie. Pomyślą z pewnością, że przybył do Centrali w nadzwyczaj ważnej sprawie, skoro sam szef przywozi go do pracy samochodem.

Popowski, który mieszka w Chimkach, na co dzień jeździł do pracy metrem, najpierw do stacji Jaseniewo, a stamtąd służbowym autobusem. Teraz jednak wlekli się w żółwim tempie jego nowym volkswagenem passatem niemiłosiernie o tej porze zatłoczoną i nieustannie wymagającą remontu obwodnicą MKAD.

– Jak ci tam w Warszawie, Witia? – zaczął naczelnik bez zbędnych ceregieli. – Lubię to miasto... nie mam jakiegoś ulubionego miejsca, po prostu je lubię. Sam dobrze nie wiem dlaczego... za atmosferę, za Polaków...

– Za niezwykłą lekkość bytu... – wrzucił Witalij.

– Dobrze to ująłeś! To właśnie czuje się w Warszawie, szczególnie gdy przyjeżdża się tam z Moskwy. Polski już pewnie opanowałeś idealnie? – I nie czekając na odpowiedź, zapytał: – Wiesz, dlaczego cię tu ściągnąłem?

– Nie mam pojęcia...

– Włączam cię do nowej operacji. Jesteś dobrym oficerem... znasz Polskę, Polaków i nie jesteś zacietrzewionym *homo sovieticus* czy jakimś wielkorusem. Jesteś po prostu normalny, a przeciwnika trzeba znać, szanować, nawet lubić...

– Najbardziej lubię i szanuję Polki... – żartobliwie wtrącił Witalij.

– No właśnie! Słyszałeś kiedy, żeby Rosjanin powiedział, że są piękniejsze kobiety niż nasze? – Popowski uciął nagle i zawiesił głos, jakby chciał coś jeszcze dodać. Wyglądało, że się zamyślił.

Witalij milczał z uczniowską pokorą.

– Przywiozłeś pocztę od „Hooka". Wczoraj odczytaliśmy zapis z karty pamięci. To był ostatni brakujący dokument. Plan ukrycia archiwum wywiadu nielegalnego NKWD sprzed wojny... – Popowski spojrzał na zdziwioną twarz Witalija. – Tak jest, i rzecz w tym, że Polacy też o nim wiedzą. Wygra ten, kto pierwszy je dostanie! Sprawa historyczno-polityczna z najwyższej półki, nadzorowana przez Kreml. Zabrałem cię dzisiaj, bo chciałem już wcześniej z tobą porozmawiać. Poza tym cię lubię! Jakbym widział siebie z dawnych lat!

– A gdzie to jest ukryte?

– I tu jest pewien problem, Witia. Otóż trzyma na tym łapę Łukaszenka. Nasz skarb jest zakopany na terenie twierdzy brzeskiej...

– Jaki problem? Nie możemy tego zrobić oficjalnie? – zapytał Bobriukow.

– To nie jest zwykły materiał historyczny, jakieś tam archiwum... starocie. To bomba genealogiczna i polityczna! Ważna dla Polaków i dla nas... Toteż jak się Łukaszenka zorientuje, to będzie chciał to przejąć i grać z nami i z Polską. Nie możemy na to pozwolić, Witia! Rozumiesz?! Interesuje się tym Kreml, osobiście... Zresztą porozmawiamy o tym później, jak się zapoznasz z dokumentami. Liczę na twoją pomysłowość i inicjatywę. Zebrałem mały zespół, ale sprawę prowadzimy we dwóch... będziesz moim zastępcą!

– Dziękuję! To dla mnie zaszczyt! – Bobriukow był szczerze poruszony. – Jak rozumiem, jest jakiś przybliżony termin naszej akcji w Brześciu?

– Jak najszybciej! Gdy tylko będziemy gotowi! Czekam jeszcze na jedną ważną informację... W zasadzie od niej zależy, czy w ogóle odpalimy silniki. To, co przywiozłeś na karcie, to tylko cyfrowa fotografia tego planu, wykonanego zresztą jeszcze w czasie wojny. Nie podejmę się tej operacji, dopóki nie będę pewien, że Polacy nie robią nas na szaro i nie chcą nas sprowokować. A... stać ich na to! By przeprowadzić dobrą operację inspiracyjną czy grę operacyjną, wcale nie trzeba Jaseniewa czy Langley. Wystarczy jeden twardy łeb, który wie, że im cenniejsze, bogatsze czy barwniejsze informacje, tym trudniej je ocenić...

– Konrad? – zapytał Witia.

– Najprawdopodobniej... Trzeba się z tym liczyć... Nawet chciałbym, żeby to był on... Bardzo!

Bobriukow wiedział, że Popowski zna Konrada Wolskiego, ale zdziwiło go trochę to, co właśnie usłyszał. Nie pasowało do Popowskiego, było zbyt osobiste i w zbyt ciepłej tonacji, nie bardzo przystającej rosyjskiemu oficerowi. Ale już po chwili przestał o tym tak myśleć, bo uważał, że szef Michaił doskonale wie, co robi i mówi. Teraz zastanawiał się, na jaką ważną informację jeszcze czeka, ale nie mógł go o to zapytać.

– „Hook" będzie miał w swoich rękach oryginał planu przez parę dni – usłyszał mocny głos Popowskiego. – To spore ryzyko dla niego i dla nas, bo jak się Polacy zorientują, że dokumentu nie ma tam, gdzie powinien być, to „Hook" wpadnie i całą naszą operację diabli wezmą albo jeszcze gorzej. Władimir Władimirowicz nie będzie zadowolony... Rozumiesz?! Dlatego wysłałem kogoś specjalnego, kto fachowo zbada ten dokument i w możliwie wysokim stopniu oceni jego autentyczność. Pewności w takich warunkach nigdy nie będzie, ale trzeba coś zrobić, by zbliżyć się do prawdy. Myślałem, żeby plan po prostu podmienić, ale nie ma na to czasu i wbrew pozorom jest to bardzo skomplikowane. Ryzyko spore, ale trzeba zapłacić tę cenę!

Witalij był dumny, że Popowski mówi to wyłącznie jemu, ale i tak niewiele zrozumiał.

– No tak... oczywiście! – skomentował, by podtrzymać pozory.

– Jak ci się układa z rezydentem? Wytrzymasz jeszcze te parę miesięcy? – Popowski na szczęście zmienił temat.

– Nie jest lekko, ale daję sobie radę... – odrzekł beznamiętnie Witalij, chociaż chciał powiedzieć, że rezydent to zwykłe bydlę. Nawet jeżeli Misza Popowski też tak uważał, to oficer nigdy nie krytykuje przełożonego w obecności innego zwierzchnika. Bobriukow znał tę prostą i słuszną zasadę. – Ale dlaczego parę miesięcy? – zapytał zaskoczony. – Przecież on ma jeszcze dwa lata do powrotu!

– Nieważne! Jest już decyzja, że zjeżdża. Potem emerytura... Zadowolony?

– Aha... no... to nie ma znaczenia. Teraz jest ważne, kto przyjedzie na jego miejsce... – powiedział Bobriukow obojętnym tonem, ale myślał zupełnie inaczej.

Wiedział, że zjazd z placówki przed czasem to kara dla rezydenta, i bardzo się z tego cieszył. Tak bardzo, że teraz jakiś „Hook", archiwum, Popowski nie mieli dla niego znaczenia, a pytanie „zadowolony?" było po prostu śmieszne. Czuł, że eliminacja tego spleśniałego durnia i prześladowcy otwiera mu magiczne drzwi do swobody w Warszawie. I co najważniejsze – do Kasi.

Już nie mogę się doczekać jego pożegnania w ambasadzie, gdy te ociekające hipokryzją urzędasy będą go zapewniać, jak im żal z powodu jego wyjazdu, a on z przyklejonym uśmiechem będzie tłumaczył, jak ważne i tajne są jego nowe zadania dla ukochanej i wielkiej ojczyzny – pomyślał Bobriukow z rozmarzeniem.

– *Mołodiec!* Prawidłowo, Witia! Liczy się przyszłość! Twój rezydent to chuj, ale rosyjski oficer nie jest małostkowy – skomentował szczerze, choć błędnie, Popowski.

# 27

William przyleciał z Londynu do Warszawy pierwszym porannym samolotem o jedenastej czterdzieści. Prosto z lotniska pojechał taksówką do Centrali AW na Miłobędzką, gdzie czekał już na niego Konrad.

Mieli rozmawiać o dalszych planach poszukiwania Safira as-Salama.

Dla brytyjskiego SIS to była bardzo ważna sprawa. Według ostatnio uzyskanych informacji Karol Hamond, zwany Safirem, miał odpowiadać za kontakty Al-Kaidy z irlandzkimi ekstremistami z IRA. Jako były katolik i Polak był wręcz stworzony do tej roli. Kierownictwo Agencji Wywiadu dobrze wiedziało, jak ważna jest ta wielowątkowa sprawa dla bezpieczeństwa międzynarodowego. Safir był jedyny w swoim rodzaju, na skalę światową, i w równym stopniu niebezpieczny.

Na trop Safira wpadły też oczywiście CIA i Mosad, ale cele i sposoby ich działania różniły się dosyć istotnie od pracy tandemu polsko-brytyjskiego, Konrada i Billa. Wiele wysiłku kosztowało ich przekonanie Amerykanów i Izraelczyków, żeby nie pchali nosa do tej sprawy, bo i tak zostaną o wszystkim poinformowani w odpowiednim czasie. Mimo że Karol Hamond był obywatelem polskim i AW była gospodarzem tej sprawy, nie ulegało wątpliwości, że CIA i Mosad nie zamierzają trzymać się od niej na odległość i kręcą coś na własną rękę.

Każda służba zrobi to, co jest najważniejsze dla bezpieczeństwa jej kraju, i nie będzie się martwiła o innych. Potem będą najwyżej przeprosiny, tłumaczenia, że nie można było inaczej z uwagi na bezpieczeństwo państwa, i tak dalej. A jakieś odznaczenie dla generała łasego na medale definitywnie zamknie sprawę.

Konrad nie przygotował się dobrze do spotkania z Billem, chociaż materiały, jakie zebrano w Wydziale pod jego nieobecność, okazały się bardzo ciekawe i było o czym dyskutować.

Rozmowa trwała ponad dwie godziny. Stenton szybko się zorientował, że Konrad jest nieobecny duchem, i przejął na siebie ciężar całego spotkania. A gdy zamknęli już swoje notatniki, powiedział coś, czego sensu Konrad nie zrozumiał od razu.

– Mam nadzieję, że będziemy jeszcze długo razem pracować.

– Co masz na myśli? – zapytał Konrad i nagle dotarło do niego, o co Billowi chodziło.

Od lat o jakichkolwiek ważnych zmianach w Agencji Wywiadu dowiadywał się najpierw od Anglików. Przestał się już nad tym zastanawiać czy też dziwić, kiedy zauważył, z jaką otwartością, bliską naiwności, kierownictwo AW mówi o wszystkim partnerom. Problem w tym, że działało to tylko w jedną stronę. Nie był to też dobry sposób na budowanie prestiżu AW w środowisku zaprzyjaźnionych służb.

– Wiesz... widzimy, co się u was dzieje... w kraju, w służbie – zaczął delikatnie Bill. – Nie chcę tego komentować... to nie w naszym stylu... ale martwimy się o was. – Jego głos brzmiał wyjątkowo szczerze i emocjonalnie jak na Anglika, dla którego interesy królowej zawsze były najważniejsze.

– Wszystko będzie dobrze. Damy sobie radę. Nie musicie się martwić – powiedział Konrad tonem niepozostawiającym złudzeń, że przyjaciel poruszył czuły temat. – To miłe z twojej strony, Bill, ale teraz jedziemy coś zjeść, coś tradycyjnego.

Pojechali jak zwykle do pierogarni na Kabatach w pobliżu domu Konrada. William stał się zaprzysięgłym miłośnikiem pierogów już wiele lat temu, podczas swojego pierwszego pobytu w Polsce. Początkowo zabierał ze sobą do kraju większe partie, bywało też, że Konrad przywoził mu solidne zapasy przy okazji wyjazdów do Wielkiej Brytanii. Teraz Bill kupuje pierogi w Londynie. Mimo to pojechali, by zadośćuczynić tradycji.

William zjadł porcję, która wystarczałaby na angielski lunch dla kilku osób, i wciąż przeglądał menu, jakby miał ochotę na więcej. Siedzieli przy stoliku pod parasolem na skąpanych w słońcu Kabatach i rozmawiali o wszystkich możliwych sprawach, tylko nie o pracy. Bill relacjonował swoje trwające od półtora roku problemy prawne z zakupem domu pod Londynem, a Konrad wysłuchiwał go cierpliwie.

– Jeżeli lecisz jutro rano do Londynu, to może wpadniesz do mnie wieczorem. A może masz jakieś inne plany? – zapytał, zmieniając temat.

– Z największą przyjemnością. Jest jednak pewna sprawa, która może ci zająć dzisiejszy wieczór... – William zauważył zdziwione spojrzenie Konrada i pospieszył z wyjaśnieniem: –

George jest w Polsce z wizytą w ABW. Chciałby się z tobą pilnie spotkać...

– George Gordon? – przerwał mu Konrad.

– Tak. Od kilku tygodni jest kontrolerem na Rosję. Nie wiedziałeś?

– Nic nie wiedziałem! To wspaniale! – Konrad udawał poruszenie, choć od dawna był pewny, że tak będzie. – Dotarł na szczyt! Oczywiście chętnie się z nim spotkam, ale... dlaczego nie dał znać przez waszego łącznika, że będzie w Polsce i że chce się ze mną widzieć? – zapytał, przeczuwając, że nie chodzi o zwykłe koleżeńskie spotkanie.

Zdawał sobie sprawę, że kontroler to jedno z najwyższych stanowisk w SIS, właściwie polityczne, i piastująca je osoba ma bardzo ograniczoną swobodę ruchów.

Dlaczego on chce się ze mną spotkać – pomyślał z lekkim zaniepokojeniem – i umawia spotkanie za pośrednictwem Billa? Ostatni raz widzieliśmy się... chyba dwa lata temu.

– George będzie czekał na ciebie w westybulu hotelu Sheraton o dziewiętnastej, okay? – William zignorował pytanie Konrada o oficjalne pośrednictwo łącznika. – Prosił, bym ci wyraźnie przekazał, że to prywatne spotkanie.

W języku oficerów wywiadu to oznaczało, że odbędzie się ono w cztery oczy i że nikt nie powinien o nim wiedzieć. Konrad zrozumiał to doskonale.

Szedł na spotkanie z Gordonem, podniecony okolicznościami jego wywołania, gdyż dotychczas nic podobnego mu się nie przydarzyło. Miał nieodparte wrażenie, że usłyszy coś ważnego i ciekawego.

Poznali się kilka lat temu w Sofii, kiedy realizowali sprawę rosyjskiego oferenta z GRU. Akcja zakończyła się klapą, bo oferent był podstawiony. Jednak ważniejszym jej skutkiem była przyjaźń, jaka połączyła oficerów dwóch wywiadów.

George pracował wtedy w Wydziale Rosyjskim SIS i doskonale władał tym językiem, podobnie zresztą jak polskim. Konrada dziwiła w tamtych czasach niezwykła skuteczność Gordona wobec Rosjan czy Ukraińców. Jego maniery sprawiające wrażenie prawdziwie arystokratycznych, chuda, zgarbiona, wyższa od Konrada o pół głowy sylwetka, pociągła, trochę śmieszna twarz z wielkimi zębami, otoczona włosami o nieokreślonym kolorze, musiały robić na nieznających Zachodu krępych Rosjanach zabawne wrażenie.

Tak się przynajmniej kiedyś Konradowi wydawało, dopóki nie zrozumiał, że siła brytyjskiego wywiadu opiera się na prestiżu, solidności i zaufaniu, jakie może do niego mieć każdy zgłaszający się czy zwerbowany zdrajca, gotowy zaryzykować życie. George uosabiał wszystkie te cechy w swojej groteskowej powierzchowności, dlatego ludzie ze Wschodu patrzyli na niego jak na symbol Imperium Brytyjskiego, a przynajmniej jego wspomnienie. Jakby został stworzony przez Dickensa albo siostry Brontë i nie sposób było nie odgadnąć, skąd pochodzi.

Konradowi imponowała jego erudycja i inteligencja. Pamiętał, jak kiedyś George pokazał mu w swoim podlondyńskim domu imponującą kolekcję solidarnościowych pamiątek z okresu stanu wojennego, kiedy to studiował w Krakowie język polski.

Chociaż nigdy nie rozmawiali o tym, co robili przed 1990 rokiem, Konrad zrozumiał, że Gordon, pokazując mu swoje pamiątki, nie bał się ujawnić, że pracował wówczas na kierunku polskim. Konrad wiedział, że w ówczesnej demokratycznej opozycji w Polsce byli agenci i prawdopodobnie nielegałowie zachodnich wywiadów. Kim są dzisiaj? Gordon z pewnością potrafi ich wskazać. A co o tym wiedzą CIA, Mosad, Francuzi, Niemcy, Rosjanie?

Zatopiony w głębokim fotelu, ze skrzyżowanymi długimi nogami i w zniszczonych butach rozmiar 47 za półtora tysiąca funtów, George wyglądał jak postać z filmu fantasy. Albo jak niezwykła, intrygująca rzeźba w obojętnym, pozbawionym smaku westybulu. Obok, na podłodze, leżała jego marynarka. Siedział w koszuli ze spinkami, bez krawata, czytał gazetę i udawał, że nie zauważył wejścia Konrada.

– Witam cię, George. Dawno się nie widzieliśmy – zaczął Konrad, gdy przyjaciel podnosił się z fotela i wyrastał przed nim jak wieża. – Gratuluję awansu. Bill mi powiedział.

– Cześć, Konrad – odpowiedział Gordon po polsku, z szerokim uśmiechem na zmęczonej twarzy. – Dużo o tobie ostatnio słyszałem... Nie tylko od Billa! – I trochę bez związku zapytał: – Wybierasz się do Londynu? – Ale Konrad udał, że nie dosłyszał.

Usiedli w fotelach i przez kilka minut rozmawiali w angielskim stylu, miło, lecz ogólnikowo, tak by się rozkręcić. Obaj jednak wiedzieli, że dłuższe przebywanie w hotelowym westybulu łączy się z dużym ryzykiem jakiegoś niepożądanego spotkania, więc Konrad zaproponował, żeby poszli do restauracji.

– Jestem po kolacji z kolegami z ABW, trochę męczącej... Może skoczmy gdzieś na drinka. Co ty na to? – zaproponował Gordon.

Wzięli hotelową taksówkę i pojechali do restauracji Stajnia na Ursynowie.

W samochodzie George od razu nawiązał kontakt z rozmownym kierowcą, który, jak się okazało, przez dwa lata pracował w Londynie jako murarz, dwie ulice od jego domu.

Usiedli przy pustym barze, chociaż w lokalu było sporo gości. Gordon przez dłuższą chwilę wpatrywał się w rząd kolorowych butelek na tle przyciemnianego lustra.

– Bądź moim gościem, Konrad! – zaproponował i skinął ręką na barmana. – Dwa razy Isle of Jura! – zamówił, wskazując palcem butelkę. – I proszę jej daleko nie odstawiać! – dodał żartobliwie. – To rzadkość! – zwrócił się do Konrada. – Znasz tę whisky? Jura... to brzmi jak rosyjskie imię, prawda?! A Jura to też mała szkocka wyspa, na której ją wytwarzają. Wiedziałeś o tym? – A kiedy Konrad pokręcił głową, kontynuował: – Mieszka na niej kilkaset osób i nie ma tam nic poza gorzelnią. Mój imiennik, George Orwell, pisał na tej wyspie *Rok 1984* i ponoć ponury nastrój tej powieści jest lustrzanym odbiciem panującej na Jurze atmosfery. Chyba że ów nastrój wywołuje właśnie ta whisky? Sprawdzimy?

– A może ułatwi nam ona rozwiązanie zagadki Lewisa Carrolla i zobaczymy, co jest po drugiej stronie lustra. – Konrad wczuł się w semantykę Gordona. – W naszej profesji to prawdziwe wyzwanie, nie sądzisz? Znacznie ciekawsze i poważniejsze niż eksploracja Oceanii. Tam jest wszystko jasne. Jaki jest twój wybór, Angliku?

Gordon uśmiechnął się dokładnie tak, jak to się robi w Londynie.

– Osobiście wolę wyzwania, które stawia Carroll, ale dzisiaj wciąż jeszcze aktualny jest... musi być... Orwell.

– Ale chyba nie nastrój – wtrącił Konrad.

– Podobno nastrój to jedyna cecha charakterystyczna tej wyspy i jej mieszkańców. Ciekawe, czy po wypiciu tej whisky będziesz miał orwellowski splin – ciągnął Gordon, patrząc Konradowi w oczy i wyraźnie przygotowując się do tego, co chciał mu powiedzieć. – George Orwell to oczywiście pseudonim. Naprawdę nazywał się Eric Arthur Blair... Ja mam na drugie Eric. Wiedziałeś?

Konrad pokręcił głową. Zastanawiał się, z jaką łatwością Gordon potrafi wejść w temat, przygotować interlokutora jak boksera przed ustawioną walką. Dla niego każda rozmowa, nawet ze starym znajomym, była zaplanowana, obliczona na określony efekt.

– Rozumiem, że w przeszłości *Rok 1984* był obowiązkową literaturą szkoleniową dla waszych oficerów... a może podręcznikiem indoktrynacji. Coś słyszałem... jakieś plotki... że podobno Orwell był sowieckim agentem.

– Daj spokój, Konrad... – przerwał mu z uśmiechem Gordon i pociągnął duży łyk whisky – bo jeszcze pomyślę, że pracujesz w IPN, a nie w wywiadzie.

– Widzę, że jesteś na bieżąco...

George tylko śmiesznie poruszył gęstymi brwiami, co utwierdziło Konrada w przekonaniu, że rzeczywiście jest na bieżąco.

– Co cię ściągnęło do Polski? Rozmowy w ABW?

– Jesteś zbyt inteligentny, by nie zauważyć, że to był tylko pretekst – odpowiedział George wprost, bez cienia dwuznaczności. – Chciałem porozmawiać z tobą! W cztery oczy! Nawet nasz łącznik w Warszawie nie wie o naszym spotkaniu. Bo tego spotkania nie ma. Rozumiesz?! – Siedział pochylony nad szklanką, z wolna nią obracając.

– George... rozumiem! – odparł Konrad po dobrej chwili niepewnym tonem. – Rozumiem doskonale... ale o co chodzi? Rozumiem też, że nie mogłeś załatwić sprawy oficjalnie, przez naszego szefa. – Znów zawiesił głos, by dodać po chwili: – Stawiasz mnie w trochę niezręcznej sytuacji. Zdajesz sobie z tego sprawę?

– Oczywiście, Konrad! – Gordon przeszedł na angielski. – Sam zdecydujesz, co zrobić z tym, co ci za chwilę powiem. – Teraz zaczął mówić tym samym tonem co Konrad. – Mam do ciebie zaufanie... Widzisz... czasami bywa tak, że musimy złamać niektóre nasze zasady. Jak to mówią, cel uświęca środki, więc nie miej mi za złe formy, dopóki się nie dowiesz, o co chodzi...

– W porządku, George... To dość niezwykła sytuacja, a ja ostatnio jestem trochę podenerwowany, ale doceniam twoją szczerość...

– I przyjaźń – wtrącił cicho Gordon. – Doceń to, bo my oficjalnie nigdy nie łamiemy zasad. Wypijmy więc za przyjaźń! – Nagle zmienił ton, jakby chciał uciec od tematu i rozluźnić atmosferę.

Stuknęli się mocno szklankami z grubego szkła, aż barman spojrzał w ich stronę.

– To nie jest sprawa osobista, ale w jakimś sensie jest to efekt przyjaźni między nami... i zaufania. Wiem, że znasz nas dobrze, więc wiesz, co to znaczy „w służbie Jej Królewskiej Mości", choć wielu z tego żartuje. Uznaliśmy, że w tym wypadku musimy wam pomóc, i to za zgodą Whitehallu. Powiem ci szczerze. Bardzo... bardzo nas niepokoi sytuacja w Polsce. No... może nie bardzo, to nie jest dobre słowo. Niech będzie, że tylko niepokoi. – Mówiąc to, uśmiechnął się gorzko. – Nie jesteśmy ślepi. Wybacz, Konrad, że tak mówię... Wiesz, my... oczywiście... nie mieszamy się do waszych spraw. Chcemy wam tylko pomóc. – Gordon przerwał, zawstydzony nadmiarem swoich emocji.

– Okay, George. Tej rozmowy nie było. Możesz na mnie liczyć. Różnie bywało między naszymi służbami, ale ja nigdy się na was nie zawiodłem... Powiesz mi w końcu, o co chodzi?

Gordon zamówił następną kolejkę, a barman podstawił nowy talerzyk z orzeszkami.

– No to wracamy do Orwella – powiedział i odczekał chwilę, aż barman odejdzie. – *Big Brother is watching you* – dodał z uśmiechem. – Pamiętasz?... Mamy informację, że Rosjanie coś wam szykują...

Konrad nie patrzył na Gordona, obserwował otoczenie. Ale gdy to usłyszał, poczuł dreszcz na plecach. Stwierdzenie „mamy informację" i okoliczności ich spotkania wskazywały na to, że Brytyjczycy mają agenta w rosyjskim wywiadzie, w samym Jaseniewie! To było oczywiste.

– Co nam szykują? – zapytał z udawanym spokojem.

– Mniej więcej dwa tygodnie temu w Jaseniewie odbyło się spotkanie Lebiedzia, Kruglowa i Popowskiego...

– Miszy? – natychmiast zareagował Konrad.

– Znasz go? To naczelnik Wydziału Polskiego... – Gordon nagle klepnął Konrada w ramię. – Co za pytanie!

– Znam... Znam dobrze! Kiedyś nam się krzyżowały drogi, ale to inna historia. Świetny oficer.

– Posłuchaj teraz uważnie, Konrad, bo na papierze nie mogę ci tego przekazać. – George przybrał spokojny, prawie surowy wyraz twarzy. – Spotkanie w tym gronie nie może być przypadkiem. Rosjanie uzyskali informację o bliżej nieznanym archiwum dawnego NKWD. To musi być dla nich bardzo ważna sprawa, a jak dla nich, to i dla was... – I wtedy zauważył, że Konrad się uśmiecha, chociaż nie pasowało to zupełnie do sytuacji. – Wiesz o tym?! – zapytał już tylko formalnie i wpatrzony w niego zastygł ze szklanką w ręce.

Konrad odpowiedział dopiero po kilku sekundach.

– Tak, wiem. To archiwum wywiadu nielegalnego NKWD z okresu międzywojennego...

Gordon w wyrazie szczerego zaskoczenia uniósł wysoko brwi.

– Pracuję nad tym od kilku dni – kontynuował Konrad – ale nie wiedziałem, że sprawa jest już znana Rosjanom. Zakładałem, że może tak być, ale nie wiedziałem. Nie byłem pewien... Tak, masz rację, spotkanie w tym gronie to nie przypadek! I chodzi o coś więcej niż stertę starych papierów.

– Konrad, nie znam szczegółów, ale czy to może być aż tak ważne? Nasza informacja jest wiarygodna, lecz zaledwie fragmentaryczna. Nie musimy oczywiście wiedzieć, o co chodzi... – Gordon przerwał na chwilę. – Jeżeli nie potrzebujecie naszej pomocy...

– Znasz Polskę, więc sam sobie odpowiedz – odparł beznamiętnie Konrad. – Przecież dopiero co mówiłeś, że się o nas martwicie.

– No tak! Do dzisiaj nie możecie nam darować Defilady Zwycięstwa w czterdziestym szóstym roku i śmierci Sikorskiego... Rozumiem. Wiesz, Konrad, że to były jedne z tematów ostatniej wizyty waszego ministra koordynatora w Londynie. – Gordon nie silił się już nawet na pozory delikatności, ale Konrad nawet nie zwrócił na to uwagi.

– George! Oni mają u nas agenta! – wykrzyczał szeptem.

Obaj zamilkli, siedząc w tej samej pozycji, z opuszczoną głową i szklanką whisky ukrytą głęboko w dłoniach.

– Tak, Konrad. Mają agenta – odezwał się w końcu Gordon, jakby to było oczywiste. – Teraz rozumiesz, dlaczego musiałem to zrobić w ten sposób. Tym bardziej że nie wiemy, czy u was, czy gdzieś indziej... Ukrywa się pod kryptonimem „Hook" i ma dostęp do tej sprawy.

– W tych okolicznościach prawdopodobieństwo, że ten kret jest u nas, wzrasta... Niedobrze!

– Nie wiemy, jak się nazywa, i niewielką mamy szansę to ustalić – ciągnął George. – Sądziliśmy jednak, że to może być zwykły agent, gdzieś z miasta. Nie wiedzieliśmy, że pracujecie nad tą sprawą. To stawia naszą informację w nowym świetle... – Po chwili zastanowienia dodał: – Teraz nie można wykluczyć, że ten agent jest wewnątrz Agencji Wywiadu. – Miał bardzo poważną minę. Wyglądało na to, że nie spodziewał się takiego obrotu sprawy. – Co wtedy z naszą współpracą? Z innymi naszymi operacjami? To byłaby katastrofa! – powiedział jakby sam do siebie, wyraźnie przejęty własnymi słowami.

– Dobrze zrobiłeś, George, że przyszedłeś z tą sprawą do mnie! – Konrad nadał swemu głosowi zdecydowane brzmienie, bo nie podobał mu się przedwczesny defetyzm Anglika, choć oczywiście wiedział, że dla oficerów wywiadu nie ma większego wstydu niż świadomość, że w ich własnych szeregach jest zdrajca. – Zakładałem taką sytuację w planowanych działaniach. Teraz jestem... dzięki wam... pewien, że tak jest. Znajdę tego „Hooka"! Gdziekolwiek ryje. W Agencji, w IPN czy w pałacu...

– Im szybciej, tym lepiej! – Gordon wyraźnie się zagalopował. Wyczuł to i zaraz próbował się poprawić. – To teraz kwestia wiarygodności waszej służby. Zdajesz sobie sprawę. – Stwierdzenie to jednoznacznie oznaczało, że o powstałej sytuacji poinformuje kierownictwo SIS.

– To było zbędne, George.
– Oczywiście. Przepraszam, Konrad – powiedział Gordon z dyplomatyczną skruchą. – Zwróć jednak uwagę na jeszcze jeden fakt. Być może najważniejszy! To nie była narada na poziomie kierownictwa Wydziału czy nawet Zarządu. Uczestniczył w niej Krugłow, a odbyła się w gabinecie Lebiedzia. Ta sprawa musi mieć dla nich specjalne znaczenie, nadzwyczajne. Krugłow to zaufany prezydenta, planowany na szefa wywiadu. Musicie to uwzględnić.
– Dla nas ta sprawa też ma nadzwyczajne znaczenie, i to nie tylko z powodu „Hooka". Wybacz, ale nie będę wchodził w szczegóły – rzucił zdecydowanie Konrad.
– To oczywiste. Jeżeli będziecie czegoś potrzebowali, możecie na nas liczyć.
– Wiem, George.
Mówił szczerze. SIS pod żadnym pozorem nie ujawniała jakichkolwiek informacji mogących choćby sugerować, że w jakimś obiekcie ma agenta. A George właśnie złamał tę żelazną zasadę! Po ciężkich batach, jakie brytyjskie służby przez lata zbierały od Rosjan, agentura SIS była teraz chroniona jak w żadnej innej służbie wywiadowczej świata. Konrad wiedział, że Anglicy, dzieląc się tą informacją, w rzeczywistości ujawniają, że mają swego człowieka w Jaseniewie. Ryzykują jego życie.
– Zdaję sobie sprawę, Konrad, że będziesz musiał uwzględnić tę informację w prowadzonych przez siebie działaniach. Rozumiem jednak, że bez podawania źródła jej pochodzenia, czy tak? Dobrze rozumiem? – Gordon wyraźnie chciał potwierdzenia, oficerskiego słowa, jakby nagle zaczął żałować, iż powiedział o tym wszystkim Konradowi.
– Już wcześniej, jak ci mówiłem, przyjąłem założenie, że Rosjanie mogą mieć u nas kreta, więc formalnie nic się nie zmieniło. Dałeś mi za to wiarę w poczucie odpowiedzialności i jeszcze większą determinację. Uświadomiłeś mi, że starcie z Rosjanami jest nieuniknione.

Gordona usatysfakcjonowały słowa Konrada, a jego samego ogarnęło rozluźniające odprężenie. Poczuł niewzruszoną pewność siebie. Był przekonany, że zaplanowana przez niego operacja się powiedzie.

– No i co? – usłyszał głos Gordona. – Czy… orwellowska whisky nie popsuła ci nastroju?

– Ani trochę, George! Wprost przeciwnie! – odpowiedział szczerze.

# 28

Ukraińsko-polsko-rosyjski gwar wypełniał smrodliwy dworzec PKS w Lublinie. Autobus miał wyruszyć o dziesiątej, ale odjazd został opóźniony o trzydzieści minut.

Większość pasażerów stanowili handlarze objuczeni wielkimi, niewymiarowymi bagażami. Zapach potu i alkoholu dopełniał podniecenie wywołane myślą o bliskim spotkaniu z ukraińskimi celnikami.

Z tego tłumu wyraźnie wyróżniała się siedząca przed dworcem grupa trzech chłopców i dwóch dziewczyn, ubranych w markowe turystyczne stroje i z mocno wypchanymi plecakami.

Sara zauważyła ich natychmiast i pomyślała, że nie mogła trafić lepiej. Już po kilku minutach siedziała między nimi. Od razu ustaliła, że są studentami ostatniego roku filologii klasycznej z Warszawy i udają się przez Kijów na Krym. Sama przedstawiła się jako niezależna dziennikarka pracująca nad książką o Ukrainie.

Atmosfera w grupie była wyśmienita. Sara od razu została zaakceptowana przez chłopców. Wkrótce i dziewczyny się do niej przekonały. Wiedziała, że musi mieć je po swojej stronie, jeżeli chce skorzystać z doskonałej przykrywki, jaką daje jej ta grupa.

Od początku szczególne zainteresowanie okazywał jej Olek. Wyglądał na najstarszego w grupie i odgrywał rolę lidera. Najwyraźniej nie był zagospodarowany przez żadną z dziewczyn. Dawało to Sarze większy margines działania i pozwalało właściwie wkomponować się w sytuację. W końcu czekało ją dwieście pięćdziesiąt kilometrów wspólnej podróży do Lwowa i być może dalej, do Kijowa.

Zajęła miejsce w całkiem nowym autobusie, wypełnionym już jednak mieszaniną wschodnich zapachów z dominacją kwaśnicy. Położyła plecak na fotelu przy oknie i czekała na Olka, żeby zaproponować mu miejsce obok siebie. Ani przez chwilę nie miała wątpliwości, że będzie z nią siedział. Była tego pewna już wcześniej i nie mogła zaprzeczyć, że wywarł na niej wrażenie. Od dawna nie czuła niczego podobnego i po prostu zrobiło jej się przyjemnie.

Spokojne ciemne oczy w czarnej oprawie mocnych męskich brwi i szeroki biały uśmiech pobudzały ją mocniej, niż mogła się tego spodziewać. Jakby nagle sobie przypomniała, że wciąż jest kobietą.

– Więc o czym będzie ta twoja książka? – zaczął Olek dokładnie w momencie, gdy autobus szarpnął. – Czy jest jeszcze coś do odkrycia na Ukrainie? Znamy się zaledwie chwilę, ale jak patrzę na ciebie, to czuję, że masz coś ciekawego do powiedzenia na ten temat. Odważna jesteś… Sama chcesz podróżować?

– To nie jest mój pierwszy wyjazd na Ukrainę, nie ma się czego obawiać! Książka? Ciekawi cię to? Polacy tak naprawdę niewiele wiedzą o Ukrainie, chociaż wydaje im się, że Sienkiewicz powiedział już wszystko. Masa płytkich stereotypów odebranych w szkole i w domu. Rozumiesz?

– Jasne! Sienkiewicz! – odparł krótko Olek.

– Niech ci się nie zdaje, że wymyśliłam sobie jakąś misję… nic z tego! Mam tak wiele pytań, na które nie mogę znaleźć odpowiedzi. Zresztą Ukraińcy też o nas niewiele wiedzą. Kiedyś rozmawiałam z pewną rodziną w Kijowie. I wiesz co? Powiedzieli mi, że ten nasz serial *Kiepscy* to taki dobry, prawdziwy film o życiu...

– Na pewno masz misję – przerwał jej Olek. – To widać po twoim spojrzeniu. Jak cię zobaczyłem na dworcu, to od razu wiedziałem, że będziemy siedzieć obok siebie... w autobusie – dodał i Sarze przypomniało się, że wówczas też tak pomyślała.

– Słyszałeś o Szeptyckich? – zapytała. – Ich losy to mój punkt wyjścia. To jak labirynt Minotaura. – Improwizowała, przypominając sobie artykuł z „Polityki".

– Nie, nie słyszałem. Prawdę mówiąc, mało wiem o Ukrainie i jadę tam pierwszy raz.

Ulżyło jej, że nie będzie musiała pracować nad swoim uwiarygodnieniem jako dziennikarki. Jeszcze bardziej polubiła Olka, który wciąż obdarzał ją ujmującym uśmiechem i patrzył jej prosto w oczy, tak jakby się znali od dawna. Odpowiadała mu tym samym.

Momentami myślała, że traci nad sobą kontrolę. Jego oczy wydawały jej się takie ciepłe, przyjacielskie... i takie męskie. Ale przede wszystkim znajome. Po pewnym czasie nie mogła już rozróżnić, czy znajome, czy może bliskie. Czy przypominają o kimś ważnym w jej życiu?

– Urodziłem się w Kenii. Mój ojciec pracował tam jako inżynier. Do Polski wróciliśmy dopiero w dziewięćdziesiątym piątym roku... ale zawsze byłem obywatelem polskim...

– No właśnie! Czułam, że z twoim polskim jest coś nie tak. Prawdę mówiąc, pomyślałam, że masz lekką wadę wymowy. Przepraszam za szczerość.

– Nie ma sprawy. Nie masz za co przepraszać... Chodziłem do angielskiej szkoły i wychowywałem się w wielonarodowym środowisku. Po polsku mówiliśmy tylko w domu, gdzie i tak rzadko bywałem, bo mieszkałem w internacie.

Zresztą matka wkrótce też zaczęła mówić do mnie po angielsku, a ojca... jego wciąż nie było.

– Co cię ciągnie na Ukrainę? – zapytała.

– Studia skończyłem kilka lat temu. Teraz robię doktorat, ale ten wyjazd na Ukrainę nie ma z tym nic wspólnego. Interesuje nas kultura Tatarów krymskich i w ogóle islam. Jedziemy tam, żeby się rozejrzeć, poznać tych ludzi. To też część naszej historii... nie? Nie myślałaś o tym?

– Tego byłoby już za dużo! Zostanę przy Ukrainie Zachodniej i Szeptyckich. Ile masz lat, Olek?

– W grudniu skończyłem trzydzieści jeden. Zauważyłaś, że jestem od nich starszy? – wskazał głową na siedzących w tyle autobusu przyjaciół.

– Tak, teraz widzę. Skąd się znacie? – Sara poczuła, że musi koniecznie bliżej poznać Olka.

– Poznaliśmy się przez Internet jakiś czas temu. Wszystkich nas interesuje islam... ale ja jestem katolikiem. Te dwie dziewczyny uważają, że są muzułmankami. Widziałaś chustki na ich głowach? Wiesz, to dzisiaj takie modne... być innym. One mają po dziewiętnaście lat! Zetknąłem się z islamem w Kenii i Somalii, gdzie też jakiś czas mieszkaliśmy. Ciekawi mnie to. A ty? Jaki jest twój stosunek do islamu?

– Pozytywny, oczywiście. Też mnie to ciekawi. Ale słabo znam temat – odpowiedziała obojętnie Sara, mijając się zresztą z prawdą. – Pytasz o mój stosunek do islamu? To odpowiem najpierw tak... Nazywam się Zuzanna Wilska. – Wyciągnęła do niego rękę. – A ty?

– Aleksander Kurtz... – odpowiedział natychmiast i chwycił jej dłoń dokładnie tak, jak tego oczekiwała, nawet trochę mocniej.

– Pokaż paszport. Nie wierzę – zaczęła się przekomarzać z filuternym uśmiechem.

Olek bez ociągania wyciągnął z kieszeni na piersi swój paszport i podał go Sarze.

– Żartowałam! – zawołała i od niechcenia przerzuciła kartki, by chociaż przez ułamek sekundy zobaczyć, czy są w środku pieczątki.

Paszport był mocno zniszczony, jakby należał do zawodowego podróżnika, choć pieczątek nie zauważyła zbyt wielu.

– Ładnie wyszedłeś. Naprawdę nazywasz się Kurtz. Nie kłamałeś – mówiła z rozbawieniem.

Spojrzała na datę wystawienia. Pięć lat temu. A Olek na zdjęciu wyglądał tak samo jak teraz, jakby przez ten czas się nie zmienił. Pomyślała jednak, że chyba ma już zboczenie zawodowe i czas odpocząć. Przecież czeka ją poważna robota w Kijowie.

– Kurtz to... niemieckie nazwisko? – zapytała.

– Podobno mam jakieś austriackie korzenie, ale w domu nigdy o tym nie rozmawialiśmy...

– Walter Kurtz! Mówi ci to coś? Pułkownik Walter Kurtz! – rzuciła Sara z pytającym spojrzeniem.

– Żadnego pułkownika w naszej rodzinie nie było, o ile pamiętam. Waltera zresztą też. Żadnych nazistów ani kolaborantów! – Olek zrobił obrażoną minę.

– No co ty? Walter Kurtz! Nie widziałeś *Czasu apokalipsy*? Marlon Brando. Niedawno ukazała się wersja reżyserska.

– Słyszałem, ale nie widziałem. Kurtz to dosyć popularne nazwisko. Podobno!

– A... czytałeś *Jądro ciemności* Conrada? – zapytała, ale odpowiedziało jej zdziwione spojrzenie i przez sekundę pomyślała, że Olek jest czymś zdenerwowany.

– Mówiłem ci, że szkoły kończyłem w Afryce. Nie przerabialiśmy tych lektur. – Ton jego głosu się zmienił.

– To przeczytaj! Świetna książka! Film nakręcono właśnie na jej podstawie. Powinna cię zaciekawić, bo w oryginale akcja toczy się w Afryce, a nie w Wietnamie. A Conrad to nie Conrad, tylko nasz Józek Korzeniowski! Konrad miał na trzecie. – Sara czuła przez chwilę, że ma dobrą zabawę. Sprawiło jej satysfakcję, że może zaimponować Olkowi.

– Można przeczytać tę książkę po angielsku? – zapytał wyraźnie zainteresowany. – Byłoby mi łatwiej.

– Conrad pisał po angielsku, a nie po polsku! Każdy to wie... W porządku, już cię nie będę dręczyć. Na Wydziale Nauk Politycznych i Dziennikarstwa UW pisałam pracę magisterską o stanie wojennym. Było takie zdjęcie z tego okresu: czołgi, śnieg i wielki napis *Czas apokalipsy* na nieistniejącym już kinie Moskwa. To było kultowe zdjęcie. Znacznie później obejrzałam ten film. Zrobił na mnie piorunujące wrażenie. I tak dotarłam do Conrada, ale *Jądro ciemności* nie jest moją ulubioną powieścią. Wolę *Smugę cienia*, bardziej odpowiada mojej naturze. Największe jednak wrażenie zrobił na mnie *Tajny agent*... Musisz koniecznie przeczytać! Conrad napisał to sto lat temu, a książka po prostu powala aktualnością – mówiła z przekonaniem bliskim pasji.

– Zuza, jesteś niezwykła! Imponujesz mi! – Olek powiedział to tak wyraźnie i ciepło, że Sara poczuła się dobrze jak nigdy dotąd. Zapomniała, kiedy ostatni raz mogła tak porozmawiać, pokazać swoje inne ja. – O czym jest ta książka? Opowiedz mi. Mamy tyle czasu do granicy... A może pojedziesz z nami na Krym? Byłoby fajnie. Zuza... jedź! – Jego słowa zabrzmiały bardzo poważnie, szczerze.

Boże! Pojechałabym! – pomyślała i poczuła żal. Pojechałabym z wami, z tobą! Nareszcie inny świat, inni ludzie, wolni. Olek, tak inteligentny, ciekawy, przystojny. Te jego niesamowite oczy... Pojechałabym za nimi wszędzie!

Wciąż nie mogła oderwać wzroku od jego męskiego uśmiechu i nienaturalnie białych zębów na tle ciemnego zarostu. Od dawna nie rozmawiała z tak przystojnym mężczyzną.

Czuła, wyraźnie czuła, że Olek zauważył jej zmieszanie. Bo chyba po raz pierwszy w życiu zupełnie świadomie pozwoliła sobie na zwolnienie z samokontroli i głupiego czasami wyrachowania, by chociaż przez chwilę być prawdziwą kobietą, pełną emocji i uczuć.

– Może. Zastanowię się – odrzekła, chociaż wiedziała, że nigdzie nie pojedzie. Chciała, żeby do chwili rozstania pozostało coś z tego nagłego marzenia, w którym się zatopiła.

I nie pomyliła się, bo Olek zareagował z widoczną satysfakcją.

– Dobrze, Zuza. Trzymam cię za słowo... Teraz opowiedz mi o tym tajnym agencie. Zrób to tak... żebym zakochał się w Conradzie!

A Sara poczuła, że mówi o niej.

– Przygotować paszporty!

Gromki, nieuprzejmy głos ukraińskiego funkcjonariusza granicznego wyrwał Sarę z transu.

Zatopiona w rozmowie z Olkiem, nie zauważyła, że jest już po ukraińskiej stronie, że odbyła się polska kontrola i że na zewnątrz jest zmrok. Nawet nie wiedziała, ile czasu autobus stał na granicy. Zrozumiała jednak, że teraz musi wrócić do rzeczywistości i wzmóc czujność.

– Wypełniliście kartoczki? – zapytała Olka. – Pewnie nie... Są obok kierowcy... przyniosę.

– Nie, ja pójdę! – zaoponował.

Po kilku minutach dotarł do nich pogranicznik.

– Dokąd pan jedzie? – zapytał po polsku z ukraińskim akcentem, zwracając się do Olka i jednocześnie wertując jego paszport.

– Jesteśmy grupą młodych naukowców i studentów. Jedziemy do Kijowa i Odessy – odpowiedział Olek pewnie.

Sara przez sekundę spojrzała na niego ze zdziwieniem. Mówił, że jadą na Krym... – pomyślała.

– Gdzie się zatrzymacie? – beznamiętnie ciągnął oficer.

– Na kwaterach. Nie mamy niczego konkretnego... nie mamy też specjalnych wymagań.

– Broń? Narkotyki?

– Skąd! – odparł szybko Olek.

– Kto jest w tej waszej grupie?

– Koleżanka tutaj... – wskazał na Sarę – i tamtych czworo w tyle. – Podniósł się z fotela i wyciągnął w tamtą stronę rękę.

Oficer bez słowa wziął ich paszporty. Wysiadł z autobusu krokiem równie beznamiętnym i ociężałym jak jego głos.

– Nie powiedziałem, że jedziemy na Krym, bo Ukraińcy są trochę uwrażliwieni na wizyty obcokrajowców. – Olek uprzedził pytanie Sary. – Zaraz byłaby masa pytań i tak dalej. Po co nam to?!

– To oczywiste! – stwierdziła zadowolona, że mogła wtopić się w grupę, co być może zaoszczędziło jej niepotrzebnej dociekliwości pograniczników.

Tymczasem inny ukraiński oficer zwrócił dokumenty reszcie pasażerów. Sara zaniepokoiła się trochę, bo ich paszporty wciąż nie wracały. Kilkakrotnie przekraczała ukraińską granicę i zdarzało się, że odprawa trwała dłużej lub krócej. Wiedziała aż nadto dobrze, że jest to często skutek wadliwie działających komputerów. Tym razem jednak z każdą minutą jej podenerwowanie rosło. Ale chyba nie dotyczyło to również jej towarzyszy. Olek był w dobrym nastroju i sprawiał wrażenie, jakby w ogóle go nie obchodziło, co się dzieje.

Dopiero teraz do niej dotarło, co powiedział po odejściu funkcjonariusza. Nie była pewna, ale nie słyszała, by Ukraińcy robili jakieś problemy obcokrajowcom, którzy pragnęli udać się na Krym.

Po dwudziestu minutach ten sam oficer tym samym obojętnym krokiem wrócił do autobusu i bez słowa oddał Olkowi sześć paszportów.

Autobus zatrzymał się w pierwszej miejscowości po ukraińskiej stronie i od razu zrobiło się luźniej. Czwórka, która dotychczas siedziała w tyle, przeniosła się bliżej Sary i Olka.

Atmosfera w grupie wciąż była wyśmienita. Olek miał wyraźny wpływ na pozostałych i widać było, że jest dla nich autorytetem. W jakiś niewyczuwalny sposób sterował rozmową i zachęcał pozostałych. Sarze bardzo to odpowiadało i również mu się poddawała, świadomie i z przyjemnością. Zwłaszcza że robił to w miły i delikatny sposób, zdecydowanie wyróżniając właśnie ją.

Dochodziła dziewiąta, kiedy pojawiły się pierwsze światła Lwowa. Autobusem rzucało na wyboistych i dziurawych drogach. Słabo oświetlone ulice między szarymi i zniszczonymi domami przypominały Polskę sprzed lat. Dojechali na dworzec autobusowy, gdzie mimo późnej pory kręciło się sporo osób.

– Trzeba chyba coś zjeść – zaproponował Olek, gdy wszyscy już wysiedli z autobusu.

– Znacie Lwów? – zapytała Sara, pewna, że są tu pierwszy raz. – Jeżeli nie, to zaprowadzę was do dobrej restauracji... to znaczy była dobra, gdy jadłam w niej ostatni raz. Tutaj wszystko się zmienia jak w kalejdoskopie. Amadej na Katedralnej, niedaleko stąd. Musimy się spieszyć, bo zamykają o dwudziestej trzeciej.

Sara znała tę restaurację, bo odbywała w niej rok temu spotkanie ze swoim agentem. Prawdę mówiąc, nie pamiętała nawet, czy jest tam dobra kuchnia i jakie są ceny, bo nie to było wówczas ważne. Ale teraz czuła wilczy głód, podobnie zresztą jak pozostali.

– W takim razie ja zapraszam – powiedział Olek i wszyscy dziwnie przyspieszyli kroku.

W restauracji było prawie pusto. Trzy osoby siedziały w rogu sali i głośno rozmawiały. Zajęli miejsca przy pierwszym stoliku i złożyli obok swoje plecaki.

Sara rozglądała się za obsługą, ale w zasięgu wzroku nie było nikogo. Po chwili do restauracji weszli dwaj mężczyźni około czterdziestki i zajęli miejsca naprzeciwko. Nikt nie zwrócił na nich uwagi, ale Sara dobrze znała ukraińską obserwację.

Jeżeli zamówią wodę, sok lub herbatę, nie zdejmą kurtek i nie poproszą o wódkę, to znaczy, że mamy ogon – pomyślała.

– Nie zapytałem, gdzie się zatrzymasz – wyrwał ją z zadumy Olek. – My mamy zarezerwowane prywatne kwatery...

– Mam rezerwację w takim tanim hotelu niedaleko – odpowiedziała, chociaż nie miała żadnej. Zawsze szukała noclegu z marszu, mimo że było to ryzykowne. Zwłaszcza na Ukrainie, bo czasami musiała długo szukać.

Pojawiła się kelnerka o twarzy manekina i ruchach zawodnika sumo. Podeszła najpierw do dwóch mężczyzn, którzy weszli po nich, i przyjęła krótkie, jak się wydawało, zamówienie. Sara widziała ich z dobrej pozycji, bo siedzieli za plecami Olka.

– Zuza, możesz zanocować z nami...

– Okay! A... gdzie to jest? Jesteście super, będzie mi miło, jeśli mnie przygarniecie...

Sara zrobiła szybką ocenę sytuacji. Jeżeli ci faceci są obserwacją, to... za kim, za mną, za nimi, przypadek... milicja kryminalna? Jeżeli za mną, to dlaczego? Nie... to mało prawdopodobne. Za nimi? Studenci. Pierwszy raz na Ukrainie. Nie... to jeszcze mniej prawdopodobne. Raczej kryminalna. Tak, na pewno! Zresztą są mało subtelni. To się od razu rzuca w oczy. Typowa kryminalna!

Oj, Saro! Jesteś przewrażliwiona! – osądziła się w duchu. Jeszcze za mało danych, a ty się przejmujesz dwoma typami. Jest już późno i nawet gdybym chciała, to rozpracowanie obserwacji o tej porze będzie trudne. Lepiej ukryć się w grupie. Sprawdzę się jutro w drodze do Kijowa.

– Zobacz, Zuza, mam tutaj wydruk komputerowy rezerwacji naszych kwater.

Olek podał jej kartkę i równocześnie do stolika podeszła kelnerka. Z miną drewnianej lalki, bez cienia emocji i prostego „dobry wieczór" zakomunikowała, że kuchnia już kończy pracę, i wyglądało, jakby oczekiwała, że wszyscy podniosą się i wyjdą.

– Jesteśmy bardzo głodni po długiej podróży. Chociaż cokolwiek... – powiedziała po polsku Sara.

– Jest barszcz – odrzekła sucho kelnerka.

– W takim razie weźmiemy barszcz. Dla wszystkich. Byle gorący! I herbatę!

Nikt nie protestował. Każdemu zależało tylko na ciepłym posiłku.

– To niedaleko! – odpowiedziała Sara, rzuciwszy okiem na kartkę, i oddała ją Olkowi, który coś mówił.

Ale ona go nie słuchała, chociaż patrzyła się na niego z uśmiechem i wydawało się, że podąża za jego słowami. Olek był dla niej przez moment jakby przezroczysty. Jej wzrok był ustawiony na dwóch mężczyzn za jego plecami.

Dlaczego jeden siedzi do nas bokiem, a nie tyłem? Nie zdjęli kurtek... Nie rozmawiają? Nie! Rozmawiają. Ale nie są zajęci sobą... Nie mają sobie nic do powiedzenia. To po co tu przyszli? Wyglądają na trzeźwych... Palą. Są nerwowi. Tak, są nerwowi! Ciągle strzepują popiół... Dlaczego są pochyleni? Dlaczego nie oprą się wygodnie, tylko tkwią w jednej pozycji? Pewnie mają mikrofony w klapach. Tak, to możliwe! Ten, co siedzi bokiem, nie spogląda w naszą stronę. Obserwuje nas ten, który siedzi przodem. Mówi pewnie tamtemu, co robimy... Omiata nas wzrokiem, nie wpatruje się w nas. Nie patrzy na salę, nie patrzy na swojego kumpla. Ma taki martwy wzrok bez wyrazu. Patrzy na nas, na popielniczkę, na swojego papierosa, na stół i znów na nas... Ten bokiem patrzy tylko na popielniczkę, w której ciągle grzebie papierosem...

Pojawiła się kelnerka i postawiła przed mężczyznami po butelce coli i setce wódki.

Sara wciąż analizowała ich zachowanie, tylko momentami słuchając rozmowy przyjaciół.

Ciekawe, czy zapłacą od razu? Dlaczego nie zamówili butelki? Musieli założyć, że będziemy jeść. To naturalne. Obliczyli pewnie, że po kieliszku będzie bezpieczniej. Zdążą wypić i wyjść na czas, by nas nie stracić, w końcu piją za państwowe... No tak, muszą przecież ustalić, gdzie będziemy nocować. Jeżeli na zewnątrz jest ich więcej, to znaczy, że wystawili na nas duże siły i sprawa jest poważna. Jeżeli tylko tych dwóch, to problem jest mniejszy. Mogą być z milicji, a nie z SBU!

– Idzie nasz barszcz ukraiński! – rzucił ktoś radośnie, wyrywając Sarę z transu.

– Zmęczona jesteś, Zuza? Coś się stało? – zapytał Olek. – Jesteś jakaś nieobecna... Zjemy i idziemy na kwaterę. Trzeba odpocząć. Koledzy wezmą twój plecak.

– Tak. Czuję już trochę trudy podróży. Marzę o łóżku... wyciągnąć się i pomyśleć, że jutro też będzie dzień.

– Barszcz jest zimny – odezwała się nagle jedna z dziewczyn. – Śmietana nie chce się rozpuścić.

– Nie wybrzydzaj. Nie mamy wyboru. Zjadamy i spadamy – pouczył ją kolega. – Tylko nie jedz mięsa – dodał znacznie ciszej. – To świnia.

– Olek, jak nazywa się ta ulica, na której jest wasz hostel? – zapytała Sara.

– Chyba Wartka... – odpowiedział po chwili, sprawdzając na kartce. – Tak, Wartka!

Sara podniosła się i ku zaskoczeniu wszystkich pewnym krokiem ruszyła do stolika, gdzie siedzieli dwaj mężczyźni. Patrzyła prosto w twarz tego, który siedział przodem.

Widzi, że idę w jego kierunku, ale na mnie nie patrzy – oceniła. Znieruchomieli. Denerwują się! Czuć to. Boją się! To takie typowe... Faceci z obserwacji zawsze boją się kontaktu z obserwowanym. Boją się, bo nie wiedzą, dlaczego obiekt do nich podchodzi i co może zrobić. Oni są tylko od obserwacji, to widać. Jeśli się zdekonspirują, mogą rozłożyć miesiącami przygotowywaną operację. Czasem wystarczy jedno celne pytanie, błędna odpowiedź, wahanie w głosie, i wszystko jasne. Ale nie dla nich. Oni to czują, lecz nie mają pewności, i to jest dla nich najgorsze. Nie wiedzą, czy już przegrali, czy jeszcze nie. Czy obiekt się zorientował i co dalej robić. Mają sucho w ustach! – pomyślała Sara z satysfakcją, bo sama wielokrotnie prowadziła obserwację i nigdy nie wpadła, nie dała się sprowokować.

Zawsze pamiętała zasadę, którą wpoił jej Konrad, że samo opanowanie techniki obserwacji nie wystarcza. Trzeba jeszcze znać siebie, własną psychikę i umieć nad nią panować. „Jeśli spotkasz w lesie niedźwiedzia – mówił – nie uciekaj, patrz mu prosto w oczy. On nie pojmie twojej odwagi i wtedy możesz go oszukać".

– Przepraszam, panowie. Czy mogę przeszkodzić? – zapytała, patrząc na tego, co siedział do niej przodem. Drugi nawet nie podniósł głowy. – Jesteśmy studentami z Polski, dzisiaj przyjechaliśmy do Lwowa i słabo znamy miasto... – Obojętny wyraz twarzy mężczyzny kontrastował z przerażeniem w oczach. Sara była pewna. – Szukamy ulicy, lecz zapomnieliśmy planu miasta. O tej porze nigdzie go nie kupimy, a jesteśmy już bardzo zmęczeni...

Mówiła po rosyjsku, przyjaznym tonem. Mężczyźni trwali sztywno w takiej samej pozycji. Ten, co siedział bokiem, zgasił papierosa.

– Jaka to była ulica, Olek? Bo znowu zapomniałam – powiedziała głośno, odwracając się do grupy.

– Wartka – rzucił.

– No właśnie... Czy może wiedzą panowie, jak dojść na ulicę Wartką? To chyba gdzieś w pobliżu?! – zapytała, patrząc na nich z rozbrajającym uśmiechem.

– Nie jesteśmy stąd – rzucił, nie podnosząc wzroku, ten, co siedział bokiem, i sięgnął po nowego papierosa.

– Szkoda! To bardzo przepraszam za kłopot.

Odpowiedziało jej milczenie.

Frajerzy! Taki prosty numer i tak szybko się wyłożyli! – pomyślała z satysfakcją i zawróciła do stolika. Czyli mamy obserwację! To jasne. Teraz tylko trzeba ustalić za kim... za mną czy za nimi? Tylko z jakiego powodu mieliby ich kontrolować? To bez sensu! Zobaczymy, co będzie jutro... Tak czy inaczej może być ciężko. Muszę przecież spotkać się z „Travisem"!

– Mówiłaś, że wiesz, gdzie to jest... – odezwał się jeden z chłopaków, gdy usiadła.

– Wiem, ale nie byłam pewna – odparła obojętnie. – Nie chciałam, żebyśmy błądzili po nocy. Ale oni nie są stąd. Wiem, gdzie to jest, nie martwcie się.

Skończyli jeść i jedna z dziewczyn dała znak stojącej kilka metrów dalej kelnerce. Musiało jednak upłynąć trochę czasu, zanim ta raczyła podejść. Olek wyjął pieniądze i nie czekając na rachunek, zapłacił i podziękował.

– Przepraszam panią – odezwała się jeszcze Sara, kiedy wszyscy się podnosili. – Czy wie pani, gdzie jest ulica Wartka?

Ku zaskoczeniu wszystkich kelnerka nadzwyczaj sprawnie i uprzejmie udzieliła wyczerpującej odpowiedzi.

– Dziwny kraj! – skomentował Olek, kręcąc z niedowierzaniem głową.

– *Homo sovieticus* w trzecim pokoleniu – szybko zareagowała Sara. – Mieszanina arogancji i serdeczności. Kelnerka to pani, władza, więcej... misja! Klient musi to wiedzieć. Nie ma lekko. Ale to też dobrzy, serdeczni i zwykle prostoduszni ludzie. Na zmianę nie trzeba będzie długo czekać.

– Jeszcze tylko jedno pokolenie! – rzucił Olek i wszyscy wybuchnęli śmiechem.

Sara też się śmiała. Poczuła odprężenie, chociaż ta jego ironia trochę ją drażniła.

Teraz wiedziała, że ma obserwację.

## 29

Konrad przyszedł wcześniej i siedział w pustym biurze. Miał wrażenie, że jest tak cicho, iż słyszy krew pulsującą w skroniach. Włączył telewizor. Chciał się napić porannej kawy, ale nie miał ochoty jej robić. Postanowił, że zaczeka na Ewę. Wziął do ręki ostatni numer „Polityki", nie zamierzając bynajmniej czegokolwiek czytać, i automatycznie otworzył na rysunku Mleczki. To zawsze poprawiało mu humor. W czasach jego dzieciństwa „Polityka" zawsze leżała gdzieś w domu i gdy nauczył się czytać, zaczynał jej przeglądanie od rysunku Szymona Kobylińskiego. Potem pytał ojca, co to znaczy „Proletariusze wszystkich krajów, łączcie się", i otrzymywał odpowiedź: „To takie hasło, piękne hasło, ale tylko hasło i nieaktualne".

Siedział w fotelu za biurkiem i patrzył na ekran. Szły wiadomości na CNN. Dopiero po chwili zdał sobie sprawę, że dźwięk jest wyłączony. Nie chciało mu się jednak wstać i sięgnąć po pilota. Zapisał sobie na kartce czerwonym markerem „Sara", by nie zapomnieć zapytać M-Irka, czy dała już jakiś znak z Ukrainy.

Myślał intensywnie o wczorajszej rozmowie z George'em. Myślał w nocy, rano, podczas biegu na Kabatach, w drodze do pracy. Praktycznie myślał o tym nieprzerwanie. Wydawało mu się, że wszystkie inne czynności wykonywał jakby mechanicznie. Gdyby ktoś go zapytał, co robił przed godziną, nie byłby w stanie odpowiedzieć.

Kim jest „Hook"? Ta natrętna myśl była początkiem i końcem wszystkich jego rozważań. Doskonale zdawał sobie sprawę, że Rosjanie mają w Polsce potężną agenturę. Popowski jest zbyt inteligentny i ambitny, by mogło być inaczej, i zbyt dobrze zna Polaków. Dzisiaj jednak Konrad obudził się już w innym świecie. Nie mógł się pogodzić ze świadomością, że w Agencji Wywiadu może być kret. Bolało go to stwierdzenie, bo mogło oznaczać tylko kogoś z Wydziału „Q" lub kierownictwa Agencji. Im dłużej analizował sytuację, swoje życie, operacje przeprowadzone za granicą, między innymi w Rosji i na Bałkanach, tym większy ogarniał go strach. Strach, że wszystko, co zrobił, poszło na marne. I to nie za sprawą ślepego losu, tylko konkretnej osoby, na przykład takiego Michaiła Popowskiego.

Ale przecież od lat nie było żadnej wpadki – pomyślał z odrobiną optymizmu. Czy to możliwe, żeby wartość kreta przewyższała straty, jakie zadajemy Rosjanom? Trudno w to uwierzyć, ale może tak być. W końcu informacja Brytyjczyków jest fragmentaryczna, ich agent z pewnością nie zajmuje się Polską. Tymczasem Rosjanie myślą i planują na lata, dziesiątki lat do przodu, i jeżeli kret siedzi u nas, mogą z nim wiązać wielkie nadzieje. Wcale nie muszą go wykorzystywać do podejmowania działań ofensywnych. Wystarczy, że wiedzą, co robimy, co nas interesuje, a to wartość sama w sobie. Wtedy byłoby oczywiste, że przy okazji jeszcze nas dezinformują i prowadzą gry operacyjne.

Poczuł dreszcz.

Kim jest „Hook"? Jeżeli Rosjanie przejmą archiwum, to będzie oznaczało, że on jest wśród nas, gdzieś blisko. Ale nie można też wykluczyć, że ryje u prezydenta albo w IPN.

Konrad stał w oknie i spoglądając na panoramę porannej Warszawy, czuł dziwną satysfakcję, niemal pewność, że jeżeli jego plan się powiedzie, „Hook" trafi za kratki, i nie będzie to nikt z Wydziału „Q".

Kim jesteś, „Hooku"?!

M-Irek czekali, aż Konrad skończy rozmowę z naczelnikiem Wydziału Zagranicznego AW, który zadzwonił dokładnie w chwili, kiedy wchodzili do pokoju.

– Melduję uprzejmie, szefie – zaczął, jak to mieli w zwyczaju, Mirek – że pani naczelnik Sara zalogowała nadajnik GPS dopiero wczoraj o dwudziestej trzeciej dwadzieścia osiem we Lwowie.

– Teraz jest w drodze do Kijowa – przejął pałeczkę Irek. – Czy szef życzy sobie zobaczyć to osobiście na komputerze?

– Dajcie spokój. Informujcie mnie, gdyby coś się działo. Zmiatajcie! – rzucił z zadowoleniem Konrad i połączył się z sekretarką.

– Gdzie jest Marek? Nie widziałem go dzisiaj.

– Wziął dzień wolny na opiekę nad dzieckiem – odpowiedziała Ewa. – Jest w domu, szefie. Połączyć?

– Tak!

Po chwili na biurku Konrada odezwał się telefon.

– Rozmawiałem przed chwilą z gabinetem szefa i dowiedziałem się, że dzisiaj ma być spotkanie ze Szwedami z Säpo*... – zagadnął Konrad zaskoczonego Marka. – Wiesz coś o tym?

– Tak! Rzeczywiście! Zapomniałem... Przepraszam...

– To podobno coś bardzo ważnego! Jak mogłeś, kurwa, zapomnieć?! Człowieku... jesteś zastępcą naczelnika! Zapomniałeś?! Ja o tobie zapomnę przy najbliższych premiach... I nikomu nic nie powiedziałeś, tylko wziąłeś sobie wolne?!

Nie czekając na reakcję Marka, odłożył słuchawkę. Zrugał go, bo było to oczywiste i konieczne, ale nie poczuł żadnej satysfakcji.

– Ewa! Znajdź mi Marcina – polecił.

Marcin zjawił się w ciągu minuty. Konrad zlustrował go od stóp do głów, głębokim westchnieniem komentując jego luźną koszulkę w palmy z Bahamów i mocno przetarte dżinsy.

– Garnitur, koszulę, krawat masz?

– Tak jest, szefie. Oficer wywiadu jest zawsze gotowy! Na wszystko! – odparł dziarsko Marcin, czując, że dostanie jakąś robotę ekstra.

---

* Säkerhetspolisen – szwedzka służba bezpieczeństwa, odpowiednik ABW.

– Zmyj nadmiar tej pomady z włosów, ubierz się tak, żebyś wyglądał jak ozdoba konduktu pogrzebowego, i jedź do Centrali na spotkanie o dziewiątej z dwoma kolegami ze szwedzkiego kontrwywiadu. Porozmawiasz. Wysłuchasz ich. Zapewnisz, że zrobimy co w naszej mocy, i wrócisz tutaj, żeby mi powiedzieć, o co chodzi. Zrozumiałeś?! – Marcin przyjął postawę zasadniczą. – Wykonać!

## 30

Oficer wywiadu podczas realizacji zadania zawsze zakłada, że idzie za nim obserwacja – przypomniała sobie w duchu tę oczywistą prawdę. Wszystko, co robi, każda czynność, każdy dzień są temu podporządkowane: ustalić, czy jesteś pod kontrolą. To prawdziwa sztuka i tak naprawdę niewielu ją posiadło. W sumie wolę już być pewna, że mam obserwację. Wtedy wiem, co mam robić. Potrafię tak ich oszukać, że nawet się nie zorientują. Będą przekonani, że sami popełnili błąd. Najważniejsze to nie dać się sprowokować...

– Zuza! To chyba tutaj – usłyszała głos Olka. – Miałaś rację. To blisko.

Stali przed odrapanym szarym budynkiem na wąskiej i słabo oświetlonej ulicy. Napis „Spalnia" na ścianie mówił, że to dom studencki, ale adres się zgadzał. Sara patrzyła na Olka i trochę żałowała, że incydent w restauracji nagle wykreślił go z jej życia. Jakby w ogóle nie istniał! Poczuła coś w rodzaju wyrzutów sumienia – ale chyba bardziej w stosunku do siebie samej niż do niego – że tak łatwo zdradziła tamtą Zuzę, którą odkrył w niej Olek.

Czy oficer wywiadu może kogoś pokochać? – pomyślała. Czy w ogóle ktoś może pokochać szpiega? Zgodzić się na wspólne życie na niby, w którym jedno daje wszystko, a drugie tylko małą część siebie? Nie dlatego, że nie chce. Nie może! Życie w strachu, radości, klęski i zwycięstwa... niczym nie możesz się podzielić! Więc co możesz dać? Nic! Powiesz kochanemu: masz mnie tylko odtąd dotąd, a o resztę nie pytaj? Kto się na to zgodzi! To jak żyć? Jak być kobietą?

– Zuza, będziesz spała razem z dziewczynami. Nie ma już wolnych pokoi – powiedział Olek, wracając z czegoś, co mogło wyglądać na recepcję. – Nie przeszkadza ci to?

– Daj spokój! Oczywiście, że nie! Wolne pokoje są na pewno. Trzeba tylko dać. Ale ja i tak wolę spać z dziewczynami – odparła Sara. – Jakie macie plany na jutro? O której wstajemy?

– Powinniśmy chyba zobaczyć Lwów. Podobno to piękne miasto. Chociaż na razie takiego wrażenia nie sprawia. Co ty na to? Pokażesz mi Lwów, Zuza? – zapytał, miło akcentując jej imię.

– Oczywiście, Olku – odpowiedziała tym samym tonem. – Proponuję poświęcić cały dzień na zwiedzanie miasta i nocnym pociągiem jechać do Kijowa.

– Mamy tutaj opłacone dwa noclegi. Nie mówiłem ci?

– Może... już nie pamiętam, chyba wyleciało mi z głowy. A ja nie mówiłam ci, że pojutrze rano mam umówione spotkanie na Uniwersytecie Kijowskim? – odparła Sara.

W rzeczywistości miała zobaczyć się z „Travisem" o osiemnastej następnego dnia. Zaplanowała jednak, że pojedzie do Kijowa nocnym pociągiem, by uniknąć konieczności meldowania się w hotelu przed spotkaniem. Poza tym dla obserwacji pociąg będzie poważnym utrudnieniem.

– Porozmawiam z kolegami. Osobiście wolałbym jechać z tobą, ale nie wiem, jakie jest ich zdanie, nie mogę im nic narzucać. Rozumiesz mnie?

– To jasne! – odpowiedziała.

Wolała jednak jechać do Kijowa sama, bo choć towarzystwo grupy dawało jej dobrą przykrywkę, to teraz zaczynało ograniczać swobodę ruchu. A miała jeszcze przed sobą trudne zadanie wyjścia spod obserwacji.

– Myślę, że wstaniemy o dziewiątej. Wystarczy? Wyśpisz się? Powiedz dziewczynom, kiedy będziesz w pokoju. Twój plecak już tam jest! – Olek odprowadził ją pod drzwi. – Dziękuję ci za ten niezwykły dzień. Wiele się od ciebie nauczyłem, naprawdę! Jesteś nie tylko piękna, jesteś wspaniała, niezwykła!

Zbliżył się do niej i Sara poczuła, że chce ją pocałować. Miała wrażenie, że zaraz zdrętwieje. Z niepokojem pomyślała, co robić. Bała się, ale była pewna, że się nie cofnie. Napięcie przemieniło się nagle w przyjemne podniecenie. Nie panowała nad sobą i nawet tego nie chciała.

Olek stał blisko i przez kilka sekund patrzył jej w oczy. Teraz była już pewna, że wyczuł jej zauroczenie, unoszące się wokół feromony, i reaguje tak, jak to robi mężczyzna. Bez słów.

– Dobranoc, Zuza. Miłych snów – usłyszała słowa wypowiedziane tak ciepło jak nigdy dotąd i zamiast pocałunku poczuła na policzku jego dłoń, delikatnie przesuwającą się do tyłu i dotykającą włosów. Zamknęła oczy i dziwny dreszcz przeszedł jej ciało, poczuła podniecenie, jakiego nie dał jej dotąd żaden pocałunek. Nikt nigdy tak jej nie dotykał!

– Dobranoc, Olek! Do jutra! – odpowiedziała z nieuchwytną nutką żalu w głosie.

Dziewczyny już się rozpakowały i poszły do łazienki na korytarzu. Sara miała wrażenie, że wszystko robi w zwolnionym tempie. Czuła się jak po narkotyku... ale czuła się dobrze. Wreszcie jakoś uporała się z bagażem i też poszła się umyć.

Gdy wróciła do pokoju, dziewczyny leżały już w łóżkach, ale światło było zapalone.

– Olek powiedział, że wstajemy o dziewiątej. Dobranoc – oznajmiła, gasząc światło.

– Okay! On jest efendim – rzuciła jedna ze studentek.

Sara leżała w ciemnym pokoju i nie potrafiła uporządkować wrażeń. Wszystko obracało się wokół Olka i zdarzenia w restauracji. Mieszało się ze sobą mimowolnie i bez sensu.

– Cholera jasna! Kurwa! Cholera! – powiedziała nagle na głos, aż dziewczyny podskoczyły w swoich łóżkach. – Nic, nic... w porządku. Zapomniałam wysłać SMS-a do mamy. Śpijcie!

Poderwała się i po omacku odnalazła w swojej torbie telefon komórkowy. Włączyła go i aktywowała identyfikator GPS.

Konrad będzie wściekły – pomyślała. Jak mu wytłumaczę? Że spotkałam chłopaka i straciłam głowę?

Miała żal do siebie, nie do Olka.

To zły znak. Muszę bardziej nad sobą panować, umieć rozdzielić wszystko na to, co moje... a co nie. Chyba nie da się połączyć uczuć i szpiegowskiej roboty. Chciałabym odbyć taką podróż z Olkiem na Krym, bez tych typów z obserwacji, tras sprawdzeniowych, agentów, błyskawicznego przekazywania materiałów, obsługi schowków...

Ta myśl, wyczerpanie i spokojne rozluźnienie szybko sprowadziły na nią sen.

Hałas przejeżdżających tramwajów odbijał się od wąskich ulic i wpadał przez otwarte okno, wypełniając oświetlony słońcem pokój.

Sara pomyślała, że któraś z dziewczyn musiała otworzyć je w nocy. Zmorzył ją tak mocny sen, że nawet tego nie zauważyła.

Była siódma rano. Dziewczyny jeszcze spały, nakryte pościelą jak śnieżnymi czapami. Leżała w łóżku, wpatrując się w kawałek błękitnego nieba widoczny nad domami po drugiej stronie ulicy. Miała teraz czas, by spokojnie zaplanować swoje działania na dzisiaj i przejazd do Kijowa oraz zastanowić się, jak odbyć bezpiecznie spotkanie z „Travisem".

Jeszcze przed wyjazdem, w Warszawie, miała przygotowany zarys trasy i punktów sprawdzeniowych. Jednak wydarzenia, które nastąpiły, spotkanie z Olkiem i jego grupą, zmieniły całą jej filozofię działania.

Na korzyść! Zdecydowanie! Zresztą nigdy trasy nie da się zrealizować w stu procentach tak, jak została zaplanowana. Najważniejsza jest umiejętność właściwej oceny sytuacji i zdolność improwizacji – orzekła. Póki wszyscy śpią, zdążę coś załatwić!

Wstała tak cicho, jak tylko potrafiła, włożyła dżinsy i T-shirt, wzięła kosmetyczkę i poszła do łazienki. Gdy przechodziła korytarzem obok męskiej toalety, usłyszała, że ktoś tam jest. Przyspieszyła kroku, bo chciała być teraz sama. Ograniczyła poranne czynności do minimum i przed wyjściem sprawdziła, czy korytarz jest pusty. Wróciła na chwilę do pokoju.

Po skrzypiących schodach zeszła z drugiego piętra i podeszła do starszej kobiety, która pełniła funkcję recepcjonistki. Szybko dowiedziała się, gdzie są najbliższe sklepy spożywcze, chociaż kobieta zaproponowała, że za drobną opłatą gotowa jest przyrządzić śniadanie. Nie o to jednak Sarze chodziło, chociaż była bardzo głodna.

Wyszła przed budynek, założyła okulary przeciwsłoneczne i zaczęła się rozglądać, jakby się zastanawiała, w którą iść stronę. Na ulicy było kilku przechodniów i dozorca wymachujący miotłą. Jechały dwa samochody, kilkanaście stało zaparkowanych wzdłuż krawężników. Wszystkie w tym samym kierunku.

Świetnie! Ulica jest jednokierunkowa. Od tego zaczniemy. Jak w szkole! – pomyślała. Teraz trzeba działać bardzo spokojnie, nie agresywnie. Nie wolno ich z rana denerwować. Jeżeli tu są, to musieli się wymieniać w nocy albo wstali wcześnie rano. Pewnie są bez śniadania i kawy, w złym humorze. Do sklepu trzeba iść w lewo, akurat pod prąd. Idealnie, żeby musieli ruszyć samochód. Chyba że mają pieszych. Nie sądzę jednak... nie o tej porze. Pewnie siedzi teraz w jakimś samochodzie tylko dwóch dyżurnych. W takim razie idę w prawo, zgodnie z kierunkiem ruchu. Będą musieli się ruszyć.

Przez chwilę patrzyła w lewo, by utrwalić obraz dwóch rzędów samochodów zaparkowanych luźno po obu stronach. Ruszyła. Skręciła w prawo i spokojnym krokiem poszła ulicą lekko opadającą w dół.

Po jakichś stu metrach, gdy już dochodziła do skrzyżowania, przez które przejeżdżały tramwaje, przeszła na lewą stronę jezdni i kątem oka spojrzała w perspektywę ulicy, z której przyszła. Zauważyła, że z lewego ciągu samochodów powoli wynurza się pojazd.

Chociaż na przystanku obok stało kilka osób, podeszła do dozorcy, który zamiatał chodnik. Wiadomo było, że obserwacja ustali ten kontakt i zapyta dozorcę, czego chciała ta kobieta. Odpowiedź musiała być prawdziwa: szukała sklepu. Dozorca wskazał jej ten sam sklep co recepcjonistka, w kierunku dokładnie przeciwnym do tego, z którego przyszła. Gdy pokazywał ręką w górę ulicy, z łatwością mogła zauważyć przejeżdżający powoli samochód, stary granatowy ford escort na lwowskiej rejestracji. Patrzyła tak, by nie spotkać się wzrokiem z siedzącymi wewnątrz dwiema osobami. Widziała wyraźnie kobietę i mężczyznę. Na skrzyżowaniu samochód skręcił w prawo, pewnie by zrobić objazd wokół kwartału.

Dosyć typowe. Ale to jeszcze nie pewność. Jeśli ten samochód znowu się pojawi, to bingo! – pomyślała i ruszyła z powrotem w kierunku sklepu.

Nieduży sklep spożywczy znajdował się dwieście metrów w prawo od hostelu, za rogiem, w bocznej uliczce, i nie był widoczny z głównego traktu. Znalazła go jednak łatwo.

Gdy weszła, spojrzała na zegarek. Siódma trzydzieści sześć. Od wyjścia z hostelu minęło siedem minut. W sklepie było pusto. Kupiła chleb, margarynę, żółty ser, jogurt, pomidory, jajka i herbatę. Zajęło jej to nie więcej niż pięć minut.

Gdy wyszła ze sklepu, w odległości trzydziestu metrów, po lewej stronie ulicy Wartkiej, zauważyła tego samego forda, lecz nikogo w nim nie było.

No i bingo! Są! Tyle że wysiedli. Pewnie mnie szukają. Zdenerwowali się! Ale to ich wina i wiedzą o tym. Muszę się pokazać, żeby ich uspokoić. Nie ma wątpliwości, to nie milicja, to Służba Bezpieczeństwa Ukrainy! – pomyślała.

Stanęła przed sklepem i zaczęła przeglądać zakupy, tak jakby się zastanawiała, czy wszystko kupiła. Potem ruszyła bardzo wolno w kierunku hostelu. Zatrzymała się, by zawiązać sznurowadło. Po chwili znów się zatrzymała i tym samym wolnym krokiem zawróciła do sklepu, żeby dokupić ogórki. Teraz mogła obserwować przez szybę, jak do zaparkowanego forda wsiada w pośpiechu mężczyzna, a zdyszana kobieta stoi trochę dalej i obserwuje sklep.

No! Wszystko w porządku. Już się nie denerwujcie. Jestem! Ale z was gapy…

Nie czuła do nich żadnej niechęci, wprost przeciwnie – miała dla nich wiele sympatii, szczególnie w sytuacjach, gdy byli tak nieporadni.

Tym samym wolnym krokiem ruszyła prosto do hostelu i zdążyła tylko zauważyć, że kobieta zaczęła wykonywać dziwne ruchy. Wszystko było już jasne i nie musiała więcej zwracać na nią uwagi.

Gdy wyszła zza rogu, zobaczyła, że przed wejściem do hostelu stoi Olek i się rozgląda. Nie zauważył jej. Przez ułamek sekundy odniosła wrażenie, że robi dokładnie to samo, co ona przed chwilą. Pomyślała, że musiała wtedy wypaść bardzo naturalnie. Ruszył powoli w prawo, w kierunku skrzyżowania, dokładnie tak jak ona. Zaniepokoiła się.

Sytuacja jest oczywiście przypadkowa, ale… trochę zastanawiająca. Znów zdenerwuje obserwację. A to niedobrze! – pomyślała natychmiast.

Przyspieszyła kroku i gdy była już pewna, że ją usłyszy, zawołała. Na chwilę przystanął w miejscu, jakby nie wiedział, skąd dochodzi głos. Zaraz potem się odwrócił, zobaczył Sarę i uśmiechnął się. Kiedy podeszła bliżej, wyczuła w jego uśmiechu coś dziwnego. Był jakiś inny niż wczoraj.

Z początku nie mogła tego zrozumieć, ale zaraz do niej dotarło, że Olek się ogolił, więc to pewnie dlatego.

Było mu lepiej z ciemnym dwudniowym zarostem. Był zbójecko męski – pomyślała mimowolnie.

– Dokąd idziesz? – zapytała.

– Chciałem zrobić zakupy na śniadanie... – odpowiedział szybko i spojrzał na torbę, którą trzymała w ręku – ale, jak widać, byłaś szybsza. Gratuluję! Nie mam z tobą szans, Zuza.

– Sklep jest tam. – Sara wskazała ręką w przeciwną stronę, tak by obserwacja mogła łatwo się zorientować, o czym rozmawiają, i w teatralnym geście uniosła torbę z zakupami.

– Recepcjonistka powiedziała mi, gdzie jest sklep, ale chyba czegoś nie zrozumiałem. Mówiła po ukraińsku – wytłumaczył się Olek. – Pozwól, że zwrócę ci pieniądze.

– Nie ma mowy! Płaciłeś wczoraj w restauracji. Ja stawiam śniadanie. – Sarze poprawiło się samopoczucie, bo w zachowaniu Olka nie dostrzegła niczego nienaturalnego.

– W takim razie pozwól, że je przygotuję. Co kupiłaś? – Objął ją ramieniem, drugą ręką wziął od niej siatkę i wrócili do hostelu.

Po śniadaniu cała piątka w doskonałym nastroju ruszyła na zwiedzanie skąpanego w słońcu Lwowa.

Chcąc nie chcąc, Sara musiała grać rolę oprowadzającej. Wprawdzie jej wiedza na temat zabytków była więcej niż pobieżna, jednak topografię Lwowa miała opanowaną perfekcyjnie, bo to podstawowy element przygotowania oficera wywiadu. Za każdym razem, kiedy wyjeżdżała ze Lwowa lub z jakiegoś innego miasta, w którym pracowała, obiecywała sobie, że musi wrócić tam prywatnie i naprawdę je zwiedzić. No bo co możesz zobaczyć, kiedy patrzysz ciągle do tyłu, a przewodnik w dłoni to tylko atrapa.

– Pogadałem z przyjaciółmi. Chcą jeszcze dzisiaj zostać we Lwowie. Nie namawiałem ich na wyjazd do Kijowa ani nie mówiłem im o tobie, bo głupio by to wypadło. Rozumiesz mnie? – powiedział Olek, gdy zostali na chwilę sami.

– Nie ma sprawy! Wszystko przemyślałam i też zostanę do jutra. Tak fajnie jest z wami! Jeżeli nie zdążę, to przesunę spotkanie... świat się przez to nie zawali. Moje drugie ja mówi mi, że poznałam kogoś ciekawego, z kim warto spędzić czas. Doświadczyć czegoś nowego, innego.

Sara rzeczywiście tak myślała i czuła, jednak przed wyjściem z hostelu spakowała już swój bagaż, bo wyjazd zaplanowała na wieczór. Teraz chciała miło spędzić czas z Olkiem i wcale nie myślała o towarzyszącej im obserwacji.

Olek uśmiechnął się z wyraźnym zadowoleniem i korzystając z okazji, że zostali z tyłu za grupą, wziął ją za rękę.

I znów, tak jak wieczorem na korytarzu, a może nawet jeszcze mocniej, poczuła miły przypływ ciepła i bicie dwóch serc. Nie mogła sobie przypomnieć, czy kiedykolwiek szła z chłopakiem za rękę. Widząc, jak robią to inni, zwykle miała wrażenie, że to takie śmieszne, dziecinne.

A zatem nie znałam samej siebie – pomyślała i szła dalej, nienaturalnie mocno ściskając dłoń Olka.

Bojąc się jego spojrzenia, patrzyła nieobecnym wzrokiem na drugą stronę ulicy. Szli przez chwilę w milczeniu. Nagle Olek puścił jej dłoń i w tej samej chwili zauważyła, że idący przed nimi koledzy zatrzymali się i odwrócili w ich stronę.

Poczuła się, jakby nagle została zwolniona z uwięzi, wyzwolona z nienaturalnej sytuacji krępującej myśli i ruchy. Mimo to gdzieś głęboko czuła, że dobrze się stało, iż Olek porozumiewa się z nią właśnie takimi gestami, tak oczywistymi i wyraźnymi, które mówią kobiecie o wiele więcej niż słowa.

Dochodziła dziewiętnasta i wszyscy zgodnie uznali, że czas coś zjeść. Całodniowa włóczęga po mieście w upale i kurzu wyraźnie odcisnęła piętno na ich wyglądzie, ale nie na nastroju, który wciąż był wyśmienity. Udali się do pobliskiej kafeszki na Rynku.

Po całym dniu spędzonym z Olkiem Sarze zdawało się, że jest naprawdę Zuzą Wilską, kimś zupełnie innym, nowym. Olek otworzył się przed nią i nie musiała zadawać żadnych pytań, żeby go poznać.

Początkowo było to dla niej takie nienaturalne. Opowiedział historię swojej rodziny, nie ukrywając bolesnych wspomnień z dzieciństwa. O ojcu, którego nigdy nie było w domu, matce pozbawionej czułości, lecz niestroniącej od mężczyzn. O życiu w męskim internacie, dręczeniu ze strony starszych kolegów, wyuzdanym nauczycielu gimnastyki. O dwuletniej ucieczce do Sudanu, gdzie pracował jako wolontariusz, zakochany, jak mu się wydawało, w starszej od niego o piętnaście lat żonie angielskiego lekarza. Sarę fascynował los młodego mężczyzny, pełen niespodzianek, barw i zapachów Afryki, którą też trochę znała.

O sobie mówiła niewiele, ale w jego opowiadaniu widziała siebie, własne nieudane dzieciństwo, bunt i ucieczkę od rzeczywistości, poszukiwania, marzenia o wyjeździe do Afryki. Wymuszoną przez życie samodzielność, okupioną samotnością. Teraz, gdy kończył się dzień i nadchodziła chwila wyjazdu, myślała chaotycznie, co zrobić, by zatrzymać Olka, bo nadzieja, jaką jej dał, nagle stała się dla niej najważniejsza.

Zapadł zmrok i zorientowała się, że jest już po dwudziestej pierwszej. Wstała od stolika i zapytała, gdzie jest toaleta, chociaż dobrze wiedziała. Jeden z chłopców wskazał jej drogę. Wyszła z restauracji, przeszła kilkanaście metrów w prawo, gdzie znajdował się automat telefoniczny. Miała w pamięci utrwaloną mapę prawie wszystkich telefonów publicznych w centrum Lwowa. Włożyła kartę i wykręciła numer swojego telefonu komórkowego. Czekała tak długo, aż odezwała się automatyczna sekretarka. Po chwili, by przykryć swój numer przed obserwacją, wykręciła przypadkowy numer w Polsce, który nie odpowiadał. Szybko wróciła do restauracji. Zajęło jej to nie więcej niż pięć minut.

– Zuza, twój telefon szczekał jak wściekły pies. – Olek skomentował ironicznie sygnał jej telefonu komórkowego. Pomyślała, że musi go zmienić.

Wyjęła telefon z torby i sprawdziła, że ma jedno nieodebrane połączenie z numeru publicznego. W porządku – pomyślała – teraz ciąg dalszy małego show.

– Cholera! To mój profesor z Kijowa! – rzuciła, udając zakłopotanie. – Muszę zadzwonić!

Odeszła od stolika na taką odległość, by sprawić wrażenie, że chce rozmawiać bez świadków, lecz w rzeczywistości tak, by mogli słyszeć, o czym będzie mówiła. Udała, że wciska łączenie z ostatnim zapisanym numerem, po czym przyłożyła do ucha głuchy telefon.

– Dobry wieczór, panie profesorze... – mówiła wyraźnie po rosyjsku. – Nie, nie, jestem jeszcze we Lwowie... tak... Tak?... Tak jak mówiłam, bardzo mi zależy... Profesor Stanisławski już mi o tym wspominał, ale chyba coś źle zrozumiałam... – Zauważyła, że Olek się przysłuchuje. – Dobrze, panie profesorze, będę na czas... Nie, nie... Tak, ale liczę, że poświęci mi pan trochę czasu... Tak?... Bardzo dziękuję! Do zobaczenia!

– Musisz jechać? – zapytał, gdy tylko usiadła.

Nawet nie ukrywał, że słuchał rozmowy. O to jej przecież chodziło. Ton, jakim wypowiedział te dwa słowa, wskazywał, że krótki show spełnił swoje zadanie i dał jej alibi. Chociaż tym razem nie sprawił jej żadnej satysfakcji. Wolałaby tego nie robić.

– Tak. Muszę. Profesor pytał, czy zdążę na umówione spotkanie, bo pojutrze wyjeżdża na miesiąc i nie będzie miał możliwości się ze mną zobaczyć. Bez tej rozmowy nie ruszę z miejsca. Nie mogę sobie pozwolić na kolejne opóźnienie w pracy nad książką.

– Zuza, jasne! Jak się dostaniesz teraz do Kijowa? – zapytał trochę formalnie Olek.

Spojrzała na zegarek.

– O dwudziestej drugiej czterdzieści pięć mam pociąg do Kijowa. Jak mi pomożecie, to zdążę. – Spojrzała pytającym wzrokiem na zaciekawione twarze. – Mam trzy kwadranse do odjazdu. Może ktoś wpadłby po moje rzeczy do hostelu, a ja bym w tym czasie pojechała na dworzec po bilet, bo obawiam się kolejki. Zwrócę za taksówkę...

– Ala i Marek, skoczcie po rzeczy Zuzy – zarządził Olek. – My pojedziemy na dworzec i tam na was zaczekamy.

Sara przywołała kelnera, poprosiła o rachunek i natychmiastowe zamówienie dwóch taksówek. Rozpoczęła realizację drugiej części swojego planu zmierzającego do spotkania z „Travisem". Czekało ją też pożegnanie z Olkiem, na chwilę, jak myślała. Nie mogła o nim tak po prostu zapomnieć.

Wyjazd ze Lwowa zaplanowała tak, by w swojej dziwaczności wydawał się zupełnie naturalny. Tak to powinna odebrać chodząca za nimi obserwacja. Istniała duża szansa, że po całym dniu spokojnego spacerowania po zabytkach i zaułkach Lwowa obserwacja straciła czujność. I Sara na to liczyła. To była dobra okazja, by im się urwać, i to tak, by sami obwinili się o błąd.

To musi być dla nich zaskoczenie – pomyślała. Na pewno zauważą, że ktoś z nas wyjeżdża. Ale kto i dokąd? Tego nie będą wiedzieli do końca! Gdy zobaczą, że to ja wsiadam do pociągu, o tej porze nie przyjdzie im łatwo wysłać kogoś za mną. Słabo opłacani, zmęczeni po całym dniu esbecy... Który się zgodzi spędzić noc w pociągu, bez jedzenia? Z pewnością odpuszczą sobie i obstawią dworzec w Kijowie. To prawie pewne!

Sara, jak zawsze w takich sytuacjach, czuła rodzaj zawodowej satysfakcji z prostego i skutecznego planu, swojego małego zwycięstwa.

Gdy Ala i Marek dotarli na dworzec, do odjazdu pociągu zostało siedem minut, a kolejka do kasy była jeszcze spora. Olek, wyraźnie podenerwowany, dość niegrzecznym tonem polecił całej czwórce czekać w holu dworca. Sam zaś szybkim krokiem ruszył za Sarą w kierunku peronu.

– A co z biletem? – zapytał ze zdziwieniem.

– Nie ma czasu. Kupię w pociągu – odpowiedziała, bo do końca chciała trzymać obserwację w niepewności i nie zdradzać, dokąd jedzie.

Podbiegli do pierwszego wagonu i za pięćdziesiąt dolarów Sara szybko dostała od konduktorki miejsce sypialne. Olek tymczasem wniósł jej plecak. Gdy wyszła na korytarz i popatrzyła przez okno, stał już z powrotem na peronie. Natychmiast wśród nielicznych odprowadzających dostrzegła dwóch mężczyzn, którzy rozglądali się nerwowo. Gdy zobaczyli ją w oknie, odwrócili się i zaczęli iść powoli w przeciwnym kierunku.

Pewnie teraz rozmawiają ze swoimi szefami. Nie byli pewni, kto wyjeżdża, Olek czy ja. Teraz już wiedzą i powinno się wyjaśnić, o kogo im chodziło.

Olek coś mówił, ale ona go nie słuchała.

– Do zobaczenia! – zawołała, gdy pociąg ruszył.

Obaj mężczyźni zostali na peronie.

## 31

Marcin był wyraźnie pobudzony, co ujawniało się w jego ruchach i chaotycznym słowotoku. Zdawał sobie z tego sprawę, lecz zakładał, że od czasu do czasu odrobina spontaniczności nie zaszkodzi, a Konrad rzadko protestował, gdyż wiedział, że kiedy trzeba wziąć odpowiedzialność za swoje słowa i czyny, Marcin potrafi się opanować.

– Więc po kolei. Czego chcieli nasi szwedzcy przyjaciele?

Marcin wyciągnął notatnik i zanim zaczął referować, rzucił:

– Szefie, to bardzo ciekawa sprawa. Ale niech mi szef obieca, że ja ją dostanę...

– Jak mam ci obiecać, skoro nie wiem nawet, o co chodzi. Marcin, nie nadużywaj mojej cierpliwości...

– Ja tylko tak...

– Kto przyjechał?

– Olaf Svensson i Per Gustavsson – wyrecytował Marcin z pamięci, po czym otworzył notatnik i dodał: – Svensson jest z kontrwywiadu, czyli Säpo, a ten Gustavsson z wywiadu wojskowego. Mało się odzywał, głównie mówił Svensson. Mają problem z jednym osiemdziesięcioletnim dziadkiem, który nazywa się Hans Jorgensen.

– Osiemdziesięcioletnim? Dziwne. Jakiś zbrodniarz wojenny czy co?

– Też mi się z początku wydawało, że to dziwne. Ale to, czego dowiedziałem się później, wcale nie było dziwne ani śmieszne. Sprawa wygląda poważnie, chociaż jest poszlakowa i taka w stylu *rewind your mind*...

– Co?

– No... to tak, jakby zaistniało jakieś zdarzenie, a potem trzeba by odtworzyć, jak do niego doszło. Tak jakby puścić film do tyłu... – Lubił wymyślać tego rodzaju porównania, licząc na ubarwienie swojego stylu.

– Marcin! Ja rozumiem... Nie trzymaj mnie dłużej w napięciu... – Konrad poczuł jakąś wewnętrzną wesołość, mimo że był zmęczony po całym dniu. Miał wrażenie, jakby widział siebie sprzed lat.

– Szwedzki kontrwywiad od kilkunastu miesięcy siedzi na jednym ruskim dyplomacie – zaczął z powagą. – Nazywa się Siergiej Pietuszkin i jest z SWZ. Taki oficer średniego pokolenia. Problem w tym, że Sierioża zakochał się w żonie swojego rezydenta i regularnie ją bzyka. Konspirują się dobrze, ale nie przed Säpo, tylko przed swoimi. Nie boją się Szwedów, bo uważają ich za ludzi kulturalnych, nastawionych życzliwie do Rosji... i takie tam...

– Coś w tym jest – rzucił zdecydowanie Konrad.

– Wszyscy Rosjanie, z wyjątkiem rezydenta, mieszkają na terenie placówki, więc Sierioża ma ułatwione zadanie i miłość spełnia się w mieszkaniu szefa lub podczas wspólnych podróży po Szwecji. Rezydent dużo jeździ służbowo, więc gniazdeczko jest często wolne i Desdemona ma sporo swobody. I teraz najciekawsze! – Marcin wyraźnie się rozkręcał. – Otóż Desdemonę i Sieriożę łączy również wspólna skłonność do nadużywania alkoholu...

– Ile ona ma lat? Jest starsza od niego?

– To druga żona rezydenta. Młodsza od niego o kilkanaście lat. Natomiast od Pietuchy o kilka, chyba. Nie zanotowałem tego...

– Nieważne! Mów dalej.

– Jak uważają Szwedzi, Sierioża jest kryptoalkoholikiem i pod tym względem konspiruje się równie dobrze jak w baletach z żoną szefa. Co de facto nie jest takie trudne w tej ambasadzie...

– Przesadzasz, Marcin. To są mity... Trochę szacunku dla naszych przeciwników, gamoniu! W końcu to oni zdobyli Berlin i Wyspy Kurylskie.

– Może – odparł krótko, jakby zignorował Konrada albo nie zrozumiał. – Niemniej jest on częścią tego mitu. Tak to widzą Szwedzi. Na tę konspirację poświęca dużo wysiłku i nie starcza mu już siły na inne konspirowanie, to, za które mu płacą. A na dodatek szef uważa go za najlepszego oficera Rezydentury...

– Nieprawdopodobne! Szwedzi mają szczęście. – Konrad z niedowierzaniem pokręcił głową.

– W rzeczy samej! Szczęściarze! – rozwinął myśl Marcin. – Dlatego Otello daje mu do roboty najlepsze kawałki, a on partaczy, żeby jak najszybciej wrócić do ich wspólnej pani. Po prostu nie przykłada się do pracy. Toteż Szwedzi obłożyli go techniką, obserwacją i mają kurę, co znosi złote jaja... Przechodzę do sedna, chociaż ważne jest wszystko. W ciągu ostatnich trzech miesięcy Siergiej jeździł czterokrotnie na Gotlandię... to taka wyspa...

– Wiem, byłem tam kilka lat temu...

– Pierwszy raz pojechał sam. Potem z Desdemoną, następnie z Otellem. I ostatni raz znów sam. Jakieś trzy tygodnie temu. Ten układ wizyt w Visby wydał się Szwedom co najmniej dziwny. Zaczęli szczegółowo badać, godzina po godzinie, jego trasy, motywację, legendę i tak dalej... Wyszło im kilka punktów, które mogły mieć jakieś znaczenie. Aha, zapomniałem powiedzieć! Od początku wykluczyli, że Sierioża przygotowuje się do spotkania z agenturą. Jego modus operandi wskazywał, że może chodzić o obsługę schowka lub przyjęcie transmisji szybkiej łączności.

– Tak, to daje się dosyć łatwo wychwycić – wtrącił Konrad. – Tym bardziej jeśli ten Siergiej czuje się rozluźniony... i w jakimś stopniu bezkarny. Rosyjscy oficerowie wywiadu mają często pogardliwy stosunek do służb kontrwywiadowczych takich krajów jak Szwecja, Norwegia czy Słowacja. Nie wszyscy oczywiście, ale są i tacy. Ten Siergiej na takiego mi właśnie wygląda. Oni, Marcinku, myślą, że ich wywiad to taka bizantyjska konstrukcja, niezniszczalna historia, i coś w tym jest, ale zapominają o solidności szwedzkiego rzemieślnika czy słowackiego piekarza. Dobry kontrwywiad to rzetelność, drobiazgowość i cierpliwość, a tego Szwedom nie brakuje...

– No właśnie! – przyznał z odrobiną egzaltacji Marcin. – Analiza tych czterech pobytów Sierioży w Visby, jaką przeprowadzili Szwedzi, jest doskonała. Romeo za każdym razem przez dwa dni spacerował, jeździł, biegał po Gotlandii i wykonywał ruchy pozorne, żeby dać na poty obserwacji, zmęczyć ją i uśpić jej czujność. Niektóre wyglądały na działania operacyjne, chociaż w rzeczywistości nimi nie były. Ale trochę się przeliczył...

– Bo Szwedzi rzucili na niego duże siły...

– Tak jest, szefie!

– Zmierzaj do celu! Co ustalili? To ciekawe. – Konrad powiedział to cicho i łagodnie, żeby Marcin nie poczuł się poganiany.

– Podczas czterech pobytów odwiedzał kilka miejsc po dwa, trzy razy. Zawsze miało to lepsze lub gorsze uzasadnienie. Wstępnie wytypowano dwa miejsca, które Siergiej prawdopodobnie do czegoś wykorzystywał. Pierwsze to ławka nad morzem, a drugie – altana w ogrodzie botanicznym. Dlaczego wybrali te miejsca? Bo tylko te potwierdziły się cztery razy i w tych miejscach był z rezydentem. Pewnego dnia prognoza zapowiadała wyśmienitą pogodę, a tymczasem lało jak z cebra. Pech! Mimo to Sierioża i rezydent zadali sobie trud, by w deszczu posiedzieć na ławce i w altance. Szwedzki kontrwywiad nie był pewien, czy Rosjanie coś planują na poważnie, czy też jest to działanie maskujące, obliczone na odciągnięcie uwagi, a realizacja odbędzie się zupełnie gdzie indziej – ciągnął Marcin z zaangażowaniem. – Dlatego Säpo obstawiło oba miejsca kamerami cyfrowymi i czekało, aż coś lub ktoś wypłynie. W ciągu tygodnia wytypowało kilkanaście osób, które wyglądały na podejrzane. Ale po dokładnej analizie i zbadaniu materiału filmowego, a raczej zdjęć poklatkowych, wyłowiło jednego gościa… uwaga!… osiemdziesięcioletniego!

Konrad popatrzył na Marcina ze zdziwieniem.

– Nazywa się Hans Jorgensen i mieszka pod Sztokholmem. Jorgensen zjawił się w altance wcześnie rano w pochmurny dzień… Dwa dni po ostatniej wizycie Siergieja. Proszę, szefie! To są jego zdjęcia. – Dopiero teraz Marcin położył na biurku Konrada plik fotografii. – Trochę niewyraźne z powodu pogody. Z ich analizy widać, że Jorgensen wszedł do altanki, wziął do ręki coś, co wisiało między liśćmi… O, na tym zdjęciu najlepiej widać, że coś trzyma…

– Spójrz na jego twarz, Marcin! On się czegoś boi… rozgląda… jakby się sprawdzał. Tam między liśćmi widać jakiś zarys postaci… Przyjrzyj się! Można by pomyśleć, że ta postać go spłoszyła... wystraszyła... – Konrad i Marcin przypatrywali się z bliska zdjęciom w formacie A4.

– Szwedom zajęło dwa tygodnie ustalenie tożsamości Jorgensena.

– Kim on jest?! – zapytał twardo Konrad.

– Hans Jorgensen, emerytowany naczelnik z Urzędu Imigracyjnego, wdowiec, Duńczyk z pochodzenia. Ale co najważniejsze... – Marcin zawiesił głos – jego syn Carl jest oficerem szwedzkiego wywiadu wojskowego.

– Może to zbieg okoliczności... – wtrącił Konrad, ale po chwili się zreflektował. – Nie... coś tu śmierdzi. Dziwnie się czuję, jakbym był w pustym basenie... – zastanawiał się na głos.

– Szwedzi dobrze go zbadali. Nawet założyli mu podsłuch w telefonie. Na Gotlandię przybył praktycznie bez powodu. Wyglądało, jakby przyjechał odpocząć, ale to nie trzymało się kupy. Jorgensen prowadzi życie samotnika, żadnych bliskich znajomych. Wszyscy, którzy go choć trochę znają, nie potrafią o nim nic konkretnego powiedzieć. Taki bezbarwny. Był bardzo związany z żoną i synem...

– Rozumiem, że z nim nie rozmawiali.

– Oczywiście! Nie wiedzą, o co w tym wszystkim chodzi. Zbierają materiały, ale są to tylko przeczucia, nawet nie poszlaki...

– Nie dziwię się. Działają po omacku, bo jeszcze za wcześnie. Ale ciarki chodzą po plecach i to wystarczy, by zająć się sprawą...

– Niedawno była rocznica śmierci jego żony. Tego dnia miał się spotkać z synem i razem z nim pójść na cmentarz. Tymczasem niemal w ostatniej chwili powiedział mu, że musi się zobaczyć z jakimś przyjacielem. Carl... komandor!... był z tego powodu okropnie rozżalony. Szwedzi ustalili, że Jorgensen nie ma żadnego przyjaciela w... gdzieś to zapisałem...

– To może być stary nielegał – rzucił Konrad bez przekonania. – Dlaczego Szwedzi przyszli z tym do nas? Czegoś tu nie rozumiem... albo ty nie potrafisz mi tego wyjaśnić...

– Najważniejsze zostawiłem na koniec. Wszystko jest jasne, szefie!

Marcin mówił z satysfakcją, bo czuł, że udało mu się podgrzać Konrada, co normalnie nie było łatwe. Coś tak prostego i oczywistego jak zreferowanie tematu też może być sztuką. Miał wrażenie, że jak pocisk zmierza nieuchronnie do celu. Teraz był pewny, że Konrad da mu tę sprawę.

– Kiedy się zorientowali, że spotkanie z przyjacielem z północy to fikcja i że Jorgensen oszukał syna, z którym jest podobno bardzo blisko związany, postanowili wziąć dziadka pod obserwację, na poważnie – ciągnął Marcin. – Okazało się jednak, że on rzeczywiście gdzieś w tym czasie zniknął. Tak zeznali sąsiedzi. Widzieli, jak z niedużą torbą na ramieniu szedł do kolejki podmiejskiej. Säpo skorzystało z okazji i zrobiło mu przegląd mieszkania. W kuchni znalazło na stole gazetę z oddartym rogiem. Tak jakby coś zanotował i potem to oderwał. To już starszy gość i może mieć problemy z pamięcią. Zapomniał jednak, że zapis odcisnął się na następnej kartce. Otóż był tam adres... adres biura sprzedającego bilety na prom do... Polski! Właśnie!

– Bingo! Już rozumiem! Czy on teraz przebywa tutaj?

– Jest problem! Gdy Säpo zasięgało języka w biurze turystycznym, Jorgensen właśnie wracał do domu. Wykupił tylko tak zwany przejazd turystyczny, tam i z powrotem, bez zmiany kabiny. Prom przybija do Gdańska o trzynastej, a odpływa o osiemnastej. Czyli nasz Hans miał pięć godzin...

– Pięć godzin na coś bardzo ważnego, skoro zdecydował się na okłamanie syna. I Szwedzi chcą się dowiedzieć, co ten staruszek robił w Polsce... Marcin! – W końcu Konrad powiedział to, na co jego podwładny cały czas czekał. – Bierz się do niego ostro! Coś w ostatnich dniach mamy duży ruch w interesie.

Marcin był już przy drzwiach, gdy usłyszał:
– I nie mówi się Sapo, tylko Sepo!
– Kurczę! Szef to nawet szwedzki zna – mruknął i wyszedł.

## 32

Sara była sama w przedziale. Każdy konduktor na wschód od Bugu trzyma wolne miejsca z myślą o swoim prywatnym zarobku. Pięćdziesiąt dolarów podziałało z wyraźną siłą, bo otyła konduktorka w mocno obcisłym mundurze już po chwili przyniosła herbatę i bardzo uprzejmie zapytała, czy pasażerka nie jest głodna. Sara podziękowała i zamknęła się w przedziale.

W pociągu było chłodno, więc zanim weszła pod koc, włożyła dres. Potem nastawiła budzik w telefonie i zgasiła światło. Zza ściany dochodził gwar rozbawionych głosów. Przez chwilę się w nie wsłuchiwała i wydawało jej się, że mówią po angielsku. Była bardzo zmęczona. Wiedziała, że musi szybko zasnąć i dobrze wypocząć przed jutrzejszym dniem. Zamknęła oczy, starając się ignorować coraz bardziej ożywione głosy. Wcisnęła głowę głęboko w poduszkę, która pachniała wilgocią. Jak cała kolejowa pościel w byłym Związku Sowieckim – pomyślała Sara. Ręce i nogi miała jak wykute z zimnego granitu. Wrażenia ostatnich dni atakowały ją z niezwykłą siłą.

Zastanawiała się nad tym, co się zdarzyło we Lwowie, i nad dziwnym uczuciem, które ją opanowało. Przez chwilę robiła sobie wyrzuty, jakby zdradziła Konrada. Pomyślała nawet, że zachowała się wobec niego nielojalnie. Ale zaraz uznała, że nic się nie stało, bo w końcu i ona ma prawo do prywatności. Analizowała jeszcze swoje postępowanie, lecz nie była pewna własnych racji. Z Olkiem oczywiście nawiąże kontakt – ma przecież jego telefon i adres e-mailowy – ale dopiero, gdy wróci do Polski.

Zobaczymy, co się z tego urodzi. Potrzebuję trochę czasu, by to wszystko przemyśleć... Czy powiedzieć Konradowi? – zastanawiała się, leżąc w ciemności, a odpływające powoli myśli obracały się ciężko w takt stukania kół pociągu.

Budzik w telefonie wył z natarczywością alarmu przeciwlotniczego, ale Sara nie miała siły ani woli, żeby wyciągnąć rękę i go wyłączyć. Leżała z zamkniętymi oczami i czuła, że jest już świt.

Nagle zdała sobie sprawę, że pociąg stoi. Poderwała się zaniepokojona i chwyciła wciąż brzęczący telefon. Przez chwilę pomyślała ze strachem, że wczoraj źle ustawiła godzinę budzenia i przespała stację, na której miała wysiąść. Godzina jednak się zgadzała: była piąta trzydzieści. Ulżyło jej.

Wyjrzała przez okno. Pociąg stał w polu.

Wygląda na to, że mam opóźnienie... Ile? Cholera! Ile? To może mi skomplikować robotę!

Wyszła na korytarz. W pociągu panowała martwa cisza. Podeszła do przedziału konduktorki. Zastukała, ale bez odzewu. Pomyślała, że kobieta śpi, lecz przedział był zamknięty. Poczuła, że ogarnia ją panika. W tym momencie usłyszała głośne trzaśnięcie drzwi toalety i zobaczyła wychodzącą konduktorkę.

– Dzień dobry – powiedziała i szybko zaczęła się dopytywać: – Dlaczego stoimy? Ile mamy opóźnienia? Gdzie jesteśmy?

– Spokojnie, dziewczyno – odrzekła konduktorka, zaskoczona nerwowością Sary. – Mamy pół godziny opóźnienia. Tutaj pociąg często stoi. Do Kijowa pewnie nadrobi. Idź, połóż się jeszcze. Obudzę cię przed Kijowem i zrobię ci herbatki. Idź! – Jej głos brzmiał miło i uprzejmie, tak przynajmniej wydawało się Sarze.

W tym momencie pociąg szarpnął niespodziewanie, aż straciła równowagę. Wróciła do przedziału. Czuła się już pewniej. Wzięła kosmetyczkę i poszła do toalety.

Była siódma jedenaście, gdy pociąg z przeraźliwym piskiem hamulców zatrzymał się na jakiejś stacji. Sara sprawdziła czas: dwadzieścia minut opóźnienia. Na peronie było sporo ludzi najwyraźniej czekających na elektryczkę.

Wysiadła z wagonu.

Stojąca na zewnątrz konduktorka pewnym ruchem złapała ją za rękę.

– To jeszcze nie Kijów, dziewczyno! Jeszcze godzina jazdy – powiedziała zdziwiona.

– Ja wiem... ja właśnie tutaj jechałam... – Rozkojarzona zapomniała nazwy miejscowości, bo pilnie starała się sprawdzić, czy ktoś wysiada za nią z pociągu albo obserwuje ją na peronie.

Nigdy tutaj nie była. Do Kijowa miała około osiemdziesięciu kilometrów. Wyszła przed dworzec. Było pusto, nikt za nią nie szedł. Żadnych samochodów, żadnych taksówek. Nieopodal stała wielka brudna ciężarówka, a spod jej otwartej maski wystawała dolna połowa ciała kierowcy. Sara podeszła do samochodu i zawołała, lecz mężczyzna nawet nie drgnął, zajęty naprawą. Uderzyła więc mocno dłonią w zabrudzony błotnik.

– Przepraszam, że przeszkadzam. Nie wie pan, skąd odchodzą autobusy do Kijowa? – zapytała, gdy tylko zobaczyła jego twarz. – Właśnie uciekł mi pociąg – dodała, uśmiechając się na wszelki wypadek.

– A ty tu skąd? – usłyszała w odpowiedzi. Mężczyzna koło pięćdziesiątki odwrócił się, trzymając w rękach jakieś narzędzia, i przez chwilę wpatrywał się w Sarę. – Polka, tak? – Nagle nieogoloną twarz rozjaśnił zadziwiająco serdeczny uśmiech, wzbogacony gdzieniegdzie złotem.

– Tak... jestem z Polski – odpowiedziała bez namysłu.

– Stąd nie ma autobusów do Kijowa. Za trzy godziny będzie pociąg. Musisz zaczekać! – powiedział i zeskoczył z maski. Wciąż szeroko się uśmiechał i wyglądało to nieco dziwnie. – Skąd jesteś? – zapytał.

– Z Warszawy.

– Byłem w Przemyślu, Lublinie, kilka razy w Rzeszowie, ale nigdy w Warszawie. To podobno duże i piękne miasto. Mam w Polsce rodzinę. – Wyraźnie zaczął się rozkręcać. – Polska to piękny kraj, ludzie bogaci. Nie to co tutaj. Ja jestem ze Stanisławowa. Dziadek był Polakiem. Nazywam się Dorohowski, Igor.

Sara uścisnęła wyciągniętą w jej stronę potężną dłoń, którą dopiero co wytarł w szmatę, i pomyślała przez sekundę, że pewnie rodak będzie chciał ją pocałować w rękę, bo wyglądało, że się do tego przymierza.

– Wsiadaj, zawiozę cię do Kijowa. Spotkać tutaj rodaczkę, ale szczęście! – powiedział ni to do siebie, ni to do Sary. Walnął klapą od silnika i dziarsko ruszył do szoferki, nie czekając na jej reakcję. – Jak dobrze pójdzie, w godzinę będziemy na miejscu.

Sara stała jak zamurowana i nie wiedziała, co powiedzieć. Okazja była doskonała, ale musiała też dbać o swoje bezpieczeństwo.

– Osiemdziesiąt kilometrów w godzinę? – zdziwiła się nieco, lecz zaraz pomyślała, że na Wschodzie wszystko jest względne, i czas, i odległość.

– Wsiadaj! – usłyszała gromki głos, gdy otworzyły się drzwi szoferki.

Wrzuciła plecak do wnętrza, wspięła się do kabiny i od razu uderzył ją lepki koktajl zapachowy ze starego potu i ropy.

– Nie bój się – powiedział Igor. – Jestem z katolickiej rodziny. – Rozpiął koszulę i wyciągnął nienaturalnie duży krzyż wyglądający jak ze złota i zdobiony bazarowymi szkiełkami. Pocałował go z uczuciem i powoli, delikatnie schował z powrotem. – Mój kuzyn jest księdzem w Rzeszowie...

– Ile to będzie kosztowało? – zapytała. Nie miało to znaczenia, ale chciała wypaść naturalnie.

– Co...? Od rodaczki nie wezmę hrywny! Ale opowiesz mi o Polsce. Mam dużo pytań. Dobrze? – Spojrzał na Sarę oczami dziecka proszącego o cukierek.

– Dobrze, panie Igorze! – powiedziała i od razu została nagrodzona jeszcze szerszym uśmiechem. – Mam na imię Wanda – dodała.

– O Boże! Znam to imię! Jakie to piękne polskie imię! – prawie wykrzyknął i Sara już nie wiedziała, czy jej kierowca jest naiwny, dziecinny, czy tak po prostu serdecznie szczery. Postanowiła jednak mieć się na baczności.

Tak jak powiedział, do Kijowa dojechali w ciągu godziny.

Sara wysiadła przy stacji metra na przedmieściach. Czuła, że drżą jej nogi, jest cała spocona, a od zapachu w kabinie i wstrząsów na drodze bolała ją głowa. Jeszcze nigdy nie była tak szczęśliwa – może nawet więcej niż szczęśliwa – że w końcu dotarła do celu, chociaż już niejedno w życiu przeszła. Latanie z ukraińskim pilotem czterdziestoletnim An-2 w Zairze było jak rejs samolotem pasażerskim British Airways w porównaniu z tym, czym uraczył ją Igor w swojej ciężarówce.

Najlepszym dowodem było to, że nie zapaliła ani jednego papierosa. Postanowiła, że rzuci palenie, jak tylko dojedzie do Kijowa. Złożyła to ślubowanie, gdy z przerażeniem patrzyła, jak jej kierowca, któremu usta się nie zamykały, co chwila przypalał sobie papierosa, trzymając ogromną kierownicę kolanami.

Igor wyglądał na prawdziwie uszczęśliwionego i na pożegnanie kazał jej pozdrowić wszystko i wszystkich w Polsce. Ledwie zamknęła za sobą drzwi, ruszył w takim stylu, jakby dotychczasowa jazda była dla niego tylko rozgrzewką.

Dochodziła ósma dwadzieścia. Sara usiadła na ławce obok wejścia do metra i nie zważając na spieszących niespokojnym krokiem przechodniów, wypaliła dwa papierosy. Chciała po prostu chwilę odpocząć po ostatnich przeżyciach i zebrać myśli. Znalazła w torebce tabletki od bólu głowy i wzięła dwie naraz.

Po podróży z Igorem jednego przynajmniej była pewna: że nie idzie za nią żadna obserwacja.

Nie ma na świecie drugiego takiego samochodu, który mógłby przejechać tą drogą – pomyślała z rozbawieniem – nie mówiąc już o wybitnych umiejętnościach Igora...

Poczuła silną potrzebę wypicia kawy, dużego kubka pachnącej kawy ze śmietanką. Właśnie takiej, jaką piją z Konradem codziennie rano w pracy. Ale w tych warunkach było to śmieszne marzenie.

Łyknęła wody z butelki i zaczęła się rozglądać za czymś do jedzenia. Obok wejścia do metra siedziała na krzesełku ukraińska babuszka i sprzedawała ciepłe pierogi.

W Kijowie zaczynał się nowy dzień. Sara nie pomyślała o Olku i nawet tego nie zauważyła.

## 33

Minęła siedemnasta. Jorgensen przez chwilę obserwował z ukrycia recepcjonistę. Sądził, że jest niewidzialny, dlatego zdenerwował się, że wcześniej, kiedy przyszedł do hotelu, recepcjonista zwrócił na niego uwagę. Na dobrą sprawę sam był sobie winien, że usiadł wtedy w takim miejscu. Ale nie miał wyboru, bo był to jedyny wolny fotel.

Teraz musiał wyjść niezauważony. Taksówka pewnie już podjechała. Czuł silną niestrawność. Zdarzało mu się to niezwykle rzadko. Kwaśna polska zupa i krwista polędwica, które zamówili do pokoju, zupełnie nie pasowały do jego szwedzkiej diety. Wiedział o tym, dlatego pozwolił sobie wypić parę kieliszków wódki. Na trawienie – jak zachęcał jego partner.

Do recepcji podeszło kilka osób i rozpoczęło głośną dyskusję po niemiecku. Uznał, że to jest odpowiedni moment. Ścisnął mocniej torbę, skulił się lekko, odwrócił twarz w drugą stronę i spokojnym, zdecydowanym krokiem przemierzył westybul i wyszedł na ulicę.

Od razu zobaczył starego żółtego mercedesa zaparkowanego kilkanaście metrów dalej. Kierowca, gdy tylko go zauważył, włączył silnik i podjechał bliżej. Jorgensen nie zdążył jeszcze nic powiedzieć, gdy taksówkarz zapytał: „Na prom?" – i ruszył z miejsca, ledwie trzasnęły drzwiczki.

Jorgensen czuł się zmęczony.

W Szwecji takich taksówkarzy chyba nie ma... Sami imigranci – pomyślał.

Musiał jeszcze się sprawdzić. Żelazna zasada. Wiedział o tym dobrze, ale był tak zmęczony, że było mu to obojętne. Chciał już tylko wejść na pokład, zamknąć się w kabinie i położyć.

Cały czas myślał o tym, co zaszło między nim a Carlem. Jak mu to wytłumaczyć, jakich użyć słów? Przez chwilę rozważał, czy nie wyjawić mu prawdy, ale zaraz sobie sam odpowiedział: „Czyste szaleństwo!".

Próbował obserwować, czy nie jedzie za nimi jakiś samochód, i często rozglądał się wokół, patrzył za siebie, zupełnie jakby był nowicjuszem w tym zawodzie. Widział, że kierowca dyskretnie obserwuje go w lusterku.

Wozi pewnie tylu prawdziwych świrów, że nie przejmuje się takim dziadkiem jak ja – uspokoił sam siebie, chociaż kiedyś byłoby to nie do pomyślenia.

Dla pewności jednak poprosił taksówkarza, by zatrzymał się przy kiosku z gazetami. Wysiadł, obejrzał wystawę, zapytał sprzedawcę, która godzina, i wrócił do samochodu. Nie zauważył niczego podejrzanego.

Do odpłynięcia promu zostało dwadzieścia minut. Jorgensen przemknął do swojej kabiny. Nie mógł jednak otworzyć drzwi. Próbował kilka razy. Zdenerwował się i przez chwilę pomyślał, że podczas jego nieobecności ktoś mógł wejść do środka. Zaraz jednak do niego dotarło, jak niedorzeczna jest ta myśl. No bo po co ktoś miałby wchodzić do jego kabiny? Przecież nic w niej nie zostawił.

Poszedł do recepcji i możliwie najuprzejmiej zgłosił problem. Recepcjonistka, nawet nie rzuciwszy nań okiem, wydała mu nową kartę, informując krótko, że zmieniono kody do zamków.

Wszedł do kabiny, zabezpieczył drzwi od wewnątrz i usiadł na łóżku. Po chwili położył się na wznak. W ubraniu, w butach. Wciąż czuł niestrawność. Torbę położył sobie na piersi i objął oburącz. W kabinie panowała cisza, ale na zewnątrz prom zapełniali już pasażerowie.

Obudził go głośnik i ten sam kobiecy głos co poprzednio poinformował o zasadach bezpieczeństwa na morzu i zachęcił do robienia zakupów.

Jorgensen spojrzał na zegarek. Minęło dwadzieścia minut. Poczuł się znacznie lepiej. Usiadł i zaczął rozpakowywać torbę. Najpierw wyjął dużą grubą kopertę, którą otrzymał w hotelu. Nie wiedział nawet, co w niej jest. Miał wyraźne instrukcje, by tylko odebrać materiał od człowieka, którego określono jako „123", oraz przeprowadzić od ręki ekspertyzę innego dokumentu.

Swoje zadanie wykonał najlepiej jak potrafił. Na dobrą sprawę po półtorej godziny był już gotowy i mógł zakończyć spotkanie. „123" okazał się jednak bardzo interesującym rozmówcą i Jorgensen pozwolił sobie wyjść poza instrukcję i zasady. Od razu zauważył, że „123" jest pod wpływem alkoholu. Był nadzwyczaj gadatliwy i wylewny, ale mimo błędnych oczu mówił logicznie i składnie. Trochę irytujące było jego nienaturalne zachowanie. Odnosił się do niego, jakby znał go od lat. Jorgensena nieco to drażniło, ale nie zaskakiwało. W końcu sporo widział.

Przez lata obsługiwał wielu agentów w różnych krajach i każdy miał jakieś problemy, jakiś mniej lub bardziej widoczny defekt psychiczny. I każdy był inny. To było dla niego oczywiste, normalne. Żeby zdradzić ojczyznę, trzeba mieć poważne problemy z samym sobą. Stąd powszechny wśród tych ludzi pociąg do alkoholu, uniwersalnego i łatwo dostępnego środka na zapalenie duszy i strach.

Nas, oficerów, to nie dotyczy! – pomyślał Jorgensen i przez chwilę rozważał, czy rzeczywiście tak jest. Przecież, co spostrzegł z pewnym zdziwieniem, nie znał żadnego innego nielegała.

„123" nie odbiegał od wzorca. Kiedyś Jorgensen się zastanawiał, czy rosyjscy agenci pracujący dla Amerykanów lub Anglików są podobni. Doszedł wówczas do wniosku, że nie ma na to prostej odpowiedzi, bo Rosjanin nie zdradza ojczyzny, ale prawie każdy ma problemy z duszą i alkoholem. Rozpracowanie Niemca, Szweda czy Anglika jest znacznie prostsze, za to zwerbowanie musi być trudne. Z Polakami trochę inna sprawa, bo są jakby pośrodku.

Ale ten „123" okazał się interesujący z zupełnie innego powodu. Jorgensena nie obchodziło, jak się nazywa ani gdzie pracuje. Dla niego to był tylko „123". Posiadał jednak niezwykłą wiedzę o wydarzeniach wojennych na terenach należących dawniej do Polski. A wspaniale było porozmawiać z kimś, kto zna historię.

Przez całe życie Jorgensen czuł głód wiedzy o tym, co się stało w czasie wojny, która tak boleśnie go dotknęła. Gdy tylko mógł, przeglądał nieliczne w szwedzkich księgarniach książki dotyczące wojny w Polsce i ZSRR, zwłaszcza na ziemiach, gdzie kiedyś mieszkał. Doskonale wiedział, że nie wolno mu tego robić. Niepotrzebnie mógł ujawnić swoją prawdziwą tożsamość. Nigdy jednak nie znalazł nic, co w jakimś stopniu mogłoby się wiązać z jego losami. Niedawno miał dostęp do komputera i wpisał do wyszukiwarki jedyne hasło, jakie przyszło mu do głowy – „Miedwiedki". Twarda blizna na pamięci nie przepuszczała żadnych innych myśli ani wspomnień. Nienawiść do Polaków była już czymś odległym, uczuciem bez pokrycia, zwykłym wspomnieniem.

Teraz ocknął się jakby z letargu. Wciąż siedział na łóżku i trzymał w rękach pudełko z przyrządami i odczynnikami. Odłożył je na bok. Ostatnio dużo myślał o sobie, o swoim życiu. Znacznie więcej niż zwykle. Wiedział, że to z powodu Carla. Ale też od pewnego czasu prześladowała go myśl, że zbliża się do końca. Nie potrafił określić, do jakiego końca, ale to, co czuł, nie było strachem przed śmiercią.

Znów ten sam kobiecy głos zaprosił go do odwiedzenia restauracji i sklepów na poziomie szóstym i siódmym. Zorientował się, że nie ma wody do picia i musi pójść do sklepu. Zdecydował jednak, że najpierw weźmie prysznic. Wiedział, że przed snem powinien jeszcze coś zjeść. Prysznic pozwoli mu na zabicie czasu do kolacji. Potem trochę pospaceruje po pokładzie i położy się w kabinie. Przeczyta materiały, które odebrał od „123". Po przyjeździe będzie musiał zapakować je do schowka i przekazać do Rezydentury w Sztokholmie.

W instrukcji, którą otrzymał przed wyjazdem, nie było zakazu przeglądania materiałów, co byłoby zresztą śmieszne, bo miał przecież wykonać ekspertyzę ich autentyczności. Badanie przeprowadził w trudnych warunkach hotelowego pokoju, dysponując jedynie podstawowym zestawem. Pobrał też próbki do dalszych badań. Zadanie nietypowe, ale już od dawna nie dziwił się różnym niezwykłym zleceniom, jakie dostawał z Centrali.

Wstępna analiza zarówno kolorowego planu, jak i maszynopisu wypadła pozytywnie. Z dużym prawdopodobieństwem mógł stwierdzić, że dokumenty zostały sporządzone w latach czterdziestych. Nie miał jednak pojęcia, czy to dobrze, czy źle. Prawdę mówiąc, nawet go to nie interesowało. Teraz wiózł ze sobą kopie.

Podczas spotkania w hotelu pobudzony alkoholem „123" zachęcał go do ich przeczytania.

Jorgensen wyszedł na zewnętrzny pokład z solidnym zamiarem odbycia spaceru, jednak zimny wiatr zagonił go do wnętrza. Udał się więc do sklepu, żeby kupić wodę. Kupił również brandy Rémy Martin w plastikowej butelce, chociaż wcale nie miał ochoty na alkohol.

Wrócił do kabiny. Zabezpieczył drzwi od wewnątrz. Postawił piersiówkę na stoliku i zaczął się rozbierać. Wszedł do ciasnej toalety, żeby umyć zęby i twarz. Prom miarowo i prawie niewyczuwalnie kołysał się na falach. Jedynie otwarte drzwi toalety skrzypiały, wyczuwając ten powolny ruch. Stał przed lustrem i w zimnym świetle jarzeniówki przyglądał się swemu odbiciu. Czuł sympatię do uśmiechającej się doń twarzy, niewspółmiernie łaskawie naznaczonej upływem czasu.

Dlaczego nie mam żadnego nałogu? Nigdy nie miałem. Żadnego hobby, szczególnych zainteresowań. Żadnego raka, prostaty. Muszę wyglądać na zwykłego, nudnego starego Szweda. Czy naprawdę taki jestem? – pomyślał przez chwilę i natychmiast skarcił się głośno:

– Za dużo myślisz o sobie!

Napił się wody z plastikowego kubka i podłożywszy sobie pod plecy drugą poduszkę, usadowił się wygodnie na łóżku. Zapalił oświetlenie nad głową i z torby, która stała obok, wyciągnął tekturową teczkę zawiązaną na tasiemkę. Ze środka wyjął plik luźnych kartek zapisanych starą czcionką maszynową. Była to kserokopia dokumentu, który dzisiaj badał.

– „Protokół przesłuchania Siemiona Andriejewicza Zubowa, członka sowieckiej bandy NKWD w okręgu grodzieńskim, październik tysiąc dziewięćset czterdzieści trzy" – przeczytał na głos z wyraźnym zainteresowaniem. I zaraz przeczytał ponownie, jakby nie rozumiał tekstu.

Po chwili odłożył pierwszą kartkę i zaczął powoli studiować tekst. Ściśnięte linie nie ułatwiały mu śledzenia treści, tym bardziej że czasami musiał czytać zdanie dwa razy, zanim dobrze pojął sens. To mu jednak nie przeszkadzało. Miał dużo czasu.

Relacja wciągała go coraz bardziej. Nie składała się z pytań i odpowiedzi jak typowy protokół, przypominała raczej pamiętnik.

Jorgensen wstał z łóżka, podszedł do drzwi i przez chwilę nasłuchiwał dochodzących z zewnątrz głosów. Gdzieś obok trzasnęły drzwi. Usiadł na łóżku, napił się wody i poprawił poduszki.

Dochodziła dwudziesta druga. Popatrzył na leżący obok maszynopis. Przeczytał pierwszą część protokołu. Opowiadanie Siemiona Zubowa o „willi Zarubina" w twierdzy brzeskiej i zakopaniu skrzyni wzbudziło w nim niezwykłe zainteresowanie.

Nigdy nie słyszał o czymś podobnym. Właściwie słabo znał historię Związku Radzieckiego. O obronie twierdzy brzeskiej czytał kilka lat temu artykuł, chyba w dzienniku „Dagens Nyheter", napisany z okazji rocznicy wybuchu wojny. Nigdy nie słyszał o kombrygu Zarubinie. W zasadzie nie znał historii NKWD. Kiedyś na kursie szkoły wywiadowczej uczył się czegoś na ten temat, ale wszystko już dawno zapomniał. Wyjechał przecież ze Związku Radzieckiego w 1946 roku.

Przez te wszystkie lata, które spędził za granicą, trochę czytał o historii kraju. Kiedyś zrobił na nim wrażenie artykuł o wymordowaniu polskich oficerów w Katyniu. Jeszcze większego wstrząsu doznał, czytając o kaźni w Kuropatach. Nazwy tych miejsc utkwiły mu w pamięci jak Miedwiedki. Niedługo potem był na szkoleniu w ZSRR i pytał swojego oficera prowadzącego o te sprawy. Pamiętał dobrze, że otrzymał całkowicie przekonującą odpowiedź. Nie mógł sobie pozwolić na wątpliwości. Kiedy po 1990 roku zaczęło się ukazywać mnóstwo publikacji na ten temat, on wiedział, że większość zawartych w nich informacji to kłamstwo i manipulacja.

Teraz jednak czuł się dziwnie. Początkowo po przeczytaniu tego tekstu nie mógł zrozumieć, co go tak zaniepokoiło. Spojrzał jeszcze raz na pierwszą stronę i zrozumiał, dlaczego Siemion Andriejewicz Zubow ujawnił te tajemnice Polakom. Poczuł do niego niechęć jak do zwykłego zdrajcy. Nie dlatego, że będąc żołnierzem, zachował się niegodnie, ale właśnie dlatego, że ujawnił tajemnice.

Co by było, gdybym to ja ujawnił wszystko, co wiem? A przez pół wieku uzbierało się tego – pomyślał Jorgensen. Miał wrażenie, jakby Zubow go oszukał, przechytrzył.

Jego spojrzenie powędrowało ku piersiówce. Szybko jednak sobie wyperswadował, że jeśli do wypitego wcześniej ze „123" alkoholu doda jeszcze brandy, to nie będzie mowy o dalszej lekturze.

Następny rozdział protokołu miał nagłówek „Zbrodnie oddziału NKWD Siergiejewa na Grodzieńszczyźnie". Jorgensen przerzucił kartkę i przeczytał: „Miedwiedki, luty 1943".

Poczuł, jak krew odpływa mu z twarzy. Choć nie wiedział jeszcze, co ten rozdział zawiera, stało się dla niego oczywiste, że to jego wieś.

Odłożył kartkę i przez chwilę patrzył w sufit. Zastanawiał się, czy chce to czytać. Po raz pierwszy w życiu czuł strach. Ogromny strach przed przeszłością i sobą samym. Już wiedział, o czym to będzie. Nie musiał się domyślać. Doskonale pamiętał ten szary poranek w lutym 1943 roku. Dzień, który naznaczył całe jego życie.

Teraz trzymał w rękach dokument z tego czasu, żywą część tamtych wydarzeń, ich świadectwo. Zamknął oczy i poczuł, jak spod zamkniętych powiek spływają na poduszkę łzy. Nie chciał o tym myśleć. Bezskutecznie przywoływał obraz Ingrid i Carla.

Zerwał się z łóżka, chwycił butelkę brandy i odkręcił zdecydowanym ruchem. Powstrzymał się jednak i odstawił ją na miejsce. Poszedł do łazienki i zobaczył swoje odbicie w lustrze. Zrobiło mu się żal – siebie. Stał tak dłuższą chwilę i czuł, jak ulatują z niego myśli i wrażenia, jak rozszerza się bolesna pustka.

Zupełnie stracił poczucie czasu. Nie obchodziło go, która jest godzina. Usiadł na łóżku i wziął pierwszą kartkę.

## 34

Sara zajęła miejsce w rogu sali, skąd mogła niezauważona obserwować wejście. Uzbecką restaurację Szafran na Worowskiego 3 sama wybrała na miejsce spotkań z „Travisem". Lokal miał kilka sal i wiele zakamarków, w których można było dyskretnie porozmawiać. Dość wysokie ceny odstraszały przypadkowych gości.

Zobaczyła „Travisa" przez okno i wydało jej się, że kroczy nienaturalnie ciężko, przygarbiony, jakby mniejszy.

Wszedł do restauracji. Przez chwilę rozmawiał z łysym szatniarzem przypominającym zapaśnika sumo, ubranym w zbyt ciasny uzbecki strój. W tym czasie nie pojawił się nikt, kogo można by wziąć za obserwację. „Travis" zauważył Sarę i ruszył za nią. Przeszli kilka wąskich pomieszczeń, zanim usiedli przy osłoniętym przez namiot stoliku na samym końcu lokalu. Już samo znalezienie tego miejsca mogło sprawić sporo trudności.

– Cześć, Igor – powiedziała Sara i objęła go na powitanie.

– Cześć. – „Travis" trzymał ją mocno w ramionach, jakby za chwilę miał się rozkleić.

– Wszystko w porządku? – zapytała.

Usiedli. „Travis" ociągał się z odpowiedzią.

– Jestem czysty. Przyjechałem porannym pociągiem. Miałem cały dzień na sprawdzenie w Kijowie.

– Spałeś w pociągu? Pewnie jesteś zmęczony... Źle wyglądasz. Nie widzieliśmy się już chyba... pół roku? Nie służy ci Mińsk... – rzuciła bez namysłu i od razu poczuła, że nie powinna była tego mówić.

– Chcę wracać! – oznajmił krótko „Travis" i po chwili, patrząc na jej zaskoczoną twarz, dodał: – Zaraz ci wszystko wyjaśnię. Najpierw powiedz mi, co u mojej mamy, u Oli. Przywiozłaś listy?

Sara wyjęła z plecaka mały notebook. Gdy wystartował, podłączyła do niego pendrive'a i podała „Travisowi".

– Czytałaś? – zapytał, nie podnosząc oczu.

– Tak. Czytałam – odpowiedziała. – Zaraz wracam.

Chciała zostawić „Travisa" samego, dać mu chwilę intymności. Poszła do bufetu i zaczęła przeglądać kartę dań, lecz wciąż słyszała jego słowa: „Chcę wracać!". Wiedziała już, że coś się stało, coś naprawdę poważnego. Popatrzyła na „Travisa", na jego szarą twarz, uśmiechniętą smutno w poświacie komputera, i zrobiło jej się żal. To nie był już Igor Szaniawski, ten młody, pełen życia student z Białegostoku. Nie był to też Oleg Popow, postać z gry komputerowej.

Czy można tak eksperymentować z ludzkim życiem? Co ja z nim zrobiłam? Kim on teraz jest? Czy są na świecie takie sprawy, dla których trzeba poświęcać czyjeś życie, czyjś los? To jakiś obłęd! – pomyślała i przed oczami stanęła jej płonąca bośniacka wieś.

„Travis" wyłączył komputer i spojrzał na Sarę, która stała z menu w ręku, patrząc na niego nieobecnym wzrokiem. Ocknęła się dopiero, gdy ją zawołał.

Po chwili pojawił się śniady kelner. Żeby jak najszybciej się go pozbyć, oboje zamówili to samo, szurpę i pilaw, nie zagłębiając się specjalnie w menu.

– Tęsknią za tobą – rzuciła.

– Czytałaś list od Oli? – zapytał.

– Nie, tylko list od mamy. Zapomniałam przeczytać... Co Ola napisała? To błąd... powinnam była, prawda? –

powiedziała żartobliwie, licząc, że w ten sposób rozładuje atmosferę, ale „Travis" nie zareagował. – Co się dzieje, Igor? Dlaczego chcesz wracać? Jesteś jakiś dziwny... Czy coś się stało? Czy to dlatego tak nalegałeś na wywołanie spotkania? – Mówiła cicho i łagodnie. Starała się patrzeć mu prosto w twarz, ale „Travis" nieporadnie unikał jej wzroku.

– Jestem już zmęczony... bardzo zmęczony! Chcę wracać do kraju. Tyle czasu nie widziałem mamy! Czy uwierzyłabyś w to, co pisze Ola? No, powiedz sama! – W jego głosie słychać było zdecydowanie.

– Igor, spokojnie – przerwała mu. – Oczywiście zawsze możesz wrócić. Dobrze o tym wiesz i nie ma powodu do nerwów. Muszę jednak wiedzieć dlaczego. Co się stało od naszego ostatniego spotkania, że podjąłeś taką decyzję? Nawet jeśli jesteś po prostu zmęczony napięciem i stresem, to nikt nie będzie miał do ciebie pretensji. – Wzięła go za rękę. – I tak wykonałeś wspaniałą robotę! Jesteś najlepszy! Naprawdę!

„Travis" bez skrępowania otarł policzki.

Przez chwilę pomyślała, iż jest mu po prostu przykro, że zawiódł, zaraz jednak sobie uświadomiła, że „Travis" wygląda jak człowiek w stanie załamania psychicznego.

– Masz tutaj ostatnie materiały – powiedział, sięgając do kieszeni po pendrive'a.

– Dzięki – odparła, na chwilę zawiesiła głos, po czym zapytała: – No więc co się dzieje, Igorku?

– Nie myśl sobie, że jestem tchórzem...

– Zwariowałeś?! Jak możesz tak mówić?! To mnie obraża...

– W porządku! – przerwał jej gwałtownie i po raz pierwszy się uśmiechnął. – Nie obrażaj się. Znam te twoje sztuczki. Dobrze... zacznę inaczej.

Atmosfera się rozluźniła i Sara poczuła ulgę. Tymczasem kelner przyniósł gorącą szurpę. Sara zwróciła mu ostro uwagę, że dotąd nie dostali zamówionej wody, ale nie wydawało się, by choć trochę się tym przejął.

– Kijów, Mińsk, Moskwa, Taszkent czy Erewan, to samo – rzucił „Travis" i oboje się roześmiali. – Wiesz, Saro – rzekł po chwili – to prawda, że jestem zmęczony. Stres i nerwy dają o sobie znać. Obawiam się, że popełnię błąd, który będzie nas drogo kosztował. Nie boję się o siebie, ale boję się konsekwencji mojej wpadki. Potrafię je sobie wyobrazić. A najbardziej boję się wstydu porażki i ich radości, że nas pokonali.

– Wiem, o co ci chodzi. Znam to uczucie... To taki kompleks szpiega...

– Nie wiem, czy jest taki kompleks... Mogę mówić tylko za siebie. – „Travis" przerwał na chwilę i oboje spróbowali szurpy. – Piętnaście dni temu – podjął – został zamordowany w Mińsku zastępca szefa kontrwywiadu, pułkownik Stepanowycz...

– Tak! Wiemy o tym... – Sara aż podniosła się na krześle. – Dostaliśmy wiadomość z Rezydentury w Rydze, bez szczegółów. Miałam cię zresztą o to zapytać. O ile dobrze pamiętam, sporo o nim pisałeś.

– Jest u nas sprawa na niego, chyba kryptonim „Fritz".

– Był zdaje się zamieszany w jakiś przemyt czy coś takiego. Ciekawe... – Sara zawiesiła głos.

– To był do cna skorumpowany, podły typ. Ale nie w tym rzecz. Jego śmierć powoduje poważne komplikacje... Także dla mnie!

– Przecież ty z nim nie pracowałeś – rzuciła niepewnie.

– Stepanowycz zginął od noża w piątek... w nocy, na swojej klatce schodowej. Następnego dnia rano ściągnięto do firmy wszystkich oficerów i koledzy ze Służby Bezpieczeństwa Prezydenta ogłosili uroczyście i dosadnie, że przejmują śledztwo w tej sprawie...

– To chyba nic dziwnego, skoro był to zastępca szefa kontrwywiadu. – Sara zastanowiła się przez chwilę i z nutą pewności dodała: – Chyba zaczynam się domyślać, o co ci chodzi...

– No to słuchaj! – rzucił „Travis" i kontynuował: – Wszyscy wiedzieli, że Stepanowycz robi lewe interesy i że to prawdopodobnie miało związek z jego śmiercią. Tego jednak do końca nie wiemy. Mogły też być inne motywy... Polityczne raczej wykluczam, był na to za głupi... albo raczej za mądry! Tak czy inaczej dochodzenie przejęła Służba Bezpieczeństwa i osobiście sprawę nadzoruje Łuka...

– No tak, czyli musi być sukces – wtrąciła Sara.

– Otóż to! A jeżeli jeszcze dodam, że widziałem się z nim w piątek, przed jego śmiercią, w swoim pokoju...

– Kiedy zaczną sprawdzać twoje papiery, to mogą coś znaleźć! Cholera! To oczywiste. Teraz wszystko rozumiem... trzeba uruchomić procedurę eksfiltracyjną! – Sara była szczerze zaniepokojona.

– To potrwa! Zajmijcie się najpierw rodziną Popowów. Ja jestem przygotowany na sytuację awaryjną i dam sobie radę...

– Zaraz, zaraz, Igor. To nie takie proste. – Nie mogła się skupić. – To oczywiste, że Centrala podejmie decyzję o wycofaniu was wszystkich... Poczekaj, niech się zastanowię. – Zamilkli oboje na dobrą minutę. – Gdy wrócisz do Mińska, zacznij się przygotowywać i bądź ostrożny. W tej sytuacji uruchamiamy elektroniczną łączność bezpośrednią „Troll". Pamiętasz wszystko?

– Jasne! Wszystko pamiętam! – odparł pewnie „Travis".

– Będziesz czekał na informację, czy Popowowie są bezpieczni, a potem dostaniesz dalsze instrukcje. Zresztą o wszystkim zawiadomimy cię bezpośrednio via „Troll". Niedobrze... się... stało! – powiedziała, mocno akcentując każdą sylabę.

– I ta szurpa też niedobra. – „Travis" odsunął od siebie talerz i uśmiechnął się, unosząc brwi.

– Rzeczywiście. Nawet tego nie zauważyłam. Może pilaw będzie lepszy. – Sara takim samym gestem odsunęła talerz. – Igorku, nie mogłeś od razu zacząć od tego Stepanowycza? Myślałam, że coś się z tobą stało. Wystraszyłam się nie na żarty...

– Powiedziałem ci, co czuję i jak jest. Nie odwołuję niczego. Po prostu muszę wrócić do domu, do Polski, pozwolić zaistnieć Igorowi. – „Travis" mówił teraz z przekonaniem, bez śladu wcześniejszego załamania. – Dać mu szansę. Bo kim właściwie jest Igor? Kim on jest? Wiesz to, Saro? Ty znasz tylko Olega Popowa, którego stworzyłaś. Nie myśl, że jestem rozgoryczony, że mam żal do ciebie czy kogokolwiek... Absolutnie nie! Wiem, na co się decydowałem, i chlubię się tym, że jestem oficerem polskiego wywiadu. Ale życia nielegała nikt nie zrozumie, nawet drugi nielegał. Rozumiesz?! To życie w stanie kontrolowanej schizofrenii. Ale najtrudniejsza i najbardziej niszcząca jest ta konieczność opanowania sztuki mimetyzmu...

– Klaus Fuchs? – wtrąciła Sara.

– Nie... Nie rozumiem. Dlaczego?

– To podobno jego stwierdzenie... to o kontrolowanej schizofrenii, kontrolowanym rozdwojeniu osobowości – ciągnęła.

– Możliwe, że gdzieś to słyszałem. Bardziej mi się jednak podobają mimetyczne zdolności ptaków... – Powiedział to takim tonem, że oboje musieli wybuchnąć śmiechem. – Skończmy już z tym, dobrze? – Wciąż nie mógł przestać się śmiać.

Sytuację mimowolnie rozładował kelner, stawiając na stole dwa ogromne talerze z nieproporcjonalnie małymi porcjami pilawu. Ten widok pobudził kolejną salwę śmiechu.

– Zanim wrócisz do Polski i pójdziemy do normalnej restauracji, musimy coś jeszcze zrobić. Pilnie! To chyba będzie twoje ostatnie zadanie... tam na Białorusi. Wiesz, najważniejszy jest deser, wykończenie! – Sara powoli wyciszała głos. – Długo rozmawialiśmy o tym z Konradem i prawdę mówiąc, nie mamy zwieńczenia dla naszego pomysłu. Liczymy, że ty coś podpowiesz... Czujemy, że potrafisz spiąć nasz plan...

– O co chodzi, Saro?

– W twierdzy brzeskiej od czasu wojny zakopane jest archiwum wydziału polskich nielegałów INO NKWD...

„Travis" wyprostował się na krześle, twarz mu stężała. Słuchał uważnie. Nie musiał przerywać, pytać. Widać było, że plan działania jest dobrze przygotowany i przemyślany, a Sara potrafiła wysławiać się krótko, precyzyjnie i logicznie.

W miarę jak przedstawiała pytania i problemy do rozwiązania, „Travis" miał wrażenie, że w jego świadomości brzmi natrętnie jedno zdanie: „Do tego potrzeba kapitana Wasilija Krupy z mińskiego KGB".

## 35

– Panie pułkowniku... bardzo mi zależy na przejrzeniu wszystkich nagrań, i to tak szybko, jak to możliwe. – Marcin starał się tak modulować głos, by zrobić jak najlepsze wrażenie na pułkowniku Stanisławie Piątkowskim, lekko otyłym komendancie Straży Granicznej przystani promowej w Gdańsku.

– Dobrze, panie kapitanie... chociaż przydałoby się jakieś pismo od waszego szefa. Ale rozumiem, że to sprawa niecierpiąca zwłoki. Cenimy sobie współpracę z Agencją Bezpieczeństwa Wewnętrznego. Kilka razy udało nam się razem przejąć transport narkotyków do Szwecji. Zna pan naczelnika Wesołowskiego...?

– Oczywiście! To Wydział Czwarty. – Marcinowi kamień spadł z serca, bo był to jedyny naczelnik w ABW, którego znał. Byli na jednym roku szkoły wywiadu w Kiejkutach.

– Porządny gość – powiedział pułkownik Piątkowski z naciskiem na „porządny". – Ładne pismo wysłał do naszego szefa po jednej wspólnej akcji. Nie jest małostkowy...

– Pułkowniku! ABW umie się odwdzięczyć! Zawsze pamiętamy o kolegach ze Straży Granicznej! – Ton Marcina nie pozostawiał złudzeń, że dobrze się zrozumieli.

– Zatem do dzieła! To mają być nagrania z kamer na terminalu portowym z wtorku. – Pułkownik podniósł słuchawkę telefonu, jasnym, wojskowym tonem polecił przygotowanie komputera i zapowiedział, że za piętnaście minut przyjdzie obejrzeć nagrania. – Zdążymy wypić kawę... brutal? – zapytał Marcina i widząc jego zdziwioną minę, dodał: – Czyli... bez koniaku!

Roześmiał się.

Marcin też, chociaż nie zrozumiał dowcipu.

Przedstawił się jako porucznik, ale Marcin nie zapamiętał nazwiska. Zauważył tylko to, że miał ponad dwa metry wzrostu i był ubrany po cywilnemu.

– Wszystko jest ustawione – powiedział drągal. – Da pan sobie radę?

– Oczywiście!

– Nagranie w lewym okienku zaczyna się od chwili otwarcia drzwi na promie dla ruchu pieszego, w prawym dla ruchu samochodowego – objaśnił porucznik.

– Interesuje mnie tylko ruch pieszy. Proszę też powiększyć obraz.

Jednym kliknięciem myszy porucznik spełnił prośbę Marcina, po czym wyszedł z pomieszczenia.

Marcin zaczął przewijać czarno-biały obraz do przodu. Pojawiły się pierwsze osoby schodzące z promu. Przypomniał sobie o zdjęciach Jorgensena, które dostał od Szwedów.

Wyjął je z teczki i położył przy komputerze. Pułkownik, który siedział tuż obok, wziął je do ręki i zaczął oglądać.

– Do czego to doszło! Żeby takich nobliwych dziadków wykorzystywać w narkobiznesie! – rzucił.

– I o to właśnie chodzi: by nie zwracali na siebie uwagi. To ważna figura – powiedział Marcin z przekonaniem.

W milczeniu przeglądali obraz na ekranie monitora. Marcin co pewien czas zatrzymywał nagranie i przyglądał się uważniej osobom przypominającym Jorgensena.

– Na pewno zszedł z promu, nie wyjechał? – zapytał pułkownik.

– Nie wykupił biletu na przewóz samochodu i zostawił go przed domem w Sztokholmie. Musiałby się do kogoś podłączyć.

– Jeżeli tak zrobił, to nic nie zobaczymy. Na tych nagraniach widać samochody i numery rejestracyjne, ale nie widać, kto jest w środku. Trzeba byłoby przejrzeć zdjęcia z pokładu samochodowego na promie. Mają tam monitoring wewnętrzny. W razie potrzeby nie ma problemu... mogę to załatwić od ręki. Utrzymujemy doskonałe stosunki z kapitanami promów.

– Najpierw przejrzymy to nagranie. Jeżeli go nie wyłapiemy, poprosimy kapitana, żeby nam udostępnił swoje. Zresztą chciałbym porozmawiać trochę z załogą. Może coś wiedzą... Scandinavia stoi teraz w porcie? – zapytał Marcin, poruszony gotowością komendanta Piątkowskiego do współpracy.

– Załoga zmienia się co dwa tygodnie. Czyli teraz jest ta, z którą płynął tamten gość – odpowiedział pułkownik. – Prom wychodzi o osiemnastej... Jeśli chce pan, kapitanie, jeszcze dzisiaj porozmawiać z załogą, musimy się pospieszyć.

– Myślę, że potrzebuję jeszcze około trzydziestu minut.

– Dobrze. W takim razie niech pan sobie tutaj pracuje, a ja pójdę na prom porozmawiać z kapitanem.

Wrócę za... – spojrzał na zegarek – czterdzieści pięć minut. – I nie czekając na odpowiedź, ruszył do wyjścia.

Marcin przyglądał się każdej osobie widocznej na ekranie, jakby nie wierzył, że uda mu się rozpoznać Jorgensena. Tych, którzy choć trochę mogli go przypominać, poddawał bardziej szczegółowemu badaniu. Pasażerowie wychodzili, ciągnąc za sobą bagaże. Parami i pojedynczo. Niektórzy z dziećmi. W ciągu dwudziestu minut dostrzegł czterech czy pięciu mężczyzn podobnych do Jorgensena. Lecz żaden z nich nie podróżował sam. Po półgodzinie Marcin poczuł niepokój. Bał się, że jeżeli nie uda mu się zidentyfikować Jorgensena na nagraniu, znalezienie go potem będzie prawie niemożliwe.

Przez chwilę pomyślał nawet, że może Szwedzi się pomylili, że on wcale nie wyjechał do Polski, i właśnie wtedy poczuł, jak rozpiera go zadowolenie. Na ekranie komputera, jak w świetle reflektorów i w wyreżyserowanej pozie, pojawił się Jorgensen.

Zatrzymał się, jakby chciał, by wszyscy mogli zobaczyć, że wszedł na scenę, że właśnie przyjechał. Rozejrzał się wokół, zarzucił torbę na ramię i spojrzał prosto w obiektyw kamery. Marcin miał wrażenie, że patrzy właśnie na niego. Poczuł dreszcz i pomyślał, że to ktoś niezwykły, inny niż wszyscy pasażerowie, którzy zeszli przed nim z promu, ktoś z jego świata. Czuł jakąś nieokreśloną bliskość i jednocześnie głęboki, przenikliwy strach.

Przełączył na obraz z kamery zamontowanej wewnątrz terminalu promowego i zobaczył, jak Jorgensen zdecydowanym krokiem przemierza hol i kieruje się do wyjścia. Po chwili znikł z pola widzenia. Marcin ponownie zmienił kamerę. Tym razem ujrzał na ekranie wejście do terminalu. Obraz był wyraźniejszy niż poprzednio.

Jorgensen zatrzymał się w samym środku kadru. Był doskonale widoczny. Wyciągnął z kieszeni jakąś kartkę i przez chwilę ją studiował. Potem wyjął coś, co prawdopodobnie było planem miasta. Zaczepił stojącą obok kobietę z papierosem i o coś ją zapytał. Ta wzięła od niego plan i zaczęła go oglądać. Rozmawiali przez chwilę.

Marcin zdziwił się, bo kobieta nie wyglądała na znającą angielski, a tym bardziej szwedzki. Kiedy dołączył do niej jakiś mężczyzna, pożegnała się z Jorgensenem, który postał jeszcze trochę przed terminalem, po czym ruszył w lewo, w stronę oddalonego o kilka metrów postoju taksówek. Niektórzy kierowcy stali obok samochodów. Podszedł do pierwszej wolnej taksówki, jasnego mercedesa z lat osiemdziesiątych, bez oznaczeń korporacyjnych. Po krótkiej rozmowie ze starszym taksówkarzem o gęstej siwej czuprynie zajął miejsce z tyłu i odjechał.

Marcin cofnął nagranie do momentu, w którym Jorgensen podchodzi do taksówki. Numer rejestracyjny był doskonale widoczny.

– Kapitan na nas czeka. Możemy rozmawiać na promie z kim chcemy – oznajmił głośno pułkownik, wracając do pokoju, a ujrzawszy minę Marcina, zapytał: – Znalazł go pan?

– Tak. Niech pan spojrzy. To on!

– Rzeczywiście! Nie może być mowy o pomyłce! – zawołał z uznaniem komendant i przez chwilę wpatrywał się w ekran. – Ma pan więcej szczęścia – dorzucił. – Ten taksówkarz... ten tutaj... – pokazał palcem na monitorze – to Mietek.

– Kto?

– Mietek, nasz były podoficer, jeszcze z WOP... odszedł na emeryturę pod koniec lat osiemdziesiątych. Teraz pracuje na taksówce... bardzo porządny człowiek. Obsługuje terminal promowy. Mam do niego telefon... Chce pan z nim porozmawiać?

– Oczywiście! I to tak szybko, jak to możliwe, panie komendancie. Ale najpierw prom.

Marcin był w swoim żywiole. Kiedy jechał do Gdańska, nawet nie przypuszczał, że sprawy potoczą się tak szybko.

Prom sprawiał wrażenie opustoszałego. Komendant podszedł do recepcji i poprosił, by poinformować kapitana o jego przybyciu. Po kilku minutach zjawił się znajomy pułkownika, oficer w białej koszuli z naramiennikami. Przywitał się z Marcinem i oznajmił, że kapitan wyraża zgodę na rozmowy z załogą promu. Dodał, że w razie potrzeby jest do dyspozycji, i oddalił się równie szybko, jak przyszedł.

Marcin zaczął od recepcjonistki. Pokazał jej zdjęcie Jorgensena i podał jego nazwisko. Szybko wprowadziła dane do komputera i potwierdziła, że rzeczywiście płynął promem w tych dniach. Zajmował pojedynczą kabinę z oknem i prysznicem, numer 6020. Wzięła do ręki zdjęcie i długo mu się przypatrywała. Wreszcie pokręciła zdecydowanie głową i stwierdziła, że go nie pamięta. Nie zwrócił jej uwagi. Zresztą w czasie boardingu jest dwóch lub trzech recepcjonistów. Będą za godzinę, bo zeszli na ląd.

Zasugerowała, by porozmawiać przede wszystkim z ochroniarzem Zbyszkiem. On na promie widzi wszystko i wszystkich. Wie, kto jest stałym klientem, kto płynie po raz pierwszy, w jednej chwili rozpoznaje Szweda, Polaka, Litwina czy Rosjanina, odróżnia kierowcę tira od budowlańca, dentystę od wędkarza. Wie, z kim będą kłopoty wieczorem, na kogo trzeba zwrócić szczególną uwagę. Zbyszek pracuje na promie już piętnaście lat. Pływał jeszcze na Rogalinie.

Uśmiechnęła się pełnymi ustami w kolorze zaschniętej krwi, aż coś Marcinem rzuciło.

– Znam go dobrze! Porządna jednostka... – wtrącił pułkownik. – On rzeczywiście jest jak część tego promu i jego duch.

Nie czekając na decyzję Marcina, recepcjonistka wezwała przez głośnik Zbyszka, a ten zjawił się jak spod ziemi. Przywitał się z komendantem, który przedstawił mu Marcina i krótko opisał jego misję. Zbyszek pokiwał głową na znak, że jest gotów do współpracy, a po jego minie widać było, że imponuje mu kontakt z ABW.

Marcin wyciągnął zdjęcia Jorgensena.

– Pamiętam go – odparł od razu Zbyszek. – Dziwny gość. Płynął jakieś dwa tygodnie temu…

– Szesnastego – wtrącił Marcin.

– Tak. Chyba tak. Miał kabinę na szóstym poziomie…

– Dlaczego uważa pan, że był dziwny?

– Gość wszedł na pokład sam. Przy boardingu zawsze jestem w pobliżu recepcji, więc go zauważyłem. Już wtedy było to trochę dziwne, że nie miał bagażu. Gdyby był samochodem, to byłoby normalne, ale pieszo? Poza tym starszy gość sam?! Wyraźnie Szwed, po ubraniu. To nie tak, że zaraz był jakiś podejrzany. Nie! Zwrócił tylko moją uwagę. Dlatego rozpoznałem go też później. Jakąś godzinę po wypłynięciu promu zobaczyłem, jak idzie z Andriejem i Aloszą…

– Z kim? Z jakim Andriejem, jakim Aloszą?! – Marcin podniósł głos.

– To nie żadna ruska mafia. Spokojnie, panie oficerze. – Zbyszek uśmiechnął się trochę ironicznie. – Znam ich dobrze. To Białorusini spod Grodna, w zasadzie Polacy. Pracują w Szwecji przy remontach mieszkań i regularnie przyjeżdżają do Gdańska po materiały. Taniej, wie pan. Pracują dla jednego Polaka, na czarno oczywiście, bo nie są z Unii, ale mają wizy schengenowskie. Wykorzystuje ich jak niewolników, prowadzą furgon, są tragarzami, na promie nie śpią w kabinie, tylko na fotelach, i tak dalej… Rozumie pan?! Na promie nie piją, bo oszczędzają każdy grosz…

– Skąd Jorgensen w ich towarzystwie?

– To mnie też zdziwiło… bo dyżuruję przez większą część nocy, a Andriej i Alosza nie mają kabiny i włóczą się po promie, więc często siedzimy i rozmawiamy. To przyzwoici ludzie. Niech mi pan wierzy…

– Wierzę, panie Zbyszku. Wierzę.

– Pytałem ich, co to za gość. Powiedzieli mi, że to jakiś ni to Polak, ni to Białorus, teraz Szwed…

– Chwileczkę! – Marcin przerwał Zbyszkowi w pół zdania. – Polak, Białorusin... czy ja dobrze słyszę? Jest pan pewien?

– Oczywiście! Na tym promie można spotkać takich ludzi. To żaden dziw! Jest ich pełno...

Marcin jednak pomyślał, że Zbyszek musiał się pomylić.

– Panie Zbyszku, niech pan się dobrze przyjrzy temu zdjęciu. Czy to na pewno ta sama osoba? – Znów podniósł głos.

– Nie ma wątpliwości. – Ochroniarz był o tym święcie przekonany. – Na imię ma... jakoś tak po niemiecku...

– Hans? – Marcin poczuł dreszcz.

– Otóż to! Hans! Ale nazwiska nie znam... Potrzebne?

Jak to możliwe?! Szwedzi musieli popełnić jakiś błąd. Powinni wiedzieć, że zna język polski. Zaraz... mówili przecież, że jest Szwedem duńskiego pochodzenia, skąd zatem miałby znać polski? Zadziwiające!

Marcin czuł się, jakby dostał pięścią w twarz, i nie mógł zebrać myśli.

– Jedną chwileczkę, panowie... – rzucił po chwili i odszedł na bok. Wyciągnął telefon komórkowy i zadzwonił do Konrada. – Szefie! Nasz dziadek zna język polski... – powiedział, gdy tylko usłyszał jego głos. – Wygląda na to, że mamy takiego, o jakim szef mówił.

Rozmowa była krótka, bo nigdy nie rozmawiali przez telefon otwartym tekstem.

– Jeżeli chce się pan dowiedzieć więcej, to Andriej i Alosza wracają dziś po zakupach do Szwecji – powiedział Zbyszek, gdy tylko Marcin znowu do nich podszedł. – Przypłynęli do Polski dzisiaj, to znaczy, że będą też wracać. Można sprawdzić w recepcji, czy mają rezerwację. Zawsze są pierwsi w kolejce do wjazdu na prom. Jeżdżą niebieskim fordem transitem.

– Sądzi pan, że będą chcieli rozmawiać? – zapytał Marcin.

– Proszę pana! To ludzie ze Wschodu! Władza ma zawsze rację. Tym bardziej polska władza! – W głosie Zbyszka dało się wyczuć, że też jest ważną częścią tej władzy, przynajmniej na promie. – Oni wiedzą, że wydalenie to dla nich tragedia...

– Panie kapitanie, dostałem telefon... – wtrącił pułkownik, który wcześniej gdzieś po cichu się ulotnił. – Mietek, ten taksówkarz, będzie za chwilę na terminalu.

– Czy mogę pana prosić, panie Zbyszku, by sprawdził pan, czy ci Białorusini wracają dzisiejszym promem? Jeżeli tak, to niech mi pan umówi z nimi spotkanie...

– Załatwione, panie kapitanie! Pan jest z ABW, tak? – zapytał poważnie. – Kiedyś składałem papiery, ale mnie nie przyjęli.

– Niech się pan nie przejmuje – rzucił bez sensu Marcin. – Nawet pan nie wie, jak bardzo mi pomógł! – dodał szczerze.

Gdyby oni wiedzieli, kim jest ten niepozorny dziadek albo... kim może być! – pomyślał.

Zeszli z promu po stromych schodach. Pogoda się zmieniła i zaczęło mocno padać. Skuleni przebiegli kilka metrów do terminalu. Wewnątrz było parę osób wyglądających na podróżnych, którzy czekają, aż będzie można wejść na prom.

Marcin natychmiast rozpoznał starszego pana z nagrania. Jego biała czupryna wyróżniała go spośród innych osób w hali. Siedział na ławce i czytał „Fakt". Zauważył pułkownika w towarzystwie Marcina i podniósł się z pewnym trudem.

– Witam cię, Stasiu – zwrócił się do pułkownika. – Co się stało, że wzywasz starego wiarusa? Nie przejmuj się. Żartowałem! Ja zawsze chętnie przyjadę, żeby się z tobą spotkać. Taksówkarz to teraz niepopłatny zawód...

– Daj spokój, Mieciu. Gaduła jesteś – powitał go kordialnie komendant. – Mamy do ciebie sprawę... służbową! – Staruszek uniósł wysoko krzaczaste siwe brwi. – Poznaj! To jest pan kapitan z Warszawy, z Agencji Bezpieczeństwa Wewnętrznego...

Marcin wyciągnął dłoń i przejął inicjatywę.

– Panie Mieczysławie – zaczął trochę formalnie. – Mam do pana prośbę. Chciałbym, żeby pan nam pomógł w jednej ważnej sprawie.

Zauważył, że Miecio bacznie mu się przygląda, a wyraz jego twarzy się zmienił.

– A niby dlaczego miałbym wam pomagać?! – powiedział nagle taksówkarz, oschle i głośno.

Marcin poczuł się, jakby ktoś go zwymyślał. Odebrało mu mowę.

– Mieciu, nie wygłupiaj się... – Pułkownik próbował ratować sytuację.

– Wcale się nie wygłupiam, Stachu. Pan kapitan przyjechał z samej Warszawy, żeby starego sierżanta WOP prosić o pomoc w ważnej sprawie, tak?

– Tak – z trudem wykrztusił Marcin.

– Pan chce rozmawiać z oprawcą, ciemiężycielem narodu polskiego, tym, który w imieniu obcego mocarstwa zniewalał polskich patriotów? Z przestępcą?! Państwo polskie zwraca się do kogo?! Do mnie? Czy ja jestem jeszcze obywatelem tego kraju? Bo mam wątpliwości. Jacyś spóźnieni z życiem gówniarze obrażają mnie z sejmowej trybuny, a potem pan przyjeżdża tutaj z prośbą! O pomoc! To ja potrzebuję pomocy, żeby ktoś w końcu wziął mnie w obronę przed tymi zasmarkanymi politykami...

– Mieciu, daj już spokój... – powiedział komendant bez przekonania.

– Przecież ty też tak myślisz, Stasiu! Musisz służyć, bo wkrótce emerytura, ale myślisz jak ja. Chcą mi jeszcze odebrać emeryturę! I co, mam się z tym wyrokiem pogodzić i pomóc panu kapitanowi z ABW?

– Panie Mieczysławie! Jeżeli pan nie chce, to trudno... nie będę pana namawiał – zaczął Marcin. – Chcę tylko powiedzieć, że ja pana rozumiem... i my, oficerowie, wiemy i rozróżniamy, kto wtedy służył Polsce, a kto był kanalią...

– W czym mogę panu pomóc? – przerwał niespodziewanie Miecio i uśmiechnął się.

Ciężka przez chwilę atmosfera rozpłynęła się bez śladu. Marcin poczuł ulgę, bo powiedział to, co naprawdę myślał, i nie musiał już podstępem namawiać krewkiego sierżanta do współpracy.

– Niech pan spojrzy uważnie na to zdjęcie. Czy zna pan tego człowieka?

– Oczywiście! Nie mógłbym go zapomnieć. Nie mam tak wielu klientów, bo nie jestem w korporacji. Wiozłem go do hotelu Rezydent w Sopocie. To było około dwunastej trzydzieści... o ile dobrze pamiętam.

– Czy mówił po polsku? – zapytał Marcin.

– Tak... ale w tym jego polskim... było coś dziwnego. – Sierżant Miecio wciąż trzymał w ręku zdjęcie Jorgensena. – Ja znam wielu Polaków ze Szwecji, mam licznych stałych klientów, niektórzy są tam od pięćdziesięciu lat i dłużej... ale oni mówią inaczej. Ten jego polski był taki... jak by to powiedzieć... dziecinny. Tak... to najlepsze określenie... mówił jak dziecko, trochę śmiesznie, ale płynnie. Gdybym nie wiedział, że jest ze Szwecji, to trudno byłoby mi powiedzieć, skąd pochodzi...

– Przedstawił się? – wtrącił Marcin.

– Nie. A ja nie pytałem, bo tego się nie robi. Tym bardziej że od razu umówił drugi kurs. Na siedemnastą piętnaście, żeby zdążyć z powrotem na prom. Miałem go zabrać z Rezydenta. Zapłacił z góry dwieście złotych.

– O czym rozmawialiście? Pamięta pan? – Marcin dopytywał się dalej.

– O niczym istotnym. Nie pamiętam dobrze. Pytał, skąd pochodzę, jak mi się tu żyje, i takie tam... A, zaraz... pytał, co robiłem w czasie wojny. Powiedziałem mu, że byłem z rodzicami w domu. A on chciał wiedzieć, czy wszyscy przeżyli. Trochę to było dziwne…

– Czy w jego zachowaniu było coś jeszcze, co zwróciło pana uwagę?

– Czy ja wiem... Mocno się rozglądał. Trochę tak nienaturalnie, jakby nerwowo. Zauważył, że patrzę na niego w lusterku, i powiedział, że ciekawi go miasto, chociaż nie jechaliśmy przez Starówkę i widoki były raczej smutne. Ale różnych świrów już widziałem… Wie pan, kapitanie, że kiedyś mój znajomy woził po Gdańsku i Sopocie Christera Petterssona… Wie pan, kto to? Zabójca Olofa Palmego. To było w czasie stanu wojennego. Przypłynął promem tak jak ten, wziął Tadka, zapłacił z góry i kazał się wozić od monopolowego do apteki, i tak na okrągło. Cały czas wychwalał Solidarność i stan wojenny… No, kompletny świr i narkoman!

– Ciekawe, ale wróćmy do naszego gościa. – Marcin nie zainteresował się mordercą szwedzkiego premiera. – Zawiózł go pan do Rezydenta. Co to takiego?

– To hotel w Sopocie – wtrącił pułkownik. – Koło dworca.

– Zgodnie z umową wróciłem po niego o umówionej porze – kontynuował sierżant Miecio. – Od razu się zjawił. Gdy jechaliśmy na prom, kazał nagle zatrzymać się przy kiosku. Wysiadł na chwilę, ale nic nie kupił. Rozglądał się jak poprzednio, ale jakby mniej. I nie był już taki rozmowny. Wyglądał na zmęczonego.

– Czy coś jeszcze może pan sobie przypomnieć? Wszystko jest istotne, ważne… Może jakiś szczegół odcisnął się panu w pamięci? – Marcin czuł, że nic więcej się nie dowie.

– Pamiętam, że mówił coś o synu, że ma syna w marynarce i chce przyjechać z nim do Gdańska. Mówił, że jest tu pierwszy raz. – Miecio zastanowił się jeszcze chwilę i pokręcił głową. – Chyba to wszystko… Jak sobie coś przypomnę, to dam znać.

– Dziękuję, Mieciu – odezwał się pułkownik.

– Bardzo nam pan pomógł! Naprawdę! – zapewnił Marcin. – Jestem ogromnie wdzięczny. Proszę mi wierzyć!

Czuł, że powinien powiedzieć coś więcej. Było mu żal starego sierżanta, ale nie wiedział, jakich słów mógłby użyć, żeby to miało jakiś sens. Bał się, że wyjdzie na hipokrytę. Uścisnął więc tylko dłoń Miecia dłużej i serdeczniej niż zwykle, z nadzieją, że ten jako mężczyzna właściwie to zrozumie.

Miecio podniósł się z trudem i powoli odszedł w kierunku wyjścia.

– To wspaniały człowiek – odezwał się pułkownik. – Czterdzieści lat w WOP, a dziś ma tysiąc dwieście złotych emerytury. Na taksówce prawie nie zarabia, bo nie może długo siedzieć. W siedemdziesiątym ósmym roku dostał dwa postrzały od przemytników i ledwo z tego wyszedł. Teraz, na starość, cierpi z powodu tych ran i jest trochę rozgoryczony...

– Niech pan da spokój, komendancie! – uciął Marcin, bo było mu głupio i nie wiedział, co powiedzieć.

Spojrzał na duży zegar w hali. Dochodziła szesnasta. Wyszli z terminalu i po trapie wspięli się z powrotem na prom. Od razu natknęli się na Zbyszka, który zakomunikował, że właśnie miał dzwonić do pułkownika, ponieważ Andriej i Alosza są do dyspozycji pana kapitana z ABW.

Marcin zobaczył dwóch mężczyzn w średnim wieku, bez jakichkolwiek cech charakterystycznych. Miał wrażenie, że nie potrafiłby nawet ich opisać. Wyróżniało ich jedynie spojrzenie pełne strachu, a może nawet przerażenia. Marcin od razu pomyślał z rozbawieniem, że to z pewnością robota czarnego księcia promu Scandinavia, czyli pana Zbyszka.

Andriej i Alosza natychmiast się podnieśli i stanęli na baczność, gdy zobaczyli, że zbliża się do nich ochroniarz z umundurowanym pułkownikiem i Marcinem.

– Witam panów.

Marcin podał im rękę, a po nim to samo zrobił pułkownik. Ten prosty gest od razu podziałał na nich uspokajająco.

– Nazywam się Kowalski i jestem z policji. Który z panów to Andriej, a który Alosza?

– Ja Andriej, a on Alosza.

– Panie Zbyszku, może pan nas zaprowadzi w jakieś spokojniejsze i bardziej wygodne miejsce – zaproponował komendant.

Przeszli do kawiarni na szóstym poziomie. W dużej sali zastawionej stolikami było zupełnie pusto.

– Panie Zbyszku, bardzo panu dziękuję za pomoc... – powiedział Marcin, zanim usiedli.

– Rozumiem. Oczywiście, panie kapitanie... Jeżeli będę potrzebny, to znajdziecie mnie przez recepcję – odparł bez wahania ochroniarz i odszedł.

– Panowie – zaczął Marcin. – Chciałbym, żebyście pomogli mi w jednej sprawie. Oczywiście nie musicie... – Powiedział tak celowo, by zachęcić ich do szczerej wypowiedzi. – Dwa tygodnie temu spotkaliście na promie tego człowieka. – Pokazał im zdjęcie Jorgensena.

Przez chwilę przyglądali się fotografii, wymieniając ją między sobą. Trwało to jednak nieco za długo i Marcin zaczął się denerwować, że mogą go nie rozpoznać.

– *Da. Ja jego wstrietił na bortu* – powiedział Andriej i wskazał ręką w nieokreślonym kierunku. – *Niemnożko my tam rozgoworiwali i potom poszli w riestoran... ja priwioł Aloszu... on sidieł tam s gospodinom Zbyszkom. Poszli my w ristoran piwa napitsia... on nas prigłosił.*

– Andriej, ja to rozumiem. Ale zacznij może od początku. Kto pierwszy do kogo podszedł? Jak się przedstawił? Co mówił i dlaczego? Zanim jeszcze zaprosił was na piwo. *Ponimajesz?* – zapytał Marcin, ale miał wątpliwości, czy Andriej dobrze go zrozumiał.

– *Nu. Eto ja pierwyj naczał. Ognia u mienia nie było i ja jego sprosił. Nu i my naczali rozgoworiwat.*

– Po polsku czy po rosyjsku mówił? A może po białorusku? Jak się przedstawił?

– *Ja nie pomniu, skazał on ili niet, kak jego zowut. Nu, on goworił na polskom jazykie, no tak po-drugomu. Nie kak siejczas Polaki goworiat.*

– Ale jak? – niecierpliwił się Marcin.

– *On skazał, czto dawno iz Polszy ujechał. No nie skazał kogda. Ili ja zabył. My nie sprosiwali. Poczemu?* – Andriej chwilę się zastanowił i dodał: – *On skazał, czto on iz grodnienskoj obłasti, iz kakoj-to dieriewni...* – Popatrzył pytająco na Aloszę.

– *Ja pomniu! Miedwiedki* – spokojnie odparł Alosza.

– No to nareszcie coś! Wiemy, skąd jest. Wyraźnie powiedział, że wyjechał z Polski? – Marcin wyjął notatnik i zapisał, chociaż całą rozmowę nagrywał na dyktafon.

– *Da! Toczno!* – podchwycił Andriej. – *Dwa raza nas sprosiwał ob eto miesto. Znaczyt Miedwiedki. No my nikogda nie słyszeli ob etoj dieriewni.*

– Mówił coś więcej o tej wsi? Pamiętacie?

– Nie. Tylko że tam leży jego *siemja*... rodzina znaczy się. – Alosza starał się mówić po polsku.

– Nic więcej o sobie nie mówił? Kim jest, Polakiem czy Białorusinem?

– *Niet. Tolko czto on ujechał iz etoj dieriewni wo wriemia wojny. Kagda ubili jego rodnych...*

– Kto zabił i kiedy? O co jeszcze pytał? Nie mówił, po co jedzie do Polski? Zna tu kogoś?

– *On nie skazał, a my nie sprosiwali...*

– O sobie nic nie mówił – wtrącił Alosza. – Chciał wiedzieć, jak życie na Biełorusi teraz. Co zmieniło. *Wot tak! Niczewo osobiennogo.* Siedzieli my tak dwie godziny. Piwa napili i *wsio. Choroszyj czełowiek.*

– *My widieli jego jeszczo raz, kogda my jechali obratno. Był kakoj-to drugoj, strannyj. Smotrieł na mienia kak na nieznakomogo. A dołżen był mienia pomnit!*

– Był jakiś zamyślony? Nieobecny? Myślicie, że nie chciał z wami rozmawiać? – pytał z niedowierzaniem Marcin.

– Tak! Chyba tak! – odparł bardziej inteligentny Alosza.

Minęła osiemnasta i prom wyruszył w drogę powrotną do Szwecji, zabierając wystraszonych Białorusinów i pana Zbyszka, co chciał do ABW.

Marcin pożegnał się z pułkownikiem jak ze starym znajomym i obiecał, że prześle do szefa Straży Granicznej w Warszawie pismo z podziękowaniem za wzorową współpracę.

Czuł się zmęczony. Mięśnie go bolały jak po długim biegu. Najchętniej pojechałby teraz do hotelu, wypił duże pieniste piwo i po prostu położył się spać. Miał jednak jeszcze jedną sprawę do załatwienia. Musiał jechać do Sopotu i porozmawiać z personelem hotelu Rezydent. Może ktoś tam widział Jorgensena?

Jutro wcześnie rano wyruszy do Warszawy, a w drodze wszystko sobie przemyśli i uporządkuje, tak by sprawnie zdać relację Konradowi.

Znowu zaczął padać drobny ciepły deszcz. Marcin wsiadł do samochodu i przez chwilę obserwował, jak wycieraczki zbierają wodę z szyby, za którą przesuwają się ciemne chmury. Otworzył okno i zapalił papierosa. Nosił przy sobie paczkę, chociaż palił rzadko. Zaciągnął się i zrobiło mu się niedobrze. Papieros był wyschnięty. Dopiero teraz sobie uświadomił, że od rana nic nie jadł. Wyrzucił nadpalonego papierosa i ruszył w kierunku Sopotu.

Zatrzymał się na parkingu strzeżonym obok dworca, tak jak mu poradził komendant, i postanowił najpierw coś zjeść. Poszedł w lewo przez plac Konstytucji 3 Maja w kierunku Monte Cassino, gdzie mimo mżawki przesuwał się tłum ludzi. Po prawej stronie, w pobliżu wejścia do kościoła, stało kilku południowoamerykańskich Indian, trzymając nad głowami plastikowe folie. Marcin pomyślał z rozbawieniem, że mają przymusową przerwę w *El condor pasa*.

– Twardzi ludzie Andów, a przeszkadza im bałtycka mżawka – powiedział do siebie.

*Zjadłbym cau cau albo może lomo saltado* – zadźwięczało mu w myślach i dosłownie poczuł zapach peruwiańskich dań, a na egzotycznej kuchni znał się jak mało kto.

Po lewej stronie zobaczył zachęcające wejście do włoskiej restauracji Tivoli, ozdobione kariatydą i atlantem.

Wszedł do środka i zajął jedyne wolne miejsce. Bogato zdobione wnętrze miało imitować antyczny Rzym, ale Marcinowi się wydawało, jakby miał piach w ustach. W ten sposób jego wrodzone poczucie estetyki reagowało na taki właśnie rodzaj sztuki. Po wizycie w toalecie poczuł się jeszcze gorzej, ale powiedział sobie, że przyczyną musi być jednak głód.

Urocza, farbowana na Włoszkę kelnerka przyjęła zamówienie na dobrze wypieczoną pizzę cztery sery i wodę bez gazu z cytryną. Marcin wyjrzał przez okno i zobaczył, że Indianie przygotowują się do koncertu.

*Dobrze... przestało padać* – zauważył, jakby miało to dla niego jakieś znaczenie. I zaraz złapał się na tym, że przestał myśleć o Jorgensenie. Jakby stracił czujność. Spojrzał z zazdrością na siedzącego obok młodego mężczyznę, który powoli podnosił do ust dużą szklankę piwa ozdobioną białym bukietem.

Wyjął notatnik i zaczął przeglądać zapiski. Jorgensen wzbudzał w nim nieznane mu dotąd emocje. Po raz pierwszy był tak blisko prawdziwego nielegała. Tak przynajmniej twierdził Konrad. On sam to czuł, chociaż nielegała oglądał dotąd tylko w kinie.

*To jak mityczne zwierzę, o którym wszyscy mówią, a którego nikt nie widział. A ci, co widzieli, nie przyznają się do tego lub kłamią. A ja jestem tak blisko...* – pomyślał.

Tak bardzo chciałby, żeby to był prawdziwy nielegał. Jednocześnie było mu żal, że ten najpiękniejszy twór sztuki szpiegowskiej przestanie istnieć. Podobało mu się nawet jego nazwisko – Jorgensen.

Marcin był trochę zdezorientowany. To tak, jakby zniszczyć obraz, jedyny i niepowtarzalny, jakiegoś da Vinci albo Rembrandta...

Kelnerka przyniosła pizzę, której wspaniały zapach poprawił mu samopoczucie.

Pomyślał, że musi teraz działać zdecydowanie. Hotel Rezydent może kryć wyjaśnienie zagadki tajemniczego Szweda. Zresztą sama nazwa – Rezydent – stwarzała pewną nadzieję.

Pizza była wyśmienita – ocenił Marcin. Płacąc rachunek, pochwalił kucharza, a farbowaną Włoszkę obdarzył uśmiechem typu „jesteś cool laska", który podziałał jak zwykle.

Wyszedł przed restaurację i spojrzał na podświetloną już secesyjną fasadę urokliwego hotelu po przeciwnej stronie. Pięć gwiazdek zapowiadało profesjonalną obsługę, wysublimowanych gości i wysokie ceny.

Jorgensen musiał się tutaj z kimś spotkać – pomyślał, wchodząc do westybulu. Z kim? Z jednym z hotelowych gości? Czy może skorzystał tylko z restauracji?

Odczekał, aż recepcjonista będzie wolny, i podszedł do jego stanowiska. Wyciągnął policyjną blachę i ze znudzoną miną zapytał o kierownika. Recepcjonista, najwyraźniej przyzwyczajony do podobnych sytuacji, bez słowa nacisnął jakiś guzik na pulpicie. Nawet nie patrząc na Marcina i nie siląc się na uprzejmość, rzucił:

– Zaraz będzie!

Po chwili z zaplecza wyszedł zażywny mężczyzna w średnim wieku. Od razu skierował się w stronę Marcina i ze służbowym uśmiechem na twarzy zapytał:

– Czym mogę służyć?

Widok policyjnej odznaki zmiótł niepotrzebny, jak się okazało, uśmiech i zaowocował krótkim, szorstkim:

– Zapraszam do siebie.

Kiedy znaleźli się w elegancko i bogato urządzonym gabinecie, kierownik wskazał Marcinowi fotel.

– Pan nie jest z naszego komisariatu, prawda? – raczej stwierdził, niż zapytał. – Mogę jeszcze zobaczyć legitymację?

Od razu było jasne, że pan Piotr – takie bowiem imię widniało na identyfikatorze – nie od dzisiaj ma do czynienia z policją.

– Jestem z Warszawy, CBŚ – odpowiedział szybko Marcin.

Na twarzy kierownika znów pojawił się woskowy uśmiech.

– Czym mogę służyć, panie komisarzu? – zapytał Piotr w filmowym stylu, zwracając legitymację.

– Sprawa dotyczy przemytu narkotyków. Liczę, że wszystko, o czym będziemy mówili, zachowa pan dla siebie.

Pucołowata twarz kierownika nabrała teraz żartobliwego wyrazu.

– Oczywiście... panie... komisarzu! – wyrecytował.

Marcin wyjął zdjęcie Jorgensena i pokazał je kierownikowi. Podał dokładną datę i godziny jego wizyty w hotelu. Zapytał, w jaki sposób można ustalić, co robił i z kim się spotkał.

– Niestety, różni ludzie zatrzymują się w naszym hotelu. Proszę wymienić nazwisko tego człowieka. Sprawdzimy, czy wynajmował u nas pokój. Zorientuję się przy okazji, kto miał wtedy dyżur w recepcji.

– Jorgensen.

– Duńczyk?

– Nie, Szwed.

Kierownik podniósł telefon i polecił odszukać nazwisko i datę w komputerze. Zapytał też, kto pracował wtedy w recepcji. Przez chwilę siedzieli w ciszy. Po minucie zadzwonił telefon. Piotr wysłuchał wiadomości.

– Nikt taki w naszym hotelu się nie zatrzymywał. Natomiast dyżur miał wtedy Jacek, ten sam, który jest tam teraz...

– Czy jest w hotelu monitoring?

– Wiem, o co panu chodzi. Jest na korytarzach, choć nie wszędzie. Zresztą nagrania trzymamy tylko przez dwa dni – odpowiedział kierownik.

– Czy mogę zatem porozmawiać z tym panem Jackiem?

– Oczywiście... zmienię go w recepcji. Za chwilę do pana przyjdzie – zapewnił Piotr, wyraźnie chętny do współpracy. Marcin miał jednak wrażenie, że nie z sympatii do policji, lecz ze zwykłego wyrachowania.

Po chwili do pokoju wszedł recepcjonista i stanął przy drzwiach.

– Wie pan, o co chodzi? – zapytał uprzejmie Marcin, dając mu znak, by usiadł.

– Tak, o jakiegoś Szweda. Miał tu być dwa tygodnie temu, czy tak?

– Owszem. Niech pan spojrzy na to zdjęcie. Był w waszym hotelu między trzynastą a siedemnastą, to znaczy około czterech godzin. Pana szef mówił, że nie był gościem hotelowym, ale mógł kogoś odwiedzać, prawda? Może spotkał się z kimś w restauracji? – dopytał się Marcin, podczas gdy recepcjonista przyglądał się fotografii.

– Pamiętam tego mężczyznę. – Położył przed Marcinem zdjęcie Jorgensena, zrobione, gdy schodził z promu. – Dokładnie tak był ubrany... i ta torba na ramieniu. Siedział w westybulu, który nie jest duży, jak pan widział. Pytałem go nawet, czy nie potrzebuje pomocy, ale tylko pokręcił głową...

– W jakim języku pan go zapytał?

– Po polsku – odparł recepcjonista. – Siedział tak może piętnaście minut. Później pojawili się goście i go zasłonili. Był chyba jakiś większy check-out. Zauważyłem, że zniknął nagle z fotela. Przez ułamek sekundy widziałem, że szedł z kimś na górę...

– Kto to był? – wtrącił Marcin.

– Nie wiem... nie widziałem dobrze... był odwrócony plecami. Na pewno mężczyzna...

– Stary, młody? Wysoki, niski? Jak był ubrany? – dopytywał się Marcin.

– Niech mi pan wierzy, nie pamiętam. To był moment... Nawet nie jestem pewien, czy szli razem. Ten Szwed szedł za nim... – Recepcjonista sprawiał wrażenie, że wie, co mówi.

– Może jedli coś w restauracji? – próbował dalej Marcin.

– Restauracja była tego dnia zamknięta dla gości, bo mieliśmy wycieczkę – odparł Jacek. – Więcej go nie widziałem. Nie widziałem też, kiedy wyszedł... Tego dnia był spory ruch.

– Dziękuję panu. Bardzo mi pan pomógł. – Marcin zrozumiał, że nic więcej z niego nie wyciągnie.

Recepcjonista wyszedł i po chwili wrócił kierownik.

– Dowiedział się pan czegoś, komisarzu? – zapytał od progu.

– Tak, dziękuję. Pana kolega był bardzo pomocny. Mam jednak jeszcze jedną prośbę, panie Piotrze. – Kierownik znów mu odpowiedział groteskowym uśmiechem i uniesieniem bezbarwnych brwi. – Chciałbym dostać wydruk z nazwiskami wszystkich gości, którzy tamtego dnia byli zameldowani w hotelu. Z danymi o płatnościach, wykonanymi telefonami, room service'em włącznie...

– Rozumiem... panie... komisarzu, ale nie wiem, czy mogę udostępnić panu te dane...

– Panie Piotrze... Chce pan, żebym jutro przyszedł z nakazem prokuratorskim i miejscowymi policjantami? Potrzebna wam taka reklama?

– Wszystko da się załatwić, panie komisarzu.

Kierownik poddał się bez walki, bo nie był pewny, czy rzeczywiście nie powinien udostępniać tych danych. Podobnie zresztą jak Marcin, który nie był pewny, czy powinien ich żądać.

– Niech pan zaczeka kilka minut – rzucił Piotr i wyszedł z pokoju.

# 36

Obudziła się z silnym bólem głowy na długo przed dzwonkiem alarmu. Za oknem dopiero szarzało. Obok łóżka dostrzegła nierozpakowaną jeszcze torbę. Nagle zorientowała się, że wychodząc z samolotu, nie włączyła telefonu. Pamiętała o tym, ale po spotkaniu z „Travisem" była tak zamyślona, że zupełnie jej to wyleciało z głowy.

Telefon zalogował się po chwili. W skrzynce nie było żadnych nowych wiadomości.

Poszła do kuchni. W lodówce znalazła żółty ser i wyjęła z zamrażarki dwie kromki czarnego chleba. Wstawiła wodę na kawę. Włączyła komputer i poszła do łazienki przygotować kąpiel.

Po raz pierwszy od trzech dni leżała w ciepłej wodzie. Kubek kawy, papieros, spokój i rozluźnienie spowodowały, że ból głowy ustąpił.

Nie myślała teraz o pracy. „Travis" wydawał się taki odległy, a Kijów taki nierealny. Było jej dobrze w domu. Tu i teraz. Poczuła, że zasypia, kiedy usłyszała wezwanie swojego komputera: „Masz wiadomość".

Przypomniała sobie, że przecież włączyła go zaraz, gdy wstała, i sygnał ten mocno ją pobudził. Jednak nie nasyciła się jeszcze ciepłą, pachnącą kąpielą, a wyjście z wody byłoby teraz jak przerwanie świętego rytuału.

Założę się, że to Olek – pomyślała nagle z odrobiną nadziei i zelektryzowało ją to na tyle, że zdecydowała się skrócić kąpiel.

Włożyła gruby biały szlafrok frotté i poszła do kuchni przygotować sobie kanapki. Potem z talerzykiem usiadła przed komputerem.

– Bingo! Wygrałam... zawsze wygrywam! – powiedziała do siebie z zadowoleniem, widząc na ekranie adres Olka.

Przez chwilę się wahała, nim otworzyła maila. Próbowała zgadnąć, jak zaczął swój list. Cześć, Zuza...? Hej...? Witam Cię...? Nic jej nie odpowiadało. Zawstydziła się trochę, że ma to dla niej takie znaczenie.

Marhaba, Zuza, pozdrowienia od całej naszej grupy. Dzisiaj dotarliśmy do Kijowa. Nie odezwałaś się, więc uznaliśmy, że pewnie jesteś bardzo zajęta. Jutro rano ruszamy dalej, na Krym! Po Twoim wyjeździe mieliśmy kłopoty z miejscową milicją. Trzymali nas na posterunku kilka godzin. Wypytywali o dziwne sprawy. Wyglądało na to, że nas obserwowali. Odniosłem wrażenie, że chodziło o Ciebie. Przeskrobałaś coś? Jeżeli jesteś wciąż na Ukrainie, to uważaj na siebie. Bardzo Cię polubiliśmy. Olek & Company.

Sara uważnie przeczytała maila jeszcze raz.

*Marhaba* to pewnie coś po arabsku... Sprawdzę – pomyślała.

Ale nie to zwróciło jej uwagę. Ta wiadomość była dziwna. Kryło się w niej coś, czego nie mogła jeszcze zrozumieć, i nie była to zakodowana informacja. Wyglądało na to, że Olek pisał wprost, prawdę. Dlaczego jednak w imieniu całej grupy? Dlaczego nie napisał tylko od siebie? Przecież dawał jej wyraźne sygnały, że jest nią zainteresowany. Mógł sam pójść do kafejki... Przecież to on był liderem grupy. Ten list jest taki nienaturalny... pozbawiony harmonii, zupełnie inny niż... sposób, w jaki mówił. Tak jakby mimika twarzy wyrażała coś przeciwnego niż słowa.

Zaraz... zaraz... Pisze... „odniosłem wrażenie, że...". Dlaczego nie napisał „odnieśliśmy"? Ja byłam czysta! Gdyby chodziło o mnie, toby ich nie zatrzymywali i nie wypytywali. Na dodatek wypuścili ich! Co jest grane?

Sara była coraz bardziej zaniepokojona.

Kontrwywiad tak nie działa. Na pewno chodziło o nich! Olek chciał... przekazać coś tym... studentom. Pisał do mnie, żeby odwrócić ich podejrzenia... ale to nie mną interesowała się milicja i on dobrze o tym wiedział. Chciał pewnie w ten sposób uspokoić przyjaciół i uśpić ich czujność. Przecież dla takich młodych ludzi pobyt na komisariacie musiał być sporym przeżyciem. Nie mógł napisać „odnieśliśmy wrażenie", bo to tylko jego wrażenie! To oczywiste! Dlaczego on to zrobił?

Sara była już prawie pewna swojej oceny.

Założę się, że Olek Kurtz już nigdy nie da znaku życia – pomyślała i zrobiło jej się trochę przykro, ale nie była pewna, czy bardziej z powodu jego nieszczerości, czy też własnego rozczarowania. Zdecydowała, że nie będzie odpisywać, dopóki on nie odezwie się ponownie.

Wyłączyła komputer. Słońce wpadało przez okno. Poszła do łazienki i przejrzała się w lustrze. Uznała, że wyjazd na Ukrainę pozostawił na niej wyraźne ślady i będzie potrzebowała więcej czasu niż zwykle, by przygotować się do wyjścia.

– Jest coraz gorzej! A ja nie mam kiedy zająć się sobą – powiedziała z przekonaniem.

Marcin wrócił do Warszawy późnym wieczorem. Liczył, że jeszcze zastanie Konrada w biurze, ale korek po wypadku pod Olsztynkiem zabrał mu dodatkowe dwie godziny.

Informacje, jakie zebrał na temat Hansa Jorgensena, wyglądały bardzo, bardzo ciekawie. Czuł mocne podniecenie na samą myśl, że wkrótce będzie mógł przedstawić wszystko szefowi.

Trzeba teraz pilnie to posprawdzać, zweryfikować, ułożyć. Zbudować obraz operacyjny Jorgensena. To jest początek nie byle czego... – pomyślał z dumą.

Przez te kilka godzin w samochodzie zdążył rzecz przemyśleć i przygotować plan działania. Chwilami pozwalał sobie na fantazjowanie, które przychodziło mu nadzwyczaj łatwo.

Wszedł do biura. U M-Irka paliło się światło, ale za spuszczonymi roletami nie było widać żadnego ruchu. Przez moment chciał do nich wejść, zaraz jednak sobie przypomniał, że zaciągnięte rolety to znak, iż nad czymś pracują i nie życzą sobie wizyt. Zresztą i tak nie mógłby im nic powiedzieć.

Poszedł do swojego pokoju. Włączył telewizor i usiadł za biurkiem. Wyciągnął z teczki notatnik. Z dolnej szuflady biurka wyjął butelkę whisky i pociągnął z niej potężny łyk. Przełknął, odczekał, aż nim wstrząśnie, i dopiero wtedy wziął czystą kartkę papieru i po kolei, w punktach, zaczął spisywać swoje uwagi.

Po pierwsze: „Z kim Jorgensen spotkał się w Rezydencie?".

– W hotelu było czterdziestu pięciu gości. Trzydziestu Niemców: wycieczka staruszków do Kaliningradu. Czterech Rosjan z Kaliningradu. Polsko-duńska rodzina z czwórką dzieci. Pięciu Polaków, w tym jedna para z dzieckiem – wyliczył na głos.

Psiakrew! Kurwa! To może być każdy! – pomyślał i poczuł, że brak mu punktu zaczepienia. Rachunek zawiera wyszczególnienie opłat za telefon. Nie, to nic nie da. Muszę znaleźć inny klucz. Niemcy... zacznę od nich. Z nimi zawsze tak samo, w lewo albo w prawo... Jeżeli Jorgensen spotkał się z kimś z tej grupy, a załóżmy, że to Niemiaszek, to czy taki fryc, żeby mieć legendę na przyjazd do Polski i spotkanie z Jorgensenem, wybrałby zorganizowaną wycieczkę? Dlaczego miałby sobie tak komplikować zadanie? Nie ma przecież granic w Europie! Mógłby zwyczajnie przyjechać, a nie narażać się, że ktoś z grupy zauważy jego dziwne pląsy.

– Rany boskie! Ty bałwanie! – prawie wykrzyknął Marcin. – To była przecież wycieczka do Kaliningradu! Kaliningradu! – wysylabizował. – Jeżeli Jorgensen pracuje dla Rosjan, a agent byłby wśród niemieckich turystów, to jaki sens miałoby spotkanie w... Sopocie, kiedy można je było odbyć zwyczajnie i bezpiecznie w domu, w Kaliningradzie? Jakie to oczywiste! – Zadowolony z prostego odkrycia, przekreślił kartkę czerwonym pisakiem. – Niemców mamy z głowy.

Więc Rosjan też! Z powodów oczywistych. Przebywali pięć dni i zajęli najdroższe apartamenty. Każdy z osobna, choć przyjechali z tego samego miasta... sprawa jasna!

Marcin poczuł dobry nastrój, wzmocniony przez whisky.

Zostało jedenaście osób, wśród nich pięcioro dzieci. Czyli praktycznie sześć osób, w tym dwie pary i dwóch samotnych Polaków. Przyjmujemy założenie, że na dziewięćdziesiąt pięć procent kontakt Jorgensena to mężczyzna.

Wyciągnął butelkę z szuflady i pociągnął drugi, równie mocny łyk.

Zostaje mi zatem trzech Polaków i Duńczyk. Wszyscy nocowali tylko jedną noc i biorąc pod uwagę czas, kiedy w hotelu był Jorgensen, może to być każdy z nich.

Marcin przeglądał z uwagą kopie rachunków. Nagle zauważył, że do jednej z faktur podpięty jest rachunek za room service. Przypomniał sobie, że recepcjonista mówił, że tego dnia restauracja była zajęta. Ale room service na pewno działał. Na rachunku była wybita godzina: 14.11. Czyli Jorgensen był już w hotelu... To by się też zgadzało z tym, co powiedział sierżant Miecio...

Marcin wyjął papierosa i zapalił bez zaciągania.

To starszy człowiek ten Jorgensen. Pewnie wcześnie wstał i zjadł śniadanie. O czternastej był już na pewno głodny. Ludzie w Szwecji odżywiają się regularnie. To by pasowało...

Zaczął się przyglądać niewyraźnej kopii rachunku, próbując odczytać treść zamówienia. Opiewało ono na dwa zestawy obiadowe. Z pewnością – zauważył – zamówili dwie zupy, dwa drugie dania, butelkę wódki, colę i wodę. Nie miał już wątpliwości, że w tym pokoju był Jorgensen. Gdyby nawet spotkał się z kimś innym, to dlaczego gość zamawiał dwa zestawy. I nie był to z pewnością zestaw dla kobiety. Wyczyścili też cały minibar!

Marcin odłożył rachunek i zamyślił się. Rozpierała go satysfakcja, że w tak prosty sposób udało mu się ustalić, z kim spotkał się Jorgensen.

Cały czas czuł do niego nieokreśloną sympatię, ale teraz burzyło ją przekonanie, że on, taki młody oficer, pokonał prawdziwego nielegała. I przez moment mu zaświtało, że to przecież niemożliwe, to wszystko nieprawda, zwykła pomyłka.

Wyjął butelkę i pociągnął jeszcze raz, na wszelki wypadek.

Po drugie... Marcin zapisał na kartce pytanie: „Skąd wiemy, że Jorgensen to rosyjski nielegał?". Chyba zasugerowałem się tym, co powiedział Konrad. No nie! Jednak nie! Jorgensen przypłynął do Polski, by spotkać się z tym gościem w hotelu. Nic nie zwiedzał, nie interesowały go ani panienki, ani alkohol. To wszystko jest już wystarczająco podejrzane. Poza tym to, co zauważył taksówkarz Miecio... ta nadmierna samokontrola w samochodzie. Wygląda na to, że się sprawdzał.

Marcin wyjął swoje notatki i przez chwilę przeglądał zapis z rozmowy z Andriejem i Aloszą.

– No tak – mruknął. – To będzie dla naszych szwedzkich kolegów spore zaskoczenie.

Po trzecie... Nazywa się Hans Jorgensen, ale Szwedzi nic nie wspominali, by to było jego przybrane nazwisko. Przeciwnie! Mówili, że z pochodzenia jest Duńczykiem. A tu się okazuje, że gość mówi po polsku, pochodzi z jakiejś wsi Miedwiedki z Kresów. Może być Polakiem albo Białorusinem. I co jeszcze ciekawsze, nic o sobie nie powiedział prócz tego, że jego rodzina zginęła w czasie wojny.

– Jak się pan naprawdę nazywa, panie Jorgensen? – zapytał głośno Marcin i zapisał to na kartce.

– Dlaczego już tyle czasu nie daje żadnego znaku? Jej komórka działa? – zapytał Konrad, chodząc po mieszkaniu z telefonem w dłoni.

– Dopiero co sprawdzałem na komputerze – odparł Irek. – Ostatnie logowanie miała na lotnisku w Kijowie. Potem wyłączyła telefon, dokładnie o godzinie startu. Może zapomniała włączyć. Późno przyleciała i pewnie poszła spać... – tłumaczył spokojnie i logicznie.

Dopiero teraz Konrad sobie przypomniał, że Sara zostawiła swój telefon w Lublinie i wróciła samolotem bezpośrednio do Warszawy. M-Irek informowali go o tym. Pomyślał przez chwilę, żeby do niej pojechać, ale dochodziła dwudziesta trzecia i postanowił dać jej odpocząć.

Podziękował Irkowi i wyłączył telefon.

Podszedł do bufetu i otworzył barek. Popatrzył na szereg różnokolorowych butelek. Wlał sobie potężną porcję whisky, jak zawsze bez lodu.

Wciąż brzmiało mu w uszach: „Rosjanie coś wam szykują". Odbierał to jak wypowiedzenie wojny, zagrożenie, na którego odparcie nie jest jeszcze gotowy. Usiadł w fotelu i włączył radio.

Teraz jest ważne, co Sara przywiezie z Kijowa – pomyślał.

Pokładał duże nadzieje w „Travisie". Bez jego pomocy cała operacja stanie pod znakiem zapytania. W głębi duszy wydawało mu się nawet, że będzie niemożliwa. Nikt tak jak Sara nie zna „Travisa" i tylko ona jest w stanie tak nim pokierować, by mogli osiągnąć zamierzone cele.

Jej pomysłowość i znajomość szpiegowskiego rzemiosła zawsze dawały gwarancję powodzenia. Konrad miał wyraźne przeczucie, że Sara dostarczy mu jutro to, na co czeka. Choć nie potrafił jasno określić, na co czeka. Czasami zastanawiał się, czy w takich sytuacjach, gdy brakuje mu odpowiedzi lub gdy nie potrafi postawić pytania – właśnie tak jak teraz – powinien dostosowywać rzeczywistość do swoich potrzeb, czy też dostosowywać się do rzeczywistości. Takie myśli przychodziły mu czasami po alkoholu, gdy siedział sam w domu i miał splin.

Ale teraz nie mam splinu, chociaż piję sobie whisky – zauważył. Niech ta dziewczyna już wróci! Czuję się bez niej jakiś nieswój. Tak, jakbym był od niej uzależniony. Jak to możliwe? Może dlatego, że jestem sam... Ile? To już ponad dwa lata, jak rozstałem się z Justyną...

Siedział w fotelu z pustą już szklanką.

Justyna to był temat, który pojawiał się zawsze wraz z końcem pierwszej szklanki whisky. Wstał i nalał sobie drugą, trochę mniejszą.

Kiedy się rozstali, myślał, że już nigdy nie będzie oglądał TVN. Kiedy widział ją na ekranie, miał wrażenie, że patrzy właśnie na niego. Wydawało mu się, że prowadzi swoje programy, jakby z nim rozmawiała. I jakby w dalszym ciągu nic nie mogła zrozumieć. Trzy lata rozmów pod wspólnym dachem, przy stole i w łóżku niewiele ją nauczyły. Nieustannie się z nim ścierając, wyrobiła sobie natomiast charakter i determinację, które wyniosły ją na szczyty dziennikarskiej kariery.

Od początku przeczuwał, że ich wspólne życie nie potrwa długo. Dziennikarz to młodszy brat szpiega. Są jak rodzeństwo, które nie potrafi razem żyć. Konrad nigdy nie mógł znieść hipokryzji mediów. Denerwowało go, że Justyna dawała się tak łatwo nabierać, była tak bezkrytyczna. Starał się jej tłumaczyć, że rzeczywistość jest inna niż ta, którą pokazuje w telewizji.

Nie mogła zrozumieć zasady, że szpieg zna całą prawdę, a dziennikarz zawsze tylko jej część. Czasami może trochę przesadzał, ale Justyna i tak nie potrafiła lub nie chciała tego zauważyć.

Po jakimś czasie, nawet nie spostrzegł kiedy, ich światy, pozornie podobne, zaczęły się od siebie oddalać. Uzmysłowili sobie wówczas, że ona, by istnieć, musi być osobą publiczną, on zaś odwrotnie. Rozeszli się w bólu, ale pokojowo, z szacunkiem dla siebie i wspólnie spędzonych dni. Wiele sobie zawdzięczali. Ale nigdy nikt się nie dowiedział, że to on był jej partnerem przez tyle lat. Tak się umówili. W jakiś sposób był jej za to wdzięczny. Teraz, kiedy ogląda ją w telewizji, ma wrażenie, że to już zupełnie inna osoba, choć tak mu bliska.

Ocknął się na fotelu. Wciąż trzymał w ręku pustą szklankę. Była trzecia w nocy. Czuł lekki ból głowy i niesmak w ustach. Wyszedł na balkon i wciągnął głęboko rześkie nocne powietrze napływające znad Lasu Kabackiego.

Stał tak przez chwilę i obserwował, jak jakiś stary człowiek spaceruje z psem po drugiej stronie ulicy, zatrzymując się co parę metrów i puszczając niemiłosiernie głośne wiatry.

Ma chłop litość nad rodziną – pomyślał z rozbawieniem i wrócił do mieszkania.

## 37

Skończył czytać protokół przesłuchania i czuł szum w głowie. Od początku wiedział, o czym będzie opowiadał Zubow, ale teraz całe jego życie straciło sens.

Przez ponad sześćdziesiąt lat kultywował w sobie wspomnienie, które łączyło jego dwa światy. Choć było już wykrzywione przez czas, nadawało sens temu, co robił i w co wierzył bezgranicznie. Nienawiść do polskich legionistów, winnych śmierci jego rodziny, przez wiele lat usprawiedliwiała jego działalność dla Związku Radzieckiego, ukochanej ojczyzny. Z czasem ta nienawiść się wytarła, zblakła i pozostała jedynie tęsknota za rodziną, szczególnie za siostrą. Olgą.

Przez tyle lat lojalnie i z pełnym oddaniem wykonywał swoje obowiązki, a teraz musi zrozumieć coś, co jest dla niego niemożliwe do zrozumienia. Czuł się, jakby kat rozdzierał mu wnętrzności.

Dobrze wiedział o zbrodniach stalinowskich, ale były takie odległe, nieprawdziwe, nierzeczywiste. Prawdziwa była jedynie śmierć jego rodziny z rąk Polaków i wspomnienie o Oldze.

Okazuje się, że prawda była inna, że nie tylko żył, służąc oprawcy Stalinowi, lecz także potem wciąż był okłamywany. Do dzisiaj! Chciało mu się krzyczeć z wściekłości, z rozpaczy, z nienawiści, ale najbardziej chyba z samotności. Po raz pierwszy w życiu pomyślał, że powinien był zginąć razem z nimi, objąć Olgę, która tak bardzo bała się śmierci, i ta myśl zabolała go jeszcze bardziej.

Usiadł na łóżku. Schował protokół do torby. Po chwili wstał i poszedł do toalety, wziął plastikowy kubek, wrócił na łóżko i nalał sobie brandy.

Już nie pamiętam... to się działo rano... nie... wieczorem. Byłem głodny, przemarznięty i zupełnie wyczerpany, kiedy znaleźli mnie w lesie czerwoni partyzanci i zabrali do swojego obozu. Spałem potem chyba przez tydzień. Pamiętam to teraz jak przez mgłę.

Po jakimś czasie dowódca zdecydował, że odeśle mnie najbliższym samolotem za linię frontu. Nie chciałem wyjeżdżać, przyzwyczaiłem się i oddział stał się moją nową rodziną. Dostałem nawet jakiś karabin sprzed pierwszej wojny, większy ode mnie, z dwoma pociskami. Nie spisał się zupełnie.

Kiedyś miałem w nagrodę wykonać wyrok na jakimś chłopie, którego przyprowadzili do naszego obozu, oskarżonym o bandytyzm i morderstwa w okolicznych wsiach. To był chyba Polak. Nie pamiętam już teraz dobrze. Pamiętam za to, jak stał obdarty, w łachmanach, w dziurawej czapce, ze związanymi z tyłu rękami. Karabin nie wypalił. Pocisk zasyczał i puścił dym, a ja zwymiotowałem. Nie udało się moje hartowanie. Nie nadawałem się na czerwonego partyzanta.

Wyleciałem w nocy. Pożegnała mnie tylko sanitariuszka Wiera, Żydówka z grodzieńskiego getta, i nasz dowódca. Przerzucali mnie jak bagaż i następnego dnia po dwóch przesiadkach dotarłem do Moskwy.

Nigdy wcześniej nie widziałem tak wielkiego miasta. Przed wojną byłem kilka razy w Grodnie i raz z ojcem w Wilnie, które wówczas wyglądało jak metropolia. Ale to nie była Moskwa!

Nadeszła już chyba wiosna. Nie pamiętam, jaki był miesiąc, ale pamiętam dobrze piętrowy zawilgocony drewniany dom, w którym wszystko skrzypiało. Dom Dziecka na Pierwym Nowokuznieckim Pierieułku na Zamoskworieczu. Spędziłem tam kilka miesięcy w towarzystwie podobnych do mnie sierot. Przedwcześnie dojrzałych dzieci. Chociaż zawilgocony i skrzypiący, to był mój dom.

W jednej sali spało nas sześciu: Andriej, Sasza i Lowa ze Smoleńska, Kiriłł z Kijowa oraz Staszek i ja z Białorusi. Tak wyglądała moja nowa rodzina, w której byłem najstarszy i najwyższy.

Co się teraz z nimi dzieje? Podobnie jak wcześniej odpłynął w niebyt mój oddział partyzancki, tak w końcu czterdziestego czwartego roku, gdy miałem już czternaście lat, i oni zniknęli z mojego życia. Nigdy więcej ich nie widziałem. Nawet nie pamiętam twarzy.

W naszym Domu Dziecka pojawił się wtedy jednoręki młody oficer w granatowej czapce. Przedstawił się, ale nie pamiętam jego nazwiska, tylko imię – Siergiej. Był miły. Długo ze mną rozmawiał, ale najwięcej wypytywał. Chciał znać moje życie w najdrobniejszych szczegółach. Ale to nie było przesłuchanie. Bardzo mu się podobały moje rysunki. Oglądał je uważnie. Po dwóch dniach pojawił się znowu. Przyjechał czarną limuzyną z kierowcą. Zabrał mnie, moje rysunki i Staszka. Powiedział, że będziemy teraz żołnierzami Armii Czerwonej, bojownikami towarzysza Stalina i światowej rewolucji. Pojechaliśmy do jednostki wojskowej NKWD w Zagorsku.

Ostrzygli nas, wykąpali, dostaliśmy nowe mundury. To był dla nas wielki dzień. Mundury średnio pasowały, ale się powymienialiśmy i wszyscy byli naprawdę szczęśliwi.

W naszym plutonie było nas dwunastu. Staszka już wcześniej przenieśli gdzie indziej. Wszyscy spaliśmy w jednej sali. Dowódcą był kapitan Winogradow. Bezbarwny, złośliwy i bezwzględny człowiek, tępiący jakiekolwiek objawy rodzącej się między nami przyjaźni. W plutonie było tylko dwóch Rosjan. Pozostali to Łotysze, Estończycy, Rumuni, Polacy, Litwini. Byli też Fin, Chińczyk i Japończyk. Pierwszy raz widziałem wtedy Azjatów. Długo nie mogłem się do nich przekonać, zresztą nie tylko ja. Później okazało się, że są dobrymi kolegami.

Niewiele utkwiło mi w pamięci z tego okresu. Ćwiczenia wojskowe, musztra, strzelanie, obsługa sprzętu, łączność, sport. Dni podobne jeden do drugiego. Dużo czasu poświęcaliśmy na geografię, naukę o świecie i polityce. Wszyscy oczywiście należeliśmy do Komsomołu, co było jakąś fikcją, bo i tak uważaliśmy – i wpajano to w nas – że jesteśmy kwiatem Młodej Gwardii. We trójkę nieustannie szlifowaliśmy z naszym lektorem język polski. Uczyliśmy się też intensywnie niemieckiego. Nie dziwiliśmy się specjalnie, że przechodzimy inne szkolenie niż w normalnym wojsku. Wiedzieliśmy, że w przyszłości mamy robić coś odbiegającego od wojskowego standardu. W końcu mieliśmy być elitą NKWD.

Wkrótce wyjaśniło się, jaki nas czeka los. Po roku intensywnego szkolenia byliśmy już zahartowanymi i oddanymi sprawie czekistami. Tymczasem skończyła się wojna, co oczywiście przyjęliśmy z dużym rozczarowaniem, bo wielu z nas miało jeszcze rachunki do wyrównania.

Nocne niebo nad Moskwą rozjaśniło się od sztucznych ogni i salw artyleryjskich, ale nam nie wolno było wyjść z koszar. Zresztą w ogóle rzadko wychodziliśmy.

W naszym szkoleniu nic się nie zmieniło. Kapitan Winogradow i wykładowcy mówili jasno, że dla nas wojna dopiero się zacznie. Nie rozumieliśmy do końca, o co chodzi, ale świadomość, że będziemy uczestniczyć w walce, działała mobilizująco.

Nawet nie pamiętam, kiedy zostałem obywatelem ZSRR. Zresztą byłem już wtedy czekistą, a to znaczyło znacznie więcej.

Po zakończeniu szkolenia otrzymaliśmy stopień oficerski. Miałem wówczas piętnaście lat. Już nigdy więcej nie widziałem moich kolegów z kursu. Niektórych pamiętam, jakby to było dzisiaj, a innych zupełnie zapomniałem. Utkwili mi w pamięci Czu Te, Chińczyk, i Bułgar Kuli Kulew, którzy spali obok mnie. Następnego dnia po promocji każdy poszedł w swoją stronę.

Ja zostałem przewieziony do dużego, czteropokojowego mieszkania w dziewiętnastowiecznej pięciopiętrowej kamienicy opodal ulicy Solanka. Mieszkałem tam sam przez pół roku, do lata czterdziestego szóstego, i zajmowałem jeden pokój. Dwa pozostałe były zawsze zamknięte. Czwarty, który wcześniej musiał służyć jako salon, został przerobiony na salę wykładową, z tablicami, mapami i wszelkimi akcesoriami potrzebnymi do szkolenia szpiega. Była tam też oczywiście kuchnia i piękna, wykładana kafelkami łazienka, jakiej nigdy wcześniej nie widziałem. Uwielbiałem leżeć godzinami w wannie i czytać.

Kiedy wspominam tamten okres, nie mogę sobie przypomnieć, by kiedykolwiek ktoś mnie pytał, czy chcę być wywiadowcą. Może tak było, lecz dziś już tego nie pamiętam. O takich jak ja nigdy nie mówiło się „szpieg”, tylko „wywiadowca” albo „czekista”.

Moim opiekunem, przełożonym, a potem przyjacielem był kapitan Dmitrij Grigorijewicz Gurow. Przychodził do mnie codziennie. Nie miał rodziny, nikogo, był sam. Spędzaliśmy razem dużo czasu, niekiedy całą niedzielę, ale Dmitrij niewiele o sobie mówił.

Miał około trzydziestu kilku lat. Nigdy nie dowiedziałem się dokładnie ile. Mówił, że całą wojnę spędził na Bałkanach. Wydaje mi się, że w Grecji, gdyż znał ten język. No tak, teraz sobie przypominam, jego matka była chyba Greczynką.

Zajęcia miałem od dziewiątej rano do wieczora. Niedziele były wolne. Teoretycznie, gdyż ciągle musiałem powtarzać materiał. Bardzo chciałem być wywiadowcą, jednym z tych, których zdjęcia wisiały na ścianie. Michaił Wiktorowicz, wykładowca historii radzieckich służb specjalnych, teorii marksistowsko-leninowskiej i historii partii bolszewickiej, potrafił zainteresować mnie tematem. Miał na oko ponad pięćdziesiąt lat i sprawiał wrażenie, że osobiście przeżył to, o czym mówił.

Lubiłem też zajęcia językowe. Polski znałem lepiej niż moja nauczycielka, ale byłem zadowolony, że mam chociaż z kim rozmawiać. Pracowałem intensywnie nad niemieckim, którego zresztą sam nie wybrałem. Zacząłem się go uczyć jeszcze w szkole wojskowej.

Moim nauczycielem był Kurt, prawdziwy Niemiec, stary i bez jednej nogi. Mówił, że stracił ją pod Sedanem w czasie Wielkiej Wojny. Był oddanym komunistą, ale innym niż wszyscy pozostali, jakich znałem. Takie miałem wówczas odczucie, może tylko dlatego, że był Niemcem.

Najbardziej jednak lubiłem zajęcia z techniki operacyjnej. W szczególności przygotowywanie i produkowanie dokumentów. Po jakimś czasie zacząłem specjalizować się w tej dziedzinie. Jak mówił Dmitrij, już po moich rysunkach było widać, że mam talent. Imponowało mi to i dlatego starałem się nauczyć jak najwięcej. Jak wywabiać tekst, wytwarzać pieczątki, druki, naśladować pismo odręczne. Początkowo myślałem, że każdy wywiadowca musi się tego nauczyć. Ale Dmitrij wkrótce rozwiał moje wątpliwości.

W przyszłości miałem objąć stanowisko związane z tym właśnie zadaniem. I tak też się stało. Robiłem to potem przez pięćdziesiąt lat. Do dzisiaj!

Ogólne szkolenie wywiadowcze prowadził sam Dmitrij. Zapraszał również oficerów, którzy uczyli mnie wykrywania obserwacji, budowy schowków, łączności... Dmitrij doskonale znał te wszystkie techniki, ale chciał, bym posłuchał także innych. Miałem dużo zajęć w różnych punktach miasta i poznałem Moskwę lepiej niż wielu jej rdzennych mieszkańców. Sporo jeździliśmy też do podmoskiewskich lasów.

Latem czterdziestego szóstego roku Dmitrij poinformował mnie, że mój kurs dobiegł końca. Miałem ukończone szesnaście lat, ale czułem się jak dorosły, zahartowany mężczyzna. Powiedział, że osiągnąłem bardzo dobre wyniki i wkrótce rozpocznę swoją misję. Następnego dnia, po uroczystym zakończeniu kursu, miałem poznać swoich przełożonych. Rzeczywiście. Przyjechało dwóch mężczyzn w cywilu. Dmitrij mówił, że to generałowie. Pochwalili mnie, poklepali, wręczyli jakiś dokument, którego nie zdążyłem przeczytać, bo zaraz go zabrali. Coś podpisałem. Byłem przejęty i bardzo zdenerwowany, ale szczęśliwy i dumny. Otrzymałem pseudonim „Kola".

Wypili butelkę wódki i poinformowali mnie, żebym zapoznał się z moim scenariuszem, który miał mi później przedstawić Dmitrij. Znów mnie poklepali, mówili „synu" i poszli. Nigdy więcej ich nie widziałem. Nie wiem, jak się nazywali. A raczej nie pamiętam, bo Dmitrij na pewno mi to mówił. Zresztą chyba mnie to specjalnie nie interesowało.

Teraz bardziej mnie ciekawiło, co jest w scenariuszu. Ogólnie wiedziałem, że chodzi o moją nową tożsamość. Dmitrij wspominał już o tym wcześniej, lecz w bardzo ogólnikowej i tajemniczej formie. Czekał na zatwierdzenie przez przełożonych. Moja prawdziwa historia, wspomnienie o Miedwiedkach, była tak odległa, że przyjęcie nowej tożsamości traktowałem jako coś oczywistego. Tylko o Oldze pamiętałem zawsze... no... chyba zawsze.

Tak w wieku szesnastu lat zostałem oficerem radzieckiego wywiadu nielegalnego, tak zwanym nielegałem. Dmitrij dał mi do przeczytania dokument, który w szczegółach opisywał, jak zaplanowano i wyreżyserowano moją przeszłość i przyszłość. Czyli w zasadzie całe moje życie.

Od tej pory miałem się nazywać Hans Jorgensen. Tylko i wyłącznie! Andriej Wołkowski przestał istnieć!

Przez następne tygodnie razem z Dmitrijem uczyłem się swojej nowej tożsamości. Mój ojciec był Duńczykiem, matka Niemką. Urodziłem się w miasteczku Flensburg w Szlezwiku, na granicy niemiecko-duńskiej. Ojciec zginął na froncie wschodnim, w Estonii, jako żołnierz SS pułku Danmark dywizji Nordland. Na imię miał Poul. Dmitrij przygotował mi jego zdjęcia, w cywilu i w mundurze, żebym nauczył się ich na pamięć. To była prawdziwa, żywa postać. Według tego, co mówił mi Dmitrij, Olaf – bo tak naprawdę miał na imię człowiek z fotografii – wcale nie zginął w Estonii, lecz dostał się do radzieckiej niewoli i dzięki temu można było wkomponować mnie w jego życie. Mój nowy ojciec, Poul Jorgensen, był wychowankiem domu dziecka i oprócz żony Gerdy Schmidt i syna Hansa nie miał żadnej rodziny.

Wkrótce poznałem też Gerdę Jorgensen z domu Schmidt. Przedstawił mi ją Dmitrij. Miała trzydzieści sześć lat i szeroką, raczej mało niemiecką twarz. Była jednak najprawdziwszą Niemką, mówiącą północnym dialektem i słabym rosyjskim.

Mieszkałem z nią przez dwa miesiące. Uczyliśmy się być rodziną. Ona matką, a ja synem. Nad wszystkim czuwał Dmitrij. Gerda była miłą, ciepłą i opiekuńczą osobą. Zupełnie nie pasowała mi na Niemkę. Zaprzyjaźniliśmy się od razu, a potem zrodziło się coś więcej, coś, czego nie rozumiem do dzisiaj. Do swojej śmierci w osiemdziesiątym ósmym roku pozostała najbliższą mi osobą. Nigdy nie zastąpiła mi matki, ale traktowała mnie jak prawdziwego syna. Bardzo tego potrzebowała. I ja też.

Niewiele wiedziałem o jej przeszłości. Dmitrij mówił, że mam nie pytać, więc nie pytałem. Jej historia zaczynała się dla mnie w dniu, kiedy ją poznałem. Przez te dwa miesiące we trójkę pracowaliśmy nad utrwaleniem w najdrobniejszych szczegółach historii naszej rodziny. Podczas zajęć Dmitrij symulował postać mojego ojca.

W końcu uznał, że jesteśmy gotowi. Znów pojawił się jakiś wyższy oficer w cywilu, który nam pogratulował, poklepał mnie po plecach, z uznaniem wypowiedział się o pracy Dmitrija, i więcej go nie widziałem.

We wrześniu czterdziestego szóstego roku Dmitrij przewiózł nas do radzieckiej strefy okupacyjnej. Na parę dni zatrzymaliśmy się w Schwerin. Oddaliśmy wszystkie rzeczy osobiste. Dmitrij dał nam nowe ubranie i przejrzał nasz bagaż, który wcześniej sam skompletował. Wszelkimi potrzebnymi dokumentami dysponowała Gerda.

O świcie Dmitrij osobiście odwiózł nas do granicy strefy radzieckiej, gdzie się pożegnaliśmy. Wszyscy byliśmy bardzo wzruszeni. Dmitrij chyba nawet płakał, ja też, Gerda na pewno nie. Potem pieszo przeszliśmy do strefy brytyjskiej. Wkrótce dzięki pomocy angielskich żołnierzy dotarliśmy do Flensburga. Wrażenie zrobiły na mnie ich mundury. Wydawali mi się tacy czyści i bogaci. Nie zapomnę tego...

Niemcy też mnie zaskoczyły, chociaż podczas szkolenia wydawało mi się, że poznałem ten kraj dość dobrze. Oglądałem filmy, zdjęcia, czytałem książki. Rzeczywistość jednak przerastała moje wyobrażenia. Flensburg nie był zniszczony w czasie wojny. Czyste, bogate, stare miasto z uroczym portem. Miasto bez mężczyzn, tak mi się wydawało. Jedynymi mężczyznami w sile wieku byli tam Anglicy. Po raz pierwszy widziałem też morze.

Gerda miała swoje własne zadania. Wiedziałem o tym. Do wiosny czterdziestego siódmego roku mieliśmy czas na aklimatyzację we Flensburgu. Dostaliśmy przydział na małe, dwupokojowe mieszkanie na ostatnim piętrze czteropoziomowej eleganckiej kamienicy przy ulicy Toosbuy. Ale nasze mieszkanie nie było eleganckie.

Gerda początkowo żyła z pomocy społecznej, później dostała pracę w zarządzie portu. Ja poszedłem do szkoły średniej, popołudniami pracowałem w lokalnej gazecie duńskiej. Byliśmy oczywiście zabezpieczeni finansowo, ale musieliśmy dostosować się do środowiska i żyliśmy tak jak inni. To było bardzo ważne, żeby nie zwracać na siebie uwagi.

Czuliśmy się bardzo dobrze we Flensburgu, chociaż mieszkańcy narzekali na trudy życia w powojennych Niemczech. W tym czasie nie wykonywaliśmy żadnych zadań. Po prostu czekaliśmy na instrukcje. Chodziłem do szkoły, ale kontakty z kolegami ograniczałem do niezbędnego minimum. Dobrze wiedziałem, co mam robić. Gerda co miesiąc wysyłała na adres w Hamburgu raport o naszej sytuacji. Powoli zjawiało się w mieście coraz więcej mężczyzn, głównie powracających z alianckiej niewoli.

W końcu przyszła wiosna czterdziestego siódmego roku, potem lato. Jako Hans Jorgensen skończyłem siedemnaście lat. Gerda regularnie wysyłała listy do Hamburga, ale Moskwa milczała. Trochę się denerwowaliśmy. Niespodziewanie jesienią w środku nocy odwiedził nas Dmitrij. Byłem zaskoczony i niezmiernie szczęśliwy. Pamiętam tę chwilę jak dzisiaj. Pozostał u nas dwa dni i nie wychodził z domu. Cały czas rozmawialiśmy.

Dostaliśmy wówczas nowe zadania. Skończyła się nasza adaptacja w „zamrażarce". Początkowo zmartwiłem się, że będę musiał opuścić Gerdę. Przez ten czas zżyliśmy się ze sobą jeszcze bardziej.

Otrzymałem polecenie przeniesienia się do Danii.

Po ukończeniu szkoły we Flensburgu, w czterdziestym ósmym roku, miałem wyjechać do Kopenhagi i podjąć studia humanistyczne na tamtejszym uniwersytecie. Miałem też rozpocząć starania o duńskie obywatelstwo i powoli zacierać swoje ślady w Niemczech, przy czym kazano mi głosić „oficjalny wstręt" do ojca esesmana i chęć rozpoczęcia nowego życia. Legitymowałem się już wówczas niemieckimi dokumentami, w których figurowałem jako Duńczyk, choć po duńsku mówiłem bardzo słabo. Mój niemiecki również wzbudzał wiele wątpliwości, ale nikt się o nic nie pytał, bo Gerda mówiła lepiej po niemiecku niż wielu miejscowych. Dostałem też odpowiednie rekomendacje od zespołu „Flensburg-Posten", swojej gazety, w której pracowałem jako doręczyciel.

Czasami myślałem, jaki los spotkał mojego „ojca", Poula Jorgensena. Dmitrij mówił, że mieszka na Syberii i ma rosyjską rodzinę. Jednak Gerda powtarzała, że w to nie wierzy. W zasadzie było nam to obojętne, chociaż przywykliśmy do tego człowieka, jego nazwiska i zdjęcia na komodzie. Ale w końcu to był esesman i ochotnik!

Dowiedzieliśmy się wtedy od Dmitrija, że prawdziwy Hans Jorgensen i jego matka Gerda rzeczywiście istnieli. Poul miał rodzinę, która zginęła podczas alianckiego nalotu na Stettin w czterdziestym piątym roku, już po tym, jak Olaf dostał się do radzieckiej niewoli. Dmitrij był zmuszony powiedzieć nam prawdę, gdyż zaczęliśmy poważnie się zastanawiać, czy nasza nowa tożsamość opiera się na naprawdę solidnych podstawach. W Moskwie wyglądało to inaczej, wątpliwości nabraliśmy dopiero w zetknięciu z niemiecką rzeczywistością, ale Dmitrij skutecznie rozwiał nasze obawy.

Zgodnie z planem w czterdziestym ósmym roku rozpocząłem studia na Uniwersytecie Kopenhaskim. Do pięćdziesiątego albo pięćdziesiątego pierwszego roku obsługiwał mnie Wołodia, drugi sekretarz ambasady ZSRR.

W tym czasie zajmowałem się głównie rozpracowaniem środowiska akademickiego. Wyszukiwałem osoby o przychylnych nam poglądach, socjalistów, ludzi komunizujących, godnych uwagi, perspektywicznych. Najbardziej interesujący byli zbuntowani chłopcy z dobrych rodzin. Ja zajmowałem się głównie ich typowaniem. Co się później z nimi działo, mogę się tylko domyślać. Ktoś ich werbował albo nie.

W pięćdziesiątym drugim roku dostałem obywatelstwo duńskie. Dojrzałem i wydoroślałem. Odtąd byłem już obsługiwany za pośrednictwem martwych skrzynek. Raz, dwa razy do roku spotykałem się z moim oficerem prowadzącym. Zawsze w Szwecji, dokąd mogłem jeździć bez przeszkód. Ale to już nie był Dmitrij. Na moje pytania, co się z nim dzieje, gdzie jest, dostawałem odpowiedź, że realizuje inne ważne zadania. A po jakimś czasie mój prowadzący odpowiedział pytaniem: „A kto to jest?". Od tej pory Dmitrij zniknął z mojego życia.

Miałem już nie tylko duńskie obywatelstwo, lecz także widoczną duńską mentalność, więc dużo jeździłem po Europie. Dysponowałem kilkoma paszportami. Uczestniczyłem w wielu akcjach KGB na całym świecie. Ale najważniejszym moim zadaniem było zdobywanie różnego rodzaju dokumentów, na podstawie których mogliśmy wytwarzać nowe, nasze. Zbierałem firmowe papiery urzędów, gazet i banków, wzory podpisów różnych mniej lub bardziej ważnych osób. Kradłem dowody osobiste, paszporty, najrozmaitsze legitymacje, prawa jazdy i dyplomy. Rodzili się z tego nowi Jorgensenowie, nowe sprawy lub czyjeś kłopoty. Oczywiście wiedziałem o tym, ale jakoś się nie przejmowałem. Nie do końca potrafiłem to sobie wyobrazić. Sam pisałem listy do różnych gazet i urzędów według wzoru ściśle nakazanego przez Centralę w Moskwie. Bawiło mnie, gdy później widziałem polityków rezygnujących z kariery z powodu nagłego pogorszenia stanu zdrowia czy trudnych spraw rodzinnych.

Nie tylko wierzyłem w siłę Kraju Rad, ja ją widziałem i tworzyłem. Pierwszy raz do ZSRR pojechałem w pięćdziesiątym trzecim roku. Na krótko, tylko na dwa tygodnie. Potem udawałem się tam regularnie co pół roku na tydzień, który spędzałem w Moskwie. Zawsze jeździłem przez inne kraje na fałszywych dokumentach. Na początku głównie przez Niemcy i Berlin, gdzie przechodziłem do naszej strefy okupacyjnej.

W tym czasie pracowałem już jako dziennikarz stażysta w „Berlingske-Posten" i nie było mi łatwo wytłumaczyć się z nieobecności w redakcji.

Moskwa robiła na mnie dziwne wrażenie, które z biegiem lat coraz bardziej się pogłębiało. Przez ponad pięć lat przyzwyczaiłem się do Zachodu. Kopenhaga przeżywała wtedy swoją drugą młodość, a ja swoją pierwszą miłość. Początkowo bardzo lubiłem jeździć do Moskwy, chociaż nikogo tam nie miałem. Z czasem zaczęło mnie drażnić rosyjskie jedzenie i siermiężny, wręcz nędzny styl mieszkań, w których nocowałem.

Moi opiekunowie z KGB ciągle się zmieniali. Za każdym razem mieszkałem gdzie indziej, w innej części miasta. Przechodziłem szkolenia ideologiczne i zapoznawałem się z nowymi technikami wywiadowczymi.

Dwa dni trwały rozmowy, które wyglądały jak przesłuchania. Dobrze wiedziałem, dlaczego to robią, i było to dla mnie oczywiste. Zawsze mówiłem prawdę i nigdy nie miałem kłopotów. Zresztą co pewien czas nie szczędzili mi pochwał. Najgorzej znosiłem szkolenie ideologiczne, gdyż nie do końca potrafiłem je zrozumieć. Nie dawałem jednak nic po sobie poznać.

Szczerze się przejąłem śmiercią Stalina, ale bez przesady, byłem jeszcze bardzo młody. Natomiast Gerda przeżywała ją mocno.

W tym czasie niewiele się zmieniało w charakterze mojej pracy. Dalej specjalizowałem się w produkowaniu dokumentów inspiracyjnych czy dezinformacyjnych. Naprowadzałem na ciekawe osobistości z życia politycznego Danii. Częściej niż poprzednio przygotowywałem dziuple i papiery dla naszych ludzi, którzy przez Danię udawali się gdzieś dalej.

W pięćdziesiątym czwartym roku dostałem do prowadzenia swojego pierwszego agenta, Tora Hagena, wówczas młodego pracownika norweskiego MSZ. Jeszcze niedawno widziałem go w telewizji. Jest jakimś ekspertem.

Spotykaliśmy się co miesiąc w Szwecji, najczęściej w Göteborgu, i w Danii, u mnie w Kopenhadze. Hagen nie miał pojęcia, że nie jestem prawdziwym Duńczykiem. Traktował mnie jak swojego półrodaka i często narzekał na Rosjan. Był jednak tak umoczony we współpracę z nami, że nie miał wyboru. Zresztą jego ojciec był agentem Kominternu jeszcze przed wojną. Tor o tym doskonale wiedział. Lubiłem go, a jego spostrzeżenia o charakterze Rosjan wydawały mi się wówczas bardzo trafne.

Utożsamiałem się z nim i jego poglądami bardziej niż z obowiązującymi w Moskwie. To takie dziwne dzisiaj, ale tak było. Tor był starszy ode mnie tylko o trzy lata. Odbierałem od niego materiały i informacje, przekazywałem mu pieniądze i instrukcje. Nic nadzwyczajnego, ale wtedy bardzo się przejmowałem tym, co robię. Nigdy też się nie dowiedziałem, dlaczego zdecydował się pracować dla KGB. Czy był szantażowany, zmuszany, czy robił to dla pieniędzy? Czy z powodu ojca? Pewnie wszystkiego po trochu. Zastanawiałem się nad tym, ale nie mogłem się przełamać i go zapytać. A może wolałem nie wiedzieć, żeby się nie rozczarować. Nie pamiętam już dzisiaj dobrze.

Chciałem, żeby między nami pozostało tak, jak jest. To wszystko i tak przecież było fikcją. Nie jestem Duńczykiem, za którego brał mnie Tor. Byłem młody i miałem skrupuły.

W tym czasie otrzymałem nowe zadanie, które Moskwa traktowała priorytetowo. Miałem poszukiwać możliwości zatrudnienia się w strukturach NATO lub przynajmniej gdzieś w pobliżu. Moskwa naciskała na mnie nieustannie. Wiedziałem, że Bałtyk to droga Armii Czerwonej do Europy, ale ja wówczas byłem pierwszy raz zakochany – w Kerstin Mack, koleżance z redakcji „Berlingske-Posten" – i nie miałem do tego głowy.

Centrala oczywiście nic nie wiedziała o moim romansie z Kerstin. Nie mogłem o tym poinformować, bo jej ojciec był pułkownikiem armii duńskiej i gdyby Moskwa miała tego świadomość, to moje uczucia, bardzo wówczas gorące i szczere, zostałyby odpowiednio spożytkowane. Z całą pewnością nie po mojej myśli.

Kerstin nauczyła mnie, jak być mężczyzną i jak wygląda kobieta. Dlatego moje cotygodniowe raporty nie były wtedy całkiem prawdziwe. Gerda też nic o Kerstin nie wiedziała. Przyznałem jej się do tego dopiero trzydzieści lat później. Prawdę mówiąc, wcale nie byłem zaskoczony, kiedy powiedziała, że dobrze zrobiłem. Wyjawiła mi wtedy, że po moim wyjeździe z Flensburga miała romans z żonatym Niemcem, co również udało jej się utrzymać w tajemnicy przed Moskwą. On zresztą też nigdy się nie dowiedział, kim jest ta prosta kobieta, z którą był związany przez dwadzieścia pięć lat. Wybrała żonatego, bo dawał lepszą gwarancję konspiracji, ale była z nim przede wszystkim dlatego, że go kochała. A może jedno i drugie.

Z moich starań o pracę w NATO nic nie wyszło. Zakończyła się też znajomość z Kerstin, która wolała ode mnie młodego duńskiego reżysera i wkrótce wyjechała do USA.

W upalne lato pięćdziesiątego szóstego roku spotkałem Ingrid. Poznałem ją na piaszczystej szerokiej plaży w Hornbaek. Przyjechała do Danii odwiedzić koleżankę. Ratowałem ją przed atakiem dwóch małych krabów, które pojawiły się niespodziewanie na jej kocu.

Mieszkała z rodzicami po drugiej stronie cieśniny Sund, w Helsingborgu, i studiowała historię sztuki na

Uniwersytecie w Lund. Miałem wtedy dwadzieścia sześć lat, Ingrid dwadzieścia jeden.

Tego lata znowu byłem przez tydzień w Moskwie, ale nie mogłem myśleć o niczym innym prócz Ingrid. Zdeterminowany napisałem do przełożonych notatkę, że chcę się ożenić. Wiedziałem, jak powinna wyglądać kandydatka na żonę radzieckiego oficera wywiadu, więc tak ją opisałem. Jeszcze przed wyjazdem otrzymałem zgodę.

Nie miałem wówczas pojęcia, że radziecki oficer nielegał sam sobie nie wybiera żony, lecz dostaje ją w pakiecie z Moskwy, kiedy przyjdzie na to czas. W moim przypadku uznano jednak, że z uwagi na charakter moich zadań wywiadowczych lepiej będzie, jeśli poślubię Szwedkę. Dowiedziałem się o tym wiele lat później podczas kolejnej tajnej wizyty w Moskwie. Zabolało mnie, gdy zrozumiałem, że Ingrid i Carl to nie jest mój wybór, lecz zimna kalkulacja jakichś oficerów z Centrali KGB.

Wkrótce poznałem jej rodziców i brata kolejarza, mieszkających w solidnym ceglanym domu w centrum Helsingborga. Zwykli, uprzejmi, porządni ludzie, trochę bez wyrazu. Przyjęli mnie dobrze, o nic nie pytali. Jasne było, że kochają Ingrid i darzą ją zaufaniem.

Ingrid była wspaniała. Kochałem ją od pierwszego dnia, co dzień coraz mocniej. Tak mocno, że nie czułem ziemi pod stopami. Mogłem przenosić góry i prawie tak było. Moskwa nie mogła się mnie wówczas nachwalić. Dostałem nawet kilka nagród i pochwał.

Pobraliśmy się drugiego września pięćdziesiątego siódmego roku. Na początku wesele miało raczej szwedzki charakter. Wielu gości, dużo przemówień, mało alkoholu, chociaż po dwóch godzinach wszyscy byli mocno podpici. Od tej pory dominował już duński duch. Tym bardziej że większość naszych znajomych stanowili Duńczycy. To były najwspanialsze chwile mojego życia. Byłem szczęśliwy! Także dlatego, że była ze mną Gerda, która wtedy stała się moją prawdziwą matką! I ona też była szczęśliwa!

Kilka miesięcy później cieszyła się, że zostanie babcią. Tak bardzo chcieliśmy, żeby to była dziewczynka! Nasza radość nie trwała długo. Ingrid poroniła. Nie mogliśmy się pogodzić z tym, co nas spotkało. Ingrid załamała się zupełnie i rzuciła studia. Wbrew moim prośbom wyjechała do rodziców, bo czuła, że tam będzie bezpieczna. Ja też długo szukałem swojego miejsca. Tęskniłem za Ingrid, ale do niej nie dzwoniłem. Rozmawiałem tylko z jej bratem i czasem z rodzicami. Nie mogłem zrobić nic więcej. Musiałem czekać.

Przeniosłem się do Malmö i wynająłem mieszkanie na trzecim piętrze domu przy Amiralsgatan 12. Po miesiącu Ingrid wróciła i znów zamieszkaliśmy razem. Moskwa nie chciała się zgodzić na moją przeprowadzkę do Szwecji, lecz postawiłem ich przed faktem dokonanym. Miałem z tym trochę kłopotów, ale jakoś się udało.

W tym czasie praktycznie nie było już granic między krajami skandynawskimi. Nie było też żadnych przeszkód w podejmowaniu pracy. W pięćdziesiątym drugim roku powstała Rada Nordycka, mały protoplasta Unii Europejskiej.

Pracowałem dorywczo dla „Berlingske", ale było to coraz mniej praktyczne. W zasadzie potrzebowałem stałych zarobków, by ukryć swoje prawdziwe zajęcie i pochodzenie pieniędzy. Teraz zacząłem szukać podobnego zajęcia, ale w Szwecji. Dojazdy promem do Kopenhagi były uciążliwe i niepewne, a ja nie mogłem ryzykować spóźnień. Wtedy nie było mostu nad cieśniną Sund. Dopiero co zrobiłem prawo jazdy, ale nie miałem jeszcze dobrego uzasadnienia, by kupić samochód.

W Kopenhadze korzystałem z dwóch mieszkań. Jednego oficjalnego, na Amicisvej 12 we Frederiksbergu, które zlikwidowałem, jak tylko przeniosłem się do Malmö. I drugiego, dwupokojowego – na nazwisko Rolfa Samuelsena, kierowcy ciężarówki – na Esthersvej, blisko stacji kolejki podmiejskiej

Hellerup. Miałem tam swoje „laboratorium" i wszystkie dokumenty. Czasami kogoś przechowywałem. Zaletą tego mieszkania było dobre położenie. Zanim wszedłem, mogłem bez trudu sprawdzić, czy nie jest pod obserwacją. Wykorzystywałem je bardzo długo.

W końcu, z rekomendacji redaktora działu miejskiego „Berlingske" Osvalda Jakobsena, dostałem pracę w dzienniku „Sydsvenska Dagbladet".

Opiekowałem się Ingrid najlepiej jak potrafiłem. Długo wychodziła z depresji i nie obyło się bez interwencji psychologa. Ja radziłem sobie lepiej. Oficjalnie trochę pomagali nam finansowo rodzice Ingrid. Pożyczyliśmy od nich pieniądze i kupiliśmy nasz pierwszy samochód, żeby częściej ich odwiedzać. W rzeczywistości to Moskwa naciskała, bym kupił samochód, potrzebny do realizacji kolejnych zadań.

Właśnie pojawił się nowy model Volvo Amazon i za radą brata Ingrid zdecydowaliśmy się na ten wóz. Ingrid była zachwycona, zaczęła robić prawo jazdy i prawie zupełnie zapomniała o naszej tragedii. Śnieżnobiały lakier w zestawieniu z czerwoną skórą siedzeń dawał wspaniały efekt i Ingrid potrafiła nawet dobierać ubrania do samochodu, zależnie od pogody. Przez dwadzieścia trzy lata był jak członek naszej rodziny. Dużo widział i zawiózł nas w wiele ciekawych miejsc, zanim kupił go jakiś kolekcjoner, który, rzecz jasna, nawet się nie domyślał, że przez tyle lat to volvo pracowało dla KGB i brało udział w niezwykłych i niebezpiecznych wydarzeniach. W przeciwnym razie z pewnością uzyskałbym za nie znacznie wyższą cenę.

W pięćdziesiątym ósmym roku otrzymałem z Moskwy polecenie wystąpienia o obywatelstwo szwedzkie. Jako Duńczyk sprawę miałem ułatwioną, tym bardziej że byłem przecież żonaty ze Szwedką. Obywatelstwo dostałem szybko, już w pięćdziesiątym dziewiątym.

W tym samym roku otrzymałem z Moskwy pilną instrukcję, która zmieniła całe moje dotychczasowe życie.

Początkowo byłem zaskoczony, ale później wszystko zrozumiałem.

Miałem zatrudnić się w Urzędzie do spraw Cudzoziemców w Malmö, jak się wówczas nazywał późniejszy Urząd Imigracyjny. Udałem się zatem do działu kadr i złożyłem podanie o pracę. Po miesiącu przysłano mi zaproszenie na rozmowę kwalifikacyjną. Ku memu zaskoczeniu zostałem przyjęty. Wkrótce dostałem pilne polecenie stawienia się w Moskwie.

Tak jak przypuszczałem, moim głównym zadaniem miało być teraz legalizowanie naszych nielegałów na Zachodzie, co zwykle było rezultatem wystąpienia o azyl lub obywatelstwo, oraz uzyskiwanie danych autentycznej osoby, która już przeszła procedurę, i wstawianie w to miejsce tak zwanego wtórnika, co czasami wiązało się tylko ze zmianą zdjęcia, a czasami z podrobieniem całej dokumentacji. Jednak te słowa nie oddają ogromu pracy, stopnia jej komplikacji i niebezpieczeństwa, jakie ze sobą niosła. Musiałem zadbać o wszystko. Sam wytwarzałem potrzebne do tego celu dokumenty. Byłem w stanie wyprodukować prawie każde świadectwo urodzenia, każdy akt zgonu, nawet z dziewiętnastego wieku. Co było poza moimi możliwościami, robiła Moskwa.

Wyprawiłem w ten sposób w świat wielu nielegałów. Niektórych nigdy nie widziałem, jeśli nie liczyć zdjęcia. Ich narodowość zmieniała się w zależności od sytuacji międzynarodowej. W okresie konfliktu kubańskiego było kilku Kubańczyków, podczas wojny na Bliskim Wschodzie pojawili się Arabowie, po przewrocie w Grecji – Grecy. Stale obecni byli Polacy, którzy mieli naturalny dostęp do Szwecji. Stosunkowo łatwo mogłem też wyprodukować Polaka. W ZSRR wojenne zasoby Niemców, Duńczyków, Włochów, Węgrów, Holendrów czy też innych najeźdźców były już na wyczerpaniu.

Kiedy zatrudniłem się w Malmö, natychmiast zlikwidowałem kopenhaskie mieszkanie na Hellerup. Wszystko przeniosłem na Ystadsgatan w tak zwanym Möllevång, dobrze nadającym się na adres dla kierowcy ciężarówki. Ten lokal był znacznie lepiej przygotowany niż poprzedni.

Dostałem z Moskwy nowe wyposażenie do produkowania, przerabiania i podrabiania dokumentów. Lepiej też zorganizowałem „zamrażarkę", czyli pokój do przechowywania naszych ludzi w drodze na Zachód.

Jeśli chodzi o przerzucanie i legalizowanie agentów, praca w Urzędzie Imigracyjnym dawała znakomite możliwości. Niewiele jednak pozostawało mi czasu na robotę w konspiracyjnym lokalu. Nie dość, że musiałem ukrywać to przed Ingrid, to jeszcze sam wystawiałem sobie zwolnienia z pracy. Zupełnie nieźle opanowałem listę chorób i ich objawy. Kombinowałem jak mogłem, ale coraz bardziej się bałem, że to może się źle skończyć. Moja wcześniejsza praca nadawała się do tego celu znacznie lepiej.

W urzędzie zaprzyjaźniłem się z Perem-Olofem, funkcjonariuszem Säkerhetspolisen, oddelegowanym, by nas nadzorować i pilnować bezpieczeństwa Szwecji przed Związkiem Radzieckim. Był starszy ode mnie o dziesięć lat. Lubił wypić, ale wyraźnie się z tym krył. Wydawało mu się, że nikt tego nie widzi, ale widzieli wszyscy i unikali z nim kontaktu. Miał częste przerwy w pracy i w świadomości. Wyciągnąłem do niego rękę – z kieliszkiem – i uzyskałem wszystkie potrzebne mi informacje. Nigdy mnie nie podejrzewał. Nie był zresztą zbyt lotny. Do Säpo przeszedł z policji kryminalnej, podobno w uznaniu niezwykłych kompetencji. Trudno mi było jednak w to uwierzyć. Z czasem stałem się jego tajnym współpracownikiem i pomagałem mu w wyszukiwaniu sowieckich szpiegów. Raz prawie udało nam się złapać jednego. To było śmieszne. Imponowało mu, że jestem synem żołnierza zamordowanego przez Rosjan.

Po kilku latach Per-Olof znikł z urzędu i nigdy już się nie pokazał. Na jego miejsce przyszedł Gustav, wolny od jakichkolwiek nałogów, za to z profesją wypisaną na brodatej twarzy i z wielkim brzuchem nad cienkimi i krzywymi nogami. Zanim szedł do naszego dyrektora, zjawiał się u mnie, żeby się poradzić. Wszyscy już wiedzieli to, co wcześniej podejrzewali – że współpracuję z Säpo. Zresztą nie było w tym niczego nagannego i każdy doskonale to rozumiał. Pracownicy sami chodzili do Gustava, kiedy mieli jakieś podejrzenia czy wątpliwości.

Zażyłość czy przyjaźń może być dla nielegała śmiertelnie niebezpieczna. Gustav oczywiście zapoznał się z moją teczką, bo od pierwszego dnia zachowywał się tak, jakby znał mnie od lat. Z czasem okazał się znacznie bardziej rozmowny i inteligentny niż Per-Olof. I nieporównywalnie lepiej poinformowany. Od lat pracował w kontrwywiadzie i nawet mówił trochę po polsku. Pracowaliśmy razem aż do mojego przeniesienia do Sztokholmu. To dzięki niemu uniknąłem wpadki. Tej jednej jedynej! Paradoks!

Tymczasem w samym środku lata, dziesiątego lipca sześćdziesiątego ósmego roku, przyszedł na świat Carl. Mimo wcześniejszych opinii lekarzy poród przebiegł szybko i łatwo. Teraz było nas troje, byliśmy rodziną i nasz świat zmienił się nieodwracalnie. Carl rósł szybko i bez problemów, jeśli nie liczyć chorób wieku dziecięcego i rozbitych kolan. Wkrótce całkowicie zawładnął tylnym siedzeniem w naszym volvo. Gdy miał dwa latka, dostał od dziadka misia, którego nazwał Beruna. To był jego pierwszy i ostatni miś. Ma go do dzisiaj. Potem spał już tylko z łódkami, okrętami, statkami. Niewiele się zmieniło – teraz śpi na okrętach i statkach.

To była najpiękniejsza chwila mojego życia, gdy Carl skończył Akademię Marynarki Wojennej. Chciałbym, by ten jego obraz, gdy stoi dumnie w granatowym mundurze oficera marynarki, trwał wiecznie w mych wspomnieniach. Jestem z niego taki dumny!

Od tego czasu coraz częściej powracały moje wspomnienia z dzieciństwa, które jakby wyłaniały się ze starej mgły.

Na tych kilku utrwalonych w pamięci fotografiach Olga była taka słoneczna i szczęśliwa. Taka nierealna. Nie przywoływałem jej. Przychodziła sama, jakby wiedziała, jak bardzo jej potrzebuję.

Domyślałem się, że Carl zaczął pracować w szwedzkim wywiadzie wojskowym MUST. Nigdy go o to nie pytałem, choć pewnie by mi powiedział. Odkąd skończył akademię, przestał mówić o swojej służbie. Nie wykazywał w tym kierunku żadnej inicjatywy i było dla mnie całkowicie jasne dlaczego.

Moskwa oczywiście od początku wiedziała, że Carl uczy się w akademii, i byłem nawet w tej sprawie stale instruowany. Poinformowałem jednak Centralę, że dostał przydział do jednostki remontowej. Bałem się, że jeśli powiem prawdę, to będą na mnie naciskać. Jakoś się udało. Może uważali, że w rodzinie Jorgensenów wystarczy na razie jeden szpieg. Nierozważne działania mogły mnie przecież zdekonspirować.

Potraktowali pewnie Carla jako kapitał na przyszłość i obliczyli ewentualne zyski i straty. Pisząc swoje raporty, podkreślałem, że nie ma on dostępu do tajnych informacji. Mimo to zawsze się bałem, że Moskwa kiedyś się zorientuje, gdzie naprawdę służy Carl. Nie miałem i nadal nie mam planu, co wówczas zrobię, ale byłem gotów chronić go za wszelką cenę.

Do Sztokholmu przeprowadziliśmy się w siedemdziesiątym piątym roku. W pracy powiedziałem, że Ingrid dostała tam dobrą posadę. Zresztą w Urzędzie Imigracyjnym nikt jej nie znał. Zasad konspiracji przestrzegałem z żelazną konsekwencją. Natomiast Ingrid poinformowałem, że przenoszą mnie służbowo do stolicy.

W rzeczywistości musiałem wówczas pilnie opuścić Malmö. Gustav się wygadał, że Säpo poszukuje sowieckiego agenta, który działa w tym mieście. Po raz pierwszy poważnie się wystraszyłem.

Ściągnęli mnie na tydzień do Moskwy, gdzie byłem ostro przesłuchiwany niemal dzień i noc. Początkowo myśleli, że popełniłem jakiś błąd, ale z czasem podejrzenia skierowali na jednego z nielegałów, który przeszedł przez moją naturalizację albo „zamrażarkę". Mieszkanie konspiracyjne zmieniałem w tym czasie co rok. Żaden z moich „gości" nigdy o nic nie pytał, bo to było surowo zabronione i mogło nawet skończyć się śmiercią. Każdy o tym wiedział. Rozmawialiśmy więc mało, a jeżeli już, to o pogodzie. Specjalnie przygotowane historyjki miały stanowić coś w rodzaju zasłony dymnej, chroniącej naszą prawdziwą tożsamość. Dlatego najczęściej udawałem Polaka.

Tak czy inaczej Moskwa zadecydowała o moim przeniesieniu do Sztokholmu. Nałożyła się na to jeszcze informacja od Gustava, że szwedzki kontrwywiad radiowy FRA ustalił, że w Malmö pracuje prawdopodobnie radziecka radiostacja. Początkowo nie łączyli tego faktu z osobą agenta, ale było to już tylko kwestią czasu. Po moim wyjeździe radiostacja pracowała jeszcze przez rok. Nadawała puste gamy, fałszywe meldunki tylko po to, żeby odciągnąć uwagę Szwedów ode mnie, wprowadzić ich w błąd. Na wszelki wypadek.

Od tej pory, chociaż radio wciąż było w użyciu, przeszedłem głównie na łączność przez schowki, skrytki i ogłoszenia. Stare, proste, sprawdzone i bezpieczne metody. Szwedzki kontrwywiad radiowy był i jest jednym z najlepszych na świecie. Wtedy to było dla nas jasne.

Przez rok byłem zamrożony. Nie tylko z powodu polowania na agenta w Malmö, lecz także z konieczności aklimatyzacji w nowym miejscu. Pozostawałem przez ten czas praktycznie bez łączności. Tylko w sytuacjach awaryjnych i w razie zagrożenia mogłem wywołać spotkanie. Realizowałem jedynie zadania, a w zasadzie specjalny program, w którym miałem sprawdzić, czy jestem bezpieczny, czy nie dzieje się wokół mnie coś podejrzanego. To był mój najlepszy czas, odkąd wyjechałem z Moskwy.

Mieszkanie w Malmö sprzedaliśmy łatwo. Wzięliśmy pożyczkę w SE Banken i kupiliśmy nowe, osiemdziesięciometrowe, na ulicy Kvarnvägen w Jakobsbergu pod Sztokholmem, w ładnym dwupiętrowym domu z okładziną z czerwonej cegły.

Z rekomendacji Gustava, a raczej Säpo, dostałem kierownicze stanowisko w sztokholmskim Urzędzie Imigracyjnym. Tym razem moim kontaktem był Lars. Cichy, małomówny człowieczek w grubych okularach. Mówili, że był kiedyś prokuratorem. Dlaczego został oficerem Säpo, nie wiadomo. Miał jednak coś z prokuratora. Formalista, który patrzył świdrującymi na wylot oczkami. Trochę to było śmieszne.

Niewiele mogłem się od niego dowiedzieć. Akta imigrantów przeglądał sam i miał niewiele pytań. Zlecał mi zadania praktycznie nieprzydatne dla naszego wywiadu. Dopóki pracowałem w Malmö, dzięki Gustavowi sporo wiedziałem o zainteresowaniu Säpo imigrantami. Chociaż wówczas było to już moje uboczne zajęcie.

W tym czasie w ciągu jednego roku zmarli rodzice Ingrid i niespodziewanie dostaliśmy spadek. Ingrid uważała, że powinniśmy kupić letni domek nad wodą gdzieś w pobliżu Sztokholmu. Carl bardzo się ucieszył z tego pomysłu. Nabyliśmy więc duży drewniany dom z początku wieku, niedaleko Åkersbergi. Był w doskonałym stanie, pomalowany na żółto – a Ingrid uwielbiała ten kolor – i w dodatku stał pięćdziesiąt metrów od przystani, gdzie Carl mógł trzymać swoją pierwszą łódź.

Wybrałem ten dom także dlatego, że miał solidną murowaną piwnicę, gdzie po odpowiedniej adaptacji mogłem urządzić swój bunkier, który w raportach nazywałem „laboratorium". Korzystanie z wynajętego mieszkania w mieście stawało się ryzykowne. Znało mnie coraz więcej ludzi, przez co wzrastało prawdopodobieństwo jakiegoś niebezpiecznego przypadku.

Miałem w tym czasie przechowywać mniej nielegałów. Nie wiem, czym to zostało spowodowane. Tak zdecydowała Moskwa i było mi to na rękę. W razie potrzeby wynajmowałem dla nich kawalerkę w mieście. Otrzymywałem też coraz więcej zadań. Głównie pomagałem w obsłudze naszej agentury. Przede wszystkim w Skandynawii, ale podróżowałem też sporo do Niemiec, Anglii i Francji. Byłem kilka razy w Ameryce i dwa razy w Japonii.

Najczęściej obsługiwałem tajne skrytki, stawiałem znaki dla agentury, zamieszczałem ogłoszenia w prasie, brałem udział w błyskawicznym przekazywaniu materiałów. Czasami po prostu stałem w określonym miejscu, w określonym czasie, w określonym nakryciu głowy lub bez. Często nie wiedziałem, jakiego agenta obsługuję ani w jakiej uczestniczę operacji, a czasami wiedziałem wszystko.

Nigdy się nie denerwowałem i nie przeżywałem tego, co robię. Zawsze mi się udawało, bo przestrzegałem zasad. Wtedy już tylko swoich zasad, które doprowadziłem do perfekcji. Niewiele pamiętałem z czasów pierwszego kursu w Moskwie. Trochę pomagały mi okresowe szkolenia, ale i tak życie wszystko korygowało i często musiałem postępować po swojemu. Bałem się tylko raz, kiedy Gustav powiedział mi o szpiegu w Malmö. W zasadzie pewien rodzaj strachu, jego bezkształtną odmianę, wciąż odczuwam. Może jednak jest to raczej odmiana stresu, którą chyba każdy szpieg ma we krwi, tylko sobie tego nie uświadamia. To takie dziwne uczucie!

W tym czasie zupełnie przypadkowo okazało się, że Ingrid ma raka. Już wcześniej wiedzieliśmy, że cierpi na alzheimera. Ale teraz wszystko się nagle zmieniło. Jaki jest dzień tygodnia, miesiąc, pogoda – to już nie miało takiego znaczenia jak przez całe nasze życie. Chociaż bardzo się staraliśmy, żeby było inaczej.

Pożegnaliśmy Ingrid w wietrzny letni dzień na cmentarzu Haga Norra. Od tej chwili czas zaczął się cofać, ale tylko czas Ingrid i Carla. Miałem jeszcze Gerdę, która wciąż mieszkała we Flensburgu. Moskwa ograniczyła się do zimnych, oficjalnych kondolencji zaszyfrowanych na końcu radiowej depeszy. Tak też się złożyło, że dwa dni po pożegnaniu Ingrid musiałem zostawić Carla i jechać do Helsinek, by obsłużyć tajną skrytkę na skwerze Sibeliusa. Zadanie wykonałem jak zawsze wzorowo.

Zostaliśmy sami. Carl kończył szkołę średnią. Złożył już dokumenty do Akademii Marynarki Wojennej i miał duże szanse się dostać, bo był jednym z najlepszych uczniów w szkole. Gdy przeglądał się rano w lustrze, ubrany w swój pierwszy garnitur i białą maturalną czapkę, symbol dojrzałości, wyglądał, jakby został stworzony do służby marynarskiej.

Z Niemiec przyjechała Gerda, nawet nie zapytawszy Moskwy o zgodę. Miała już wtedy siedemdziesiąt sześć lat, ale radziła sobie nadzwyczaj dobrze. Większość tego najważniejszego w życiu młodego Szweda dnia spędziliśmy razem. Potem Carl poszedł z kolegami świętować maturę. Objechali miasto na ciężarówkach przystrojonych w brzozowe gałęzie. Gerda uległa jego prośbom i została u nas kilka dni. Tak bardzo Carl chciał wtedy mieć rodzinę.

Nie pogodziłem się nigdy ze śmiercią Ingrid. Nigdy jej nie zdradziłem i nie zdradzę. Jej nieobecność stworzyła pustkę, którą wypełniłem pracą. Nagle zostałem sam. Nie mając nic do roboty, okropnie się męczyłem. Carl był już w wojsku.

Potrzebowałem trochę czasu, zanim nauczyłem się żyć i wypełniać rozkazy w nowej rzeczywistości. Wkrótce zacząłem otrzymywać z Moskwy coraz częstsze pochwały za rzetelność i poświęcenie dla ZSRR oraz jakieś wysokie odznaczenia od kierownictwa państwa. Dostałem też podziękowanie i gratulacje od organizacji partyjnej w KGB z okazji czterdziestolecia mojego członkostwa. Pamiętałem, że składałem papiery o przyjęcie do partii podczas jednej z moich tajnych wizyt w Moskwie, lecz później zupełnie o tym zapomniałem. To było trochę dziwne, ale miłe uczucie, kiedy nazwano mnie towarzyszem i komunistą.

Hans Jorgensen wciąż leżał w ubraniu na koi w kabinie numer 6020 promu Scandinavia i starał się uporządkować swoje najważniejsze wspomnienia.

Co ja mam teraz zrobić? Czy byłoby lepiej, gdybym nie poznał protokołu przesłuchania Zubowa? Gdybym nie był tym, kim jestem... pewnie nigdy bym się o tym nie dowiedział. Czy to przypadek... czy zemsta losu, który sam wybrałem? Jak mam teraz dalej żyć? Wszystko, co robiłem, jak żyłem, nie ma teraz sensu... Oba moje światy solidarnie legły w gruzach... a przecież byłem przekonany, że nie są ze sobą powiązane! Jak to możliwe?! Nagle... Wiera, Dmitrij, Gerda... stali się tacy nierealni. Jak postacie z jakiejś książki, a nie z mojego życia... Czuję się tak, jakbym się dowiedział, że moi przybrani rodzice nigdy mnie nie kochali, a ja tak chciałem być kochany... mieć rodzinę! To jest nie do zniesienia! Czy Ingrid i Carl też są realni? Myślałem, że moje życie nielegała jest proste i dobrze zaplanowane, ma swój porządek... stanowi całość... A tymczasem okazało się, że to jakiś patchwork, a wszystko jest iluzją. Tak... nielegał to w rzeczywistości iluzjonista, bo całe jego życie to złudzenie prawdziwego życia. To po prostu fikcja! Kim jest Hans Jorgensen? Gdzie jest Andriej Wołkowski... ze wsi Miedwiedki, której nie ma na żadnej mapie ani w ludzkiej pamięci?

## 38

Wprawdzie Sara niczego mu nie doradziła ani nie wytłumaczyła, ale już sama atmosfera tego spotkania podniosła go na duchu, pomogła mu odzyskać równowagę i zastanowić się nad dalszymi poczynaniami. Chociaż wciąż czuł się winny zabójstwa, uznał, że jest usprawiedliwiony, odkładając rozliczenie tej sprawy na później.

Przez całą drogę z Kijowa do Mińska rozmyślał nad tym, jak wykorzystać Krupę w akcji wydostania archiwum NKWD z twierdzy brzeskiej. Miał już w głowie zarys pewnego scenariusza, lecz zdawał sobie sprawę, że musi się wykazać determinacją i gotowością do działania, inaczej niewiele da się zrobić. Pojutrze, gdy znów spotka się w Mińsku z Sarą, powinien mieć wszystko dograne.

Ma zatem jeden dzień na werbunek Krupy. Nie jakieś kapturowe spożytkowanie czy okazjonalną pomoc, ale regularny werbunek pod polską flagą, w imieniu Agencji Wywiadu. Po rozmowie w bani „Travis" czuł, że Krupa jest już gotowy do współpracy. Był o tym głęboko przekonany. Wasilij dawał przecież wyraźne sygnały, że zrobi dla niego wszystko. W jakimś sensie „Travis" miał go w garści.

To musi być werbunek prosty, bezpośredni i dobrze umotywowany. Praktycznie muszę go zrobić z marszu, bez przygotowania... Krupa nie może mieć możliwości manewru. Nie może powiedzieć „nie". W przeciwnym wypadku cała nasza operacja zostanie zdekonspirowana. To musi być jeden z tych werbunków, kiedy kandydat w końcu odkrywa, że całe życie czekał właśnie na to – rozważał „Travis" wpatrzony w ciemne okno pociągu.

Było już późno w nocy, kiedy dotarł do domu w Mińsku. Sprawdził zabezpieczenia w mieszkaniu, a przede wszystkim przejrzał tajne blokady w swoim laptopie, który wykorzystywał do łączności z Polską. Nawet gdyby ktoś włączył jego komputer, nie byłby w stanie zauważyć niczego podejrzanego. Odpowiednie oprogramowanie było tak schowane, że tylko on potrafił je uruchomić. Zespół naprawdę dobrych specjalistów musiałby pracować kilka dni nad komputerem, by stwierdzić jedynie, że jest z nim coś nie tak. W razie nieumiejętnej próby otwarcia program ulegał natychmiastowemu „spaleniu".

Wszystko było w porządku. Ukryte oko i ucho komputera pilnowały mieszkania „Travisa" bezbłędnie i odpowiedzialnie. Poszedł do pokoju sprawdzić swój telefon komórkowy. Miał dwie nieodebrane rozmowy. Obie bez numeru. I jednego SMS-a – od Krupy, z krótkim: „Zadzwoń. Piwo?" – odebranego cztery godziny temu.

Po chwili wahania „Travis" wybrał jego numer.

– Cześć, Wasia! Dzwoniłeś do mnie?

– Tak, dwa razy. I SMS-a ci wysłałem. Chciałem wyciągnąć cię na piwo – odpowiedział Krupa.

– Twój numer mi się nie wyświetla. A SMS-a zobaczyłem dopiero teraz. Zapomniałem telefonu. – „Travis" nawet nie starał się zachować pozorów wiarygodności, bo i tak wkrótce nie będzie to miało żadnego znaczenia. – Nie najlepsza pora na piwo, ale... jak chcesz, wpadnij.

– Nie, jest już za późno...

– Stało się coś, Wasia? – zapytał „Travis".

– Nie, nic. Chciałem pogadać. Wiesz, dużo myślałem o naszej ostatniej rozmowie...

– Daj spokój! Nie ma o czym gadać... – przerwał mu „Travis" w obawie, że Krupa powie o jedno słowo za dużo. – Jutro pójdziemy na piwo. Nawet mam ochotę. Już dawno nie piłem... Zdzwonimy się po pracy, dobrze?

– Jasne! – Krupa chętnie przyjął zaproszenie i „Travis" wyczuł wyraźnie, że na nie czekał.

Jemu to też odpowiadało, bo nastrój Krupy stwarzał nadzieję na dobry rezultat jutrzejszego spotkania. Taki, jakiego się spodziewał.

Zmęczenie podróżą i stres ostatnich dni powinny powodować erozję nastroju, lecz „Travis" czuł się znakomicie i wiedział, że będzie dobrze spał. Po raz pierwszy od wielu dni.

Nawet się nie wykąpał. Umył tylko zęby. Chciał, żeby już było jutro.

Umówili się o siedemnastej przy wejściu do stacji metra Niemiga. O tej porze roku było w okolicy sporo miejsc, dokąd mogliby pójść na piwo. Początkowo „Travis" tak zaplanował, ale potem doszedł do wniosku, że o tej porze będzie tam zbyt dużo ludzi, co może mieć zły wpływ na atmosferę rozmowy. W szczególności takiej rozmowy. Dlatego wziął samochód, przenośnego grilla, kupił na rynku sporo kiełbasy i skrzynkę piwa. Na wszelki wypadek wziął też butelkę wódki. Postanowił, że zabierze Krupę ze stacji i pojadą nad „mińskie morze". Znajdą odludne miejsce nad wodą, gdzie będą mogli swobodnie porozmawiać.

Było pięć po siedemnastej, kiedy Krupa wyszedł z metra i usiadł na pobliskiej ławce. Zapalił papierosa i oparł łokcie na kolanach. Spokojnie, powoli, z wyraźną celebrą wyjął papierosa i tak samo bez pośpiechu go zapalił. Rozglądał się beznamiętnie, bez śladu zdenerwowania, naturalnie jak ktoś umówiony na spotkanie.

„Travis" postanowił, że przetrzyma go tak długo, jak tylko będzie można. Nie chodziło mu nawet o to, czy Krupa ma obserwację, bo to będzie mógł ustalić dopiero później, ale chciał zobaczyć, jak się zachowuje. Czy w miarę upływu czasu wzrośnie jego napięcie, zaniepokojenie? Czy będzie się denerwował? Kiedy zadzwoni i czy zrobi to pierwszy?

Wiedział, że sam tego dnia musi być skupiony i czujny jak nigdy dotąd. Po raz pierwszy będzie werbował. Przypomniało mu się wielotygodniowe męczące szkolenie i bezwzględność Sary w egzekwowaniu tego, co musiał sobie przyswoić.

Zasady, sposoby, techniki. Psychologia, manipulacja, gra, kłamstwo. Teraz, w tym momencie, wszystko to pamiętał jak przez mgłę. Patrzył na Krupę, od kilkunastu minut siedzącego w niezmienionej pozycji, wodzącego wzrokiem za dziewczynami w zbyt krótkich spódniczkach. Wiedział, że gdyby chciał, to wszystko szybko by sobie przypomniał. Z wielomiesięcznego szkolenia najmocniej utkwiła mu jednak rozmowa w cztery oczy z Konradem, jaką przeprowadzili na koniec. Konrad ujął to wtedy prosto i jego filozofia odpowiadała mu najbardziej. Pamiętał każde jego spojrzenie, słowa i ich melodię, akcenty, chwile milczenia i ruchy rąk, jakby to było dzisiaj. Konrad nie recytował fragmentów ze skryptu. Wychodziło to gdzieś z jego głębi i „Travis", patrząc na niego, czuł się, jakby dostał przesłanie na całe życie. Jakby w tej prostej, zdawałoby się, filozofii dostępował najwyższego stopnia wtajemniczenia.

Konrad powiedział mu wówczas, że wszystko to, czego się nauczył o technice werbunku, jest ważne, nawet bardzo ważne, ale najważniejsze jest to, czego nauczył się o sobie. Czy jest w stanie uwierzyć, że potrafi oszukać sam siebie. Nie tylko czy chce i potrafi to robić, lecz czy jest przekonany i wierzy, że potrafi. Na końcu drogi, gdy musisz już to zrobić, nie pamiętasz o zasadach, skryptach, technikach. Owszem, ważne jest, jak się przygotowałeś, choć bywa czasem, że i to okazuje się później nieprzydatne. Kiedy wpadniesz w panikę, bezradnie szukasz ratunku. Nigdzie go nie znajdziesz, tylko we własnej wierze i zaufaniu do siebie samego.

„Travis" wyobrażał sobie, że jest niewidzialny. Obserwował Krupę i miał nieodparte wrażenie, że gdyby chciał, to mógłby nim sterować na odległość. W myślach wydawać rozkazy, co ma robić, a on, niczego nieświadomy, wykonywałby jego polecenia. Czuł, że ma na niego wpływ jak *tsaheylu*. Towarzyszyło temu nieznane dotąd niezwykle miłe podniecenie, zmieszane z równie dziwną radością i pewnością siebie.

Była już siedemnasta dwadzieścia. Krupa z trudem wyjął z kieszeni spodni swój telefon komórkowy. „Travis" obserwował go i widział, jak nie odrywając słuchawki od ucha, wciąż intensywnie taksuje wzrokiem przechodzące dziewczyny.

Czuł wibrowanie własnego telefonu. Postanowił, że jeszcze zaczeka.

Krupa schował komórkę, wstał z ławki i zaczął się powoli przechadzać. Trzy minuty później zadzwonił ponownie. „Travis" znów nie odebrał.

Krupa zatrzymał się, stanął nienaturalnie w rozkroku, spoglądając to w lewo, to w prawo. Nie patrzył tylko na wprost, gdzie po drugiej stronie ulicy siedział „Travis". Jakby wiedział, że tam jest, ale nie wolno mu było spojrzeć w jego stronę, bo on mu na to nie pozwalał.

O siedemnastej dwadzieścia pięć „Travis" podniósł się i ruszył przed siebie. Przeszedł przez jezdnię i podszedł do Krupy, który wciąż nerwowo się rozglądał. Nawet nie zauważył, gdy stanął już przed nim. Zorientował się dopiero po chwili i wyraźnie zaskoczony zapytał:

– Skąd się wziąłeś? Wyrosłeś jak...

– Przepraszam, że nie odbierałem telefonu. Wiedziałem, że to ty. Byłem już blisko. Coś mnie zatrzymało. Sorry!

– Nie ma sprawy – rzucił Krupa i zapytał: – No to co, dokąd idziemy? Masz jakiś pomysł? Mam ochotę na duże zimne piwo z pianą. Dzisiaj nie będę się ograniczał... Jak z tobą, Oleg?

– Też nie będę się ograniczał... Jest tak pięknie i ciepło. Pomyślałem, Wasia, że pojedziemy nad „morze"...

– Teraz? – przerwał mu zdziwiony Krupa.

– Teraz! – zdecydowanie odparł „Travis" i ruszył, nie czekając na odpowiedź.

Krupa bez wahania poszedł za nim. Przez chwilę obaj milczeli. „Travis" czekał, kiedy Wasilij zada pierwsze pytanie, choćby zupełnie oczywiste, w rodzaju „jak tam dojedziemy?" czy „dlaczego nie zadzwoniłeś do mnie wcześniej?", lub wyrazi jakieś wątpliwości, życzenia, w jakikolwiek sposób zareaguje na jego nieco zaskakujący pomysł.

– Nie mam kąpielówek – odezwał się nagle Krupa tak szczerze i dziecinnie, że „Travis" poczuł rozbawienie.

Równocześnie dotarło do niego z niezwykłą siłą, że to wrażenie, jakie miał jeszcze przed chwilą, obserwując

Krupę, nie jest żadną ułudą... To prawda! On nim kieruje! To on będzie decydował! Przepełniała go pewność siebie i wiara w intuicję.

Popatrzył na Krupę i poczuł przypływ ogromnej, gorącej sympatii. Jakby Wasia od urodzenia był jego najbliższym przyjacielem, bratem zawsze gotowym oddać za niego życie w podwórkowych bojach.

– Bułka z masłem... – powiedział na głos, zanim się zreflektował.

Szybko wyjaśnił, że chciał mu zrobić niespodziankę, ale zapomniał o kąpielówkach. Także dla siebie. Kiedy podeszli do samochodu, otworzył bagażnik i pokazał, że rzeczywiście dobrze się przygotował.

Dojazd na miejsce zajął im niespełna dwadzieścia minut. „Travis" zaparkował samochód, zabrali wszystkie rzeczy z bagażnika i poszli szukać odpowiedniego miejsca na biwak.

Nad brzegiem jeziora było sporo ludzi korzystających z popołudniowego słońca. Z różnych stron dochodził gwar głosów podnieconych grą w piłkę i alkoholem oraz pisk kąpiących się dzieci. Unosił się wszechobecny o tej porze dym z grillowisk.

Stanęli w miejscu, które wydawało im się najlepsze z możliwych. Krupa, podpierając się pod boki, rozejrzał się wokół.

– Brak dziewczyn! Brak kąpielówek! – rzucił. – To nie może być udana impreza. Nie pomyślałeś, Oleg! Gdybyś wcześniej dał znać, tobym się tym zajął. Znam dwie szeroko otwarte na wszystko towarzyszki z Wydziału Obserwacji. Akurat dzisiaj mają wolne... Zadzwonić? – zapytał nieco sennym tonem, jakby nie zamierzał niczego narzucać i czekał na decyzję „Travisa".

Coś on za mało czujny jak na kapitana kontrwywiadu KGB... Może jest ociężały umysłowo – pomyślał ze strachem „Travis". Ech, to tylko złudzenie – uspokoił się po chwili.

– Dajmy sobie spokój. Już późno – odparł. – Panienki zaprosimy następnym razem i lepiej się przygotujemy. Wiesz... teraz też nie będziemy się kąpać... Chcę z tobą pogadać...

– Jasne, Oleg! Jest o czym. Pewnie! – rzucił Krupa, krzątając się już przy grillu.

„Travis" rozłożył stary koc i otworzył piwo. Jedno podał Krupie, który natychmiast wypił duszkiem połowę.

– Jeszcze zimne – stwierdził z zadowoleniem, wycierając ręką usta. – Głodny jestem! – dorzucił, ale wciąż nie pytał, o czym „Travis" chce z nim rozmawiać. – Wiesz, Oleg – odezwał się, przygotowując grilla – muszę to powiedzieć, chociaż czuję, że drażnią cię takie teksty. Bardzo ci dziękuję, że dałeś mi... no... alibi na tamten wieczór... wiesz! Ale ważniejsza dla mnie była ta nasza rozmowa w bani. To, co wtedy powiedziałeś! Jak... powiedziałeś. Wiesz? Do końca życia nie zapomnę twojej wyciągniętej dłoni. Dla mężczyzny, dla oficera, to znaczy wszystko! Ale w tym kraju... – Krupa zawiesił głos. – Czy w ogóle można być oficerem w tym kraju?

„Travis", przygotowując kiełbasę, słuchał uważnie, coraz bardziej przekonany, że steruje jego myślami. Początek był dobry. Nie patrzyli na siebie, każdy zajęty swoimi czynnościami.

– Czy my służymy państwu czy narodowi? Jaki my naród? Zachodni Rosjanie czy wschodni Polacy? Jaka jest nasza tożsamość? Przecież myśmy nigdy nie mieli swojego państwa...

– Chyba przesadzasz, Wasia... – wtrącił „Travis".

– Może! Gorsze jednak jest to, że stoimy w historycznym rozkroku, a wszyscy idą do przodu. Nie przyłączymy się do Rosji, nie chcą nas w Unii. W kraju rządzi i ma się dobrze kopalny człowiek radziecki! – Krupa mówił z goryczą, ale spokojnie i z przekonaniem. – Taki Stepanowycz jest właśnie... teraz już był... istotą kopalną, potworem tego państwa. Czy był skurwysynem z urodzenia? Pewnie nie. Taki był, bo chciał i mógł. Bo takich tu jest pełno!

– A co z tobą, Wasia? – zapytał „Travis". – Ty też w tym byłeś.

Krupa nie odpowiedział. Stał wpatrzony w płonący grill. Minęły prawie dwie minuty.

– Daj piwo, Oleg! – odezwał się w końcu. – Byłem ubezwłasnowolniony i nawet o tym nie wiedziałem. Przecież ja się tu, kurwa, urodziłem! – krzyknął nagle. – Tu wychowałem! Na Białorusi! Syn milicjanta i przedszkolanki. A ty? Jesteś inny? – powiedział już spokojniej. – Nie! – Zawiesił na chwilę głos. – Tak, ty jesteś inny. Można być innym. Oleg, jak to się robi?

– Wasia... Nie chciałem cię dotknąć. Masz sporo racji i naprawdę jesteś inny. Dlatego zdecydowałem się zaryzykować i pojeździć z tobą na jednym wózku... no i dać ci to alibi. Dobrze... sprawa Stepanowycza cię obudziła i wyzwoliła w tobie normalnego człowieka – ciągnął spokojnie „Travis". – Można też przy tym być białoruskim patriotą. Absolutnie można!

– Oleg! Jakim patriotą? O czym ty mówisz? – zareagował z ironią Krupa.

– Ja jestem Białorusinem. Białoruskim patriotą. I są tacy jak ja – odrzekł ostro „Travis". – Jest nas więcej. Ty tak naprawdę też taki jesteś. Tylko jeszcze o tym nie wiesz. Ale ja ci to wytłumaczę, tępy łapciu! – Zaśmiali się obaj. – Dzisiaj ci to wyjaśnię i na zawsze odmienię twoje życie...

– Oleg! Przyjacielu ty mój! – Krupa podszedł do „Travisa", objął go i ucałował w oba policzki. – Ty już odmieniłeś moje życie. Na zdrowie!

Stuknęli się butelkami, wypili do dna i natychmiast otworzyli następne.

– Dobrze wiesz, że jestem ci coś winien, ale i bez tego, co zrobiłeś, byś mnie miał. Chociaż nie wiadomo, czy wtedy poznalibyśmy się bliżej. Patrz, Oleg, jakie to wszystko popierdolone!

„Travis" podszedł do grilla, sprawdził ręką, czy odpowiednio grzeje, i zaczął układać na ruszcie równo przycięte kawałki kiełbasy. Przez dłuższą chwilę stali w milczeniu, przyglądając się, jak tłuszcz zaczyna powoli wyciekać i przypalać się na rozżarzonych węglach.

Zastanawiał się, kiedy powinien zacząć, by nie przegapić momentu krytycznego, jak pilot, który odrywając maszynę od ziemi, wie, że nie może się już zatrzymać. Wszystko mu mówiło, wiedział to na pewno, że Krupa jest gotowy do werbunku. On w zasadzie już został zwerbowany – krążyło mu w głowie. Ale „Travis" cały czas pamiętał, że nikogo jeszcze nie pozyskał do współpracy z polskim wywiadem. Nie takie były zresztą jego zadania w KGB.

Teraz jednak Krupa mocno ciągnął piwo za piwem i „Travis" zaniepokoił się, że jak tak dalej pójdzie, nie zdąży mu wyłożyć swoich racji albo Wasia nie będzie już w stanie ich zrozumieć i właściwie ocenić.

– Chciałbyś wyjechać na Zachód? – zapytał obojętnie.

Krupa spojrzał na niego świdrującym wzrokiem. Po chwili odezwał się jak gdyby nigdy nic.

– Pewnie, że chciałbym! Ale to przecież bajki. Ty byś nie chciał? Kiedyś sobie nawet tak myślałem, że zwolnię się ze służby, odczekam, aż dadzą mi zgodę na wyjazd zagraniczny, i goodbye! Człowiek jednak jest leniwy. Nie znam języka... – Nadział dwie kiełbaski na widelec i podał „Travisowi", który przygotował papierowe talerze i musztardę. – Widzisz... ja nigdy nie byłem za granicą. Nawet w Wilnie! Mówią, że to piękne miasto. Bruksela włożyła tam dużą kasę...

– Wasia! Chcesz zrobić coś dobrego dla umęczonej ojczyzny? – przerwał mu „Travis".

– A co ja, kurwa, cały czas robię?! Męczę tę ojczyznę najlepiej jak potrafię. Przecież pracujemy w KGB, nie?

Wybuchnęli śmiechem. „Travisowi" odpowiadał jego ironiczno-cyniczny humor podlany piwem.

– Dawaj, Oleg! Na zdrowie! Za naszą socjalistyczną ojczyznę i Łukę, naszego niezłomnego prezydenta wszystkich prezydentów Iranu, Wenezueli i Kuby! Towarzystwo... kurwa! – Krupa splunął przez zęby. – Za nas! – Wyciągnął rękę z butelką w kierunku „Travisa". – I za moją dziewczynę!

– Nic nie mówiłeś, że masz dziewczynę!

„Travis" zrobił szybką analizę, zastanawiając się, czy ten fakt może mieć jakieś znaczenie dla jego planów. Poczuł się jednak dziwnie, stwierdziwszy, że Krupa do tej pory nic o tym nie wspominał.

Jeżeli chce wypić zdrowie swojej dziewczyny, to znaczy, że jest dla niego ważna... Albo robi sobie jaja. Może chce się ożenić, ustatkować... – rozważał z niepokojem.

– Bo nie mam! – Krupa roześmiał się po kozacku. – Ale teraz będę miał! Czas pomyśleć o sobie, Oleg. Koniec z dziewczynami z obserwacji!

„Travis" się rozluźnił. Deklaracja Krupy jak najbardziej mu odpowiadała. Uznał, że czas rozpocząć zasadniczą część rozmowy.

– Ja wcale nie żartowałem, gdy mówiłem, że możesz zrobić coś dla ojczyzny. Pojmujesz, Wasia? – powiedział cicho, lecz zdecydowanie, usiadłszy na kocu. – Chodź! Siadaj tutaj, Wasia! Posiedzimy i pogadamy.

Krupa bez słowa wykonał polecenie. Jakby już wszystko zrozumiał i po prostu nie mógł się doczekać, kiedy zostanie zwerbowany.

A może przeciwnie...? Może właśnie wypatruje najlepszego momentu, by odrzucić moją propozycję? – pomyślał „Travis". Tak łatwo miałbym przegrać...? To byłby koniec! Jego „nie" będzie dla mnie... dla nas... katastrofą. Nie zgodzi się za samo alibi... nie, nie da się nabrać! Nie może się przecież nie domyślać! Przecież jest wyszkolonym oficerem kontrwywiadu...

Sam już nie był pewny, co ma o tym sądzić ani co powinien teraz powiedzieć. Zauważył, że już od jakiegoś czasu drżą mu ręce. Cały jego prosty plan zachwiał się niebezpiecznie.

Krupa siedział obok i patrzył się na niego, jakby na coś czekał.

„Travis" czuł, że zasycha mu w gardle i że nie może wytrzymać jego wzroku. Mijały sekundy, ale miał wrażenie, że trwa to wieczność.

– Oleg... Dla kogo ty pracujesz? – Krupa w końcu przerwał milczenie.

„Travisowi" pociemniało w oczach, jakby dostał obuchem w głowę. Tego pytania miało nie być! Cała jego pewność siebie rozsypała się nagle jak domek z kart. Przez sekundę mu zaświtało, że Krupa może ma na myśli Służbę Bezpieczeństwa Prezydenta, ale zaraz zrozumiał, że to bezsens. Zaczęła go ogarniać panika.

Przez całe życie przygotowywał się na to pytanie. Ale nawet rozmowa ze Stepanowyczem i to, czego się potem dopuścił, nie miało takiego znaczenia. Krupa odwrócił sytuację i „Travis" nie wiedział teraz, co robić. Nigdy nie przypuszczał, że to pytanie padnie właśnie tak, w takiej formie i w takich okolicznościach. Że będzie zaskoczony jak dziecko. To miało być inaczej!

Zrozumiał teraz Konrada i pojął swoją słabość. Miał wrażenie, że zachłysnął się własną arogancją. Wielki głaz przygniatał mu pierś i nie pozwalał oddychać.

– Mam nadzieję, że nie dla Rosjan...

– Nie! – odpowiedział z pewnym ociąganiem, zanim zrozumiał sens tych słów i dotarło do niego, że przecież wszystko jest w porządku. – Nie! Nie dla Rosjan! Dla... Polaków!

– To dobrze, Oleg. Oni nas lepiej rozumieją. To w końcu nasi bracia...

– Skąd ty... – „Travis" próbował uporządkować rozsypane myśli.

– Po naszym spotkaniu w bani, gdy pomogłeś mi zrozumieć, co się stało, i otrzeźwieć po tym wszystkim, zacząłem się zastanawiać. Także nad tobą... Ty, Oleg, zawsze byłeś inny. To się dało wyczuć. Nie pasowałeś do KGB. Po prostu! Tego tak nie widać od razu. Trzeba ci się bliżej przyjrzeć, porozmawiać, wypić piwo. No, niby jesteś jak każdy Białorusin, ale coś z tobą jest nie tak. Niełatwo to określić... Nie wiem, jak cię widzą inni. Tobie jest bliżej do cywilizacji Zachodu niż naszej... – Krupa mówił ciepłym tonem, bez zadęcia i z przyjaznym uśmiechem.

Wstał, otworzył dwa kolejne piwa i jedno podał „Travisowi". Sprawiał teraz wrażenie niesamowicie trzeźwego, jakby dotąd nie wypił ani kropelki.

– Ty masz inny system wartości. Inny jest twój stosunek do człowieka... – dodał, gdy już usiadł z powrotem.

„Travis" odbierał jego słowa jak wyciągniętą rękę, ale nie na zgodę, lecz po ratunek. Zdecydował, że od tej chwili będzie się kierował wyłącznie intuicją.

– Podjąłem współpracę z polskim wywiadem osiem lat temu – oznajmił. – Chciałem coś zmienić w tym kraju...

– Byłeś jeszcze na studiach?

– Tak. Byłem wówczas bardzo radykalny...

– Chyba nie należałeś do Żubra? – zapytał z niechęcią Krupa.

– Nie. Nie należałem do żadnej organizacji. Uznałem wówczas, że sprawami wewnętrznymi powinni się zająć inni. Dużo czytałem o sytuacji w Polsce za Solidarności. Wiedziałem, że Polska mogła odzyskać wolność tylko dzięki pomocy Zachodu. To jasne!

„Travis" powoli zaczynał realizować przygotowaną wcześniej strategię. Od początku wiedział, że nie może powiedzieć Krupie, iż jest nielegałem, obywatelem polskim od urodzenia i kapitanem wywiadu. Dla oficera kontrwywiadu mogłoby to być trudne do zaakceptowania z czysto ambicjonalnych powodów. Kalkulował sobie w duchu, że prawdziwa męska przyjaźń, jaka zrodzi się między nimi nad trupem Stepanowycza, powinna pomóc Krupie w podjęciu właściwej decyzji.

– Z tego mojego radykalizmu zrodził się pomysł, by pójść na całość. Pomóc Warszawie, Brukseli, Waszyngtonowi odpowiednio się ustosunkować do tego naszego reżimu. Rozumiesz? Wydawało mi się, że będę takim samotnym Bondem albo jakimś Robin Hoodem...

– Patrz, Oleg! Ilu może być u nas takich jak ty?! A myśmy tak naprawdę ani jednego nie złapali... – skomentował jego słowa Krupa i wstał po następną porcję kiełbasy. – Chcesz jeszcze?

– Znajdź mi taką dobrze wysmażoną. – „Travis" położył się na wznak i zamknął na chwilę oczy.

– Czyli do KGB wstąpiłeś, kiedy już pracowałeś dla Polaków? I co... nie żałujesz? Zwerbowali cię? Jak to było? Opowiesz? – dopytywał się Krupa.

– Nie żałuję! Ani trochę! Myślę, że zrobiłem dla kraju więcej niż setki pseudopatriotów czy opozycjonistów, żyjących wygodnie z zachodnich dotacji i wmawiających światu, że Białoruś to czy Białoruś tamto... – „Travis" powiedział tak, by mocniej się uwiarygodnić w oczach Krupy.

Doskonale wiedział, że nawet sfrustrowany, marzący o wolności i wrogi Łukaszence młody kagiebowiec wciąż ma sowiecką mentalność i jest na tyle zindoktrynowany, iż nie zrozumie sympatii dla opozycji.

– Nie zostałem zwerbowany. Sam się zgłosiłem. Kiedyś ci wszystko opowiem. Oczywiście tyle, ile można... rozumiesz chyba?

– Jasne, Oleg!

Krupa siedział dotąd obok „Travisa", ale teraz zmienił miejsce, bo zachodzące ostre słońce świeciło mu prosto w twarz. Przez chwilę obserwowali grupę rozbawionej młodzieży grającej w siatkówkę. Obaj milczeli, jakby z największą starannością przygotowywali to jedno najważniejsze zdanie, które powinno zabrzmieć po tym, co już sobie powiedzieli. Można by pomyśleć, że zastanawiają się, który powinien wygłosić je pierwszy.

– To co robimy? – odezwał się wreszcie Krupa i „Travisowi" ulżyło. – Teraz musisz mnie dokładnie poinstruować. Nie będziesz miał ciężko, nie muszę się uczyć szpiegowskiego rzemiosła. Masz gotowca! Powiedziałem wcześniej, że jestem ci coś winien... ale... nie zrozum mnie źle... nie robię tego dla ciebie ani za twoją namową. Ja też chcę się czymś przysłużyć temu krajowi.

Krupa złożył deklarację, na jakiej „Travisowi" bardzo zależało, jakiej ten oczekiwał. Brzmiała szczerze i z całą pewnością Krupa chciał coś zrobić dla Białorusi, tym bardziej że jako oficer KGB dobrze wiedział, że jego kraj działa wadliwie. Ale przede wszystkim chciał coś zrobić dla siebie. I cokolwiek by opowiadał, to właśnie tak było! Wydawało się to tak naturalne, że „Travis" nie przywiązywał do tego większej wagi. Zdecydował się i teraz tylko to się liczyło.

– Wszystko po kolei, Wasia! Cieszę się, że nie musiałem cię nakłaniać ani ci tłumaczyć, że to jest twoja wewnętrzna decyzja i tak dalej. W zasadzie nie muszę ci niczego wyjaśniać... gdybym to zrobił, obraziłbym cię jako zawodowca... ale w naszej robocie, nawet w duecie, musi być jedna osoba, która kieruje...

– To oczywiste! – wtrącił Krupa.

– Która kieruje! Kieruję ja! Pracujemy razem, planujemy, dyskutujemy, zastanawiamy się... Ale decyduję ja!

Z napiętej twarzy Krupy „Travis" wyczytał gotowość do pełnej dyspozycyjności.

– Jest też uboczna, ale ważna strona tej współpracy. Żeby sprawnie i odpowiedzialnie wykonywać robotę, musisz czuć się zabezpieczony finansowo... I będziesz! O to się nie martw!

Delikatnie uniesione kąciki ust Krupy potwierdzały narastające w „Travisie" przekonanie, że całkowicie panuje nad sytuacją. Wypełniała go jednak gorycz rozczarowania, że rozmowa z Krupą nie przebiegła tak, jak sobie zaplanował, że spanikował przy swoim pierwszym prawdziwym werbunku. Ale najgorsze było to, że tak naprawdę to Wasia zwerbował jego, a nie on Wasię.

– Oleg! – Krupa uniósł butelkę z piwem. – Za nas!

– Za nas! – powtórzył „Travis".

– I za Łukaszenkę – dorzucił Wasilij, a widząc zdziwione spojrzenie przyjaciela, wyjaśnił: – Przynajmniej dzięki niemu Białorusini nie muszą jechać do Czeczenii.

Zaczynało zmierzchać. Wieczór był ciepły. Nawet nie zauważyli, kiedy nad wodą mocno się przerzedziło. Gdzieniegdzie siedziały jeszcze pojedyncze osoby i kilkuosobowe grupy. Przenieśli się na wolną ławkę nad brzegiem. Ostra czerwień zachodzącego słońca zmieniała odcienie. Jezioro przecinała grupa turystów w kajakach.

– Od dzisiaj się nie znamy! Później ci powiem, jaki obowiązuje między nami system łączności. Na razie musisz wyczyścić nasze bilingi telefoniczne z ostatniego tygodnia. Swój i mój!

– Nie ma problemu. Mogę to zrobić z łatwością. W MTS i BeST siedzą nasi ludzie. To moi kumple.

– Trzeba będzie pilnie zorganizować czyste telefony komórkowe i karty SIM. Zajmiesz się tym? Ja nie mam możliwości stuprocentowego sprawdzenia telefonów. Nie możemy ryzykować! Tym bardziej że w najbliższych dniach… będziemy mieli pilną robotę.

– Już?! – niemal wykrzyknął Krupa, bardziej pobudzony alkoholem niż słowami „Travisa".

– Tak bywa… Dlatego spieszyłem się trochę z tą rozmową. Bardzo na ciebie liczę, Wasia. Ale o tym za chwilę. Poradzisz sobie z tymi telefonami? W kontrwywiadzie to powinno być łatwiejsze.

– Myślę, że najlepiej użyć prawdziwych telefonów i kart wykorzystywanych do autentycznych spraw operacyjnych. –

Krupa zamyślił się na chwilę. – Mam agentkę w ambasadzie brytyjskiej, pseudonim „Tola". Taka pomoc konsularno-językowa. Prawdziwa białoruska piękność... Znasz te klimaty, nie? No i „Tola" prowadzi za kutasa małego ryżego Anglika, swojego szefa. Oczywiście jego żona w Londynie o niczym nie wie. Nawet o tym, że „Tola" jest tam teraz na półrocznym kursie językowym. Jacy ci Anglicy są durni!

– Faceci są durni! – przerwał mu „Travis". – Szczególnie ci, którzy myślą kutasem. Zajmiemy się tą sprawą później. Co z tym telefonem?

– Nic! Sprawa prosta. „Tola" miała specjalny telefon do kontaktów ze mną. Dwa aparaty i numery. W pełni zabezpieczone w sieci... z oczywistych powodów. Mam nad nimi pełną operacyjną kontrolę i nikt nie może nic zrobić bez mojej zgody. Bilingi są ściśle tajne i w jednym egzemplarzu... i są w mojej szafie.

– Świetnie! O to mi chodziło! – ucieszył się „Travis". – Pod latarnią najciemniej. Teraz, gdy będziemy wracać, podjedziemy po nie do firmy, dobrze? Łączność to podstawa...

– Nie! Załatwimy to jutro... Co to za robota, Oleg? – Krupa był wyraźnie zainteresowany.

„Travisowi" spodobała się jego inicjatywa i pomysłowość w sprawie telefonów. To dobrze wróżyło na przyszłość.

Wokoło było już zupełnie pusto, więc obaj podnieśli się jak na komendę, podeszli do brzegu i pozbyli się męczącego ucisku na pęcherz.

– Przynieś jeszcze po piwie – zarządził Krupa, kiedy wrócili na ławkę.

– Na terenie twierdzy brzeskiej zakopane jest od czterdziestego pierwszego roku archiwum z tajnymi materiałami NKWD. – „Travis" rozpoczął drugą część spotkania. – Dokładnie nie wiem, co tam jest, ale Polakom bardzo na tym zależy. Zrobią wszystko, żeby zdobyć to przed Rosjanami...

– Archiwum? Mówisz poważnie? – Krupa był szczerze zdziwiony.

– Czego nie rozumiesz, Wasia? To są sprawy, które mogą mieć i dzisiaj ogromne znaczenie. Poza tym jeżeli tak bardzo zależy na tym Polakom i Rosjanom, to pewnie jeszcze bardziej zależałoby Łukaszence, gdyby o tym wiedział. Nie?! – „Travis" użył prostego chwytu, pewny, że tym sposobem wywrze na Krupę najmocniejszy wpływ. I nie pomylił się!

– Oczywiście, że rozumiem! Co mam nie rozumieć... Co miałbym zrobić? Mamy wykopać to archiwum czy co? Ciekawa sprawa!

– Ogólnie rzecz biorąc, tak! Ale plan jest znacznie bardziej skomplikowany. Najpierw musisz mnie uważnie wysłuchać. – „Travis" też już czuł szum w głowie od wypitego piwa. – Tylko... nie przerywaj! Postawię ci pytania i podsunę rebusy do rozwiązania. Co się da, omówimy jeszcze dzisiaj. Reszta zostanie do przemyślenia na jutro... Okay?

– Nie nudź, dawaj do przodu...

– Nasz plan musi być gotowy do jutrzejszego wieczora.

„Travis" dobrze czuł się w tej roli, a Krupa w swojej.

## 39

Misza Popowski zebrał swój pięcioosobowy zespół, powołany wyłącznie dla potrzeb operacji „Klaun". Kryptonim wymyślił Witalij Bobriukow, który został też automatycznie zastępcą szefa. Imponowało mu to, bo w zespole byli oficerowie o dużym doświadczeniu, uczestniczący wcześniej w niejednej akcji specjalnej. Batyszkin, mimo że nie ukończył jeszcze czterdziestki, miał już na koncie kilka własnych operacji za granicą, a przy wielu asystował. Sporo mówiło się o jego wyczynach na Bałkanach i Bliskim Wschodzie, ale nigdy nic konkretnego. On sam też nic nie mówił. Mit żył swoim życiem i wszyscy wierzyli, że to prawda. Tym bardziej że od czasu do czasu pojawiali się rzekomi świadkowie jego wyczynów. A dla Witalija jasne było, że Popowski pracuje tylko z najlepszymi.

Wszyscy wstali, kiedy szef wszedł do dużego pomieszczenia konferencyjnego bez okien w siedzibie SWZ w Jaseniewie. Położył przed sobą teczkę, usiadł i skinął głową. Zajęli miejsca wokół stołu, przy którym mogło usiąść co najmniej trzydzieści osób. Ściany zakrywały ogromne różnokolorowe mapy, ale na centralnym miejscu, za plecami Popowskiego, wisiała największa – Federacji Rosyjskiej. Z teczki wyjął skoroszyt, który przez chwilę uważnie przeglądał.

Bobriukow siedział naprzeciwko i patrzył na mapę Rosji. Patrzył na mapę, ale myślał o Kasi w Warszawie. Po chwili jednak mapa przyciągnęła jego uwagę bardziej niż marzenia.

Towarzyszyła mu przez całe życie. Była wszędzie, w każdej szkolnej sali, ważniejszym urzędzie, była na dworcach kolejowych i uniwersytecie, raz widział ją nawet w toalecie na Krymie. Była najbardziej powalającym symbolem władzy radzieckiej.

Taka mapa musi uczyć pokory – pomyślał Witalij. Sama z siebie już mówi: „Człowieku, nie ma nic większego na ziemi... więcej, nic potężniejszego niż Rosja!". Nawet Moskwa jest taka mała, gdzieś tam na lewo. Szkoda, że nie leży w środku kraju. Byłoby idealnie! I jeszcze ten kształt, wprost doskonały... Chociaż trochę ubyło, teraz jest może jeszcze piękniejszy... bo... jesteśmy sami...

– Witam was! – Głos Popowskiego brutalnie wyrwał Bobriukowa z rozmyślań i wyraźnie ożywił pozostałych. – Posłuchajcie uważnie! Praktycznie w dniu dzisiejszym rozpoczynamy operację „Klaun". Rano dostaliśmy kopię planu, który wskazuje, gdzie w twierdzy brzeskiej ukryte jest archiwum, oraz opis, a w zasadzie coś w rodzaju protokołu przesłuchania, niejakiego Zubowa, ale to nie ma dla sprawy zasadniczej wagi. Najważniejsze jest jednak to, że nasz specjalista, który miał możliwość zbadania oryginalnego dokumentu, ustalił z dużym prawdopodobieństwem, iż jest on prawdziwy. Nie mógł tego, niestety, stwierdzić na sto procent... Tak czy inaczej mamy formalną podstawę do rozpoczęcia działania. Ryzyko, że Polacy chcą nas w coś wkręcić, jest teraz mniejsze. Jak wygląda stan naszych przygotowań? Zaczynaj, Wasia!

– Wraz z Andriejem Batyszkinem przeprowadziliśmy rozmowę z naczelnikiem Wydziału Białoruskiego naszej służby. Także z pułkownikiem Worobjowem z Federalnej Służby Bezpieczeństwa. Otrzymaliśmy zapewnienie, że agentura, zarówno SWR, jak i FSB, będzie do naszej dyspozycji. Możliwości, można powiedzieć, są w tym względzie nieograniczone...

– Nie do końca! – przerwał Batyszkin. – Możliwości są niemałe, ale nie nieograniczone. Przede wszystkim mamy dobre wejścia do KGB w Mińsku. W Brześciu też. Podobnie sprawa ma się z GRU. Natomiast źródła, które są w Służbie Bezpieczeństwa Prezydenta, wydają się co najmniej mało wiarygodne. Podobnie rzecz ma się z milicją białoruską, której nie można zaufać – zakończył Batyszkin.

– No tak! Tak właśnie jest! – kontynuował Bobriukow. – Wygląda na to, że będziemy musieli oprzeć się na agenturze w KGB. Do tej pory nie mogliśmy ujawnić, jakiego rodzaju operację będziemy prowadzić na Białorusi, toteż wyniki naszych rozmów są jeszcze mało konkretne. Czekaliśmy na oficjalną zgodę...

– Już jest! – rzucił krótko Popowski.

– Nasi najlepsi i sprawdzeni ludzie są w Wydziale Kontrwywiadu KGB w Mińsku...

– Ich naczelnik, pułkownik Stepanowycz, został niedawno zamordowany! – Popowski był wyraźnie poruszony. – Jaja sobie robicie?!

– Tak tylko mogłoby się wydawać! Zresztą jedno z drugim nie ma nic wspólnego – wtrącił Batyszkin. – Stepanowycz nie był naszym agentem, ponieważ wiedzieliśmy, że to skorumpowany i niegodny zaufania człowiek. Ale właśnie z tego powodu znajdował się pod naszą kontrolą. Musieliśmy wiedzieć, co robi, czy nie szkodzi interesom Rosji na Białorusi. Czy nie sprzedał się Amerykanom albo Polakom. Okazało się jednak, że szkodził wyłącznie urzędowi podatkowemu, zajmując się kontrabandą...

– To są informacje Wydziału Białoruskiego czy FSB? – zapytał Popowski.

– Nasze! – odpowiedział tym razem Bobriukow, bo chciał dać dowód, że uczestniczył we wszystkich rozmowach.

– Jeżeli ten Stepanowycz zajmował się, jak rozumiem, przemytem na polskiej granicy, to musiał mieć swoich ludzi w Służbie Celnej i wśród wysokich urzędników w Mińsku, czyż nie? I w tamtejszej mafii... Towarzysze wywiadowcy Federacji Rosyjskiej... ruszcie głową! – Popowski był coraz bardziej spięty. – Czy myślicie, że Polacy o tym nie wiedzą? Mają doskonałe rozpoznanie, co się dzieje na Białorusi, nie gorsze niż my, a już na pewno w strefie przygranicznej, w Brześciu. Szef kontrwywiadu zajmuje się przemytem i myślicie, że oni o tym nie wiedzą?! Wiedzą doskonale! To wymarzona sytuacja dla każdej służby! – Popowski mówił ostro i z wyrzutem, aż Bobriukow poczuł się skopany. – Trzeba wam to tłumaczyć?! A jeżeli Stepanowycz pracował dla Zachodu, to ta cała nasza, jak mówicie, najlepsza agentura jest widoczna jak karpie w kałuży. Jedyna nadzieja, że i oni takiego ścierwa nie chcieliby wziąć...

– Nasi w Wydziale Białoruskim tak właśnie uważają. – Znów głos zabrał Batyszkin, który nie przejął się reprymendą. – Nie było żadnych oznak, że dla kogoś pracuje. Kilka razy próbowaliśmy usunąć go ze stanowiska, ale miał mocne plecy u Łukaszenki. Zresztą o jego ciemnych interesach wszyscy wiedzieli, nawet się z tym nie krył. Dobrze zarabiał. Ile mógłby zarobić u Amerykanów czy Niemców?! Za duże ryzyko! Tego Łukaszenka by mu nie darował. Stepanowycz oddawał gdzie trzeba działkę z przemytu i interesy się kręciły. Obserwowali go i pilnowali dwaj nasi oficerowie. Nadal tam są. Jeden siedział z nim w tym biznesie...

– No dobrze. Przyjmijmy, że wszystko jest okay. – Popowski zmienił ton. – Rozumiem, że bierzemy ich do tej roboty, czy tak?

– Tak. Oprócz tego mamy do pomocy kapitana KGB z Brześcia i naczelnika Straży Granicznej. Obaj sprawdzeni i lojalni. Byli już przez nas wykorzystywani w ostrych operacjach...

– W takim razie, Witalij i Andriej, możliwie jak najszybciej pojedziecie do Mińska i na miejscu przygotujecie nasze działania. Białorusini nie mogą wiedzieć, że szukamy archiwum. Zresztą najpierw trzeba im się dobrze przyjrzeć. Musicie ich sprawdzić!

– Nie da się przed nimi ukryć, że chcemy kopać na terenie twierdzy, bo przecież bez ich pomocy tego nie zrobimy. To oczywiste! – włączył się w końcu Bobriukow.

– Może powiemy im, że musimy zabrać specjalne... jakieś nadzwyczaj tajne, eksperymentalne urządzenie elektroniczne do podziemnego nasłuchu Polaków? – zaproponował Batyszkin.

Sala wypełniła się gromkim śmiechem.

Popowski pokręcił z niedowierzaniem głową.

– Miejmy nadzieję, że uwierzą. Im bardziej nieprawdopodobne tłumaczenie, tym łatwiej w nie uwierzyć. Trzeba je tylko odpowiednio opakować i sprzedać. Udaje się wtedy czasami wcisnąć największe idiotyzmy. Ale Białorusini to jednak nie idioci! Pamiętajcie! – Popowski zamknął temat, wciąż się śmiejąc. Najgłośniej śmiał się jednak Bobriukow. – Przyjadę do Mińska na początku przyszłego tygodnia. Mam nadzieję, że będziecie już ze wszystkim gotowi. Natomiast ty, Tatiano, i Kola zajmiecie się analizą planu twierdzy. Zebraliście już wszystkie mapy i dokumenty? – zwrócił się do milczących do tej pory oficerów po drugiej stronie stołu.

– Jesteśmy gotowi, towarzyszu naczelniku! – odpowiedziała, wstając, szczupła, wysoka i piegowata Tatiana o rosyjskim perkatym nosku. – Potrzebujemy tylko planu i będziemy gotowi pojechać do Brześcia, żeby przeprowadzić wizję lokalną.

– Oto wasz plan!

Popowski wstał, przeszedł uroczyście przez pokój i wręczył Tatianie cienki skoroszyt.

# 40

Konrad czekał na Sarę, która właśnie przyszła i rozpakowywała się w swoim pokoju. Łyknął już dwie kawy, ale wciąż szumiało mu w głowie. Dziwił się trochę, bo przecież nie wypił wczoraj dużo. Na wszelki wypadek przyjechał jednak metrem.

– Widziałeś? – zapytała Sara, gdy tylko weszła do pokoju. – Marcin jest w marynarce, koszuli i krawacie! Rano! Czy coś się stało pod moją nieobecność?

– Rzeczywiście! Kiedy dawał mi przez szybę znaki, że chce porozmawiać, czułem, że jest z nim coś nie tak! – rzucił z autentycznym zdziwieniem. – Kazałem mu poczekać... – Podszedł i objął ją na przywitanie. – Cześć. Trochę się o ciebie martwiłem. Miałaś jakieś problemy z telefonem?

– Nie! Wszystko w porządku. Zagapiłam się przez chwilę... zapomniałam włączyć. Spotkałam takich fajnych studentów...

– Okay! Nie ma sprawy! – skwitował Konrad. Wyczuł w jej głosie, że wydarzyło się coś, o czym nie chce mu powiedzieć. Na tyle dobrze znał Sarę, że był absolutnie pewien, iż cokolwiek to było, nie miało nic wspólnego z pracą. – Opiszesz wszystko w raporcie...

– Chyba teraz nie zdążę – wtrąciła z przekonaniem. – Raport z tego wyjazdu będzie musiał poczekać.

Konrad spojrzał na nią z zaciekawieniem. Uśmiechnęła się ni to tajemniczo, ni to filuternie. Zrozumiał ją natychmiast i przysiadł na biurku.

– „Travis"? Mów!

Wiedział... był pewien, że ten chłopak im się przyda, a teraz, patrząc na rozpromienioną Sarę, nie miał już wątpliwości.

– „Travis" spisał się wyśmienicie. To twardy zawodnik, ale... chce wracać.

Konrad aż wstał z biurka.

– Co się dzieje?!

– Normalne zmęczenie materiału... po prostu ma już dość! Czegoś nie rozumiesz?! – Sara była trochę podenerwowana. – Porozmawiamy o tym później, okay? Obiecałam mu, że po tej operacji go wycofujemy i że uruchamiamy już procedurę eksfiltracyjną oraz łączność specjalną. Pilnie muszę jechać do Mińska i spotkać się z nim raz jeszcze.

– Wszystko rozumiem. Zdajesz sobie sprawę, że jego wycofanie to skomplikowany proces?

– Radeczku...

– Nie możemy tego zrobić bez zgody kierownictwa...

– To twój problem, jak ją uzyskasz. Tak czy inaczej „Travis" wraca!

Konrad zrozumiał, iż przeciąganie tej dyskusji nie ma sensu, zwłaszcza że całe przedsięwzięcie w Brześciu to praktycznie samowolka.

– Saro, załatwię sprawę z „Generałem". Nie ma żadnego problemu! Ja wszystko rozumiem! Trochę mnie zaskoczyłaś i muszę pozbierać myśli... Chyba cię to nie dziwi? – Usiadł w fotelu za biurkiem i przygryzł dolną wargę. – Dobrze! Za chwilę powołamy zespół, który zajmie się eksfiltracją „Travisa" – odezwał się po zastanowieniu. – Wszystkie jego dokumenty są u ciebie? Przygotuj je!

– Zleć M-Irkowi, by natychmiast uruchomili łączność specjalną z „Travisem" – wtrąciła Sara.

Konrad wezwał przez interkom Irka.

– Zanim przyjdzie, powiedz mi...

– Pamiętasz szyfrogram z Rygi o zabójstwie wyższego oficera KGB? – weszła mu w słowo Sara. A gdy skinął głową, wyjaśniła: – To pułkownik Stepanowycz z kontrwywiadu KGB. Został zamordowany na klatce schodowej swojego domu.

– Poważna sprawa – rzucił. – Już wiem, o co chodzi...

– Ciepło... ciepło, naczelniku! Dochodzenie w tej sprawie prowadzi Służba Bezpieczeństwa Prezydenta na osobiste polecenie Łuki.

– Dostali szansę dobrania się do skóry kierownictwu KGB i generałowi Krawczence...

– Czyli, Radeczku... będą prześwietlać każdego oficera, który miał kontakt ze Stepanowyczem. „Travis" go znał i wszyscy o tym wiedzieli. Nie możemy liczyć na to, że prześwietlenie nic nie wykaże. Nie ma czegoś takiego jak idealny życiorys nielegała...

– Tylko trzeba najpierw wiedzieć, który to...

– Teraz rozumiesz, dlaczego chce wracać. – Sara patrzyła Konradowi prosto w oczy. Po chwili opuściła na moment wzrok i delikatnie pokiwała głową. – Ta sytuacja wyczerpała go psychicznie. Bardzo martwi się o Popowów... Nie mamy dużo czasu!

Trzaskając zapalniczką Zippo głośniej niż zwykle, zapaliła drugiego papierosa. Przez jakieś dwie minuty siedzieli naprzeciw siebie w milczeniu, każde ze swoimi myślami. Konrad wyglądał na prawdziwie przejętego sprawą kapitana Igora Szaniawskiego, ale chciał już przejść do rzeczy.

– Czy „Travis" ma jakiś pomysł na zdobycie archiwum?

– Wszystko dobrze się złożyło. Pomysł jest! – z optymizmem w głosie zaczęła Sara. – Szczęście w nieszczęściu...

Pomysł możliwy do realizacji, ale pod warunkiem, że potem wycofamy chłopaka z Mińska. Jest jednak coś jeszcze...

– Co?

– „Travis" sam nie jest w stanie nic zrobić...

– Saro...

– Pracuje przecież w logistyce, a do tej roboty potrzeba kogoś z pionu operacyjnego. – Jej twarz rozjaśnił szeroki uśmiech, który miała wyćwiczony na takie okazje, i Konrad wiedział już, że jest dobrze, bo korzystała z niego wyjątkowo rzadko. – Przy sprawie tego Stepanowycza „Travis" ugotował młodego kapitana kontrwywiadu w Mińsku... niejakiego Wasilija Krupę. Stepanowycz zajmował się od dawna kontrabandą, między innymi przemytem papierosów...

– Pamiętam! – niemal wykrzyknął Konrad. – Pamiętam! Gdzieś... były informacje agenturalne na jego temat.

– Dobrze pamiętasz. Stepanowycz wciągnął do interesu Krupę, by mieć alibi, a Krupa marzył o nowym samochodzie i potrzebował kasy, zresztą... przełożonym się nie odmawia, prawda?

– Prawda!

– W dzień zabójstwa Stepanowycza Krupa i dwóch wysokich rangą celników piło w mieszkaniu konspiracyjnym. Oblewali jakiś duży biznes.

– A... skąd „Travis" o tym wiedział? Od Krupy? – zdziwił się Konrad.

– Mówi, że podpuścił Krupę i ten sam się wysypał. „Travis" dał mu alibi na wieczór, kiedy zginął Stepanowycz...

– Poczekaj! Czegoś nie rozumiem...

– Czego nie rozumiesz?! Po prostu zagrał na jego emocjach... bo i tak prędzej czy później bezpieka dopadnie celników, całą tę przemytniczą bandę, a wtedy wszystko będzie jasne. Rozumiesz już?

– No... nie bardzo! „Travis" zwerbował Krupę, bo... jak? Mam nadzieję, że ten Krupa nie zabił swojego szefa?

– Nie rozumiesz! Czy ja powiedziałam, że zwerbował? Powiedziałam, że ugotował!

Zdziwione spojrzenie Konrada nie pozostawiało złudzeń, że potrzebne są dalsze szczegóły.

– Nie wiadomo, kto rozpłatał towarzysza pułkownika, ale Krupa bał się, że jeżeli szybko nie znajdą prawdziwych sprawców... albo znajdą nie tych co trzeba... to wrobią w to jego. Poza tym Krupa lubi kasę i tak dalej, podobno ma nawet jakieś polskie korzenie.

– No... Teraz rozumiem, dlaczego „Travis" dał mu alibi – powiedział z przekonaniem Konrad.

– To nie jest tak, że to alibi załatwia sprawę, nie... Obaj tylko zyskali trochę na czasie. Krupa odkrył się przed „Travisem" i okazał gotowość do współpracy. Oczywiście nie ma pojęcia, kim jest „Travis"... to znaczy Popow... to znaczy „Travis". Dowie się tego dokładnie dzisiaj! – ciągnęła Sara.

– Tylko nie mów, że...

– Powie jedynie, że jest polskim agentem... od lat... pracuje z pobudek ideowych i takie tam... Rozumiesz, ani słowa, że jest oficerem. – Sara przerwała na chwilę, zgasiła papierosa i nalała sobie wody do szklanki.

– Nalej i mnie. – Konrad podstawił swoją. – No i co dalej?

– Prawdę mówiąc, jest coś dziwnego w opowieści „Travisa". Nie wiem jeszcze co, ale czuję, że ta jego psychologiczna rozgrywka wokół Krupy, którą mi zrelacjonował, przebiegła zbyt łatwo. Igor wygląda chwilami, jakby miał objawy załamania psychicznego. Czy w takim stanie mógłby się skoncentrować na tak trudnej akcji? Znam go dobrze i nie mam powodów, by mu nie ufać... ale...

– Saro! – wtrącił Konrad. – Ufamy „Travisowi". Oczywiście, że mu ufamy! Co do tego jesteśmy zgodni. Tak jak ufamy sobie i każdemu innemu oficerowi. Inaczej ta praca nie miałaby sensu. Problem w tym, że w pewnym momencie nielegałowie zaczynają żyć własnym życiem, które jest kopią życia, ale oni o tym nie wiedzą. Wydaje im się, że rozróżniają rzeczywistość i fikcję, że nad tym panują. Ale prawda jest inna. Nie panują! Oba światy zaczynają im się mieszać. Dlatego wolę „Travisa", który potrafi powiedzieć „dość!", bo to świadczy, że nie zwariował, niż takiego, który tkwi w tym świecie szczęśliwy. – Konrad zamilkł na kilkanaście sekund. – Co proponuje „Travis"? – zapytał, jakby to, co powiedział przed chwilą, było tak oczywiste, że nie wymagało jej komentarza.

Sara nie zdążyła odpowiedzieć, bo do pokoju wszedł Irek. Konrad wydał mu krótkie polecenie nawiązania łączności specjalnej z „Travisem" zgodnie z od dawna przygotowanym planem. Irek skinął głową na znak, że wszystko jasne, i wyszedł bez słowa.

– „Travis" na razie nie proponuje niczego konkretnego. Uważa natomiast, że jeżeli Krupa pójdzie na całość i zgodzi się wziąć udział w tym przedsięwzięciu, powodzenie jest niemal gwarantowane. Załatwić to może tylko on. Idea mi się podoba, ale diabeł tkwi w szczegółach. „Travis" będzie to wiedział dopiero wtedy, gdy zwerbuje Krupę... Jeżeli mu się uda...

– To ma być dzisiaj, tak? – zapytał Konrad, by się upewnić. – Idea dobra, ale ma krótkie nogi. KGB szybko się zorientuje, że coś tu nie gra...

– Otóż to! – Sara uniosła palec wskazujący. – Musimy eksfiltrować nie tylko „Travisa"... musimy zabrać też tego Krupę z Białorusi – dodała niepewnym głosem, gdyż wiedziała, że bez odpowiedniego przygotowania wywiezienie Krupy nie będzie łatwe.

– To będzie problem! – zareagował Konrad, czytając w jej myślach. – Cóż! Nie mamy chyba wyjścia. Trzeba zatem pilnie zacząć przygotowania. Potrzebne będą dla niego dobre lewe papiery. Nie będę się teraz zastanawiał, co z nim później zrobimy, ale może przyda nam się oficer kontrwywiadu KGB.

– Według „Travisa" gość ma nóż na gardle. Musi uciekać! Zresztą ponoć ma już dość reżimu...

– Mówiłaś, że Krupa tego feralnego wieczoru pił ze Stepanowyczem i celnikami – przerwał jej Konrad, powracając do wcześniejszego wątku. – Dobrze cię zrozumiałem?!

– Dobrze! A co...?

Konrad wstał i energicznie podszedł do swojej szafy pancernej.

– Mam chyba coś ciekawego. Teraz mi się to przypomniało...

Po chwili poszukiwań wyjął dokument wydrukowany na czerwonym papierze i podał go Sarze.

– Zobacz! To jest informacja Mosadu sprzed kilku tygodni. Uzyskana pewnie od jakiegoś ich agenta w Moskwie. Dokument dotyczy oceny rosyjskiego wywiadu, ogólnie stopnia korupcji w KGB i administracji prezydenta. Powinien tu być fragment dotyczący białoruskiej Służby Celnej... Przeczytaj to! To wszystko jest ze sobą ściśle powiązane: struktury, ludzie, mafia...

Konrad przerwał na chwilę, by Sara mogła spokojnie zapoznać się z dokumentem. Jednak zanim zdążyła go choćby przejrzeć, zmienił miejsce i usiadłszy obok niej na fotelu, zaczął mówić z ledwo wyczuwalnym podnieceniem:

– To niesamowite! Myślałem, żeby zrobić coś podobnego. A „Travis" podpowiedział mi, jak to zrobić! Ale, co najważniejsze, wskazał nam chyba odpowiednie narzędzia. Ten Krupa ma kontakt z mafią celną... czy tak zrozumiałaś „Travisa"?

– Specjalnie tej kwestii nie badałam. Ale z jego wypowiedzi wynika, że to oczywiste. Przecież pił z nimi tego wieczoru.

– Też muszą być teraz nieźle ob... wystraszeni...

– Dostał kasę... to nie mogło być pierwszy raz. Muszą mieć do niego zaufanie. Nawet jeżeli był przydupasem Stepanowycza. W tym środowisku są określone zasady i, jak widać, można łatwo dać gardło.

– M-Irek przygotowali doskonałą kopię planu ukrycia archiwum na terenie twierdzy brzeskiej. Podprowadzili nawet odpowiedni papier z Biblioteki Narodowej. – Sara spojrzała na niego ze zdziwieniem. – Wczoraj rano oddałem cały pakiet dokumentów szefowi, który przy mnie zadzwonił do Małeckiego. Podobno IPN już się niecierpliwił. Teraz trzeba czekać! A w zasadzie musimy teraz zanęcić Rosjan. I zrobimy to przez „Travisa", a właściwie przez Krupę...

– Co powiedziałeś szefowi? Że się przygotowujemy? Wykazywał jakieś głębsze zainteresowanie?

– Owszem! Jak zwykle chciał powiedzieć coś mądrego i nie mogłem go zrozumieć... – Oboje się roześmiali. – No nie! Zrozumiałem około dwudziestu procent. Czasami jak go słucham, to myślę, że ze mną jest coś nie tak. Ale jak ciebie słucham, to nie mam tego problemu.

– Kiedyś obserwowałam go na naradzie i miałam wrażenie, że to jakiś parodysta. Wiesz, taki z *HBO na stojaka*. Ale to nie jest Monty Python! Niestety!

– Dajmy mu spokój – rzucił zupełnie już poważnie Konrad. – Zastanówmy się teraz nad scenariuszem działań w Brześciu. Mamy dwie operacje: akcję „Travisa" i Krupy, czyli wydobycia archiwum, i drugą, czyli wypuszczenia Rosjan i Białorusinów na siebie. Zdobędziemy w ten sposób również potwierdzenie, czy siedzi u nas ruski kret. Może nawet uda się skurwysyna namierzyć... – Przerwał na chwilę i znów wezwał przez telefon Irka. – Zapomniałem o czymś!

Irek pojawił się natychmiast.

– Co z tym magnetometrem? – zapytał ostro Konrad.

– Mamy go u siebie. Właśnie testujemy – beznamiętnie odparł Irek.

– Nie mogłeś mi tego od razu powiedzieć?! Gdzie go zdobyliście? – W jego głosie słychać było nutę satysfakcji.

Irek wzruszeniem ramion pominął pierwsze pytanie i od razu przeszedł do drugiego.

– Nie zdobyliśmy, tylko pożyczyliśmy z Instytutu Geofizyki PAN. Rachunek w przygotowaniu. Spora kwota. To najnowocześniejszy magnetometr protonowy. Kosztuje ponad dwieście tysięcy dolarów. Wygląda prawie jak normalny laptop. Opracowujemy właśnie instrukcję obsługi, taką w sam raz na poziomie ucznia gimnazjum.

Irek zakończył i stał, czekając na reakcję szefa.

– Dzięki! Na was można polegać! – rzucił jak zwykle Konrad i poczuł zawstydzenie, że wcześniej na moment w nich zwątpił. – Przyjdziemy do was później, to nauczycie Sarę obsługi.

Irek w typowy dla siebie sposób po prostu odwrócił się i wyszedł.

– Magnetometr to urządzenie pozwalające dokładnie zlokalizować przedmioty znajdujące się pod ziemią poprzez badanie obrazu pola magnetycznego. Używają tego archeolodzy – wyjaśnił Konrad Sarze, wyraźnie zdziwionej jego rozmową z Irkiem. – No wiesz... to taki wykrywacz metali.

– Rozumiem. Dobry pomysł! Ruszamy do przodu z tą sprawą. – Była już trochę zniecierpliwiona. – Ale teraz powiedz mi, co z tymi dwiema operacjami w Brześciu. A w zasadzie z tą drugą. Co planujesz?

– Najpierw zaczniemy od tego, co mają zrobić „Travis" i Krupa. Nie będzie to łatwe zadanie. To, co teraz uzgodnimy, przekażesz „Travisowi" i upewnisz się, że wszystko dobrze zrozumiał. Potem zostanie nam tylko łączność specjalna, a z tym może być różnie. Nie będzie też odwrotu! Jeżeli operacja ruszy... a ruszy z chwilą twojego wyjazdu do Mińska... nie będziemy mogli jej zatrzymać. Nie możemy zaniedbać żadnego drobiazgu. – Konrad mówił z przekonaniem, chociaż nie musiał, bo Sara dobrze znała zasady gry w wywiadzie.

Dochodziła siedemnasta. Konrada już niemal mdliło z głodu. Podczas narady z Sarą i M-Irkiem wypili litry kawy.

Nawet Ewa proponowała, że przyniesie im coś do zjedzenia. Adrenalina pobudzona podnieceniem i stresem zabijała jednak wszystkie inne odczucia. Teraz, gdy Sara pojechała już do domu przygotować się do wyjazdu, poczuł rozluźnienie i głód.

Usiadł za biurkiem i włączył telewizor. Otworzyły się drzwi i weszła Ewa.

– Zaraz wychodzę. Nie pij już kawy. Zrobię ci nudle pomidorowe. Mam jeszcze paczkę – powiedziała. Konradowi przypomniało się, że Ewa jest od dziesięciu lat na permanentnej diecie. Bezskutecznie! – Marcin wciąż czeka, chce się do ciebie dostać. Chyba zniósł już kopę jajek!

– Rzeczywiście! Zapomniałem! Powiedz mu, żeby przyszedł... Nudle... chętnie. Dziękuję!

Marcin zjawił się w okamgnieniu i wcale nie wyglądał na znudzonego. Przeciwnie, Konrad odniósł wrażenie, że jest jeszcze bardziej pobudzony niż rano.

– Przepraszam cię, że czekałeś tak długo, ale mamy teraz z Sarą Wielką Pardubicką. Zaczynamy wkrótce na ostro robotę w Mińsku. Będziesz musiał odłożyć tego Szweda z Gdańska... Jorgensena, tak? No dobrze! Mówiłeś przez telefon, że to ciekawa sprawa. Opowiedz! Tylko miej dla mnie litość...

– Tak jest, szefie!

– Potem zajmiesz się przygotowaniem kompletu lewych dokumentów dla jednego Białorusina. Wiek około trzydziestu pięciu lat. – Konrad wstał, żeby otworzyć drzwi Ewie, która niosła talerz z nudlami.

– Mogę usiąść, szefie? – zapytał Marcin, choć nie zamierzał czekać na pozwolenie. – Tak, nazywa się Jorgensen. Szef to ma pamięć do nazwisk – rzucił żartobliwie.

Konrad zaczął jeść.

– Zapomniałeś o litości dla szefów po siedemnastej!

– Tak jest, szefie! Tutaj jest mój szczegółowy raport z ustaleń w Gdańsku...

– Niesamowite, Marcinku! Już napisałeś! – Konrad na chwilę przerwał jedzenie, uniósł łyżkę i zapytał: – Nie będzie ci przeszkadzać?!

– Ależ skąd, szefie! Też lubię chińskie dania, przecież szef wie!

– To jest pomidorowa...

– Z selerem naciowym? Pycha! Nie ma to jak włoska kuchnia... też lubię...

– To są nudle za półtora złotego. – Konrad lubił to ironiczne lizusostwo Marcina i mu na nie pozwalał. – No... zaskoczyłeś mnie... masz gotowy raport? To do ciebie niepodobne. Czy coś się stało?! – zapytał z przekąsem, ale i z prawdziwym zaskoczeniem, gdyż Marcin jeszcze nigdy nie oddał raportu szybciej niż po tygodniu.

– Od dzisiaj przychodzę do pracy w regulaminowej marynarce i bez pomady, ale koszulki Bahama zostają – oświadczył Marcin, gdy wyczuł przyjazny ton szefa. – Trafiłem tygrysa albinosa! Jorgensen to prawdziwy nielegał! Najprawdziwszy! Piękny! Albinos syberyjski. Wielki! Od razu go polubiłem...

Konrad przerwał jeść i spojrzał na Marcina z zainteresowaniem.

– Okay! Wszystko jest w raporcie. Jorgensen mówi dobrze po polsku, lecz z jakimś takim dziwnym akcentem... a może w dialekcie. Wygląda na to, że albo wyjechał z Polski bardzo dawno temu, albo gdzieś się nauczył. Bardziej prawdopodobne jest jednak to pierwsze. Booo... na promie spotkał, w zasadzie zaczepił, dwóch... Białorusinów i w rozmowie z nimi wspomniał, że pochodzi spod Grodna. Zapisałem nazwę tej wsi, jest w raporcie. Trudno tak od razu ocenić, czy to prawda, czy jakaś zmyła albo zasłona. – Marcin zauważył, że Konrad w dalszym ciągu trwa w tej samej pozycji, z łyżką zawieszoną nad talerzem, i słucha z coraz większym zainteresowaniem. – Zszedł z promu, wziął taksówkę i pojechał do hotelu Rezydent...

– W Sopocie? Znam… Koło dworca. Drogi hotel!

– Szef to zna wszystkie eleganckie hotele… – Marcina nie opuszczał dobry nastrój.

– Pojechał do hotelu Rezydent…

– Spędził tam kilka godzin. Po czym wrócił na prom taksówką, wyraźnie sprawdzając, czy nie idzie za nim obserwacja…

– Ustaliłeś, co robił w hotelu? – zapytał Konrad.

– I to jest teraz najważniejsze, szefie! – Marcin zupełnie zmienił ton. – Ustaliłem ponad wszelką wątpliwość, z kim się spotkał Hans Jorgensen… czy jak mu tam… w pokoju numer sto czterdzieści pięć. Ten człowiek nazywa się… – Marcin zawahał się na sekundę – Zenon Rupert! To nazwisko coś szefowi mówi?!

Konrad poczuł, że drżą mu ręce.

– Zbigniew Rupert, minister obrony – odpowiedział niepewnie. – To ktoś z rodziny? Rzadkie nazwisko…

– Zenon Rupert, syn Zbigniewa. Obecnie zatrudniony w Instytucie Pamięci Narodowej jako asystent profesora Małeckiego.

Konrad zupełnie stracił apetyt na pomidorowe nudle. Wstał, wyszedł zza biurka i zbliżył się do Marcina.

– Powiedz to jeszcze raz. Syn Zbigniewa, zatrudniony w IPN? Jesteś pewien? Kurwa, Marcin, nie popierdoliłeś czegoś?! – Wziął go za klapy. – Jesteś pewien?! – Jego głos brzmiał nienaturalnie twardo i bezbarwnie.

– Na dziewięćdziesiąt dziewięć procent, szefie! Wszystko jest opisane w raporcie. Krok po kroku, słowo po słowie. Nie mogłem się pomylić. Chyba że jest w Polsce jeszcze jeden Zenon Rupert, syn Zbigniewa.

Konrad podszedł do okna i znieruchomiał jak aktor na scenie. Po chwili wrócił, usiadł za biurkiem i skończył nudle. Marcin milczał zmieszany, bo nigdy wcześniej nie widział u niego takiej reakcji. Wydawało się, że szef jest myślami gdzieś daleko. Wyglądał jak manekin.

– Nikomu ani słowa! – odezwał się dopiero, gdy odstawił talerz. – Raport zostaje u mnie. Trzeba ściągnąć Sarę... albo nie! Niech jedzie. Nie będzie się denerwować. Ta wiedza i tak teraz jest jej niepotrzebna. – Ku zadowoleniu Marcina zaczął się rozkręcać.

– Co mam robić, szefie?

– Zajmiesz się przygotowaniem dokumentów dla Białorusina. Już ci mówiłem! – Zamilkł na chwilę, po czym dodał: – Nie martw się o Jorgensena. Zajmiemy się tym. Kto wie, czy nie trafiłeś na jedną z najciekawszych spraw. Może mieć nieobliczalne konsekwencje dla państwa... może wstrząsnąć paroma politykami, a już na pewno dziennikarzami i wyborcami... Noo, bój się Boga, Marcinku!

– Rozumiem!

– Nie rozumiesz! Nie gniewaj się. Ja cię szanuję, bo jesteś inteligentny i masz fantazję... to rzadkie teraz... ale w tę sprawę należy się bardziej zagłębić. Ja zresztą też jeszcze nie wszystko wiem i rozumiem. Spróbuję ci to wyjaśnić! Albo zastanówmy się razem. – Konrad wstał i podszedł do szafy. – Chcesz drinka?

– Raczej nie. Wczoraj trochę wypiłem. Dziękuję!

– Masz rację! Ja też odpuszczę!

– Pewnie się zastanawiasz, dlaczego chowam sprawę u siebie, czyż nie? Normalnie powinniśmy ją przekazać natychmiast do kontrwywiadu ABW. Nie?!... Otóż nie! Nie teraz! – Usiadł na fotelu obok Marcina. – Rupert może być kretem! Wiem z dobrego źródła, że Rosjanie mają agenta w Polsce, który grzebie przy naszej sprawie. No i Rupert pasuje tu idealnie! Po prostu strzał w dziesiątkę! Zawsze czułem, mówił mi to mój operacyjny nos, że Michaił Popowski zna Polskę i Polaków na tyle, że nie może odpuścić sobie takiego kąska jak IPN i musi tam mieć swojego agenta... IPN to krynica Służby Wywiadu Zagranicznego Federacji Rosyjskiej w Rzeczpospolitej Polskiej! Rupert jako asystent prezesa IPN to nawet lepszy agent, niż mógłby nim być sam Małecki...

– Jak Günter Guillaume*...

– Coś w tym stylu. Kiedyś ci wyjaśnię, dlaczego lepiej jest werbować zastępców niż ich szefów. – Konrad pociągnął łyk zimnej kawy. – Skocz do sekretariatu po wodę mineralną – polecił Marcinowi i gdy ten wrócił, kontynuował: – Myślisz, że namierzyłeś nielegała i jego agenta, że trafiłeś szóstkę w szpiegowskiej loterii. Wykonałeś świetną robotę. To niby takie proste, ale w rzeczywistości nadzwyczaj trudne. My o tym wiemy. Jednak twoja praca to dopiero początek. Zapłodniłeś jajeczko! – Wyglądało, jakby ironizował. – Teraz musimy czekać, żeby się dowiedzieć, czy w ogóle coś się z tego urodzi. A jeśli tak, to czy będzie to zdrowe dziecko, czy też takie, które nie przeżyje.

Marcinowi trochę zazgrzytało to porównanie, ale zaraz doszedł do wniosku, że może właśnie taka brutalność pasuje do sytuacji. On sam, kiedy myślał o Rupercie, miał momentami krwawe wizje.

– My jeszcze nie wiemy, czy pan Rupert młodszy jest agentem. Nawet czy jest ruskim agentem. Może być niemieckim albo chińskim! Kim jest Jorgensen? Nielegałem, agentem? Może jest tylko panem Jorgensenem ze Szwecji! Rozumiesz, Marcin?

– Nie rozumiem.

– Wiemy tyle, że pan Rupert i pan Jorgensen spotkali się w hotelu Rezydent w Sopocie. Takie są fakty! Reszta to nasze przypuszczenia, poszlaki, znajomość świata, w którym żyjemy. Ale czy jest to świat realny? Czy raczej wirtualny, z wirtualnymi agentami? Żeby komuś udowodnić szpiegostwo, trzeba gościa złapać na gorącym uczynku. A spróbuj tego dokonać! Już

---

* Günter Guillaume (1927–1995) – szpieg wschodnioniemiecki, agent Stasi, któremu udało się dojść do stanowiska sekretarza kanclerza Willy'ego Brandta.

prędzej możesz liczyć na to, że sam się przyzna... Wtedy się kalkuluje, jak wiesz, czy rzucić go na pożarcie opinii publicznej, czy obrócić w drugą stronę. Przyjmuję zatem, że realny Jorgensen jest wirtualnym nielegałem, a realny Rupert wirtualnym ruskim agentem, którego właśnie szukam.

Marcin poczuł ulgę. To ostatnie stwierdzenie nie pozostawiało mu wątpliwości, że wykonał dobrą robotę. Mimo że wciąż nie wiedział, do czego Konrad zmierza w swoim wywodzie, ani nie bardzo rozumiał, o co mu chodzi, a już najmniej rozróżniał, co jest realne, a co wirtualne.

– Dlaczego zatrzymamy tę informację... na razie... dla siebie? – kontynuował Konrad. – Otóż dlatego, że jeżeli Rupert jest tym kretem, to zdemaskuje się w naszej operacji brzeskiej...

– Nie bardzo rozumiem, szefie.

– No dobrze, powiem ci! Rosjanie wiedzą o archiwum i coś nam szykują. To informacja sprawdzona. W Jaseniewie lody kręci sam Popowski, a to nie przelewki. Sprawę nadzoruje szef SWZ i ktoś z samych szczytów Kremla. Rozumiesz teraz!

Marcin potwierdził, przymykając oczy.

– Zakładam więc, że wyciek nastąpił w IPN i że sprawcą jest właśnie Rupert. To przecież on się podpisał pod służbową notatką ze spotkania prezesa Małeckiego z profesorem Bardą. Kamień spadł mi z serca, że to nie nikt od nas... ale tego na sto procent nie wiemy. Czy Rupert w ogóle miał i ma dostęp do materiałów profesora Bardy? Możemy tylko zakładać, że tak, skoro jest asystentem prezesa. Byłoby najprościej, gdyby nasz szef, tłumacząc się względami bezpieczeństwa, zwyczajnie zapytał o to Małeckiego. Musielibyśmy jednak wyjaśniać szefowi, dlaczego teraz potrzebujemy tej informacji. Nie wiemy, co powiedziałby Małeckiemu, i tak dalej. Jednym nieodpowiedzialnym ruchem moglibyśmy spłoszyć Ruperta. Wtedy już nigdy go nie złapiemy. Wystarczy, że Rosjanie zmienią mu prowadzącego na innego nielegała, na przykład Polaka, i koniec. Albo zamrożą go na dwa lata... – Konrad przerwał i zaczął przechadzać się po pokoju. – Zresztą Rupert i tak nam wypłynie, jeżeli nasza operacja się uda.

– To przecież syn ministra obrony! Nie mogę sobie wyobrazić, że premier pójdzie na to, żeby go aresztować. Jeśli dowiedzą się media...

– I to jest kolejny ważny powód, dla którego sprawa musi pozostać u nas. Nie denerwuj się! – Konrad zauważył grymas na twarzy Marcina. – Niczego nie zamierzam zamiatać pod dywan. Nawet nie wiem, jak to się robi. Rupert pójdzie siedzieć, nawet gdyby miał przez to upaść rząd. Tego się nie da utrzymać w tajemnicy... I tu Michaił wygrał! – Zamyślił się i przygryzł wargę. – Czy tę rozgrywkę o archiwum przegramy, czy polegniemy, to Popowski i tak wygra... bo padnie rząd. Dotąd nie braliśmy pod uwagę takiego efektu... Trudno! Jeszcze raz Jaseniewo pokaże, że może zmieniać rządy w Polsce. Ale dopóki Rupert jest w naszych rękach, Popowski nic nie może zrobić.

– To co? Może trzeba by go obrócić, przewerbować. Sam szef mówił, że można...

– Za późno! Maszyneria ruszyła! Zresztą kto oceni, kto podejmie decyzję, co jest ważniejsze, Rupert czy archiwum? Prezydent, premier? Nasz szef? A może jego tatuś? Tę decyzję muszę podjąć ja! – Konrad wstał i zaczął chodzić po pokoju.

– To co robimy, szefie? Ja bym tego Ruperta... wziął za dupę i...

– Nikt z nich nie byłby obiektywny – ciągnął Konrad, jakby w ogóle nie zauważał Marcina. – Oni swój interes utożsamiają z interesem kraju... to smutne! My o tym wiemy, mamy na to aż nadto dowodów... dziennikarze nie! W tej sprawie nie można polegać na półśrodkach, bo niczego nie osiągniemy. W końcu przyczyną całego zła jest zdrada Ruperta i on musi za nią odpowiedzieć. Nie wierzę też, by mógł być wartościowym źródłem dezinformacji czy inspiracji. Pracuje w IPN i łatwo sobie wyobrazić, czego od niego oczekują Rosjanie. Moskwa szybko by się zorientowała, co jest grane. A gdybyśmy wszystko powiedzieli kierownictwu, to jestem całkowicie przekonany, że otrzymalibyśmy rozkaz podjęcia gry z Rosjanami...

– Może warto byłoby spróbować...

– Nie warto! Rosjanie to potęga i trudno się z nimi gra, a już na pewno nie na ich zasadach. Zrozum, Marcinku, decyzja kierownictwa o podjęciu gry operacyjnej nie byłaby niczym innym, jak tylko zatuszowaniem sprawy i ratowaniem ministra Ruperta, nawet kosztem kraju. Jestem absolutnie pewny, że tak by było... Sprawę powierzono by zaufanemu i lojalnemu naczelnikowi Markowi i po pół roku by się okazało, że młody Rupert nie dość, że odkupił swoje winy, to jeszcze uratował ojczyznę przed bolszewikami... Szkoda, że tak jest, ale ty się tym nie przejmuj...

– A szef się nie przejmuje? – Marcin przerwał wywód Konrada, który w takich sytuacjach czasami tracił nad sobą kontrolę i wygłaszał monodram. – Ja dobrze wiem, że tak jest, ale mimo to szlag mnie trafia, jak o tym pomyślę...

– To brutalna i brudna strona polityki. Tak jest wszędzie! Niestety! Ale ty musisz być na to odporny, dlatego ci to mówię! Dlatego u nas nie ma półśrodków i czasem to my musimy naprawiać błędy polityków.

Konrad znów podszedł do okna i znieruchomiał w identycznej pozycji jak poprzednio.

– Czy sądzisz, że politycy potrafią zrozumieć, na czym polega sens i sztuka gry operacyjnej? – odezwał się po chwili. – Śmiem wątpić! W przypadku Ruperta byłoby tak... Podsyłalibyśmy Rosjanom coś, co teoretycznie byłoby dezinformacją lub inspiracją, tak? Namierzylibyśmy ich oficera do łączności, jakiegoś pięknego nielegała, jak mówisz, lub poznalibyśmy ich środki techniki operacyjnej. Ponieśliby straty... na pewno! Jednak tak szanująca się służba jak SWZ, z takim doświadczeniem w grach operacyjnych i pieniędzmi, prowadzi z całą pewnością działania równoległe, o których agent w rodzaju Ruperta nie ma zielonego pojęcia. Dostaje co pewien czas zadania sprawdzające jego lojalność. Mamy niewielkie szanse na ich wykrycie. Natomiast oni… przeciwnie! Od razu się zorientują, że agent został przewerbowany! Tak to działa! Dobra służba rozpoczyna wtedy grę zwrotną. I pompuje w nas, co tylko jest im potrzebne, do potęgi drugiej. Czyli lepiej być nie może! Jak mają głupców za przeciwników, mogą tak robić latami. Aż sprzedadzą nam tę jedną informację, która w określonych uwarunkowaniach historyczno-politycznych będzie ich koniem trojańskim. A my, zanim wciągniemy go do miasta, będziemy tylko mogli się zastanawiać, czy jest prawdziwy, czy nie.

Konrad chodził po pokoju, mówiąc teraz ciszej, już bez podniecenia i wcześniejszego zadęcia. Marcin, który początkowo postrzegał jego słowa jako patetyczne, z czasem doszedł do wniosku, że to dobry wykład, i obiecał sobie zapamiętać z niego jak najwięcej. Tyle że czuł już psychiczne zmęczenie i nie był pewny, czy da radę wytrzymać jeszcze pół godziny. Zrozumiał jednak, dlaczego szef podjął decyzję utajnienia sprawy Ruperta.

– Obnażymy Ruperta niezależnie od tego, czyim jest synem i jakie to spowoduje skutki. Ale zrobimy to tak, żeby Popowski nie cieszył się za bardzo i nie dostał kolejnego orderu. Tego archiwum… też nie dostanie! Nie będziemy im w Jaseniewie znowu stawiać szampana… jak za sprawę premiera, nie przymierzając – zakończył Konrad trochę cynicznie, trochę złośliwie, ale na pewno szczerze.

– Szefie? Ten drink wciąż jest aktualny? – zapytał Marcin z uśmiechem.

– Jeden! Potem załatwiaj dokumenty dla Białorusina. Aha! Znajdź mu też jakieś tanie mieszkanko w Warszawie. Przygotuj się, będziesz z nim pracował. To kapitan KGB z Mińska.

# 41

Prom wpłynął do portu w Nynäshamn o czasie. Jorgensen spakował się, wyrzucił do kosza pustą butelkę po brandy i zajrzał pod łóżko. Założył torbę na ramię i stanął przy drzwiach. Przez chwilę pomyślał, czy wszystko zabrał i co powinien dalej zrobić. Wyjął portfel i sprawdził, czy ma kartę telefoniczną. Miał, więc już nie będzie musiał iść do kiosku.

Wyszedł z terminalu promowego i poczuł silny powiew wiatru od morza. Był zły na siebie, że nie wziął cieplejszego ubrania. Przed wyjazdem zapoznał się z prognozą pogody, lecz temperatura spadła znacznie bardziej, niż się spodziewał. Na cyfrowym wyświetlaczu, zamontowanym na dachu terminalu, pojawiała się raz po raz czerwona liczba: +13.

Do końcowej stacji kolejki podmiejskiej było około pół kilometra. Znał drogę, bo z tego samego terminalu odpływał prom na Gotlandię. Kiedy zajął miejsce w środkowym wagonie, do odjazdu pozostało piętnaście minut.

Pomyślał, że mógłby pojechać teraz do domu, ubrać się cieplej i dopiero potem udać się do Åkersbergi. Przejazd, z sześciominutową przesiadką w Västerhaninge, trwał półtorej godziny. Potem z Jakobsbergu miał już nie więcej niż trzysta metrów do domu. Zrezygnował jednak z tego pomysłu, i to nie dlatego, że byłoby to niezgodne z tym, co zaplanował. Po prostu chciał, by to wszystko już się skończyło. Pragnął mieć dzisiaj spokój. Wrócić do domu. Zadzwonić do Carla. Teraz myślał tylko o nim. Miał tylko jego. Kochał go teraz jeszcze mocniej. Prawdziwy jest tylko on i Ingrid, wszystko inne to fikcja. Nawet Gerda! Ta myśl spowodowała przypływ rozczarowania, jakiego do tej pory nie znał.

Wydarzenia ostatnich dni kłębiły się w nim nieuporządkowane. Nie mógł sobie z tym poradzić. Nie był na to przygotowany. Coraz silniej jednak przebijało się z tego chaosu przeczucie, że musi coś zrobić, że dłużej tak trwać nie może. Nie martwił się jednak o siebie, myślał o Carlu.

Kolejka ruszyła zgodnie z rozkładem o czternastej zero pięć. Na drugiej stacji do wagonu weszła hałaśliwa grupa chłopców o śniadych twarzach, w ortalionowych kurtkach i opadających spodniach. Wyglądali na członków jakiegoś gangu. Pili coca--colę z papierowych kubków i rozsiedli się, opierając mokre buty o siedzenia. Jeden z nich, najwyraźniej skłócony z pozostałymi, usiadł dwa rzędy dalej. Kompani robili sobie z niego żarty. Po chwili w jego kierunku poleciały puste kubki po coli. On też nie pozostawał dłużny i wykazywał silną wolę walki. Ogarniała ich coraz większa wesołość. W wagonie było jeszcze kilku pasażerów. Wszyscy udawali, że niczego nie widzą, i siedzieli wpatrzeni w okno, jakby się bali, że samym spojrzeniem mogą ściągnąć na siebie kłopoty.

Jorgensen wstał, bez słowa podszedł do pierwszego z brzegu chłopaka i gwałtownym ruchem zepchnął jego nogi z siedzenia. Podniósł z podłogi kubek i rzucił nim w tego, który siedział pod oknem.

Nagle wszyscy zamilkli. Zrobiło się cicho. Pozostali zdjęli nogi z siedzeń i pozbierali kubki. Kolejka ruszyła. Wszyscy siedzieli w milczeniu aż do następnej stacji, na której wysiedli. Zachowanie starszego człowieka musiało ich zaszokować. Nikt nigdy nie zwrócił im uwagi.

Dopiero po dłuższej chwili zdał sobie sprawę z tego, co zrobił. To było sprzeczne z jego naturą. Powinien siedzieć i patrzeć w okno jak inni. Działał jednak spontanicznie i nie potrafił wytłumaczyć własnego zachowania. Z jednej strony czuł się nieswojo, bo nie rozumiał swojego czynu, ale z drugiej owładnęło nim narastające przyjemne uczucie satysfakcji. Zdarzenie to zupełnie wybiło go z dotychczasowych myśli. Nawet nie zauważył, kiedy zdążył się przesiąść w Västerhaninge na pociąg linii 35 do Bålsta.

Pociąg wjechał na Centralny. Jorgensen wysiadł wraz z tłumem podróżnych i przejściem podziemnym dotarł na postój taksówek przed dworcem. Wsiadł do żółtego samochodu z bardzo ciemnym kierowcą. Od razu pomyślał o polskim taksówkarzu z Gdańska i wiedział, że z tym nie porozmawia tak jak z tamtym. Poprosił o podwiezienie do stacji benzynowej w Åkersberdze, półtora kilometra od swojego domu. Nigdy nie wymieniał dokładnego adresu, pod który się udawał. Na wszelki wypadek. Kierowca wbił nazwę do GPS, chociaż wszyscy mieszkańcy Sztokholmu wiedzą, gdzie jest Åkersberga. Jorgensen pomyślał, że teraz każdy może zostać taksówkarzem, także Somalijczyk, który do Szwecji przyjechał zaledwie rok temu.

Jazda zajęła czterdzieści pięć minut. Kierowca rzeczywiście nie odezwał się ani słowem. Może nie znał szwedzkiego, a może nie miał nic do powiedzenia. Jorgensen wszedł do baru na stacji benzynowej, z automatu zadzwonił na radiotaxi i zamówił samochód na osiemnastą.

Dochodziła szesnasta. Kupił sobie francuskiego hot doga z keczupem, musztardą, sosem czosnkowym i dużą caffè latte. Był jedynym klientem. Stanął z boku przy stoliku i sięgnął po leżącą na blacie „Svenska Dagbladet". Nie spodziewał się tego dnia żadnej wiadomości, jednak z przyzwyczajenia przejrzał rubrykę ogłoszeń. Nic nie znalazł. Kiedy już zjadł i dopił kawę, odłożył gazetę na miejsce i postanowił iść.

Na zewnątrz wciąż wiał silny wiatr. Było jednak znacznie zimniej niż w Nynäshamn. Jorgensen wrócił na stację i kupił ortalionowy płaszcz przeciwdeszczowy.

Czterysta metrów za stacją skręcił w szutrową drogę prowadzącą na wybrzeże, gdzie stał jego dom. Szedł pod wiatr i miał wrażenie, że pcha przed sobą wielką puchową poduszkę. Do przejścia zostało mu jeszcze trzysta metrów. Mijając posesję Svenssonów, zobaczył, że stary Jens mimo pogody pracuje w ogrodzie, i w tym momencie pomyślał, że źle to zaplanował. Jensowi wyda się dziwne, że sąsiad w taką pogodę idzie pieszo.

Jens rzeczywiście go zauważył, więc Jorgensen się zatrzymał i mimo huczącego wiatru i szumu drzew zaczął tłumaczyć, że zepsuł mu się samochód i jest w warsztacie w Åkersberdze. Jens o nic się nie dopytywał i nawet nie słyszał, bo był całkiem głuchy na jedno ucho, a drugie też nie działało jak należy. Pokiwał jednak znacząco głową ukrytą w kapturze peleryny.

Jorgensen wszedł do domu. Dokładnie zamknął za sobą drzwi. Wszystko wyglądało tak, jak zostawił parę dni temu. Na stole dostrzegł otwarty karton mleka. Przez chwilę zastanowił się, czy to możliwe, żeby zapomniał go wstawić do lodówki. Powąchał i poczuł ostry smród. Sprawdził datę. Mleko było sprzed trzech dni. Wydało mu się dziwne, że nie zauważył tego kartonu. Ale nie mógł wykluczyć, że tak właśnie było. Zszedł do piwnicy. Zapalił światło i przez chwilę obserwował pomieszczenie, sprawdzając ustawienie przedmiotów. Skoncentrował się na narzędziach ogrodniczych opartych o ścianę. Ich ułożenie miało swój sens i porządek, podobnie jak dwa włosy zaciśnięte między nimi w odpowiednim miejscu. Jakiekolwiek ich poruszenie, jak w grze w bierki, zmieniłoby układ, którego już w żaden sposób nie dałoby się odtworzyć.

Wszystko było w porządku. Odstawił narzędzia na bok i otworzył zamaskowane przejście do swojego „laboratorium". Wszedł do środka i zamknął za sobą drzwi.

O siedemnastej trzydzieści zakończył pracę i zostawił wszystko w schronie tak, jak było. Postanowił, że tym razem nie będzie robił porządków. Wiedział, że coś się z nim dzieje, nie bardzo jednak potrafił określić co. Po przeczytaniu na promie protokołu przesłuchania Zubowa nie przespał ani godziny. Nie zauważył nawet, jak prom wszedł w burzę i zaczęło nim mocno kołysać. Wspomnienia mieszały mu się z fantazjami i nieustającą próbą oceny własnego życia. Był jednak pewny, że musi zmienić bieg swego losu, by ochronić Carla i to, co zostało.

Teraz chciał tylko jak najprędzej znaleźć się w domu. Liczył na to, że w drodze powrotnej na stację benzynową wiatr będzie dmuchał mu w plecy, ten jednak złośliwie ucichł. Jorgensen spóźnił się dziesięć minut, ale taksówka czekała.

Dochodziła dziewiętnasta, gdy dojechał na Kvarnvägen w Jakobsbergu. Przeszedł wzdłuż budynku, wystawiony na widok sąsiadów z parteru, którzy zasiadali do kolacji. Kręconymi schodami dotarł na pierwsze piętro i otworzył drzwi. Nie zapalał światła. Powoli wślizgnął się do mieszkania i zrobił obchód. Zawsze tak postępował, gdy nie było go w domu kilka dni. Chciał sprawdzić, czy pamięta rozstawienie mebli, przedmiotów, zapach. Miał wrażenie, że gdyby pod jego nieobecność ktoś tutaj wszedł, musiałby to wyczuć. A najlepiej wyczułby to właśnie w ciemności.

Po chwili zapalił światło i podciągnął do połowy rolety szczelnie zasłaniające okna. O tej porze roku było jeszcze jasno, chociaż dzień był raczej jesienny niż letni. Podszedł do zamkniętych drzwi pokoju Carla i zajrzał przez dziurkę od klucza. Wewnątrz było szaro, ale mógł wyraźnie dostrzec spory balonik z przezroczystej folii leżący na łóżku. Każde otwarcie drzwi powodowało ruch powietrza, który targał lekkim balonikiem. Ułożenie go ponownie w tym samym miejscu było praktycznie niemożliwe.

Niepotrzebnie zabezpieczał się w ten sposób i dobrze o tym wiedział. W domu nie trzymał żadnych przedmiotów związanych ze swoją pracą wywiadowczą. Co więcej, rozumiał, że takie środki ostrożności mogą właśnie wzbudzić podejrzenia, bo są dobrze znane w środowisku służb specjalnych na całym świecie. Chciał jednak wiedzieć pierwszy, kiedy kontrwywiad wpadnie na jego trop, bo wiązał z tym pewne osobiste plany.

Balonik tkwił nieporuszony.

Na automatycznej sekretarce w przedpokoju migało czerwone światełko. Zauważył je natychmiast, gdy wszedł, ale najpierw musiał sprawdzić mieszkanie.

To był Carl. Wiadomość z tego ranka. Prosił, żeby ojciec sprawdził jego łódź. Bał się, że sztorm na Bałtyku może jej zaszkodzić.

Jorgensen zaklął. Kiedy schodził z promu, pamiętał, żeby sprawdzić łódź Carla, która stała w klubie pół kilometra od ich domu w Åkersberdze. Była dobrze zacumowana i choć wiało od strony morza, nic jej nie mogło się stać. Wiedział, że to ukochana łódź syna, który poświęcał jej każdą wolną chwilę. Żeby ją kupić, wziął ogromny kredyt w banku, a także pożyczył trochę pieniędzy od niego.

Telefon oznaczał, że Carl szuka kontaktu z ojcem, bo przecież mógł poprosić kogoś z klubu. I to było teraz najważniejsze. Jorgensen szybko się ubrał. Włożył zieloną kurtkę Barboura i swoim volvo 245 pojechał z powrotem do Åkersbergi. Było wpół do dziesiątej wieczorem.

W sezonie letnim jazda po Sztokholmie była znacznie ułatwiona, ale nawet w takich warunkach Jorgensen złamał wielokrotnie ograniczenia prędkości, ryzykując utratę prawa jazdy. Po raz pierwszy! Chciał jednak jak najszybciej być z powrotem w domu, by jeszcze przed nocą zadzwonić do Carla i zdać mu relację z inspekcji łodzi. Żadne kłamstwo nie wchodziło w grę!

Jadąc, myślał o nim i zrozumiał, że tylko on może odmienić jego los. Tylko on! Bo jest jego synem!

Opinia radzieckiego agenta Fishera-Abla, że nielegałem się rodzi i umiera, jest już nieaktualna. Przynajmniej dla niego, Hansa Jorgensena! Myślał życzeniowo, bo to było tylko silne wrażenie. Lecz kiedy się zastanawiał, jak to zrobić, jak ta rozmowa powinna się zacząć, a przede wszystkim co będzie potem, opuszczał go entuzjazm. Wtedy przez chwilę mu się wydawało, że jednak Fisher-Abel* miał rację. Hans Jorgensen jest nielegałem i tylko nielegałem, naprawdę taki

---

* William Fisher alias Rudolf Abel (1903–1971) – pułkownik KGB, szef nielegalnych siatek szpiegowskich w USA.

człowiek nigdy się nie urodził, umrzeć więc może tylko nielegał. Nie jako nielegał!

Turbulencje myśli były już tak męczące, że nawet nie zauważył, kiedy zatrzymał się pod domem. Siedział w samochodzie przy włączonym silniku i z niepokojem się zastanawiał, jak dojechał z powrotem do Jakobsbergu. Jak to możliwe, że nie zapamiętał drogi?

– Co się ze mną dzieje?! – powiedział do siebie półgłosem, wyraźnie zaniepokojony.

Dopiero po chwili dotarło do niego, że czas wysiąść.

Znów wiał północny wiatr i Jorgensen pomyślał, że latem tak zimno jeszcze w Szwecji nie było. Miał do przejścia tylko sto metrów, ale zapiął kurtkę pod szyję.

W domu było ciepło. Sprawdził kaloryfery i ze zdziwieniem stwierdził, że grzeją. Poszedł do kuchni i zrobił sobie herbatę jabłkowo-miętową. Ułamał kawałek twardego knäckebröda, posmarował margaryną, położył na wierzch plaster sera i kilka kawałków ogórka. Talerzyk i kubek postawił na stole przy oknie. Zdecydował jednak, że zje dopiero po rozmowie z Carlem.

Słuchawka telefonu stała przed nim na stole.

Nacisnął menu i na wyświetlaczu pojawiło się „Carl komórka". Syn odebrał niemal natychmiast.

– Cześć, tato! – zabrzmiało w słuchawce.

– Witaj, synu! – odparł Jorgensen. Od zawsze właśnie tak zaczynali rozmowę przez telefon. – Co u ciebie słychać? Nie pytam, gdzie jesteś... oczywiście! Dobrze się czujesz?

– Wszystko w porządku. Tato... nic mi nie jest. – W słuchawce na chwilę zaległa cisza. – Widziałem twoje kwiaty na grobie mamy... Piękne!

– Przykro mi, że tak to wyszło... – Jorgensen czuł, że zaciska mu się gardło i za chwilę nie będzie mógł mówić.

– Daj już spokój! Wszystko w porządku. Mamy przecież siebie... – Ton głosu Carla świadczył, że wyczuł wzruszenie ojca. – Będę w Sztokholmie już za kilka dni. Kończę ćwiczenia wcześniej. Pójdziemy jeszcze raz... razem! Dobrze? Bardzo chcę się z tobą zobaczyć i porozmawiać... Zostanę do poniedziałku na Kvarnvägen, dobrze? Zrobimy sobie wspaniałą ucztę...

– Oczywiście, synu! – Hans nie mógł wydusić z siebie więcej.

– Upiekę indyka w pomarańczach. I co byś powiedział na... raki i kraby?

Głos Carla był cieplejszy niż zwykle. Jorgensen zauważył to natychmiast, potrzebował tego, i znów powróciła myśl, że powinien mu wszystko powiedzieć i właśnie na nim się oprzeć.

– Świetnie, Carl! Ja to przygotuję... Wspaniale! Raki, indyk... – Urwał nagle i po chwili wahania dodał: – Wiesz, ja też chcę z tobą porozmawiać. Mam coś ważnego... zresztą... bo ja wiem...

– Co z tobą, tato? – rzucił Carl, wyraźnie zaniepokojony, bo od śmierci matki bał się o niego coraz częściej. – Co się dzieje?!

– Nic... Nic, wszystko w porządku! Bardzo się za tobą stęskniłem i... jak by ci to powiedzieć... źle się czuję, że nie byłem z tobą u Ingrid. Nie rozumiem tego...

Jorgensen poczuł, że ucisk w gardle wreszcie ustąpił, ale z oczu płynęły mu strugi łez. Starał się jednak mówić normalnie, tak by Carl tego nie zauważył. Ogarnęła go nieznana mu dotąd świadomość ulgi.

– Wiesz, synu, czuję się, jakbym przegrał... Czasami ma się okropne wyrzuty sumienia... Ja...

– Tato! Daj już spokój! Porozmawiamy, kiedy przyjadę... Kocham cię!

– Tak, Carl. – Jorgensen patrzył przez okno na młode klony szarpane przez wiatr. Zerwane liście goniły skulony cień jakiegoś przechodnia, widoczny na tle latarni. – Ja ciebie też! Przepraszam, tak się trochę rozkleiłem... – Zorientował się, że posunął się za daleko i niepotrzebnie zdenerwował Carla. – Byłem w Åkersberdze. Dzisiaj... Łódź w porządku –

zaczął wyraźnym, pogodnym głosem. – Sztorm jest potężny. Czuje się go także w Jakobsbergu. Poprawiłem odboje...

– Wchodziłeś do środka?

– Tak. Spadła ze stołu butelka po wodzie, ale się nie rozbiła...

– Wiatr jest północno-zachodni. Sprawdzałem – powiedział Carl.

– No tak! Nasz klub ustawiony jest na południowy wschód. Rzeczywiście było to czuć na przystani. – Jorgensen był już spokojny i wyglądało, że Carl to wyczuł.

– Spotkałeś kogoś?

– Widziałem światło na łodzi Hagenów i Svenssonów. Pewnie byli...

– Stieg Hagen miał spędzić całe lato na łodzi. Mówił mi podczas Midsommaru. Zamierzał popłynąć na Wyspy Alandzkie, do Helsinek i Tallina. To dziwne, że wciąż cumuje.

– Może to nie była łódź Hagenów. Było już ciemno! – Jorgensen złapał się na tym, że prawdopodobnie się pomylił.

– Nieważne, tato! – wtrącił Carl. – Jest coś jeszcze... W niedzielę dołączy do nas Sophie...

– Zupełnie zapomniałem! – prawie wykrzyknął Jorgensen i pokręcił głową, jakby sam nie wierzył własnym słowom. Sophie Lundberg, znana dziennikarka SVT24, od kilku lat była partnerką Carla. – Oczywiście! Będzie wspaniale! Co u niej słychać? – Przez sekundę pomyślał, że nie będzie mógł mu powiedzieć tego, co sobie zaplanował, ale zaraz dotarło do niego, że przecież jeszcze nie podjął ostatecznej decyzji.

– Duże zmiany, tato! Duże... U niej... u mnie! Myślę, że także u ciebie...

– Nie rozumiem...

– Zaczekaj do soboty. To już za trzy dni. Kup szampana! Ja też kupię! Teraz idź już spać... – Przerwał na moment i zaraz dodał: – Cieszę się, że jesteś moim ojcem!

– A ja, że ty jesteś moim synem. Dobranoc, Carl.

– Dobranoc, tato.

Herbata zupełnie wystygła. Ale kanapka z twardego chleba smakowała mu jak nigdy dotąd.

## 42

Sara poleciała do Wilna samolotem o jedenastej czterdzieści pięć. Stamtąd wyruszyła autobusem do Mińska.

Jej rosyjski paszport nie zwrócił najmniejszej uwagi ani litewskich, ani białoruskich pograniczników. Sam przejazd zajął niecałe trzy godziny i wieczorem była już w Mińsku. Wysłała „Travisowi" SMS-a z zakodowaną informacją, że jest już na miejscu.

Czekała, przechadzając się w pobliżu fontanny obok Komarowskiego Rynku, który od półgodziny był już zamknięty. Podeszła do rzeźby panny z pieskiem i przysiadła na murku. Uważnie obserwowała otoczenie. Nieliczni już przechodnie nie wzbudzali jej podejrzeń. Znała to miejsce dobrze, chociaż nigdy tu nie była. Przed wyjazdem z Warszawy dokładnie zapoznała się z dokumentacją tak zwanego MNK, miejsca nawiązania kontaktu. Teraz miało być ono wykorzystane po raz pierwszy.

Poczuła wibrację telefonu w kieszeni. To był sygnał od „Travisa", że zajął już pozycję i gotów jest do nawiązania kontaktu. Ruszyła w lewo ulicą, przy której stały zaparkowane żółte minibusy. Po jakichś stu metrach skręciła ponownie w lewo, a po następnych dwustu dotarła do pięciopoziomowego parkingu samochodowego.

Na chwilę zatrzymała się przed wejściem i skontrolowała otoczenie. Weszła do środka, wjechała windą na odkryty ostatni poziom. Stanęła na zewnątrz. Po chwili zauważyła, że z szeregu wysunął się biały samochód i zatrzymał przodem do niej. Z tej odległości nie mogła dojrzeć kierowcy. Samochód błysnął światłami i Sara zrozumiała, że to „Travis". Podniosła rękę i samochód z wolna podjechał. Dopiero wtedy zobaczyła twarz „Travisa". Ulżyło jej. Usiadła obok niego. Przywitali się serdecznie, chociaż widzieli się dwa dni temu.

– Pierwszy raz w Mińsku. Na twoim gospodarstwie – rzuciła z uśmiechem.

– Rzeczywiście! Pierwszy raz. Mam jednak nadzieję, że ostatni...

– Potwierdzam! Dostałeś dzisiaj rano wiadomość? Rozpoczęliśmy oficjalnie eksfiltrację Popowów, czyli twoją też! Konrad powołał specjalny zespół... – Zamilkła na chwilę, gdyż „Travis" podjechał do okienka, by zapłacić za parking. – Tego kapitana... Zaraz, jak on się nazywa...?

– Krupa. Wasia ma na imię – natychmiast zareagował „Travis".

– Jest decyzja. Zabieramy go do Polski. Konrad uznał, że robimy to niezależnie od tego, jak się spisze w sprawie archiwum. Jego wiedza o pracy białoruskiego kontrwywiadu może być dla nas użyteczna.

„Travis" pokiwał z zadowoleniem głową i zaraz dorzucił:

– Będzie z niego pożytek. Jestem tego pewien. Jego pomysł na twierdzę jest prosty, odważny i ryzykowny, ale wkomponowuje się dokładnie w to, co chcemy osiągnąć. Porozmawiamy o tym później.

– Przygotowujemy dla niego dokumenty, żeby przerzucić go przez granicę. Jest jednak pewna sprawa... – Sara zawiesiła głos. – Konrad chce przebadać tego Krupę na wykrywaczu kłamstwa.

– Myślę, że nie będzie z tym problemu. Może mu się to nie spodobać, ale jak już będzie w Polsce, nie będzie miał wyboru. To jasne! – skomentował „Travis" bez emocji.

– Rzecz w tym, że Konrad chce go przebadać jeszcze przed rozpoczęciem operacji w Brześciu... – „Travis" spojrzał na Sarę niemal z przerażeniem. – Spodziewałam się takiej reakcji – dorzuciła.

– A jeżeli Krupa się nie zgodzi? Może to zrobić z tysiąca powodów, choćby ze strachu. Czy wtedy wycofamy się ze sprawy? Przecież to niemożliwe! On zna prawie wszystkie szczegóły...

– Trudno! Konrad jednak nie chce, byśmy wpadli w ręce KGB. Nie ma takiego archiwum na świecie, którego by nie poświęcił dla swoich ludzi. Poza tym jeżeli Krupa godzi się na wyjazd z Białorusi i przerzucenie na Zachód, to musi zakładać, że będziemy go sprawdzać. Pewnie nie podejrzewa, że to może być teraz i tutaj...

– Co ty, Saro?! Dzisiaj?! – niemal wykrzyknął „Travis".

– Nie... nie denerwuj się! Później – odpowiedziała spokojnie. – Zakładamy, że jeżeli jest podstawiony, to Białorusini będą chcieli zdjąć nas wszystkich na gorącym uczynku. Przed robotą to byłby sukces połowiczny, a mają na to dość sił i środków. Są przecież u siebie, czyż nie?

– To jasne! – rzucił „Travis", cały czas obserwując w lusterkach otoczenie. Prawe ustawił tak, by również Sara mogła to robić.

– Jeżeli nie zgodzi się na badanie lub wynik będzie negatywny, koleś zostanie w zamknięciu do czasu, aż wszyscy opuścimy Białoruś. Ruscy nigdy się nie dowiedzą, gdzie jest archiwum...

– No tak! Twierdza to ogromny obszar...

– A tylko my znamy prawdziwą lokalizację skrzyni! – rzuciła pewnie Sara.

– Wtedy zostanie nam jedynie czekać, aż Białoruś wstąpi do NATO lub Unii – stwierdził z sarkazmem „Travis". – Czyli nie będzie to za naszego życia.

– Nie bądź takim pesymistą, Oleg! W tej części świata jeszcze dużo może się zmienić.

„Travis" kluczył samochodem już dłuższą chwilę. Podjechał na parking pod jakimś blokiem mieszkalnym, ustawił się przodem do kierunku jazdy i obserwował ulicę. Po kilku minutach ruszył, pokonał trzysta metrów i podjechał pod podobny blok obok. Sara wzięła swoją torbę podróżną i neseser, w którym miała magnetometr, po czym oboje wysiedli z samochodu.

– Więc tutaj jest ten twój *safe house*? – zauważyła, patrząc na kilkupiętrowy dom, od dawna wymagający remontu.

– To dobre miejsce. Taka zwykła mińska dzielnica. Spokojna i bezpieczna, ale nietypowa dla bezpieczniaków. Oni mieszkają w innej części miasta – skomentował „Travis".

Weszli pieszo na trzecie piętro, chociaż w bloku była winda. Uwięzienie w windzie mogło się stać niepotrzebnym problemem, szczególnie w starym, postsowieckim domu.

„Travis" otworzył drzwi do mieszkania numer 56 i wszedł pierwszy, zapalając światło w przedpokoju. Sara weszła za nim i już po chwili poczuła wyraźny, znany, kwaśnoostry zapach.

– To grzyb – uprzedził jej pytanie „Travis". – Nie próbuję z tym nic robić, bo to zbędny kłopot. Może przyciągnąć uwagę. Zresztą sąsiedzi też nic z tym nie robią.

– Nie ma problemu. Bywało gorzej. – Jej ironia wskazywała, że rzeczywiście nie jest tym przejęta.

– Tu będziesz spała. – „Travis" pokazał jej duży pokój urządzony bez smaku, ale praktycznie. – Pewnie jesteś bardzo głodna. Przygotowałem coś na dzisiejszy wieczór. Nic specjalnego, ale nie pójdziesz spać głodna. – Przeszedł do kuchni i otworzył lodówkę. – Zaraz coś przyrządzę...

– Zrób mi najpierw herbatę. Cytrynę masz?

– Myślisz, że zapomniałem, jak biegałem szukać cytryn w niedzielny wieczór w Białymstoku? Tego się nie zapomina! Nigdy! – „Travis" silił się na żartobliwy ton.

Sara nie była złośliwa ani uciążliwa, ale jej nałóg palenia papierosów i picia herbaty z cytryną mógł być męczący, szczególnie gdy jej tego zabrakło.

Usiadła w kuchni i zapaliła. „Travis" podał jej popielniczkę i włączył czajnik elektryczny. Postawił talerze na stole, a garnek na kuchni.

– Ugotowałem swoją specjalność... Pamiętasz?

– Nie pamiętam. Próbowałam?

– Nie jestem pewny... – odparł w podobnym nastroju „Travis". – To zupa rybna! W ogólnym założeniu podobna raczej do bouillabaisse niż do uchy. Dostosowana do białoruskiego rynku. W zasadzie wszystko można tutaj kupić, ale trzeba się trochę nachodzić za małżami, krewetkami i krabem. Ostatnio, jak wiesz, byłem bardzo zajęty i nie miałem czasu łazić po sklepach, więc jest to raczej ucha oparta na zasobach mojego sklepu osiedlowego...

– Daj spokój! – przerwała mu Sara, widząc, że „Travis" jest trochę skrępowany. – Jestem głodna jak wilk. Zjem twoją uchę nawet bez ryb. Byle była ostra!

– Jest! Oczywiście! Są też w niej rybki. – „Travis" wyjął bochenek czarnego chleba, ukroił kilka kromek i włożył je do plastikowego koszyczka na stole. – Nie bardzo rozumiem, jak przeprowadzimy badanie Wasi – powrócił do przerwanego wątku. – Przecież trzeba ściągnąć poligrafera z Polski... mieć odpowiedni lokal. Krupa musi być przygotowany. To nie będzie łatwe zadanie. I kiedy mamy to zrobić? Jest mało czasu!

– Wiesz, Oleg, bardzo się cieszę... – odparła Sara jakby nie na temat. – Cieszę się, że mówisz o tym, co mamy zrobić, w kategorii „my": przeprowadzimy, mamy i tak dalej. To znaczy, że jesteś przygotowany na tę robotę niezależnie od ryzyka, że ufasz mi, że wierzysz we mnie. Szanuję cię za to. Bardzo! – mówiła, patrząc mu prosto w oczy, tak jak zawsze, gdy czuła, że jej słowa płyną z serca.

„Travis" wyjął z lodówki butelkę wódki i pokazał ją Sarze z niemym pytaniem na twarzy. Uśmiechnęła się i skinęła głową. Postawił dwa kieliszki i pewnym ruchem nalał wódki. Stał oparty o szafkę, w czerwonym T-shircie i dżinsach.

– Za ciebie, Saro! Dziękuję! – Wypił do dna, nie czekając na nią.

– Za ciebie, Oleg! Za to, co zrobiłeś, i za naszą przyjaźń! – powiedziała z uśmiechem w oczach, unosząc kieliszek. Wypiła połowę i pospiesznie zagryzła oderwanym kawałkiem czarnego chleba. – Gdzie moja herbata?

Gdy powiedziała „za to, co zrobiłeś", „Travis" od razu pomyślał o Stepanowyczu i wydało mu się, że teraz jest chyba najlepszy moment, by jej wszystko powiedzieć. Powstrzymał się jednak, gdyż zrobiło mu się przykro, że tak odebrał jej słowa. Poza tym gdyby teraz o tym opowiedział, mogłoby to wpłynąć na realizację operacji – wytłumaczył sobie.

– Dzięki – wykrztusił po chwili. – Już ci robię.

– Z badaniem Krupy nie powinno być problemów. Mamy nowe urządzenie do wykrywania kłamstwa. To nie jest tradycyjny poligraf, na jakim byłeś badany ty czy ja. Nie wymaga poligrafera. Badanie może przeprowadzić każdy przeszkolony oficer. To test Voight-Kampffa. To proste. Komputer, zwykły laptop z odpowiednim programem i specjalna kamera termowizyjna. Nastawiasz kamerę na twarz delikwenta i rozmawiasz z nim, zadajesz pytania. Większość ludzi nawet nie wie, że poszczególne punkty ich twarzy reagują jak wrażliwy sensor i oddają emocje przez zmianę temperatury. Podobnie się dzieje ze źrenicą oka.

– Rozumiem teraz! – wtrącił „Travis". – Rzeczywiście widziałem kiedyś na filmie, chyba w którymś Bondzie, jak za pomocą kamery termowizyjnej ustalano, który samochód w garażu przyjechał ostatni. Bo był najcieplejszy.

– Otóż to! Lecz technika poszła znacznie dalej. Czułość kamery jest niesamowita. Rejestruje nawet przyspieszony oddech w wyniku obserwacji ciepła wydalanego przez nos, usta i skórę. W odpowiednich warunkach można tę kamerę stosować nawet bez wiedzy badanego, ale wynik nie jest zbyt precyzyjny. Robiliśmy tak w kilku sprawach, ale traktując to tylko jako dowód uzupełniający. Potwierdzający inne informacje. W przypadku Krupy tak zrobić nie możemy. Nie mamy czasu i musimy mieć jasny, czytelny wynik. Dlatego Krupa będzie wiedział, że badamy jego lojalność. Będzie musiał odpowiedzieć na proste pytania. To, że możemy go zbadać z zaskoczenia, przemawia na naszą korzyść. Ryzyko spada do minimum.

„Travis" postawił przed Sarą herbatę i cukiernicę. Dolał jej wódki do kieliszka i wlał też sobie. Usiadł naprzeciwko. Czuł się dziwnie, kiedy Sara mówiła o wykrywaczu kłamstwa. Nie znał tego urządzenia, o którym wspominała, ale znał inne. Nigdy jednak nie miał do poligrafu emocjonalnego stosunku, jak wiele innych osób, bo nigdy nie miał nic do ukrycia. Ani prywatnie, ani służbowo. Ale teraz ukrywał zabójstwo.

– Jeżeli odmówi badania lub wynik będzie negatywny i okaże się, że facet jest podstawiony, zwijamy się z Białorusi... – dokończyła.

– A co z nim? – „Travis" ocknął się z zamyślenia.

– Nic mu się nie stanie. Będzie musiał poczekać w zamknięciu, aż wszyscy wyjedziemy. A wtedy zadzwonimy do jego szefów z KGB, pękających z dumy, jak to im się udało zrobić Polaków na szaro, i powiemy, skąd mogą sobie odebrać swojego asa. Dlatego będziesz musiał przygotować w Brześciu odpowiedni lokal. – Sara wyglądała na rozbawioną.

– Dobrze to wygląda. Jeżeli Krupa jest podstawiony, w co raczej wątpię, to po takim numerze polecą w KGB głowy, i to wysoko. Wiem, co mówię! – zareagował „Travis" w podobnym nastroju.

Nagle przerwał i zaczął nasłuchiwać, dając Sarze znak, by się nie odzywała. Jak w zwolnionym tempie zaczął iść w kierunku korytarza. Wtedy także Sara usłyszała dochodzące stamtąd dziwne dźwięki.

„Travis" zgasił światło w kuchni i przedpokoju. Po cichu podszedł do swojej torby, wyjął pistolet i zatknął go z tyłu za pasek. Dźwięki nasiliły się. Klamka powoli się opuściła, a potem równie wolno powróciła do wcześniejszej pozycji. Ktoś wyraźnie sprawdzał, czy drzwi są zamknięte, i nie chciał, żeby to zauważyła osoba przebywająca w mieszkaniu.

Sara stała w kuchni, spoglądając zza rogu w głąb ciemnego przedpokoju, którym skradał się „Travis". Wzięła nóż, ale natychmiast go odłożyła. „Travis" podszedł do drzwi i bardzo delikatnie odsunął klapkę wizjera, zakrywając go natychmiast palcem, tak by nie można było zauważyć z zewnątrz jakiegokolwiek ruchu czy światła. Po drugiej stronie zaległa cisza. Przyłożył ucho do drzwi i przez chwilę nasłuchiwał. Spojrzał przez wizjer.

Sara wciąż stała w tym samym miejscu. Miała wrażenie, że „Travis" zamarł, przyklejony czołem do drzwi. Przypomniało jej się, jak kiedyś zginął agent Konrada na Ukrainie, zastrzelony przez wizjer w drzwiach.

Po chwili „Travis" odwrócił się do Sary i rozłożył ręce w geście wskazującym, że nikogo nie zobaczył. Tymczasem z drugiej strony zaczęły znów dochodzić dźwięki. Metaliczny dźwięk świadczył o tym, że ktoś wyjął klucze lub wytrychy.

Na pewno to nie jest KGB ani złodzieje – ocenił szybko „Travis", już zupełnie spokojny. Profesjonaliści sprawdziliby wcześniej, czy jest ktoś w domu. Chociażby obserwując światła w oknach lub po prostu dzwoniąc pod jakimś pretekstem do drzwi.

Słychać było, że intruz z drugiej strony próbuje włożyć coś do zamka. „Travis" jeszcze raz spojrzał przez wizjer i podszedł cicho do Sary.

– Na klatce jest ciemno i niewiele widać – powiedział szeptem. – Nie zauważyłem żadnego ruchu. Ale nie możemy czekać. – Na chwilę zawiesił głos. – Trzeba sprawdzić, co to jest. Weź broń i zostań w kuchni.

Skinęła głową.

„Travis" podał jej pistolet, zapalił światło i podszedł do drzwi. Spojrzał za siebie. Sara dała mu znak, że jest gotowa, i „Travis” gwałtownym ruchem przekręcił zamek i szarpnął drzwi.

Do mieszkania, ku ich kompletnemu zaskoczeniu, wpadł facet w prochowcu włożonym tylko na lewą rękę, w której trzymał teczkę. Opierał się o drzwi, gdy „Travis” je otworzył, i nie zdążył złapać równowagi.

Obciążony teczką i skrępowany zwisającym płaszczem, bezskutecznie poszukując oparcia w powietrzu, runął na podłogę pod stopami „Travisa”. Sara cofnęła się do kuchni i wybuchnęła śmiechem.

– *Wiera, moja... lubimaja! Nu... zaczem? Izwini...* – usłyszała z przedpokoju skargę w mocno zniekształconym rosyjskim.

Po chwili wyjrzała i zobaczyła, jak „Travis” próbuje podnieść korpulentnego mężczyznę w nieokreślonym wieku, starającego się coś powiedzieć. Jednak postawienie gościa do pionu nie powiodło się, więc „Travis” pozostawił go w pozycji półsiedzącej pod drzwiami i podszedł do Sary, którą wstrząsały spazmy śmiechu, bezskutecznie tłumione dłonią.

– Kurwa! Mamy problem! – „Travis” nie był poważny, był wściekły. – Kto to jest?! Co ja z nim zrobię?! – zapytał bezradnie i popatrzył na wciąż rozbawioną Sarę. Nieco się rozluźnił, ale zdobył się tylko na uśmiech. – Pomylił mieszkanie? Budynek? Może dzielnicę! Cholera!

– Niestety, ten pan nie może z nami zostać. – Sarze udało się powstrzymać śmiech. – Musi jakoś znaleźć swoją Wierę. Pewnie jej wytłumaczy, że znowu przegrał w szachy, i wszystko będzie dobrze. Wygląda, że chłop nie ma lekko w domu. – Wyszła z kuchni i podeszła do mężczyzny, który już zdążył zasnąć. – Chodź! Wyniesiemy go do windy. Tam go na pewno szybko znajdą.

„Travis” sprawdził klatkę schodową, ściągnął windę i razem wynieśli mężczyznę, który twardo trzymał teczkę.

– Odeślemy go na parter – powiedział i zamknął drzwi od windy.

Gdy usiedli z powrotem w kuchni, parsknął śmiechem.

– Mam już dość alkoholu na dzisiaj – oznajmił pewnym głosem.

W mieszkaniu rozchodził się intensywny zapach. „Travis" wlał do stojących na stole talerzy zupę o barwie dojrzałych pomidorów.

– Potem bierzemy się do roboty – zakomunikowała już całkiem poważnie Sara – bo niedługo się okaże, że brakuje nam czasu.

## 43

Pogoda tego dnia była piękna, mimo to Konrad był od rana wściekły.

Jadąc do pracy swoim saabem z otwartym dachem, nie zauważył, jak z przejeżdżającego samochodu ktoś rzucił na jego tylne siedzenie zapalonego papierosa. Dopiero gdy stanął na światłach przy Odyńca, poczuł swąd. Papieros wypalił dziurę wielkości pięciogroszówki na samym środku prawego siedzenia. Rozpacz i wściekłość wypełniły Konrada od stóp do głów.

Wszystkie samochody ruszyły, a on wciąż stał, zupełnie obojętny na nerwowe klaksony innych kierowców.

Przez ułamek sekundy dostrzegł za tylną szybą odjeżdżającego starego bmw uśmiechniętą twarz mężczyzny. Nie miał najmniejszej wątpliwości, że ten uśmiech był skierowany właśnie do niego i naznaczony nie współczuciem, lecz bezinteresowną, szczerą radością.

Zdążył zapisać numer rejestracyjny z województwa podlaskiego.

W takim stanie wszedł do pokoju Marcina, który, o dziwo, znów był ubrany w garnitur. Poderwał się na widok szefa. Konrad ściskał w kieszeni kartkę z numerem bmw i zastanawiał się, czy zlecić Marcinowi zastosowanie retorsji wobec bezczelnie uśmiechniętej twarzy, czy odpuścić. Jeszcze w trakcie jazdy przyszło mu na myśl, żeby powierzyć to zadanie Lutkowi, ale pewne spalenie nawet starego bmw wydało mu się jednak zbyt ostrą retorsją. Łagodniejszy Marcin byłby lepszym wykonawcą wyroku.

– Siadaj! Czemu stoisz jak słup?

– Tak jest, szefie! – odparł Marcin, wyczuwając w powietrzu nadmiar napięcia. – Czy coś się stało? Mogę w czymś pomóc, szefie?

Skubany Marcin! Skąd on tak dobrze mnie zna? Wyczuwa mnie bezbłędnie! – przeleciało mu przez myśl. Wyczuwa tak wszystkich czy tylko mnie? Naprawdę jestem taki przejrzysty? Niemożliwe!

– Nie, nic się nie stało! Dlaczego pytasz? – odezwał się bardziej miękko. Wyjął rękę z kieszeni, zmiął żółtą karteczkę i wrzucił ją do kosza.

– No bo... szef to nigdy nie rozmawia, trzymając rękę w kieszeni... Szczególnie z rana! – wytłumaczył Marcin, ale Konrad mu nie uwierzył i wolał, żeby już nic więcej nie mówił.

Doskonale pamiętał, jak na jakimś przyjęciu wyśmiał w duchu dziewczynę Marcina, która z uporem twierdziła, że on posiada zdolności paranormalne, czego dowodem miały być latarnie uliczne, gasnące, gdy koło nich przechodził. Ale teraz! Postanowił porozmawiać z nim o tym później. Paranormalne zdolności u oficera wywiadu? To może być ciekawe.

– Do rzeczy! Co masz?

– Jest jeden problem, szefie – zaczął trochę niepewnie Marcin. – Po naszej rozmowie wysłałem info do Szwedów, że mamy relację z pobytu Jorgensena w Polsce. No i... oni przylatują... – wystękał z wyraźnym poczuciem winy.

– No nie! Nie wierzę własnym uszom! – Konrad opadł ciężko na fotel. – Kto ci kazał?! – niemal wykrzyknął. – Ty bałwanie! No... nie mogę cię inaczej nazwać! Co im teraz powiemy? Że Jorgensen spotkał się z Rupertem? – Dostrzegł, że Marcin poczerwieniał na twarzy. – Nawet nie możemy ich teraz odwołać, bo pomyślą, że coś kombinujemy...

Otworzyły się drzwi. Konrad nawet się nie odwrócił. Do pokoju weszła Ewa, komunikując krótko, że „Ciężki" chce z nim rozmawiać, i natychmiast znikła.

Siedział jeszcze przez chwilę w milczeniu. Sam już nie wiedział, czy Marcin jest niedorozwinięty, czy wprost przeciwnie.

– Zastanowię się, co powiedzieć Szwedom... – oznajmił już całkiem bez emocji. – Ja cię któregoś dnia zamorduję!

Słowa zabarwione lekką ironią rozluźniły atmosferę. Skruszony dotychczas Marcin jakby natychmiast zapomniał o swoim przewinieniu i w typowy dla siebie sposób znów tryskał paranormalną energią. Konrad szybko ocenił sytuację i uznał, że ta nadgorliwość jest nawet w jakimś stopniu korzystna, bo zmusza go do podjęcia decyzji, która i tak jest nieunikniona. Prędzej czy później Szwedów trzeba będzie poinformować.

„Ciężki" kazał mu przyjść na wpół do jedenastej. W krótkiej rozmowie telefonicznej nie wspomniał ani słowem, o co chodzi. Nie było go kilka dni, więc pewnie chce wiedzieć, co się dzieje. Tak kalkulował Konrad i wydawało się to oczywiste.

Jechał na rozmowę, przygotowany do odpowiedzi na każde pytanie. „Ciężki" nigdy nie zadawał skomplikowanych pytań. Prawdopodobnie nie potrafiłby nawet takich wymyślić. Zresztą wcale nie musiał, skoro mógł zostać zastępcą szefa wywiadu do spraw operacyjnych, nie znając żadnego języka. Jeszcze gorzej wyglądał jego tak zwany dorobek zawodowy, który zwykle mierzy się liczbą i jakością zrealizowanych spraw.

Konrad starał się zawsze znaleźć u przełożonych i wykorzystać te cechy, które umożliwiały sprawną realizację bieżących zadań. „Ciężki" pod tym względem spełniał jego oczekiwania i na co dzień nie sprawiał zbyt wielu kłopotów. Tak czy inaczej po każdej zmianie rządu, czasami nawet częściej, następowały także zmiany w kierownictwie Agencji Wywiadu, a pracę trzeba było kontynuować. Nieraz Konrad się zastanawiał, jak to możliwe, że jeszcze nie doszło do jakiejś katastrofy, i nie odstępowało go przeczucie, iż to tylko kwestia czasu.

Zajął miejsce w sekretariacie i czekał na wezwanie. Tego dnia nie było Małgosi, tylko jakaś nowa dziewczyna, której nie znał. Na fotelu po drugiej stronie siedział mężczyzna w jasnym garniturze i zielonych butach. Na kolanach trzymał teczkę i martwo patrzył w przestrzeń przed sobą. Konrad miał wrażenie, że już gdzieś go widział. Uwagę przykuwał brak jakiejkolwiek harmonii w ubiorze i te zielone buty w szpic. Mężczyzna wyraźnie czekał na „Generała", z którym „Ciężki" dzielił sekretariat.

Po chwili otworzyły się drzwi gabinetu „Ciężkiego" i wyszła Ala, lektorka angielskiego, pracująca w Agencji od zawsze. Pod pachą niosła książki i zeszyty. Spojrzała na Konrada, wymownie wzniosła oczy ku niebu i zniknęła w korytarzu.

– Szef zaprasza pana naczelnika – powiedziała sekretarka do Konrada, który nie mógł oderwać wzroku od zielonych butów.

„Ciężki" z wyciągniętą ręką wyszedł zza biurka i zamiast „witam" czy „dzień dobry" rzucił tylko:

– Kawa?

– Kawa – odpowiedział Konrad.

Dla siebie „Ciężki" zamówił herbatę. Ruchem ręki wskazał Konradowi fotel, co oznaczało, że rozmowa będzie dłuższa, może mniej formalna i prawdopodobnie z domieszką elementów zaprogramowanej sympatii. Tak przynajmniej powinna to odebrać zaproszona osoba. Zawsze bawiły go te socjotechniczne chwyty szefów i był na nie przygotowany.

– Właśnie wróciłem ze Stanów. Byłem z wizytą w NASA... – zaczął „Ciężki" i widząc zdziwienie na twarzy Konrada, zaraz się poprawił: – Znaczy się w enesej, National Security Agency – powiedział, w miarę bezbłędnie wymawiając tylko dwa pierwsze słowa. – Pokazywali nam najnowocześniejszy system nawigacji GPS, pozwalający śledzić osoby na całym świecie na podstawie mikrochipu. Wspaniały system! Sama technika nie jest nowa, w przeciwieństwie do oprogramowania, którego można użyć dzięki nowemu satelicie. Ale o tym nic nie chcieli opowiedzieć. – „Ciężki" mówił z lekkim podnieceniem, bo na technice znał się dobrze. – Musi pan, naczelniku, tam jechać i zobaczyć to cudo. Weźmie pan swoich specjalistów, może coś podpatrzą. Był ze mną szef naszej techniki, ale nie mógł się zorientować, na czym to polega.

– Jak pan wie – zaczął Konrad – my też mamy system śledzenia oparty na chipie GPS w telefonie komórkowym. Nie jest może nadzwyczajny ani szczególnie nowoczesny, ale w wymiarze aktywnym sprawuje się dobrze. Nie ma zastosowania pasywnego i to jest jego ograniczenie. Dwukrotnie wkładaliśmy chipy do telefonów naszych agentów w procesie weryfikacji ich lojalności. Sprawdziły się doskonale...

– Niemniej to, co mają Amerykanie, jest świetne. Zdeklarowali się, że jak będziemy w potrzebie, to nam pomogą.

Mimo emocjonalnego zaangażowania „Ciężkiego", który na ten temat mógł mówić zawsze, Konrad wiedział, że nie to było powodem jego zaproszenia.

– Za chwilę dołączy do nas szef – usłyszał. – Teraz ma gościa z zewnątrz...

– W zielonych butach? – rzucił jakby od niechcenia Konrad.

– Nie wiem – odpowiedział „Ciężki" i nie zainteresował się kolorem, bo widać był myślami gdzie indziej.

Minęła chwila na łyk kawy i kokosowy biszkopt, gdy do pokoju wszedł szef Agencji Wywiadu. Przywitał się z kindersztubą wyuczoną na warszawskich salonach, ale trochę na wyrost w szpiegowskim środowisku.

– Jak wygląda sprawa naszego archiwum? – zaczął bez zbędnych wstępów. – Czy jest już jakiś plan działania? Ma pan jakąś koncepcję?

– Oczywiście, panie ministrze! – zwrócił się Konrad, używając jego ulubionego tytułu. – W tej chwili dopracowujemy ostatnie szczegóły i myślę, że na początku przyszłego tygodnia będę mógł przedstawić raport. – Kłamał po raz pierwszy, ale nawet nie czuł zażenowania. Czekał na następne pytanie...

– Kiedy pan przewiduje realizację? I jakie są szanse powodzenia?

Konrad zastanowił się, przybierając odpowiedni wyraz twarzy.

– Panie naczelniku – nalegał szef – musi pan wiedzieć, że tą sprawą żywo interesuje się pałac. Wydzwania też do mnie prezes Małecki. Jak pan rozumie, jestem pod nieustanną presją.

– Ja rozumiem! Ale... nie chce pan chyba, panie generale, wywierać na mnie nacisku. W przeciwnym razie to będzie improwizacja, a nie poważna misja...

– Nikt na pana nie naciska – wtrącił natychmiast szef.

– Szanse powodzenia są tym większe, im lepiej się przygotujemy. To oczywiste! Mimo pozorów to nie jest łatwa operacja i nie chodzi przecież tylko o zdobycie archiwum, ale także o to, by nie dostało się w ręce Rosjan czy Białorusinów. –

Konrad wiedział, że takie na pozór banalne stwierdzenia najlepiej oddziałują na polityczne emocje szefów.

– Otóż to, panie naczelniku! Tak uważa również pan prezydent, który jest o sprawie poinformowany. Prezydent przywiązuje dużą wagę do historycznego dziedzictwa Drugiej Rzeczpospolitej. Wie pan o tym?!

– Oczywiście! Czasem oglądam telewizję – skomentował Konrad.

– Czyli, jeżeli dobrze pana zrozumiałem, w przyszłym tygodniu będziemy mogli zapoznać się ze szczegółowym raportem operacji, czy tak?

– W rzeczy samej, szefie!

– Jaką rolę przewidział pan dla naczelnika Marka? – wtrącił „Ciężki".

Zorientował się, że zaproszenie na rozmowę z oboma szefami musiało być spowodowane głodem informacji. Sami za bardzo nie mogli zaspokoić zainteresowania pałacu, lecz gdyby naczelnik Marek został włączony do sprawy, wiedzieliby przecież wszystko.

– Żadnej! W akcji uczestniczą najlepsi oficerowie Wydziału „Q". Ktoś musi kierować pozostałymi sprawami i pilnować gospodarstwa. Zajmuje się tym Marek... – Konrad zamilkł na chwilę, po czym zapytał: – Chyba się nie skarży...?

– Nie! Nie! Nic takiego! – odparł „Ciężki". – Dlaczego miałby się skarżyć?

– Mam poważne zastrzeżenia do pracy naczelnika Marka Belika. Szczególnie w ostatnim czasie. – Nie planował o tym mówić, ale zareagował spontanicznie na hipokryzję „Ciężkiego". – Zarówno do jego kompetencji zawodowych, jak i do predyspozycji psychicznych wymaganych na tym stanowisku! W najbliższym czasie będę chciał o tym porozmawiać. Zresztą swoją ocenę pracy naczelnika przedstawię w najbliższej opinii służbowej. Ale to po zakończeniu sprawy archiwum. Będę miał konkretne propozycje...

– Oczywiście, panie naczelniku – odparł szef opanowanym głosem. – Teraz najważniejsza jest sprawa.

Konrad zorientował się, że przez przypadek i nadmiar emocji osiągnął to, co w głębi duszy już dawno zamierzał. W ten sposób, wypowiadając wojnę, zmusi kierownictwo AW do jasnej decyzji dotyczącej jego osoby. To nie przysparzało mu bezsennych nocy, ale chciał wiedzieć, jaka ma być jego przyszłość. Takim postawieniem sprawy związał im ręce i zapewnił sobie swobodę działania, przynajmniej na okres akcji.

Zaległa cisza. Konrad był pewny, że słyszy, jak zgrzyta im piasek między zębami.

– Jak rozwija się nasza akcja na Bliskim Wschodzie? Jest coś nowego? – Szef zmienił temat.

– Na razie nie. Niedawno był w Warszawie William Stenton, z którym prowadzimy tę sprawę. „Fokker" czeka na kontakt z Safirem i jeżeli coś uzyska, da nam sygnał i ruszamy dalej...

– „Fokker" to ten agent Anglików w Al-Kaidzie? – zapytał „Ciężki", zaskakując Konrada.

Dobra pamięć!

– Tak jest – odparł.

– Podobno był w Polsce George Gordon? – rzucił jakby od niechcenia szef.

Konrad natychmiast się zorientował, że jest pod obserwacją i jego spotkanie z George'em było kontrolowane. Zresztą to, co powiedział mu Marcin na balkonie, nie pozostawiało żadnych złudzeń co do intencji kierownictwa. Zaśmiał się w duchu i pomyślał, że papieros, który wypalił mu dziś rano dziurę w samochodzie, pięknie się w to wkomponowuje.

– Oczywiście! Przyjechał na zaproszenie ABW. Widziałem się z nim, byliśmy na drinku – odpowiedział Konrad zgodnie z prawdą.

– Znacie się dobrze? – ciągnął wątek szef.

– Tak. Pracowaliśmy kiedyś razem.

– Spotkałem go parokrotnie. Ostatnio podczas wizyty w Londynie. Świetnie mówi po polsku. Podobno studiował w Krakowie w latach osiemdziesiątych...

– Tak. Pracował wówczas na kierunku polskim i po powrocie do Londynu też. Doskonale zna się na polskiej polityce i rozumie nasze sprawy. Wie pan, że Gordon ma unikatową kolekcję solidarnościowych znaczków?

– Nie. To ciekawe! Widział pan?

– Tak. Byłem kilka razy u niego w domu...

– Wie pan, naczelniku – przerwał Konradowi szef – chciałbym, żeby pan mnie informował o takich spotkaniach. Gordon to nie jakiś tam oficer. To jest już polityka i niech pan ją zostawi nam.

– Rozumiem... będę pana ministra informował – odparł Konrad, pamiętając, że „Generał" ma nadzwyczaj pobudliwe ego.

Czuł, że spotkanie dobiega końca, bo szef zawsze chował takie teksty na wielki finał. Wolał, żeby Konrad opuszczał jego pokój w niezbyt dobrym nastroju. Przynajmniej sądził, że taki efekt osiąga.

Konrad wyszedł sam z gabinetu „Ciężkiego". Gościa w zielonych butach już nie było. Nie mógł sobie przypomnieć, gdzie go widział. Męczyło go to.

Pojechał do centrum przez most Siekierkowski i dalej wzdłuż Wisły do mostu Poniatowskiego. W Alejach Jerozolimskich utknął w korku na dobre dwadzieścia minut. Zadzwonił do Irka, lecz jego telefon milczał. Podobnie jak telefon Mirka. Połączył się więc z Ewą i poprosił, by się z nimi skontaktowała. Chciał wiedzieć, czy z Sarą jest wszystko w porządku. Ewa zawiadomiła go przy okazji, że czeka na niego Lutek. A także że naczelnik Marek dwadzieścia minut temu wyjechał na spotkanie, ale nie powiedział dokąd ani kiedy wróci.

Samochody zaczęły toczyć się powoli. Konrad był od rana podenerwowany i ślimaczący się korek potęgował jeszcze ten stan. Nie miał wątpliwości, że Marek pojechał do „Ciężkiego".

Lutek siedział w sekretariacie. Ewa zrobiła mu kawę. Lubiła go może bardziej niż innych, bo Lutek był małomówny, grzeczny, trochę nieśmiały wobec kobiet i bardzo wysportowany. Lutek też lubił Ewę, bo dużo mówiła, zawsze na temat, dużo czytała, ale nie pism dla kobiet, i miała o czym opowiadać, poza tym ładnie pachniała i była blondynką. Dlatego też według Lutka jej ekspres parzył najlepszą kawę na świecie.

Kiedy Konrad wszedł do sekretariatu, Lutek wstał natychmiast, jak przystało na wojskowego.

– Jak ci poszło? – zapytał Konrad, wyciągając do niego rękę.

– Wszystko przygotowane! – W ustach Lutka takie proste stwierdzenie oznaczało, że Konrad nie musi się o nic martwić. „Wszystko", czyli na sto pięćdziesiąt procent!

– Chodź, opowiesz mi. Ewo... – zwrócił się do sekretarki – nikogo nie wpuszczaj i nie łącz żadnych rozmów.

## 44

Ostatnio dużo pił. Szczególnie wieczorami. Pomagało mu to zasnąć. Tej nocy spał tak mocno, że z początku pomyślał, że włączył się budzik w jego komórce i że jest już ranek, ale po chwili zdał sobie sprawę, że jednak dzwoni telefon.

Zapalił światło i spojrzał na wyświetlacz. Numer się nie identyfikował. Było wpół do drugiej. Od razu wiedział, kto dzwoni.

– Słucham – rzucił krótko.

– Za pięć minut na dole! – Znany mu głos nie pozostawiał złudzeń, że ma niewiele czasu.

Krupa odłożył słuchawkę.

– Kurwa mać! – zaklął głośno.

Czy ten skurwysyn nie ma odrobiny szacunku dla ludzi? Czy musi zawsze wyciągać mnie w środku nocy? Ja go kiedyś zastrzelę! Jak Boga kocham!

Ubrał się jednak szybko, bo wiedział, że to nie przelewki. Zbiegł po schodach z trzeciego piętra i wyszedł przed blok. Nie przypuszczał, że zrobiło się tak zimno, i włożył tylko koszulkę, spodnie i klapki.

Przed domem, w cieniu latarni, stał Fiedotow, wielki jak hipopotam, o spleśniałej od wódki twarzy, i palił papierosa. Na widok Krupy od razu zaryczał:

– Co tak stoisz jak sierota?! Chodź tutaj!

Krupa posłusznie wykonał polecenie. Już po głosie rozpoznał, że Fiedotow ma nieźle w czubie. A to nie wróżyło dobrze. Potrafił być wtedy nieobliczalny i agresywny. Co gorsza, zupełnie tracił czucie w wielkich łapach, którymi machał bez opamiętania.

– Coś się tak długo zbierał?! Nie mogłeś się odkleić od dziwki? Chodź, mamy gości z Moskwy. Ani słowa... kurwa... o naszym biznesie. Rozumiesz? Urwę ci jaja, jak coś piśniesz!

Fiedotow nie żartował i Krupa dobrze o tym wiedział. Od początku podejrzewał, że to on sprzątnął Stepanowycza, ale bał się nawet o tym myśleć.

Podeszli do nowego czarnego bmw 6 na moskiewskich numerach rejestracyjnych, z zaciemnionymi szybami. Fiedotow rzucił papierosa i otworzył tylne drzwi. Krupa zajął miejsce obok osiłka o jasnych, lekko falujących włosach. Fiedotow wtoczył się za kierownicę, aż zakołysało samochodem. Siedzący z przodu młody mężczyzna o chłopięcej twarzy odwrócił się i podał Krupie rękę. Nikt się jednak nie przedstawił.

Wasilij nie miał wątpliwości, że goście są z Moskwy i że nie reprezentują FSB. Od razu rozpoznał Służbę Wywiadu Zagranicznego, nie wiedział jednak, skąd takie wrażenie. Nie bał się, nie miał czego, ale też nie czuł się komfortowo. Mimo to był zadowolony, że siedzi w ciepłym samochodzie, bo Fiedotow mógłby go trzymać w klapkach na dworze nawet przez godzinę.

Dlaczego oni spotykają się zawsze w nocy? – pomyślał. Czy ich tak szkolą? Czy to ma jakiś sens? Filmów się naoglądali... czy co?

– Co wiesz o zabójstwie Stepanowycza? – zaczął blondyn.

– Wszystko, co wiem, powiedziałem już Anatolijowi Andriejewiczowi – odrzekł z wahaniem i spojrzał na tłusty kark Fiedotowa, który ani drgnął.

– Czy wiesz coś nowego? Miałeś się przecież dowiedzieć! – kontynuował blondyn.

Krupa milczał i cały czas patrzył na Fiedotowa, jakby się spodziewał, że ten jakimś nierozważnym ruchem przyzna się do zabójstwa Stepanowycza. Nie pasował mu tylko nóż w jego ręku. Takiemu bydlakowi przystawała raczej maczeta albo celny strzał w tył głowy.

– Byliście przecież blisko! Robiłeś z nim interesy, nie?! – Głos blondyna stawał się coraz bardziej natarczywy. – Co ty, kurwa, myślisz?! Że mogliście robić biznes na fajkach z Polski bez naszej zgody?! Tu nic się nie dzieje bez naszej zgody! Rozumiesz, Krupa?! A nawet jak nic się nie dzieje, to też musi być na to nasza zgoda.

Krupa przywykł już do arogancji Rosjan, szczególnie oficerów służb specjalnych, którzy traktowali Białoruś jak kolonię, mimo to chamstwo blondyna zbiło go nieco z tropu. Teraz poczuł dumę, że jest Białorusinem, chociaż słabo znał język i nie bardzo rozumiał, co to takiego naród białoruski.

– Palenie zabija! – wtrącił Fiedotow ironicznym tonem i wszyscy się roześmiali, oprócz Krupy, który nie lubił żartów z czyjejś śmierci. – Stepanowycz stanowczo za dużo palił! – dorzucił Fiedotow głupio, bo sam kopcił bez umiaru.

– Wystarczy! – odezwał się nieco dziecinnym głosem ten o chłopięcej twarzy. Krupa od razu zrozumiał, że to on dowodzi. Wydawał się jednak trochę za młody. – Wasilij! Wszystko w porządku... Przepraszam, że wyciągnęliśmy cię z łóżka tak późno, ale sprawa jest pilna. Rozumiesz?

– Jasne! – odparł Krupa. – Robota to robota!

– Czytałem twoje raporty w sprawie zabójstwa Stepanowycza. Dobre! Wnikliwe! Od razu znać świetnego oficera. – Chłopaczkowaty w tani sposób chciał zdobyć jego zaufanie. – Jak rozumiem, nie masz do powiedzenia nic nowego?

– Właśnie! Od mojego wczorajszego raportu nic takiego się nie wydarzyło – odparł Krupa.

– Dobrze rozegrałeś sprawę z tym polskim agentem... jak mu tam... „Żubrem". Zajmiemy się nim trochę później. Chciałbym najpierw ustalić kilka faktów. Pisałeś o tym, ale chciałbym to usłyszeć od ciebie... Ciekawi mnie, skąd Stepanowycz o nim wiedział. Nie udało ci się ustalić, czy prowadził w jego sprawie formalne rozpracowanie? Dlaczego ci o nim wspomniał? Nie domyślasz się... skąd przypuszczenie, że to on zabił Stepanowycza? – Chłopaczkowaty zadawał celne pytania.

– Tak mi wychodzi z analizy sytuacji, zachowania „Żubra", rozmów z nim i z jego wypowiedzi. Nie może być inaczej! – Krupa mówił z pełnym przekonaniem w głosie. – No, jakieś prawdopodobieństwo, że to porachunki, jest, ale minimalne...

– Ten „Żubr" to inteligentny człowiek? – zapytał blondyn.

– Bardzo! To ideowiec!

– Czyli należy uznać, że Stepanowycz nie zostawił na niego żadnych materiałów, bo inaczej ten „Żubr" już by siedział. To pewnie dzięki wam albo prezydenckiej bezpiece? – kontynuował młody.

– Oczywiście, że tak! – odezwał się Fiedotow. – Ze Służby Bezpieczeństwa wciąż nic nie wyciekło, a minęło już trochę czasu. Pilnuję tematu.

– To dobrze! To bardzo dobrze! Będzie nasz! Gratuluję ci, Wasilij! Dostaniesz premię. – Chłopaczkowaty był wyraźnie zadowolony.

– Myślę, że Stepanowycz powiedział mi o nim, bo chciał się zabezpieczyć. Może czegoś się obawiał? Może „Żubr" mu groził?!

– Stepanowycz oczywiście nie wiedział, że pracujesz dla nas? Bo gdyby wiedział, mogłoby to znaczyć, że chciał go nam podstawić. Nie wyczuwałeś, że może coś podejrzewać?!

– Skąd! Nigdy! – odparł Krupa.

– Znakomicie, Wasilij! Jesteś dobrym oficerem kontrwywiadu. Sprawę z tym polskim agentem prowadzisz świetnie. Nawet Fiedotow nie jest ci potrzebny... Ale zastanów się, czy nie wykluczasz takiej wersji, że Stepanowycz pracował dla Polaków. Był chciwy i bezwzględny... za pieniądze sprzedałby matkę. Wszyscy to wiedzą. Polacy też musieli o tym wiedzieć i zwerbowanie go nie byłoby trudne. Naczelnik kontrwywiadu KGB, pułkownik... łakomy kąsek!

– Nie sądzę! To by wypłynęło. On by tego nie utrzymał w tajemnicy. Zdradziłby się czymś prędzej czy później...

– Nie rozumiesz, Wasilij! – Młody nabrał nagle mentorskiego tonu. – Polacy albo Amerykanie mogą wiedzieć, że dla nas pracujesz. Na przykład mówią Stepanowyczowi, żeby sprzedał tobie „Żubra", że to polski agent. Ty wchodzisz z nim w kontakt albo on z tobą... jak to było w rzeczywistości. Potem on cię werbuje i sprzedaje informacje, pewny, że ty przekażesz je dalej... nam. W ten sposób wciągają nas w grę operacyjną i dezinformują. Krótko mówiąc, wpuszczają nas, skurwiele, w maliny.

Zaległa cisza.

– Tak może być. Ale jest bardziej prawdopodobne, że po prostu podrzucili mu materiały na „Żubra"... – zaczął Krupa.

– To odpada! Za duże ryzyko – przerwał mu zaraz blondyn. – Polacy nie mieliby pewności, że Stepanowycz zachowałby się zgodnie z ich przewidywaniami. Mógłby dla splendoru aresztować „Żubra", i po sprawie. Nic by w ten sposób nie ugrali, a agent poszedłby siedzieć. Stepanowycz przekazał ci informację o „Żubrze" i był już niepotrzebny. Nawet więcej, trzeba było go uciszyć, żeby czegoś nie wygadał. Mogło tak być!

– Mogło! – potwierdził młody. – To jednak tylko hipoteza i nie mamy czasu jej zweryfikować. Często rzeczywistość jest prostsza, niż nam się wydaje. Najważniejsza jest teraz sprawa brzeska! Brawo, Wasilij! Nawet nie wiesz, jaką przysługę oddałeś ojczyźnie! – Odwrócił się i patriarchalnie poklepał go po ramieniu.

Jakiej ojczyźnie?! – pomyślał Krupa. Chyba mu się we łbie poprzewracało! Robię, bo muszę, bo byłem głupi, że dałem się wciągnąć.

Tak naprawdę dobrze wiedział, że nie miał wówczas wyboru.

– Kiedy jedziesz z „Żubrem" do Brześcia? – zapytał nieuprzejmie blondyn.

– Jeszcze nie wiem. To on decyduje. Ale myślę, że w sobotę albo niedzielę.

– Hm... – zastanowił się młody i znów w samochodzie zaległa cisza.

– Może powinniśmy z nimi pojechać... albo przynajmniej wysłać Fiedotowa. Jak sądzisz? – wtrącił znowu blondyn.

– Nie. To... – zareagował natychmiast Krupa.

– Nie ciebie pytam! – skarcił go blondyn.

– Dobrze. Jak sądzisz, Wasilij? – odezwał się młody.

Krupa poczuł satysfakcję na myśl, że blondyn dostał prztyczka.

– Uważam, że to niepotrzebne. On jest cwany. Wyczuje coś i zwieje. Przecież i tak wszystko...

– Oczywiście, Wasilij! Masz rację. Nie ma co ryzykować – podchwycił chłopaczkowaty.

Fiedotow otworzył okno i zapalił papierosa.

– Coś ty, Fiedotow, ochujał?! Wypierdalaj, jak chcesz palić! – dziecinnym głosem gwałtownie zareagował młody, a Fiedotow bez słowa wysiadł z samochodu.

Krupa znów poczuł przypływ satysfakcji i pomyślał, że ten chłopaczkowaty jest w porządku i musi mieć mocne plecy w Jaseniewie, ale na asa wywiadu to nie wygląda, skoro pozwala sobie tak łatwo wmówić, co ma robić. Blondyn cham, ale przynajmniej zawodowiec.

– „Żubr" wie, gdzie jest zakopana skrzynia, ale jeszcze mi nie powiedział. A ja nie miałem możliwości go zapytać. Na razie wiem tylko, że w twierdzy. Teraz pojedziemy zrobić wizję lokalną. Sprawdzić miejsce i tak dalej. – Krupa chciał być kooperatywny i mówił do młodego.

– My też wiemy, gdzie jest ta skrzynia. Chcemy mieć jednak pewność. Ten Polak spadł nam z nieba! Mówił ci, co w niej jest?

– Jakieś stare dokumenty. Czy coś takiego. On sam dokładnie nie wie, ale wie, że to bardzo ważne dla Polaków. Gotowi są dużo zapłacić! Ale on to robi dla idei...

– Doskonale, Wasilij! Teraz będziemy czekać, aż wrócisz z Brześcia i pokażesz nam dokładne miejsce ukrycia skrzyni. My to porównamy... – Młody nagle urwał, jakby powiedział za dużo.

– Może jednak też pojadę do Brześcia... – znów wtrącił się blondyn, tym razem bardziej zdecydowanie.

– Dobrze wiesz, że Misza ma drugą część operacji do zrealizowania! Zapomniałeś?! Przypadek! Cokolwiek! Polacy się zorientują i będą nici. Misza ma rachunki do wyrównania! To jak gra operacyjna, telepatyczna partia szachów między dwiema służbami. Trzeba umieć przewidywać ruchy przeciwnika. – Widać było, że młody trwa przy swojej decyzji.

Krupa popatrzył na blondyna, którego twarz mimo półmroku wyrażała pełne politowanie dla naiwności młodego.

Do samochodu wrócił Fiedotow, a wraz z nim smród przesyconego papierosowym dymem ubrania.

– Tylko nic nie róbcie koło „Żubra", dopóki wam nie powiem, że można. Bo go spłoszycie! – zakończył zdecydowanie Krupa i zapytał: – Mogę już iść?

– Spierdalaj! – odpowiedział niespodziewanie Fiedotow.

# 45

Rozmowy ze Szwedami zajęły Konradowi ponad cztery godziny. Potem była kolacja, która przeciągnęła się do dwudziestej trzeciej.

Szwedzi musieli być mocno zaskoczeni tym, co usłyszeli, bo nie mogli się powstrzymać od zachwytów nad polską gościnnością i żubrówką. Śmiesznie wyglądały na jasnych twarzach Olafa i Pera policzki zabarwione na malinowo od silnych emocji i alkoholu. Obaj bardzo przypadli Konradowi do gustu i chyba wzajemnie, bo rozmowa dobrze się układała i była zupełnym zaprzeczeniem obiegowych opinii o zimnych, milczących Szwedach.

Konrad zapłacił kartą kredytową taksówkarzowi, który na sam jej widok trzykrotnie proponował, że podwiezie go na swój koszt do najbliższego bankomatu. Konrad nie miał pieniędzy w portfelu i przez moment się zastanawiał, gdzie je wydał. Nie miał najmniejszej ochoty jechać jeszcze o tej porze do bankomatu.

Czuł miłe rozluźnienie. Wypił trzy albo cztery kieliszki. Koledzy ze Sztokholmu natomiast pozwolili sobie na znacznie więcej. Kroku musiał im dotrzymywać Marcin jako odpowiedzialny za ich przedwczesny przyjazd.

Noc była ciepła i przyjemna. Godzinę wcześniej lekki deszcz ożywił powietrze.

Konrad stał przed swoim domem na Kabatach i myślał, czy jeszcze nie przejść się przed snem. I pewnie by tak zrobił, gdyby miłego samopoczucia nie zaburzał mu dyskomfort, powodowany świadomością, że skłamał szwedzkim kolegom. Może nie skłamał, ale nie powiedział nic o Rupercie, podczas gdy oni poinformowali go szczerze o wszystkim.

Wytłumaczę im to potem. Już po operacji. Zrozumieją!

Wstukał kod do drzwi wejściowych, ale się nie otworzyły. Powtórzył więc czynność i usłyszał charakterystyczny dźwięk zamka elektrycznego. Wyciągnął rękę, by chwycić za klamkę, gdy drzwi gwałtownie się otworzyły i stanął w nich wysoki mężczyzna.

Zamarli naprzeciw siebie. W pierwszym momencie Konrad się przestraszył. Stojący pół metra przed nim facet miał około czterdziestki. Mimo mroku i słabego światła z wnętrza klatki dobrze było widać jego twarz. Trwało to ułamki sekund. Konrad wyczuł u niego niepokój.

– On mnie zna – usłyszał własny głos.

Stał jak zamurowany i chciał zapytać intruza, co tu robi, gdy kątem oka zauważył gwałtowny ruch. Skompensowana intuicja zmusiła go do uniku i zasłonięcia się ręką, lecz pięść, mimo gardy, dosięgła policzka pod lewym okiem. Poczuł silny ból i błysk w oczach. Stracił równowagę i byłby upadł, gdyby nie oparł się o ścianę.

Zachował przytomność i niemal od razu sprężył się gotowy do walki. Mężczyzna jednak wyraźnie nie chciał się bić i zaczął uciekać pustą ulicą. Konrad ruszył za nim. Gdy nieznajomy obejrzał się i zobaczył, że jest ścigany, natychmiast mocno przyspieszył.

Skręcił w wąski przejazd między domami, wyraźnie licząc na to, że w zaułkach uda mu się zgubić pogoń. Konrad skracał jednak dystans i mężczyzna to zauważył.

Wybiegł na ulicę i po chwili był już na skrzyżowaniu KEN i Wąwozowej. Metr od niego zatrzymał się z piskiem opon samochód, zagradzając drogę. Mężczyzna sprawnie przeskoczył przez maskę i biegł dalej. Kilku przechodniów przystanęło, obserwując ze zdziwieniem niecodzienną scenę. Nieznajomy obejrzał się i widząc Konrada, skręcił w lewo. Wciąż biegł jezdnią Alei KEN w kierunku centrum. Wyraźnie przyspieszał, raz po raz oglądając się za siebie.

Konrad czuł silny ból w mięśniach, ale determinacja tamtego, by nie dać się złapać, i przeczucie, że wszystko to nie dzieje się za sprawą przypadku, powodowały, że mógł go dopaść. Po chwili zorientował się, że z tyłu dogania go jakiś samochód. Kiedy był tuż za nim, kierowca zrobił ostry manewr, jakby chciał go potrącić bokiem. Konrad odskoczył w prawo, potknął się o krawężnik i upadł na trawnik.

Oczywiste było, że samochód, stary biały golf, zrobił to celowo. Przejechał jeszcze kilkadziesiąt metrów i Konrad ze zdumieniem zobaczył, jak mężczyzna, którego gonił, niemal w biegu wskakuje do środka.

Leżał przez chwilę na trawniku, ciężko dysząc i patrząc w ślad za samochodem, który gwałtownie przyspieszał. Podciągnął nogi i usiadł. Nie mógł zebrać myśli. Pierwszy raz spotkało go coś takiego. Nie potrafił zrozumieć, co się stało. Dlaczego?! Dlaczego on? To zdarzenie wydawało się takie irracjonalne, a jednak musiało mieć jakiś sens. Uderzenie, potem szaleńczy bieg i na dodatek ten samochód! Czyli był ktoś jeszcze!

Po chwili zorientował się, że wciąż siedzi na trawniku przy jezdni. Nieopodal stał młody chłopak z psem i dwie dziewczyny. Przyglądali mu się z niepokojem.

Pomyślał, że może zapamiętali numer golfa. Podniósł się i ruszył w ich kierunku. Ale oni niespodziewanie się odwrócili i dosyć szybkim krokiem zaczęli się oddalać. Wyraźnie nie chcieli mieć z nim do czynienia. Zrozumiał, że sytuacja wydała im się podejrzana i nawet jeżeli coś zauważyli, nie może liczyć na ich pomoc. Coś takiego rzadko zdarza się na Kabatach.

Wrócił do domu. Wszedł po schodach, jakby zapomniał, że jest winda. Skarcił się, że to z powodu zdenerwowania. Chociaż bywał w znacznie gorszych opałach, zawsze zachowywał zimną krew. A tym razem nie! Było mu wstyd przed samym sobą.

Dotknął nabrzmiałego już policzka i od razu pomyślał, że będzie miał podbite oko. Nie pierwszy raz. Zaśmiał się, ale wcale nie było mu wesoło.

Chciał włożyć klucz do zamka, gdy zobaczył tkwiącą w szczelinie drzwi białą kopertę. Zapalił światło, by się lepiej przyjrzeć. Koperta nie miała żadnych napisów i z pewnością nie była to reklama. Od razu wydało mu się to dziwne. Nasunęło się skojarzenie z tym, co go spotkało przed chwilą. Zawahał się, czy dotykać koperty. Pomyślał o sprawie Safira, ale zaraz odrzucił to niedorzeczne przypuszczenie. Niemniej na kopercie mogą być odciski palców.

Chwycił jej róg przez chusteczkę higieniczną. Otworzył drzwi i wszedł do mieszkania. Położył kopertę na biurku i zapalił lampkę. Był niemal pewny, że w środku jest jakaś wiadomość. Koperta była zaklejona.

Poszedł najpierw umyć ręce i szybko wrócił do biurka. Wyjął z szuflady pęsetę i szkło powiększające. Obejrzał kopertę pod światło. Widać było, że wewnątrz jest papier, na którym odbija się blady cień krótkiego tekstu.

Powoli, delikatnie rozciął kopertę chińskim nożem do papieru i z celebrą wyciągnął pęsetą złożoną na pół kartkę. Wpatrywał się w nią, jakby za chwilę miał sprawdzić numery totka, po czym ją otworzył.

Ukazał się tekst po polsku:

Witaj, Konrad! I do zobaczenia w Brześciu!
Pozdrawiam
Misza P.

Zamarł. Od stóp do głów przebiegła go fala dreszczu. Przez chwilę siedział odrętwiały w fotelu, jakby stracił świadomość. Potrzebował czasu, by zrozumieć, że to ten mężczyzna, który go uderzył i którego gonił, włożył tę wiadomość w jego drzwi.

– Poznał mnie! Nie mógł tego ukryć i wpadł w panikę! Dlatego mnie uderzył. Nie mógł się odezwać... bo to Rosjanin i od razu bym się zorientował... – zaczął mówić na głos. – Nieprawdopodobne! Przecież mógł mnie tylko pchnąć! To uderzenie i ten list nie pasują do siebie. Mogłem go dogonić albo wdać się w walkę i wtedy by wpadł. Było sto różnych możliwości! Dlaczego tak zareagował? Bał się mnie?

Zaczynał coraz szybciej i sprawniej analizować sytuację.

Gdybym go zatrzymał, a następnie odnalazł list Popowskiego, mielibyśmy w garści rosyjskiego agenta, i to pewnie spoza warszawskiej Rezydentury. Dlaczego Misza tak ryzykuje?

Pogrążył się w myślach i nagle zdał sobie sprawę, że dzwoni jego telefon.

– Jestem! – usłyszał w słuchawce i przez jakiś czas stał kompletnie zdezorientowany. – A ty jesteś tam? – odezwała się Sara.

– Tak... Tak! Jestem. Oczywiście. Jestem!

– Przyjechałam... – I po chwili z wahaniem w głosie zapytała: – Co z tobą? Coś się stało? Jesteś pijany? O tej porze?

– Nie! Nie jestem! – Konrad się opanował. – Coś mi się przydarzyło... – przerwał. – Opowiem ci jutro. Czyli jesteś?

– Musiało się przydarzyć coś naprawdę niezwykłego, bo cię nie poznaję, a znam cię jak nikt...

– Porozmawiamy jutro, dobrze? Muszę iść spać. – Rozłączył się, nie czekając na odpowiedź.

Poszedł do pokoju i wziął telefon komórkowy do łączności specjalnej, ale po chwili zastanowienia odłożył go.

Jeżeli Rosjanie – zaczął myśleć pospiesznie – znają mój adres prywatny i zdecydowali się na podrzucenie listu, to równie dobrze mogli mi zainstalować podsłuch w domu. To byłaby tragedia! I wstyd! Jutro M-Irek przeczeszą mieszkanie. Boże... a jeżeli coś znajdą?! Zaraz... No nie, panika zmysłów! Oczywiście! Przecież już samo podrzucenie listu by wystarczyło, bym sprawdził dom i wykrył podsłuch... To oczywiste, że musieli się z tym liczyć. Po co by im to było? – Konrad rozważał różne aspekty. – Chyba że chcą, żebym go wykrył! To byłaby wojna! Przecież Misza zna zasady. Nie tykamy naszego życia prywatnego, życia oficerów! Agenci to co innego. Nie zrobiłby tego! Kurwa, nie zrobiłby?! Nie chce chyba wojny... – Zaczęły wzbierać w nim wątpliwości. – Jeżeli odnajdę pluskwę, to co...? Może chcą mi pokazać swoją siłę? Przecież są silni... Wszyscy to wiedzą! Nie muszą tego robić. Nie... to niemożliwe...

Wyszedł na balkon i usiadł na fotelu. Szumiało mu w uszach. Było cicho i bezwietrznie. Dom wydawał się wymarły. Konrad miał wrażenie, że docierają do niego nowe, nieznane mu dotąd emocje. Pamiętał tylko te przestraszone oczy i jasne włosy. Nie był pewien, czy potrafiłby zidentyfikować tego mężczyznę.

Odrzucił myśl o podsłuchu w domu, bo dotarła do niego inna, nie mniej ważna. Skąd Rosjanie znają jego prywatny adres?

– Zdobyli się na nie lada wyczyn z tym listem, to prawda, ale skąd znają mój adres... adres... adres? – powtarzał jak mantrę. – Są tylko dwie możliwości. Albo mają u nas kreta, albo namierzyli mnie sami! Oba warianty wchodzą w grę. I oba... Kurwa! – zaklął głośno. – Mogą znać lokalizację Wydziału „Q"! Czy to mi chciałeś powiedzieć, Misza? Że jesteś lepszy? Tak?! – Konrad był wyraźnie zaniepokojony. – Wystarczy, że pracuje dla nich jakiś strażnik w Agencji, wystarczy, że przypadkowo zobaczył mnie na mieście jakiś ich oficer. Wszystko możliwe! Mogą wiedzieć, gdzie jest Wydział, ale co z tego? Do tego budynku wchodzi tysiące osób. Chyba jednak tajemnica kryje się gdzie indziej...

Wciąż siedział na balkonie. Było już po pierwszej i poczuł w końcu chłód nocy.

Dlaczego zaangażowali takie siły i środki, by przekazać mi ten list? I niewiele brakowało, by wpadli... Musieli przecież się z tym liczyć. To mogło ich drogo kosztować, a to nie są głupcy... szczególnie Misza!

Konrad wrócił do mieszkania i podszedł do biurka, na którym wciąż leżała koperta. Usiadł i nagle dotarł do niego czytelny komunikat.

No tak! Sprawa chyba jest jasna! Misza! Misza!

Konrad był podniecony i czuł niepotrzebną w tej chwili satysfakcję.

Popełniłeś błąd, Misza! Duży błąd. Zawiodła cię cierpliwość! Tak bardzo chcesz wygrać? Pragniesz się odegrać za Kijów? Piszesz: „Do zobaczenia w Brześciu", tak? Chcesz mi powiedzieć, że wiesz, co planuję, tak? Ale w ten sposób wysypałeś się, że nie wiesz, gdzie jest ukryte archiwum, albo nie jesteś tego pewny. Boisz się, że chcę zrobić numer i wpuścić cię w maliny? Masz rację... tak właśnie chcę zrobić. Jeżeli myślisz, że wyprowadzisz mnie z równowagi i że to ja zrobię pierwszy błąd, to się mylisz!

Konrad uśmiechnął się do siebie i poczuł ból w policzku.

Tak! Zrobiłeś na mnie wrażenie tym listem! Ale pokazałeś też, jaki jesteś zdeterminowany! Masz jakieś problemy w pracy? Musisz to robić? Musisz pokazać się szefom? Przyjacielu! Ja już wiem od Anglików, że coś planujesz! Ja znam twojego agenta... tego Ruperta! A plan twierdzy brzeskiej, który trzymasz w rękach, to mój produkt. Tego właśnie boisz się najbardziej, czyż nie? Nie jesteś pewien tego Ruperta. Słusznie, bo to chuj! Dlatego uruchomisz wszystkie swoje siły na Białorusi, by wywiązać się z tego zadania i... wygrać. Tak? Ale nie możesz wystrzelić przedwcześnie, bo nie ufasz Białorusinom i boisz się, że pierwsi zdejmą archiwum. A to byłby wstyd w Jaseniewie, co?! Trzeba byłoby szukać nowej pracy gdzieś na mieście. Do końca życia by cię to gryzło. Dla prawdziwego oficera to nie porażka... to śmierć! A co dopiero dla Rosjanina! Dlatego będziesz czekał, aż przyjadę z moimi ludźmi wykopać to archiwum. Będziesz chciał mnie zdjąć razem z nim, ale wspaniałomyślnie nas puścisz, a archiwum zabierzesz. Tak planujesz? Na pewno! Źle zrobiłeś, wysyłając ten list. Zbyt dużo wiem, bym z jego powodu musiał zmieniać swoje plany. Wiem więcej niż ty.

Powiem ci, Misza, coś jeszcze! Potwierdziłeś, że mój plan jest dobry! Rób tak dalej! Nie należy zatrzymywać wroga, kiedy popełnia błędy, jak powiedział kiedyś Napoleon. Rób tak dalej, Miszo Popowski!

Sara wstała w doskonałym nastroju, wypoczęta i zadowolona. Leżała jeszcze przez chwilę i starała się odtworzyć sen. Śnił jej się Olek, ale z każdą sekundą to miłe wrażenie rozpływało się jak dym z papierosa i nie mogła sobie przypomnieć, o co chodziło.

Za oknem było szaro, padał deszcz. Lubiła taką pogodę, dobrze się czuła w czasie niżu, chociaż nigdy wcześniej nie przypuszczała, że jest meteopatą. Żałowała trochę, że musi iść do pracy. W taki dzień najbardziej lubiła siedzieć w domu, zrobić coś wokół siebie, poczytać książkę.

Mimo to musiała jechać do biura i jak najszybciej przekazać Konradowi, co ustaliła z „Travisem" w Mińsku. Pomysł „Travisa" i Krupy był wyśmienity. Nie miała wątpliwości, że dobrze zrobiła, zlecając im wykonanie tego, co zaplanowali, bez czekania na decyzję Konrada. Była więcej niż pewna, że on ten plan zaakceptuje, a czas naglił.

Zaczęła wykonywać poranne czynności zgodnie z ustalonym rytmem, aż do zamknięcia drzwi i postawienia sobie pytania: „Czy na pewno wszystko wyłączyłam?". Schodząc po schodach, poczuła chwilowe rozczarowanie na myśl, że jej skrzynka e-mailowa wciąż była pusta.

Wysiadła na stacji Centrum, skąd miała już parę minut do firmy. Lubiła jeździć metrem o tej porze roku, kiedy nawet rano były miejsca siedzące i mogła sobie cokolwiek poczytać. Zastanawiała się, co przydarzyło się wczoraj Konradowi, że był taki nieswój. Trochę ją to niepokoiło, bo przygotowania do akcji w Brześciu były już na ukończeniu. A tu jakiś drobiazg mógł wszystko zepsuć.

Zaraz się okaże, dlaczego tak szybko zakończył rozmowę... – skonstatowała i przyspieszyła kroku. Zaraz, zaraz... a może była u niego jakaś kobieta? – przeleciało jej przez myśl i ruszyła jeszcze szybciej.

Weszła do swojego pokoju. Konrad już był, widziała go przez szybę, jednak nie zwracał na nią uwagi. Zaniepokoiła się. Wyraźnie zaaferowany, tłumaczył coś M-Irkowi, dziwnie gestykulując. Po chwili M-Irek wyszli z wyraźnie większym pośpiechem niż zwykle. Dopiero teraz Konrad spojrzał w jej kierunku i dał jej ręką znak, żeby przyszła.

Od razu zauważyła intensywnie zaczerwieniony policzek i wylew w oku.

– Kto ci przyłożył? – zapytała na powitanie i obejrzała jego twarz.

Zrozumiała, że z jego wczorajszymi przejściami nie miała nic wspólnego żadna kobieta, i odczuła dziwną ulgę.

– Będzie ładny monokl. Jak pojedziesz na robotę?

– Cześć, Saro! Mogłabyś milej zacząć ten dzień – powiedział Konrad z pustym uśmiechem.

– Gdybym cię nie znała, pomyślałabym, że wczoraj naruszałeś swój centralny układ nerwowy...

– Daj spokój! Nic nie piłem! Miałem spotkanie ze Szwedami w sprawie Jorgensena, a jak wiesz, to abstynenci... – skłamał częściowo.

– Wiem! Wiem! – przerwała mu z niedowierzaniem. – Kto zaczyna pierwszy? Przygody w Mińsku czy historia twojego oka?

Konrad opowiedział szczegółowo o wydarzeniach poprzedniego wieczoru i swoich podejrzeniach.

Sara wyglądała na więcej niż zaskoczoną. Swój stan emocjonalny okazała jak zwykle w takich sytuacjach, gasząc nadpalonego papierosa.

Podobnie jak Konrad nie mogła uwierzyć, że Rosjanie zdecydowali się na taki ruch. Ewidentne złamanie zasad. Jednak wnioski, jakie z tego zdarzenia wyciągnął Konrad, zaskoczyły ją jeszcze bardziej. Pozornie prosta analiza faktów, w zestawieniu z poszlakami i przeczuciem, dała wyjątkowo przekonujące efekty. Trudno było nie zgodzić się z jego opisem i oceną tego, co zaszło. Na koniec swojego długiego wywodu Konrad, mimo groteskowo podbitego oka, tryskał już zaraźliwą radością i optymizmem.

– Wysłałem M-Irka ze sprzętem, żeby sprawdzili mieszkanie. Czy Rosjanie mi tam czegoś nie zainstalowali. Jakiejś niespodzianki. Później pojadą z tym listem do znajomych z ABW i zbadają odciski palców i ślinę. Zobaczymy, może coś wyjdzie w bazie danych. – Konrad zakończył relację.

– Wątpię, by coś znaleźli. Ruscy nie są tacy głupi... ale sprawdzić trzeba – skomentowała sceptycznie Sara. – Teraz siadaj, rozluźnij się i słuchaj uważnie, bo nie będę powtarzać dwa razy. – Jej dobry nastrój wskazywał, że efekty podróży do Mińska są więcej niż zadowalające. – Później ci opowiem o zabawnym zdarzeniu, jakie nam się przytrafiło, tylko mi przypomnij, dobrze?... Tak... „Travis" jest niesamowity, niezwykły...

– Twoja szkoła, czyż nie? – wtrącił z uznaniem.

– Kiedyś mogłam tak pomyśleć, ale nie dzisiaj. Wykształcił u siebie cechy, których nie miał, albo... nie znałam go na tyle dobrze.

– To normalne w sytuacji, w jakiej się znajduje. Tak działa mechanizm obronny, kiedy człowiek musi się ukrywać, kamuflować. Wyostrzają się zmysły i podnosi próg odporności. W walce z trudnościami człowiek poznaje sam siebie...

– Nie nudź! Ja to wszystko wiem. Konrad, to nie to... Jak by to powiedzieć...? Jest taki inny, z jednej strony zorganizowany, inteligentny, pewny siebie... Powiedziałabym nawet, że czytelny i przewidywalny. Ale... ale... z drugiej strony trochę się go boję... Może nie do końca właśnie tak, ale nie potrafię tego odczucia określić teraz inaczej...

– Czy coś się stało w Mińsku? – zareagował podejrzliwie Konrad.

– Nie, nic! Absolutnie nic! Wprost przeciwnie! Plan działań zaproponowany przez „Travisa" jest już w toku. Mówiłam tylko o moich odczuciach. To nie ma wpływu na sprawę... Może jestem przewrażliwiona... Taka kobieca intuicja. – Uśmiechnęła się z lekkim zawstydzeniem, że nie potrafiła konkretniej uzasadnić źródła własnych wrażeń i odwołała się do swojej płci. – Dajmy na razie spokój... Jeszcze się nad tym zastanowię...

– W porządku! Wrócimy do tego... Zresztą „Travis" już niedługo zjawi się w Polsce. Wtedy sobie z nim porozmawiamy. Będzie się musiał przyzwyczaić do nowej rzeczywistości i swojej nowej roli w życiu. Tej prawdziwej. Po tylu latach to może nie być łatwe. Niektóre cechy charakteru nielegała utrwalają się bardzo mocno. Czasami pozostają do końca, bo łatwiej z nimi żyć. Przynajmniej oni tak sądzą... ale... to nie jest prawda. Nie potrafią się zaadaptować w nowym środowisku, znaleźć przyjaźni, założyć rodziny. Trzeba będzie pomóc „Travisowi" wyjść z tego...

– ...i znaleźć psychologa.

– To też. Ale najważniejsza rola przypadnie nam, bo to my będziemy teraz jego rodziną. Mam nadzieję, że te lata w Mińsku nie zdewastowały za bardzo jego psychiki.

– Nie jestem specjalistką, ale nie zauważyłam u niego żadnych psychicznych deformacji. Niewątpliwie ma jakieś takie stany euforyczno-depresyjne, ale potrafi się opanować, realnie ocenia fakty… to nie jest żadna nerwica natręctw czy coś takiego.

– To dobrze, to mniej więcej normalne. Ważne, żeby chciał z nami współpracować i pozwolił sobie pomóc. Jeżeli w ogóle będzie taka potrzeba. – Konrad wyraźnie miał już ochotę zamknąć ten wątek i przejść do ustaleń, które Sara poczyniła w Mińsku.

Nie spodobał jej się sposób, w jaki zmienił temat. Uznała go za zbyt lekceważący. Rozmowa na temat „Travisa" pobudziła ją, bo czuła się za niego odpowiedzialna. Przez chwilę znów pomyślała, że może jest przewrażliwiona i nie dociera do niej racjonalny język Konrada. Jednak jego ponaglające spojrzenie spowodowało, że obiecała sobie zastanowić się nad tym później.

– To, co zaplanował i zaproponował „Travis" przy pomocy kapitana Krupy z mińskiego KGB, to prawdziwy „boski motek"… najwyższa sztuka i finezja w swojej cudownej szpiegowskiej prostocie – zaczęła Sara, wyraźnie przekonana do tego, co mówi.

Marcin zadzwonił do Zenona Ruperta poprzedniego dnia i podając się za doktoranta z Uniwersytetu Jagiellońskiego, umówił się z nim na krótkie spotkanie w Giovanni Cafe na drugim poziomie centrum handlowego Złote Tarasy.

Rupert sam wybrał to miejsce i godzinę, dziesiątą piętnaście, czyli w chwilę po otwarciu centrum. Marcin przypuszczał, że pewnie potem będzie chciał pochodzić po sklepach, bo, jak ustalił, jego przełożony, prezes Małecki, wyjechał na seminarium do Berlina i Rupert został w IPN sam, bez nadzoru.

Teraz Marcin czekał na niego w kawiarni, w starannie wybranym miejscu, przy stoliku, który najlepiej nadawał się do tego, co zamierzał zrobić. Do spotkania z Rupertem przygotowywał się przez cały wieczór, głównie surfując w Internecie. Przygotował sobie zestaw pytań dotyczący działalności Departamentu Pierwszego MSW, czyli wywiadu cywilnego PRL.

Rupert prowadził swoją stronę internetową i blog. Przedstawiał się jako specjalista od historii wywiadu PRL. Marcin niewiele wiedział o tamtych czasach, ale znał Konrada i to mu wystarczało.

Natomiast Rupert miał stały dostęp do archiwów IPN i widać było, że dużo wie. Z jego tekstów przebijała jednak arogancja, autoreklama i przesadna pewność siebie. Najbardziej drażniło Marcina jego wymądrzanie się o sprawach nie stricte historycznych, lecz czysto operacyjnych. Było to trochę dziwne. Tak jakby interesowało go to znacznie bardziej niż wymiar naukowy.

Można było przyjąć, że takie zachowanie Ruperta może mieć coś wspólnego z jego pracą dla Rosjan. Marcin oceniał to jedynie w warstwie emocjonalnej, nieokreślonej. Pamiętał ze szkolenia w Kiejkutach, jak Konrad i inni wykładowcy mówili, że człowiek często decyduje się na współpracę z obcym wywiadem tylko dlatego, iż chce udowodnić sobie, otoczeniu, światu, że będzie najlepszym agentem wszech czasów, którego nikt nigdy nie złapie. Jakiego dotąd nie było. Tacy ludzie w swej arogancji nie dostrzegają, że są agenci, o których świat nigdy się nie dowiedział i nie dowie. Rupertowi mogłoby się też udać, ale teraz zajął się nim Marcin.

Zobaczył łysiejącego trzydziestolatka o korpulentnej sylwetce, z szerokim uśmiechem zmierzającego dziarsko w jego kierunku.

W kawiarni było już kilka osób.

Na swojej stronie internetowej wyglądał na przystojniejszego... Lubi ładnie wyglądać, bladź! O w mordę, na kilometr widać zakompleksionego wała! Już my ci tutaj przygotujemy zabawę! – pomyślał Marcin, który jak tylko zobaczył Ruperta, wydał na niego wyrok.

Dał znak Lutkowi i Ewie, którzy siedzieli przy sąsiednim stoliku, że zbliża się obiekt.

Rupert, idąc w kierunku Marcina, już w odległości kilkunastu kroków wyciągnął rękę do powitania, prosto jak semafor. Wydawało się to dziwne, a po chwili wręcz śmieszne. Marcin ujął wilgotną i pulchną dłoń, luźną jak u kobiety, i po męsku, z przyjemnością i równie szerokim uśmiechem, ścisnął ją tak mocno, jak potrafił. Dostrzegł, że uśmiech Ruperta jakby na chwilę zamarzł. Po prostu nie mógł sobie odmówić tej przyjemności. To było silniejsze od niego.

– Bardzo dziękuję, że zgodził się pan ze mną spotkać i poświęcić mi swój czas... – zaczął Marcin niezwykle uprzejmie, bo wystraszył się nieco negatywnego efektu uścisku imadła.

– Nie ma sprawy. Zawsze chętnie pomagam młodym naukowcom i pasjonatom tematu. – Marcinowi ulżyło. – Ale zanim zaczniemy, chciałbym wiedzieć, z kim rozmawiam. Proszę się nie gniewać, ale sam pan rozumie, temat jest delikatny – powiedział Rupert, a Marcin pomyślał, że to zemsta za zmiażdżenie dłoni.

– Oczywiście, rozumiem, panie doktorze.

Szybko wyjął swój legalizacyjny dowód osobisty. Rupert wziął go do ręki i przez chwilę studiował z miną znawcy dowodów osobistych.

– Jesteśmy rówieśnikami – rzucił ze zdziwieniem i zaraz zapytał: – Na jakim etapie jest pańska praca? Kto jest pana promotorem?

Podeszła kelnerka. Marcin zamówił zwykłą kawę z mlekiem, a Rupert latte i ciastko.

– Właśnie otworzyłem przewód. Na dobrą sprawę dopiero badam temat. Dlatego prosiłem pana o spotkanie, bo od tej rozmowy uzależniam kierunek swojej dalszej pracy. Jest pan najlepszym specjalistą w tej problematyce. Naprawdę zna się pan na historii wywiadu PRL. Teraz coś panu powiem... – Marcin teatralnie zwiesił głos. – „Trog" to ja! – Podniósł wysoko brwi z wyjątkowo głupawym uśmiechem. – To ja! Uczestniczę w czatach z panem od dawna...

– No, no... to mnie pan zaskoczył, panie Zbyszku! Jest pan jednym z moich najlepszych dyskutantów... – Rupert złapał przynętę i wciąż trzymał dowód osobisty Marcina.

– Staram się, ale to pan rozdaje karty. Trudno panu dorównać...

– Niech pan nie przesadza, panie Zbyszku – przerwał Rupert z widocznym zadowoleniem. – Mieszka pan na Gołębiej? Gdzie to jest? – zapytał.

Marcin od razu zrozumiał, że go sprawdza.

– To na Targówku. Mieszkam z rodzicami – odpowiedział pewnie, bo lewe papiery miał dobrze zabezpieczone.

– To dlaczego pan studiuje w Krakowie, a nie w Warszawie? Mógłby pan przecież robić doktorat tutaj. Mogę panu pomóc...

– Bardzo dziękuję, ale jestem już po słowie z profesorem Witeckim. A oprócz tego... albo przede wszystkim... moja dziewczyna studiuje w Krakowie.

– Dobrze pan trafił – wtrącił Rupert. – Znam publikacje profesora... Ciekawe, ciekawe, chociaż nie zgadzam się z nim w wielu podstawowych kwestiach...

Marcin zrobił poważną minę i bardzo starał się ją zachować, chociaż chciało mu się śmiać.

– Przede wszystkim – ciągnął Rupert – w kwestii autonomii polskiego wywiadu cywilnego po pięćdziesiątym szóstym roku. Moim zdaniem całe polskie służby specjalne aż do tysiąc dziewięćset dziewięćdziesiątego roku były ściśle związane ze Związkiem Sowieckim, KGB i GRU. Profesor zaś twierdzi, że Rosjanie nie ufali Polakom, w tym także polskiemu wywiadowi cywilnemu. Uważa, że Warszawa odwzajemniała to uczucie i w odróżnieniu od innych krajów komunistycznych swoich oficerów szkoliła u siebie, w Polsce. Ale zagalopowałem się...

– Nie, skąd! Dokładnie o tych sprawach chciałem porozmawiać. Mam nawet przygotowany zestaw pytań. Ja się z panem w pełni zgadzam i uważam, że profesor Witecki jest zbyt pobłażliwy w swojej ocenie komunistów. – Marcin starał się wypaść wiarygodnie, choć przeczytał tylko jeden artykuł profesora.

Rupert zdjął marynarkę i powiesił ją na swoim krześle. Marcin liczył na to, że tak właśnie zrobi, i dlatego wybrał stolik z dwoma krzesłami, choć miał przygotowaną też inną wersję, na wypadek gdyby do tego nie doszło.

Lutek, który siedział przy stoliku obok, tuż za plecami Ruperta, zauważył ten ruch. Marcin patrzył na Ruperta, ale widział również Lutka. Dał mu znak. Ewa, która kontrolowała otoczenie, potwierdziła, że wszystko gra. Wtedy Lutek pochylił się, jakby chciał coś podnieść z podłogi, i szybkim, sprawnym ruchem przyczepił do marynarki Ruperta mikroskopijny nadajnik GPS, po czym zasygnalizował, że jest on na swoim miejscu.

Marcin już wiedział, że od tej chwili powinien przyspieszyć spotkanie.

– Prowadzę intensywne badania i udowodnię, że Witecki jest w błędzie...

– Czy znalazł pan już jakieś przykłady współpracy operacyjnej Departamentu Pierwszego i Pierwszego Zarządu Głównego KGB? – zapytał Marcin, rzeczywiście zainteresowany.

– Jeszcze nie, ale pracuję nad tym. Komuniści zniszczyli wiele dokumentów, ale prędzej czy później coś znajdę... No, jest przecież Zacharski... – Rupert mówił pewnym głosem.

– Zanim zacznę swoje pytania... – Marcin wyciągnął notatnik – chciałem się jeszcze dowiedzieć, czy IPN planuje opublikować jakieś materiały dotyczące prowadzonych przez Departament Pierwszy i Drugi rozpracowań obywateli polskich pracujących dla zachodnich wywiadów, na przykład w latach osiemdziesiątych, w ówczesnej opozycji demokratycznej?

Rupert wytrzeszczył oczy.

– O czym pan mówi?! No tak... – zawahał się przez chwilę. – Z tego, co wiem, to nie ma takich planów. Zresztą materiały te są niewiarygodne, niekompletne... Sam pan rozumie. Trudno na nich polegać... Poza tym to były najczęściej podejrzenia. Nie wiemy, czy komuniści nie zostawili nam też jakichś niewybuchów... Rozumie pan, panie Zbyszku... Zresztą... – Rupert się nadął. – To nie jest przedmiotem zainteresowań IPN.

– Tak myślałem. Mnie jednak ciekawią inne sprawy...

Marcin chciał już przejść do zadawania pytań, gdy uzmysłowił sobie z całą siłą, że Rupert jako rosyjski agent musiał przekazywać informacje cudownie przydatne do werbowania osób z aktualnych elit władzy.

Sam chciałbym mieć takiego agenta – pomyślał z zazdrością. Ale to ja... między innymi... zakończę twoją działalność i otworzę ci twój nowy przewód! To też duża sprawa! Sukces!

Najbardziej jednak miał ochotę strzelić go otwartą dłonią w pysk i zobaczyć, jak czerwienieje.

Za plecami rozpartego na krześle Ruperta zobaczył Ewę i Lutka wstających od stolika. To oznaczało, że Lutek sprawdził już działanie chipu GPS. Marcin przystąpił do zadawania pytań.

– Wyśmienicie! Wyśmienicie!

Konrad powtarzał to słowo, bo nie mógł znaleźć żadnego mocniejszego, które lepiej określiłoby to, co usłyszał od Sary. Plan działania zaproponowany przez „Travisa" był rzeczywiście doskonały i w pełni wkomponowywał się w ich zamierzenia, a może nawet szedł odważnie jeszcze dalej. Jeżeli wszystko da się zrealizować, efekt powinien być dobry.

Bardzo dobry! Konrad nie mógł stłumić w sobie przekonania, że po raz drugi uda mu się uprzedzić Popowskiego.

– Niepotrzebnie wysyłał ten list! Niepotrzebnie mnie uderzył! – powiedział do siebie, gdy został sam, bo wzbierała w nim determinacja i coraz większa pewność, że zwycięży.

Dochodziła szesnasta trzydzieści. Sara poszła do swojego pokoju przejrzeć ostatnie dokumenty i szyfrogramy. Po całym dniu rozmów postanowili trochę się zrelaksować i odpocząć od siebie. Teraz czekali na powrót Marcina, Lutka, Ewy i M-Irka. Konrad wiedział, że skoro nie dzwonią, to znaczy, że wszystko idzie dobrze.

Sara nie mogła się jednak skupić, więc wróciła do Konrada i oboje zasiedli w fotelach przed telewizorem. Oglądali wiadomości. W mediach trwała już kampania prezydencka, chociaż do wyborów zostało jeszcze kilka miesięcy.

Na ekranie pojawiła się Justyna. Stojąc z mikrofonem przed pałacem prezydenckim, z teatralnym zaangażowaniem komentowała jakąś wypowiedź Zielińskiego.

– O czym ona mówi? Wiesz? – zapytał Konrad.

– Skąd! Od dawna nie oglądałam telewizji – odpowiedziała zgodnie z prawdą Sara. – Justyna dobrze wygląda – dodała po chwili.

– Myślisz?

– Zadbana, atrakcyjna kobieta. Może stacja też w nią inwestuje, ale tak czy inaczej...

– Ma swój styl, to prawda, chociaż teraz, z tą fryzurą, wygląda, jakby w nią piorun strzelił...

– Nie żałujesz? Czasem myślę, że zrobiłeś błąd, ale nie chcę... wiesz...

– Możliwe... tyle że dziś to już nie ma znaczenia.

W telewizji tymczasem rozpoczął się wywiad z prezydentem Wałęsą, który w bardzo emocjonalny sposób wypowiadał się o Instytucie Pamięci Narodowej.

– Może trochę pomożemy Wałęsie? – rzucił Konrad i pomyślał o Rupercie.

– Chyba powinniśmy! To jednak nasz symbol. Chociaż czasami mam go dość... Moi rodzice byli działaczami podziemnej Solidarności, a ja jako dziecko byłam wykorzystywana do przenoszenia podziemnej poczty. Opowiadałam ci o tym?

– Chyba tak... Mieszkaliście wtedy we Wrocławiu, tak?

– Tak. Ojciec miał swoje zdjęcie z Wałęsą i nadal jest jego wiernym zwolennikiem. Tak też byłam wychowywana... Ale teraz coś mi się odmieniło. Wiesz, mam takie wrażenie, że Wałęsa wszedł na piedestał...

– Bo tam jest jego miejsce... – wciął się Konrad.

– Ale nie chce stać jak dumny pomnik, tylko macha rękami jak wiatrak. Nie wiem, czy to mnie śmieszy, czy martwi, ale nie wygląda to dobrze...

Na ekranie telewizora pojawiła się profesor Jadwiga Poczobut i rozpoczęła swoje parapsychopolityczne dywagacje. Konrad i Sara jednocześnie chwycili za pilota.

Otworzyły się drzwi i do pokoju weszli M-Irek. Konrad już po wyrazie ich twarzy zauważył, że coś jest nie tak.

– No i co?

– No i bingo! – odpowiedział Mirek.

Konrad poczuł, że ugięły się pod nim kolana. Sara opadła na fotel. Zaległa cisza.

– Jak to? Jak to możliwe?! – Złapał się za głowę. – Nie mogę uwierzyć, żeby Rosjanie się na to zdobyli... A gdzie mają punkt odbioru...? Kurwa!

– Gdzie był podsłuch? Mówcie, do cholery! – włączyła się Sara.

– Proszę bardzo, tylko to nie jest tak, jak myślicie... – odparł z kamienną twarzą Irek.

– Pokaż tę pluskwę! – niemal krzyknął Konrad.

– Nie przyniosłem jej. Więcej, nie wymontowałem. Zostawiłem tam, gdzie była.

– Odbiło ci?! Myślisz, że co... będę ich dezinformował? Udawał, że nic nie znalazłem...? Ja pier... Przecież po tym zajściu przed domem i liście musieli zakładać, że sprawdzę... – Konrad był wściekły i gubił się w tym, co mówił, ale M-Irek znosili to ze stoickim spokojem. – Co jest grane? Dowiem się w końcu?

– Tak. Otóż pluskwa jest w twojej lampie, która stoi koło sofy w dużym pokoju, tylko że to... – flegmatycznie ciągnął Mirek.

– Bardzo dobra i nowoczesna, z zasilaniem indukcyjnym... – dodał Irek.

– Panowie...

– Jasne! Rzecz w tym, że to nie jest ruska pluskwa.

Sara podniosła się z fotela, a Konrad usiadł. Ich twarze wyrażały wyłącznie zdziwienie, nic więcej.

– To nie jest ruska pluskwa... – kontynuował, celebrując słowa, Irek.

– Tylko jaka, ku..., chińska?! – nie wytrzymała Sara.

– To jest nasza pluskwa. – Mirek uśmiechnął się złośliwie.

– Jak to nasza?! Jaka nasza? Twoja? Co ty bredzisz? – pytał wciąż podniecony Konrad.

– Nie nasza, nie z naszego Wydziału. To są pluskwy, które zrobił Wydział Techniki na zlecenie Wydziału Bezpieczeństwa Wewnętrznego. Jakieś półtora roku temu nie mogli sobie poradzić z transponderem do wysokich częstotliwości i pomagaliśmy im rozwiązać ten problem. Sam kazałeś nam to zrobić...

– Tak, pamiętam...

– To własność Agencji Wywiadu, więc nie mogliśmy jej zdemontować, bo to nielegalne – tłumaczył Irek.

Konrad, zamyślony, zagłębił się w fotelu. Wszyscy zamilkli, czekając na jego słowa jak na wyrocznię.

– Dobrze zrobiliście... – odezwał się po chwili, ważąc każde słowo. – Dobrze, bardzo dobrze! Więcej! Świetnie! – Spojrzał na Sarę, która wciąż nie mogła opanować zaskoczenia, ale chyba zaczynała już rozumieć, o co chodzi.

– Wiemy, szefie, wiemy! – zgodnie odpowiedzieli M-Irek. – Będziemy czekać na dalsze rozkazy.

– Dobra robota, panowie. Dziękuję! Porozmawiamy później.

M-Irek wyszli z wyraźnie zadowolonymi minami.

Gdy tylko zamknęły się za nimi drzwi, Sara zniecierpliwiona oznajmiła:

– Już do mnie dociera, co jest grane. To wubewu! Skurwysyny! Wyjaśnij mi to wszystko…

– Co tu wyjaśniać?! Sprawa jest prosta. Zainstalowali mi podsłuch. Pytanie: po co? Ale to pytanie teoretyczno-retoryczne… W zasadzie nie obchodzi mnie po co…

– Konrad! – Sara niemal krzyknęła. – Żeby zrobić coś takiego, musieli przecież założyć na ciebie formalne rozpracowanie. Na podsłuch musi być zgoda prokuratora. – Zastanowiła się chwilę i pstryknęła zapalniczką, choć nie miała w ustach papierosa. – Czyli co? Jesteś o coś podejrzany? Nic z tego nie rozumiem! – Była mocno zdenerwowana.

– Robią to bez zgody prokuratora. Czysta improwizacja. Gówno mnie to obchodzi, bo ja wiem, że jestem czysty. Szukają na mnie czegokolwiek. Może się okaże, że jestem ruskim szpiegiem, niezłomnym wojownikiem Marksa, Engelsa i Mao, a może pedofilem… Wszystko dobre! To jest taka filozofia Partii Brzydkich: najpierw coś znajdziemy, a potem zrobimy z tego jakiś pożytek. To proste. Chcą się mnie pozbyć za wszelką cenę. Mogliby to zrobić po oficersku, z honorem i kulturalnie, ale czego oczekiwać od generała, co zamiast w oficerkach chodzi w sandałach. Sorry, zagalopowałem się… Trochę mnie to wkurwiło…

– To zrozumiałe! Ale dlaczego kazałeś zostawić tę pluskwę?

– M-Irek to zrozumieli, a ty nie?!

– No, domyślam się, że…

– Teraz sobie posłuchają różnych rzeczy, a jak zakończymy sprawę w Brześciu, wezmę tę pluskwę i zaniosę panu generałowi, żeby ją sobie wsadził w... – Konrad zamyślił się na chwilę i z odrobiną goryczy w głosie dodał: – Nie mogę uwierzyć, że założyli na mnie sprawę... To jest nielegalny podsłuch! Będą musieli za to kiedyś odpowiedzieć!... Dobrze... okay! Nie będę się teraz tym denerwował...

– Jak się będziesz czuł po powrocie do domu? Ja bym nie mogła tak żyć, mieszkać...

– Wytrzymam tych parę dni. Wiesz, Saro, że ja czwartego czerwca osiemdziesiątego dziewiątego roku głosowałem na Solidarność. Wyobrażasz to sobie?! Paradoks czy paranoja? Czasem, jak na nich patrzę, to sobie myślę... mam taką durną teorię... że ja służę tym wszystkim, którzy nie chodzą na wybory, bo ci, co chodzą, sami wybierają swoich obrońców, takich jak „Ciężki", „Generał" i to całe towarzystwo. No, ktoś musi dbać o bezpieczeństwo pozostałych, tych, co nie głosują. – Konrad uśmiechnął się i widać było, że swoją teorię traktuje z humorem.

Sara też się odprężyła.

– Czekamy na Marcina i Lutka. Zadzwonisz do nich? – zapytała.

– Nie! Czekamy!

## 46

Marcin pożegnał się pospiesznie, czym wywołał zdziwienie na twarzy Ruperta. Zjechał windą do garażu i wsiadł do samochodu. Zanim uruchomił silnik, włożył słuchawkę do ucha i połączył się z Lutkiem.

– Wszystko gra! – powiedział Lutek, obserwując pulsujący zielony punkt, który poruszał się po ekranie miniaturowego komputera. – Myszka chodzi po labiryncie i jest dobrze widoczna. Możesz ruszać!

– Okay! Jadę! Będę czekał na ciebie na miejscu! – odparł Marcin.

– Ruszamy za tobą w ciągu paru minut.

Marcin przeciskał się służbowym volkswagenem touaregiem przez zatłoczone miasto do Anina, gdzie w nowym apartamentowcu miał mieszkanie Zenon Rupert.

Lubił tę robotę, a najbardziej to podniecenie, adrenalinę wypełniającą żyły, kiedy przeprowadzał tajne przeszukanie. Robił to już tylokrotnie, w kraju i za granicą, i zawsze czuł to samo, od pierwszego razu.

Zatrzymał samochód po drugiej stronie ulicy, około stu metrów od domu. Wejście na posesję było strzeżone.

Marcin pokazał ochroniarzowi policyjną blachę i został wpuszczony bez słowa. Od razu pomyślał, że to pewnie emerytowany policjant albo... milicjant. Postanowił, że gdy będzie wychodził, to porozmawia z nim i dowie się, czy dobrze zgadł.

Wszedł na klatkę schodową. Sprawdził na liście lokatorów, że Rupert mieszka na ostatnim piętrze, choć wiedział o tym doskonale.

– Jestem w domu. Wy gdzie? – zapytał cicho przez radio.

– Będziemy za dziesięć minut. Stoimy w korku – usłyszał w słuchawce.

– Ochroniarzowi nie pokazujcie blach policyjnych, bo się zaniepokoi. To prawdopodobnie były policjant. Powiedzcie, że idziecie do Maryli Korwackiej, mieszkania dwanaście. To pod Rupertem. Zrozumiałeś... Lutek?

– Wszystko gra!

– Czekam na was!

Marcin podszedł do drzwi Ruperta i przystawił do wizjera „oko i ucho proroka", przez które mógł zajrzeć do mieszkania. Małe urządzenie odbiorcze z ekranem mieściło mu się w dłoni. Na szczęście wizjer nie był zasłonięty od środka, a gdyby nawet, to był sposób, żeby przesunąć klapkę. Wejście do mieszkania znajdowało się szczęśliwie poza polem widzenia innych lokatorów.

Wewnątrz panował półmrok. Marcin dostrzegł przedpokój i w perspektywie otwarte drzwi do pokoju. Nie widać było żadnego ruchu. Nie dochodził też żaden dźwięk. Chociaż w środku mógł ktoś być i na przykład spać, jak to już raz mu się zdarzyło. Przeszukał wtedy pół mieszkania, zanim się zorientował, że w sypialni ktoś śpi.

Nacisnął dzwonek i uważnie obserwował ekran. Cisza. Powtórzył kilkakrotnie. Żadnego ruchu. Wybrał numer domowy Ruperta. Usłyszał w słuchawce dzwonek dochodzący z głębi mieszkania. Bez reakcji.

Na dole trzasnęły drzwi i natychmiast w słuchawce odezwał się Lutek.

– Idziemy na górę... To my.

– Okay.

Po chwili dołączył do Marcina. Ewa została z komputerem na półpiętrze, śledząc na planie miasta ruchy Ruperta.

Marcin bez słowa podniósł kciuk, co oznaczało, że wszystko jest w porządku. Lutek kiwnął głową i wyjął z torby wziernik, którego cienki koniec wprowadził do zamka, a drugi przyłożył do oka. Po chwili wyjął zestaw cienkich wytrychów. Z jednego zrobił klucz, wysunąwszy na jego grzbiecie małe metalowe bolce, i bez problemów otworzył nim zamek. Zajęło mu to minutę. Pozostał jeszcze jeden zamek. Lutek miał już powtórzyć czynności, gdy Marcin nacisnął klamkę i drzwi się uchyliły.

Weszli do środka. Marcin od razu zobaczył wykałaczkę leżącą przy drzwiach. Pokazał ją Lutkowi, który skinął głową na znak, że zrozumiał. Jasne było, że Rupert stosuje proste, prymitywne zabezpieczenia, by sprawdzić, czy ktoś wchodzi do jego domu. Nie było najmniejszej wątpliwości, że czegoś się obawia. Zapałka czy wykałaczka to dziecinny, naiwny sposób. Marcin wiedział, że w takich wypadkach jest raczej mało prawdopodobne, by w domu były inne, bardziej zaawansowane pułapki.

Lutek poszedł do kuchni.

Marcin odnalazł komputer i dokładnie go obejrzał. Najważniejsze było ustalić, czy jest podłączony do zasilania. Średnio zdolny człowiek może przygotować swój domowy komputer tak, by z ukrycia pilnował jego mieszkania. Rupert jednak nie znał chyba tego sposobu.

Nie nauczyli go czy co? Nie przeszedł szkolenia? – pomyślał ze zdziwieniem Marcin.

– Wyjechał z centrum. Jedzie samochodem do biura – usłyszeli w słuchawkach Ewę.

– Okay!

– Wszystko w porządku, żadnych mikrofonów – powiedział Lutek, chowając detektor.

Teraz mogli bezpiecznie poruszać się po mieszkaniu.

Lutek systematycznie posuwał się metr po metrze, wszystko dokładnie sprawdzając.

W małym pokoju pełnym książek, tam gdzie stał komputer, Marcin odnalazł biurko Ruperta.

Mieszkanie było urządzone kosztownie, ale bez jakiegokolwiek smaku. Wypełnione masą ustawionych bezładnie tandetnych drobiazgów, zwożonych z całego świata. Drażniło to artystyczną duszę Marcina.

Żadnego prawdziwego dzieła sztuki, choćby maleńkiego. Nic! No, może jedynie ten krzyż prawosławny – pomyślał, oglądając rzeczy zawieszone na ścianie. Tyle tych mosiężnych figurek marszałka Piłsudskiego! Facet ma jakąś obsesję. Popiersia, konno, w zamyśleniu, z profilu... Ten Rupert musi znać wszystkie sklepy z pamiątkami na Starym Mieście. To świr!

Odwrócił się i zobaczył na ścianie za drzwiami kiepską kopię portretu marszałka naturalnych rozmiarów.

Marcin otworzył szufladę biurka. Była pełna materiałów piśmiennych. Po lewej stronie leżało mnóstwo plastikowych długopisów. Marcin przejrzał je. Pochodziły z najróżniejszych hoteli.

To pewnie taki typ, co zabiera z hotelu buteleczki z szamponem, mydełka i jednorazową gąbkę do butów.

Im bardziej zagłębiał się w mieszkanie Ruperta, tym większą czuł niechęć do jego lokatora.

Żadnych zdjęć z dziewczyną... tylko on sam! To jakiś onanista! Piłsudski i tatuś. Tatuś z prezydentem, premierem...

Próbował otworzyć boczne drzwiczki biurka. Były solidnie zamknięte.

– Lutek! – zawołał niezbyt głośno.

– Zaraz, zaraz! Coś znalazłem w szafie między butami... – I po chwili Lutek rzucił podnieconym głosem: – O kurwa! Chodź tutaj!

Marcin podszedł i zobaczył Lutka siedzącego na ziemi z latarką w ustach i trzymającego w rękach drewniane pudełko po cygarach Cohiba.

– Idź otwórz biurko. Jest zamknięte. A ja obejrzę to. Zrobiłeś fotkę?

– Tak. – Lutek podniósł się sprawnie i poszedł do drugiego pokoju.

Marcin spojrzał na otwarte pudełko. Wewnątrz były cztery paczki dolarów, po dziesięć tysięcy każda, owinięte banderolą bez żadnych oznaczeń, oraz zapalniczka z latarką i GPS.

Wyjął notatnik i spisał numer seryjny pierwszego banknotu każdej paczki.

Obejrzał dokładnie zapalniczkę. Nie działała. Była niestandardowa. Bez jakichkolwiek napisów czy reklam. Natomiast wmontowana w nią latarka świeciła na parę metrów mocnym niebieskim światłem.

Odłożył zapalniczkę i wziął do ręki GPS, dobrze mu znany model Edge 605 firmy Garmin. Jeden z lepszych na rynku. Włączył urządzenie i sprawdził jego zawartość. GPS miał w pamięci zestaw bardzo dobrych i szczegółowych map Polski. Marcin sprawdził, że w pamięci zapisane zostały dwa tygodnie temu dane jednego punktu.

– Wyszedł i idzie do samochodu – zabrzmiał cichy głos Ewy w słuchawce.

Spojrzał na zegarek: dochodziła siedemnasta. Pomyślał, że przejazd przez Warszawę zajmie Rupertowi co najmniej godzinę.

– Daj znać, gdy zauważysz, że jedzie w kierunku domu – powiedział cicho do mikrofonu.

– Okay!

Marcin zapisał dane punktu z GPS: 53°09'07,39"N i 20°24'17,33"E.

– Otworzyłem! – wyszeptał Lutek wystarczająco głośno i po chwili jeszcze głośniej dodał: – Chodź! Zobacz!

Marcin spakował pudełko po cygarach. Wiedział, że to, co znalazł, jest mocno podejrzane.

Dane geograficzne sprawdzę w firmie, ale pozostałą zawartość pamięci GPS powinni przejrzeć M-Irek – pomyślał, podnosząc się z podłogi. Szczególnie trzeba przyjrzeć się tej latarce. Będę musiał ją zabrać.

Podszedł do Lutka, który przeglądał jakąś teczkę.

– Co to jest? – zapytał.

– Gość ma prywatny IPN w domu – odparł Lutek i dał Marcinowi teczkę w grubych tekturowych okładkach, na której widniał napis: „Departament I MSW, Teczka Personalna, Zbigniew Grudziński «Sarnecki»".

Marcin zajrzał do środka. Była to autentyczna teczka personalna oficera wywiadu PRL.

Otworzył szerzej drzwiczki biurka. Wewnątrz stał szereg podobnych tekturowych teczek oraz innych, nieco podobnych, lecz w kolorze jasnoniebieskim. Wszystkich mogło być nie więcej niż trzydzieści. Marcin wyjął kolejną: „Teczka Rozpracowania Operacyjnego krypt. «Orion»".

– To nieprawdopodobne! Rupert wyniósł z IPN archiwalne akta! To nielegalne! – powiedział cicho do Lutka, który przesunął dłonią po gardle, co u niego oznaczało, że winnego trzeba ukarać.

– Teraz tego wszystkiego nie przejrzymy. Musimy jak najszybciej powiadomić o tym Konrada i przyjść tutaj jeszcze raz... Skurwysyn!

Marcin pochylił się, by zajrzeć głębiej do szafki. Włączył latarkę. Po prawej stronie zobaczył znacznie cieńsze skoroszyty. Ostrożnie wyciągnął kilka. Były to kserokopie teczek personalnych.

– Lutek! Chodź tutaj! – zawołał, bo Lutek był już w przedpokoju. – Nieprawdopodobne...

Marcin zaczął głośno kląć, co w takim wymiarze zdarzało mu się sporadycznie. Przekładał w rękach teczki, z niedowierzaniem kręcąc głową.

Lutek podszedł i zaczął czytać na głos nazwiska legalizacyjne oficerów, zapisane w cudzysłowach. Były to akta personalne oficerów wywiadu sprzed 1990 roku, ale będących jeszcze w służbie. Naczelnika Wydziału Nasłuchu Elektronicznego AW, naczelnika Wydziału Politycznego i kilku innych. Między nimi znajdowała się kopia teczki personalnej Konrada „Wolskiego".

Usiedli osłupiali.

– Będzie za pół godziny – odezwała się Ewa w słuchawkach, ale odpowiedziała jej cisza. – Słyszycie? Jesteście tam? – zapytała i po chwili znów: – Słyszycie? Co się dzieje?

– Tak! Zaraz kończymy! – odpowiedział Lutek.

Ocknęli się jak z letargu i zaczęli porządkować wszystko, czego dotknęli. Pomagały im w tym zdjęcia, które robił Lutek.

Opuścili mieszkanie trochę pospiesznie, ale Lutek nie zapomniał o postawieniu wykałaczki przy drzwiach. Marcin był wyraźnie nieobecny. Rupert miał u siebie kopie teczek czynnych oficerów z kierownictwa Agencji! Marcin mógł się tylko domyślać w jakim celu i na pewno się nie mylił.

Wszyscy się zebrali w sali konferencyjnej. Wysłuchali w ciszy Marcina, który opowiedział dokładnie, co ujawnili z Lutkiem w mieszkaniu Ruperta.

Teraz czekali, co powie Konrad, który w milczeniu siedział na parapecie okiennym. Po chwili pierwszy odezwał się Irek.

– Pozycja geograficzna zapisana na GPS Ruperta to miejsce oddalone o jakieś dwa, trzy metry od parkingu samochodowego koło pomnika Obrońców Mławy przy trasie gdańskiej.

– Latarka, o której mówił Marcin – wtrącił Mirek – to prawdopodobnie latarka fluorescencyjna. Za pomocą GPS odnajduje się miejsce, a za pomocą latarki przedmiot, drzewo, kamień, butelkę... inaczej mówiąc, schowek. Pamięta szef? – zwrócił się do Konrada. – Podobnie robiliśmy w Petersburgu.

– Tak, pamiętam... – odpowiedział z opóźnieniem Konrad. – Kim jest Rupert... nie ma najmniejszej wątpliwości. Na dobrą sprawę moglibyśmy go zdjąć już teraz, ale nie wiemy, czy Popowski się nie zorientuje... wtedy mógłby zmienić plany – stwierdził niespodziewanie spokojnie.

– Co robimy? – zapytała Sara.

– Robimy swoje! – odpowiedział. – Realizację w Brześciu przewiduję na najbliższy poniedziałek, jedenastego...

– Super! – wtrącił Marcin. – Ale co z Rupertem?

– To jasne, że Rupert na pewno ma jakiś system powiadamiania o zagrożeniu. Nas teraz nie będzie w kraju. W związku z tym jutro zaproszę Grześka z kontry ABW i wszystko mu opowiem. Umówimy się tak, że zdejmie Ruperta dopiero na mój sygnał. Grzesiek to przyjaciel, mogę na nim polegać... Zrobi co trzeba!

– Na Białoruś wyjeżdżamy oddzielnie i w ustalonej kolejności – przejęła inicjatywę Sara. – Przypominam: pierwszy jedzie Lutek, potem ja, zaraz po mnie M-Irek, Marcin i na końcu Konrad.

– Dokumenty dla tego Krupy będę miał gotowe za dwa dni – zameldował Marcin.

– Dobrze! Mamy jeszcze dużo do zrobienia przed wyjazdem. Każdy wie, za co odpowiada? – zakończył trochę niespodziewanie Konrad.

Zaczęli się rozchodzić, lecz w sali konferencyjnej czuło się dziwną atmosferę rozczarowania. Oczekiwali, że Konrad powie coś więcej o tym, co znaleziono u Ruperta, oceni, przeklnie, wyładuje złość, zrobi cokolwiek, byle mocno!

Kiedy wszyscy wyszli, Sara zapytała Konrada wprost:

– Dlaczego nic nie powiedziałeś? Oni na to czekali!

– Bo nie mogłem... – zdołał tylko wykrztusić.

Wyglądał, jakby go rozpierały rozpacz i wściekłość jednocześnie. Teraz, gdy już zostali sami, przestał nad sobą panować. Nigdy dotąd nie widziała go w takim stanie.

# 47

Pokój wypełniało żywe poranne słońce. Jorgensen leżał jeszcze w łóżku. Uświadomił sobie, że wieczorem nie zaciągnął rolet. Za chwilę miał otworzyć oczy i spojrzeć na budzik. Zastanawiał się, czy zgadnie, która jest godzina. Postawił na dwadzieścia, może dwadzieścia pięć po piątej. Uniósł powieki. Była szósta trzydzieści jeden.

Usiadł na krawędzi łóżka, zdumiony, że po raz pierwszy w życiu zaspał. Nie był zły, tylko zdumiony. I to właśnie zaskoczyło go jeszcze bardziej. W tej samej chwili zdał sobie sprawę, że nie słyszał gazeciarza i nie czuje zapachu kawy.

Jego dobre samopoczucie poprawiło się jeszcze bardziej. Postanowił więc, że nie będzie też robił gimnastyki.

Włożył szlafrok i wyszedł na balkon. Rześkie powietrze i ostre słońce na niebie o barwie ultramaryny zapowiadało wspaniały dzień.

Dzień Pierwszy! Tak wczoraj określił ten dzień – dzień spotkania i rozmowy z Carlem. Nie miał już żadnych wątpliwości. Był zdecydowany i wiedział, co ma robić. Nie bał się też jego reakcji, ponieważ Carl był jego synem. Dobrze, że zdecydował się przenieść spotkanie do domu w Åkersberdze. Kiedy Sophie wyjedzie, zejdą do piwnicy i wszystko mu pokaże.

Włączył automat do kawy i poszedł do przedpokoju po gazety.

Podniósł z podłogi „Svenska Dagbladet" i miesięcznik „Millennium". Usiadł na ławie w kuchni i pomyślał, że zostało mu niewiele czasu, by się przygotować. Nie miał na myśli jedzenia. Z tym doskonale sobie radził. Musiał przygotować piwnicę, swoje „laboratorium". Tak wczoraj postanowił.

Wstał, nalał sobie kawy i wrócił na miejsce. Spojrzał na dostarczoną prasę, wyciągnął rękę i zawahał się. Jego uwagę przyciągnęła kolorowa okładka miesięcznika. Przyjrzał się bliżej. Była to kopia plakatu konkursu rock and rolla w Malmö z 1957 roku. Przypomniał sobie, że uczestniczył w tym turnieju z Ingrid, która była jedną z najlepszych tancerek na Uniwersytecie w Lund.

Odsunął „Dagbladet" na bok i otworzył „Millennium". Przekartkował pismo i znalazł artykuł. *Raggare czy otaku i meido, a może gotycka Lolita. Co było pierwsze? Próba porównania źródeł* – autor: Mikael Stenkvist.

Jorgensen dobrze wiedział, kim są w Szwecji raggare, ale nie miał pojęcia, co to takiego otaku i meido. Zainteresował się. Zawsze znajdował w „Millennium" coś ciekawego do przeczytania, chociaż pismo zaprenumerował jeszcze Carl, kiedy mieszkał na Kvarnvägen.

Odłożył miesięcznik z twardym postanowieniem, że przeczyta ten artykuł w pierwszej kolejności, ale później. Teraz miał ważniejsze sprawy na głowie.

Nie czuł głodu. Na czczo kawa z mlekiem smakowała mu wyśmienicie. Dolał sobie drugi kubek i włączył radio. Usiadł, wyjął kartkę papieru i zaczął spisywać, co powinien kupić do jedzenia. Minęła siódma i w radiu właśnie kończyły się wiadomości. Ciepły głos mężczyzny zachęcał do słuchania stacji Lungna Favoriter, potem zaczęły się denerwujące reklamy.

Jorgensen skończył listę zakupów. W radiu ten sam głos zapowiedział zespół Dire Straits w utworze *Why Worry*. Jorgensen nie znał się na muzyce, a szczególnie współczesnej. Bezbłędnie rozpoznawał tylko kapelę Vikingarna i Kikki Danielsson.

Stację Lungna Favoriter na 104,7 FM nastawił kiedyś Carl i tak zostało. Jorgensen słuchał teraz spokojnego głosu wokalisty nieznanego mu zupełnie zespołu i starał się nadążyć za tekstem. Przez chwilę zdał sobie sprawę, że gdzieś już to wcześniej słyszał. Zaintrygowały go pierwsze słowa, a refren odebrał jak dedykację dla siebie na dziś. Jak motto na najbliższe dni.

Czekał, aż refren powróci, i kiedy usłyszał go po raz drugi, mógł powtórzyć słowa razem z wokalistą, jakby sam był ich autorem. I zakończył na głos: *So why worry now...* Czuł, jak wzbierają w nim siły. Było dobrze!

Postanowił zatem, że aby nadać temu dniowi właściwą dynamikę, pójdzie na szybki spacer na pola rezerwatu Järvafältet. Kiedyś robił to regularnie, by utrzymać dobrą kondycję, a szczególnie sprężystość nóg, które w zawodzie szpiega są nie mniej ważne niż głowa. Na skutek porannego wysiłku fizycznego i dotlenienia wzrastało mu ciśnienie, a wszystkie zmysły pracowały przez cały dzień na najwyższych obrotach. Tym razem jednak po raz pierwszy miał to zrobić wyłącznie dla siebie. Dla własnego dobrego samopoczucia.

Wziął szybki prysznic i ogolił się. Spojrzał na termometr, który mimo wczesnej godziny wskazywał już osiemnaście stopni.

Włożył dżinsy, zapinaną koszulę w niebieską kratę z krótkim rękawem i wygodne buty sportowe Vagabond. Wciąż nie czuł głodu.

Wziął klucze z wieszaka w przedpokoju i po prostu wyszedł, nawet się nie oglądając. Jedynie zatrzasnął za sobą drzwi.

Wsiadł do samochodu i podjechał dwa kilometry do Säby Gård. W siedemnastowiecznym dworze była teraz stadnina koni i szkoła jeździecka. Tutaj na bezpłatnym parkingu zawsze zostawiał samochód i zaczynał marsz po szlakach, które wiły się przez pola i lasy między dwoma małymi jeziorami, Säbysjön i Översjön.

Kiedyś te tereny należały do armii szwedzkiej. Potem wykupiła je komuna Järfälla i od tego czasu służyły w celach rekreacyjnych mieszkańcom okolicznych osiedli – Barkarby, Jakobsbergu czy Kallhällu. Mimo że w okolicy Järvafältet powstało w ostatnim czasie wiele centrów handlowych, z największą w Szwecji Ikeą, nie wpłynęło to na szczęście znacząco na pobliską naturę.

Jorgensen chodził po tych trasach od lat i czuł się niemal ich właścicielem. Odkąd przeszedł na emeryturę, lubił chodzić rano, najlepiej w dni powszednie. Wtedy prawie w ogóle nie spotykał rowerzystów, którzy go trochę irytowali. Natomiast nigdy nie przeszkadzali mu kłusujący po trasach jeźdźcy z pobliskiej stadniny, chociaż konie pozostawiały po sobie liczne ślady.

Czasami widywał tu sarny, lisy, kilka razy natknął się na łosia. Prawie zawsze, i to od lat, spotykał też mężczyznę mniej więcej równego mu wiekiem, z niezwykłymi wąsami, zwisającymi jak sznurki na co najmniej dziesięć centymetrów i zaplecionymi na końcówkach. Nazwał go kiedyś Norwegiem, ale nie pamiętał już dlaczego. Może przez te wąsy. Jorgensen zaczynał trasę w lewo, a Norweg w prawo, więc zawsze się mijali, idąc w przeciwnym kierunku. Nigdy ze sobą nie rozmawiali, ale zawsze pozdrawiali się uśmiechem i uniesioną ręką.

Zrobiło się już bardzo ciepło. Po kilkudniowych opadach zapowiadał się upalny i wilgotny dzień. Jorgensen wysiadł z samochodu. Jak zwykle rozejrzał się wokół i wykonał kilka ćwiczeń rozciągających. W zasięgu wzroku nie było nikogo, jedynie konie na pobliskim wybiegu.

Zdecydował, że tym razem po raz pierwszy pójdzie w prawo, tak jak Norweg!

To będzie oznaczać – pomyślał – że tym razem na pewno go nie spotkam. Szkoda, może powinienem się z nim pożegnać... Nie! Muszę się zdecydować i zmienić wszystko, rozstać się ze wszystkim, z Norwegiem też! Pójdę w prawo!

Ruszył zdecydowanym krokiem, z uczuciem, że to, co teraz robi, ma bardzo ważne znaczenie.

Minął po prawej stronie oddalony o dwieście metrów niebieski budynek Ikei i skręcił w lewo, ścieżką lekko w dół. Na drodze było jeszcze sporo kałuż, więc musiał włożyć trochę wysiłku, by je ominąć.

Na odcinku około trzystu metrów ścieżka biegła przez podmokły teren, jednak sama była już sucha. Po obu stronach rosły wysokie wierzby i karłowate brzozy wymieszane ze świerkami, olchami i grabami, a wszystko to było osadzone w wysokim podszyciu.

Im dalej się posuwał, tym silniejsze odnosił wrażenie, że idzie tą drogą po raz pierwszy. Nigdy tu nie był. Chwilami mu się wydawało, że jest w jakimś tropikalnym lesie, a nie w podsztokholmskim rezerwacie. Nie mógł rozpoznać żadnych fragmentów drogi, ale przecież wiedział doskonale, że to jest właśnie Ta Jego Jedyna Droga, nie żadna inna, że jest u siebie!

Nagle ogarnął go dziwny niepokój i przez moment pożałował, że zmienił kierunek marszu. Przemknęło mu przez myśl, żeby zawrócić, że nie odszedł jeszcze daleko, ale przecież nie mógł się ośmieszyć przed samym sobą, szedł więc dalej. Po chwili zrozumiał, że to tylko zwykłe złudzenie. Wdepnął w kałużę, co go dodatkowo rozbawiło. Niepotrzebnie się tym wszystkim tak przejął.

Wyszedł z lasu na otwartą przestrzeń i po raz pierwszy z przyjemnością rozpoznał miejsce, gdzie biwakują spotterzy. Nigdy nie mógł zrozumieć, jak można siedzieć przez cały dzień i obserwować przez lunetę ptaki, a potem jeszcze kilka godzin o tym rozmawiać. Mimo to miał dla tych ludzi sporo sympatii. Zatrzymał się na chwilę przy drewnianym płocie i obserwował ich, ubranych w stroje maskujące, siedzących w bezruchu na składanych stołeczkach przy potężnych lunetach na statywach. Po chwili znowu ruszył. Robiło się coraz cieplej i duszniej, a niebo wciąż nie zwiastowało deszczu.

W pewnym momencie zauważył, że drogę pod jego stopami przecina coraz więcej ślimaków. Nie było w tym nic dziwnego, gdyż o tej porze roku w rezerwacie Järvafältet pojawiały się w ogromnej ilości. Dla niego stanowiły po prostu część natury, ot ślimaki w lesie. Dopóki trwał jego marsz, musiał uważać, żeby ich nie rozdeptywać. Potem już nawet o nich nie myślał.

W tym roku były jednak wyjątkowo duże. Tak mu się przynajmniej wydawało. Duże jak nigdy dotąd. Pomyślał nawet, że to musi być efekt globalnego ocieplenia. A kiedy zobaczył, że są takie potężne i piękne, zaczął stawiać stopy z jeszcze większą ostrożnością.

Zatrzymał się i przykucnął, żeby im się przyjrzeć z bliska. Dwa ogromne ślimaki, jakich dotąd nie widział, z majestatem ciągnęły w poprzek drogi swoje pochylone na bok granitowe muszle. Nigdy wzdłuż, nigdy na skos, zawsze w poprzek, niezależnie od tego, w którą stronę biegła droga. Ślimaki w trawie z pewnością poruszały się we wszystkich kierunkach, jakże mogło być inaczej?

Przypomniał sobie, że ten problem tak go kiedyś intrygował, że nawet kupił książkę o ślimakach *Helix pomatia*, ale nie znalazł w niej wyjaśnienia tego faktu. Tłumaczył sobie, że winniczki też muszą mieć jakąś prostą inteligencję, skoro tak czynią. Lubił te stworzenia i nigdy żadnego nie rozdeptał.

Minął polne skrzyżowanie z odnogą do Hägerstalundu. Przypomniał sobie, że wkrótce powinna być droga w prawo, przez las do Väsby Gård, gdzie znajdowało się gospodarstwo rolne i nieduże schronisko, w którym można było napić się kawy. Tam trasa łączyła się z kolejnym szlakiem.

By dotrzeć do tego miejsca, musiał przejść około tysiąca trzystu metrów, z czego połowę przez gęsty las świerkowy. Już od lat nie szedł tym odcinkiem, ale pamiętał, że był prosty i łatwy. Liczył na to, że las, przez który wiedzie ścieżka, da mu więcej cienia, tym bardziej że zapomniał okularów przeciwsłonecznych.

Skręcił w prawo i szeroka, utwardzona droga przeszła w nie mniej dobrą, tyle że znacznie węższą. Rzadko z niej korzystali rowerzyści i jeźdźcy, bo była zbyt kręta i pagórkowata. Nisko wiszące gałęzie i wystające korzenie zmuszały do większej ostrożności.

Gdy tylko zagłębił się w las, od razu wyczuł większą wilgotność. Jego uwagę zwróciła niezwykła cisza. Nie był pewien, czy to jest stan naturalny i tak jest tutaj zawsze, czy to tylko złudzenie. Już drugie tego dnia.

Przeszedł pierwsze sto metrów i zaczepił twarzą o nocną pajęczynę. Nie zauważył jej, gdyż musiał wciąż koncentrować się na ślimakach. Nie znosił pająków i pajęczyn. Zatrzymał się i nerwowo oczyścił twarz. Pomyślał przez moment, że może powinien zawrócić, bo w głębi lasu pajęczyn będzie z pewnością więcej. Ruszył jednak dalej.

Gdy się schylił, by ominąć kolejną pajęczynę, zobaczył tuż przed sobą rozgniecionego na miazgę ogromnego ślimaka. Aż się cofnął, tak odpychające wrażenie zrobił na nim ten widok. Poczuł szarpnięcie w żołądku i kwaśny smak w ustach. Zawsze się bał, że kiedyś nadepnie ślimaka. A ten był duży, wyjątkowo duży.

Ktoś musiał to zrobić niedawno, bo nie ma jeszcze much ani mrówek – pomyślał i ominął to miejsce łukiem.

Stąpał teraz jeszcze uważniej. Na samą myśl, że mógłby z chrzęstem zmiażdżyć ogromną skorupę piętnastocentymetrowego ślimaka, znów zrobiło mu się niedobrze.

Po chwili jednak z oddali dostrzegł na ścieżce kolejną miazgę. Starał się nie patrzeć i ominąć to miejsce. Szedł bardzo ostrożnie i podświadomie zwolnił, ale nie zauważył żadnego żywego ślimaka. Starał się nie myśleć o tym, co przed chwilą widział, bo wciąż czuł odrazę. Jednak zaraz dostrzegł kolejną miazgę. Już trzecią na odcinku kilkunastu metrów. I ani jednego żywego!

Odraza zaczęła zamieniać się w zdziwienie.

Jak mógł ktoś przypadkowo nadepnąć na trzy ślimaki z rzędu? Ciekawe – przemknęło mu przez myśl.

Jednak kilka metrów dalej zobaczył kolejnego i w perspektywie drogi jeszcze jednego. Pokonawszy pięćdziesiąt metrów, doliczył się piętnastu, same świeże miazgi. Po stu metrach było ich dwadzieścia pięć. I wciąż ani jednego żywego.

Doszedł do wniosku, że przed chwilą ktoś szedł tą drogą i celowo rozgniatał napotkane ślimaki. Nie mógł zrozumieć, dlaczego to robił, i ta myśl napawała go przerażeniem. Nigdy nie zetknął się z czymś podobnym. Nie myślał o ślimakach, myślał o człowieku, który z pewnością nie był dzieckiem.

Czy to jakiś szaleniec... czy to jest okrucieństwo? – zastanawiał się Jorgensen, przyspieszywszy kroku. Jak daleko jest od miażdżenia ślimaka do miażdżenia człowieka? Czy po to ten obłąkaniec tu przyszedł?

Zbliżał się do końca lasu. Doliczył się już czterdziestu siedmiu miazg. Miał wrażenie, że podąża śladem jakiegoś monstrualnego trolla, który nienawidzi życia i ludzi.

Nagle się zatrzymał. Zauważył, że kilka metrów przed nim, na środku ścieżki, coś się miota, coś małego, wykonując nienaturalne, gwałtowne ruchy. Od razu pomyślał, że to musi być ślimak. Ruszył niepewnie i jak zahipnotyzowany zaczął się zbliżać do wstrząsanego konwulsjami stworzenia. Z każdym krokiem widział je coraz lepiej. Gdy był już bardzo blisko, zobaczył, że to ogromny siwobrązowy ślimak ze zmiażdżoną skorupą, niemal przepołowiony i zatopiony w szarej mazi.

Zaczął biec. Po minucie dotarł do gospodarstwa Väsby Gård. Zatrzymał się zdyszany obok drewnianego płotu i próbował uregulować oddech. Uzmysłowił sobie, że gdy biegł, nie widział już żadnego ślimaka.

Za płotem dostrzegł gospodarza, który przerwał karmienie krów i ze zdziwieniem przyglądał się zasapanemu starszemu człowiekowi w stroju zupełnie nieodpowiednim do joggingu.

– Czy... szedł... tu ktoś... przede mną? – odezwał się Jorgensen, łapiąc oddech.

Mężczyzna z widłami w rękach wciąż przyglądał mu się podejrzliwie.

– Czy coś się stało? – zapytał. – Potrzebuje pan pomocy?

Jorgensen pokręcił głową. Już chciał powiedzieć o tym, co widział w lesie, ale pomyślał, że gospodarz mu nie uwierzy albo, co gorsza, uzna go za śmiesznego dziwaka. Więc zrezygnował i nie czekając na odpowiedź, ruszył przed siebie.

– Jestem tu od dwóch godzin i nikogo nie widziałem... żadnych turystów. Pan jest dzisiaj pierwszy! – dobiegło zza pleców Jorgensena.

– Dziękuję! – odpowiedział, nawet się nie odwracając. Nie chciał widzieć twarzy gospodarza, wciąż naznaczonej grymasem zdumienia.

Po pięćdziesięciu metrach doszedł do drogi głównej. Chciał wejść do schroniska Naturskolan, ale było jeszcze zamknięte. Na schodkach siedziały dwie starsze kobiety w sportowych strojach, z kijkami do marszu, i Jorgensen zdecydował się do nich przysiąść.

Zaczął neutralnie, o pogodzie i zdrowiu, ale w rzeczywistości chciał je odwieść od pójścia w lewo, trasą, którą przyszedł. Wymyślił naprędce, że droga jest zalana i nie można nią przejść. Kobiety podziękowały mu za towarzystwo oraz informację i zgodnie z jego radą poszły prosto.

Siedział jeszcze chwilę na schodkach schroniska i czuł, jak pot spływa mu po plecach. Pomyślał, że poranna kąpiel była zbędna. Teraz będzie musiał znowu wejść do wanny, ale ta świadomość sprawiła mu ulgę.

– Przecież to tylko ślimaki! Czym ja się przejmuję?! – powiedział do siebie uspokajająco. – Zresztą chyba coś mi się przywidziało... Jestem ostatnio taki nerwowy. Ludzie widzą wtedy różne rzeczy... Trzeba się zbierać! – rzucił na głos, podniósł się dziarsko i wziął kilka głębokich oddechów. – Mam jeszcze pięć kilometrów.

*So why worry now...* – zaczął nucić, z początku bez przekonania, ale po chwili nabrał animuszu i ruszył zdecydowanie naprzód, omijając po lewej stronie gospodarstwo Väsby Gård, specjalizujące się w hodowli bydła szkockiej rasy wyżynnej.

Przez jakiś czas muszę omijać to miejsce – dotarło do niego jak przykazanie, gdy odszedł już wystarczająco daleko.

# 48

– Zastanawiające jest, że tak łatwo się na nie zgodził... On godzi się na wszystko! Czy to normalne? No, zastanów się! – Sara komentowała badanie Krupy na wykrywaczu kłamstwa, które właśnie się odbyło. – Lutek śledził go od wyjścia z domu i też nie zauważył niczego specjalnego. Twierdzi, że facet intensywnie się kontrolował, ale to dobrze, bo to znaczy, że boi się swoich. Czyli jest szczery, prawdopodobnie... Zajmę się analizą nagrania, a ty idź i go pilnuj!

– Ile zajmie ci to czasu? – zapytał „Travis".

– Około dwudziestu minut. Może krócej... On się nie zorientował, że jestem tutaj?

– Moim zdaniem nie. Dlaczego pytasz?

– Ciekawa jestem, jak się zachowa, gdy mnie zobaczy. Oczywiście jeżeli będzie miał dobry wynik. Jak nie... to posiedzi sobie tutaj parę dni. Ale wolałabym, żeby tak nie było... I jeszcze jedno! Zapomniałam cię zapytać, jak zareagował, gdy zorientował się, że idzie do nieznanego mu mieszkania. Zdenerwował się? Przestraszył?

– Wydaje mi się, że był trochę zaniepokojony, ale w granicach normy... dla takiej sytuacji. Nie, niczego szczególnego nie zauważyłem. Mam wrażenie, że przyjął generalne założenie, że godzi się na wszystko... Albo jest takim mistrzem, że potrafi nas oszukać.

– Z tym też musimy się liczyć, ale nie mamy już czasu na dokładniejsze sprawdzanie. Zaryzykujemy! Idź teraz do niego!

„Travis" wyszedł, a Sara przystąpiła do analizy komputerowego nagrania systemu Voight-Kampffa.

Gdy wszedł do pokoju, Krupa siedział na krześle w takiej samej pozycji jak zaraz po badaniu. Wydawał się przestraszony.

– Tam ktoś jest? – zapytał i ruchem głowy wskazał na drzwi.

– Oczywiście – odparł „Travis". – Zaczyna badać twój materiał... to specjalista. Wasia! – rzucił po chwili. – Masz jeszcze jedną, ostatnią szansę. Jeżeli czegoś nie powiedziałeś albo skłamałeś, zrób to teraz. Później nie będzie już odwrotu. Rozumiesz?! – Zauważył, że Krupa ma taką minę, jakby zaraz miał się rozpłakać, i zrobiło mu się go żal. – Zdajesz sobie sprawę, że w tej chwili decyduje się twoje życie! Ten komputer przesądzi o twojej przyszłości!

– Rozumiem. Doskonale rozumiem... Oleg. Nie jestem głupcem i wiem, co robię. Nie przypuszczałem, że będę badany w ten sposób, ale w naszej branży sprawdzenie człowieka to konieczność... wiem o tym! Powiedziałem jednak prawdę! Tylko prawdę! Jeżeli wyjdzie, że kłamałem, to ta wasza maszyna jest do dupy... Tylko ja wiem, jaka jest... moja prawda!

– Ja ci wierzę, Wasia, i... – „Travis" naprawdę mu wierzył.

– To dlaczego zabrałeś mi komórkę i dokumenty? Dlaczego mnie zamknąłeś w tym pokoju?

– Ja ci naprawdę wierzę, ale zrozum...

– Oleg... ty... ty nie jesteś Białorusinem? – Krupa zniżył głos.

– Jestem Białorusinem tak jak ty, a może nawet bardziej! Jak możesz?! – „Travis" poczuł się szczerze urażony, chociaż wiedział, co Krupa ma na myśli.

– Przepraszam. Zagalopowałem się. Zresztą czy to teraz ważne?! Nie czuję się komfortowo... i tyle! To chyba zrozumiałe... Boli mnie głowa.

– Ja też przepraszam! Skończmy już ten temat! – zdecydowanie rzucił „Travis".

– Dobrze! Czekamy na mój wyrok, tak? Jeżeli nie będzie po waszej myśli, to co zrobicie...

– Daj spokój, Wasia! Nie prowokuj mnie...

– Dlaczego? To pytanie jest jak najbardziej zasadne, nie?

– Chcesz, żebym się zdeklarował? Otóż nie zrobimy ci nic złego… nie jesteśmy dzikusami. Pójdziesz do domu, po prostu. Wzięliśmy pod uwagę i taką ewentualność. Chyba nie sądziłeś, że zadamy sobie tyle trudu i nie przygotujemy zakończenia. To byłoby nieprofesjonalne! Ale ani ja, ani nikt z nas nie zakładał, że będziemy musieli realizować ten wariant. Ufaliśmy ci od początku, chcemy jednak mieć pewność, bo z tą operacją łączy się spore ryzyko. Ja też byłem sprawdzany, i to niejeden raz…

– W porządku, Oleg! Ja to wszystko rozumiem. Zaufałem tobie i oddałem swój głos na Polskę. Może brzmi to patetycznie, ale tak jest. Nie mam już odwrotu!

Siedzieli w zaciemnionym pokoju. Zamilkli w poczuciu, że każde następne słowo będzie w tej sytuacji zbędne, że teraz, w tej chwili, powinni wystrzegać się słów, których później mogliby żałować.

„Travis" siedział na krześle, podpierając oburącz głowę, ze wzrokiem utkwionym w podłodze. Nie mógł patrzeć na Krupę, jakby miał wyrzuty sumienia, ale w głębi duszy wiedział, że dotyczą one wciąż Stepanowycza. Usłyszał, że Wasilij zapalił papierosa, i poczuł coś w rodzaju ulgi.

– Wydawało mi się, że rzuciłeś palenie – powiedział.

– Owszem, po naszym spotkaniu w bani, ale wciąż miałem fajki przy sobie. Nie wytrzymałem…

Nie zdążył skończyć, gdyż otworzyły się drzwi i stanęła w nich Sara. Zapaliło się światło. Krupa, wyraźnie zaskoczony, powoli podniósł się z fotela. „Travis", widząc posępną minę Sary, przez chwilę był zdezorientowany i pomyślał, że Krupa nie przeszedł badania, ale gdy na jej twarz zaczął powracać uśmiech, zrozumiał, że wszystko poszło dobrze.

Sara wyciągnęła zza pleców rękę, w której trzymała butelkę szampana.

– Leć po kieliszki – rzuciła do „Travisa".

Bez słowa podeszła do Krupy i podała mu rękę.

Na twarzy Wasi, który nerwowo rozglądał się za popielniczką, malowało się zaskoczenie, szybko ustępujące naiwnemu grymasowi, trochę śmiesznemu u mężczyzny.

– Witaj w zespole, Wasilij! Przeszedłeś test! – zaczęła. – Mamy jeszcze sprawy do wyjaśnienia, ale kto ich nie ma...

Krupa wciąż trzymał jej dłoń i musiała delikatnie użyć siły, żeby ją wyzwolić.

Wrócił „Travis", ustawił kieliszki i zaczął otwierać butelkę.

– Mówiłem, że ci wierzę – powiedział wyraźnie ożywiony, jakby kamień spadł mu z serca. – Byłem pewien, że wszystko będzie dobrze...

Strzelił korek. Wzięli kieliszki i wznieśli toast za powodzenie operacji i nowe życie Krupy, który niemal nie odrywał wzroku od Sary.

– Dzięki. Naprawdę się cieszę – odezwał się w końcu. – Nie wiem, co powiedzieć, ale na pewno się na mnie nie zawiedziecie. Trudno mi to jeszcze zrozumieć, bo wszystko dzieje się tak szybko... Dziękuję, Oleg... I za wolną Białoruś! Niech żyje Białoruś! – Był zmieszany i trochę sztuczny.

– Mam na imię Agnieszka. – Wyciągnęła kieliszek w stronę Krupy. – Jestem oficerem polskiego wywiadu i na razie będę tutaj dowodzić.

– Tak jest, dowódco Agnieszko! – Krupa trzasnął obcasami i przyjął postawę zasadniczą. – Język rosyjski macie świetnie opanowany – dorzucił z uznaniem i stuknął się z nią kieliszkiem.

Wypił do dna, aż mu gaz zakręcił w nosie.

– Wasilij, przeszedłeś to niełatwe badanie zadziwiająco dobrze! Można nawet powiedzieć, że zbyt dobrze...

– To źle? – zapytał, autentycznie zaskoczony.

– No nie, skąd! Niewłaściwie mnie zrozumiałeś albo... niewłaściwie się wyraziłam. Miałam na myśli to, że zgodziłeś się odpowiadać na bardzo intymne pytania. I w tym zakresie wypadłeś bez zarzutu. Chociaż w jednym miejscu skłamałeś. – Sara uśmiechnęła się tajemniczo i pokiwała znacząco głową. – To ważna sprawa! Mimo to jesteś z nami. Nie denerwuj się...

– Nie skłamałem! Ani razu! Powiedziałem całą prawdę! – Krupa, wyraźnie poruszony, spojrzał na „Travisa", który również wyglądał na zaskoczonego. – W którym miejscu skłamałem? Co skłamałem?

– Wasilij! Nie denerwuj się! – zareagowała natychmiast Sara. – Porozmawiamy o tym później. Kiedy będziemy już w Polsce. Okay?

Krupa nic na to nie odrzekł. Był jednak wyraźnie zawiedziony.

– Jeszcze raz! Za nas! – Wzniosła toast, by rozładować atmosferę.

„Travis" i Krupa podążyli za nią, ale już ze znacznie mniejszym entuzjazmem.

– Co z wami, panowie? Więcej życia! To ostatni alkohol, jaki pijecie w tym kraju. Od dzisiaj obowiązuje stuprocentowa abstynencja... Następnym razem napijemy się dopiero w Warszawie.

– W porządku... Nigdy nie byłem za granicą... wiecie? – odezwał się Krupa w nieco lepszym już nastroju. – Moi znajomi jeżdżą regularnie do Warszawy i Białegostoku... – przerwał na chwilę i zaraz dodał: – Nie, nie, nic z tego, o czym myślicie! Zwykli znajomi. Mówili mi, że Warszawa jest piękna i bogata, że są tam bardzo dobre restauracje... tańsze niż w Mińsku... że jest dużo Białorusinów...

– Już wkrótce sam to ocenisz, Wasia – wtrącił „Travis".

– Panowie, bierzemy się do roboty! Mamy coraz mniej czasu – przerwała im Sara. – Mówiłeś mi, Oleg, że do Brześcia ruszacie w sobotę rano.

– Tak jest. Jedziemy moim samochodem... – wtrącił „Travis".

– Wasilij zapoznał się już z działaniem magnetometru? – zapytała.

– Jeszcze nie – odparł. – Przecież czekaliśmy na wynik badania! – zareagował w umówiony sposób, by utwierdzić Krupę w przekonaniu, że przeszedł pozytywnie testy.

– W takim razie zaczniemy od magnetometru. W trójkę pójdzie nam szybciej... Aha... – przerwała nagle. – Oleg mówił – zwróciła się do Krupy – że wczoraj wieczorem miałeś się spotkać z tymi celnikami od papierosów. Udało się?

– Zrobiłem wszystko tak, jak uzgodniłem z Olegiem. Temat łyknęli... tak mi się wydaje. Na następne spotkanie umówiłem się z nimi po przyjeździe z Brześcia.

– Wrócimy do tego później – rzuciła.

Zaczęli omawiać szczegóły działań na najbliższe dni. Zajęło im to ponad cztery godziny, ale wcale nie odczuwali zmęczenia.

Znajomość białoruskich realiów i pomysłowość Krupy były nie do zastąpienia i Sara zrozumiała, że bez jego pomocy nie byliby w stanie skutecznie przeprowadzić operacji.

„Travis" co chwila wstawał, by otworzyć okno, gdyż Sara nieustannie paliła, a Krupa korzystał z jej papierosów bez umiaru. Wypili też cały zapas herbaty.

– Na dzisiaj kończymy! – zarządziła wreszcie Sara i zdecydowanie podniosła się zza stołu pokrytego zapisanymi i zarysowanymi kartkami. – Jutro ciąg dalszy.

– Dowódco Agnieszko, kapitan Wasilij Nikołajewicz prosi o pozwolenie na zadanie pytania! – zwrócił się do niej w żartobliwym tonie Krupa.

– Pozwalam. Spocznij! – odparła w podobnym stylu.

– Chciałbym wiedzieć... no, to jest w końcu dla mnie ważne, bo ja też nieźle znam ten kraj... jak mnie stąd... No, generalnie, jak mnie stąd wywieziecie?

– Nie obawiaj się, Wasilij! To zupełnie bezpieczne – wtrącił „Travis". – Niech ci wystarczy, że ja mogę jeździć do Polski czy na Litwę, kiedy zechcę. – Mocno przesadził, ale chciał uciąć rozmowę na ten temat i ubiec dalsze trudne pytania Krupy, który dobrze wiedział, jak działa system kontroli na granicy.

– *Nu... mołodcy Polaki!* – skwitował z uznaniem Krupa.

– Idź już do domu, Wasilij. Odpocznij... Jutro mamy trudny dzień... ty masz trudny dzień. Wyśpij się dobrze.

– Tak jest!

Krupa podniósł się i wyciągnął rękę. Wyraźnie już oswoił się z obecnością Sary i ściskając jej dłoń, nie błądził wzrokiem po pokoju.

Z „Travisem" pożegnał się nadzwyczaj serdecznie. Zupełnie jakby zdany egzamin, mimo pewnego zgrzytu, otworzył mu drzwi do nowej, lepszej rzeczywistości. Sara i „Travis" odnieśli takie samo wrażenie, ale się nim nie podzielili.

– Dałaś znać Lutkowi? – zapytał „Travis", gdy tylko za Krupą zamknęły się drzwi.

– Tak. Mimo że wcale nie musiałam...

– Nie rozumiem.

– Nie znasz Lutka. On tam czeka na dole zwarty i gotowy. I z góry przyjmuje, że zapomnę go zawiadomić. Nie ufa nikomu, chociaż wszystkich lubi. Zawsze zakłada, że działa sam. Taki charakter! Niezawodny i niezastąpiony!

– Mówisz, jakby to był twój chłopak – powiedział „Travis" chłodno, bo chciał, żeby i o nim Sara tak myślała.

– Chyba nie jesteś zazdrosny?

„Travis" był zaskoczony. Nie przypuszczał, że tak łatwo da się rozszyfrować. Ale zrobiło mu się miło.

– Dlaczego powiedziałaś mu, że skłamał? Po co wzbudzać w nim wątpliwości... szczególnie teraz, przed operacją? – „Travis" nie był do końca przekonany, czy dobrze robi, zadając takie pytania. Wydawało mu się, że Sara zrobiła to celowo, że było to zagranie obliczone na konkretny efekt. Dlatego zapytał ponownie: – Skłamał?

– Tak! Skłamał! – odpowiedziała spokojnie, nie odrywając wzroku od swoich notatek. – Na pytanie, czy nadużywa alkoholu, odpowiedział, że nie. Na skali parametru nieszczerości i kłamstwa osiągnął maksymalną liczbę punktów. – Sara spojrzała na „Travisa" z prawie niezauważalnym uśmiechem. – Wszystkie pozostałe były w porządku.

– Dziwne, że mu to wyszło. Tutaj każdy nadużywa... to normalne. Nikt sobie nie robi z tego powodu wyrzutów. Wygląda na to, że Krupa się tym przejmuje...

– Właśnie tak! – wtrąciła gwałtownie Sara. – I to bardzo dobrze, że się przejmuje. Skłamał, bo się wstydzi tego, że pije... nie jak inni. Chciał być lepszy, niż jest w rzeczywistości, ponieważ mu na nas zależy. Widać, że ma skrupuły.

– No tak, ale jeżeli skłamał, to ma ku temu inklinacje i mógł to robić też w innych sprawach...

– Może tak być – znów mu przerwała. – To jednak mało prawdopodobne. Dygnęło mu tylko na tym pytaniu. Wykres jest czysty. Paradoksalnie to kłamstewko daje mu dobre świadectwo. Robi z niego, w jakimś sensie, wrażliwego człowieka. Wiedział, że nadużywanie alkoholu jest dla nas negatywnym elementem oceny, i próbował z tego wybrnąć w najprostszy sposób. Pewnie w swojej wyobraźni nawet przeceniał nasz osąd. Sam mówił, że nie był na Zachodzie. Być może gdyby takie pytanie zadali mu Białorusini albo Rosjanie, mógłby odpowiedzieć tak samo, że nie nadużywa, i nic by mu wówczas nie drgnęło, bo to byłby dla nich standard. Czujesz bluesa?

– Mniej więcej. Chociaż mam wątpliwości...

– Przyjacielu, ja też mam wątpliwości! – rzuciła familiarnie, nie czekając nawet, aż „Travis" powie coś konkretnego. – To nie maszyna bada prawdomówność człowieka, tylko drugi człowiek. To jest starcie tego, który chce coś ukryć, z tym, który pragnie się dowiedzieć, co tamten chce ukryć! Mimo pośrednictwa urządzenia jest to pojedynek dwóch intelektów. Każdy ma coś do ukrycia... czym nie chce się z nikim dzielić. To normalne! Tylko że kłamstwo może mieć znaczenie względne. Jak w przypadku Krupy. – Nagle przerwała i zamyśliła się.

„Travis” siedział w milczeniu.

– Dajmy już spokój... można by o tym długo... Trochę za bardzo się rozkręciłam.

– Nie! Dla mnie to ważne... Chętnie bym jeszcze kiedyś o tym porozmawiał. Też mam pewne przemyślenia.

– Tak, ten temat wzbudza duże emocje. Ludzie kłamią na potęgę, a najgorsze, że często okłamują samych siebie. I co wtedy z wariografem, kiedy pytany i pytający tak właśnie robią. Podobno psychologia zna odpowiedź na to pytanie, ale wątpię, żeby tak było.

– Czuję, o co ci chodzi. Czy jest taka maszyna, która może przebadać *homo sovieticus*? Czy normalny człowiek, Europejczyk, jest w stanie to zrobić? Tu, na Białorusi, *homo sovieticus* ma się dobrze jak nigdzie indziej, i w Rosji, i na Ukrainie, i wszędzie w byłym Sojuzie. Krupa też jest taki i nawet o tym nie wie.

– Czytałeś *Mistrza i Małgorzatę*? – zapytała nagle Sara jakby bez związku z tematem.

– Dawno. A...? – odparł „Travis”, zaskoczony, choć książki nie czytał.

– Dużo się zmieniło od czasów Bułhakowa, ale dusza sowiecka została i na dobre zrosła się z gogolowską. W świecie, gdzie nie ma Boga ani diabła i nie ma już jedynej słusznej partii, tylko jest kult mamony, Woland w dalszym ciągu miałby problem z ustaleniem, kto jest dobry, a kto zły. Komu jako diabeł powinien pomóc, a komu zaszkodzić? Tak będzie pewnie jeszcze długo, więc co my możemy zrobić? Pomyśl, Oleg, czy można zbadać duszę człowieka, który uważa, że nie ma duszy? Skoro Woland i Behemot nie mogą, to co my możemy? Dobre, co? – Roześmiała się i wstała z krzesła w geście jednoznacznie oznaczającym zakończenie tematu.

– Coś w tym jest. Muszę przeczytać to jeszcze raz, bo już zupełnie wyleciało mi z głowy – skwitował „Travis”, lekko zawstydzony, po czym zapytał: – Kiedy przyjedzie Konrad?

– W poniedziałek musimy mieć wszystko zapięte na ostatni guzik. – Sara nerwowo przetrząsała torebkę w poszukiwaniu papierosów. Ze złością zgniotła w dłoni puste pudełko. – Nie mam papierosów! – rzuciła jak najpoważniej w kierunku „Travisa", co mogło oznaczać tylko jedno: poszukiwanie papierosów marki Blend w nocnym Mińsku, i to niekoniecznie uwieńczone sukcesem.

– Nie rozumiem, dlaczego powiedziałaś Krupie, że skłamał – zastanawiał się na głos „Travis", licząc naiwnie, że przy okazji usunie w cień problem braku papierosów.

– Żeby nie czuł się zbyt pewnie. *Homo sovieticus*, zanim stanie się *homo europaeicus*, najlepiej pracuje i jest szczerze oddany, gdy ma nad sobą władzę. On to po prostu uwielbia! Dlatego tak powiedziałam. Proste, nie? – Sara była trochę złośliwa, bo denerwował ją brak papierosów i niejasna perspektywa ich zdobycia. – Przewietrzysz się? – zapytała z wyraźną determinacją w oczach.

„Travis" właściwie odebrał tę swoistą mieszankę prośby i polecenia. Znał niekończący się problem papierosów i herbaty, którym Sara czasami dręczyła otoczenie, szczególnie to niepalące i rozmiłowane w zapachu kawy. Popatrzył w jej wyraziste niebieskie oczy i pomyślał, jak by to było wspaniale, gdyby przestała palić i pić herbatę. Szybko jednak zdał sobie sprawę z absurdalności tych marzeń. Jasne było, że dla niej wydobędzie te papierosy spod ziemi.

– Nie ma sprawy. Znam nocny sklep niedaleko... delikatesy. Powinni mieć twoje blendy – powiedział ze szczerym przekonaniem w głosie.

Lutek ustawił swojego volkswagena bus syncro niewiele ponad sto metrów od wejścia do budynku, w którym przebywali Sara, „Travis" i badany Krupa.

Zadrzewione miejsce dawało cień pozwalający ukryć samochód. Siedział wciśnięty głęboko w fotel, pewien, że jest zupełne niewidoczny. Martwił się trochę, że mińska tablica rejestracyjna nie została przytwierdzona wystarczająco mocno. Niestety, w zestawie narzędzi brakowało odpowiedniego klucza. Mimo że winny był pracownik zabezpieczenia technicznego, Lutek nie czuł złości... nie znał czegoś takiego... martwił się tylko, żeby jej nie zgubić podczas jazdy.

Na kolanach trzymał lornetkę Delta Optical Titanium 8x42. Podniósł ją do oczu po sygnale od Sary, na osiem sekund przed pojawieniem się Krupy w drzwiach klatki schodowej. Zdążył doliczyć do dziesięciu i włączył silnik, który zaskoczył niemal bezgłośnie.

00.13.29. Krupa wyszedł z budynku i skręcił w lewo. Spojrzał w prawo i nie zatrzymując się, ruszył przyspieszonym krokiem.

Na ulicy było pusto. Tylko za drzewami i szerokim na trzydzieści metrów trawnikiem słychać było słaby ruch od przelotowej Surganowa.

Gdy Krupa oddalił się na bezpieczną odległość, Lutek zaczął delikatnie puszczać sprzęgło i lekko wciskać gaz, tak by samochód nawet nie poczuł, że porusza nim silnik. Toczył się na wygaszonych światłach, gotowy w każdej chwili przystanąć.

Krupa szedł coraz szybciej, raz po raz się rozglądając. Doszedł do skrzyżowania i bez uzasadnienia obszedł je dookoła. Lutek zatrzymał samochód i obserwował go przez lornetkę. Po chwili Krupa wrócił w to samo miejsce, wyjął telefon komórkowy i próbował się z kimś połączyć.

Lutek zanotował godzinę: 00.15.30. Krupa stał odwrócony półprofilem, więc było dobrze widać, że nie rozmawiał przez telefon. Wyglądało to tak, jakby nie uzyskał połączenia. Schował komórkę i zaczął iść w kierunku volkswagena. Lutek zsunął się na fotelu tak nisko, jak tylko mógł, by jednocześnie nie stracić go z pola widzenia.

Nagle zobaczył przed sobą światła samochodu. Jedno było słabsze. Po chwili rozpoznał jadące powoli żiguli, zwane w Rosji piatiorką. Samochód co najmniej archaiczny, nawet tutaj, ale wciąż popularny.

Krupa najwyraźniej również zauważył żiguli i zszedł z chodnika, minął rząd zaparkowanych samochodów i wyszedł na ulicę. Stanął na brzegu jezdni i zaczął dawać znaki. Żiguli z ociąganiem zatrzymało się kilka metrów za Krupą. Lutek ocenił, że kierowca ma nie mniej niż trzy promile alkoholu. Wskazywała na to godzina, marka samochodu i technika hamowania. Krupa podszedł do kierowcy, który otworzył okno.

00.19.34 – zanotował Lutek. Zapisał też numer rejestracyjny. Krupa rozmawiał z kierowcą niecałą minutę, po czym żiguli, z trudem synchronizując sprzęgło i gaz, po dwóch próbach ruszyło do przodu. Samochód minął Lutka. Krupa wciąż stał na jezdni i ponownie próbował zadzwonić. Światło pobliskiej latarni ułatwiało obserwację.

00.21.10. Rozmawiał przez piętnaście sekund. Schował telefon i obrócił się tyłem do Lutka. Przeszedł dwadzieścia metrów do przodu, aż zatrzymał się przy swoim samochodzie. Otworzył go pilotem. Wsiadł, wycofał i szybko ruszył przed siebie. Gdy dojeżdżał do zakrętu, Lutek włączył światła i siłą napędu na cztery koła wystartował ostro za Krupą.

Niewielki ruch w mieście o tej porze i szerokie ulice pozwalały na prowadzenie obserwacji z bezpiecznej odległości. Nie zauważył jednak, by Krupa w jakikolwiek sposób się kontrolował. Jechał zbyt szybko i kodeks drogowy niewiele go obchodził, Lutek jednak nie uznał tego za aktywność operacyjną.

Po kilkunastu minutach Krupa zatrzymał samochód koło stacji metra. Wysiadł, nie zamykając nawet drzwi, i podszedł do kiosku stojącego w grupie kilkunastu podobnych ulicznych konstrukcji. Lutek nie opuszczał samochodu. Miał doskonałe pole obserwacji. Przez lornetkę zobaczył, że Krupa kupił butelkę jakiegoś alkoholu, a gdy wracał do samochodu, ponownie zatelefonował. 00.40.11. Wsiadając, wciąż rozmawiał, więc Lutek nie mógł stwierdzić, jak długo to trwało.

Krupa ruszył ostro, aż zapiszczały opony. Znów z fantazją dżygita gnał przez miasto. Lutek miał teraz mały problem z dotrzymaniem mu towarzystwa. Na szczęście nie trwało to długo. Po kilku minutach Krupa zatrzymał samochód na Żylunowicza, przed czteropiętrowym budynkiem z lat sześćdziesiątych, numer 31. Wysiadł i przystanął na chwilę, wpatrzony w okna.

Lutek zaparkował po drugiej stronie ulicy.

00.48.48. W domu wszystkie światła były wygaszone. Dobrze widział przez lornetkę, tym bardziej że ulica miała skromne oświetlenie.

Krupa zniknął za rogiem budynku. Lutek podjechał bliżej.

00.51.03. Zapaliło się światło w oknie na trzecim piętrze, drugie po prawej – zanotował Lutek i sprawdził.

Żylunowicza 31 to nie był adres mieszkania Krupy, który podał mu wcześniej „Travis".

# 49

Dyrektor generalny Säpo Anders Paulsson opuścił spotkanie znacznie wcześniej, niż się wszyscy spodziewali. Gdy wychodził, uczestnicy narady podnieśli się z szacunkiem, ale mieli poczucie, że nie zostali potraktowani przez szefa z należytą uwagą. Uważali, że sprawa Hansa Jorgensena to ładunek wybuchowy o większej sile niż afera Stiga

Berglinga* i wszystkie inne, z jakimi spotkał się po wojnie szwedzki kontrwywiad.

W gruncie rzeczy nie przejęli się tym specjalnie, bo byli przyzwyczajeni do tego, że Paulsson wolał nie wiedzieć zbyt dużo o sprawach, które niosą ze sobą jakieś większe ryzyko. Znany był z tej filozofii strusia, gdy jeszcze pełnił funkcję prokuratora okręgowego w Uppsali. Teoretycznie jego awans na szefa Säpo mógłby się wydać niezrozumiały, gdyby nie prywatne powiązania z ministrem sprawiedliwości Bergmanem, który formalnie nadzoruje szwedzkie cywilne służby specjalne.

Dla zespołu Olafa Svenssona z sekcji rosyjskiej Säpo ważne było, że w pokoju został Kurt Lövenström, pierwszy zastępca Paulssona.

Kurt od lat pozostawał cieniem każdego dyrektora generalnego. Był zawodowcem i cieszył się zaufaniem i szacunkiem podwładnych. Każdy z dotychczasowych rządów, z lewa czy z prawa, miał wystarczająco rozwinięty instynkt samozachowawczy, żeby nie majstrować przy swoich służbach, i pilnował, by Kurt Lövenström przypadkiem nie pomyślał o zmianie zajęcia.

Po każdej dużej sprawie, poczynając od Berglinga, a kończąc na zabójstwach Olofa Palmego i Anny Lindh, dawały się słyszeć głosy żądające gruntownej rewolucji w służbach, ale na szczęście nigdy nie zrobiono nic, co by zmniejszyło ich efektywność. Wprost przeciwnie.

Wszyscy usiedli i po chwili ciszy głos zabrał Kurt.

– Hm... Tak... Sprawa tego Jorgensena to ciekawy przypadek. Nie przypominam sobie czegoś podobnego i zgadzam się z Olafem, że to dopiero początek. Mało jeszcze wiemy. Ciekawe... co ustalą Polacy – mówił cicho, z opuszczoną głową.

W specjalnie zabezpieczonym przed podsłuchem pokoju bez okien, przy Polhemsgatan 30 w Sztokholmie, zrobiło się wyjątkowo duszno.

---

* Stig Svante Eugén Bergling (ur. 1937) – były funkcjonariusz Säpo, który szpiegował na rzecz Związku Sowieckiego.

– Jakieś problemy z klimatyzacją… – rzucił Lövenström i zdjął marynarkę, demonstrując archaiczne szelki, nadzwyczaj praktyczne przy jego sylwetce. – Podsumujmy jeszcze raz, co wiemy o sprawie, i zastanówmy się nad planem dalszych działań.

– Z naszego punktu widzenia – zaczął Olaf Svensson – rzeczywistym problemem jest Carl Johan Jorgensen, jego syn. Stopień: komandor. Przydział: wywiad wojskowy. Dlatego tę sprawę prowadzimy razem z kolegami z bezpieczeństwa wewnętrznego KSI* – dodał i spojrzał na Pera Gustavssona.

Ten, wywołany do odpowiedzi, przejął pałeczkę.

– Młodego Jorgensena mamy pod ścisłą kontrolą od początku sprawy. Nie jest to łatwe zadanie. Musieliśmy dokonać wnikliwej selekcji ludzi, którym je powierzyliśmy. Gdyby przyjąć założenie, że Carl pracuje dla Rosjan, to biorąc pod uwagę jego pozycję, stanowisko i staż w służbie, należałoby przeprowadzić bardzo głęboką penetrację. Wtedy mógłby się szybko zorientować, że jest pod obserwacją. A ponieważ w dalszym ciągu poruszamy się w sferze domysłów i poszlak, mamy ograniczone możliwości prawne niektórych działań…

– Zdaję sobie z tego sprawę. Ale prawo to prawo. Nawet w tej sytuacji – przerwał mu Kurt. – Rozmawiałem już z szefem na ten temat i obiecał, że jeśli tylko pojawią się nowe elementy, wystąpi z odpowiednim wnioskiem do Bergmana.

– Liczymy na Polaków – wtrącił Christian Bloom, odpowiedzialny za wywiad w Säpo.

– Minął już tydzień od naszej wizyty w Warszawie… Może do nich zadzwonić? – wtrącił Olaf Svensson.

– Zaczekamy jeszcze. Gdyby coś mieli, to już by dali znać – skwitował Kurt. Gestem poprosił Lindę Lund, jedyną

---

* Kontoret för Särskild Inhämtning (Biuro Dostępu Specjalnego) – szwedzki wywiad wojskowy HUMINT.

kobietę w zespole, by podała mu termos z kawą. – Co dalej?

To pytanie skierował do Olafa, odpowiedział mu jednak Per Gustavsson.

– Obecnie zespół jest niewielki. Pracujemy nad mapą kontaktów Carla Jorgensena, zarówno w obrębie służby, jak i na zewnątrz. Jest jeszcze zbyt wcześnie, byśmy mogli stwierdzić, czy miał dostęp do spraw, które były poza jego przydzielonymi kompetencjami, bądź też starał się go uzyskać... Tak czy inaczej zakres wiedzy, jaką dysponuje, jest ogromny i gdyby wykorzystali go Rosjanie, bylibyśmy zdruzgotani.

– Na to wygląda. – Lövenström pokiwał wymownie głową. – Rozmawiałem o tej sprawie wczoraj z waszym szefem, generałem Oscarssonem. Carl Jorgensen prowadzi agenturę w obwodzie kaliningradzkim...

– Owszem, w Bałtijsku, Kaliningradzie i... wyleciało mi teraz z głowy. Najważniejsze, że to właśnie on dokonał większości werbunków – kontynuował Gustavsson.

– Czyli jeżeli Carl pracuje dla Rosjan, to jego werbunki mogły być podstawione, żeby nas dezinformować... – rozważał dalej Kurt.

– Rzeczywiście Jorgensen należy do najlepszych oficerów w naszym HUMINT i jego szybki awans był efektem bardzo dobrych wyników. Tak przynajmniej wynika z jego teczki personalnej. Zbyt wcześnie, by wyciągać wnioski. Prawdę mówiąc, nie mieliśmy jeszcze czasu...

– Panie Gustavsson, pan jest oficerem? – zapytał znienacka Lövenström.

– Nie... jestem cywilem. Pracuję w KSI od dziesięciu lat.

– Cały czas w wewnętrznym kontrwywiadzie?

– Nie... przez pierwsze dwa lata zajmowałem się obwodem leningradzkim...

– Czy przez te lata złapał pan jakiegoś rosyjskiego szpiega w waszych szeregach? Założę się, że nie! – Kurt mówił bardzo spokojnie, bez cienia ironii czy dwuznaczności. – Powiem więcej: wiem, że nie! O czym to może świadczyć? Ano o tym, że Carl Jorgensen czy inny szpieg pracuje tak dobrze, iż na czas potrafi uprzedzić Moskwę o swoim zagrożeniu, albo że... – zawiesił głos i popatrzył po zebranych, a pociągnąwszy łyk kawy, dokończył: – albo że nie ma żadnego agenta i młody Jorgensen jest czysty. Säpo dobrze pracuje i przez trzydzieści lat, jak sięgam pamięcią, namierzyliśmy wielu szpiegów. Ponieśliśmy też porażki, tak to już bywa... Coś mi jednak mówi, że Carl jest w porządku. Inaczej byłby agentem idealnym, a takich nie ma. Nie zrozumcie mnie źle. To nie jest żadna wskazówka co do kierunku, w jakim ma iść rozpracowanie... trzeba sprawdzić absolutnie wszystko. Ale trzeba też przestrzegać prawa, w tym jest nasza siła.

– W rzeczy samej! – przyznał Christian Bloom. – Carl Jorgensen jest synem Hansa, a to on jest głównym podejrzanym. Musielibyśmy uznać, że pracują razem dla Rosjan. Wyglądałoby to trochę baśniowo.

– Pamiętam, że w USA był taki przypadek – zareagowała Linda Lund, dopiero od czterech lat w służbie. – Rosjanie mieli agentów, ojca i syna, na jakimś lotniskowcu, w każdym razie na pewno w marynarce wojennej. Uzyskiwali dzięki nim kody czy coś w tym rodzaju.

– To było przedsiębiorstwo szpiegowskie Walkerów. Ojciec, jego syn, jego brat, żona, córka, kolega i ktoś tam jeszcze... – wtrącił Gustavsson.

– Skupmy się teraz na Hansie. Carla zostawmy na razie w cieniu. Jeżeli znajdziemy coś na ojca, wówczas zwiększymy siły i zajmiemy się też synem. Musi być jakaś logika w naszym działaniu, bo inaczej rozmienimy się na drobne, a czas ucieka. Podsumujmy, co mamy na Hansa. – Kurt Lövenström zakończył ogólne rozważania i przeszedł do sedna sprawy.

– To może ja... – zaczęła na pozór nieśmiało Linda.

– To właśnie Linda, można powiedzieć, jest autorką tej sprawy. – Olaf chciał koniecznie zarekomendować kompetencje Lindy Lund, ale wszyscy widzieli, że darzy ją sympatią, którą niezgrabnie stara się ukryć. Zresztą nie był pod tym względem odosobniony.

Linda po przyjściu do Säpo szybko dała się poznać jako zdolny i pełen determinacji oficer operacyjny. Znała cztery języki, wyróżniała się niezwykłą umiejętnością analizy konsekwencji, a na dokładkę była uderzająco podobna do piosenkarki Sissel Kyrkjebø, choć większość uważała, że jest od niej znacznie ładniejsza.

– To wiemy. Proszę, Lindo, niech pani mówi. – Kurt rzucił to tak lekko, że Olaf poczuł, jak zalewa go ciepła fala wstydu.

– Dziękuję, Olafie, ale... chyba nie jestem autorką tej sprawy. Dokonałam jedynie analizy faktów i nie mogę jeszcze stwierdzić, że mamy do czynienia ze sprawą w sensie prawnym. – Linda ukończyła prawo na Uniwersytecie w Uppsali, więc sentymentalny lobbing Olafa, choć podjęty w dobrej intencji, nieco ją denerwował. – To jest sprawa w sensie operacyjnym, więc nie możemy jeszcze przekonać sędziego, by zezwolił nam na głębszą inwigilację Hansa Jorgensena. Wydaje mi się jednak, że jesteśmy blisko. Co prawda nie sądzę, że zdobędziemy dowód bezpośredni...

– Lindo, może przedstawisz koncepcje, które dotąd wypracowaliśmy... – wtrącił Olaf, znów powodowany jak najlepszą intencją, myśląc, że Linda pogubiła się z tremy.

– Nie! Absolutnie nie! To ważne, co pani mówi. Najpierw fakty i ich ocena, potem nasza fantazja operacyjna. Nie na odwrót! – Kurt był wyraźnie uszczypliwy. – Proszę, Lindo!

– Wszystko, co wiemy o Hansie, to poszlaki, jeżeli posłużyć się językiem prawniczym. Lecz w sensie litery prawa poszczególne zebrane fakty poszlakami nie są. Powiedziałabym nawet, że dopiero nasz zbiór faktów stanowi poszlakę. Jedną poszlakę! Że Hans Jorgensen może pracować dla obcego wywiadu... dla Rosjan. Nie że pracuje! Na to musielibyśmy mieć dowód bezpośredni. W praktyce to oznacza, że albo byśmy go złapali na gorącym uczynku, albo on sam przyznałby się do winy. Co w chwili obecnej jest mało prawdopodobne. Zatem na dzisiaj mamy tylko... poszlaki. Jeżeli zbierzemy ich tak dużo, że suma stworzy łańcuch zamknięty, będziemy mogli przekonać sąd co do faktu głównego: że Hans Jorgensen jest zdrajcą ojczyzny i przestępcą.

Kurt notował coś na kartce i z aprobatą kiwał głową. Pozostali obmacywali wzrokiem wszystko, co było na stole. Jedynie Olaf częściej niż inni słał spojrzenia w kierunku Lindy.

– Każdy fakt z osobna – wyjaśniała – nie jest niczym specjalnie dziwnym ani tym bardziej podejrzanym.

Lövenström przestał pisać i patrzył na nią z sympatią.

– Na początku Jorgensen został zarejestrowany przez naszą kamerę jako jedna z osób pojawiających się w altanie ogrodu botanicznego na Gotlandii. – Linda mówiła swobodnie, lekko i logicznie. – Wiemy, że altaną interesowali się rezydent i Pietuszkin oraz że prawdopodobnie coś w niej lub koło niej było. Czyli, praktycznie rzecz ujmując, początek naszego zainteresowania Hansem Jorgensenem jest co najmniej mało konkretny. Rezydent i Pietuszkin byli w tym samym miejscu, to jest w altanie, kilka razy w ciągu pięciu dni, podobnie jak później pięćdziesiąt siedem innych osób. – Linda przerwała na moment i po chwili zapytała: – A może trzeba było obserwować to miejsce znacznie dłużej? Ilu ciekawych ludzi byśmy wytypowali? Może ciekawszych niż Jorgensen! On przecież ma osiemdziesiąt lat! Ostatecznie po sprawdzeniu zostało nam tych osób kilkanaście...

Znów przerwała i zaczęła przeglądać swoje notatki. Nie miało to jednak nic wspólnego z tremą, o którą podejrzewał ją Olaf. Był to po prostu element jej retoryki.

– W miarę jak spływały informacje o tych wytypowanych osobach, Jorgensen przesuwał się w moim rankingu to wyżej, to niżej, lecz zawsze znajdował raczej na jednej z ostatnich pozycji. Jego wiek nie pasował mi do obrazu szpiega! Tkwiło to tak silnie w mojej świadomości, że nie mogłam go zakwalifikować do pierwszej trójki. Ale z drugiej strony coś mi mówiło, że przeciwnikowi właśnie o to chodzi. Przyznam szczerze, że z początku Jorgensen pozostawał w grupie podejrzanych tylko dlatego, że pewne informacje jednoznacznie zdyskwalifikowały inne osoby. Więcej, nawet kiedy Olaf poinformował mnie, kim jest syn Hansa, jego pozycja w rankingu w zasadzie się nie zmieniła. W przypadku osiemdziesięciolatka trudno było mówić nawet o poszlace.

– Jak to możliwe, że nie zauważyłaś wówczas zbieżności tych faktów? – przerwał jej łagodnie Per Gustavsson.

– A jest taka zbieżność?

– Moim zdaniem jest!

– Jaka?

– Carl, jego syn, jest oficerem wywiadu! Czy to nie wystarczająca zbieżność?

– Dla mnie nie! W grupie dziesięciu podejrzanych, która została mi w tym czasie, miałam szefa ośrodka badawczego SAAB Technologies, brata dyrektora departamentu MSZ, dowódcę jednostki ze Strängnäs i kilku innych, nie mniej ciekawych. Przecież o tym wiesz!

– Nasze siły i środki są ograniczone – odezwał się milczący do tej pory Rolf Blomkvist, naczelnik Wydziału Obserwacji, oficer o najdłuższym stażu w Säpo. – W tym czasie nie mogliśmy objąć skuteczną obserwacją i rozpracowaniem więcej niż trzech figurantów. Mamy dużo roboty dla Wydziału Antyterrorystycznego.

– Nasza praca to nie zagadki CSI czy przygody Sherlocka Holmesa... – wrzucił swój głos Olaf.

– ...ani Hamiltona czy Jamesa Bonda – dodał z uśmiechem Rolf.

– Dajcie spokój – przerwał im Kurt. – Co dalej, Lindo?

– Myślę jednak, że CSI, Holmes, Bond, Poirot i Wallander wnoszą coś do naszej pracy – zaczęła.

– Co? – zapytał Per.

– Wyobraźnię, logikę…

– …i determinację – dodał Olaf.

Wszyscy popatrzyli na niego zdziwieni, jak szybko dostosowuje się do wypowiedzi Lindy, chociaż znany był z umiejętności samodzielnego myślenia. Ale Olaf tego nie zauważył.

– Hans znalazł się w pierwszej piątce, gdy zapoznałam się z jego życiorysem i przejrzałam jego akta. Przez prawie całe swoje życie zawodowe, gdy piastował stanowisko w Urzędzie Imigracyjnym, był naszym współpracownikiem. To jakby oczywiste i nic z tego nie wynika. Jego oficerowie prowadzący z tamtych czasów już nie żyją, a wywiadu środowiskowego nie chciałam jeszcze robić, żeby go nie wystraszyć. Z jego życiorysu wynotowałam elementy, które po podsumowaniu awansowały go do pierwszej trójki. Hans Jorgensen urodził się we Flensburgu w Szlezwiku jako syn Poula Jorgensena, który zginął na froncie wschodnim. Wychowywał się we Flensburgu z matką, Gerdą z domu Schmidt, potem przeniósł się do Danii i z Danii do Szwecji. Droga odbiegająca nieco od standardu…

– Może pasować do nielegała, chociaż… – rzucił Kurt niepewnie.

– Chociaż to jeszcze mało – bez skrępowania dodała Linda. – W Skanii podobnych przypadków jest więcej. Duńczycy ze Szlezwiku chętnie przenosili się wówczas do Danii, gdyż sytuacja w Niemczech była trudna. Ciekawe są natomiast notatki funkcjonariuszy, z którymi Hans miał kontakt, opisujące go jako oddanego, solidnego urzędnika i współpracownika, a jednocześnie odludka bez przyjaciół. Nie byliśmy w stanie ustalić żadnych jego kontaktów z Duńczykami z Malmö, Kopenhagi czy Flensburga. Nic! O życiu Jorgensena w Danii nic nie wiemy. Większość jego kontaktów z tamtych lat już pewnie od dawna nie żyje. Duńscy koledzy też niewiele mogli dodać. W tysiąc dziewięćset pięćdziesiątym siódmym roku ożenił się ze Szwedką, Ingrid Knutsson, a dwa lata później otrzymał obywatelstwo szwedzkie. Bardzo chorowity. Często brał zwolnienia z pracy. W niektórych okresach nawet zbyt często. Sprawdziłam jego kartę zdrowia, odkąd przeszedł na emeryturę. I co? Okaz zdrowia! Koledzy w Malmö próbują zweryfikować jego zwolnienia lekarskie z dokumentacją z tamtych lat... ale to potrwa! Wtedy Hans wszedł już do pierwszej trójki! Ale zaraz objął prowadzenie, choć jeszcze niezbyt pewne.

Kurt uśmiechnął się. Podobał mu się styl narracji Lindy.

– W siedemdziesiątym piątym roku przeniósł się do Sztokholmu. Motywował to tym, że jego żona dostała tu pracę. Nie było wtedy, tak jak teraz, centralnej ewidencji. Ustaliłam jednak, że Ingrid w tym czasie nie pracowała. Co więcej, Säpo prowadziło właśnie intensywne rozpracowanie nigdy nieustalonego sowieckiego agenta w rejonie Malmö. Wprawdzie według FRA agent pracował jeszcze przez rok od wyjazdu Jorgensena, ale to mogła być tylko zasłona. Bo jeżeli w trybie pilnym wycofali go do Sztokholmu, to musieli wiedzieć, że go szukamy. W ten sposób być może chcieli odciągnąć od niego naszą uwagę...

– Zbyt ryzykowna hipoteza, żeby coś na tym budować – wtrącił Rolf Blomkvist.

– Niemniej tak się robi... jest taka praktyka – odezwał się Per Gustavsson trochę z obowiązku, jako że był w tym gronie jedynym oficerem wywiadu. – Połowa lat siedemdziesiątych to szczególny okres w historii KGB. Byli wtedy naprawdę dobrzy! I są!

– Oczywiście nikt tego wówczas nie skojarzył. Nie było ku temu powodu – kontynuowała Linda. – Ale zupełnie inaczej zaczęłam patrzeć na wszystkie inne dowody pośrednie, które zebraliśmy w sprawie, a szczególnie na motyw jego wizyty w Visby, na to, co zobaczyliśmy na zdjęciach z altany, i tak dalej. W efekcie Hans Jorgensen został bezapelacyjnie numerem jeden na mojej liście.

– Podjęliśmy wtedy decyzję, że skoncentrujemy nasze działania na Jorgensenie – przejął inicjatywę Olaf. – Linda w krótkim czasie wykonała wspaniałą robotę. Sędzia wydał dwutygodniową zgodę na wykorzystanie w tej sprawie techniki operacyjnej. Powiedz Lindo, co było dalej.

– Wiem, co było dalej – wtrącił Kurt – ale chętnie odświeżę pamięć.

– Jorgensen nie ma komputera, telefonu komórkowego, karty kredytowej. To było dla nas dziwne. Chociaż jeśli wziąć pod uwagę jego wiek... – zawiesiła na chwilę głos – nie musiało to być podyktowane ostrożnością czy wyrachowaniem operacyjnym.

– Dzisiaj człowiek bez tych codziennych atrybutów prawie nie istnieje. Jest przezroczysty. Jakby nie miał adresu ani nazwiska, ani numeru identyfikacyjnego – wtrącił Per.

– To absolutna prawda – dodał Kurt. – Dobra organizacja wie, jak niebezpieczne jest posługiwanie się tymi narzędziami. Wie to rosyjski wywiad, wiemy my, wie Al-Kaida.

– Dlatego uznałam ten fakt za kolejną poszlakę w moim łańcuchu. Jorgensen miał za to telefon domowy, na który założyliśmy podsłuch. Przez dwa tygodnie przeprowadził tylko jedną rozmowę, w której najwyraźniej poróżnił się z synem. Przypadała właśnie rocznica śmierci jego żony, ale oznajmił Carlowi, że nie może razem z nim odwiedzić jej grobu, bo musi się spotkać ze znajomym w Umeå. Sprawdziliśmy: Jorgensen nie ma żadnych przyjaciół, dla których zrezygnowałby z tak ważnego zwyczaju...

Otworzyły się drzwi i do pokoju ciszy wszedł Staffan, nowy asystent Olafa.

– Przepraszam, że przeszkadzam, ale uważam, że powinieneś to jak najszybciej zobaczyć – zwrócił się do Olafa. – Przyszła odpowiedź z Warszawy.

Svensson wstał natychmiast. Kurt uśmiechnął się i wszyscy popatrzyli po sobie. Temperatura w pokoju nagle się podniosła, bo zgodnie przeczuwali, że wiadomość z Polski zmieni bieg sprawy Hansa Jorgensena.

– Mam czekać? – zapytała Linda, ale Olaf tylko machnął enigmatycznie ręką i wyszedł z pokoju.

Linda spojrzała pytająco na Kurta. Rolf i Per rozmawiali cicho, nie zwracając na nią uwagi.

Coś mi się zdaje, że za chwilę zostanę ośmieszona – pomyślała Linda. Cała moja praca pójdzie na marne, a teoria okaże się bezsensownym fajerwerkiem bufonady. Pewnie Jorgensen ma kochankę czy kochanka albo jest pedofilem... i po to jeździ do Polski. To by nawet pasowało...

– Jestem przekonany, że masz rację. – Kurt zaskoczył Lindę, zaniepokojoną praktycznym egzaminem z analizy konsekwencji, który lada moment miała zdać lub oblać. – Twój ciąg myślenia jest logiczny i przejrzysty. To ty kierowałaś przeszukaniem w domu Hansa? – I nie czekając na odpowiedź, stwierdził z uznaniem w głosie: – Gdybyś nie znalazła odbitego numeru telefonu do polskiego biura podróży, trudno byłoby nam ruszyć tę sprawę z taką dynamiką... Jeśli w ogóle!

– To przypadek. Bardziej zaskoczyło mnie wtedy zabezpieczenie, jakie zrobił w pokoju Carla, z tym nadmuchanym balonikiem na tapczanie. Zabezpieczenie proste, ale skuteczne, więc nie wchodziliśmy... a może coś tam było. – Powiedziała to głosem pozbawionym emocji, ale w głębi duszy była dumna, że Kurt dostrzegł jej wysiłek. – Ten numer telefonu jest przedostatnią poszlaką do zamknięcia łańcucha. Hans zapisał go na rogu gazety, ale nie dzwonił z domu. To było więcej niż... Popełnił błąd, który może go drogo kosztować... – przerwała i po chwili dodała: – Albo nie!

– Czekamy zatem na ostatnią poszlakę – rzucił Kurt i zamilkł.

Linda również się nie odzywała. Pomyślała, że cokolwiek teraz powie, będzie wyglądało jak próba samoobrony albo – jeszcze gorzej – jak dowód słabości.

Per i Rolf w dalszym ciągu rozmawiali, zajęci wyłącznie sobą. Chciała usłyszeć, o czym mówią, ale ich głosy się zlewały i nie sposób było rozróżnić słów.

Po pięciu minutach otworzyły się drzwi i wszedł Olaf. Jeszcze zanim się odezwał, wszyscy już wiedzieli, co przyszło z Warszawy.

– Bingo! Bingo! Bingo! – rzucił z teatralną emocją i jak nauczyciel w wiejskiej szkole, któremu zabrakło nagle słów, podniósł palec wskazujący. – Lecimy do Warszawy, Per! Miałaś rację, Lindo! – Wyraźnie podniecony, obszedł stół konferencyjny i wyciągnął do niej rękę. – Gratuluję! Gratuluję!

– Olaf! – przerwał mu Kurt. – Dowiemy się wreszcie, co ustalili Polacy?!

– Wygląda na to, że mamy prawdziwego nielegała!

– Czyli Jorgensen nie jest zdrajcą! – rzuciła Linda i wszyscy spojrzeli na nią ze zdziwieniem.

## 50

Do zakończenia rejsu pozostało jeszcze pół godziny.

Krótko ostrzyżony blondyn koło trzydziestki, z głębokimi zakolami na czole i poszarpaną blizną między lewym uchem a nosem, stał na poziomie widokowym promu Baltic Queen i delektował się morskim wiatrem, przyjemnie chłodzącym jego zaczerwienioną twarz. Wyprostowany, z lekko uniesionym podbródkiem i rękami splecionymi z tyłu, miał dokładnie metr osiemdziesiąt dwa wzrostu. Wyglądał jak orator szukający natchnienia albo człowiek pogrążony w medytacji, lecz jego wysportowana sylwetka, dobrze widoczna pod prostym T-shirtem, sugerowała raczej stan medytacji niż natchnienia.

Prom wyszedł z Tallina dzień wcześniej o osiemnastej. Blondyn, jak tylko zajął swoją kabinę, ruszył na zwiedzanie. Ostatnio trochę jeździł po świecie, ale takiego statku jeszcze nie widział. Do Värtahamnen w Sztokholmie miał dotrzeć następnego dnia o dziesiątej rano, postanowił zatem, że ten czas wykorzysta dla siebie. „Coś mi się w końcu od życia należy" – lubił sobie czasem powtarzać.

Nikt go tu nie znał. Był całkowicie anonimowy. Nawet komórka nie mogła zakłócić mu spokoju, bo żadne wezwanie, żaden rozkaz nie wchodziły teraz w grę. Na środku Bałtyku był nietykalny. Sam pobyt na morzu budził w nim jakieś niezrozumiałe euforyczne doznania, tak różne od szarzyzny i błota Czeczenii, której niezniszczalny obraz towarzyszył mu stale, gdziekolwiek był. Ale teraz stało się coś niezwykłego. Po raz pierwszy od dawna poczuł przypływ czystej radości i obraz kaukaskich wiosek rozpłynął się jak we mgle.

Nie wyobrażał sobie, że tej nocy będzie spał sam. Nie w tak luksusowej kabinie z tak pięknym widokiem na morze! To mu się po prostu należy w nagrodę za lata wiernej kaukaskiej służby w siłach Batalionu Specjalnego „Zachód" GRU pod patronatem Matuszki Rossii. Już wcześniej korzystał z tego przyznanego samemu sobie przywileju, ale jeszcze nigdy na morzu.

Nie przypuszczał, że będzie płynął tak eleganckim promem, i nie wziął, niestety, odpowiedniego ubrania.

Zaszedł do każdego butiku i supermarketu, zajrzał w każdy zakątek. Stwierdził, że w Moskwie ceny są podobne. Ale i tak nie miał zamiaru nic kupować. Alkohol był tu jednak znacznie droższy. Zresztą miał swój, chociaż na robotę za granicą nie wolno było zabierać alkoholu. Szczególnie rosyjskiego.

Spacerując po korytarzach i zaułkach promu, z zadowoleniem zauważył, że jest na nim wielu rosyjskojęzycznych turystów. A co najważniejsze – turystek. Obserwacja ta nastroiła go bojowo na resztę wieczoru. Nie zamierzał być szczególnie wybredny. Liczył się seks na morzu i przy okazji możliwość porozmawiania w ojczystym języku.

Pierwsze kroki skierował do Buffet Tallink, gdzie za dwieście dziewięćdziesiąt cztery korony mógł sobie podjeść do woli. Mimo ogromnego wyboru niewiele potraw mu odpowiadało. Najadł się jednak na zapas i wypił kilka piw. Ważniejsze było jednak obserwowanie celu, lub precyzyjniej – wybór obiektów płci żeńskiej, od osiemnastu lat wzwyż. Miał już kilka typów, ale nie wiedział jeszcze, jak zrealizować swój plan czy raczej jaką zastosować taktykę, no i – co najważniejsze – jak zacząć rozmowę. Postanowił więc, że będzie polegał na intuicji, która nigdy dotąd go nie zawiodła. Realizację przewidział na wieczór, gdy uzyska pełną gotowość.

Opuścił bufet i przeszedł do restauracji Russian à la carte Alexandra. Przy wejściu wisiało menu, ale i tak go nie przeczytał, bo z założenia uznał, że na takim promie, podobnie jak nigdzie na świecie poza Rosją, nie może być dobrej rosyjskiej kuchni. Udał się więc do swojej kabiny na piątym poziomie.

Zauważył, że wiele osób błądzi w labiryncie korytarzy, ale nie on. Zmysł orientacji, zapamiętywania przestrzennego miał niemal wrodzony.

Usiadł na krześle, żeby patrzeć przez bulaj na spokojne morze. Było jeszcze jasno. Wyjął z torby butelkę wódki i nalał sobie trzy czwarte szklanki. Wypił duszkiem.

Dobrze, że to na mnie wypadło płynąć promem do Szwecji – pomyślał z zadowoleniem. A ty, pieprzony Tatarze, polecisz dopiero jutro samolotem z dwiema przesiadkami. Pewnie mi nie uwierzysz, jak ci opowiem.

Wlał sobie drugą szklankę wódki i trzymał ją w dłoni, nie odrywając wzroku od powierzchni morza.

Pewnie i tak byś nie skorzystał, taki z ciebie służbista, czekista, kagiebowiec… Bladź! Naczelnik się znalazł! A do strzelania to ja! Zobaczymy, jak sobie teraz poradzisz, tatarski synu! Muhamedow w pięć minut odgryzłby ci jaja. Nawet byś się nie zorientował!

Wychylił szklankę i odstawił ją z głośnym stuknięciem. Sprawdził, ile zostało w butelce, i uznał, że na dzisiaj jeszcze wystarczy.

Spikerka zapowiedziała po rosyjsku, że za pół godziny rozpocznie się program artystyczny w Starlight Palace. Ten ogromny amfiteatr na rufie promu bardzo mu się spodobał i miał być terenem jego nocnej akcji, więc blondyn przyznał sobie premię i nalał jeszcze pół szklanki wódki.

Poszedł do łazienki, umył zęby i twarz, zmoczył włosy. Spojrzał do lustra i dotknął swojej blizny, która równie dobrze mogła go szpecić, jak dodawać mu osobliwego męskiego uroku. Ale tylko on wiedział, że ta blizna była granicą, od której zabijanie przestało mieć dla niego jakiekolwiek emocjonalne znaczenie i stało się czynnością czysto mechaniczną. Przypominał sobie o tym za każdym razem, kiedy widział jej odbicie w lustrze.

Na twarzy czuł skutki szybko wypitego alkoholu. Przez chwilę się zastanowił, czy powinien iść do tego Starlight Palace, w końcu czeka go w najbliższych dniach poważna robota. Ale po krótkiej analizie porzucił wątpliwości. Może przecież nie wrócić.

Prom sunął bezszelestnie w pełnym słońcu przez sztokholmski archipelag, zgrabnie omijając skaliste wybrzeże i malutkie wyspy z bordowymi lub żółtymi domami i domeczkami. Ogromne cielsko Baltic Queen otaczał rój motorówek i żaglówek zmierzających w różnych kierunkach. Turyści na pokładzie widokowym z zapałem filmowali i fotografowali wszystko dookoła. Jedynie blondyn, jakby nieczuły na uroki otoczenia, stał w swojej dziwacznej pozie.

Nie mógł sobie dokładnie przypomnieć wydarzeń wczorajszego wieczoru. Ani twarzy kobiety, która przyjmowała jego drinki w barze Starlight Palace. Pamiętał jedynie, że była Estonką, a może Łotyszką. Wszystko jedno, i tak ich nie rozróżniał. Prawdopodobnie z nią tańczył. O co wybuchła awantura z dwoma mężczyznami, już zupełnie nie pamiętał. Jak dotarł do swojej kabiny – też pozostawało tajemnicą.

Chyba nic złego nie zrobiłem – pomyślał, wciąż stojąc z zamkniętymi oczami. Gdybym, kurwa, narozrabiał, tobym tu przecież teraz nie stał. Jednak mam instynkt samozachowawczy! No mam, kurwa! Wciąż przecież żyję!

Otworzył oczy i spojrzał na zegarek. Stał w bezruchu trzydzieści dwie minuty. Przeliczył się o minutę. Mimo ciężkiej nocy i krótkiego snu był znów w pełni gotów do działania. Trening autogenny wypadł doskonale.

Prom wchodził już do portu. Blondyn zszedł do kabiny, żeby zebrać swoje rzeczy.

Wysoki, dobrze zbudowany mężczyzna około trzydziestki siedział z rękami rozłożonymi na oparciu ławki na brzegu wyspy Riddarholmen, od jej zachodniej strony. Ubrany był w ładny sportowy garnitur koloru słomy i granatowy podkoszulek idealnie dobrany do włosów. Na pociągłej męskiej twarzy widać było wyraźny, lecz nieco trudny do określenia azjatycki gen.

W Sztokholmie był już po raz trzeci. Lubił to czyste, pogodne i spokojne miasto, tak niesamowicie przelane kryształową wodą.

Petersburg też mógłby tak wyglądać, ale już nigdy nie będzie. Tego nie da się zrobić za żadne pieniądze – pomyślał. Nie ma takiej kasy w Rosji, nigdzie! Nawet w Gazpromie! Najgorsze, że nie ma już tych Rosjan, co zbudowali Petersburg. A tu jest inaczej! Tu rodziny odwiedzają groby swoich bliskich od stu pięćdziesięciu lat. Kurwa... nawet nie wiem, gdzie są groby moich dziadków – rozważał na pozór filozoficznie, rozglądając się leniwie.

Siedział już prawie dziesięć minut, czekając na Jagana, który się spóźniał.

Ostre, zmierzające na zachód słońce odbijało się w granatowosrebrzystej wodzie szerokiego Riddarfjordu i zakłócało przyjemny widok na sztokholmski ratusz. Nie wiedział, że to jest ratusz. Wydawało mu się, że to jakiś dziwaczny zamek, który zbudowano na wodzie.

Odbicie słońca było nie do zniesienia, nawet przez ciemne okulary. W Londynie dał za nie ponad sto funtów, a nie spełniały swojej funkcji. Przerzucił wzrok w lewo, na wysoki, gęsto zabudowany na szczycie skalisty brzeg Östermalmu, ozdobiony u dołu szeregiem zacumowanych statków. Po chwili przymknął powieki, odchylił do tyłu głowę i przesunął okulary na czoło, odsłaniając lekko skośne, azjatyckie oczy na wyrazistej męskiej twarzy.

Jagan usiadł obok niego, postawił na ziemi swoją zieloną torbę i przez dobrą chwilę milczał. Od razu się zorientował, że to on. Tak już było, wiedział, że to on, i już. Siódmy zmysł kapitana rosyjskiego wywiadu, Departamentu „S".

Obaj służyli od jakiegoś czasu w oddziale Gamma – oddziale, który nie istniał, nie istnieje i nigdy nie powstanie! Nie było go ani w oficjalnej, ani w tajnej strukturze SWZ, budżet nie przewidywał wydatków na taką pozycję, a jakiekolwiek plotki na ten temat wśród oficerów nie były w Jaseniewie tolerowane. Przypuszczano, że SWZ może mieć taki oddział, ale żadna służba na świecie nie mogła tego udowodnić. Zresztą każdy wywiad globalny ma taki oddział, ale nigdy się do tego nie przyzna.

– Spóźniłeś się, Jagan!

Blondyn milczał. Też przesunął ciemne okulary na czoło i naśladując Tatara – nazywanego tak z racji swego pochodzenia, co skrycie bardzo mu się podobało – wystawił twarz do słońca.

– Pięknie tu, kurwa... nie? – odparł beznamiętnie. – Nie mówiłeś, że tu tak ładnie... Zobacz tego gościa z gitarą i w kapeluszu – wskazał na rzeźbę po prawej stronie.

– Co ty?! Na wczasach jesteś?! Odwaliło ci?! Turysta się znalazł! – skarcił go krótko Tatar.

Jagan nie odezwał się. Wciąż siedział z zamkniętymi oczami.

– Chlałeś na promie!

Wiedział, że Tatar nie patrzy na niego i oczekuje przyznania się do winy. Uznał jednak, że milczenie będzie reakcją odpowiednią i dostatecznie wymowną.

– Zasady znasz! Jak uznam, że coś spierdoliłeś...

– Dobra! Jasne! Zasady znam... Ciebie też znam... dowódco! – skapitulował, odgryzając się mocnym akcentem na pierwszą sylabę.

– Posłuchaj! To już nasza trzecia robota razem. Masz talent... nie da się ukryć! Mogłem wziąć kogoś innego do tego zadania, ale wziąłem ciebie. Rozumiesz, sierżancie? – Tatar wykładał Jaganowi swoje credo już chyba po raz piąty. – Ja wiem, że wy, Czeczeńcy z GRU, macie nas, z wywiadu, za śmiecie. Nawet to rozumiem...

Blondyn poruszył się, pochylił do przodu i podparł głowę rękami. Spojrzał pod nogi i splunął na ziemię.

– Wała rozumiesz, Tatar! – rzucił po chwili. – Odpuść sobie! Za nic ci nie dziękuję! Wziąłeś mnie czy wziąłbyś innego, jeden chuj! Mamy robotę i ja ją wykonam. Z tobą czy bez ciebie, kapitanie! – Znów zaakcentował z ironią pierwszą sylabę i strzyknął śliną przez zęby. – A pięknie było, kurwa, zimą w Egikalu, jak o świcie zobaczyłem słońce. Jedyny! – powiedział na koniec, ale Tatar nie zrozumiał, o co chodzi. I nie próbował zrozumieć.

– Dlaczego nazywają cię Jagan? Zawsze chciałem zapytać... To jakieś imię?

– Nieważne!... – wyprostował się blondyn i zdjął z czoła okulary.

Przez chwilę milczeli.
– No to co robimy, dowódco? – rzucił już bez cienia złośliwości.
– W porządku! Bierzemy się do roboty!
Tatar poczuł do niego przypływ sympatii i chciał go klepnąć po plecach, ale zorientował się, że to nie jest dobry pomysł. Jagan był trudnym człowiekiem, jak oni wszyscy, ale niezastąpionym. Tatar czasem się zastanawiał, czy to w porządku, że władza najpierw produkuje takich ludzi, uczy ich zabijania, bezwzględności, a potem cynicznie wykorzystuje i nie liczy się z ich życiem, jakby byli jakimiś cyborgami. Nigdy jednak nie potrafił rozwiązać tego problemu.
Teraz ważny jest rozkaz i wykonanie zadania. I tylko to! I tylko oni! Od filozofii są inni! – odpędził męczące myśli.
– Szkoda, że nie płynąłeś ze mną promem – odezwał się Jagan.
– Dlaczego? Nie lubię morza... Robi mi się niedobrze.
– Nie masz pojęcia, jaki to luksusowy statek! Chciałem wyrwać panienkę, ale urwał mi się film.
Podnieśli się z ławki i ruszyli w stronę Gamla Stan. Obaj mieli takie same torby z grubego zielonego brezentu. Nie było to dobre, bo od razu wskazywało, że są z wojska. Ale żołnierze specnazu zawsze musieli mieć coś swojego i nie można im było tego wyperswadować. Jakby to był kawałek ich duszy.
– Najpierw pójdziemy coś zjeść – zaproponował Tatar. – Potem odbierzemy naszą walizkę. Na co masz ochotę?
– Co tu można zjeść?
– To samo co u nas...
– Dobrze. Mam ochotę na duży, prawdziwy kebab z frytkami. – Na samą myśl o jedzeniu Jaganowi zrobiło się przyjemniej.
Tatar zatrzymał się, wyjął z kieszeni mały komputer i włączył GPS. Przez chwilę przeglądał mapę. Jagan w tym

czasie podszedł do stojącego w pobliżu pomnika mężczyzny w zbroi i próbował odczytać napis.

– Birger Jarl. Stockholms grund... – wysylabizował, ale nic mu to nie mówiło.

Tatar gwizdnął i wskazał ręką kierunek. Przeszli przez most i po kilku minutach dotarli do pełnego turystów Mynttorget, gdzie skręcili w lewo między budynki parlamentu, po czym przez krótki most dotarli do zatłoczonej Drottninggatan.

Jagan zatrzymał się na chwilę i obserwował mężczyzn zarzucających długie wędki w rwącej wodzie. Wydało mu się to dziwne. Zupełnie nie pasowali do tego miejsca. Po chwili ze zdumieniem stwierdził, że wędkarze rozmawiają po rosyjsku.

Okoliczne budynki o bogatej, zróżnicowanej architekturze, odbiegające od wszystkiego, co do tej pory widział, wzbudzały w nim przyjemne wrażenie, które odbierał tylko siłą podświadomości, bo o architekturze nie wiedział wiele. W zasadzie nie wiedział nic.

Szli ulicą w tłumie płynących w obie strony ludzi. Mijali wieszaki z koszulkami i stoiska z pamiątkami, zapełnione ogródki restauracyjne. Mniejsze i większe sklepy o różnorodnym przeznaczeniu. Ulica ze zwisającymi na całej szerokości i długości różnokolorowymi flagami wyglądała jak w przededniu wielkiego międzynarodowego święta. Jagan starał się sprawdzić, jak często powtarza się flaga Rosji. Po chwili z satysfakcją uznał, że wystarczająco często.

Tatar szedł kilka kroków z przodu. Zatrzymał się, odwrócił i wskazał ręką w lewą stronę. Jagan zobaczył bar z wywieszonymi za szybą kolorowymi zdjęciami dań.

Zjedli po dużej porcji kebabu. Zajęło im to trochę czasu, bo musieli poczekać, aż zwolnią się miejsca. Zgodnie jednak uznali, że się opłaciło, bo tak smacznego już dawno nie jedli. Siedzieli jeszcze kilka minut. Jagan obserwował przez szybę przechodniów, Tatar natomiast sprawdzał w komputerze dojście na Dworzec Centralny.

– Zaczynamy robotę! – oznajmił cicho i schował komputer do wewnętrznej kieszeni marynarki.

Jagan popatrzył na kamienną twarz Tatara, który wyraźnie zaczął wchodzić w trans. Od tej pory nie było z nim żartów. Myślał i pracował jak doskonała kombinacja człowieka, maszyny i komputera. Ale jego orężem był Jagan. Bez niego realizacja zadania nie miała szans powodzenia. Więc nie mogli popełnić błędu. Mimo dzielących ich różnic po zawołaniu „Smirna!" stawali się idealnie zgranym teamem, w którym nie było miejsca na przypadek, amatorszczyznę czy błąd, a kapitulacja nie wchodziła w rachubę.

Wyszli na ulicę i ruszyli w prawo. Po kilkudziesięciu metrach Tatar skręcił w Brunkebergsgatan i nagle znaleźli się na zupełnie odludnej ulicy. Jagan szedł, jak zawsze, kilka kroków za Tatarem. Takie były zasady, jak najmniej razem, lecz z wzajemnym ubezpieczeniem. Ulica miała pięćdziesiąt siedem metrów. Tak oszacował Jagan, licząc kroki, i niewiele się pomylił. Wcześniej ją oceniał na sześćdziesiąt metrów.

Weszli do niedużego parku otaczającego potężny ceglany kościół pod wezwaniem Świętej Klary. Jagan dołączył do Tatara.

– Powiedz mi, jak to jest, że ja nie mam zupełnie pamięci do twarzy. Nie pamiętam żadnej twarzy. Nie potrafię ich opisać...

– Jak to nie pamiętasz twarzy? Każdy pamięta! Co ty?! Nie wiesz, jak wygląda Pugaczowa albo prezydent...? – urwał w pół zdania Tatar.

– Nie, nie o to chodzi! Nie pamiętam twarzy przyjaciół, wrogów, ludzi z wojny. Tych, co żyją, ani tych, co zginęli. Rozumiesz?! Pamiętam, kurwa, nazwiska, ale nie mogę ich przypisać do twarzy. Nawet jak sobie przypomnę jakąś twarz i wiem, że ją znam, to nie wiem, do kogo należy. Pierdolę, Tatar... Może ja jestem chory?! – Jagan szedł krok z tyłu i Tatar nie widział, jak bardzo jest przejęty tym, co mówi. – Rozumiesz coś z tego?

Wychodzili już na Klara Västra Kyrkogata. Tatar zatrzymał się w bramie parku na schodkach.

– Normalny to ty nie jesteś. To jasne! Z takim popieprzonym życiem jak twoje raczej nie można być normalnym – mówił tak obojętnym tonem, jakby to było zupełnie oczywiste. Zatrzymał się jednak, żeby mu to powiedzieć. – Ja też nie jestem normalny. No bo trzeba być nieźle walniętym, żeby robić to co my, nie? – Przerwał na chwilę i popatrzył na Jagana, który rozglądał się wokół. – A ty nie widzisz twarzy, bo ludzie nie mają dla ciebie znaczenia. Bo człowiek jest wtedy, kiedy ma twarz i nazwisko, nie?! Dlatego pewnie nie potrafisz łączyć twarzy z nazwiskami. Szczególnie tych twarzy, których już nie ma. Widać nie wierzysz w duchy. Dobry komsomolec! – Uśmiechnął się niedostrzegalnie.

– Może i tak jest – odparł Jagan. – Zapalimy?

– Odwaliło ci?! Przecież nie palimy... – Tatar był zaskoczony. – Ty naprawdę jesteś popierdolony!

Wciąż stali na schodkach, przepuszczając idących przez bramę przechodniów. Sto pięćdziesiąt metrów przed nimi, w perspektywie lekko opadającej ulicy, widać już było dziewiętnastowieczny budynek Dworca Centralnego.

Jagan wszedł pierwszy wejściem głównym. Zatrzymał się na chwilę i rozejrzał. Wszystko wyglądało dokładnie jak na symulacji komputerowej w Moskwie. Po lewej mały bar, po prawej kantor wymiany walut. Przeszedł do hali. Była znacznie większa, niż myślał.

Jak głosi instrukcja, ruch na dworcu o tej porze uniemożliwia wykrycie obserwacji, ale też pozwala wmieszać się w tłum.

Ładnie tu! – ocenił.

Minęły dwie minuty, odkąd znalazł się w budynku. Nie musiał sprawdzać, ale popatrzył na zegar dworcowy, potem na kolejny i ze zdziwieniem stwierdził, że wszystkie sekundniki wskazują dokładnie ten sam czas.

Dziwne! Jak to możliwe? – pomyślał ze zdumieniem.

Minęły trzy minuty. Tatar wciąż czekał na zewnątrz. Jaganowi pozostały dwie minuty. Obszedł dookoła barierkę wokół okrągłego otworu w podłodze, przez który widać było niższy poziom dworca. W hali kręcili się we wszystkich kierunkach podróżni z najczęstszymi o tej porze roku wysokimi plecakami.

Zszedł wąskimi schodami na niższy poziom. Tam też przelewał się potok ludzi, spieszących do metra, kolejki podmiejskiej i licznych sklepików.

W bocznym korytarzu, po prawej stronie obok toalety, znajdowały się schowki bagażowe. Jagan przeszedł obok skrytek i przystanął przed boksem numer 121. Wszystko się zgadzało. Napis „Stängt" znaczy, że boks jest zamknięty – skonstatował zadowolony, że dobrze sobie przyswoił to obce słowo. Choć i bez tego dałby sobie radę.

Kamera bezpieczeństwa monitorująca schowki była nisko zawieszona, z całą pewnością ruchoma i pokrywała zasięgiem niemal cały korytarz. Widoczność z niej musiała być doskonała.

– Nasi ludzie dobrze tu pracują – powiedział do siebie i stanął w martwym polu pod kamerą.

Zaplanowali to idealnie! Ruchliwe miejsce, zabezpieczenie antyterrorystyczne bardzo dobre... a my właśnie tu!

Tatar zszedł na niższy poziom schodami przed budynkiem dworca, wykorzystywanymi głównie przez pasażerów metra. Przeszedł niskim korytarzem w kierunku peronów i zatrzymał się w obszernej hali z dużym otworem w suficie, który minutę temu minął Jagan.

To był punkt orientacyjny.

Oznaczenia wskazywały, że przechowalnia bagażu i toalety są w lewo. Spojrzał na zegarek. Minęło dokładnie pięć minut. Wszedł w wąski korytarz. Ruch był duży. Jak zwarte kolumny wojska sunął tłum, w większości młodych ludzi z plecakami we wszystkich możliwych rozmiarach

Duży ruch. To dobrze, to bardzo dobrze. Jagan musi być już na miejscu... – pomyślał i w tej samej chwili zobaczył go, jak stoi pod kamerą, z zieloną torbą na ramieniu, i udaje, że coś sprawdza w jakimś notatniku.

Skąd on może mieć notatnik?

Spojrzeli na siebie. Dzieliła ich odległość piętnastu metrów. Jagan wiedział, że za moment Tatar wejdzie w pole widzenia kamery. Spokojnie wyciągnął z kieszeni nieduży pojemnik, uniósł go nad głowę, odwrócił się tyłem i nacisnął przycisk. Rozległ się cichy szum i w powietrzu rozpłynął się przyjemny zapach.

Tatar dostrzegł ten manewr. Oznaczało to, że Jagan zneutralizował kamerę. Rozpylony gaz na kilkadziesiąt sekund powodował kondensację azotu na szkle obiektywu. Na monitorze powstawał zamglony obraz, lecz ustępował na tyle szybko, że obsługa nie musiała reagować i wzywać pomocy technicznej.

Zawsze w takich momentach Tatar denerwował się najbardziej. Nigdy nie ufał innym, uważał, że tylko on sam, z wyćwiczoną precyzją, wykona tę czynność najlepiej. Sugerował to przełożonym, którzy jednak nie chcieli się zgodzić, tłumacząc się zasadami konspiracji.

W ciągu kilku sekund Jagan otworzył boks i wyjął z niego walizkę.

Gdyby ktokolwiek sprawdził jej zawartość, nie tylko nie miałby wątpliwości, kim są, lecz także doskonale by wiedział, co zamierzają zrobić. Do tego momentu można było ich zatrzymać. Potem już nie.

– Doskonale wykorzystali przestrzeń! – rzucił ni stąd, ni zowąd, chwycił walizkę, okręcił się i spokojnym krokiem wrócił do holu z otworem w suficie.

Jagan po wyłączeniu kamery miał wejść do toalety i spędzić tam pięć minut, ale do tego potrzebował pięciu koron.

W instrukcji było napisane, że w Szwecji są automatyczne bramki do kibla, lecz zupełnie o tym zapomniał. Gdyby rozmienił pieniądze u obsługi, zostawiłby po sobie ślad. Zdecydował więc, że wychodzi. Przeszedł do holu głównego i stanął przy kantorze wymiany walut Forex. Wziął tabelę kursów i udawał, że czyta.

Po chwili rozejrzał się wokół i przecinając hol, ruszył przed siebie do kiosku Pressbyrån. Od razu zobaczył głowę Tatara wystającą zza regałów z gazetami.

Wszystko szło idealnie jak na symulacji w Moskwie. Gdyby namierzyło ich Säpo, już dawno leżeliby skuci na ziemi. Nikt na świecie nie wpuściłby do miasta dwóch Rosjan z taką walizką. Teoretycznie możliwe było przejęcie jej wcześniej i neutralizacja zawartości. Ale nie w tym wypadku!

Jaganowi przeleciało przez myśl, że Tatar jest jakiś inny, nieobecny. Wydało mu się to trochę dziwne, nie mógł tego zrozumieć. Przeszedł na drugą stronę regału i gdy w martwym, niewidocznym dla innych miejscu mijał Tatara, poczuł dotyk jego dłoni i maleńki płaski kwadracik. Wiedział, że to karta SIM do telefonu komórkowego. Wszystko poszło dobrze. Zgodnie z planem. Teraz miał czas. Co najmniej godzinę w oczekiwaniu na telefon. Nie mógł zrozumieć dlaczego, ale gdy jeździł na robotę za granicą, zawsze oddzielnie wiózł telefon i dopiero na miejscu dostawał kartę SIM.

Muszę zapytać o to naczelnika – postanowił, patrząc na plecy oddalającego się Tatara, który rozglądał się nerwowo. Dobrze byłoby go teraz sfilmować, żeby się zobaczył... *gieroj rozwiedki*.

Szybko zmienił obiekt zainteresowania na wysportowaną Szwedkę w nieustalonym wieku, opaloną na odcień caffè latte i ze złotym łańcuszkiem na kostce.

Nawet nie przypuszczał, że przejazd będzie trwał tak krótko. Ze śniadym taksówkarzem starał się nie rozmawiać.

Wszedł do recepcji Solna Hotell & Vandrarhem przy Enköpingsvägen. Na pierwszy rzut oka hotel nie wyglądał dobrze – parterowe drewniane bungalowy przypominały wojskowe koszary – ale położony był na uboczu, w niedużym lesie, ze swobodnym dostępem dla osób z zewnątrz. Tani, nieprzyciągający uwagi. Bez kamer wewnętrznych. W pobliżu dwóch głównych dróg, na północ E4 i na zachód E18. Tatar pochwalił w duchu oficera, który wybrał to miejsce. Komfort i liczba gwiazdek miały trzeciorzędne znaczenie.

Podszedł do recepcjonistki, na oko czterdziestoletniej, która przywitała go szerokim, bardzo służbowym uśmiechem. Ale Tatar był tak zdenerwowany, że jej rozpromieniony widok podziałał na niego jeszcze bardziej deprymująco.

Na piersi miała tabliczkę z imieniem Liga. Podał jej swój łotewski paszport i nagle, jak w hollywoodzkiej produkcji, jej wąskie męskie usta rozszerzyły się jeszcze bardziej. Zupełnie jakby wygrała w totka albo w zdrapkę. Tatar miał ochotę nabluzgać jej i wyjść.

– *Labrīt! Laipni lūdzam!* – usłyszał.

Liga wciąż obdarzała go męskim uśmiechem, ze szminką na zębach, i trzymała w ręku jego paszport. Tatar nie musiał udawać, że nie rozumie po szwedzku.

– *Labvakar!* – nieco mniej uprzejmie rzuciła Liga, przyglądając mu się natarczywiej.

Wciąż nic nie rozumiał, więc zaczął się jeszcze bardziej denerwować. Nie wiedział, co robić z rękami, ślizgał się wzrokiem po otoczeniu, skamieniały mu nogi. Trwało to sekundy, a jemu się wydawało, że upłynęły minuty.

– Dobry wieczór, panie Garbinow. Witamy w Szwecji – zabrzmiało nagle i znajomo po angielsku.

– Dobry wieczór – odparł z zadowoleniem.

Uśmiech spłynął z jej twarzy szybciej, niż się pojawił, i zamienił w śmieszne zakłopotanie. Tatar od razu poczuł się lepiej.

– Mam rezerwację...

– Taaak! Wiiidzę! – odpowiedziała Liga, stukając w klawisze komputera. – Dwójka do pojedynczego wykorzystania... tak... pan Garbinow z Rygi...

– Dokładnie!

– Rezerwacja na tydzień?

– Wystarczy...

– Nie będzie możliwości przedłużenia. Od przyszłego tygodnia mamy wszystko zarezerwowane.

– Nic nie szkodzi. Będę musiał wracać do Rygi.

– To jest pana klucz do pokoju. Śniadania są...

– Nie jadam śniadań – odburknął nieuprzejmie, chociaż nigdy nie zaczynał dnia bez zjedzenia jajek, ale chciał już jak najszybciej zakończyć tę procedurę.

Liga nawet na niego nie spojrzała, wciąż wpatrzona w monitor.

– Życzę miłego pobytu w Sztokholmie – powiedziała, podnosząc głowę znad komputera, już bez męskiego uśmiechu. – Paszport będzie pan mógł wziąć za godzinę. *Liels paldies!* – dorzuciła cicho.

Tatar nie zrozumiał albo nie dosłyszał i zrobił zdziwioną minę.

– *Liels paldies...* – powtórzyła Liga.

Znów nie zrozumiał. Wydało mu się, że recepcjonistka jest z jakiegoś powodu złośliwa. Tylko dlaczego? Gdyby miał ze sobą swoją pamiątkową srebrną tetetkę, chętnie by ją wyciągnął i strzelił tej szwedzkiej cholerze między oczy.

Podniósł walizkę, którą trzymał cały czas między nogami, i spojrzał na Ligę. Wciąż stała za kontuarem i wskazywała mu kierunek, w którym powinien się udać, by znaleźć swój bungalow. Przez ułamek sekundy miał wrażenie, że rozszyfrowała, kim jest, w jakim celu przyjechał do Sztokholmu i że wcale nie nazywa się Garbinow. Jakby była agentem podstawionym przez CIA.

Też jestem nieźle popierdolony! Człowiek się dziwi takiemu Jaganowi po dżygitówce na Kaukazie, a wpierdala go jakaś bladź w recepcji. Muszę nad sobą pracować! – rozmyślał, idąc do swojego pokoju. Napięcie z całego dnia powoli ustępowało.

Wszedł do bardzo skromnie, ale czysto umeblowanego pokoju. Postawił bagaże i położył się w ubraniu na łóżku.

Co za suka jakaś! Dlaczego mnie to tak wpier...?

Spotkanie z Ligą nie dawało mu spokoju.

Poleżał minutę, może mniej, i przypomniał sobie, że powinien już zadzwonić do Jagana. Usiadł na brzegu łóżka. Z wewnętrznej kieszeni marynarki, zapinanej na zamek błyskawiczny, wyjął telefon. Nie bez trudu włożył zakupioną kartę SIM, wbił kod i po chwili znana melodyjka potwierdziła, że zrobił wszystko jak trzeba. Telefon zalogował się w sieci Comviq.

W recepcji było nienaturalnie pusto jak na tę porę roku i dnia. Gdy tylko Tatar zniknął za drzwiami, Liga podniosła słuchawkę telefonu.

– Marie, przyjdź do mnie – powiedziała, nie czekając na odpowiedź.

W tym dniu Marie pełniła funkcję kierowniczki hotelu. Mimo że miała dużo pracy w biurze, przyszła natychmiast. Pomyślała, że przy okazji wyjdzie na zewnątrz i zapali sobie papierosa.

– Spójrz. – Liga podała jej paszport Tatara.

– Co? – Marie zrobiła typową dla siebie minę, pozbawioną jakiegokolwiek wyrazu. – O co chodzi?

– Zobacz! Gość ma łotewski paszport... nazywa się Garbinow, co wskazuje, że jest Rosjaninem, tak? – mówiła cicho, jakby się bała, że ktoś ją podsłuchuje.

– No tak! Ty też jesteś Łotyszką...

– No właśnie, Marie! I o to chodzi! O to chodzi! – Rozejrzała się niespokojnie.

– Co z tobą? Liga! – Marie ocknęła się.

– To jest na pewno jakiś mafioso! Albo morderca, nie daj Bóg!

– Co ty mówisz?! Skąd to wiesz...

– Jak tylko wszedł w tym garniturze i koszulce, widać było, że jest z Rosji. A gdy zdjął okulary, to już nie miałam wątpliwości. I co?! Gość daje mi... łotewski paszport! Rozumiesz?

– Nic a nic!

– Jezu, Marie! Skup się!

– No dobrze. I co?

– Ja do niego po łotewsku zwyczajnie: witam, dobry wieczór i takie tam. A gość jak słup! Chciałam być miła. Nie! Pomyślałam, że nie słyszy, i po angielsku do niego. I co?! Słyszy doskonale! Angielski bez zastrzeżeń.

– U was jest dużo Rosjan. Może nie zna łotewskiego...

– Jezu! Ależ z ciebie tępa Finka! Jak można nie znać urzędowego języka...? Co... ty nie znasz fińskiego? To prawda, że niektórzy starzy Rosjanie nie znają łotewskiego, ale wszyscy pozostali, żeby dostać obywatelstwo łotewskie, musieli zdać egzamin z języka... Pojmujesz teraz?!

– U nas w Finlandii kiedyś szwedzki był obowiązkowy i wszyscy go znali. A teraz nie, młodzi nie mówią już po szwedzku...

– Boże jedyny! Nic nie pojmujesz, Marie! – Liga jeszcze bardziej ściszyła głos i wyglądała na prawdziwie przejętą swoim odkryciem.

Widząc ją w takim stanie, Marie była pewna, że coś jest na rzeczy, ale nie wiedziała co.

– No... Chyba rozumiem!

– Ruski bez języka łotewskiego nie dostanie u nas paszportu! Ten paszport jest fałszywy! Rozumiesz? – Teraz do Marie dotarło. – Na koniec rozmowy jeszcze raz powiedziałam coś po łotewsku. A on nic! Zobacz, w paszporcie nie ma ani jednej pieczątki! – Liga spojrzała nerwowo przez okno, ale zaraz się opanowała. – Ruski, a nie jeździ do Turcji,

Egiptu...? Paszport jak nowy! – Liga niemal wyrwała go Marie z ręki. – Zresztą jak można nie wiedzieć, jak jest po łotewsku „dzień dobry", jeśli się tam mieszka! Pomyśl!

– No dobra! To co się robi, kiedy ktoś nie wie, jak się mówi po waszemu „dzień dobry"? – Głos Marie zabrzmiał już całkiem poważnie.

– Ciszej, Marie! Rany boskie! Widziałam, jak na jednym filmie mafia strzelała w takim hotelu jak nasz. Idealnie pasuje, nie?! – Przerwała na moment i zbliżyła twarz do szeroko otwartych oczu i ust Marie. – Ja zrobię kopię tego paszportu, a ty idź zadzwonić na policję... dobra? Może go szukają albo coś takiego.

Mimo obfitego kebabu, który zjadł niecałą godzinę wcześniej, Jagan bez problemu dopełnił się dwoma fishmacami i dwiema lub trzema colami. Z nudów. Siedział już czterdzieści trzy minuty w McDonaldzie naprzeciwko dworca i czekał na telefon od Tatara.

O wiele później, niż się spodziewał, jego telefon zasygnalizował nadejście SMS-a. „Resolved" – widniał napis w języku angielskim. Oznaczało to, że Tatar jest już w hotelu i Jagan może do niego jechać. „Okiej" – odpisał.

Wykorzystanie telefonów komórkowych do rozmów ograniczone jest do absolutnego minimum. A przy takiej robocie jak obecna – praktycznie wykluczone. Dobrze o tym wiedział i przestrzegał tej zasady bezwzględnie.

Wielu Czeczenów zginęło przez telefon komórkowy – pomyślał.

Wziął taksówkę sprzed dworca i pokazał kierowcy kartkę z adresem hotelu w Solna. Nie odzywał się przez całą drogę, zresztą w swoim angielskim nie miał nic do powiedzenia. Pewnie tak samo jak śniady taksówkarz.

Kazał zatrzymać samochód kilkanaście metrów przed hotelem, na drodze między drzewami. U ślamazarnego kierowcy nie wywołało to jednak zdziwienia.

Wysłał SMS-a ze znakiem „!", co oznaczało, że jest już na miejscu.

Po pięciu minutach pojawił się Tatar. Niezauważeni udali się do pokoju i zamknęli od wewnątrz. Jagan zasłonił okna. Wiedzieli, co mają robić. Teraz musieli sprawdzić zawartość walizki.

– Otwierałeś? – zapytał cicho Jagan, kładąc walizkę na łóżku.

– Nie... Jakżebym śmiał! To przecież twoje królestwo! – odpowiedział Tatar. Usiadł ciężko na fotelu i położył nogi na łóżku.

Jagan otworzył walizkę i wyciągnął futerał. Sprawnym ruchem wyjął z niego automatyczny karabinek MP5SD6. Przerzucił go do drugiej ręki i położył na tapczanie obok.

– Weź nogi! – rzucił krótko do Tatara, chociaż było dość miejsca.

Od dawna było wiadomo, że Jagan ma uczuciowy stosunek do broni, więc Tatar zabrał nogi.

Pojawiły się dwa małe futerały, których kształt jednoznacznie wskazywał, że są w nich pistolety. Jagan wypakował dwa glocki 19 i ułożył je w rzędzie na kanapie, obok karabinka. Następnie wyciągnął dwa tłumiki do pistoletów, dwa noktowizory i kilka paczek amunicji. W walizce było jeszcze znacznie więcej potrzebnego im sprzętu.

– Teraz twoje rzeczy... – Wydobył nieduży czarny przedmiot wielkości etui na okulary i małego laptopa również w futerale. Na końcu wyjął dwie paczki pieniędzy. Jedną euro, drugą koron szwedzkich w banknotach po pięćset. Ułożył wszystko na tapczanie we wzorowej symetrii i tylko sobie znanym porządku.

Tatar wstał i obaj przez chwilę patrzyli na swój arsenał.

– Na chuj wziąłeś karabinek? – zapytał Tatar. – Na tej robocie nie będzie nam chyba potrzebny...

– Ostatnio też miałeś wątpliwości, że wziąłem tłumiki, pamiętasz?!

Tatar nic nie odpowiedział, ale pokiwał głową.

– Karabinek się przyda, jeśli będziemy musieli się przebijać. Rozumiesz?! Do obrony. To może być nasz ostateczny ratunek... – Jagan mówił cicho i spokojnie, bo wiedział, o czym mówił. Wiedział też, że Tatar nigdy nie kwestionuje jego umiejętności. – Do zwykłej roboty glocki... i ten twój czarny futerał – dodał.

Wziął karabinek, szybkim ruchem odciągnął zamek i puścił. Broń szczęknęła dosyć cicho, ale typowo.

Tatar spojrzał na niego z błyskiem w oczach i bez słowa wskazał palcem ściany obok.

– To drewniany dom! Wszystko słychać! – powiedział jeszcze ciszej niż poprzednio.

– Jest co trzeba! – rzucił Jagan, jakby go nie usłyszał, i zaczął wkładać rzeczy z powrotem do walizki.

– Daj mi ten futerał! – odezwał się Tatar.

– Cudowną broń?! – ironicznie odparł Jagan.

– To, co mamy tutaj... – Tatar podniósł futerał do góry – jest tak samo tajne jak cała nasza operacja. Ja sam nie wiem, co to jest, ale wiem, że nie może się dostać w obce ręce. Odpowiadam za to głową! – powiedział tonem wykluczającym jakąkolwiek dyskusję.

Schował futerał do wewnętrznej kieszeni marynarki, która wisiała na wieszaku przy drzwiach. Spakowanie walizki zajęło Jaganowi chwilę. Próbował wsunąć ją pod tapczan, ale się nie zmieściła, więc wepchnął ją do szafy. Zostawił tylko laptopa, którego położył na stoliku.

– Robiłeś to już kiedyś? Nie masz tremy?

– Stul pysk! Ty też będziesz musiał wziąć w tym udział! – wyrzucił z siebie z agresją Tatar.

– Ty za to odpowiadasz! Głową! Sam mówiłeś!... Okay!... Nie chciałem cię wkurwić. – Jagan wycofał się, widząc spojrzenie Tatara, i próbował zmienić temat. – To co teraz? Co tam masz zaplanowane?

Tatar stał przy oknie i wyglądał przez uchyloną zasłonę. Wcale go nie obchodziło, co się dzieje na zewnątrz. Myślał o tym, co powiedział przed chwilą Jagan. Te dwa proste pytania miały efekt uderzenia pięścią mistrza Wałujewa.

– Jest już późno. Jutro czeka nas sporo pracy... – zakomunikował, odsuwając od siebie myśl, że wkrótce będzie musiał użyć czarnego futerału.

– Według rozkazu, dowódco! Jestem trochę zmęczony i powinienem się wyspać. Na jutro roboty chyba jeszcze nie przewidujesz...

Przyniósł z toalety dwie szklanki i postawił je na stoliku. Ze swojej zielonej torby wyjął niedopitą butelkę wódki. Wyszło po trzy czwarte szklanki.

Przyjęli obaj postawę zasadniczą. Jagan zadeklamował toast: *Cztoby dieńgi byli i chuj stajał*. Wypili do dna i strzepnęli resztkę na podłogę.

Jagan nie znał Tatara zbyt dobrze, bo się tym nie interesował. Wiedział jednak, że unika picia alkoholu, gdy jest na akcji. Pewnie dlatego uważany był przez przełożonych za jednego z najsolidniejszych. Trudno mu było zrozumieć, dlaczego niepijący Rosjanin jest lepszy od pijącego, ale tak o nim mówili.

Widać było wyraźnie, że denerwuje się bardziej niż normalnie, i Jaganowi przez moment zrobiło się go żal. Aż sam się zdziwił, że może mu być kogoś żal. Ale nie był do końca pewien, czy to, co poczuł, jest tym, co ludzie określają słowem „żal". Pewien był za to, że do tej sytuacji wódka pasuje idealnie, bo wódka to najlepsze lekarstwo na zapalenie duszy, na które ewidentnie zachorował Tatar. I tu mylić się nie mógł, bo tę chorobę znał dobrze, z Czeczenii, z Inguszetii, z Kaukazu. Ciekawe tylko, że zapadali tam na nią tylko Rosjanie, a miejscowi nie.

– Muszę jeszcze popracować... Przejrzę materiały na komputerze. Muszę dokładnie się zapoznać z topografią terenu...

– Jasne! Kładę się spać! – oznajmił Jagan. Zdjął buty i w ubraniu wyciągnął się na wznak.

Tatar usiadł przy stoliku pod oknem i włączył komputer.

– Jaki samochód jutro bierzemy? Saaba, volvo czy niemca? – usłyszał mamroczącego już Jagana.

Jak on może tak szybko zasnąć? – pomyślał Tatar.

## 51

Krupa i Popow wyruszyli samochodem z Mińska w piątek o czwartej rano, czyli godzinę wcześniej, niż było to uzgodnione z Sarą. Do Brześcia mieli trzysta pięćdziesiąt siedem kilometrów, co zajmowało średnio cztery godziny. Droga M1 była dobra, więc nie spodziewali się opóźnienia.

Tak byli podnieceni ostatnimi wydarzeniami, że nie mogli się doczekać, kiedy już będą w Brześciu. Nie docierało do nich jeszcze, że być może na zawsze opuszczają Mińsk i Białoruś. Rozmawiali o tym wcześniej i ku pokrzepieniu serc obiecali sobie, że od tego momentu będą walczyć, by wrócić tu legalnie, na Białoruś bez Łukaszenki. Popow jako polski Białorusin, a Krupa jako białoruski Polak, za jakiego niedawno się uznał, by łatwiej wytłumaczyć sobie to, co zrobił.

Nie spodziewali się w drodze żadnych trudności, choć obaj doskonale wiedzieli, że w każdej podróży jest coś nieprzewidywalnego. A w tej szczególnie. Wyjazd godzinę wcześniej też nie był zgodny z zasadami bezpieczeństwa, bo wydłużał czas stanu zagrożenia.

Popow przygotował dwie fałszywe delegacje służbowe do delegatury KGB w Brześciu, chociaż prawdopodobieństwo, że milicyjna kontrola ich zażąda, graniczyło z cudem. Wystarczała legitymacja KGB, która miała magiczne działanie, ale tylko wtedy, gdy była wsparta odpowiednim wyrazem twarzy i specjalnym słownictwem. Bo legitymację można było podrobić, ale kagiebowca nie.

Dla większej pewności Krupa powiesił za tylnym fotelem swój mundur, tak by był widoczny z zewnątrz. Do bagażnika wstawili torby z rzeczami osobistymi. Na siedzeniu położyli skórzaną służbową teczkę zamykaną na zamek szyfrowy, w której znajdował się magnetometr i dwa nowiutkie pistolety GSz-18. Krupa wziął też wszystkie swoje pieniądze, czyli te, które dostał od Stepanowycza.

Popow kategorycznie zakazał zabierania z domu czegokolwiek, ale Wasilij o pieniądzach oczywiście nic mu nie powiedział. Jego wyjazd musiał wyglądać całkowicie naturalnie. Jakby jechał w delegację służbową. Było to oczywiste, ale nie był z tego zadowolony i jakiś czas się zastanawiał, jak spieniężyć wszystko to, co mu zostało. Wyszło jednak, że nie uzyska zbyt wiele w tak krótkim czasie, i machnął na to ręką. Na pocieszenie wytłumaczył sobie, że przecież wkrótce zaczyna nowe życie.

Zrobiło się już zupełnie jasno. Droga była praktycznie pusta. Popow prowadził z prędkością stu dwudziestu kilometrów na godzinę.

– Zwolnij, bo wyjdzie jakiś łoś i nie zobaczymy naszego skarbu – odezwał się wreszcie Wasilij po dobrej godzinie od wyjazdu z Mińska.

– Boisz się? – zapytał dziwnym głosem Popow i zwolnił.

– Co tak chrypisz?

– Zaschło mi w gardle.

– Nie boję się! – odparł Krupa. – W ubiegłym miesiącu czteroosobowa rodzina zginęła pod Grodnem, jak im sześćsetkilowy byk wpadł do samochodu. Nie słyszałeś?

– Nie.

Krupa przerwał i zamilkli na następne pół godziny. Patrzyli w skupieniu przed siebie, zastanawiając się intensywnie, czy uda im się zrobić wszystko tak, jak zaplanowali.

Wydawać by się mogło, że samochód sam prowadził ich do Brześcia i znowu zaczął przyspieszać do stu dwudziestu.

– Myślisz, że celnicy kupili tę historię? – zapytał w końcu Popow.

– Jestem pewien! Oni też są obsrani po zabójstwie Stepanowycza. Mam większe wątpliwości, czy Fiedotow i Rosjanie ją kupią...

– Miejmy nadzieję! Swoją drogą ten Fiedotow to jakiś kompletny dureń.

– Co się dziwisz...?

– Co ty?! – wtrącił Popow. – Białoruś jest przecież ważna dla Rosji! Jak SWZ może trzymać u was takich kretynów? Nie rozumiem.

– Mińsk to nie Warszawa ani nawet Wilno. To zesłanie! A on jest u nas już dwa lata...

– Może nie zna żadnych języków.

– Może...

– Ile on zarobił na tobie przez ten czas?

– Będzie tego... – Krupa zastanowił się przez chwilę – no, będzie tego ze dwa i pół tysiąca baksów. Brał połowę... Ja podpisywałem zawsze na dwa razy więcej...

– Przez dwa lata?

– Tak.

– Jak miał takich więcej... nooo... dajmy na to dziesięciu... to już jest jakiś zarobek – podsumował Popow.

– Na dobrą sprawę nie było mi źle. Nie napracowałem się zbytnio, bo informacje pisałem najczęściej pod jego dyktando albo robiłem kserokopie. Czasem przynosił coś gotowego, a ja tylko podpisywałem. Ale wkurwiał mnie, bo był bydlak i cham!

– No... to teraz go załatwiłeś!

– Jeszcze nie...

– To już jutro. Należało mu się.

– Ale ci dwaj, co z nim byli, to nie durnie! Przynajmniej jeden... – Krupa zawahał się przez chwilę i dodał: – Cwany!

– Pogadamy o tym wszystkim w Warszawie. Czeka cię sporo pracy, bo będziesz musiał przypomnieć sobie każdy szczegół.

– Mam dobrą pamięć... zbierze się tego trochę...

– Powiedz mi jeszcze raz, jak to było z celnikami...

– Przecież już ci mówiłem. Tak jak zaplanowaliśmy. Co, sprawdzasz mnie?! – Krupa był trochę poruszony. – Nie wierzysz mi czy co?!

– Nie przesadzaj! Wszystko jest w porządku! Chcę to sobie tylko uporządkować. Nic więcej! – Popow też wyglądał na poruszonego.

Minęło ponad półtorej godziny, odkąd wyjechali z Mińska. Zbliżali się już do Baranowicz, kiedy niespodziewanie zauważyli stojący na poboczu radiowóz i opartego o maskę znudzonego milicjanta, który na ich widok wyraźnie się ożywił i po sekundzie dał znak, by się zatrzymali.

Krupa sięgnął do tyłu i założył wojskową czapkę z otokiem KGB. Popow zwolnił. Kiedy zrównali się z milicjantem, Krupa zdążył tylko zauważyć jego zdziwioną twarz i pogroził mu palcem. Jasne już było, że nie muszą się zatrzymywać. W bocznym lusterku zobaczył, że milicjant podniósł rękę, by zasalutować, ale nie dokończył tego gestu i znów oparł się o samochód.

– Powiedziałem im – zaczął Krupa, rzucając czapkę z powrotem tam, skąd ją wziął – że Fiedotow robił interesy ze Stepanowyczem i z rosyjską mafią. Że wiedzieli wszystko o transportach papierosów i mieli przejąć interes...

– Cholera! – wtrącił Popow. – Nie wiem, czy nie uwierzą... Sami mogą być przecież związani z Rosjanami.

– Zareagowali, jakby byli naprawdę mocno wkurwieni. Poza tym mówiłem ci, że są związani z ludźmi z administracji prezydenta, a to raczej wyklucza udział Rosjan... ale... diabli wiedzą.

– Nie ma co się teraz nad tym zastanawiać. Zresztą nie będą mieć nawet czasu, by to sprawdzić. Wszystko się okaże jutro.

– Będzie dobrze! Mówię ci! – zdecydowanie rzucił Krupa, ale wcale nie był tego taki pewny. Po chwili, żeby zmienić temat, zapytał: – To jak zamierzacie przemycić mnie przez granicę? Teraz ty mi opowiedz jeszcze raz.

Popow pokręcił głową i uśmiechnął się.

## 51

Inspektor Gunnar Selander z posterunku na Solnavägen odebrał telefon od policyjnego operatora, który opisał sprawę krótko: kierowniczka hotelu przy Enköpingsvägen twierdzi, że zatrzymał się u nich jakiś rosyjski gangster i zabójca. Podobno może dojść tam do strzelaniny. Wszystko, co powiedział operator, przepojone było rozbawieniem, a w ostatnim słowie dało się wyczuć wyjątkową ironię.

– Porozmawiasz sobie z nią? – zapytał i nie czekając na reakcję, przełączył rozmowę.

– Inspektor Gunnar Selander. Słucham. W czym mogę pomóc? – odezwał się wyćwiczoną formułką, licząc jednocześnie w duchu, że nie będzie musiał już nigdzie dzisiaj jechać. O dwudziestej drugiej kończył służbę. Wiedział jednak, że słowo „strzelanina" – w hotelu czy gdziekolwiek indziej – nie jest powodem do żartów. Nawet w Szwecji!

– Nazywam się Marie Tuominen – usłyszał silny śpiewny fiński akcent. – Jestem teraz kierowniczką Solna Ho...

– W czym mogę pomóc? – Selander przerwał jej zupełnie niepotrzebnie i pomyślał, że musi być już bardzo zmęczony. – Przepraszam, Marie! Rozumiem, że macie problem z jakimś Rosjaninem. Opowiedz mi teraz wszystko po kolei.

Marie zupełnie nie miała talentu narracyjnego. Selander jednak przez dwadzieścia lat służby przyzwyczaił się do takich rozmów i potrafił wydobyć z rozmówcy to, co najistotniejsze. Każdego traktował z należytą powagą i szacunkiem. Z doświadczenia wiedział, że życie nie zna próżni, pełne jest za to niespodzianek.

Zanotował dane Rosjanina, które Marie przeliterowała, oraz numer jej telefonu komórkowego i poprosił, by zachować ostrożność i nie podejmować żadnych działań, dopóki się nie odezwie. Podziękował za czujność i odpowiedzialność.

Włożył do komputera swoją kartę identyfikacyjną i otworzył program Identyfikacja Personalna, który zawierał zbiór wszystkich osób podejrzanych i poszukiwanych, rejestrowanych przez policję szwedzką i Säpo.

Wpisał łacińską transkrypcję, Igor Anatolyevich Garbinov, urodzony 10.04.1976 w Rydze.

Po chwili na ekranie pojawił się czerwony napis: „Nie znaleziono".

Selander uważał, że program IP doskonale zdaje egzamin, szczególnie odkąd jest podłączony do europejskiego systemu identyfikacyjnego. Wpisał następnie numer paszportu Garbinowa. Odpowiedź była taka sama: „Nie znaleziono". Oznaczało to, że paszport o tym numerze jest w porządku.

Z pewnością system jeszcze się poprawi, gdy będzie zawierać dane biometryczne – pomyślał.

Odpowiedź, jaką dał mu komputer, uspokoiła go na tyle, że nie potraktował sprawy jako pilnej. Postanowił najpierw dokończyć raport z interwencji w niebieskich blokach w Hagalundzie, gdzie doszło do rutynowego boju erytrejskich i somalijskich gangów.

Było już grubo po szesnastej. Inspektor Gunnar Selander kończył służbę o dziesiątej. Pisanie raportu zajęło mu więcej czasu, niż się spodziewał. Dlatego zaplanował, że podjedzie na Enköpingsvägen w cywilu swoim prywatnym samochodem w drodze do domu w Kista. Porozmawia tylko z obsługą hotelu i weźmie kopię paszportu Igora Anatolijewicza Garbinowa. Potrzebne mu było zdjęcie. Nowy program Face 69 IP pozwalał zidentyfikować człowieka na podstawie pomiarów jego twarzy i obejmował najgroźniejszych przestępców, terrorystów i szpiegów. Selander doszedł do wniosku, że to ostatnia czynność, którą powinien wykonać, by się upewnić, że przeczucie jakiejś Łotyszki i Finki nie jest w rzeczywistości kolejną emanacją sezonu ogórkowego w Sztokholmie.

– *Wstawajtie, ludi russkije*...

Tatar usłyszał mocno fałszujący śpiew. Przez chwilę nie wiedział, gdzie jest i czyj to głos. Ale zaraz sobie przypomniał i otworzył oczy.

– Co ty... pierdolisz? Jacy... *ludi russkije*? – wyszeptał i zamknął oczy z nadzieją, że może jeszcze chwilkę pośpi.

– Wstawaj, już siódma! – Jagan siedział na swoim tapczanie, owinięty w ręcznik.

Tatar poczuł zapach dezodorantu.

– Wiesz, co to za pieśń? – zapytał i też usiadł na tapczanie.

– Ni chuja! A co? Podoba ci się? Nie znasz jej? Śpiewaliśmy ją czasem na Kaukazie. Najczęściej pod koniec imprezy...

– To Prokofjew, cymbale! Z filmu *Aleksander Newski*! – Tatar wyraźnie zaczął się rozbudzać.

– Nie wiedziałem... Jaki Prokofjew?

– Nasz kompozytor...

– On napisał tę piosenkę do filmu? Patrz, kurwa... nie miałem pojęcia! A znam ją na pamięć...

– Łazienka wolna? – Tatar zakończył rozmowę, bo widać było, że Jagan nie za bardzo kojarzył, kto to Prokofjew.

Siedzieli przy małym stoliku. Jagan uchylił zasłonę i obserwował, co się dzieje na zewnątrz. Tatar włączył laptopa i coś w nim przeglądał.

– Wydaje się, że to nie powinno być trudne – odezwał się po dłuższej chwili. – Wygląda na to, że teren jest słabo zasiedlony. Dobrze zalesiony... dom blisko wody. Dojazd drogą może być problematyczny, bo w pobliżu stoi kilka domów...

– Zawsze jest trudno... Kurwa! Nie mogę zapamiętać tej nazwy... – wciął mu się Jagan.

– Åkersberga.

– A mieszka w Jakobsbergu?

– Jednak pamiętasz!

– Czasem coś mi wyleci. To co...? – Popatrzył na Tatara wyczekująco. – Idę szukać samochodu, a ty pilnujesz arsenału. Tak było zaplanowane... nie?!

– Tylko bierz szwedzki samochód. Żadnych wynalazków! Rozumiesz?! – Tatar musiał przypomnieć zasady, bo Jagan nie uznawał żadnych innych marek poza BMW. – Potem jedziemy obejrzeć jego posiadłość i miejsce, gdzie mieszka Jakob... I... zaczynamy! Kurwa! Zaczynamy!

– Idę.

– Wszystko masz?

– Mam!

– Telefon?

– Jasne!

Jagan uchylił drzwi, spojrzał przez szparę i po sekundzie wyszedł. Między bungalowami kręciło się kilka osób. Ruszył pewnie przed siebie. Niespodziewanie z naprzeciwka wyszedł wysoki, dobrze zbudowany blondyn około czterdziestki, w dżinsach i niebieskiej koszuli. Kiedy się zbliżył, Jagan zobaczył, że mężczyzna ma równie intensywnie niebieskie oczy. Nigdy wcześniej takich nie widział!

Pasują idealnie do koszuli i spodni... i nieba – pomyślał i dokładnie w tym momencie usłyszał, że mężczyzna, mijając go, mówi: *Hej* – i uśmiecha się do niego.

Co jest... co on... mnie zna czy co? Jakiś zwyczaj popierdolony?!

Spojrzał podejrzliwie na niebieskookiego blondyna i minął go bez słowa. Mężczyzna po chwili zniknął za rogiem domu.

Tatar obserwował Jagana przez szparę w zasłonach.

Jakość kserokopii paszportu Garbinowa była bardzo dobra. Opowieści Marie i Ligi już nie. Nadawały się na fragment scenariusza kiepskiego filmu, ale Selander wiedział, że nie wolno nie doceniać nikogo i niczego. Wyczucie – wzbogacone czasem fantazją – że dzieje się coś dziwnego, miało swoją niedocenianą, tajemniczą wartość. Nie tylko na filmach się zdarza, że ktoś czuje zbrodnię na odległość.

Siedział na balkonie swojego mieszkania na obrzeżach dzielnicy Kista, uważanej niegdyś za szwedzką Dolinę Krzemową. Żona wyszła do pracy jak zwykle o ósmej. W tym tygodniu miał popołudniową zmianę i zaczynał o trzynastej. Lubił taki cykl i czasami uważał, że mógłby pracować tak zawsze. Wstawał wcześnie, wypijał szklankę zimnego fila i niezależnie od pogody wsiadał do samochodu i jechał parę kilometrów do Ursvik, gdzie miał swoją stałą sześciokilometrową trasę do biegania. Gdy wracał, żona zbierała się już do wyjścia. I o to mu chodziło, bo z żoną od pięciu lat byli na skraju rozwodu i w miarę możności starali się unikać ze sobą kontaktu.

Błękitne niebo zapowiadało ciepły, słoneczny dzień. Selander ogolił się, wykąpał, przyniósł sobie na balkon tosty z serem rakowym Kavli i kawę z mlekiem. Położył przed sobą kserokopię paszportu Garbinowa.

To była ładna męska twarz o harmonijnych proporcjach i niezbyt ostrym, ale zauważalnym azjatyckim rysie. Twarz, jaką w Szwecji rzadko się spotyka. Zupełnie inna, niezwykła. Selander znał sporo Azjatów, w większości imigrantów, wielu urodzonych już w Szwecji, czasami z małżeństw mieszanych, ale nigdy nie widział takiej twarzy.

Garbinow ma azjatyckie geny, to pewne! – rozważał w myślach. Lecz to muszą być bardzo stare geny, głęboko wymieszane, może nawet setki lat temu, żeby ukształtowała się taka twarz. To możliwe chyba... tylko w Chinach... nie, może bardziej w Rosji?! Setki ludów, narodowości... wszystko możliwe! Inteligentna twarz... dzikie, niesamowite oczy...

Selander, przybliżywszy kserokopię, nabrał nagle dziwnego przekonania, że w opowieści Marie i Ligi coś się kryje, coś prawdziwego i niepokojącego.

Może one rzeczywiście coś wyczuwają... mają instynkt... skoro i ja... – pomyślał z niedowierzaniem.

Nigdy wcześniej nic takiego mu się nie przydarzyło, chociaż widział w swoim życiu już niemal wszystko.

Dochodziła dziewiąta. Szybko włożył dżinsy i niebieską koszulę z długim rękawem. Postanowił jednak pojechać wcześniej do pracy i sprawdzić tę niezwykłą twarz w IP.

Skręcił w lewo w Enköpingsvägen, mijając po prawej falisty gmach SE Banken. O tej porze dnia i roku ruch w Sztokholmie był niewielki. Światła sprawnie przepuszczały samochody. Selander dojeżdżał już do Sjövägen i właśnie miał skręcić w dół, w prawo, jednak Garbinow nie dawał mu spokoju, a hotel Solna znajdował się opodal...

Popatrzył szybko w lusterka i przeskoczył samochodem na lewy pas. Po trzystu metrach skręcił w lewo, do hotelu.

Zaparkował przed recepcją. Ligę zastępował młody chłopak imieniem Jon. Selander przedstawił się i nie musiał nawet pokazywać legitymacji, bo Jon natychmiast odpowiedział, że o wszystkim wie od Marie i jest do dyspozycji.

Przez chwilę Selander pomyślał zaskoczony, że, prawdę mówiąc, nie wie, dlaczego i po co przyjechał do hotelu. Nie miał powodu legitymować Garbinowa czy robić czegokolwiek. Zresztą gdyby rzeczywiście było coś na rzeczy, mógłby go tym spłoszyć.

– Czy ten Garbinow jest w swoim pokoju? – zapytał bez przekonania.

– Klucza nie oddał. Ale teraz mało kto oddaje klucz. A stąd nic nie widzę...

– No tak... to oczywiste. Pójdę się rozejrzeć... Dziękuję.

– Mam tutaj do pana telefon... jakby co! – Jon podniósł do góry wizytówkę, którą Selander zostawił wczoraj.

– W porządku! – odpowiedział inspektor już w półobrocie i wyszedł.

Garbinow zajmował pokój numer 48. Między bungalowami panował ruch. Kilku turystów, głównie młodych ludzi z plecakami, szykowało się do drogi. Pogoda była piękna, więc drzwi stały otworem. Selander pomyślał, że w tej atmosferze może spokojnie przejść obok pokoju Garbinowa i przez okno rzucić okiem do środka. Nie wiedział, czego mógłby się spodziewać. Pchała go do tego pobudzona policyjna intuicja.

Do pokoju numer 48 miał jakieś dwadzieścia metrów, gdy kątem oka zobaczył, że jego drzwi się otworzyły i wyszedł z nich jakiś mężczyzna. Selander od razu zauważył, że to nie Garbinow, i pomyślał, że nieznajomy pewnie pomylił pokoje. Kiedy idący z naprzeciwka blondyn był już dwa, trzy metry przed nim, można było zauważyć, że na policzku ma grubą bliznę o niezwykłym kształcie.

Selander patrzył mu prosto w oczy i od razu wyczuł w nim coś dziwnego, coś takiego jak u Garbinowa. Gdy ich spojrzenia się spotkały, z uśmiechem powiedział do blondyna: *Hej!* – ale ten nic nie odpowiedział, tylko spojrzał dziko i poszedł dalej.

Okno pokoju numer 48 było zasłonięte. Kiedy Selander przechodził obok, odniósł wrażenie, że zasłona się poruszyła i przez ułamek sekundy widać było czyjąś twarz. Nie zatrzymując się, obszedł bungalow od drugiej strony i wrócił do recepcji.

– Czy pod czterdziestkąósemką zameldowana jest tylko jedna osoba? – zapytał Jona.

– Tak. To dwójka do pojedynczego wykorzystania. Zameldowany jest tam tylko ten Garbinow. Ale sprawdzę jeszcze w komputerze. – Jon przez chwilę stukał w klawiaturę. – Tak, dokładnie tak, jak powiedziałem. A stało coś się?

– Nie, nic! Dziękuję za pomoc.

Selander wsiadł do samochodu i pomyślał, że powinien jak najszybciej sprawdzić tego Garbinowa.

– Kobieca intuicja! – powiedział do siebie. Ciekawe, co powiedziałyby Liga i Marie, gdyby zobaczyły jeszcze tego Rosjanina z blizną. No bo któż inny może być taki gburowaty? Coś się tutaj dzieje!

Przez chwilę siedział jeszcze przy włączonym silniku, po czym puścił hamulec i samochód potoczył się na posterunek.

Przejściem podziemnym Jagan dostał się na drugą stronę Enköpingsvägen. Zatrzymał się i sprawdził kierunek, w którym powinien się udać. Ze zdjęć satelitarnych wynikało, że najlepszym rejonem do pozyskania samochodu jest dzielnica Sundbyberg, a w niej Tulegatan i Fredsgatan. Stały tam szeregi zaparkowanych samochodów i według rozpoznania ulice te nie były też kamerowane.

Skręcił w lewo i zszedł w Sjövägen. Oprócz niego na drodze nie było żadnych pieszych. Trochę go to denerwowało. Po ośmiuset dziewięćdziesięciu metrach będzie po prawej przecznica biegnąca przez park.

Mam się trzymać lewej strony i po jakichś pięciuset metrach dojdę do Vackra Vägen. Potem lekko do góry i będzie rondo. To będzie ta... Tulegatan. Samochody stoją na parkingu na środku drogi.

Jagan szedł dość szybko i cały czas powtarzał sobie drogę, chociaż pamięć miał doskonałą i nie potrzebował żadnych map ani komputerów.

Jak dobrze pójdzie, za godzinę powinienem być z powrotem w hotelu – pomyślał z nadzieją, bo denerwowało go, że na ulicach jest tak mało ludzi, i czuł się, jakby był wystawiony na odstrzał.

Do Tulegatan dotarł bezbłędnie i w zaplanowanym czasie. Idąc ulicą, obserwował samochody. Po chwili przeszedł na środek jezdni i zaczął się posuwać wzdłuż równolegle zaparkowanych pojazdów.

– To znacznie lepiej, niż gdyby stały w szeregu – powiedział do siebie i z uznaniem pomyślał o oficerze przygotowującym wyjazd. Takie drobiazgi... a jakie mają znaczenie!

Wybierał kilkuletnie saaby, których było sporo. Dotykał każdego palcem i sprawdzał, jak bardzo jest zakurzony. Dotarł Tulegatan aż do ronda przy Fredsgatan i zatrzymał się.

Środek ronda wyglądał jak wielki stos, wypełniony w kilku piętrach kolorowymi kwiatami, palmami i różnorodnymi innymi roślinami. Sprawiał niezwykłe wrażenie, jak obrazek wyjęty z innego świata.

Niesamowite! Jeszcze czegoś podobnego nie widziałem w takim miejscu! Dlaczego ludzie robią takie rzeczy?

Otaczający go przenikliwy spokój, porządek oraz wszechobecna harmonia i tak działały już na niego deprymująco. A teraz jeszcze to rondo z kwiatami! Z coraz większym wysiłkiem przychodziło mu nad sobą panować.

Nie zwracając niczyjej uwagi, przebadał pokrywę kurzu około piętnastu samochodów. Wybrał dwa najbardziej zakurzone saaby 9-3, ciemnozielony i srebrny, i jeden 9-5 aero, granatowy. Najbardziej zakurzony był 9-5, co mogło wskazywać, że właściciela od dłuższego czasu nie ma w domu. Przynajmniej była na to duża szansa.

Wydawało się, że warunki są wyśmienite – niewielki ruch samochodów, piesi prawie nieobecni – mimo to wciąż czuł się nieswojo. Postanowił przedtem coś zjeść. Potrafił nie jeść kilka dni i nie odczuwać głodu, ale teraz miał wyraźną potrzebę zjedzenia czegokolwiek.

Już wcześniej zauważył po prawej stronie ulicy mały przeszklony pawilon z napisem „Duvbo Grillen" i pomyślał, że zjadłby chętnie szaszłyk z piwem.

Wewnątrz było czysto i przyjemnie. Kilka metalowych stolików, żadnych gości. Popatrzył na duże kolorowe zdjęcia serwowanych dań i wypisane na nich ceny. Nie było szaszłyków. Wybrał dziwne danie przypominające loda z parówką, ale nie mógł przeczytać, jak się nazywa. Kosztowało pięćdziesiąt sześć koron.

Spojrzał na śniadego sprzedawcę za ladą, który przyglądał mu się z uwagą i powiedział do niego coś, czego oczywiście nie zrozumiał. Jagan wskazał mu palcem na wybrane zdjęcie.

– *Tunnbrödsrulle?* – usłyszał i wydało mu się to mniej więcej zbieżne z tym, co było napisane na zdjęciu.

Przytaknął.

– *Beer* – dorzucił do zamówienia.

Teraz sprzedawca kiwnął głową na znak, że się zorientował, iż ma do czynienia z obcokrajowcem. Otworzył i podał mu piwo.

Jagan wyszedł na zewnątrz i usiadł przy stoliku w oczekiwaniu na zamówione danie. W zasięgu wzroku, około trzydziestu pięciu metrów dalej, stał wybrany już przez niego saab 9-5. Podobał mu się. A perspektywa prowadzenia nieznanego dotąd modelu napawała go lekkim podnieceniem.

Sprzedawca przyniósł danie, które okazało się grubą parówką osadzoną w ziemniakach purée z pomidorem, ogórkiem i czymś jeszcze, a wszystko to zawinięte w cienki chleb polarny i przebite plastikowym widelcem. W ocenie Jagana ziemniaki i parówka tworzyły dobrą kompozycję. Szybko zrezygnował z widelca i zjadł danie bez jego pomocy, co nie okazało się trudne.

Podszedł do samochodu i włożył do zamka podłużny pasek metalu podobny do klucza. Z tylnej kieszeni spodni wyjął czarne pudełko, które połączył z kluczem czerwonym przewodem. Następnie nacisnął okrągły przycisk. Na pudełku zapaliła się czerwona dioda. Po kilkudziesięciu sekundach zapaliła się zielona. Ponownie wcisnął przycisk i spokojnie otworzył drzwi samochodu. Wewnątrz był zaduch i kurz, co mogło świadczyć, że rzeczywiście pojazd od dawna nie był odwiedzany przez właściciela.

Jagan włożył swój klucz do stacyjki i bez problemu uruchomił silnik.

– Kurwa! Mógłbym zbić niezłą kasę, jakbym miał takie cudo! – pomyślał z zazdrością o urządzeniu do otwierania samochodów.

Po kilku minutach zostawił saaba trzysta metrów od hotelu Solna, na bezpłatnym parkingu dla klientów pobliskiego centrum handlowego.

# 53

Minęli drogę na lotnisko i tablicę z napisem „Brześć 32 km".

– Jesteśmy półtorej godziny przed czasem – zakomunikował Popow. – Po lewej będzie stacja Łukoilu. Zatrzymamy się tam. Muszę zatankować i coś zjemy.

Była siódma piętnaście, piątek rano, i na drodze M1 zaczynał się coraz większy ruch. Na parkingu odpoczywało kilka tirów i stały dwa samochody osobowe.

Krupa i Popow przebywali na stacji czterdzieści pięć minut i ani razu nie nawiązali w rozmowie do tego, co ma się wydarzyć w ciągu najbliższych godzin. Rozmawiali o wszystkim innym, tylko nie o tym. Wasilij chciał wiedzieć, jak będzie wyglądało jego nowe życie w Polsce. Popow z zaangażowaniem przedstawiał mu obraz szczęśliwego kraju, aż Krupa nabrał wątpliwości, czy przyjaciel na pewno jest białoruskim patriotą i czy te opowieści są prawdziwe.

Ostatnie dwadzieścia minut przesiedzieli w samochodzie. Gdy minęła ósma, Popow wziął plan miasta i rozłożył go na kierownicy.

– Zostało nam jakieś dwanaście, piętnaście kilometrów…

– Dowiem się w końcu, dokąd jedziemy? – zapytał Krupa. – Trochę mnie wkurwia ten wasz brak zaufania, ta wasza konspiracja!

– Takie są zasady – odparł spokojnie Popow. – Musisz się tego nauczyć, jeżeli chcesz z nami pracować. I to nie ma nic wspólnego z zaufaniem. Wiesz tyle, ile trzeba, i dowiadujesz się, kiedy trzeba. Polski wywiad to nie białoruskie KGB. Rozumiesz?!

– Rozumiem! – odparł chłodno Krupa. Dobrze wiedział, że białoruskie KGB ma poważne braki, ale mu się nie spodobało, że Popow wywyższa Polaków.

– Jedziemy do starej cementowni… o, tutaj. – Popow pokazał palcem na planie miasta. – To jakiś kilometr od cytadeli i pięćset metrów od głównej bramy. O dziewiątej będzie tam czekać Agnieszka… i ktoś jeszcze. – Włączył silnik i ruszył powoli w kierunku drogi M1.

Przez dwadzieścia minut krążyli po mieście. Dokładnie za pięć dziewiąta Popow podjechał do opuszczonej cementowni i zatrzymał samochód sto metrów wcześniej. Nie wyłączywszy silnika, wysiadł, stanął obok pojazdu i rozejrzał się wokół. Wyjął z kieszeni i uruchomił krótkofalówkę.

Mocno zdewastowany teren sprawiał wrażenie bezludnego. Otoczenie wyglądało, jakby przed chwilą przeszedł tędy nalot dywanowy. Popow od razu pomyślał, że nie można było wybrać lepszego miejsca na bazę operacji.

– Widzisz przed sobą budynek z pochyłą rampą? – odezwał się nieznany mu głos w krótkofalówce.

– Widzę!

– Widzisz szeroki wjazd na dole?

– Widzę!

– Wjedź tam.

– Jadę!

Popow wsiadł z powrotem do samochodu i powoli ruszył naprzód.

– Dobrze, że te krótkofalówki są kodowane... Zresztą do granicy są dwa kilometry i Polacy w eterze to nic dziwnego – skomentował Krupa, jakby się czegoś obawiał.

– Wszystko w porządku – rzucił Popow.

Wjechał do wnętrza budynku przez szeroką bramę, którą kiedyś musiały wjeżdżać ciężarówki. Jechał ostrożnie, gdyż na ziemi leżały duże kawałki gruzu. Po chwili zobaczyli, że w rogu obok stoi zaparkowany volkswagen transporter na brzeskich numerach rejestracyjnych. Obok stał obcięty na jeża mężczyzna w sportowym stroju, o atletycznej sylwetce i z krótkofalówką w ręce.

Przywitał się skinieniem głowy i dał im znak, by poszli za nim. Krupa rozglądał się nerwowo, zdezorientowany zachowaniem mężczyzny, otoczeniem i samochodem na białoruskiej rejestracji.

Przeszli do sąsiedniego pomieszczenia, zawalonego gruzem i drewnianymi belkami. Od razu można było rozpoznać, że to resztki schodów. Obok stała długa aluminiowa drabinka oparta o ścianę. Jak na komendę obaj spojrzeli w górę i prawie pięć metrów nad swoimi głowami zobaczyli uśmiechniętą Sarę.

– Zapraszam do obozu – usłyszeli jej głos.

Krupa od razu poczuł się lepiej i pierwszy rzucił się do drabinki. Wspiął się tak szybko, jak mógł. Gdy tylko stanął na nogach, ujrzał przed sobą wysokiego, szczupłego mężczyznę o śniadej karnacji i zaczesanych do tyłu włosach. Uśmiechał się do niego, ale nie tak serdecznie jak stojąca obok Agnieszka. Nie było najmniejszej wątpliwości, że to właśnie on jest tutaj dowódcą. Krupa poczuł się zmieszany jego badawczym spojrzeniem, nadającym mu chłodny wyraz i zupełnie niepasującym do uśmiechu. Potrzebował chwili, by się zorientować, że czeka na niego wyciągnięta ręka.

– Witaj w drużynie – usłyszał krótkie zdanie wypowiedziane ciepło po polsku, chociaż polski wydawał mu się zawsze językiem twardym i brzydkim. – Witaj, Wasilij. – Poczuł męski uścisk dłoni.

– „Drużyna" to *komanda*? – zapytał ni stąd, ni zowąd i zorientował się, że Popow i ostrzyżony na jeża mężczyzna też już weszli na górę.

– Tak jest – odpowiedziała Sara po polsku. – Teraz musisz się uczyć polskiego. Będzie ci potrzebny.

Krupa kątem oka zobaczył, że Popow i śniady mężczyzna padli sobie w ramiona jak najbliżsi przyjaciele i przez moment o czymś rozmawiali, ale nic nie mógł zrozumieć. Nawet nie próbował.

– Nazywam się Konrad i będziemy razem pracować – usłyszał wypowiedziane po rosyjsku słowa. Poczuł, że mężczyzna objął go ramieniem i poprowadził w głąb sali. – Nie denerwuj się. Chociaż to normalne w takiej sytuacji. Już wkrótce będziesz w Polsce i skończy się to wszystko. Wtedy odpoczniesz. Zaopiekujemy się tobą. – Krupa miał wrażenie, że krew powoli napływa mu z powrotem do mózgu. – Dziękuję ci za pomoc... – usłyszał jeszcze. – Nie wiem, czy bez ciebie byłoby to możliwe. Dziękuję!

Krupa uśmiechnął się po raz pierwszy, gdyż zrozumiał, że niepotrzebnie tak się przejął. Zrzucił to na karb nerwów i napięcia, w jakim żył od czasu zamordowania Stepanowycza, i niepewności, co go jeszcze czeka w tym tak zwanym nowym życiu, o którym ciągle mówił Popow. Wierzył, że uda się im wywieźć go bezpiecznie z Białorusi, i nie próbował już nawet zgłębiać tego problemu.

Spodobało mu się zachowanie nowego szefa. Konrad zaczął od słowa „dziękuję", które nigdy nie padło z ust Stepanowycza, i gestu, jaki robi się wobec najbliższych przyjaciół.

Wygląda, że jest dobrze... Przydałaby mi się szklaneczka czegoś mocniejszego... – ocenił w duchu.

– Zrobiłem, co mogłem – dodał już na głos. – Teraz to również moja sprawa.

– Chodź, poznam cię z zespołem – powiedział Konrad. – Potem zaczynamy przygotowania.

Dopiero teraz Krupa zauważył, że na środku sali wielkości boiska do koszykówki stoi duży granatowy namiot. Wyszli z niego dwaj pogrążeni w rozmowie mężczyźni. Gdy zobaczyli Krupę, skinęli mu jakby od niechcenia głowami, nie wykazując większego zainteresowania jego obecnością.

– To Mirek i Irek. Nasi specjaliści od wszystkiego. Trochę niewychowani, ale nie przejmuj się, mają też pozytywne cechy, sam zobaczysz – skomentował Konrad i odwrócił się do tyłu. – Sarę już poznałeś.

– Tak. Ale mówiła, że nazywa się Agnieszka...

– Teraz Sara. Jutro może być Marta, to bez znaczenia – ciągnął Konrad. – Oleg to Oleg...

– Sprawa jasna! – Krupa uśmiechnął się już swobodnie.

– A ten tam... – Konrad wskazał na Lutka, który stał dziesięć metrów od nich przy oknie i obserwował otoczenie – to Lutek, specjalista od gimnastyki specjalnej. – Krupa pokiwał głową, bo już wcześniej się zorientował, że ten mężczyzna musi być komandosem. – Jest jeszcze jeden – dodał Konrad – ale poszedł po śniadanie.

Weszli do namiotu. Wewnątrz było bardzo jasno, gdyż zapalone światło odbijało się od cienkiej aluminiowej folii potęgującej jego moc. Pośrodku stały cztery turystyczne taborety, a inne, złożone, pozostawiono obok niedużej plastikowej walizki. Na wprost widać było papierową tablicę, na której kolorowymi pisakami rozrysowano jakiś plan.

Widok ten zrobił na Krupie duże wrażenie, ale jeszcze większe na „Travisie", który aż zagwizdał, wchodząc do namiotu. Ledwo usiedli na taboretach, gdy zjawił się Marcin z torbą pełną zakupów i stanął w miejscu, słabo udając zaskoczenie.

– Szefie... sam zgadnę... To jest... – wskazał palcem – Oleg Popow, a to Wasilij Krupa! Nie... chwileczkę... na odwrót!

– Nie pajacuj! – skarcił go Konrad ostrym tonem.

– Nazywam się Marcin. – Zrobił dwa kroki do przodu i wyciągnął rękę, a gdy usłyszał, który jest Oleg, a który Wasilij, rzucił pewny siebie: – Widzi szef, ma się tę intuicję!

Konrad tylko pokręcił głową i pomyślał z rozbawieniem, że paranormalne zdolności Marcina to blef, który sam sobie wmówił.

## 54

Selander włożył swój identyfikator do komputera i próbował wejść do programu Face 69 IP, lecz ku swojemu zaskoczeniu został poinformowany, że nie ma odpowiednich uprawnień. Nigdy dotąd nie korzystał z tego programu, ale przypomniał sobie, że podczas szkolenia mówiono, że zawiera on nadzwyczaj poufne informacje, a dane przesyłane są siecią specjalnie zabezpieczoną przed obcymi służbami, hakerami i wszystkimi innymi nieupoważnionymi osobami.

Dostęp do zbioru mieli policjanci posiadający specjalne uprawnienia, i to tylko w komendach gminnych. Selander zadzwonił do dyżurnego i dowiedział się, że mogą mu pomóc jedynie Halemi i Portman. Halemi jest na urlopie w Norrlandzie, a Portman przyjdzie dopiero na nocną zmianę, o dwudziestej.

Zaczął się zastanawiać, czy jego przeczucia, niepoparte niczym konkretnym, są na tyle istotne, by ściągać Portmana wcześniej. Właściwie jak mu to wytłumaczy?

Sven Portman pracował tu dopiero od roku i uchodził za typowego policyjnego służbistę, bez wyobraźni i zwykłej koleżeńskiej życzliwości. Selander uznał zatem, że zaczeka do dwudziestej. Położył nogi na stole i odchylił się w fotelu. Postanowił jeszcze raz się zastanowić, dlaczego sprawa Garbinowa tak go intryguje.

Chociaż trudno powiedzieć, że w ogóle jest jakaś sprawa – pomyślał.

Założył ręce za głowę i patrzył na budynek po drugiej stronie ulicy. Po chwili wziął kserokopię paszportu Garbinowa i zaczął się wpatrywać w jego twarz, jakby liczył, że w ten sposób czegoś się dowie. Jakby Garbinow miał się odezwać i opowiedzieć, co się tutaj dzieje.

Wytrzymał pół godziny. Otworzył notatnik, odnalazł numer Portmana i zadzwonił. Nawet nie musiał zbytnio koloryzować, bo ku jego zaskoczeniu Portman natychmiast zgodził się przyjechać.

Pojawił się w ciągu piętnastu minut. Selander dowiedział się, że Portman mieszka przy Östervägen, dwieście metrów od posterunku, niemniej docenił jego uczynność. Od razu uznał krążące o nim opinie za grubo przesadzone. Portman przyszedł do pokoju Selandera i zakomunikował, że Face 69 działa tylko na specjalnym komputerze poza siecią IP.

Weszli na drugie piętro, gdzie znajdowało się małe pomieszczenie bez okien, specjalnie przygotowane do pracy z tym komputerem. Klucze mieli Portman, Halemi, komendant i jego zastępca. Wszyscy posiadający specjalne uprawnienia wydane przez Säpo.

– Pokaż, co tam masz – powiedział Portman, kiedy usadowił się przed komputerem i czekał na start programu. – Zupełnie dobre zdjęcie – skomentował, patrząc na kserokopię paszportu Garbinowa. – Skaner powinien je przyjąć.

Komputer zalogował się po chwili i Portman wyjął z pancernej kasetki niedużą książeczkę. Otworzył ją i zdrapał ciemną linijkę, pod którą pojawiły się cyfry. Wprowadził je do komputera, który niemal natychmiast otworzył program Face 69.

Selander siedział obok i w ciszy obserwował, jak Portman sprawnie i po kolei wykonuje wszystkie czynności.

– Wyszukiwanie na podstawie pomiaru biometrycznego twarzy trochę potrwa. Spieszy ci się?

– Dosyć – przyznał Selander. – Ten człowiek może zniknąć...

– No tak! Nikogo nie ma... wakacje, parada żaglowców w centrum i bitwa gangów motocyklowych w Södertälje... – Portman chciał mu w ten sposób dać do zrozumienia, że nikt mu nie pomoże nawet w objęciu podejrzanego obserwacją.

Zeskanował zdjęcie Garbinowa i przeniósł je kursorem do okienka po prawej stronie ekranu.

– Teraz przez chwilę program opracuje zdjęcie tego człowieka. Dokona obliczeń. Potem zrobimy klik, o tutaj, i przez kilka minut potrwa wyszukiwanie. – Portman był nadzwyczaj życzliwy.

– Często korzystasz z tego programu? – zapytał Selander.

– Mamy go od niedawna i już kilkanaście razy okazał się niezwykle pomocny. Wszystko zależy od tego, jak szybko wprowadzane są dane w poszczególnych krajach Unii... – Portman zobaczył, że program przygotował zdjęcie, i kliknął „Szukaj". – Ale działa to coraz lepiej! Wiesz, nie wszyscy chcą się dzielić niektórymi informacjami... tymi szczególnie poufnymi. Wiesz, jak to jest. Służby specjalne będą ostatnią instytucją, która połączy się w Unii... o ile w ogóle!

Selander był zaskoczony wnikliwością Portmana i od razu pomyślał, że jego słowa mają sens. Miał kilku kolegów, którzy przeszli z policji do Säpo. Z niektórymi wciąż utrzymywał bliskie kontakty. Sam też dostał propozycję, ale się nie zdecydował.

Wbrew krążącym opiniom Portman okazał się miłym i rozmownym partnerem. Selander nawet nie wiedział, że jego kolega pracuje w policji już trzydzieści lat. Zastanawiał się, dlaczego przylgnęła do niego tak niesprawiedliwa opinia. Może dlatego, że jego niewielka i chuda postać w niemodnych okularach mogła sugerować złośliwy charakter, a może dlatego, że wyraźnie się różnił od dzisiejszych młodych policjantów, którzy wyglądają jak atleci.

Rozmowę przerwał sygnał z komputera. Na ekranie pojawił się napis: „Nie znaleziono".

Selander zaczerpnął głęboko powietrza, po czym głośno je wypuścił.

– To dobrze... czy źle? – zapytał Portman.

– No... nie wiem... nie wiem! Muszę się zastanowić...

– Co to za sprawa? Mafia jakaś...?

Selander postanowił wszystko opowiedzieć w skrócie Portmanowi. Teraz nie miało już znaczenia, że sprawa oparta jest na przeczuciu, i nie musiał się wstydzić, że ściągnął kolegę do pracy. Tym bardziej że Portman, jak się okazało, uczynny, uprzejmy i bardzo inteligentny, powinien go zrozumieć.

Portman rzeczywiście pochwalił Selandera za wnikliwość i intuicję, skarżąc się jednocześnie na zanik u młodych policjantów tych tak potrzebnych cech.

– To ciekawe, co powiedziałeś. To jednak nie koniec naszej pracy. Jest jeszcze jeden zbiór... ale trzeba będzie przejrzeć go ręcznie. Pomiary biometryczne nie mają tu zastosowania...

– Co to jest? – zainteresował się Selander.

– No jak to?! Nie wiesz?! Jesteś przecież starym policjantem... – Portman uśmiechnął się życzliwie.

– No tak! Portrety pamięciowe!

– Otóż to!

– Nie wiedziałem, że jest taki zbiór – powiedział zgodnie z prawdą Selander.

– Musiałeś opuścić jakieś szkolenie. Sam o tym mówiłem. Tak czy inaczej... zaczynajmy! Siadaj na moim miejscu i przeglądaj. Wybierzemy tylko ze zbioru... mężczyzn... między dwudziestym piątym a trzydziestym piątym rokiem życia... białych z domieszką cech azjatyckich... – Portman mówił i wpisywał dane.

Po chwili program wyrzucił informację o dwustu pięćdziesięciu siedmiu osobach odpowiadających zaznaczonym cechom.

Zamienili się miejscami. Selander skupił się, jakby miał przystąpić do rozwiązywania najważniejszego zadania w życiu. Na jednej połowie ekranu miał zdjęcie Garbinowa, a na drugiej portrety pamięciowe. Rozpoczął przeglądanie.

Portman, nic nie mówiąc, wymknął się po cichu z pokoju. Poszedł najpierw do toalety, potem zajrzał do pokoju Henrika, gdzie spędził parę minut. W drodze powrotnej stanął przy automacie do kawy, tuż przy drzwiach, za którymi siedział Selander.

Już miał nacisnąć przycisk „kawa z mlekiem", gdy z pokoju dobiegło go głośne stuknięcie przewracanego krzesła i wyraźny krótki okrzyk: „Jest!". Od razu zrezygnował z kawy i wszedł do pokoju.

Selander jak zahipnotyzowany wpatrywał się w monitor. Portman podszedł do komputera i przyjrzał się twarzy stworzonej przez policyjnego plastyka. Porównał ze zdjęciem Garbinowa.

– Moim zdaniem podobieństwo jest, ale...

– Zobacz te oczy! To są te same oczy! – Selander mówił z podnieceniem.

– Jakiego wzrostu jest Garbinow?

– Nie wiem. Nie widziałem go...

– Tutaj podają, że wysoki. Trzeba to sprawdzić. Biali nie potrafią opisać właściwie twarzy Azjatów ani czarnych. Z tym zawsze jest problem. – Portman chciał być pomocny, tymczasem zasiał u Selandera wątpliwości. – Zgadzam się, te oczy i kształt twarzy... – dodał po dłuższym badaniu. – Sprawdź, czyja to sprawa. Naciśnij tutaj...

Po chwili na ekranie pojawiła się informacja: „Sprawa w dyspozycji Security Service, Wielka Brytania, pilny kontakt: Oliver Fuller, tel. 56561204".

– Ciekawe! Security Service to angielskie Säpo! – wymruczał ze zdziwieniem Portman.

– Co teraz trzeba zrobić?

– Nie wiem dokładnie. Ale na pewno trzeba iść do komendanta. Tylko… czy jesteś pewien, że to ta sama osoba? Wiesz, co mam na myśli?

– Tak! Wiem. Myślę o tym…

– Wiesz co, Gunnar… – Portman przesunął okulary na czoło i przetarł oczy – zanim uruchomimy służby specjalne Wielkiej Brytanii, Łotwy i nasze, zanim pójdziemy z tym do komendanta, trzeba przyjrzeć się bliżej temu Garbinowowi. Zwyczajnie trzeba go zobaczyć i porównać z portretem pamięciowym. Może trochę poobserwować…

– Tak powinniśmy zrobić! Rzeczywiście musimy zebrać więcej informacji… To doskonały pomysł, żeby przyjrzeć mu się z bliska. Dyżur w hotelu ma teraz taki rozsądny młody człowiek, Jon. Na pewno nam pomoże.

Selander dopiero teraz się zorientował, że ma partnera do tej sprawy.

GPS zaprowadził ich pod sam dom Jorgensena w Jakobsbergu. Zostawili samochód na parkingu przy stacji kolejowej i poszli pieszo w kierunku Kvarnvägen. Tatar szedł pierwszy, a Jagan kilka metrów za nim. Topografię otoczenia znali na pamięć ze zdjęć satelitarnych. Przed wyjściem z hotelu przestudiowali je jeszcze raz bardzo dokładnie.

Kiedy obeszli dookoła budynek i pobliski teren, ich przypuszczenia, że prowadzenie obserwacji będzie utrudnione, w pełni się potwierdziły.

Tatar wszedł na klatkę schodową i sprawdził położenie mieszkania Jorgensena. Potem wyszedł na zewnątrz i obejrzał okna. Wiedział, jak wygląda rozkład pokoi. Od strony klatki schodowej były trzy okna, wszystkie zamknięte i zasłonięte. Obszedł budynek od drugiej strony. Drzwi balkonowe były otwarte. Wyglądało na to, że Jorgensen jest w domu.

Penetracja otoczenia zajęła im pół godziny. Odeszli około trzystu metrów od domu i usiedli na ławce na niewielkim skwerze. Było pusto, gdzieś w oddali pojawiali się pojedynczy przechodnie.

– Nic tutaj nie zdziałamy! – zaczął Tatar. – Praktycznie nie ma dużego ruchu, a domy stoją dość blisko siebie i wszystko widać.

– Pewnie Jorgensen nie pójdzie z nami dobrowolnie... – wtrącił Jagan, ni to pytając, ni to stwierdzając.

– Tak zakładają nasi przełożeni, ale mogą się mylić... często się mylą! Robię to już któryś raz i nigdy nie zgadzało się z tym, co nam zalecali. Decyzję podejmujemy my! Liczy się przede wszystkim wykonanie zadania.

– Zawsze liczę na siebie. Ale teraz... też na... ciebie, dowódco! – Głos Jagana zabrzmiał dziwnie szczerze.

– Jeżeli Jorgensen jest obstawiony przez szwedzki kontrwywiad, a taką wersję też bierzemy pod uwagę, to nic tutaj nie zdziałamy. A jeżeli nie... to te wszędzie odsłonięte okna wkurwiają mnie jak nie wiem co... – zawiesił głos. – Jakaś babcia nas zobaczy i zaraz zadzwoni na policję...

– Co ty pierdolisz, Tatar?! Jaka babcia...?

– Wiem, co mówię! To taka metafora!

– Aha! No tak!

– Nawet nie wiesz, co to jest metafora. Ale dobrze, że się zgadzasz! – wymsknęło się Tatarowi, ale Jagan i tak nie zareagował. – Wyprostuj się! – rzucił do niego. – Giwera odstaje ci pod koszulką!

Akurat tego nie trzeba było mu powtarzać dwa razy. Jagan natychmiast usiadł prosto.

– Tutaj, w jego mieszkaniu, i tak nic nie ma. Nam jest potrzebny Jorgensen i jego dom w Åkersberdze... – ciągnął Tatar.

– Kurwa! Nigdy tego nie zapamiętam! – Jagan pokręcił głową.

– No, jesteś trochę tępy! Ale... – Tatar zupełnie bezwiednie objął go ramieniem – ale są sprawy, za które jestem ci wdzięczny... choćby Majorka! Nie ma w ojczyźnie drugiego takiego żołnierza.

Powiedział to najzupełniej szczerze, co go samego zdziwiło, ale znacznie bardziej zaskoczyło go to, że dziki Jagan nie zrzucił jego ramienia.

Siedzieli przez dwie, może trzy minuty w ciszy. Czasami potrafili nie odzywać się do siebie godzinę, nawet dwie. To akurat ich łączyło. Nigdy o tym nie rozmawiali, ale łączył ich też instynkt samozachowawczy, który w tym przypadku tworzył jedną całość.

– Ty chyba nie jesteś muzułmaninem? Tatar, jak to z tobą...?

– Sam nie wiem... Teraz wielu młodych w Tatarstanie powraca do islamu. Ja od dawna mieszkam w Moskwie, chociaż urodziłem się w Kazaniu.

Tatar skłamał, bo urodził się w Moskwie, jak jego ojciec, kiedyś naczelnik Wydziału Chińskiego KGB. Poza tym wolał go nie drażnić.

– To dobrze! – skwitował krótko Jagan. – Ja też nie jestem wierzący... jeśli o to chodzi. Chociaż podoba mi się w cerkwi...

– Pod koniec tego samego stulecia Kastylijczycy przejęli Grenadę, Iwan Groźny zdobył Kazań i zmusił chana do przejścia na chrześcijaństwo... i rozpoczęła się zagłada Indian w Ameryce. Zostało nas niewielu, ale Wołga najpiękniejsza jest w Kazaniu... Byłeś?

– Nie!

– Jak wrócimy... weźmiemy flaszkę i zobaczysz świt nad Wołgą. U nas!

Tatar trochę fantazjował, bo w Kazaniu bywał rzadko, ale teraz, siedząc na ławce na przedmieściach Sztokholmu, poczuł silną tęsknotę za swoim miastem. Zdawał sobie sprawę, że tak właśnie reaguje na stres.

– A jak Jorgensen nie pojedzie do tej...

– Åkersbergi!

– Przecież nie będziemy tu siedzieć tygodniami... Jak to widzisz?

– Jutro sobota... może się wybierze na swoją daczę. Może nawet dzisiaj! Ma taki zwyczaj. Byłoby idealnie. Jeżeli nie, najpóźniej jutro... w ciągu dnia... zdejmiemy go w odpowiednim, cichym miejscu i pojedziemy tam razem z nim. W ostateczności... ale to w absolutnej ostateczności... wygarniemy go w nocy z domu... – Tatar przerwał i uderzył się pięścią w kolano. – Kurwa! Kurwa! Nie sprawdziliśmy, gdzie trzyma samochód!

– Jaki ma samochód?

– Stare niebieskie volvo 245... Mam numer rejestracyjny. W materiałach sprawy nie było informacji, gdzie je trzyma. Pewnie gdzieś w pobliżu. Sprawdzimy najbliższe parkingi. Ty sprawdź po lewej stronie. – Wstali z ławki i rozdzielili się. – Za pół godziny tutaj! – zakomenderował Tatar odchodzącemu dość szybkim krokiem Jaganowi, który machnięciem ręki potwierdził, że słyszy.

Tatar wszedł na najbliższy parking, za domem Jorgensena, i od razu znalazł poszukiwane auto. Poczuł, jak rozpiera go zadowolenie. Teraz był już niemal pewien, że człowiek, na którego polują, jest w domu. Wezbrało w nim silne przekonanie, że robota będzie łatwa, szybka i bezpieczna.

Wszystko układało się idealnie.

## 55

Dochodziło wpół do jedenastej. W Brześciu był piękny letni dzień, tylko gdzieś daleko na zachodzie, za polską granicą, widać było piętrzące się granatowe chmury. Według informacji M-Irka nadciągający stamtąd front niżowy powinien dotrzeć do nich wieczorem.

Konrad przez chwilę się zastanawiał, jak deszcz może wpłynąć na realizację operacji. Do tej pory, ilekroć przyszło mu działać w deszczu, akcje kończyły się sukcesem. Deszcz usypia czujność i zaciera ślady. Człowiek chce się ukryć, myśli o sobie i wydaje mu się, że wszyscy też tak robią, że wszystkie zwierzęta wstrzymują aktywność w oczekiwaniu, aż przestanie padać.

Muzeum Twierdzy Brześć zamykają o osiemnastej, do tego czasu jest tam wielu turystów. Operacja została zaplanowana już po zamknięciu, więc Konrad doszedł do wniosku, że jednak przydałby się solidny deszcz, w którym można byłoby się ukryć.

Trzeba kupić peleryny – pomyślał od razu, przełknął ostatni kawałek bułki i odstawił na podłogę pustą butelkę po kefirze.

Skończyli przygotowane przez Marcina śniadanie złożone z bułek i kefiru. Nikt nawet nie zwrócił uwagi na jego prostotę. Nikt też nie poprosił o mleko do kawy, bo samej kawy też nie było. Na tym odcinku planowanie zawiodło w całej rozciągłości. Była tylko herbata w jednym termosie, który Sara przywiozła ze sobą poprzedniego dnia z Polski, nie zapomniawszy też o cytrynie w pudełku. Mimo że gotowa była się nią podzielić, wszyscy woleli nie korzystać z jej oferty. Z wyjątkiem Krupy, ale on jeszcze nie wiedział, co robi.

Tymczasem Konrad wstał, prawie dotykając głową sufitu. Sara stała na zewnątrz namiotu i paliła papierosa. Doskonale wszystko widziała i słyszała. Jedynie Lutek siedział w oknie i wciąż obserwował teren. Nie uczestniczył w naradzie.

– Właściwą akcję zaczynamy dokładnie o osiemnastej – odezwał się spokojnie Konrad. – Do tego czasu musimy spiąć wszystkie elementy, żeby sama realizacja przebiegła tak szybko, jak to możliwe. Jak ustalili M-Irek, sprzęt do rozminowywania, którym posługiwała się Armia Czerwona do czasów powojennych, nie wykrywał przedmiotów na takiej głębokości... to jest półtora metra... więc istnieje spora szansa, że skrzyni nie znaleźli.

Popow cały czas tłumaczył Krupie, ale ten coraz częściej sygnalizował, że rozumie po polsku.

– Tak jak zaplanowaliśmy, rozpoznanie zaczynają Oleg i Wasilij. – Konrad spojrzał w ich stronę i przygryzł dolną wargę. – Reszta ich zabezpiecza. Zaczynamy za pół godziny. Módlmy się, żeby wszystko się udało! Jeżeli nie zlokalizujemy tego miejsca i skrzyni, zwijamy interes. Jeżeli się uda, zaczynamy część drugą, czyli kopanie. Jeżeli uda się część druga, wtedy odpalamy w sobotę wielki rosyjsko-białoruski festiwal. – Przerwał na moment. – Są jakieś pytania?

– Jeszcze raz – zaczął „Travis" po polsku i podszedł do rozrysowanego na tablicy planu. – Badamy magnetometrem miejsce w promieniu dwudziestu metrów? – Wskazał zielone koło otaczające czerwony punkt.

– Tak jest – odpowiedział Irek. – Pamiętajcie, żeby nie poruszać urządzeniem zbyt szybko.

– Sprawdźcie teraz magnetometr, czy wszystko działa sprawnie – zwrócił się Konrad do M-Irka i po chwili zapytał „Travisa" i Krupę: – Dacie radę?

Z przekonaniem pokiwali głowami.

Konrad spojrzał na zegarek.

– Sprawdzić łączność! – dorzucił. – Lutek zostaje i pilnuje obozu! Wychodzimy pojedynczo. Spotykamy się pod główną bramą w ciągu piętnastu minut. Przez tory to około sześciuset pięćdziesięciu metrów. I... zaczynamy!

Kiedy wszyscy wyszli z namiotu, do środka weszła Sara z kubkiem herbaty w jednej ręce i papierosem w drugiej. Podeszła do Konrada i zapytała:

– Co ci mówi przeczucie? Czy to tam jest?

Konrad znał te pytania na pamięć, bo sam nieustannie je sobie zadawał.

– Lepiej, żeby było! Chciałbym odejść w poczuciu dobrze spełnionego obowiązku. Wierzysz mi?

Sara od razu zrozumiała, że Konrad zamierza opuścić Agencję, i jakby ją zamurowało. Poczuła niemal przerażenie, jak nigdy dotąd.

Wziął od niej papierosa. Panował nad sobą bez zarzutu, jednak Sara potrafiła go przejrzeć jak nikt inny. To było oczywiste, że wydarzenia ostatnich dni mocno go dotknęły. Jego teczka personalna w biurku Ruperta, podsłuch WBW w domu. Odcisnęło to na nim piętno, którego nie próbował nawet przed nią ukryć. Zresztą nigdy nie musiał tego robić, bo ufał jej bardziej niż sobie.

Sara pomyślała przez moment, że może byłoby dobrze, gdyby odszedł ze służby. Wtedy mógłby być tylko jej! Zaraz jednak do niej dotarło, że przemawia przez nią egoizm, choć w rzeczywistości to krzyczała jej samotność. Otrzeźwiała, gdy uzmysłowiła sobie, że nie zna innego Konrada, tylko tego jednego jedynego, który nie może być nikim innym. Strzeliła kilka razy zapalniczką Zippo i wyszła z namiotu.

Konrad i Sara, Krupa i „Travis", M-Irek i Marcin stali rozrzuceni w odległości kilkunastu metrów od siebie przed wejściem do twierdzy brzeskiej. Była jedenasta piętnaście.

Wokół szeroką promenadą zmierzali w obie strony liczni turyści i wycieczkowicze. Powietrze ożywiał gwar dzieci z kolonii letnich i obozów. Niektóre trzymały w rękach kwiatki. Gdzieniegdzie widać było weteranów obwieszonych licznymi odznaczeniami, które obciągały im marynarki i wydłużały rękawy. Nie było słychać żadnego innego języka poza rosyjskim.

Konrad przez moment obserwował, jak wszyscy wychodzą i znikają w cieniu pod gigantyczną gwiazdą, która zaznaczała symboliczne wejście do twierdzy. Sprawiała wrażenie wyciętej ostrym nożem w ciężkiej bryle betonu.

Przez chwilę nie tylko Konrad patrzył na przytłaczającą swoją historią gwiazdę nad wejściem. M-Irek, Marcin i Sara też byli tu po raz pierwszy i widok ten przyciągał ich uwagę. M-Irek uznali, że obiekt z gwiazdą nie jest wykonany z litego betonu, jak przystałoby na prawdziwy bunkier, który miał symbolizować.

Natomiast Sara przypomniała sobie o tysiąc trzydziestu polskich oficerach, obrońcach twierdzy, którzy pojechali stąd we wrześniu 1939 roku prosto do sowieckich obozów, by już nigdy nie wrócić do ojczyzny.

Marcin czuł w zębach piasek, bo nie znosił betonu nie tylko jako budulca, ale przede wszystkim jako środka wyrazu artystycznego. W końcu Brześć ma tysiąc lat i można było znaleźć wiele innych sposobów upamiętnienia tego miejsca.

„Travis" i Wasilij nie mieli takich myśli, bo żyli z tym na co dzień, a ponadto byli przejęci oczekującym ich zadaniem.

Wszyscy usłyszeli w słuchawkach głos Konrada: „Ruszamy!" – i spojrzeli na siebie, jakby chcieli się upewnić, czy nikogo nie brakuje.

Od bramy do cerkwi mieli do przejścia około dziewięciuset metrów. Najpierw podążą prosto szeroką aleją, obsadzoną po obu stronach kwiatami. Potem miną po lewej trzy czołgi i przejdą przez nieduży mostek. Od tego miejsca pozostanie im jeszcze około pięciuset metrów.

Szli powoli spacerowym krokiem, wtapiając się w uroczysty rytm licznych o tej porze turystów. Nie było widać żadnych ochroniarzy ani kamer.

Naród zdyscyplinowany, a kamery drogie – pomyślał Konrad.

Zatrzymał się na mostku nad fosą wypełnioną wodą. Zobaczył, że wszyscy posuwają się za nim w podobnym tempie. Dostrzegł Marcina, który z dziwnym wyrazem twarzy patrzył na dużą rzeźbę półleżącego żołnierza z automatem i hełmem w wyciągniętej ręce. Konrad był niemal pewny, skąd u niego taki wyraz twarzy i o czym on teraz myśli. Wiedział też, że Marcin ma całkowicie obojętny stosunek do męczeństwa i heroizmu żołnierzy Armii Czerwonej. Ale mógłby się bardziej skupić na obserwacji otoczenia.

Nauka wciąż się rozwija, za to sztuka może się cofnąć. Jak to jest? – myślał ze smutkiem Marcin.

– No... nie jest to Antygon ani nawet Umierający Gal – powiedział na głos.

– Jaki Antygon? Marcin! – Wszyscy usłyszeli w słuchawce głos dowódcy i jasne było, że Marcin zapomniał, iż ma włączony mikrofon. – Skupcie się! – nakazał ostro Konrad.

Weszli na obszerny plac wyłożony kostką. Przed nimi po lewej stronie majaczył ogromnych rozmiarów betonowy półtors mężczyzny, zrośnięty z jeszcze potężniejszą bryłą mającą symulować skałę. Po prawej stronie stał wysoki, cienki obelisk bez żadnych znaków i bez żadnego wyrazu.

Między nimi, w oddali, jakby celowo ozdobiona wielką brzozą i nakryta błękitnym niebem, kontrastowała z otoczeniem piękna biało-złota bryła dziewiętnastowiecznej cerkwi Świętego Mikołaja. Obok niej w czerwcu 1941 roku sierżant Zubow i kapitan Pokrowski zakopali pod niemieckim obstrzałem archiwum NKWD, po które teraz przyjechali.

Konrad zatrzymał się i zauważył, że wszyscy uczynili to samo, zapatrzeni w cerkiew, jakby wokół nie było niczego innego.

– Ruszamy! – zakomunikował.

Zgodnie z planem rozeszli się po obszernym terenie, obserwując uważnie otoczenie i zmierzając powoli w kierunku świątyni. W słuchawkach panowała cisza i Konrad wiedział, że to dobry znak, że nikt z siedmiorga oficerów nie zauważył niczego, co mogłoby budzić podejrzenia.

Konrad obszedł cerkiew od południa szerokim łukiem. Jakieś sto metrów po prawej stronie zobaczył niebieską bluzkę Sary i mieniące się w słońcu złote włosy spięte w wysoki koński ogon. Sara również zauważyła Konrada i przystanęła. Po chwili zgłosiła, że zajęła swoją pozycję obserwacyjną. W ciągu trzech minut to samo zameldowali mu wszyscy pozostali.

Czerwony punkt otoczony zielonym kołem z planu w namiocie znajdował się dwadzieścia metrów od ściany cerkwi, po jej północnej stronie. Konrad obszedł budynek i stwierdził, że miejsce jest dobrze zacienione. Tak zresztą wynikało z obrazu satelitarnego. Jest jednak dobrze widoczne z okien administracji muzeum, które na szczęście częściowo zasłaniają świerki. Jednakże odległość ponad dwustu metrów utrudnia identyfikację osób. Słoneczny dzień daje sporo cienia i podkreśla kontrast, dlatego ludzkie postacie na tle białej ściany są mniej widoczne.

Jedynym problemem było to, że wszędzie stały tablice zakazujące chodzenia po trawnikach i wszyscy się do tego stosowali. Ten prosty szczegół, którego nie można było zobaczyć z satelity, zdenerwował Konrada. Wiedział, że Sara też to zauważyła.

Walić to! – przeklął w duchu. Przecież z powodu jakiegoś pokręconego zakazu deptania trawników Łukaszenki nie odwołam operacji. Historia polskiego wywiadu wzbogaciłaby się o ciekawe wydarzenie... no... kabaret!

– Zaczynajcie! – zakomunikował spokojnie i zobaczył, że Marcin podniósł się z ławki przed budynkiem administracji, gdzie dotąd siedział, i zaczął się nerwowo przechadzać.

Denerwuje się – pomyślał. Ja też!

Konrad szedł powoli alejką od północno-wschodniej strony i doskonale widział wszystkich oficerów. Po chwili dostrzegł, że zza rogu cerkwi od strony głównej bramy wyłoniły się dwie postacie. Szły blisko siebie, w cieniu. „Travis" i Krupa ubrani na ciemno byli stanowczo mniej widoczni.

– To dobrze! Nie pomyślałem o tym – rzucił w duchu.

„Travis" trzymał na rękach rozłożony magnetometr, a Krupa skaner. Posuwali się obok siebie powoli, stopkami, skupieni i wpatrzeni w monitor, jakby byli w transie. Wyglądali bardzo dziwnie, nienaturalnie, nie pasowali zupełnie do otoczenia i można było z łatwością spostrzec, że robią coś dziwnego. Każdy emerytowany białoruski milicjant czy wojskowy, jakich tu pewnie nie brakowało, zauważyłby ich natychmiast, nawet bez okularów. Tym bardziej że nikt nie chodził po trawnikach.

Przed chwilą dwadzieścia metrów od nich przeszły dwie starsze kobiety, ale zupełnie ich zignorowały. Potem „Travisa" i Krupę wyprzedził mężczyzna w średnim wieku z dwójką dzieci, przez dłuższą chwilę badawczo im się przyglądając. Kiedy jednak odszedł dalej, stracił dla nich zainteresowanie.

Konrad spojrzał na zegarek. Minęło już prawie dziesięć minut, odkąd zaczęli badanie terenu. Nie mógł tego widzieć, ale wszyscy zaczęli nerwowo sprawdzać czas.

W słuchawkach trwała nieznośna cisza. Dobrze, że nikt nie sygnalizował zagrożenia. Wokół Krupy i „Travisa" nie działo się nic nienaturalnego, chociaż im dłużej to trwało, tym bardziej wzrastało zagrożenie. Najgorsze jednak było to, że milczeli obaj „kagiebowcy", jak ich w duchu zaczął nazywać Konrad.

Następne minuty przesądzą, czy za godzinę po prostu spakują swoje rzeczy i jeszcze wieczorem wrócą do Warszawy, zawiozą cały sprzęt do biura na dwudziestym piętrze, posiedzą chwilę, pogadają i rozjadą się do domów. Następnego dnia wyrwie pluskwę z lampy w swoim salonie, pojedzie do biura i napisze raport o zwolnienie ze służby. Potem porozmawia z Sarą, chociaż nie ma pojęcia, co mógłby jej powiedzieć. Czuł, że to będzie najtrudniejszy moment, w całym jego życiu. Chyba...! Nigdy dotąd nad tym się nie zastanawiał i nagle wypełniło go rozczarowanie.

Potem zbiorę cały Wydział w sali konferencyjnej i powiem, że odchodzę – pomyślał z odrobiną rozrzewnienia. Lutek pewnie będzie chciał odejść ze mną... muszę mu to wybić z głowy... Tę pluskwę i raport pierdolnę na biurko temu generałowi dyslektykowi w sandałach i pójdę z przyjaciółmi do Bolka. Szkoda tylko, że ta bladź z IPN, ten Rupert kopany, wyjdzie z tego cało... ale na pocieszenie mamy kapitana Wasilija Krupę... noo... za to straciliśmy „Travisa"...

Nagle wisielcze myśli Konrada urwały się gwałtownie. Zobaczył, że „kagiebowcy" stanęli w miejscu i obaj z uwagą wpatrują się w monitor komputera. Widać było, że rozmawiają, ale w słuchawkach nic nie było słychać.

Cholera! Wyłączyli mikrofony! – pomyślał z wściekłością. Co oni robią!

Ta chwila trwała wieczność. Rzucił okiem na pozostałych oficerów. Wszyscy stali jak zaczarowani, wpatrując się w „Travisa" i Krupę. Miał wrażenie, że wstrzymali oddech. I w tym momencie zauważyli, że powoli, jakby z wahaniem, ręka „Travisa" zaczyna się unosić.

– Jest! Jest! – usłyszeli jego głos. – Bingo!

– To pewne? – zapytał Konrad i poczuł dreszcz na całym ciele.

– Pewne! Pasuje idealnie! Jest! Jest! – „Travis" był mocno podniecony.

Krupa wyjął z kieszeni pojemnik z farbą fluorescencyjną w aerozolu i zaznaczył na trawie podłużny prostokąt.

– Zbieramy się! – zarządził Konrad, wyraźnie uradowany.

W płaskim terenie człowiek idzie średnio osiemdziesiąt trzy metry z okładem na minutę. Czyli odległość od cerkwi do opuszczonej cementowni, gdzie był ich obóz – półtora tysiąca metrów – powinni pokonać w ciągu osiemnastu minut.

Pierwszy, po jedenastu minutach, pojawił się na piętrze Marcin. Jak to zrobił i którędy przyszedł, nikt go nie pytał. Ostatni, po piętnastu minutach, dotarli M-Irek i od razu zakomunikowali Lutkowi, że żołnierz na pomniku w twierdzy podpiera się pepeszą, której nie mógł mieć, bo pierwszą serię tych automatów wyprodukowano dopiero w czerwcu 1941 roku w Zagorsku.

M-Irek i Lutek w ogóle nie dzielili z pozostałymi entuzjazmu, który i tak już trochę opadł wraz z ustępującą zadyszką. Znalezienie skrzyni z archiwum uważali za coś oczywistego. Tacy już po prostu byli i nikogo to nie dziwiło. Marcin za to wykazywał stan nienaturalnego pobudzenia, aż Sara musiała go upomnieć, żeby się opanował i spoważniał.

Oprócz Lutka, który wciąż zajmował się obserwacją terenu, wszyscy zebrali się w namiocie. Konrad pochwalił ich za dobrą robotę, ale bez przesady. Właściwie miał chęć skakać z radości, bo jego czarny scenariusz na najbliższe dni był chwilowo nieaktualny i istniała nawet szansa, że będzie mógł go w ogóle skreślić. Ale odnalezienie skrzyni to dopiero początek operacji. Dobry, zachęcający, lecz tylko początek. Pomyślał o profesorze Bardzie i jego dokumentach, w których tak precyzyjnie zostało opisane miejsce ukrycia archiwum.

– Za profesora Bardę, oficera wywiadu AK! – usłyszał nagle podniesiony głos Marcina i zobaczył go wstającego z butelką wody w dłoni.

Nie... to niemożliwe! Niemożliwe! – pomyślał zupełnie poważnie Konrad.

– Spełnimy toast, jak wrócimy do Warszawy, i to nie wodą, ale czymś naprawdę szlachetnym! – wtrąciła Sara. – To się profesorowi od nas należy!

M-Irek skończyli analizę nagrania z magnetometru i Irek oznajmił najzupełniej obojętnym głosem, że jest to metalowa skrzynia zakopana na głębokości metra i siedemdziesięciu centymetrów. Ziemia nad nią jest naturalnej gęstości, bez przeszkód w postaci korzeni czy kamieni. Nie widać też żadnych pułapek z materiałem wybuchowym.

Następnie Mirek dodał identycznym głosem, że wykopanie skrzyni to dla Lutka i Marcina pryszcz i nie powinno im zająć więcej niż czterdzieści pięć minut. Na koniec, zwracając się do Konrada, zakomunikował, że musi mieć takie ustrojstwo, i położył z czułością rękę na magnetometrze.

– Więcej entuzjazmu, panowie! – nie wytrzymał Marcin.

– Siadaj, Marcin! – zaczął Konrad. – Jest trzynasta! Zaczynamy przygotowania do... kopania! Mamy pięć godzin na organizację akcji. Czy każdy pamięta, co ma robić, czy mam wam przypomnieć?! – Przesunął wzrokiem po wszystkich, jednak nikt nie zareagował. – Pobudka! Obudźcie się! *Is anybody home?*

– Oczywiście, szefie! – pierwszy zameldował się Marcin i znów się podniósł. – Jasne, że pamiętamy!

– Ruszajcie! – zarządził Konrad. – Wasilij i Oleg zostają... Zaczekajcie chwilę na zewnątrz... muszę najpierw zamienić parę słów z Sarą.

Ona również chciała porozmawiać z nim na osobności.

– Marcin jest bardzo pobudzony... – zaczął cicho Konrad, kiedy już wszyscy wyszli.

– Właśnie o to mi chodzi – przerwała mu Sara. – Martwię się o niego...

– Pierwszy raz widzę go takim... Jest nadpobudliwy, wiemy nie od dziś, ale trochę za bardzo szarżuje. Ma dziś przed sobą poważną robotę. Pojutrze Krupy będzie szukać całe KGB, FSB i mafia...

– Obawiam się o jego stan, bo tylko on jest przygotowany do wywiezienia Krupy na Litwę. Wszystko jest dopięte i nie możemy wstawić w jego miejsce nikogo innego. Nawet nie zdążymy...

– Trzeba z nim porozmawiać – przerwał jej Konrad.

– Ja to zrobię! – stanowczo stwierdziła Sara, bo wiedziała, że zdoła lepiej uspokoić Marcina, niżby to zrobił Konrad.

– Ty wiesz, że on ma zdolności telepatyczne? – zapytał, gdy Sara już wychodziła.

Zdążył tylko dostrzec, jak wzruszyła nonszalancko ramionami.

– Ona mi nie wierzy! – powiedział sam do siebie.

Marcin zachowuje się zupełnie jak James Woods w *Salwadorze*, jakby miał ADHD – pomyślał ni stąd, ni zowąd i po chwili zawołał:

– Chodźcie!

Na „Travisie" i Krupie spoczywał ciężar realizacji zadania. Zgodnie zresztą z ich pomysłem, a właściwie Krupy. Prostota pomysłu polegała na tym, że wykopią archiwum całkowicie oficjalnie jako KGB z Mińska. W końcu obaj byli oficerami tej służby, przynajmniej jeszcze przez jakiś czas. Byli prawdziwymi kagiebowcami z prawdziwymi legitymacjami i znajomością białoruskiego know-how w tej profesji.

Jednak w służbie wywiadowczej nie ma idealnej operacji. Zawsze może się zdarzyć coś – na przykład jakiś zakaz przechodzenia przez trawnik – co ją położy. Wszyscy siedmioro w tym zespole rozumieli to aż nadto dobrze i wiedzieli, kiedy potrzebna jest profesjonalna improwizacja i jak należy ją przeprowadzić.

Krupa ustalił wcześniej, kto jest odpowiedzialny za ochronę na terenie muzeum. Był nim Wiaczesław Olegowicz Tudorow, lat siedemdziesiąt dwa, były pułkownik armii sowieckiej i krótko białoruskiej. Krupa sprawdził go w katalogu i nie znalazł żadnych informacji, z których by wynikało, że był współpracownikiem miejscowego KGB czy milicji. Uznał to za ważną wiadomość, dobry znak. Jako były wojskowy Tudorow z całą pewnością darzył szacunkiem taką instytucję jak KGB, stojącą przecież na straży bezpieczeństwa państwa i jego obywateli.

Krupa ustalił też, że pułkownik niemal nie opuszcza budynku administracji, gdzie ma do pomocy pięciu ludzi, w tym jednego byłego milicjanta. Wszyscy zatrudnieni na pół etatu. Do domu przychodzi tylko spać.

Teraz powodzenie operacji zależało od tego, czy Tudorow uwierzy w historię, którą przedstawią mu „Travis" i Krupa. Ten punkt operacji był, w ocenie Konrada, wyjątkowo słaby, bo jaki naprawdę jest ten Tudorow, nikt nie wiedział. To, co zamierzali zrobić, nie dało się opakować tak, by nie wzbudzało podejrzeń. Więcej, zdaniem Konrada Tudorow musiałby mieć wyjątkowo niskie IQ albo demencję, żeby kupić tę opowiastkę.

„Travis", Krupa i Sara uważali jednak zgodnie, że przy jego wojskowym rodowodzie legitymacje KGB powinny zrobić swoje, i byli przekonani, że nie trzeba będzie wobec staruszka użyć siły. W razie czego Lutek wiedział, jak bezboleśnie i bez niepotrzebnego uszczerbku na zdrowiu obezwładnić emeryta. Na zastraszenie sowieckiego pułkownika nie mogli liczyć.

– O której dzisiaj wstaliście? – zapytał Konrad po rosyjsku.

– O szóstej wyjechaliśmy – skłamał „Travis", a Krupa potwierdził skinieniem głowy.

– Wątpię! – odparł Konrad. – Pewnie jesteście na nogach od trzeciej. Jeżeli chcecie nabrać sił, to połóżcie się trochę w samochodzie. Czeka was jeszcze ostra robota...

– Wszystko w porządku! – odezwał się teraz Krupa. – Damy radę!

– Dziękuję za dziś! Dobra robota! – rzucił Konrad, przygryzł wargę i dotknął lekko pięścią piersi Krupy. – Będę was potrzebował od szesnastej. Do tego czasu macie wolne.

– Okay, szefie! – odparł „Travis".

Konrad wyszedł z namiotu.

– Ty bardzo dobrze mówisz po polsku – zareagował po chwili Krupa, gdy zostali sami. – Uczyli cię czy co? Dziwne.

## 56

Jorgensen wziął słuchawkę telefonu i po chwili wahania wybrał numer do Carla, który odebrał po dwóch sygnałach.

– Witaj, synu!

– Cześć, tato!

– Jesteś już w Sztokholmie?

– Przyleciałem dziś rano. Właśnie się rozpakowuję...

– Sophie jest w domu?

– Poszła do sklepu na dole... będzie za chwilę. Dlaczego pytasz?

– Wiesz, Carl... może byśmy się spotkali w Åkersberdze zamiast na Kvarnvägen? Zrobiłem już zakupy... Dawno tam razem nie byliśmy i jest więcej miejsca na...

– Doskonały pomysł! Też o tym myślałem... A dlaczego pytasz o Sophie?

– Nic takiego... Chciałem tylko się upewnić, czy przyjedzie. Tak jak mówiłeś. W niedzielę? Tak?

– Oczywiście! To ma być ważne spotkanie. Mówiłem ci, pamiętasz?

– Pamiętam! Naturalnie... To kiedy przyjedziesz?

– Jeśli chcesz, to mogę już dzisiaj...

– No nie, przyjedź jutro rano! Skoro przyleciałeś dzisiaj... tak?... to Sophie nie byłaby z tego zadowolona. Wystarczy, jeśli przyjedziesz jutro.

– Nie zapomnij zabrać kluczy od łodzi! Obie pary są u ciebie.

– Do jutra, Carl!

– Jakbyś jeszcze czegoś potrzebował, to daj znać. Cześć, tato!

Jorgensen wyłączył telefon i przez chwilę stał przy oknie. Przypomniało mu się poranne zdarzenie ze ślimakami w lesie i na samą myśl o tym poczuł wstręt.

Wyglądał przez opuszczone do połowy żaluzje. Po drugiej stronie skweru, kilkadziesiąt metrów na lewo, zobaczył mężczyznę, który powolnym krokiem przechadzał się przed budynkiem. Nieznajomy zwrócił jego uwagę. Przez moment nie mógł zrozumieć dlaczego. Zaraz jednak dotarło do niego, że ubrany jest jakoś inaczej, nietypowo. Ten jasny garnitur nie pasował do otoczenia. Mężczyzna był tu obcy. Przechadzał się w innym tempie niż wszyscy miejscowi. Jakby był na spacerze, a przecież tu nikt nie spaceruje.

Może na kogoś czeka... – pomyślał i miał już odejść, gdy tamten zatrzymał się i spojrzał prosto w jego okno.

Jorgensen odruchowo odsunął się w głąb pokoju.

– Przez te ślimaki jestem dzisiaj jakiś przewrażliwiony – powiedział do siebie półgłosem i poszedł do kuchni przygotować się na wyjazd do Åkersbergi.

– Mamy kłopot! – usłyszał Olaf, zanim jeszcze zdążył zobaczyć Lindę, która właśnie energicznie wtargnęła do jego pokoju.

– Jorgensen zmienił miejsce spotkania z synem. Jadą do domu w Åkersberdze... – rzuciła i widząc pytający wzrok Olafa, dodała: – Domu jeszcze nie zrobiliśmy.

– Ile czasu potrzebują technicy, żeby założyć tam pluskwy?

– Sprawa jest dosyć skomplikowana...

– Wiem, Lindo! – przerwał jej Olaf. – Ile potrzebują czasu w tej sytuacji?

– Do domu w Åkersberdze planowaliśmy wejść jutro, kiedy Jorgensen z synem będą w Jakobsbergu. Ekipa miała najpierw sprawdzić pomieszczenia, by wybrać miejsca na podgląd i podsłuch.

– Co się stało, że zmienił miejsce spotkania?

– Nie wiem, ale to dziwne.

– Nie mamy czegoś tak na... – zawiesił głos – na spontanicznie?!

– Nie rozumiem cię – odparła Linda, ale doskonale wiedziała, że Olaf pomyślał o działaniach niestandardowych, wykraczających poza zasady prawne. – Zamierzaliśmy wejść do domu akurat wtedy, gdy Hans, Carl i jego partnerka będą siedzieli przy stole w Jakobsbergu i nie zaskoczą nas w Åkersberdze.

– Oczywiście! Nie można zapominać, z kim mamy do czynienia! – Olaf wyraźnie wycofał się z próby namówienia Lindy do złamania przepisów. Zrobiło mu się głupio, ale też trochę żal, że nie wykazała się większą otwartością i elastycznością, bo w pracy kontrwywiadu czasem takie właśnie niestandardowe sytuacje są najciekawsze i hartują ducha oficerów. – Zatem co proponujesz, Lindo?

– Nie wiemy, kiedy Hans pojedzie do domu nad morzem. Wygląda na to, że wkrótce. – Linda spojrzała na zegarek. – Myślę, że mamy jakieś dwie, może trzy godziny, by wejść do jego domu i zamontować jakąkolwiek podrzutkę...

– Dobrze! – wtrącił z uznaniem Olaf.

– Nie wiem, czym dysponują w naszej technice, ale w takich warunkach nie możemy liczyć na sprawny podsłuch. To będzie pełna improwizacja! O zamontowaniu podglądu nawet nie myślę...

– Nie jest to bardziej skomplikowane niż podsłuch. W technice mają takie gotowe zestawy – stwierdził i zrozumiał, że nie docenił bojowego ducha Lindy. Sprawiło mu jednak satysfakcję, że się pomylił.

– Potrzebny nam Harry Caul! – rzuciła jakby w powietrze.

– Kto?

– Caul! Harry Caul! Nie znasz?

– Pracuje u nas taki? Nie słyszałem!

– Nieważne! – zakończyła Linda, patrząc na zdziwioną twarz Olafa, i zaraz dodała z przekonaniem: – Mamy mało czasu, jeżeli chcemy coś z tą sprawą zrobić. O ile w ogóle uda się nam coś zrobić!

– Będą kłopoty z punktem odbioru nasłuchu i obrazu. Odległość nie może być zbyt duża...

– Tak, wiem! Podstawienie samochodu w tym terenie też będzie problematyczne. Niemożliwe, by nie zwrócił niczyjej uwagi… – urwała w pół zdania i popatrzyła przez chwilę na Olafa, który oparł się o ścianę i założył ręce na piersi.

Na jego biurku zadzwonił telefon. Oboje stali zamyśleni, ignorując natarczywy sygnał. Pierwszy ocknął się Olaf i podniósł słuchawkę.

– Svensson – rzucił krótko i przysiadł na rogu biurka.

– Witaj, Gunnar! Zaczekaj chwileczkę. – Zakrył dłonią słuchawkę i chciał coś powiedzieć do Lindy.

Uprzedziła go gestem podniesionej dłoni i powiedziała ściszonym głosem:

– Jedziemy do Åkersbergi! Zajmę się wszystkim…

Olaf kiwnął głową i dorzucił z trochę służbowym uśmiechem:

– Informuj mnie o wszystkim! Powodzenia!

Linda wyszła równie energicznie, jak weszła, a Olaf wrócił do rozmowy z Gunnarem.

– Przepraszam, że czekałeś! Pamiętam… w sobotę gramy rewanż?

Cotygodniowy mecz unihokeja był ich ulubionym zwyczajem i Olaf pomyślał, że Gunnar Selander dzwoni w tej sprawie. Po ukończeniu szkoły policyjnej ich drogi zawodowe się rozeszły. Gunnar, chociaż mógł przejść później do Säpo, pozostał jednak wierny służbie w policji i szkolnej drużynie unihokeja.

Olaf usiadł za biurkiem i przez dłuższą chwilę, bez słowa komentarza, słuchał historii, którą opowiadał mu Gunnar.

– Nie, nie podawaj przez telefon żadnego nazwiska! Żadnych szczegółów… Oczywiście! – Głos Olafa nie pozostawiał złudzeń, że Gunnar nie dzwonił w sprawie meczu rewanżowego w sobotę. – Przyjeżdżaj, Gunnar! Czekam na ciebie… Pogadamy!

Odłożył słuchawkę.

– Do licha! Kto to jest ten Harry Caul? O co Lindzie chodziło?

# 57

– Jestem głodny! – oznajmił Tatar. – Nic jeszcze dzisiaj nie jadłem... Jadłeś coś? – zwrócił się do Jagana.

– Parówkę z ziemniakami, jak poszedłem po samochód... Tam za rogiem jest pizzeria – wskazał ruchem głowy.

– Kupię pizzę na wynos i pojedziemy obejrzeć jego dom w... w tej tam miejscowości. Mdli mnie...

– W Åkersberdze! – powiedział Jagan i gdy wstawali, walnął Tatara mocno w plecy.

Jak na komendę obaj poprawili broń zatkniętą z tyłu za paskiem.

– Nie wiem, czy to rozsądne, że torbę z naszym sklepikiem trzymamy w bagażniku samochodu. – Tatar pokręcił głową.

– Przecież nie możemy tego nosić ze sobą ani zostawić w hotelu. Odwaliło ci?

– Nie! No jasne! Tylko tak myślę na głos...

– Czyli co, Tatar? Kupujesz pizzę, jedziemy sprawdzić jego dom w tym tam i wracamy tu po niego? Tak? Dobrze cię zrozumiałem?

– Nie tak szybko! – odparł po krótkim namyśle i wyraźnie przyspieszył kroku na widok dużego napisu „Pizza Andra Sidan" obok jakiejś chińskiej restauracji.

Nie znosił chińskiej kuchni. W ogóle nie lubił Azjatów, szczególnie Chińczyków i Japończyków. Był z ojcem na placówce w Pekinie i Tokio. Chodził tam do szkoły średniej. Nigdy jednak nie przyzwyczaił się do ich kuchni, nie dlatego, że nie smakowały mu tamtejsze dania, ale dlatego, że zbierało mu się na wymioty, gdy musiał z nimi jeść. Nie mógł znieść mlaskania, ciamkania, siorbania i tej ich dziwnej atencji dla jedzenia.

– Musimy sprawdzić jego dom. To jest najważniejsze! Mówiłem ci przecież! Zapomniałeś?! Potem będziemy obserwować, czy tam pojedzie. Sam! Rozumiesz?! Tak będzie najbezpieczniej. Mamy czas do jutra wieczorem. Jak się sam nie ruszy, to się go... uprzejmie... poprosi.

– Jasne, dowódco! – skomentował po żołniersku Jagan i został przed pizzerią, przyglądając się przechodniom.

Coś go tknęło i obrócił się do tyłu. Zobaczył czterech młodych mężczyzn pchających przed sobą wózki z dziećmi, jeden był nawet podwójny. Mężczyźni, bardziej chłopcy, rozmawiali i sprawiali wrażenie wyjątkowo rozradowanych. Jagan patrzył na ten obrazek i nie mógł zrozumieć sensu tego, co widzi. Przez moment miał wrażenie, że to jakiś film albo przedstawienie. Kiedy grupa zniknęła za rogiem, zdał sobie sprawę, że nigdzie nie ma kamer ani publiczności. Uznał, że trzeba jak najszybciej załatwić sprawę Jorgensena i wracać do Rosji.

Zatrzymali się na małym leśnym parkingu między starym mercedesem a zardzewiałą toyotą kombi na polskich numerach. Po przeciwnej stronie drogi, sto pięćdziesiąt metrów na wprost, była stacja benzynowa Statoil, a trzysta metrów w prawo, przy drodze, stały opuszczone zabudowania. Poza tym wokół był tylko las.

Tatar przez chwilę wpatrywał się w ekran komputera, a Jagan kontrolował otoczenie na zewnątrz samochodu.

– Mamy jakieś sześćset metrów do jego domu... – zaczął Tatar.

– W linii prostej?

– Nie. Drogą. Skręt jest tam, za stacją benzynową – pokazał kierunek. – Potem jakieś czterysta metrów leśną drogą, która kończy się nad brzegiem morza. Tam stoi jego dom.

– Droga bez przejazdu. Kurwa! To niedobrze! – Jagan splunął przez otwarte okno i zaczął się wpatrywać w lusterka. – Wiedziałeś o tym?

– Jasne, że wiedziałem. I ty też wiedziałeś. Nie udawaj teraz durnia! Wszystko przecież oglądaliśmy na symulacji komputerowej. – Tatar był zadziwiająco spokojny. – Nad brzegiem biegnie ścieżka. Popatrz! – Obrócił w jego stronę komputer i wskazał palcem na ekran. – Pójdziesz od tej strony. Ja podjadę do brzegu samochodem… ooo… tutaj! Zobacz! Wzdłuż drogi stoi siedem domów, ale tylko jeden w zasięgu wzroku, a jego jest ostatni. Droga kończy się niedużym pomostem, jakieś pięćdziesiąt metrów od jego posesji… Widzisz?

Jagan wziął w końcu komputer na swoje kolana.

– No tak! Pamiętam… Ćwiczyliśmy to!

– Dokładnie! Tam będę na ciebie czekał. Jakość zdjęć satelitarnych jest, jaka jest… Zobaczymy, jak to wygląda w rzeczywistości! Zapamiętałeś?

Jagan nic nie odpowiedział i oddał Tatarowi komputer. Rozejrzał się wokół, wziął mały plecak z tylnego siedzenia, otworzył drzwi i miał już wychodzić, gdy usłyszał:

– Omijaj stację benzynową! Kamery!… Poczekaj! – zawołał jeszcze Tatar i podał mu puste pudełko po pizzy. – Wypierdol!

Patrzył, jak Jagan przeszedł na drugą stronę drogi i po chwili zniknął w lesie. Przesunął się na miejsce kierowcy. Spojrzał na zegarek. Miał dwadzieścia pięć minut. Z samochodu dobrze mógł obserwować szosę, stację benzynową i wjazd na drogę do posesji Jorgensena. Przy wjeździe stał drewniany dom wyglądający na opuszczony. Tatar pomyślał, że może im się przydać jako baza.

Włączył radio. Odezwał się mężczyzna mówiący niezrozumiałym językiem. Wyłączył. Na szosie nie było żadnego ruchu. Nie przejechał żaden samochód. Na stacji benzynowej też nic się nie działo. Wziął lornetkę i zaczął sprawdzać otoczenie.

Jagan musiał już dojść do brzegu – pomyślał i spojrzał na ekran komputera.

Odłożył lornetkę i zastygł w bezruchu.

Po kilku minutach dziesięć metrów przed maską jego samochodu przejechało wolno granatowe volvo v70. Zobaczył wewnątrz trzech mężczyzn. Odruchowo osunął się niżej. Był pewien, że nie zwrócili na niego uwagi. Volvo pojechało jeszcze trzysta metrów w lewo, potem zwolniło, jakby chciało skręcić w szutrówkę do morza. Osunął się jeszcze niżej i wziął lornetkę. Samochód zatrzymał się na poboczu i po chwili zawrócił. Podjechał na stację benzynową. Wysiadł z niego postawny mężczyzna, rozejrzał się wokół, po czym wszedł do budynku.

Tatar obserwował volvo z coraz większym zainteresowaniem. Odniósł wrażenie, że coś się dzieje. Coś jest nie tak. Ale nie czuł zaniepokojenia. Nawet przez myśl mu nie przeszło, że może to być związane z ich wizytą tutaj. Spojrzał na zegarek. Miał jeszcze pięć minut.

Mężczyzna z v70 wyszedł ze stacji po pięciu minutach, coś jedząc. Popatrzył w lewo, w stronę, skąd przybył, jakby na kogoś czekał. Po chwili wyrzucił serwetkę do kosza i wsiadł do samochodu. Volvo ruszyło bardzo wolno w prawo i po kilkunastu sekundach, nie używając kierunkowskazu, znów skręciło w prawo, na szutrówkę do morza. Tatar miał już włączyć silnik, gdy przez lornetkę zobaczył, że granatowe v70 zawróciło i stanęło przodem do drogi pod opuszczonym domem. Wyglądało to tak, jakby kierowca chciał kontrolować ruch na szosie.

Teraz Tatar się zaniepokoił. To już nie było całkiem normalne. Volvo najwyraźniej przybyło tutaj w jakimś określonym celu. Spojrzał na zegarek. Powinien już jechać. Jagan nie powinien kręcić się tu sam zbyt długo. Nie zna języka, natknie się na kogoś, jakiś przypadek i będzie nieszczęście.

Włączył silnik, wcisnął sprzęgło, wrzucił bieg, ale wciąż czekał. Oczywiste było, że będzie musiał przejechać obok v70 i wtedy mogą go zobaczyć. Nie miał jednak wyboru. Puścił sprzęgło i wcisnął gaz. Pod kołami zachrobotał kamienny żwir.

Jagan doszedł już do brzegu. Obliczył, że do domu Jorgensena zostało mu dwieście pięćdziesiąt pięć metrów. Zaznaczona na mapie ścieżka w rzeczywistości nie istniała. Tylko gdzieniegdzie można było dostrzec jej zarys między głazami i korzeniami. Na lądzie nikogo nie było, tylko na wodzie panował duży ruch.

Przystanął, ujrzawszy zarys piętrowego drewnianego domu na podmurówce. Był pewien, że to właściwe miejsce. Czuł się bezpiecznie w tej odległości. Wiedział, że skrywają go zarośla. Odczekał chwilę i ruszył powoli w lewo, w gęstniejący las. Równym półkolem obszedł dom, żeby zobaczyć go od strony wejścia. Gdy powrócił w wybrane miejsce, położył się w krzakach i wyjął z plecaka lornetkę.

Pierdolony Kaukaz! Jak cudownie jest w tym lesie! Cisza... spokój... łódeczki na wodzie... Żadnych komendantów polowych, obciętych głów, smrodu podłej baraniny. Człowieczeństwo, bracie, człowieczeństwo! A oni tu... kurwa, nawet o tym nie wiedzą! Tylko te ich miasta takie popaprane.

Jagan przez lornetkę lustrował otoczenie. Podobał mu się żółty budynek po drugiej stronie drogi, zwłaszcza intensywnie zielony trawnik. Dom wyglądał na opustoszały. Żadnego samochodu przed wejściem, zamknięte okna, nikogo w pobliżu.

Podniósł się bezszelestnie i podszedł kilkanaście metrów bliżej, żeby widzieć też drugą ścianę domu. Tam okna również były zamknięte. Położył się między powalonym drzewem a gęstymi krzakami i dokładnie osiem minut obserwował otoczenie i sam dom. Tyle czasu przeznaczył sobie na to zadanie.

Gdy uznał, że już czas, podbiegł pod ścianę od strony morza. Oparł się o nią plecami i spróbował wyczuć jej ciepło. Zamknął oczy i zdał się na instynkt. Czuł wyraźnie, że ten dom śpi, jest martwy, że wewnątrz nikogo nie ma. Nigdy z nikim nie rozmawiał o tym, że ma taki dar. Nie chwalił się tym, ale jego towarzysze walki z Czeczenii czy

Dagestanu wiedzieli. Tak mu się przynajmniej wydawało, że to dar i że oni o tym wiedzą. Dlatego zawsze chodził na akcję na ochotnika, jako pierwszy zwiadowca, i potrafił wykryć każdą zasadzkę.

Wszedł na werandę przed domem. Zajrzał do środka. Odsłonięte okna rozświetlały duże pomieszczenie. Wewnątrz panowała uspokajająca cisza.

Miał jeszcze dwanaście minut do przyjazdu Tatara. Postanowił wejść do środka.

Weranda znajdowała się od strony drogi, więc zdecydował się obejść dom od strony morza. Okno było stosunkowo wysoko, ale i tak wspiął się do niego z łatwością. Otworzył je swoim cienkim fiskarsem do filetowania ryb, którego nie lubił, bo nie miał wojowniczej duszy jak jego kizlyar, ale był przydatny do takich celów.

Wyjął pistolet, odbezpieczył i cicho, delikatnie przeładował.

Wskoczył do środka i przymknął za sobą okno. Przykucnął w cieniu pod framugą i nasłuchiwał. W domu panowała idealna cisza, zakłócana jedynie miarowym tykaniem zegara. Siedział dłuższą chwilę w zacienionym rogu, gdy dotarło do niego, że nie jest w Czeczenii i nie musi się liczyć z zasadzką.

Zrobił pierwszy krok. Podłoga głośno zaskrzypiała. Potem znów, za każdym jego krokiem. Zrozumiał, że nie musi już stosować nadzwyczajnych środków ostrożności. W domu był sam, to pewne.

Przez werandę wchodziło się bezpośrednio do dużego pokoju, który najwyraźniej pełnił funkcję salonu połączonego z trochę mniejszym aneksem jadalnym. Po lewej stronie znajdowało się wejście do kuchni i wąskie drewniane schody na piętro.

Podobał mu się wystrój pomieszczeń, natłok mebli i przedmiotów, mimo że każdy był w innym stylu. Ciasnota nieco utrudniała poruszanie. Ściany zawieszone były obrazami, reprodukcjami i zdjęciami. Stanął na środku salonu i przez chwilę się rozglądał. Szukał drzwi do piwnicy.

Według planu powinny być obok wejścia do kuchni... A nie ma! – pomyślał. Mamy, kurwa, niedokładny plan czy co?

Podszedł bliżej wejścia kuchennego i zauważył w podłodze dużą klapę. Uniósł ją, złapawszy za uchwyt, który następnie zaczepił o hak w ścianie. Ukazały się szerokie schody prowadzące w ciemność, powiało lekkim zapachem stęchlizny. Sięgnął do plecaka po latarkę i skierował światło w dół.

Miał już zejść, gdy usłyszał jakiś ruch na zewnątrz i wyjrzał przez okno wychodzące na werandę.

Rzucił się do tyłu i przywarł do ściany tuż za szafą, absolutnie pewny, że nie jest w polu widzenia. W oknie zobaczył twarz mężczyzny, który przysłaniając oczy rękami, zaglądał do wnętrza. Po chwili twarz zniknęła i odezwał się dzwonek do drzwi. Trzykrotnie, z kilkusekundowymi przerwami.

Jagan zacisnął mocniej dłoń na rękojeści pistoletu, ale nie czuł niepokoju. Człowiek pod drzwiami, korzystający z dzwonka, nie mógł stwarzać zagrożenia.

Sąsiad, listonosz... – pomyślał i w tym momencie usłyszał chrobot w zamku. Ktoś próbował go otworzyć.

Rzucił okiem na okno, którym wszedł.

Za daleko – ocenił w sekundę. Musiałbym przejść przez cały pokój, mogę nie zdążyć.

Spojrzał na ciemne wejście do piwnicy, zapalił latarkę i szybko zszedł na dół. Schował się pod schodami i gdy usłyszał nad sobą skrzypienie podłogi, wyłączył latarkę.

Kurwa... Tatar mnie zabije! – pomyślał.

Zahamował w ostatniej chwili. Metr przed maską jego samochodu przeleciał z dużą prędkością volkswagen transporter z zaciemnionymi szybami i tuż za nim kolejne granatowe v70.

Jak mogłem ich nie zauważyć? Skąd oni się wzięli?! – pomyślał zdenerwowany, bo przez chwilowy brak czujności o mało nie zawalił całej akcji.

– Skurwysyny! – powiedział na głos, patrząc za odjeżdżającymi samochodami. Po chwili dostrzegł czerwone światła stopu, kierunkowskaz w prawo i z narastającym zdziwieniem stwierdził, że pędzące samochody skręcają w szutrówkę prowadzącą do morza.

Co się dzieje? Chyba nie chodzi o Jagana? – pomyślał z niepokojem.

Powoli puścił sprzęgło i ruszył w kierunku granatowego v70, które wciąż stało przy drodze.

# 58

Lutek zmienił tablice rejestracyjne volkswagena na mińskie. Wymontował tylne siedzenia, żeby zrobić miejsce na skrzynię, dwa kilofy, trzy łopaty, linkę alpinistyczną, duży biały parawan, reflektor na stojaku i kilka innych, mniejszych przedmiotów. A musiały się jeszcze zmieścić cztery osoby.

Dojazd samochodem do Bramy Północnej twierdzy zajmował siedem–osiem minut i prowadził przez słabo zamieszkane tereny, głównie przemysłowe i najczęściej opuszczone.

Wykopać skrzynię mieli Lutek i Marcin, ubrani w stroje robocze, pod kierownictwem „Travisa" i Krupy jako funkcjonariuszy KGB. Jak ustalił wcześniej Lutek, Brama Północna nie jest zamykana po osiemnastej. Pozostaje tam wprawdzie strażnik, ale z nim nie powinno być żadnych kłopotów.

Dochodziła siedemnasta czterdzieści pięć, gdy Konrad skończył odprawę w namiocie. Każdy jeszcze raz powtórzył na głos zakres swoich obowiązków. Choć budziło to zabawne skojarzenie z Władysławem Jagiełłą i jego rycerzami przed bitwą, Konrad traktował taką formę odprawy całkowicie poważnie. Stosował ją zresztą zawsze i nikt się temu nie dziwił.

Uznał, że wszyscy są dobrze przygotowani do najważniejszej części operacji. W namiocie zaległa cisza. Siedzieli w skupieniu, tylko Marcin wydawał się nieco pobudzony. Znacznie mniej jednak niż jeszcze kilka godzin wcześniej. Rozmowa z Sarą przyniosła widocznie tylko połowiczny efekt, chociaż Marcin przysięgał, że panuje nad sobą, kiedy trzeba.

Cisza w namiocie trwała nieco ponad minutę i nie przerwało jej żadne pytanie. Konrad widział, jak bardzo wszyscy są skupieni. Jedynie Lutek miał taki sam wyraz twarzy jak zwykle. To była twarz człowieka, któremu można zaufać, która nie udaje i nie przybiera zbędnych grymasów. Najbardziej wyraziste były jego oczy, skierowane zawsze we właściwym kierunku, pełne wiedzy i emocji. To za pomocą oczu Lutek najlepiej porozumiewał się z otoczeniem, czasami tylko posiłkując się dwoma delikatnymi, lecz wymownymi ruchami głową – Tak i Nie.

Brak pytań był jak gwarancja, że wszystko jest zapięte na ostatni guzik i są w pełni świadomi problemów, na które nie ma odpowiedzi.

– Zaczynaj, Wasilij! – Konrad zwrócił się do Krupy. – Dzwoń!

Krupa trochę niepewnie sięgnął do kieszeni po telefon. Wydawało mu się, że wszyscy na niego patrzą, i przez moment pożałował swojej decyzji i tego, że się tutaj znalazł. Sprawa Stepanowycza pewnie by się wyjaśniła i wszystko byłoby dobrze. Siedziałby sobie teraz nad „mińskim morzem" z Wierą z Wydziału Obserwacji i zimnym piwem w dłoni i czekał, aż upiecze się szaszłyk.

A tu wszyscy ci Polacy się na mnie gapią – pomyślał. Że też mi się zachciało!

Zawahał się przez moment, trzymając już telefon w dłoni.

Nooo... nie. Nie wykręciłbym się z tego Stepanowycza! W życiu! Postąpiłeś jak należy, Wasia! Trzeba w końcu zrobić w życiu coś dobrego – zakończył swój monolog wewnętrzny, gdy zobaczył pytające spojrzenie Konrada.

Wybrał numer telefonu komórkowego pułkownika Tudorowa.

Wszyscy wokół zamarli.

– Dzień dobry, towarzyszu pułkowniku Tudorow! – odezwał się po dobrej minucie oczekiwania. – Mówi kapitan Wasilij Krupa z mińskiego KGB – oznajmił po kilku sekundach. – Chciałbym się z wami spotkać, towarzyszu pułkowniku – powiedział po kilku sekundach, podniósł brwi i uśmiechnął się. – To sprawa niecierpiąca zwłoki! – Wyraz twarzy Krupy nie pozostawiał złudzeń, że Tudorow reaguje pozytywnie. – Wiaczesławie Olegowiczu! Bardzo was proszę, nie mówcie nikomu o naszej rozmowie. To sprawa ściśle tajna, wagi państwowej. Jest teraz siedemnasta pięćdziesiąt sześć, będziemy u was za piętnaście minut. – Krupa mówił nieprzerwanie i jasne było, że Tudorow stoi teraz na baczność. – Zapiszcie numer naszego samochodu, jeżeli jest potrzebny, żebyśmy mogli wjechać na teren muzeum. – Wasilij chwilę słuchał rozmówcy, po czym powiedział: – Przez Bramę Północną... tak! Będziecie czekać przed budynkiem... Do zobaczenia, towarzyszu pułkowniku...

Nie musiał nic wyjaśniać. Wszyscy doskonale zrozumieli, co powiedział pułkownik Tudorow. Zresztą mina Krupy nie pozostawiała najmniejszych wątpliwości.

– Dziadek gotowy! – zakomunikował mimo wszystko. – Nie powinno być trudności. Zameldował się przepisowo!

– No to ruszamy! – zarządziła Sara.

Zeszli na dół po metalowej drabinie. Lutek był już przy samochodzie. Na górze pozostali tylko M-Irek, przygotowujący swoje laboratorium. Marcin i Lutek, w niebieskich kombinezonach roboczych, czapkach i butach kupionych dwie godziny wcześniej w sklepie ogrodniczym, ani trochę nie przypominali zwykłych robotników. Nikt się tym jednak nie przejął, bo któż mógłby wiedzieć, jak powinien wyglądać robotnik z KGB! Zresztą Krupa i „Travis" zaakceptowali ich wygląd. Większe zastrzeżenia mieli do ich twarzy, które nie miały nic wspólnego ze wschodnim genotypem robotniczym.

Krupa ubrał się w szary parasłużbowy garnitur, natomiast „Travis" włożył mundur kapitana KGB, który właściwie służył tylko do obsługi oficjalnych imprez państwowych. Uznali jednak wcześniej, że mundur to mundur i ma swoją magiczną moc wszędzie na świecie, a najsilnieszą w byłym ZSRR.

Wsiedli do samochodu. Konrad przypomniał „Travisowi", żeby cały czas miał włączoną radiostację, pogroził palcem Marcinowi, który włożył czapkę KGB i zasalutował, klepnął Lutka w ramię i szepnął mu do ucha: „Pilnuj ich!", choć ten i tak wiedział, że musi nad wszystkim czuwać. Zasunął drzwi i volkswagen transporter wytoczył się za bramę opuszczonej cementowni.

Minęli po lewej kilkupiętrowy budynek mieszkalny, po prawej skwer i zobaczyli Bramę Północną. Oprócz Lutka nikt z nich jeszcze tu nie był. Wjechali w ciemny otwór między wielkim Orderem Bohatera Związku Radzieckiego a Orderem Lenina, zdobiącymi bramę, i po chwili byli już wewnątrz twierdzy.

Mieli teraz do przejechania około sześciuset metrów nową, ładną drogą aż do mostu na fosie, gdzie zaczynała się cytadela i gdzie czekać miał pułkownik Tudorow.

Na rozległym terenie widać było jeszcze gdzieniegdzie turystów, lecz prawie wszyscy kierowali się już w stronę głównej bramy.

Pułkownik Wiaczesław Olegowicz Tudorow był niewysokim człowiekiem o zaczesanych do tyłu falujących siwych włosach. Na nosie miał archaiczne okulary podobne do filatelistycznej lupy.

– Witam, towarzyszu kapitanie! – niemal się zameldował, ujrzawszy Krupę, i tylko brakowało, żeby zasalutował i wyciągnął suchą dłoń na powitanie.

Z samochodu, zapinając mundur, wysiadł „Travis".

– Witam, towarzyszu kapitanie! – z jeszcze większą atencją na jego widok powtórzył Tudorow.

– Również witam, towarzyszu pułkowniku – odparł Krupa i podał mu rękę.

„Travis" poszedł za jego przykładem.

Tudorow zamilkł i wydawało się, że czeka, aż pierwszy zacznie Krupa. Widać było, że zna wojskowy porządek i swoje miejsce w hierarchii. Z pewnością był też przejęty faktem, że KGB, i to z Mińska, zwraca się do niego z prośbą, ściśle tajną prośbą. W rzeczywistości miał zakodowane w głowie, że jeśli coś jest ściśle tajne, to nie można o to pytać. Ściśle tajne to więcej niż tajne, a znacznie więcej niż poufne, więc Tudorow traktował sytuację z najwyższą powagą, jak rozkaz. I bardzo mu to odpowiadało, bo nadzwyczaj lubił dostawać rozkazy i jeszcze bardziej je wykonywać, a dawno już żadnego nie dostał.

– Zapraszam do siebie... – zaczął i już cofnął się o krok, by puścić ich przodem, gdy Krupa mu przerwał.

– Towarzyszu pułkowniku! Musimy porozmawiać tutaj. Nasze rozkazy są absolutnie jasne! To, co mamy do wykonania... jest absolutnie ściśle tajne i nie byłoby dobrze, gdyby ktoś nas razem zobaczył na terenie biura. Przejdziemy się!

– Oczywiście, towarzyszu kapitanie! – Tudorow zrobił poważną minę i pokiwał ze zrozumieniem głową.

Krupa skierował go w prawo, by odejść jak najdalej od budynku administracji. „Travis" dołączył do nich.

– Posłuchajcie uważnie, towarzyszu pułkowniku! – zaczął Krupa tonem, jaki znał doskonale i jaki zawsze spełniał swoją funkcję. – Otrzymaliśmy rozkaz od generała Siergieja Wiktorowicza, żeby wtajemniczyć was w nasze działania. – Krupa nie musiał wymieniać nazwiska szefa KGB Białorusi. –

Prosił, żeby serdecznie was pozdrowić i zapytać, czy czegoś wam nie trzeba.

– Dziękuję bardzo! – Tudorow założył ręce do tyłu i zrobił minę, która w jego odczuciu miała mu dodać powagi. – Proszę przekazać towarzyszowi generałowi, że niczego w tej chwili nie potrzebuję. Dziękuję bardzo!

– Zatem do sprawy! – ciągnął tym samym tonem Krupa. – Widzicie, tutaj, na terenie twierdzy, zakopane jest archiwum NKWD, które nasi towarzysze ukryli przed faszystami w tysiąc dziewięćset czterdziestym pierwszym roku.

Tudorow aż stanął w miejscu, otworzył usta, a jego i tak duże, powiększone przez szkła oczy zrobiły się dwukrotnie większe.

– Ja nic o tym nie wiem, towarzyszu kapitanie! Naprawdę! – Tudorow był prawdziwie przejęty, ale takiej reakcji Krupa się nie spodziewał. – Towarzyszu kapitanie! Gdybym wiedział, tobym natychmiast...

– Wszystko w porządku! To dobrze, że nie wiecie...

– Może dyrektor muzeum coś wie...

– Dyrektor nie wie i nie powinien wiedzieć. Wszystko w porządku! – spokojnie kontynuował Krupa. – My wiemy, gdzie jest ono zakopane! – Wasilij popatrzył z góry w dwie lupy pułkownika, który sprawiał wrażenie, jakby nie zrozumiał tego, co usłyszał.

– Właśnie przyjechaliśmy je zabrać – odezwał się po raz pierwszy „Travis".

– Oczywiście! – odparł Tudorow.

– Posłuchajcie, towarzyszu pułkowniku! – ciągnął teraz „Travis". – To archiwum to nie jest jakaś tam sprawa dla historyków. Rozumiecie?! To sprawa uzgodniona między naszym prezydentem a prezydentem Rosji. Ukryte są tam dokumenty, o których teraz lepiej... – urwał w pół zdania, dodając swoim słowom dramatyzmu.

– Oczywiście, towarzyszu kapitanie! Oczywiście! Nasza historia to ważna sprawa – skomentował Tudorow. Widać było, że jest zdenerwowany i nie za bardzo dotarło do niego to, co powiedział „Travis".

– Potrzebujemy waszej pomocy! – Krupa przeszedł do rzeczy.

– Na rozkaz! – odparł Tudorow.

– Musicie pomóc je nam wydobyć. Tak szybko, jak to możliwe!

– Tak jest! Ale muszę się przebrać. Wszystkie narzędzia mamy w...

– Nie o takiej pomocy myśleliśmy. Wystarczy, jeżeli zadbacie, żeby nikt nam nie przeszkadzał. Rozumiecie?! W samochodzie są żołnierze, którzy zajmą się kopaniem, i cały sprzęt mamy ze sobą. Nikt nam nie może przeszkodzić!

– No tak! Przepraszam, towarzyszu kapitanie! Oczywiście!

– Chcemy, żebyście byli z nami, kiedy będziemy wydobywać archiwum, i nie pozwolili nikomu się do nas zbliżać.

– Na terenie twierdzy nikogo już prawie nie ma. Są tylko moi ludzie, ale z tym problemu nie będzie – odparł Tudorow z przekonaniem.

– Chcemy też, żebyście nam pomogli sfilmować wydobycie tego archiwum – wtrącił „Travis". – Oczywiście nie dla telewizji. Zostanie to pokazane wyłącznie prezydentom Białorusi i Rosji. Zdajecie sobie sprawę, jakie to ważne, towarzyszu Tudorow!

– Według rozkazu! – Pułkownik przyjął postawę zasadniczą.

Sara zgasiła papierosa w popielniczce. Wyciągnęła dłoń w kierunku Konrada, który klepnął ją z wyraźnym zadowoleniem. Całą rozmowę słychać było doskonale i Konrad miał wrażenie, że nie docenił zdolności Krupy i „Travisa". O ile jednak w ich przypadku było to uzasadnione, o tyle fakt, że nie docenił Sary, należało potraktować jak ostrzeżenie, że się starzeje i ma pierwsze objawy kompleksu Angletona. I nie było to zwykłe ostrzeżenie, jak wiele innych.

Tym razem poczuł je jak oparzenie w czułe miejsce. Mimo to uśmiechnął się do niej, co odebrała – jak mu się wydawało – jako kapitulację z jego strony.

Ciężkie deszczowe chmury zebrały się już nad Brześciem i po słonecznej pogodzie nie zostało ani śladu. Zrobiło się ciemno i zimno, wyglądało na to, że lunie lada moment.

Tymczasem volkswagen transporter podjechał już pod cerkiew Świętego Mikołaja. Lutek i Marcin, niczym zaprogramowane roboty, przystąpili do wykonywania swoich czynności. Za pomocą latarki na podczerwień bez trudu odnaleźli zaznaczone miejsce. Pułkownik Tudorow, przejęty sytuacją, z zaangażowaniem pomagał przy rozstawianiu parawanu i oświetlenia. Zaczynało już zmierzchać, więc trzeba było poprawić ekspozycję filmu. „Travis" z przyjemnością filmował pułkownika Tudorowa, który był nadzwyczaj rozmowny i starał się nawiązać kontakt z Lutkiem i Marcinem, ale w odpowiedzi otrzymywał tylko niezrozumiałe mruknięcia. Żeby uniknąć dekonspiracji robotników z KGB, to Krupa i „Travis" odpowiadali na wszystkie jego pytania.

Wykopanie dołu głębokości metra siedemdziesiąt, szerokości półtora metra i długości dwóch metrów zajęło Marcinowi i Lutkowi trzydzieści minut. Pracowali z nieproporcjonalnym, niezwykłym zaangażowaniem, ale pułkownik Tudorow, przejęty sytuacją, wcale tego nie zauważył. Więcej! Wciąż zgłaszał się na ochotnika do pomocy przy kopaniu.

Gdy dół osiągnął głębokość około półtora metra, Lutek i Marcin wzięli sondy i zaczęli nakłuwać dno. Już pierwsza próba wykazała, że pod powierzchnią ziemi coś jest. Zgodnie z obliczeniami M-Irka metalowa skrzynia po tylu latach powinna ulec korozji, dlatego nie wolno było jej uszkodzić. Otwarcia powinni dokonać specjaliści, i to w szczególnych warunkach. Dlatego kopiący zwolnili tempo i przypominali teraz raczej archeologów. Jednakże czas grał na ich niekorzyść, wciąż zdarzyć się mogło coś niezaplanowanego, co groziło unicestwieniem całego przedsięwzięcia. Wszyscy zdawali sobie z tego sprawę, z wyjątkiem Tudorowa, który przejęty swoją rolą trzymał teraz kamerę wideo. Chodziło nie tylko o udokumentowanie wydarzenia, lecz także o to, by go czymś zająć.

Lutek i Marcin odkryli już wierzchnią część skrzyni i oczyścili ją miotełkami. Musieli chwilę odpocząć. Pot spływał im po całym ciele, zalewając oczy i usta. Marcin czuł, że popękały mu pęcherze na dłoniach.

Wszyscy stali w ciszy nad dołem, patrzyli na szary kształt skrzyni i mieli dziwne wrażenie, naznaczone odrobiną strachu i przerażenia, jakby dokonywali ekshumacji. Choć nie było tam ciała, to jednak wydobywali coś, co jest częścią życia, jego szczątki sprzed lat, które opowiedzą o czymś bardzo ważnym także dzisiaj.

Nagle niebo nad ich głowami się rozjaśniło i po paru sekundach rozległ się potężny grzmot. Jak na komendę spojrzeli w górę. Po chwili kolejne błyski oświetliły niesamowitą grupę nad otwartym dołem. Marcin aż zaśmiał się na głos, bo pomyślał, że większego kiczu dawno nie widział. A gdy zaczęły spadać wielkie krople deszczu, skonstatował, że filmy z gatunku neonoir mogłyby śmiało konkurować z włoskim neorealizmem.

Deszcz jednak podziałał także orzeźwiająco i Lutek przyspieszył tempo pracy. Tudorow wciąż trzymał kamerę. W tym momencie „Travis" dostrzegł kątem oka wjeżdżający od strony Bramy Północnej samochód. Przyjrzał mu się bliżej i zauważył, że to radiowóz milicyjny, jadący powoli i bez sygnału. Zapewne patrol. Trącił w ramię Krupę, który natychmiast pojął, co się dzieje.

Tymczasem radiowóz się zatrzymał i było jasne, że dwaj milicjanci przyglądają się małej oświetlonej inscenizacji pod ścianą cerkwi. Deszcz się wzmagał i sytuacja stawała się coraz bardziej dwuznaczna.

Krupa wziął od Tudorowa kamerę i pokazał mu radiowóz. „Travis” dał pułkownikowi płaszcz przeciwdeszczowy.

– To nic! Zawsze o tej porze przyjeżdżają. To rutynowy patrol – zakomunikował pułkownik. – Zaraz to załatwię!

Gdy tylko odszedł, „Travis” zaczął nerwowo ponaglać Lutka i Marcina, którzy odsłonili już całą skrzynię. Miała dokładnie takie wymiary, jakie podali M-Irek: osiemdziesiąt centymetrów na metr dwadzieścia. Była mocno zardzewiała i pogięta od naporu ziemi, lecz wyglądała na nieuszkodzoną. M-Irek przestrzegali, żeby pod żadnym pozorem jej nie przechylać i nie upuścić. Musiała zostać wydobyta w pozycji poziomej.

Krupa obserwował Tudorowa, który podszedł do radiowozu i już z oddali uniesioną dłonią pozdrowił milicjantów. Ten gest zadziałał na Krupę uspokajająco, bo wskazywał, że Tudorow mówił prawdę i rzeczywiście zna milicjantów. Zobaczył, że przez otwarte okno podał im rękę i chwilę z nimi rozmawiał. Trwało to nie więcej niż dwadzieścia sekund, po czym radiowóz powoli ruszył w lewo, w kierunku placu głównego.

– Co im powiedzieliście, towarzyszu pułkowniku? – zapytał Krupa, gdy Tudorow wrócił.

– Że mamy awarię sieci energetycznej – odparł pułkownik, przecierając mokre okulary.

– Uwierzyli?

– To był sierżant Primarienko! – oznajmił Tudorow takim tonem, jakby każdy wiedział, kto to jest sierżant Primarienko. Ale Krupa i „Travis” doskonale zrozumieli, co chciał powiedzieć, i nie musieli pytać o nic więcej.

Lutek i Marcin podłożyli tymczasem dźwigary pod skrzynię i wyrzucili na zewnątrz cztery liny. Deszcz padał już bardzo intensywnie, ale ucichły grzmoty i znikły błyski. Obok dołu umieścili drewnianą płytę przygotowaną do transportu skrzyni.

Wszyscy czterej stanęli wokół i chwycili za liny. Tudorow dostał z powrotem kamerę, chociaż nie mógł zrozumieć, jakim cudem działa ona na deszczu.

– *Odin... dwa... tri...* – odliczył po rosyjsku Lutek i skrzynia ruszyła w górę.

Według tego, co powiedzieli M-Irek, miała ważyć ponad sto kilo, jednak wysiłek, jaki musieli włożyć wszyscy czterej, wskazywał, że waży ponad dwieście, i niewiele brakowało, by ją upuścili. Z ogromnym trudem położyli skrzynię na płycie i przenieśli do samochodu.

Musieli teraz zasypać dół. Dochodziła dwudziesta i wszyscy mieli ochotę opuścić to miejsce jak najszybciej. Zdobyli już to, po co tutaj przyjechali, i każda kolejna minuta wydawała się kuszeniem losu. Wcale nie czuli satysfakcji ani tym bardziej radości. Jedynie zmęczenie, jakby uszła z nich cała wola walki i utracili sens tego, co robią. Tak czuli wszyscy oprócz Lutka i Tudorowa.

– Jedziemy! – zarządził Krupa, ale to nie on tutaj dowodził i mimo że Marcin zrobił ruch, jakby chciał już wsiąść do samochodu, Lutek w niebywałym tempie zaczął zasypywać dół. Wszyscy natychmiast zrozumieli, że tak przecież było zaplanowane, i ruszyli z pomocą Lutkowi.

Tudorow sfilmował także zasypywanie dołu, co zajęło czterem mężczyznom kilkanaście minut.

– Wiaczesławie Olegowiczu! Dziękujemy wam w imieniu służby za pomoc! Naprawdę doceniamy wasz wkład i o wszystkim zostanie poinformowany prezydent naszej republiki – powiedział Krupa, gdy kończyli już ładowanie samochodu.

Tudorow wyglądał na przejętego i zaczął zdejmować płaszcz przeciwdeszczowy za pięć złotych.

– Nie, możecie to zatrzymać! – zapewnił go Krupa. – Jednocześnie proszę was, towarzyszu pułkowniku, żebyście zgłosili się w poniedziałek o dziewiątej rano do siedziby KGB na Mickiewicza, do pułkownika Syczowa, zastępcy szefa. Czekać tam będzie na was niespodzianka! Zapamiętacie?

– Oczywiście! Miałem przyjemność poznać towarzysza Syczowa – oznajmił Tudorow z zadowoleniem.

– Jeszcze raz dziękujemy w imieniu służby! – Wasilij szybko uścisnął dłoń pułkownika i wsiadł do samochodu.

Emerytowany pułkownik Siergiej Wiktorowicz Tudorow stał w deszczu na trawniku obok zasypanego dołu i z poczuciem dobrze wypełnionego obowiązku patrzył przez mokre okulary za szybko oddalającym się samochodem. Teraz przez całą sobotę i niedzielę męczyć go będzie myśl, co też takiego czeka go w poniedziałek w siedzibie KGB.

## 59

Olaf Svensson miał już wychodzić, gdy zadzwonił jego telefon komórkowy. W słuchawce usłyszał nienaturalnie ściszony głos Lindy. Zawsze mówiła w ten sposób, gdy była w trakcie realizacji jakiegoś zadania i chciała podkreślić dramatyzm swojego położenia. Śmieszyło go to trochę i nie pasowało do jej wyidealizowanego obrazu.

– Jesteśmy na miejscu. Wygląda, że jest bezpiecznie i w domu nikogo nie ma. Za chwilę wchodzimy…

– Uważajcie na siebie. Powodzenia, Lindo!

– Daj spokój, Olaf! To prosta robota! – odparła z ledwo wyczuwalnym wahaniem w głosie. – Coś nowego w sprawie? – zapytała, jakby chciała dodać sobie pewności.

Olaf natychmiast to wyczuł, bo w tym momencie pytanie było zupełnie zbędne.

– Nie, nic. Tak czy inaczej bądź ostrożna – odparł. – Ma do mnie wpaść Gunnar Selander z policji… Pamiętasz?

– Nie!

– Nieważne. Ma jakąś dziwną sprawę... Spóźnia się. Jeśli nie przyjedzie ani nie zadzwoni w ciągu paru minut, jadę na spotkanie do Pera. Ma coś nowego. – Chciał już zakończyć, gdy przypomniał sobie nagle i zapytał: – Kto to jest ten Harry Caul? Jak się pisze to nazwisko?

Usłyszał śmiech w słuchawce.

– Daj spokój, Olaf... To teraz nieistotne! W ogóle nieistotne! Cześć!

Na stole zadzwonił telefon wewnętrzny. Olaf włączył interkom. Ochrona poinformowała go, że przyszedł Gunnar Selander.

Po kilku minutach w drzwiach pokoju pojawił się wysportowany, wysoki mężczyzna o bardzo jasnych włosach i niebieskich oczach.

– Witaj, Gunnar! Nie byłeś jeszcze u mnie?

– Odkąd awansowałeś i zmieniłeś gabinet, nie. Byłem kilka lat temu, chyba... to było na drugim piętrze?

– Nie, na trzecim... Siadaj. Kawy?

– Dziękuję, ale nie... Może wody?

Olaf otworzył butelkę wody gazowanej Ramlösa i nalał pół szklanki.

– Co się dzieje? – zapytał, podając ją Selanderowi. – Opowiedz wszystko po kolei.

Selander wyjął z teczki przezroczystą plastikową koszulkę z dokumentami. Podszedł do stołu konferencyjnego i położył na nim dwie kartki.

– Zobacz, Olaf! – Stanęli obok siebie. – To jest kserokopia łotewskiego paszportu niejakiego Igora Anatolijewicza Garbinowa, rocznik siedemdziesiąt sześć, zameldowanego w tej chwili w Solna Vandrarhem przy Enköpingsvägen. A to wydruk z systemu IP Face Sixty-Nine.

Olaf wziął obie kartki i zaczął je uważnie przeglądać.

Gunnar Selander tymczasem sprawnym i wyrazistym policyjnym językiem opowiedział o swoich ustaleniach. Zaczął od tego, czego dowiedział się od Ligi i Marie, przedstawiając ich podejrzenia jak najbardziej serio. Wspomniał też o blondynie, którego widział wychodzącego z pokoju numer 48.

Olaf wysłuchał jego kilkuminutowej relacji z uwagą, a gdy skończył, zaczął ponownie przyglądać się zdjęciu Garbinowa i porównywać je z portretem pamięciowym.

– Zgadzam się z tobą – odparł po chwili. – Też dostrzegam podobieństwo. Coś jest w tej twarzy... – zawiesił głos – nie wiem co, ale czuję to samo co ty. Ciekawa sprawa!

– Moi przełożeni nie wiedzą, że tu jestem. Nie napisałem jeszcze nawet raportu w tej sprawie. Zbyt wiele przeczucia, intuicji i niezbyt formalnych dowodów. Nie chcę wyjść na... rozumiesz? Pomaga mi Sven Portman...

– Jasne. Dobrze zrobiłeś, Gunnar, że przyszedłeś z tym do mnie – przerwał mu Olaf. – Trzeba się tym zająć, chociaż mam teraz urwanie głowy i działania w terenie przez cały weekend.

Selander usiadł na krześle i z zadowoleniem pokiwał głową.

– Jak szybko możesz skontaktować się z Brytyjczykami, z tym... Oliverem? – zapytał.

– Zaraz ściągnę łącznika Security Service. Porządny facet. Znamy się od lat – rzucił zdecydowanie Olaf. – Byłoby jednak dobrze, gdybyś pojechał do hotelu i zobaczył tego Garbinowa na własne oczy.

– Początkowo planowałem to zrobić przed przyjazdem do ciebie, ale doszedłem do wniosku, że trzeba działać równolegle. Poza tym szkoda czasu. Garbinowa i tego drugiego pewnie nie ma o tej porze w hotelu. Nic nie szkodzi, jeżeli Brytyjczycy powiedzą nam wcześniej, kto to jest, prawda?

Svensson nie mógł się z tym nie zgodzić. Tym bardziej że opowieść Gunnara rzeczywiście go zainteresowała. Nigdy wcześniej nie spotkał się z czymś podobnym. Garbinow, niepokój Ligi, przeczucie Selandera... wszystko to razem w jakiś niezrozumiały sposób się zazębiało. Pomyślał, że jak tylko wróci Linda, koniecznie musi z nią o tym porozmawiać. Przypomniała mu się maksyma, którą często powtarzała: „Brak dowodów nie jest jeszcze dowodem na ich brak". Uśmiechnął się, bo zauważył, że pasuje wręcz idealnie do tej sytuacji.

– Sądzisz inaczej? – zapytał Gunnar, zdziwiony uśmiechem na twarzy Svenssona.

– Nie! Absolutnie masz rację! Coś mi się tylko przypomniało i...

– Okay! W takim razie jadę...

– Dałbym ci kogoś do pomocy, Gunnar, ale mam mało ludzi, a reszta jest w terenie...

– Pomaga mi Portman. Damy radę! Ważne, żeby Brytyjczycy jak najszybciej zidentyfikowali tego Garbinowa. A ja dam ci znać, czy człowiek z portretu odpowiada wyglądem temu facetowi z hotelu.

– Będziemy w kontakcie! – rzucił Olaf.

Selander podniósł się z krzesła. Spojrzał mu w oczy i powiedział:

– Dziękuję, Olaf, że podszedłeś do tej sprawy poważnie. To ma dla mnie duże znaczenie. – Przerwał i zaraz dodał: – Mam nadzieję, że jutro zagramy!

– Ja też! – odparł natychmiast Svensson, ale wiedział, że może zapomnieć o meczu, bo w sobotę będzie zajęty sprawą Jorgensena.

Gdy za Selanderem zamknęły się drzwi, odnalazł w swojej komórce telefon do Toma Hansona, łącznika Security Service w Sztokholmie.

Odliczył. Hanson jak zwykle odebrał po dziesięciu dzwonkach.

– Jesteś w Sztokholmie? – zapytał bez zbędnej etykiety i zaraz dodał: – Świetnie! Przyjedź do mnie... mam coś ekstra. To pilne!

Zbliżała się piąta. Jorgensen spakował wszystkie zakupy do dwóch wielkich papierowych toreb i postawił je obok lodówki. Usiadł za stołem i zastanowił się, czy nie powinien zaczekać, aż osłabnie ruch na drogach. Popatrzył na wypchane papierowe torby z napisem Vivo i dopiero teraz się zorientował, że tego sklepu nie ma już w Jakobsbergu od kilku lat. Poczuł coś w rodzaju satysfakcji, że jest tak spostrzegawczy i oszczędny.

Mimo drażliwych zdarzeń tego dnia jego wewnętrzna harmonia i pewność siebie znów były na wysokim poziomie. Przeleciał w pamięci wszystkie punkty, które miał zrealizować, i z zadowoleniem stwierdził, że o niczym nie zapomniał.

Po krótkiej analizie doszedł do przekonania, że jednak nie będzie czekał i pojedzie już teraz. Chciał być w Åkersberdze jak najszybciej. Wydawało mu się, że w ten sposób skróci sobie czas oczekiwania na to, co miało wkrótce nastąpić. Na najważniejszy dzień swojego życia.

Wstał od stołu i zaczął chodzić po mieszkaniu. Wszedł do pokoju Carla i usiadł na chwilę na jego łóżku. Zapatrzył się w stojący na szafce plastikowy statek. Odsiedział minutę, może dłużej, i znów obszedł wszystkie pokoje. Mimowolnie ściągnął palcem kurz z komody. Przeszedł obok zdjęcia Ingrid, ale wstydził się przy nim zatrzymać. Miał wrażenie, że musi się pożegnać z mieszkaniem na Kvarnvägen. Gdy wróci, nie będzie już Hansa Jorgensena ani jego cholernych zasad. Na myśl o tym poczuł przypływ niepokoju. I nagle wszystko jakby zasnuło się mgłą.

– Ingrid! Zobaczymy się w poniedziałek – powiedział wyraźnie na głos. – Carl i ja opowiemy ci, jak to wszystko się skończyło. Kocham cię!

Wciąż jednak nie mógł spojrzeć na jej zdjęcie.

Wyszedł do przedpokoju. Włożył swoją zieloną, niemiłosiernie wytartą kurtkę Barboura i wrócił do kuchni po torby z zakupami.

Przypomniał sobie, że niedawno otwarto nową drogę do Åkersbergi. Połączono północnym łukiem E4 do Uppsali z E18 do Norrtälje. Do tej pory jeździł zawsze przez Sollentunę. Postanowił, że sprawdzi tę trasę, jadąc nią po raz pierwszy.

Podszedł jeszcze do okna. Mężczyzny w jasnym garniturze już nie było.

Zamknął za sobą drzwi. Nigdy dotąd, jak sięgał pamięcią, nie wychodził z domu, nie zostawiając żadnych zabezpieczeń. To było dziwne, ale miłe uczucie.

Do domu w Åkersberdze dojechał szybciej niż zwykle. Wydawało mu się, że nowa trasa rzeczywiście skraca czas przejazdu, chociaż według licznika była nieco dłuższa.

Zapowiadał się ciepły wieczór. Jorgensen spocił się trochę w samochodzie. Niepotrzebnie włożył kurtkę, a jego stare volvo 245 nie miało klimatyzacji. Torby zaniósł do kuchni i zaczął otwierać okna, by przewietrzyć dom. Wciąż się w nim utrzymywała dochodząca z piwnicy lekka woń stęchlizny. W swoim czasie musiał zamurować okienka wentylacyjne, a ponieważ dom stał kilkadziesiąt metrów od morza, po latach piwnicę zaatakowała wilgoć. Carl chciał zrobić w niej remont, ale on z oczywistych powodów nie mógł się na to zgodzić. Zresztą trochę pomagało porządne wietrzenie i osuszanie piwnicy na wiosnę.

Teraz zrobimy remont! Już wkrótce! – pomyślał z zadowoleniem.

Kiedy podszedł do okna wychodzącego na morze, nagle stanął jak wryty. Zdał sobie sprawę, że okno jest jedynie przymknięte. Zauważył to natychmiast! Powoli podszedł bliżej. Zawsze – zawsze! – odkąd pamięta, przed wyjściem z domu sprawdzał okna, czasem więcej niż dwa razy.

– Ktoś tu był! – powiedział głośno i poczuł narastające przerażenie.

Przez kilka dni szalała burza. Wiało akurat od strony morza. Gdy byłem tu po powrocie z Polski, nie otwierałem okien. Doskonale pamiętam! Ktoś wszedł oknem od strony morza, żeby go nie zauważyli z drogi.

Jorgensen nie mógł zebrać myśli. Obejrzał dokładnie okno i zamek, ale nie był w stanie nic stwierdzić.

– Piwnica! – usłyszał samego siebie, jakby ktoś na niego krzyknął.

Podszedł do zamkniętego włazu. Przypomniał sobie, że ostatnim razem nie zostawił w domu żadnych zabezpieczeń, więc po raz pierwszy nie będzie mógł ocenić, czy ktoś tu był. A że był – czuł to bardzo wyraźnie. Patrzył na klapę do piwnicy i z przerażeniem myślał, co tam zastanie.

– To muszą być nasi! Skąd mogą wiedzieć, co chcę zrobić?! Szwedzi nie wchodziliby przecież przez okno... To oczywiste! – zastanawiał się, przenosząc wzrok z klapy na okno i z powrotem. Ten człowiek pod oknem dzisiaj! To oni... na pewno! Czego chcą?! Niemożliwe, żeby przejrzeli moje plany. To przecież śmieszne nawet tak myśleć! Poza tym po co mieliby wchodzić do mojego bunkra? Beze mnie nic tam nie wskórają... A gdyby nawet, to i tak sami nie znajdą tego, co jest najważniejsze... Czyli?

Teraz uświadomił sobie z całą mocą tę prostą prawdę, że jest w niebezpieczeństwie. Doskonale rozumiał, że w jego sytuacji oznacza to zagrożenie życia, a nie byle aresztowanie, i że tylko w Moskwie wiedzą, jakie skutki mogłaby mieć dla nich jego dezercja.

Złapał za uchwyt i mimo ciężaru uniósł lekko klapę. Czarny otwór kontrastował z pokojem pełnym słońca. Jorgensen zszedł powoli po schodkach na sam dół. Nie potrzebował latarki. Znał pomieszczenie na pamięć. Bezbłędnie odnalazł nad głową łańcuszek od lampy. Piwnicę wypełniło dosyć słabe, ciepłe światło. Stanął i zaczął uważnie się wpatrywać w ułożenie narzędzi ogrodowych. Wydawało mu się, że nikt ich nie dotykał. Odstawił je po kolei na bok i otworzył zamaskowane drzwi.

Wszedł do środka i najpierw sprawdził, czy jego prywatna skrytka jest nienaruszona. Nic nie wzbudzało podejrzeń. Stan napięcia spowodował przyspieszone bicie serca, tak że pociemniało mu na moment w oczach, a obraz zaczął drżeć i lekko falować.

Otworzył skrytkę. Zobaczył grzbiet grubego notatnika w zielonej skórzanej oprawie z wytłoczonym złotymi literami napisem „Berlingske-Posten 1953". Wyjął notatnik i ciężko opadł na krzesło. Krew powoli rozpływała się po ciele z przyjemnym i rozluźniającym efektem. Całe jego życie było zawarte w tym notatniku, który miał zamiar jutro przekazać Carlowi, świadomy nieobliczalnych konsekwencji. Nic więcej nie miało teraz znaczenia.

Nagły dzwonek do drzwi aż poderwał go z krzesła. Jorgensen w największym pośpiechu zamknął za sobą bunkier. Zgasił światło w piwnicy i niemal wbiegł po schodach na górę. Otworzywszy drzwi, zobaczył stojącego na werandzie sąsiada, głuchego Jensa Svenssona, który niedawno skończył dziewięćdziesiąt lat.

– Jesteś, Hans... Już myślałem, że masz zepsuty dzwonek – powiedział Jens nienaturalnie głośno i obaj się uśmiechnęli, wiedząc, że i tak nie byłby w stanie tego stwierdzić.

– Co u ciebie, Jens? – Jorgensen mówił głośno i wyraźnie, tak by sąsiad mógł śledzić ruch jego warg.

– Świetnie! Lato mamy jak cholera, nie? Długo zostaniesz?

– Jeszcze nie wiem. Jutro... przyjeżdża... Carl... z Sophie – odpowiedział, rozdzielając słowa. – Przyjdziesz?

Jens pokiwał głową. Wyszli na werandę i usiedli na ławce.

– Musisz o czymś wiedzieć, Hans. – Jens przybrał poważny wyraz twarzy. – Działy się tu dzisiaj dziwne rzeczy.

Jorgensen słuchał z coraz większym zaniepokojeniem i domyślał się już, że musi to mieć związek z włamaniem do jego domu. Patrzył z zaciekawieniem na Jensa.

– Więc tak! Słuchaj, Hans! Wiesz, Anna leży w szpitalu i jestem teraz sam w domu, ale czuję się świetnie... Masz wodę? – przerwał.

Jorgensen bez słowa wstał, poszedł do kuchni, odkręcił kran i nalał pełną szklankę. Jens wypił połowę. Ręka nawet mu nie zadrżała.

– No, więc tak... Pracuję dużo w ogrodzie z drugiej strony domu. Pamiętasz, mam tam klomb z kwiatami, a Lars przywiózł mi w tamtym roku bulwy nowych tulipanów z tej... no... Holandii... i pomyślałem sobie, że muszę je oporządzić, zanim Anna wróci ze szpitala...

– Co się stało, Jens? Mówiłeś, że zdarzyło się coś dziwnego – przerwał mu Jorgensen, chociaż normalnie zawsze pozwalał mu wygadać się do woli.

– No więc tak... Jakieś dwie godziny temu podjechało pod mój dom takie ciemne auto. Drogie na pewno! Ja już nie wiem, jaka to marka. Tyle ich teraz jest, że nie można rozróżnić. Wysiadła taka młoda kobieta i podeszła do mojej bramy. Widziałem ją przez brzozy, bo pracowałem w ogrodzie. No, ale byłem na kolanach i trochę mi zajęło, nim się podniosłem. Nie zdążyłem dojść, bo ona już wsiadła z powrotem do samochodu i podjechała pod twój dom. Ja dalej stałem w ogrodzie i widziałem, że razem z nią wysiadło jeszcze dwóch takich mocnych mężczyzn. No... Na początku myślałem, że chcą o coś zapytać czy co, ale wiedziałem, że ciebie nie ma, i już chciałem do nich iść, jak zobaczyłem, że wchodzą do twojego domu. Ci mężczyźni mieli duże torby w rękach.

Jorgensen czuł, że opada mu żołądek. Wstał i zrobił mimowolny ruch, jakby zamierzał wejść do domu.

– Säpo! To oczywiste! Säpo! Nie ma najmniejszej wątpliwości! – powiedział na głos i usiadł z powrotem.

Ale Jens nic nie usłyszał i mówił dalej.

– No więc tak... Na początku pomyślałem, że to złodzieje jacyś, i chciałem dzwonić na policję. Ale... wyglądali dobrze, ten samochód pod twoim domem, ta kobieta. I przyszło mi do głowy, że to pewnie twoi znajomi, skoro mieli klucze do domu. No i się uspokoiłem...

– Jens! Wszystko w porządku! Popatrz na mnie. – Jorgensen delikatnie dotknął jego twarzy. – Wszystko w porządku! Nic się nie stało, to znajomi Carla. Będziemy... remontować... dom – wysylabizował głośno.

– A więc to tak... No, ale to było dziwne i musiałem ci o tym powiedzieć...

– Dobrze zrobiłeś, Jens! Dziękuję ci! – rzucił na koniec i poklepał go po ramieniu.

Jens był wyraźnie zadowolony, że Hans docenił jego spostrzegawczość.

To wszystko przez te ślimaki! – pomyślał niedorzecznie Hans Jorgensen, gdy tylko został sam. Nie doczekam się na Carla! Co się dzieje? Nic nie rozumiem! Żeby już było jutro!

Jagan stał pod schodami, ukryty w głębokiej czerni. Czuł się w tym miejscu bezpiecznie.

Kurwa! Nie wyłączyłem komórki – przypomniało mu się. Błąd! Poważny błąd! Wystarczy pomyłkowy telefon i... kurwa, tragedia!

Snop światła wpadający przez właz w suficie dotykał jedynie schodów. Jagan wymacał w kieszeni telefon i wyłączył go. W jednej ręce trzymał pistolet, w drugiej zgaszoną latarkę. Minęła ledwie chwila, nim oczy przywykły do ciemności i zaczął dostrzegać poszczególne kształty.

Podłoga nad nim mocno skrzypiała. Rozróżniał wyraźnie głosy dwóch mężczyzn i kobiety. Mówili głośno. Nie kryli się zupełnie. Nic nie rozumiał, bo rozmawiali po szwedzku. Na szczęście dla wszystkich nawet nie próbowali zajrzeć do piwnicy. Chociaż on był na to przygotowany.

Zdał sobie sprawę, że zostało mu jeszcze siedem minut do spotkania z Tatarem. Nie może się spóźnić, bo nie będzie mógł się wytłumaczyć. Nie miał jednak wyjścia, musiał czekać.

Po pięciu minutach usłyszał, że intruzi wychodzą. Słychać było, jak zamknęli drzwi, potem na chwilę zapadła cisza i rozległ się znajomy szczęk zamka. Podłoga przestała skrzypieć.

Odczekał minutę i powoli wychylił się z piwnicy. W domu nikogo już nie było. Przez okno zobaczył, że się nie pomylił: dwaj mężczyźni i kobieta wsiedli do granatowego v70 i szybko odjechali. Nawet się nie zastanawiał, jaki był cel ich wizyty. Nie widział w tym niczego specjalnie podejrzanego. Zachowywali się, jakby byli u siebie. Tylko ten dzwonek do drzwi, zanim weszli, zaburzył mu logikę oceny tego, co się stało.

Przeszedł przez pokój i zatrzymał się na chwilę przy starym zegarze ściennym. Zauważył go już wcześniej i gdyby nie okoliczności, chętnie zabrałby ze sobą.

Wyszedł przez okno, którym wszedł, i przymknął je za sobą. Szybko pobiegł w kierunku brzegu. Gdy dotarł do ścieżki, zatrzymał się i uważnie rozejrzał. Nikogo nie było. Sto pięćdziesiąt metrów po lewej stronie zobaczył pusty pomost, na którym miał się spotkać z Tatarem. Pomyślał, że ma szczęście, i ruszył powoli w tym kierunku. Tatar nigdy nie grzeszył punktualnością.

Doskonale wiedział, że będzie spóźniony i Jagan, z tą swoją obsesją na punkcie miar i czasu, może zacząć się denerwować. Postanowił jednak, że zatrzyma się jeszcze na stacji benzynowej i kupi butelkę wody. Bardzo chciało mu się pić. Jagan zaczeka.

Wypił od razu prawie pół butelki. Ruszył powoli samochodem, tak by nie zwracać na siebie uwagi. Skręcił na szutrówkę w kierunku morza. W odległości pół metra minął granatowe v70 stojące przed opuszczonym domem. Starał się nie patrzeć w tym kierunku i przybrać możliwie obojętny wyraz twarzy. Czuł wyraźnie, jak odprowadzają go spojrzenia dwóch mężczyzn siedzących w samochodzie. Kiedy ich minął, kątem oka zauważył, że volkswagen transporter stoi schowany z tyłu za opuszczonym domem. Chciał się lepiej przyjrzeć, gdy nagle z naprzeciwka pojawiło się drugie v70. W ostatniej chwili musiał przyhamować i ustąpić miejsca na wąskiej drodze. W lusterku wstecznym zobaczył, że volvo, które go minęło, skręciło w stronę opuszczonego domu.

Tatar nie miał już najmniejszej wątpliwości, że coś się dzieje. Prawdopodobieństwo, że ma to jakikolwiek związek z ich robotą, było bliskie zeru, ale musiał uwzględnić i taki przypadek. Inaczej może ich to drogo kosztować. Postanowił, że zastanowi się nad tym później. Teraz powinien odebrać Jagana.

Pewnie widział ten samochód. Ciekawe, czy coś zauważył? – pomyślał, gdy jechał powoli przed siebie, obserwując i rejestrując w pamięci otoczenie.

Już z oddali zobaczył, że Jagan stoi na pomoście i wpatruje się w wodę.

Zaparkował samochód kilkadziesiąt metrów dalej. Jagan spostrzegł go od razu. Poprawił plecak i zbliżył się powoli. Otworzył przednie drzwi i chciał już wsiąść.

– Siadaj z tyłu – rzucił krótko Tatar.

– Co jest?

– Kręcą się tutaj podejrzane samochody i wykonują dziwne ruchy. Widziałeś granatowe v70? Było tutaj jakieś dwie, trzy minuty temu...

– Nie... nic nie widziałem... Może jeździło do jakiegoś innego domu... jest ich tu trochę – skłamał, ale się zaniepokoił. Pomyślał przez moment, czy jednak się nie przyznać, że ukryty w domu Jorgensena był świadkiem wejścia ludzi z tych „podejrzanych samochodów".

– W porządku! Może jestem przewrażliwiony – mruknął Tatar i Jagan zrezygnował.

– Widzisz duchy? Czy co?

– Nie pierdol! To ty mów, co widziałeś!

Wciąż siedzieli w samochodzie przy pracującym silniku.

– W domu nikogo nie ma – zaczął Jagan. – To pewne. Obejrzałem dokładnie... z zewnątrz! Widoczność z najbliższego domu na posesję Jorgensena jest bardzo ograniczona. Jest dobre dojście od strony wody...

– Jedziemy! – Tatar znów mu przerwał i wrzucił bieg. – Spierdalamy stąd! Pogadamy później. Połóż się na podłodze... Schowaj się! Tam dalej, na drodze, stoi jakiś pieprzony samochód, a za domem jeszcze dwa.

Linda i dwaj oficerowie pionu technicznego weszli do volkswagena transportera przeznaczonego do prowadzenia obserwacji elektronicznej w szczególnie trudnych warunkach terenowych. Wartość wyposażenia tego samochodu przekraczała wszelką wyobraźnię, ale mało kto spoza zespołu technicznego zdawał sobie z tego sprawę. Mało kto też wiedział, że skonstruowali go inżynierowie z ośrodka badawczego zakładów Ericssona.

Technika nie należała do najmocniejszych stron Lindy, ale potrafiła ją umiejętnie wykorzystać w pracy operacyjnej. Volkswagen pod jej komendą spisał się wyśmienicie, szczególnie podczas obserwacji altany w ogrodzie botanicznym na Gotlandii, od czego zaczęła się sprawa Jorgensena.

– Chciałabym zobaczyć, jaka jest jakość obrazu i głosu – rzuciła Linda, siadając na składanym krzesełku.

– Wszystko jest ustawione dokładnie tak, jak uzgodniliśmy, gdy byliście w środku – zareagował bardzo młody, pryszczaty pracownik w grubych okularach, którego imienia nigdy nie mogła zapamiętać. – Te dwa monitory przekazują obraz z obu kamer. Jak widać, jakość jest wyśmienita! Cztery mikrofony pokrywają cały hol i kuchnię. Jakość dźwięku dobra...

– Rejestracja obrazu i dźwięku już trwa? – zapytała Linda.

– Od chwili ustawienia i uruchomienia sprzętu w domu – odpowiedział jej okularnik. – To, co teraz widać na tych monitorach, to obraz na żywo.

– Ja to wiem! – obruszyła się lekko. – Chcę zobaczyć, jak wyglądają postacie w nagraniu, i sprawdzić, czy dobrze słychać głos. Możesz puścić to, co zostało do tej pory utrwalone?

– Oczywiście! – odpowiedział natychmiast i przebiegł niepostrzeżenie palcami po klawiaturze.

Na bocznym dwudziestojednocalowym monitorze pojawił się obraz. Linda zobaczyła twarz jednego z techników i usłyszała wyraźnie głos. Trwało ustawianie kamery i mikrofonów. W tyle dostrzegła siebie i drugiego technika. Po chwili okularnik wcisnął kolejny klawisz i na ekranie pojawiły się dwa obrazy, z obu kamer. Widać było, jak Linda chodziła po pokoju i przeprowadzała próby mikrofonów w różnych miejscach.

– Jak na te warunki to jestem zadowolona. Zobaczymy, czy będzie to do czegoś potrzebne – skomentowała niby beznamiętnie.

Było widać, jak Linda i obaj technicy wychodzą z domu Jorgensena. Pojawił się identyczny obraz jak na dwóch mniejszych monitorach pokazujących obraz w czasie realnym.

Otworzyli drzwi do samochodu i wyszli na chwilę na zewnątrz. Jeden z oficerów zapalił papierosa, a drugi wyjął z kieszeni kanapkę. Okularnik został w środku, stukając w klawiaturę.

Linda usiadła w otwartych drzwiach i zastanawiała się, czy nie poprosić o papierosa. Nie paliła nałogowo, ale czasem po takich akcjach jak wejście do domu Jorgensena czuła skok adrenaliny i tak jak w czasach studenckich miała ochotę się zaciągnąć. Spojrzała na chudego okularnika, który pochylony nad klawiaturą we wnętrzu rozjaśnionym światłem monitorów wyglądał jak pianista jazzowy w jej ulubionym klubie Fasching na Kungsgatan.

Patrzyła na niego i zapomniała o papierosie. Obok jego głowy niczym reflektory świeciły trzy ekrany. W pewnym momencie wydało jej się, że jeden z nich, ten największy, przybrał inny kolor i wyraźnie coś się na nim poruszyło.

Nagle sobie uświadomiła, że to monitor, na którym przed chwilą oglądała ich wejście do domu Jorgensena.

– Co to było?! – usłyszała swój pełen napięcia głos.

Wszyscy na nią spojrzeli. Okularnik zobaczył jej szeroko otwarte oczy wpatrzone w stojący za nim monitor.

Miała wrażenie, jakby świat się zatrzymał. Podniosła się powoli i weszła do samochodu. Obaj technicy stanęli w drzwiach i ze zdziwieniem ją obserwowali.

Usiadła przed dwudziestojednocalowym ekranem i wskazując na niego palcem, powiedziała powoli i wyraźnie, niemal rozkazująco:

– Cofnij to nagranie do momentu naszego wyjścia z domu!

Po kilku sekundach znów pojawił się obraz Lindy i techników wychodzących z domu.

– Nie oglądałeś od tego momentu? – zapytała okularnika z podejrzliwością w głosie.

– Nie. Poszedłem do toa...

W tym momencie przerwał i z otwartymi ustami wpatrzył się w monitor. Linda siedziała jak zamurowana. Zza ich pleców obaj technicy jak na komendę zaklęli przez zęby:

– *Fuck!* Co to... jest?

Na monitorze było wyraźnie widać, jak za Lindą zamykają się drzwi. Po niecałej minucie z prawej strony ekranu, tam gdzie ciemniała klapa w podłodze, powoli wychynęła czyjaś głowa, a następnie ukazała się cała postać. Młody mężczyzna o jasnych włosach trzymał w prawej dłoni pistolet, a w lewej latarkę. Przez ramię miał przerzucony nieduży plecak. Na chwilę stanął w rogu obok szafy i obserwował coś przez okno.

Z paraliżującym zdumieniem śledzili, jak mężczyzna podchodzi do wiszącego na ścianie zegara i przez chwilę mu się przygląda. Jego twarz na dwie, trzy sekundy wypełniła cały ekran. Wszyscy odnieśli jednakowe wrażenie: jakby mężczyzna z blizną przyglądał się im przez kilka sekund, jakby chciał zajrzeć do ich samochodu. W volkswagenie było cicho, bo zdumienie odebrało im głos.

– *Krasiwyje czasy!* – zabrzmiało niespodziewanie z głośników.

Po chwili mężczyzna odszedł od zegara. Schował pistolet z tyłu za pasek, a latarkę włożył do plecaka i wyskoczył przez okno, zamykając je za sobą.

W samochodzie zaległa długa cisza.

Pierwsza ocknęła się Linda. Spojrzała na okularnika, który wciąż wpatrywał się martwym wzrokiem w ekran. Odwróciła się do techników. Jeden przeklinał bezdźwięcznie, a drugi stał z nadgryzioną kanapką.

– Pamiętacie ten samochód, który nas minął? – przerwała ciszę Linda. – Saab 9-5!

Odpowiedziało jej milczenie.

– Minął nas, jak jechaliśmy po robocie. To było paręnaście minut temu! Na tej drodze! – Linda niemal krzyczała.

– Pamiętam... – usłyszała. – Granatowy saab...

– Zauważyłeś kierowcę? To był on?

– Nie jestem pewny, ale... chyba nie on.

Linda nie mogła zrozumieć, co się dzieje. To, co zobaczyła, nie pasowało jej do niczego i jednocześnie wszystko wyjaśniało. Nie potrafiła jednak zrozumieć, w jakim punkcie sprawy się znajduje. Miała wrażenie, jakby cała z takim trudem wypracowana koncepcja nieoczekiwanie się zawaliła. Przez chwilę wydawało jej się, że straciła pewność siebie i determinację. Jej myśli pędziły równo jedna obok drugiej jak kłusaki na Solvalli. Wiedziała, że wokół Jorgensena dzieje się coś, o czym nie wie, nad czym nie panuje. Coś poważnego! Zrozumiała natychmiast, że Rosjanin z blizną wiedział, iż wchodziła do domu Jorgensena. Jasne było jednak też, że nie wiedział po co!

Nie wiedział, że założyliśmy kamery i mikrofony. To oczywiste! Dlaczego miałby się nam przedstawiać? Zatem... – Linda uśmiechnęła się – nie wie, że go widzieliśmy! Mam skurwiela! Mam go! Mam Jorgensena!

Pomyślała, że jednak nie przegrywa. Szok i odrętwienie przemieniły się nagle w pewność siebie. Lubiła taki stan, gdy wraz ze wzrostem adrenaliny budziła się w niej agresywność.

– Przygotuj zdjęcie tego człowieka... twarz i sylwetkę! Wszystko! Najlepsze, jakie możesz wybrać i poprawić! – zwróciła się zdecydowanym głosem do wciąż otępiałego okularnika. – Rusz się!... A ty – wskazała palcem na technika bez papierosa – idź do naszych w samochodzie... z drugiej strony domu... i ustal, co oni widzieli! No? Co jest panowie?! – rzuciła do stojących jak osowiali oficerów i dodała po rosyjsku: – *Na rabotu, gospoda! Na rabotu!*

Wyjęła swój telefon komórkowy i wybrała numer Olafa.

Tatar zatrzymał się na poboczu, żeby Jagan mógł się przesiąść.

– Coś nie tak? – zapytał, gdy tylko ruszyli.

– W okolicy dzieje się coś podejrzanego. Kręcą się dziwni ludzie. Może policja?! Trudno powiedzieć. – Tatar zamyślił się na moment. – Mało prawdopodobne, że to dotyczy nas, bo przecież by się nam nie wystawiali. Nie sądzisz?

– Twoja bańka! Ja nie jestem od tego. Ty tu dowodzisz, Tatar! – Jagan miał swoje zdanie, ale wolał nie brać na siebie odpowiedzialności i Tatar dobrze o tym wiedział.

– Musimy dostać się do domu inaczej. Najlepiej ominąć tę drogę... Może... podejdziemy ścieżką, którą ty szedłeś? Jak to tam wygląda?

– Niespecjalnie. W nocy może być kłopot. Z noktowizorami trochę łatwiej...

– Nie, to odpada! – rzucił po namyśle Tatar. – Za daleko do samochodu! Jakby coś, nie zdążymy odskoczyć, i jeszcze to morze... Poza tym gdybyśmy musieli go tam zawieźć, jak byśmy doprowadzili go pieszo... No, kurwa, jest poważny problem!

– Najlepiej by było, jeśliby sam tam pojechał, a my byśmy tylko doskoczyli – skomentował Jagan. Też zrozumiał, że zaczynają się problemy.

Jechali w milczeniu kilkanaście minut. Dotarli do skrzyżowania, gdzie droga numer 276 przecina E 18. Tatar skręcił w kierunku Sztokholmu, chociaż GPS kazał mu jechać prosto. Jednak obaj, zatopieni w myślach, nie zwrócili na to uwagi.

– Jedziemy do Jakobsbergu? – zaczął Jagan.

– Tak – odpowiedział Tatar z ociąganiem. – Zobaczymy, co on robi.

Przez resztę drogi nie odzywali się do siebie. Jagan czuł mocny ucisk pistoletu za paskiem, ale lubił ten ból, który w magiczny sposób dawał mu pewność siebie i poczucie nieśmiertelności.

Samochód zaparkowali tam gdzie poprzednio. Tatar ruszył przodem, a Jagan kilka metrów za nim. W okolicy pojawiło się teraz więcej ludzi. Słońce stało jeszcze wysoko, ale w kolorach nieba widać było zbliżający się zmierzch.

Podchodząc do parkingu, Tatar już z odległości zauważył, że nie ma samochodu Jorgensena. Sprawdzili okna jego mieszkania. Wszystkie były zamknięte.

– Wygląda na to, że ptaszek wyfrunął – stwierdził z satysfakcją w głosie Tatar. – Miejmy nadzieję, że pojechał na swoją daczę. Sprawdzimy jeszcze tylko telefonicznie, czy przypadkiem nie śpi, i jeżeli wszystko będzie w porządku, zaczniemy drugi etap.

Wyjął telefon komórkowy i wybrał numer domowy Jorgensena. Czekał długo, znacznie dłużej, niż robi się to normalnie. Po chwili rozłączył się i zadzwonił jeszcze raz.

– Nie ma go! – stwierdził.

– Nie trzeba było zadzwonić z telefonu publicznego? – zapytał Jagan.

– Nie mamy czasu! – odpowiedział Tatar, unikając jego wzroku.

– To co, jedziemy z powrotem do tego... tam... no?

– Tam dzisiaj śmierdzi. Nie podoba mi się cała ta sytuacja! Myślę jednak, że on tam teraz jest. – Tatar przysiadł na ławce. – Żołnierzu! – powiedział po chwili. – Mamy dodatkową robotę, której nie było w planie!

Jagan obojętnie rozejrzał się wokół. Udawał, że niespodziewane trudności nie robią na nim żadnego wrażenia. Jednakże gdzieś w głębi zaczynał odczuwać niepokój, tym większy, że otaczała go nienaturalna dlań harmonia i spokój tego kraju. Czuł się tutaj coraz gorzej.

– Musimy zdobyć łódź – usłyszał nagle Tatara i o mało nie udławił się śliną, bo właśnie chciał splunąć. – Podejdziemy do jego domu od strony wody... Od morza. Cicho, bezpiecznie, niespodziewanie i bez śladów. Tak samo się wycofamy. Robimy, kurwa, desant!

Jagan był więcej niż zaskoczony. W normalnych okolicznościach jego twarz nigdy nic nie wyrażała. Tym razem jednak oblicze drewnianej kukły z dużą blizną rozjaśnił szeroki uśmiech. Tatar po raz pierwszy zobaczył, że Jagan ma zęby. Krótkie, zepsute i nie wszystkie.

– Teraz kupimy coś do jedzenia i pojedziemy trochę odpocząć – zarządził, podnosząc się z ławki. – Łódki poszukamy po zmroku. Pływa ich tu od... Nie powinno być problemu.

## 60

Selander i Portman wyszli z gmachu Säpo przy Polhemsgatan i skierowali się do samochodu. Portman dopytywał się usilnie, czego Gunnar dowiedział się od Svenssona, lecz rozmowa się nie kleiła, bo różnica jakichś czterdziestu centymetrów wzrostu uniemożliwiała sprawną komunikację. Dodatkowo Portman wkładał dużo wysiłku, by nadążyć za Selanderem.

Dowiedział się wszystkiego, gdy w końcu usiedli w samochodzie.

– Sądzę, Gunnar, że powinniśmy zadzwonić do naszego komendanta – podsumował Sven.

– Znasz komendanta. Trzeba będzie mu wszystko w szczegółach opowiedzieć, potem każe pisać raport. Nie mamy czasu! Poza tym w sprawie nie ma żadnych nowych faktów. Zobaczymy, co Olaf Svensson ustali u Anglików... Poza tym też doradzał, byśmy wcześniej obejrzeli sobie tego Garbinowa.

– Dobrze! Jeżeli ty też tak uważasz i ten twój kolega Olaf z Säpo, to... działamy – bez przekonania odparł Sven. – Masz broń? – zapytał.

– Mam. A ty?

– Nie!

Selander zostawił samochód na parkingu przed hotelem i od razu poszedł do recepcji. Jon siedział na fotelu i oglądał telewizję.

– Witam cię jeszcze raz, Jon!

– Witam pana! Czym mogę służyć? – zapytał uprzejmie recepcjonista.

– Interesuje mnie ten Garbinow...

– Oczywiście! Tak przypuszczałem! Jestem do pana dyspozycji! – Jon był zabawnie usłużny.

– Wrócił już? Widział pan coś?

– Ja nawet nie wiem, jak on wygląda. Goście rzadko oddają klucze... Możliwe, że jest w pokoju...

– Możemy to jakoś sprawdzić?

– Oczywiście! – Jon podniósł słuchawkę telefonu i wystukał 048.

Czekali przez chwilę. Nikt nie odebrał.

– Może śpi. Albo... nie chce odbierać – rzucił Gunnar.

– Może... – Jon zadzwonił ponownie. – Jola, idź pod czterdziestkęósemkę i sprawdź, czy goście tam jeszcze są –

wydał polecenie sprzątaczce. – Czy przypadkiem nie wyjechali, nie zapłaciwszy rachunku.

Selander spojrzał na niego zaniepokojony.

– Spokojnie. To zwykła praktyka – uspokoił go z uśmiechem Jon.

Po pięciu minutach w recepcji pojawiła się niska dziewczyna o słowiańskiej twarzy i łamanym szwedzkim wytłumaczyła, że w pokoju nikogo nie ma, nie ma też bagaży, ale są kosmetyki i dwie koszulki.

– Mógł uciec – zakomunikował Jon.

– Może tak – potwierdził Gunnar. – A może nie! Zaczekamy i zobaczymy!

Linda od ponad piętnastu minut nie mogła się dodzwonić do Olafa. Jego komórka była wyłączona. Trochę ją to złościło, że właśnie teraz, gdy rozpoczyna się operacja, Olaf wyłącza telefon.

Kilka minut temu obserwacja poinformowała, że Jorgensen wyjechał z Jakobsbergu i zmierza w ich kierunku.

Linda spojrzała na zegarek.

Powinien tu być w ciągu piętnastu, dwudziestu minut – pomyślała. A ten cholerny Olaf milczy! Bez niego nie ruszę z miejsca!

Przez krótkofalówkę poleciła ukryć się ekipie, która stała w v70 po drugiej stronie opuszczonego domu. Zbliżał się Jorgensen. Dopiero teraz sobie przypomniała, że Olaf wybierał się na spotkanie z Perem do KSI i miał też spotkać się z Tomem Hansonem, łącznikiem Secret Service. Mogło to tłumaczyć, dlaczego ma wyłączony telefon. Takie są zasady tego typu spotkań, ale nie dla Lindy, która odbierała to jako brak szacunku dla swojego profesjonalizmu.

Zadzwoniła do dyżurnego na Polhemsgatan i poleciła, by nie przestawał szukać Olafa.

Wkrótce obserwacja poinformowała, że Jorgensen jest już w Åkersberdze. Linda przekazała przez krótkofalówkę wszystkim oficerom, by zajęli swoje pozycje. Po kilku minutach zobaczyła, jak za drzewami powoli przejeżdża stare granatowe volvo 245.

Czuła silne napięcie. Wydarzenia ostatniej godziny przerastały jej doświadczenie, ale za nic nie chciała się do tego przyznać nawet sama przed sobą. Siedziała z chudym okularnikiem w samochodzie, wpatrzona w monitory, w oczekiwaniu na Jorgensena i wszystko to, co miało się wkrótce wydarzyć.

Jorgensen wszedł do domu i pojawił się na obu monitorach. Na podłodze w kuchni postawił dwie duże papierowe torby z napisem Vivo i zaczął otwierać okna. Przed jednym z nich nagle się zatrzymał. Właśnie przed tym, którym wyskoczył Rosjanin. Linda widziała to bardzo wyraźnie. Następnie powoli podszedł bliżej i z uwagą zaczął oglądać zamek.

– Zorientował się, że ktoś u niego był! Nie ma wątpliwości! Jest zaskoczony. Bo to nie była uzgodniona wizyta... To pewne! – stwierdziła Linda, a okularnik pokiwał głową.

Czujny jest! To zawodowiec! – pomyślała.

Jorgensen odwrócił się i szybkim krokiem przeszedł przez pokój, pociągnął za uchwyt w podłodze i otworzył klapę do piwnicy. Po chwili zniknął w otworze.

Linda była już całkowicie pewna swoich podejrzeń.

– Wyraźnie się zdenerwował! Jest zły, że ktoś tu był! Coś musi być w tej piwnicy! Stamtąd... wyszedł blizna z pistoletem. On tam musi coś mieć. Coś tam ukrywa! No jasne! Tu jest jego bunkier! Dlatego mieszkanie na Kvarnvägen było tak sterylnie czyste... Kim pan jest, panie Jorgensen?! Kim jest pana dzisiejszy gość? Co jest w tej piwnicy?

Narastało w niej nieodparte przekonanie, że wkrótce dowie się wszystkiego.

Odezwał się dzwonek telefonu. Pomyślała, że to Olaf, którego milczenie było już nieznośne, ale zgłosił się dyżurny z FRA koordynujący nasłuch.

– Właśnie odebraliśmy dwie próby połączenia się z telefonem „A" – tak w rozmowach określano Jorgensena – obie ze szwedzkiego telefonu sieci Comviq, pre-paid.

– Pewnie pomyłka! – odpowiedziała, wciąż wpatrzona w ekran.

– Może tak. Może pomyłka. Nie mnie to oceniać. Ale według triangulacji dzwoniący znajdował się około pięćdziesięciu metrów od domu „A".

– A to co innego! – ożywiła się Linda. – Możliwe, że ktoś sprawdzał, czy jest w domu. Możecie namierzyć, gdzie ten numer jest teraz?

– Tak, ale nie od ręki! To wymaga trochę pracy. Poza tym żeby to uruchomić, potrzebujemy zgody szefa. Triangulacja nie jest też dokładna...

– Ja wiem! Zajmę się tym i dam wam znać. Róbcie swoje!

Linda szybko zakończyła rozmowę, bo w domu Jorgensena odezwał się dzwonek. W piwnicznym otworze, z opóźnieniem, lecz w wyraźnym pośpiechu, pojawił się Jorgensen.

– Co robiłeś tam na dole, stary? Kto do ciebie przyszedł? – powiedziała na głos, nie przejmując się obecnością okularnika.

Jorgensen otworzył drzwi, ale światło wpadające z zewnątrz zamazywało postać. W głośnikach jednak rozległy się wyraźne głosy gościa i Jorgensena. Linda szybko zrozumiała, że to musi być sąsiad. Zdziwiła się trochę, bo jeszcze niedawno próbowała się z nim skontaktować, ale nie było go w domu. Przysłuchując się krótkiej rozmowie, doszła jednak do wniosku, że sąsiad musi mieć już swoje lata i prawdopodobnie jest głuchy.

Po chwili Jorgensen z sąsiadem wyszli na werandę, poza zasięg podsłuchu.

– Psiakrew! – zaklęła.

– Nie da się zrobić wszystkiego – nieśmiało wtrącił okularnik.

Zaczęło już szarzeć. Noc zapadała dopiero około dwudziestej drugiej. Selander i Portman siedzieli w recepcji hotelu z widokiem na parking i bungalow z pokojem numer 48.

Portman zdążył wypić pięć kaw z automatu.

Selander bawił się swoim nowym iPhonem, oglądając na Blocket.se łodzie motorowe. Mija już piąty sezon, odkąd planuje zakup łodzi, i najprawdopodobniej minie też szósty. Przez ten czas stał się niemal ekspertem w tej dziedzinie, chociaż nigdy nie prowadził takiej łodzi. Jego marzeniem było popłynąć Kanałem Gotyjskim przez wielkie jeziora na zachodnie wybrzeże, a potem wzdłuż brzegów Norwegii na północ aż na Lofoty.

– Jest! – usłyszał ściszony głos Portmana. – Zobacz!

Selander podszedł do okna i zobaczył, jak przez parking, dyskretnie się rozglądając, idzie wysoki mężczyzna w jasnym garniturze, z dużą torbą na ramieniu, i podchodzi do drzwi z numerem 48.

– Przyjechał samochodem? Widziałeś coś? – zapytał Portmana.

– Wyrósł jak spod ziemi! Nie widziałem żadnego samochodu. No i co? Co sądzisz? To on?

– Wzrost się zgadza. Opis sylwetki też. Ale twarzy nie widziałem... Nie jestem pewien – odparł z wahaniem Gunnar.

– Na mnie nie licz. Słabo widzę...

– Daj spokój, Sven! To ja biorę na siebie odpowiedzialność!

Selander usiadł z powrotem na kanapie i przez chwilę się zastanawiał, co dalej robić. Opanowało go nagłe zniechęcenie i zawstydził się, że narobił tyle zamieszania, wciągając w to Olafa, Portmana i być może jakiegoś Anglika. Naraża się na śmieszność, bo jakaś Łotyszka i Finka zaraziły go swoimi fantazjami! Postanowił zatem, że ostatni raz przyjrzy się temu Garbinowowi i zamknie sprawę. Nie będzie czekał na odpowiedź Brytyjczyków, bo nawet jeżeli będzie coś na rzeczy, sprawą powinno się zająć Säpo.

– Pójdę tam! Porozmawiam z nim pod pretekstem jakiejś kradzieży w hotelu i przyjrzę mu się z bliska... – powiedział do Portmana.

– Zróbmy inaczej. To ja pójdę obejrzeć tego Garbinowa. Mówiłeś, że kręciłeś się tutaj rano i widziałeś jakiegoś blondyna z blizną. Mogli cię zauważyć. Zresztą jak mnie zobaczą, to się nie wystraszą. Jakbyś ty tam wszedł, to każdy poczułby niepokój. – Portman uśmiechnął się ironicznie i stanął obok Selandera, zadzierając swoją ptasią głowę, by spojrzeć mu w oczy.

– Nie masz broni...

– Chyba żartujesz! – obruszył się Sven. – Mam trzydzieści lat stażu w policji. Robiłem to i tamto.

– Weź mój pistolet. – Gunnar sięgnął do kabury.

– Nie ma potrzeby. Może mi jeszcze wystrzelić! – rzucił z uśmiechem Portman i ruszył w kierunku drzwi.

W recepcji nie było nikogo oprócz Jona, który stał za ladą, wpatrzony w telewizor.

Selander podszedł do okna i utkwił wzrok w Portmanie, który właśnie minął ich samochód i przecinał parking, zmierzając w kierunku bungalowu. Wydawało mu się, że ciągnie się to w nieskończoność, i Selander już zaczął żałować, iż zgodził się, by Sven poszedł tam sam. Miał złe przeczucie. I w tym momencie, jakby na potwierdzenie, po prawej stronie pojawił się blondyn z dużą zieloną torbą na ramieniu.

Gunnar przeniósł szybko wzrok na drzwi z numerem 48 i zdążył tylko zobaczyć, jak zamykają się za Portmanem.

Dlaczego wszedł do pokoju Garbinowa? Nie powinien! Czy blondyn mógł zauważyć? Chyba nie... – pomyślał, czując ucisk w żołądku.

Mijały kolejne sekundy. Blondyn coraz bardziej zbliżał się do bungalowu. Drzwi były zamknięte. Portman wewnątrz. Wciąż nie wychodził. Selander zrozumiał, że dzieje się coś niepokojącego.

Wyciągnął glocka z kabury i energicznie ruszył w kierunku wyjścia. Jon spojrzał na niego ze zdziwieniem i wysunął się zza kontuaru. Gunnar wyszedł z recepcji, gdy blondyn zniknął już za drzwiami do pokoju. Portman był wciąż wewnątrz. Selander odbezpieczył i przeładował pistolet. Trzymał go oburącz, skierowany w dół. Kątem oka zobaczył, że Jon stoi w oknie.

Był spięty i skoncentrowany. Patrzył wprost w okno pokoju numer 48. Minął swój samochód i zauważył wyraźnie, że poruszyła się zasłona w oknie. Teraz był pewny, że coś się musiało stać. Zatrzymał się. Był na otwartej przestrzeni, do bungalowu miał jeszcze ponad dwadzieścia metrów. Wycelował pistolet, lecz w tej chwili drzwi się otworzyły i stanął w nich Garbinow.

Selander nie zdążył krzyknąć służbowego ostrzeżenia, gdy huk kilku następujących natychmiast po sobie wystrzałów sprawił, że ugięły się pod nim nogi i na moment stracił orientację. Natychmiast cofnął się do samochodu i przyklęknął. Wymierzył oburącz i oddał cztery szybkie strzały w kierunku biegnącego z zieloną torbą na ramieniu Garbinowa. Miał już powtórzyć, gdy powietrzem wstrząsnęła seria z automatu. Skulił się przy samochodzie, świadomy, że nie ma żadnej ochrony.

Z pokoju wybiegł teraz blondyn, również z zieloną torbą na ramieniu. W jednej ręce trzymał automat, z którego strzelał w kierunku Selandera. W sekundę pociski zdemolowały samochód i okno recepcji. Kawałki szkła, metalu i drewna wypełniły powietrze. Garbinow oddalał się w stronę lasu za bungalowem. Blondyn, biegnąc za nim, odłączył pusty magazynek.

Gunnar zrozumiał natychmiast, że to jego jedyna szansa na kontratak. Podniósł się i spróbował dokładnie wycelować. Dostrzegł go blondyn, który tymczasem zdążył założyć nowy magazynek. Selander oddał dwa strzały. Jeden trafił w zieloną torbę, mocno podrzucając ją do góry. Blondyn w wyciągniętej ręce trzymał automat, z którego bez mierzenia oddał długą serię. Potężne uderzenie w nogę powaliło Selandera na ziemię. Natychmiast zdał sobie sprawę, że został trafiony, choć nie czuł bólu w nodze, tylko w łokciu, od uderzenia o ziemię.

Jak w odwróconym kadrze widział oddalającego się blondyna. Umilkły strzały, lecz Selander miał wrażenie, jakby był ogłuszony i nie słyszał własnych myśli. Próbował się podnieść, by sprawdzić, co się stało z Portmanem, i wezwać pomoc. Widział otwarte drzwi do pokoju numer 48, lecz Svena nigdzie nie było.

Uniósł się na przedramionach i ze zdziwieniem zauważył, że z ust leci mu krew. Dotknął piersi ręką i zobaczył, że jest czerwona i ciepła. Zrobiło mu się ciemno w oczach, w uszach usłyszał przeraźliwy pisk, wydawało mu się, że ziemia usuwa mu się spod nóg, on zaś leci gdzieś bezwładnie w ciemność.

## 61

Wciągnięcie skrzyni na piętro było prawdziwym wyzwaniem i mimo że wszyscy włączyli się do pracy, udało im się to dopiero po półgodzinie. Kierowanie tą częścią operacji przejęli M-Irek i nie dość, że nikt nie próbował tego kwestionować, to jeszcze wszyscy starali się wykonywać ich polecenia najlepiej, jak potrafili. Pracę utrudniał zmrok, a Konrad nie pozwalał używać latarek, gdyż ich światło mogłoby przyciągnąć czyjąś uwagę.

Sarze tylko na chwilę przemknęło przez myśl, że przecież profesor Barda pisał, iż skrzynię zakopały dwie osoby,

Pokrowski i Zubow. Wydało jej się to dziwne, niemożliwe. Jednak podniecenie zdobyczą szybko przytłumiło te wątpliwości.

W końcu metalowa skrzynia została postawiona w namiocie na przygotowanych stelażach. Dopiero teraz włączyli reflektory. Krupa i „Travis" ze zdumieniem stwierdzili, że cienka aluminiowa folia wewnątrz namiotu jest całkowicie światłoszczelna.

Wszyscy zebrali się wokół skrzyni jak grupa egiptologów, którzy za chwilę otworzą sarkofag Tutenchamona. Tylko Lutek, który zdążył się już przebrać, znów zajął swoje miejsce obserwacyjne przy oknie.

Żeby mieć swobodny dostęp do znaleziska, M-Irek bez słowa odsunęli całą grupę na odpowiednią odległość. Nie zrobili wyjątku nawet dla Konrada, który bardziej niż inni chciał obserwować wszystko z bliska. Mimo że były taborety, nikt nie mógł usiąść, bo napięcie dziwnie usztywniło im nogi.

Wysiłek fizyczny wyciszył Marcina, który stał teraz spokojnie obok Sary i jak inni z najwyższą uwagą śledził każdy ruch M-Irka. Panowała absolutna cisza. Wszyscy zgodnie przeczuwali, że żadne słowo nie może już w niczym pomóc, niczego zmienić ani niczemu zaszkodzić. Wszystko było w rękach dwóch specjalistów. Nawet Sara zapomniała, że pali.

Skrzynia miała szarobrunatny kolor, a widoczne gdzieniegdzie zielonkawe plamy świadczyły, że kiedyś należała do wojska. Liczne nierówności i nieznaczne wygięcia powierzchni z pewnością musiały powstać, gdy pozostawała w ziemi przez prawie siedemdziesiąt lat. Na górze znajdowała się pokrywa, dość mocno zapadnięta na środku i zamknięta na trzy zwykłe zamki zatrzaskowe. Po obu dłuższych bokach przynitowane były ruchome uchwyty. Przestrzeń między pokrywą a skrzynią wypełniała dziwna substancja o ciemnobrunatnym kolorze, która prawdopodobnie miała służyć za uszczelnienie.

– Czy to możliwe, żeby skrzynię przeniosły dwie osoby? – zapytała Sara i wszyscy spojrzeli na nią ze zdziwieniem.

– Oczywiście, że nie! – odparł Irek. – Moim zdaniem potrzeba było trzech, czterech osób.

Mirek zaczął uważnie oczyszczać skrzynię z resztek ziemi i ją osuszać. Irek natomiast otworzył niedużą czarną plastikową walizkę.

– Rzeczywiście! W raporcie profesora Bardy jest wyraźnie napisane, że skrzynię ukryli Zubow i Pokrowski – zaniepokoił się Konrad. – Jeżeli było przy tym więcej osób, to znaczy, że Zubow kłamał. Dlaczego?!

Nikt mu nie odpowiedział, bo wszyscy śledzili z uwagą ruchy M-Irka, a poza tym mieli skrzynię, więc jakie to mogło mieć teraz znaczenie...

– Nie rozumiecie?! – głośno zapytał Konrad. – Sara?! – Spojrzał w jej kierunku.

– No... nie! Nie rozumiem – odrzekła niepewnie.

– Chodź! – Konrad wziął ją pod ramię i wyszli z namiotu. – Nie rozumiesz? – Popatrzył jej prosto w oczy. – Po co Zubow miałby kłamać?! Jego historia nie trzymałaby się wtedy kupy. Jeżeli ktoś kłamie, to Barda. Na zlecenie Rosjan... Może podstawili nam to archiwum...

– Stuknij się! – przerwała mu Sara i dotknęła palcem jego czoła. – Dobrze, że nie wyskoczyłeś z tym przy ludziach. Musisz odpocząć! Coraz częściej masz odloty. Rzeczywistość jest prostsza, niż nam się wydaje. – Pokiwała znacząco głową. – Tak zawsze mówiłeś, nie? – I po chwili dodała: – Chodź! Wracamy! – Wzięła go pod rękę tak jak on ją wcześniej.

Przywitały ich zaciekawione spojrzenia. Wszystkich z wyjątkiem M-Irka, którzy właśnie skończyli oczyszczanie skrzyni i przystąpili do składania endoskopu własnej konstrukcji, zwanego „Nosy".

Konrad pomyślał, że w gruncie rzeczy reakcja Sary była prawidłowa. Sam zauważał u siebie coraz częściej objawy jakiejś rodzącej się obsesji, ale kładł to zawsze na karb stresu i zmęczenia. Zapewne Sara miała rację, ale na myśl, że Misza Popowski mógłby mu wykręcić taki numer, ściskało go w żołądku.

– Wyjaśnienie tajemnicy ciężaru skrzyni może być bardzo proste i nie trzeba szukać kłamcy – odezwał się niespodziewanie Irek, nie odrywając oczu ani rąk od endoskopu.

– To znaczy, że co? – wyprzedził Konrada Marcin. – Jak to?

– Chwila cierpliwości – znudzonym głosem odparł Mirek.

Podczas gdy Irek wciąż próbował rozwiązać jakiś mały problem z endoskopem, Mirek wyjął notatnik, w którym coś zapisał, a potem przeczytał w nim jakiś zapis. Zgromadzonym się wydawało, że M-Irek wykazują oczywisty brak entuzjazmu i do wszystkiego, co robią, podchodzą bez większego zaangażowania. Można było odnieść wrażenie, że nie są wystarczająco sprawni, ba, wręcz powolni! Każdy jednak wiedział, że można w pełni polegać na ich nadzwyczajnym profesjonalizmie, który w tej chwili szczególnie mocno kontrastował z przepełniającym wszystkich podnieceniem.

– Twierdza leży w zlewisku dwóch rzek, Muchawca i Bugu – zaczął Mirek, ustawiając na taborecie buteleczki z odczynnikami. – Przez wieki były to tereny wylewowe, poldery. Muchawiec w tym miejscu był kiedyś znacznie szerszy. Dopiero siedemset lat temu, gdy rozpoczęto fortyfikowanie Brześcia, zaczął się przesuwać na południe...

– Ale co to ma do rzeczy?! – wtrącił zgodnie z oczekiwaniem Marcin. – Otwieracie to czy nie?!

– W trakcie prac fortyfikacyjnych – ciągnął Mirek, jakby Marcina tu nie było – wielokrotnie zmieniano bieg cieków wodnych i fos. Wpadł nam w ręce jeden z najstarszych i najlepszych planów, sporządzony przez wybitnego szwedzkiego kartografa Erika Jönssona Dahlbergha...

– Między innymi kartografa – wtrącił Irek. – Wielka postać! Warto poznać ją bliżej – ciągnął, wciąż nie odrywając się od swoich czynności.

– Tak, tak! Dahlbergh był też prawdziwym artystą – dodał Mirek.

– Rany boskie! Co za kartograf szwedzki! – Marcina zaczynało roznosić, ale Sara i Konrad też już mieli dość, gdyż czasami zachowanie M-Irka graniczyło z szyderstwem.

– Bez nerwów! Spoko! – odparł Irek. – To ważne! Posłuchajcie!

– Otóż Erik Jönsson Dahlbergh narysował oblężenie Brześcia Litewskiego przez wojska szwedzkie, a w górnym kartuszu umieścił plan miasta i twierdzy...

– Znaleźliśmy tę rycinę i ten plan – dokończył Irek. – Piękny!

– Na planie z tysiąc sześćset pięćdziesiątego siódmego roku widać doskonale, jak wyglądały rozlewiska wodne na tym terenie – znów przejął głos Mirek. – Oznacza to ni mniej, ni więcej, że są to tereny podmokłe. Zgodnie z informacjami uzyskanymi z Państwowego Instytutu Geologii mamy tu do czynienia z madami, czyli glebami o wysokim stopniu zawilgocenia, i z wysokimi wodami gruntowymi. Nie udało nam się ustalić, ile razy po tysiąc dziewięćset czterdziestym pierwszym roku tereny te zalewała powódź. Liczyliśmy początkowo, że będą tam gleby bielicowe, czyli piaszczyste, suche, ale niestety...

– Teraz rozumiem! – wtrącił Konrad. – Wilgoć! – Przygryzł dolną wargę, zrobił krok do przodu i położył rękę na skrzyni. – Stąd ten ciężar?

– Prawdopodobnie! – odpowiedzieli jednocześnie M-Irek. – Jesteśmy gotowi. Zaczynamy!

Wszyscy poczuli, że sens całego ich wielodniowego wysiłku i wiara w to, że się uda, za chwilę mogą bezpowrotnie się rozpłynąć. Tylko Konrad i Sara byli przygotowani na taką okoliczność, więc ich rozczarowanie było inne i na pewno mniejsze niż pozostałych. Mniejsze nawet niż

M-Irka i Lutka, co nigdy nie okazywał emocji. Za to Marcin wyrazem twarzy oddawał cały ból i dramat, jakie przeżywał w głębi swojej artystycznej i paranormalnej duszy. Na nieco skromniejszą skalę demonstrowały swoje odczucia twarze „Travisa" i Krupy, którzy faktycznie mieli przed sobą inne, poważniejsze ich zdaniem problemy.

– Wszystko zależy teraz od tego, czy nastąpiła perforacja skrzyni oraz czy było wewnątrz jeszcze jakieś dodatkowe zabezpieczenie. Wtedy jest nadzieja! Z zewnątrz nic nie widać. Ale i tak będą musieli zająć się tym fachowcy – oznajmił Mirek. – Teraz wywiercimy małą dziurkę o średnicy czterech milimetrów... o... tutaj – pokazał ręką i wszyscy podeszli bliżej. – Potem wpuścimy do środka „Nosy" i obejrzymy sobie, jak to wszystko wygląda wewnątrz. Weźmiemy z kilku miejsc próbki papieru i zaraz będziemy wiedzieli, jaki jest stan tych dokumentów...

– Wbrew pozorom papier z tamtych lat jest bardziej odporny na wilgoć i upływ czasu niż produkowany obecnie – dodał Irek, trzymając w ręku miniaturową wiertarkę.

Wywiercenie otworu tuż pod pokrywą trwało sekundę, co świadczyło, że metal nie był gruby. Mirek wprowadził do wnętrza czarny trzymilimetrowy przewód. Na ekranie małego laptopa, który postawił na skrzyni, pojawił się obraz.

– Zgaście światło – polecił Mirek.

W ciemności widok stał się wyraźniejszy, ale trudno było rozpoznać na ekranie jakieś kształty, które odpowiadałyby ich wyobrażeniom.

– Jest przestrzeń! Dobrze! – ciągnął Mirek. – Kamera ma się gdzie poruszać... tego bałem się najbardziej. Podejdziemy do drugiego końca skrzyni.

Czarno-biały obraz na monitorze przesuwał się, drżał i skakał. Wyglądało to, jakby wkroczyli do jakiegoś surrealistycznego świata. Po chwili obraz się ustabilizował i dopiero teraz mogli zobaczyć kształty tekturowych teczek, a w nich ściśnięte kartki papieru.

– To są teczki. – Mirek dotknął palcem ekranu. – O... tutaj... wyraźnie widać... ale trudno na razie powiedzieć, w jakim są stanie.

Wszyscy pochylili się nad monitorem. Ich twarze oświetlało w ciemności sine światło. Pozornie nierzeczywisty obraz robił na nich niezwykłe wrażenie. Wydawało się, że za chwilę będzie można wyciągnąć ze skrzyni teczkę, wziąć ją w ręce, rozłożyć i po prostu przeczytać.

Na ekranie widać było dokumenty zawierające ważny fragment historii Drugiej Rzeczpospolitej. Agencja Wywiadu realizowała dotąd wiele niezwykłych operacji, czasami wręcz nieprawdopodobnych, ale jeszcze nigdy takiej, w której historia miała kształtować rzeczywistość. Konrad i Sara dużo rozmawiali o tym wcześniej i mimo że mieli poważne wątpliwości, teraz wydawało im się, że w tej skrzyni ukryty jest los wielu ludzi w Polsce. Zastanawiali się, czy mają prawo oddawać go w ręce tymczasowych polityków. A jednak widok tych dokumentów i świadomość, że nie do nich należy ocena historii, powodowały, że zdecydowani byli dowieźć je do Polski. Euforia i entuzjazm mieszały się z poczuciem niepewności, wątpliwości, ale nade wszystko rozczarowania, że ich służba może przysporzyć Polsce wielu kłopotów.

– Teraz najważniejsze! Pobierzemy próbki papieru z różnych miejsc, ale tak, żeby nie uszkodzić dokumentów – zakomunikował Irek. – To potrwa kilkanaście minut.

Sara wyszła z namiotu i zapaliła. Konrad podszedł do Lutka, który siedział w oknie, i stanął obok niego. Nie odzywali się do siebie. Słychać było tylko niewyraźnie kroki Sary na betonowej podłodze, widać cień jej sylwetki i żar papierosa.

Nagle zrobiło się luźno wokół skrzyni i „Travis" mógł się przyglądać, z jaką wprawą M-Irek wykonują wszystkie czynności. Krupa i Marcin usiedli na taboretach i rozmawiali o swojej planowanej podróży przez Litwę do Polski.

Oprócz M-Irka właściwie wszyscy byli przekonani, że wykonali zadanie i teraz pozostało im tylko przewieźć skrzynię do Polski, co w porównaniu z jej wykopaniem nie wydawało się czymś skomplikowanym. Część trzecia przedsięwzięcia nie łączyła się już z żadnymi zagrożeniami. Była obliczona na zdekonspirowanie Ruperta i coś jeszcze, o czym wiedzieli tylko Konrad i Sara.

Konrad wszedł do namiotu, gdy M-Irek rozpoczęli już badania chemiczne pobranych próbek papieru, spojrzał wymownie na zegarek i zwrócił się do Krupy po polsku:

– Najwyższy czas zadzwonić do Fiedotowa! Zaczynamy operację „Siurpriz"!

– Tak jest, *pan naczalnik*! – odparł Krupa, podniósł się i wyciągnął swój telefon komórkowy.

– To jest ten nowy telefon? – zapytała Sara, wchodząc do namiotu. – Stary zostawiłeś w domu?

– *Da, konieczno!* – odparł trochę zdziwiony. Popatrzył przez moment na Konrada i Sarę, zacisnął usta i zaczął wybierać numer telefonu.

*Kakoj siurpriz?* – pomyślał ze zdziwieniem. *Siurpriz?*

Przez chwilę stał ze słuchawką przy uchu, po czym zrobił zdziwioną minę, wyjął kartkę z kieszeni i spoglądając na nią, wybrał numer jeszcze raz.

– To ja, Wasilij... No, Wasia! – zaczął trochę niepewnie. – Posłuchaj teraz uważnie! Przekaż to natychmiast towarzyszowi... nooo... temu młodemu, z którym się spotkaliśmy w samochodzie... Słyszysz? – Krupa zamilkł na chwilę, po czym odezwał się pewnym głosem: – No dobrze! Słuchaj, ten „Żubr" odwołał nasz wyjazd w sobotę do... tam... wiesz! Powiedział, że nie zdążymy, bo jego znajomi... no ci... wiesz! Oni są już na miejscu i on jedzie im pomóc... tam... – Znów zawiesił na moment głos, wsłuchując się uważnie. – On tam już jedzie!... Tak, właśnie! – Twarz Krupy powoli zaczął rozjaśniać złośliwy uśmiech. – Teraz słuchaj uważnie! Mają zacząć grzebać po dziesiątej! Zrozumiałeś?! Po dziesiątej, po zmroku! – Krupa spojrzał w kierunku Konrada z szerokim uśmiechem i podniesionym kciukiem dał znać, że Fiedotow najwyraźniej kupił tę historię. – Jestem teraz służbowo poza Mińskiem, ale wracam jutro koło południa, więc jeżeli... Co?... Okay! Będę czekał w Mińsku! Do zobaczenia! – zakończył rozmowę i schował telefon do kieszeni.

Na dobrą sprawę Krupa nie musiał nic mówić, bo jego rozmowa z Fiedotowem była wystarczająco czytelna. Niemniej Sara podeszła do niego, klepnęła go w ramię i pochwaliła krótko:

– Dobra robota, Wasilij!

– Możemy to wszystko wyrzucić na śmieci! – dobiegł ich nagle głos Mirka z drugiego końca namiotu i wszyscy jak na komendę spojrzeli w tym kierunku.

– Co ty?! Że co?! – Pierwszy natychmiast zareagował Marcin.

– To, co mówię! Całe to archiwum to gotowa melasa i bomba metanowa – wyjaśnił Irek.

– Do rzeczy! – polecił Konrad. – Co jest grane?!

Wszyscy zbliżyli się do M-Irka. Po chwili przyszedł także Lutek, który, jak się okazało, cały czas wszystko słyszał.

– Trudno nam powiedzieć, jak do tego doszło, ale do wnętrza skrzyni przedostała się woda o silnym odczynie kwaśnym...

– Stąd ten ciężar? – wtrąciła Sara.

– Najprawdopodobniej. Ponieważ na skrzyni nie widać żadnej perforacji, musiała napływać do wnętrza stopniowo i była wchłaniana przez papier. Jak to się stało... nie potrafimy wytłumaczyć.

– Wydaje się, że fachowcy z NKWD bardzo dobrze zabezpieczyli skrzynię przed dostępem powietrza, zasypując ją do tego ziemią. – Inicjatywę przejął Irek. – Nastąpiła wówczas prawdopodobnie metanogeneza: na skutek działania beztlenowców doszło do rozkładu papieru i powstał gaz, metan.

– Możliwe, że pod jego wpływem we wnętrzu skrzyni wzrosło ciśnienie i doprowadziło do jej rozszczelnienia – kontynuował Mirek. – Kwaśna woda musiała dostać się później i wejść w reakcję z jakimś związkiem chemicznym zawartym w papierze, atramencie lub tuszu. Nawet bückeburska metoda odkwaszania nic by tu już nie dała. Czyli zgniły papier został jeszcze dodatkowo rozpuszczony...

– No, ale na monitorze widać było papier, teczki... jakby wszystko było w porządku! Nie rozumiem! – wciął się Marcin.

– To tylko tak wygląda – odparł Irek. – Jeżeli dotkniesz tego papieru, będzie miał konsystencję... ciastka... raczej szarlotki. – I po chwili ciszy zapytał: – Otwieramy?

– Nie! – natychmiast krzyknął Konrad. – Absolutnie! Nie!

Jego gwałtowna reakcja wywołała konsternację, widoczną w mniejszym lub większym stopniu na wszystkich twarzach. Jedynie Sara doskonale wiedziała, dlaczego Konrad tak się zachował.

Po chwili z jeszcze większym zdziwieniem spostrzegli, że Konrad zaczyna się uśmiechać, początkowo nieśmiało, a potem coraz szerzej i wyraźniej. Sara, widząc to, też się uśmiechnęła, co wprowadziło zebranych w namiocie w jeszcze większe zdumienie.

– M-Irek! Zakryjcie ten otwór, który wywierciliście w skrzyni – zaczął z narastającym entuzjazmem w głosie Konrad. – Tak żeby nie pozostał po nim ślad... nawet najmniejszy. Zróbcie dokumentację fotograficzną i pełny raport. Napiszcie o tym wszystkim, o czym nam tu opowiedzieliście... kwasach, metanie i tak dalej.

– A co ja mam robić, szefie? – zapytał Marcin zdezorientowany.

– Nie wiesz? Mam ci przypomnieć?

– Tak jest, szefie! Wszystko jasne! – odpowiedział i spojrzał w kierunku Krupy, który stał, jakby zupełnie się zagubił i nie rozumiał, o co chodzi.

– Wasia! Drugi telefon! – zawołał w jego kierunku Konrad, a potem zwrócił się do wszystkich: – Wasilij teraz umówi panów ze Stowarzyszenia Dużo Palących Celników na wykopanie skrzyni złota w twierdzy brzeskiej, czyli akt trzeci naszej operacji, a później powiem wam, co zrobimy z tym zgniłym archiwum NKWD.

– Szefie! – znów odezwał się Marcin. – To będzie jak *Teksańska masakra piłą mechaniczną*! Chciałbym zobaczyć ten pierwszy białorusko-rosyjski slasher...

– Obejrzysz sobie w domu na DVD. Teraz chyba masz co robić – zdecydowanie podsumowała Sara.

– Ja pierniczę! Szef to zawsze ma jakieś asy w rękawie!

## 62

Jorgensen od godziny siedział przy stole w kuchni i czytał jakąś książkę, robiąc jednocześnie notatki w dużym zeszycie. Nie działo się nic szczególnego. Schodził kilka razy do piwnicy, ale brak kamery uniemożliwiał Lindzie obserwację. Mimo to była pewna, że stary ma tam swój bunkier i że teraz robi coś istotnego – coś, co w jakiś sposób wiąże się z jego jutrzejszym spotkaniem z Carlem.

Jednak najważniejsze pytanie – kim jest Rosjanin z blizną i co robił w domu Jorgensena? – wciąż pozostawało dla niej tajemnicą.

Dzwonek komórki wyrwał ją z zamyślenia i trochę nużącego wpatrywania się w ekran. Na wyświetlaczu pojawiło się słowo „Olaf". Linda zacisnęła usta i odebrała telefon.

– Zaczekaj chwileczkę! – rzuciła sucho i wysiadła z samochodu. Odeszła na tyle daleko, żeby nikt nie mógł jej usłyszeć. – Gdzie się podziewałeś, do jasnej cholery?! Wiesz, która jest godzina?! – Była naprawdę wściekła.

– Przecież miałem spotkanie z Perem. Są nowe, bardzo ciekawe informacje dotyczące „B" – próbował się tłumaczyć Olaf, używając kryptonimu, jakim określano Carla Jorgensena.

– Powinieneś być tutaj! Wydarzyło się coś niezwykłego! – Linda nie mogła sobie darować, że okazuje mu tyle pobłażliwości. – Porozmawiamy o tym w domu, bo robi się już późno. „A" jest pod kontrolą i w tej chwili nie dzieje się nic godnego uwagi. Wyjeżdżam zaraz.

W Säpo nikt nie wiedział, że Linda i Olaf od ponad roku są parą i mieszkają razem. Rozumieli, że ukrywając to przed przełożonymi, łamią zasady, gdyż zgodnie z przepisami nie powinni pracować w jednym zespole. Po zakończeniu sprawy Jorgensena zamierzali oficjalnie poinformować szefostwo o łączącym ich związku.

Linda miała duży wpływ na Olafa i zawsze potrafiła go przekonać do swoich pomysłów. Natomiast on imponował jej doświadczeniem, determinacją i niezwykłą inteligencją, z której jednak nie umiał właściwie korzystać. Trochę ją to denerwowało, bo zależało jej na nim.

Mało kto wiedział, że Olaf jest entuzjastą twórczości Stanleya Kubricka i Ridleya Scotta. Znał na pamięć wszystkie dialogi z filmu *Łowca androidów* i recytował je bezbłędnie z kilkusekundowym wyprzedzeniem. Miłością do obu reżyserów zaraził Lindę, która stała się jego prawdziwym partnerem także w tym temacie.

Linda wsiadła do granatowego v70 i poleciła kierowcy, by odwiózł ją na Götgatan na Södermalmie. Nie podała dokładnego adresu, żeby nie można było go skojarzyć z mieszkaniem Olafa.

– Co się dzieje? – zapytała kierowcę, słysząc intensywne rozmowy w radiostacji.

– Pół godziny temu była strzelanina w Solna Vandrarhem przy Enköpingsvägen. Trzy ofiary. Dwóch policjantów, jeden ciężko ranny, drugi nie żyje, i recepcjonista. Na razie nic więcej nie wiadomo. Wszystkie jednostki postawione w stan gotowości.

– Kto to zrobił? Wiadomo coś? – Linda była mocno poruszona.

– Na razie nic nie wiadomo. Wkrótce ma być komunikat. Prawdopodobnie jakaś sprawa kryminalna. Dobrze znam ten hotel... jeszcze z pracy w policji – odparł kierowca.

– Ten dzień chyba nigdy się nie skończy! – powiedziała do siebie i pomyślała, że jutrzejszy może być decydujący. Lepszy lub gorszy!

Była tak zmęczona, że myślała tylko o szybkiej kąpieli i łóżku. Powinna jeszcze wspomnieć Olafowi o Rosjaninie z blizną, ale uznała, że teraz to i tak już nie ma znaczenia. Rozmowa pewnie przeciągnęłaby się do późna, więc lepiej będzie pogadać o tym na świeżo, z samego rana.

Tatar i Jagan siedzieli w samochodzie na leśnym parkingu już ponad godzinę. Na zewnątrz zrobiło się ciemno. Nie odzywali się do siebie od strzelaniny w hotelu. Jagan czekał, aż zacznie Tatar.

To w końcu on dowodzi i to on załatwił tego małego policjanta – pomyślał. On podjął decyzję... i musiał liczyć się z konsekwencjami.

Nie miał najmniejszych wątpliwości, że Tatar zrobił, co należało, chociaż nie mógł zrozumieć dlaczego. W głębi duszy liczył na to, że dowódca podejmie teraz decyzję o zakończeniu akcji i powrocie do Rosji. Miał przeczucie, że nie wszystko idzie jak trzeba. A przeczucie nigdy dotąd go nie zawiodło.

Może gdybym mu powiedział, że byłem w domu Jorgensena, kazałby zwijać manatki – pomyślał.

Jednak z obawy, że w ten sposób mógłby zostać obwiniony o rozwalenie akcji, zdecydowanie odrzucił ten pomysł.

– Zobaczył mój pistolet – odezwał się w końcu Tatar. – Nie mogłem ryzykować, nawet jeżeli tylko mi się wydawało, że zobaczył.

– Pewnie... – z ociąganiem potwierdził Jagan.

– Zresztą jak zauważyłem tego drugiego, wychodzącego z bronią...

– Tak... To było oczywiste! Widziałem przecież.

Zamilkli. Nawet nie spostrzegli, jak na niebie pojawił się srebrny dysk księżyca. Dopiero teraz Jagan się zorientował, że przed nimi rozpościera się tafla spokojnej wody, a na niej igra srebrne odbicie. W oddali słychać było syreny samochodów policyjnych.

– Wyobrażam sobie, co tam się teraz dzieje. Mają problem! – próbował rozruszać Tatara.

– To byli zwykli policjanci. Jestem pewien... – zaczął sam z siebie Tatar. – Tylko... ten drugi pojawił się za wcześnie... I to mi nie pasuje! – mówił z coraz większym przekonaniem. – Wyciągnął broń, a przecież nie mógł wiedzieć, że załatwiliśmy pierwszego. I to właśnie mi nie pasuje!

Gdzieś w pobliżu przejechał na sygnale policyjny radiowóz. W oddali za drzewami pojawiły się na chwilę migocące niebieskie światła.

– Co z nim? – zapytał Tatar.

– Widziałem, że upadł... – odparł Jagan. – Wywaliłem z siodła całą puszkę, ale nie mam pewności, czy dostał...

– Tak czy inaczej wiedzą, kogo szukają... Mnie na pewno! Widzieli mnie na recepcji, mają mój rysopis albo nawet kopię paszportu. – Tatar spojrzał na Jagana po raz pierwszy, odkąd zatrzymali samochód, i po chwili dodał: – Dlaczego wysyłają cię na robotę z taką blizną?! Jeżeli ktoś widział twoją gębę, to nie przekroczysz już granicy w Unii... Zwłaszcza po tej rozróbie w hotelu

– Tatar! – przerwał Jagan. – Nie pierdol! Zastanów się, co teraz! – I natychmiast dorzucił: – Wywaliłem dwa magazynki! I zostały mi jeszcze tylko dwa! To trochę mało, jeśli nasza robota będzie się rozwijać w tym tempie.

Dwa księżyce rozświetlały noc. Świat za oknami samochodu nabrał tajemniczej wyrazistości we wszystkich odcieniach srebra, szarości i granatu.

Po lewej stronie, za lekko opadającym zboczem, na połyskującej metalicznie wodzie stały zacumowane żaglówki i łodzie motorowe. Wolne miejsca wskazywały, że trwa szczyt sezonu i większość łodzi jest gdzieś na szkierach lub na jeziorze Melar. Tatar i Jagan zorientowali się już wcześniej, że życie w Sztokholmie toczy się zarówno na lądzie, jak i na wodzie.

– Zasuwamy dalej! – zakomunikował Tatar.

Jagan zrozumiał, że dowódca nie skomunikuje się z Moskwą i nie poinformuje o tym, co zaszło. W gruncie rzeczy nie było mu to obojętne. Przerwanie operacji w tym momencie, po zajściu w hotelu, mogło być uznane za porażkę spowodowaną jego partactwem, a tego bardzo nie lubił. Wciąż była szansa, że wrócą do kraju po wykonaniu zadania, jak przystało na żołnierzy specnazu.

Jednak to, co powiedział Tatar, obudziło w nim poważny niepokój. Ktoś rzeczywiście mógł go zauważyć w hotelu. Blizna na jego twarzy przyciągała uwagę jak znak firmowy. Rano, kiedy wychodził po samochód, było tam kilka osób. Jakiś gość, nawet podobny do tego policjanta koło samochodu, powiedział do niego ni stąd, ni zowąd: *Hej*.

Może nawet to był on – przemknęło mu przez myśl. Mieli nas na oku od rana?!

Poczuł, jak zjeżyły mu się włosy na rękach.

To niemożliwe! – wytłumaczył sobie, ale w rzeczywistości wcale nie był tego pewny.

Stwierdzenie Tatara, że nie przekroczy granicy, wciąż tkwiło mu w głowie. Chciał go zapytać, co w związku z tym planuje. I nagle zdał sobie sprawę, że kiedy omawiano w Moskwie realizację operacji i plan ich wycofania po jej zakończeniu, w ogóle nie przewidywano podobnej sytuacji. Dopiero w tej chwili uświadomił sobie – powiedział mu to Tatar – że coś takiego po prostu nie wchodziło w rachubę. Dotychczas wszystko szło dobrze, więc nie było problemu. Ale nieoczekiwany rozwój wydarzeń sprawił, że Tatar, nie mogąc sobie poradzić z napięciem, najzwyczajniej się wysypał.

Będzie chciał mnie zlikwidować – dotarło do niego z całą mocą.

On sam dwukrotnie musiał to zrobić i zawsze liczył się z takim zagrożeniem, ale teraz sytuacja była inna. Nie miał wątpliwości, że po wykonaniu zadania Tatar skorzysta z pierwszej dogodnej okazji, żeby go wykończyć. W pojedynkę zawsze łatwiej się ukryć czy wydostać. Człowiek z blizną byłby dla niego zbyt dużym obciążeniem. A co najważniejsze, będzie tylko jedna słuszna i prawdziwa wersja tego, co zaszło. Wersja Tatara!

To odkrycie wywarło na nim silne wrażenie. Nie dlatego, że się bał, lecz dlatego, że tak łatwo pojął tę prostą prawdę. Postanowił jednak wrócić do Rosji żywy. Bez Tatara, jeżeli będzie trzeba.

– Obudź się! – Poczuł szarpnięcie za rękę. – Bierzemy się do roboty! *Pinok w żopu eto tože szag wpieriod* – powiedział Tatar takim tonem, jakby już się otrząsnął po ostatnich wydarzeniach. – Musimy znaleźć odpowiednią łódź. Szybką i sprawną. Popatrz tam – wskazał głową na mały port po lewej.

– Jesteś?! – zawołała Linda, gdy tylko weszła do mieszkania.

Odpowiedziało jej milczenie, lecz światło w łazience i szum prysznica jednoznacznie wskazywały, gdzie jest Olaf. Poszła do kuchni i zajrzała do lodówki. Z rozczarowaniem stwierdziła, że wewnątrz jest tylko przeterminowane mleko. W szafce obok znalazła paczkę wołowych nudli, wstawiła więc wodę i wsypała makaron do chińskiej miseczki. Gdy wyrzucała opakowanie do śmieci, zauważyła, że Olaf poradził sobie wcześniej tak samo.

Z miseczką w ręku siedziała w pokoju na kanapie i oglądała wiadomości SVT24, kiedy wszedł Olaf w szlafroku i z mokrymi, zmierzwionymi włosami.

– Była strzelanina w hotelu Solna... Słyszałeś coś? Dwie osoby zabite, jedna ciężko ranna. To policjant. Zabity też był policjantem.

Wiadomości właśnie się skończyły i Linda wyłączyła telewizor.

Olaf z niedowierzaniem pokiwał głową i opadł ciężko na fotel.

– Co się wydarzyło, że jesteś taka zdenerwowana? – zapytał.

– Zaraz ci pokażę! Tylko skończę nudle... Nie uwierzysz! – Miała na myśli zdjęcia blondyna przed zegarem.

Olaf ani drgnął. Z zamkniętymi oczami i odchyloną do tyłu głową wyglądał, jakby spał.

Linda skończyła jeść i poszła do kuchni odnieść miskę. Z przedpokoju wzięła swoją teczkę i usiadła obok Olafa, który niemal bezwiednie objął ją ramieniem.

– Miałem długie spotkanie z Perem – zaczął, zanim otworzyła teczkę. – Zrobili szczegółową analizę wszystkich spraw prowadzonych przez Carla Jorgensena, szczególnie przez jego agenturę w Kaliningradzie. Nie dopatrzyli się niczego, co mogłoby wskazywać, że jest podstawiony... Tak zresztą przypuszczaliśmy. – Otworzył oczy i wyprostował się.

– Żadnej inspiracji? Dezinformacji? – zainteresowała się Linda.

– Nic z tych rzeczy. Więcej! Młody Jorgensen sam zdekonspirował dwóch agentów podstawionych przez Rosjan. Nie musiał tego robić! Informacje, które uzyskiwał, były przekazywane CIA, Brytyjczykom i Polakom. Nie mieli żadnych zastrzeżeń, gdyż w większości pokrywały się z informacjami pochodzącymi z ich własnych źródeł. Potwierdzały to także informacje SIGINT. I naszego FRA!

– Czyżby Kurt miał rację? – rzuciła niepewnie.

– To wręcz nieprawdopodobne, by Hans był rosyjskim nielegałem, a jego syn lojalnym oficerem naszego wywiadu. Rozumiesz coś z tego, Lindo? Bo ja nie!

– No cóż... Wszystko jest możliwe.

Olaf wstał i otworzył okno. Wiatr mocno odrzucił zasłonę. Z zewnątrz dochodził dźwięk syreny samochodu policyjnego.

Wyjrzał na ulicę.

– Pełno ludzi. Götgatan jak zawsze żyje do późna. – Stał przez chwilę w milczeniu, delektując się chłodnym powietrzem po rozgrzewającej kąpieli.

Linda siedziała zamyślona na kanapie, z podkurczonymi nogami, opierając brodę o kolana.

– Ciekawe, co tam się stało – odezwała się po chwili.

– Nie pierwszy raz! Neonaziści, mafia, szaleniec... To wszystko już było! Pamiętasz? Oto Szwecja właśnie! – Olaf wciąż stał w otwartym oknie. – Za granicą ludzie myślą, że u nas tylko Wallander, Beck, Blomkvist i Salander, a Szwecja jest ojczyzną zbrodni, często seryjnej lub zboczonej. Sami feminiści i mizogini. Wszystko to podlane głębokimi konfliktami społecznymi albo politycznymi... albo jednymi i drugimi naraz. Dodatkowo jeszcze w atmosferze żywcem z filmów Bergmana i przeplatane *Mamma mia*... Albo ten Lapidus, promotor Sztokholmu jako miasta zbrodni... To stary Martin Beck już nie wystarczy?

– Nie czepiaj się... – przerwała mu Linda. – Mankell, Larsson czy Läckberg to po prostu literatura, dobra jak Bergman czy Abba. Wszystko najlepszej jakości, bo taka jest Szwecja. Poza tym potrafimy się sprzedać za granicą.

– Sztokholm, miasto zbrodni... – ciągnął Olaf w tonie gorzko-refleksyjnym. – Tu można umrzeć... ale z nudów...

– No to co w końcu ustaliliście z Perem, że zajęło ci to tyle czasu? – Tym pytaniem Linda zakończyła jego wystąpienie.

Zamknął okno i usiadł obok niej, obejmując ją oburącz i opierając głowę na jej ramieniu.

– Od trzech lat Jorgensen prowadzi agenta – zaczął szeptać jej do ucha, choć wcale nie było takiej konieczności, i Linda już wiedziała, do czego zmierza. – To komandor w dowództwie rosyjskiej Floty Bałtyckiej. Sam go zwerbował, jednak szybko się połapał, że facet może być podstawiony. Zrobili kilka kombinacji i okazało się, że podejrzenia o inspirację i dezinformację ze strony Rosjan nie są bezpodstawne. Carl opracował zatem koncepcję gry operacyjnej. Agent dostawał zadania maskujące, które miały wprowadzać Rosjan w błąd co do kierunków naszych zainteresowań, stanu naszego rozpoznania i tak dalej...

– Ciekawe! To nadzwyczaj trudne zadanie... Gra operacyjna to prawdziwa sztuka! – wtrąciła Linda. – Nie każda służba to potrafi i nie każdy oficer. No... nabieram sympatii do tego Jorgensena... Na zdjęciu jest bardzo przystojny.

– Ale ty przecież wolisz facetów niższych od siebie! – Miało to zabrzmieć żartobliwie, bo gdy Linda nie nosiła butów na obcasie, był jej równy wzrostem.

– Z tym Carlem Jorgensenem jest jak z Prosiaczkiem...

Olaf odwrócił Lindę i spojrzał jej w twarz z wyreżyserowanym zdziwieniem. Objął ją mocniej i zmusił, by oboje położyli się na kanapie.

– Kim jest Harry Caul? Kto to jest Prosiaczek? Jesteś dzisiaj bardzo tajemnicza! To bardzo podniecające, Lindo! – Poluźnił uścisk i zaczął całować ją po szyi.

– „Im bardziej Puchatek zaglądał do środka, tym bardziej tam Prosiaczka nie było" – wyszeptała Linda z ociąganiem, tylko pozornie broniąc się przed pieszczotami Olafa.

– *Nie ponimaju!* – zamruczał twardo po rosyjsku.

– Oj, pomyśl... – Dopiero teraz się zorientowała, że Olaf ma na sobie tylko szlafrok, i poczuła nowe, nieznane jej dotąd silne podniecenie.

– Im więcej poznaję tego Carla, tym mniej wierzę, że pracuje... dla...

Olaf zaczął coraz szybciej ją rozbierać.

– „Dochodzi jedenasta, rzekł Puchatek wesoło. Akurat nadszedł czas na małe Conieco". – Olaf był, jak zawsze w takich sytuacjach, wesoły i wyraźnie pobudzony. Linda bardzo to lubiła.

– „Jeśli chodzi o mnie, to nie znoszę tego całego mycia. Nowoczesna bzdura, i tyle" – wyrecytowała Linda, biorąc Olafa za rękę i pociągając go w stronę sypialni. Wiedziała, że za chwilę nie będzie już miała ani siły, ani ochoty się kąpać, nie mówiąc już o dyskusji na temat Rosjanina z blizną.

Zatrzymali się w drzwiach. Olaf objął Lindę mocno w pasie, lekko uniósł i oparli się o framugę. Patrząc z bliska w jej uśmiechnięte piwne oczy, wyszeptał:

– Teraz mnie pocałuj, Lindo.

– Nie mogę ci ufać, Olafie – odrzekła cicho.

– Powiedz: pocałuj mnie! – nalegał Olaf.

– Pocałuj mnie – powiedziała z nieznacznym ociąganiem.

– Pragnę cię...

– Pragnę cię – powtórzyła i zmrużyła oczy.

– Jeszcze raz! – poprosił cicho, ale zdecydowanie, prawie brutalnie.

– Pragnę cię! – znów powtórzyła, już z większym zaangażowaniem, i po kilku sekundach dodała: – Obejmij mnie mocniej!

# 63

Była dokładnie za dziesięć dziesiąta, gdy podjechali trzema samochodami osobowymi. Wysiadło ich w sumie siedmiu: dwóch z Brześcia i pięciu z Mińska. Dwóch ze Służby Bezpieczeństwa Prezydenta, dwóch ze Straży Celnej, milicjant z Brześcia, Serczuk z KGB i Wasyl Kujbow, znana postać w środowisku białoruskich biznesmenów.

Kujbow jednak biznesmenem nie był, bo w jego rachunku ekonomicznym możliwy był tylko zysk, mimo to żaden poważny biznes nie mógł się bez niego obyć. Zresztą prawie każdy chciał go mieć za wspólnika, bo procent brał ludzki, gdy traktowano go poważnie, to znaczy gdy był zapraszany, a nie gdy musiał sam się wpraszać.

Na początku kariery, ze względu na swój wygląd, wzrost i wagę, nie był uważany za człowieka roztropnego, lecz jedynie za silnego. Z czasem się okazało, że jego potęgę fizyczną uzupełniają determinacja i wola walki. A to wszystko razem dawało poważny potencjał, z którym trzeba się było liczyć.

Jeszcze piętnaście lat temu nikt nie przypuszczał, że Wasyl jest taki zaradny. Kiedyś z jego powodu żaden tir między Brześciem a Mińskiem czy Wilnem nie mógł przejechać na czas. A dzisiaj to właśnie dzięki Wasylowi Kujbowowi ciężarówki jeżdżą bezpiecznie i nawet przestrzegają przepisów drogowych, kiedy jest taka potrzeba.

„Wszyscy wciąż się uczymy" – powtarzają władze w Mińsku i są mu bardzo wdzięczne za jego wysiłek.

W ostatnich dniach Wasyl Kujbow był wyjątkowo rozdrażniony, gdyż znów otrzymał odmowę wizy unijnej, i to już trzeci raz z rzędu. Dlatego telefon od Serczuka z mińskiego KGB natychmiast bardzo go zainteresował, a po pewnym czasie wzbudził jego prawdziwy entuzjazm.

Informacja, że na terenie twierdzy brzeskiej zakopane jest sto pięćdziesiąt kilogramów złota, była jak balsam na jego sponiewieraną duszę. Tym bardziej że złoto miało dla niego znaczenie religijno-filozoficzne. Organoleptyczną ocenę człowieka zawsze zaczynał od oszacowania wagi i jakości zawieszonego na nim złota, czego potrafił dokonać nawet z dużej odległości. Piękno cerkwi postrzegał w podobny sposób.

Nie skończył jeszcze rozmowy z Serczukiem, kiedy za pomocą wielkiego pozłacanego kalkulatora, idealnie dopasowanego rozmiarem do jego pulchnych palców, obliczył, że warto podnieść się z kanapy i pojechać do Brześcia, chociaż była sobota rano i bardzo bolała go głowa. Nawet gdyby informacja nie pochodziła z KGB, co nadawało jej status dogmatu, i tak opłacało się spróbować.

Kujbow brał zawsze dwadzieścia pięć procent, lecz tym razem zaproponowano mu podział łupu na trzy części, co dodatkowo go zachęciło. Musiał jednak wziąć na siebie opłacenie jednego milicjanta. Chłopcy z bezpieki prezydenta gwarantowali alibi. Tak czy inaczej skarb NKWD trzeba było wykopać cicho i szybko, zanim się pojawią prawni spadkobiercy, którzy ponoć też już o nim wiedzieli.

Problem polegał na tym, że akcję mogli rozpocząć dopiero o ósmej, po zapadnięciu zmroku. „Człowiek z KGB" załatwił, by ochrona muzeum i milicja trzymały się wtedy z dala od tego miejsca. Trzeba też będzie uważać na kręcące się po okolicy patrole pograniczników. Do granicy z Polską było niespełna pół kilometra.

Kujbow mógł tę sprawę załatwić po swojemu, ale nie było już na to czasu. Nie on zresztą dowodził, tylko Serczuk.

Na teren twierdzy wjechali przez Bramę Południową. Prowadził samochód Serczuka, a kolumnę zamykał czarny porsche cayenne turbo S, duma i ostatnia miłość Kujbowa. Zatrzymali się po prawej stronie drogi sto dziewięćdziesiąt metrów od bramy. W oddali widać było ruiny dawnego klasztoru Bernardynów.

Znów ruszyli, zjechali samochodami na pobocze i pokonali około stu dwudziestu metrów po wyboistym terenie. Okrążyli ruiny od południa tak, że nie byli widoczni z drogi.

Serczuk wysiadł z samochodu i przez parę minut chodził po płaskim terenie zarośniętym wysoką trawą i dzikimi krzakami. Trzymając jakąś kartkę w ręce, czegoś szukał. Pozostali siedzieli w swoich samochodach przy włączonych silnikach i obserwowali go w światłach reflektorów. Kujbow pomyślał, że w całej tej sprawie z zakopanym złotem jest coś niejasnego. Nie do końca potrafił określić co, ale wydawało mu się dziwne, że radzieckie KGB przez tyle lat nie pamiętało o swojej własności.

Gdy tak się zastanawiał, czy to nie jest jakiś podstęp, zauważył, że Serczuk podnosi wysoko rękę i zaczyna intensywnie dawać mu znaki, żeby wysiadł i podszedł. Od razu zapomniał o swoich podejrzeniach, ale instynktownie wolał te dwadzieścia metrów podjechać. Otworzył okno i zanim zdążył zapytać, usłyszał gromkie i radosne: „To tu!".

Ustawili samochody tak, żeby reflektory oświetlały miejsce oznaczone dużym głazem z namalowanym czerwoną farbą krzyżem. Serczuk otworzył bagażnik i zaproponował, by każdy wziął odpowiadające mu narzędzie, kilof lub łopatę. Kujbow wybrał oczywiście kilof.

Najpierw odwalili kamień, do czego potrzeba było trzech osób. Poszły w ruch kilofy dwóch bezpieczniaków i Kujbowa, potem trzy łopaty, znów kilofy, i tak na zmianę. Robota szła nadzwyczaj szybko, jakby była zaplanowana, a role szczegółowo rozdzielone i trafnie dobrane. W gruncie rzeczy kierował nimi prosty instynkt: jak najszybciej dokopać się do złota i dawać stąd drapaka!

Kujbow nie zastanawiał się, co myślą inni, ale z każdym uderzeniem kilofa był coraz bliżej odkrycia zagadki. Ogarniał go też coraz większy niepokój. Dziwne to było uczucie, bo kopać w polu każdy może, nawet po zmroku, a co dopiero taki zespół jak ich! A jednak czegoś się bał. Chyba po raz pierwszy w życiu i dlatego nie mógł tego wrażenia zlekceważyć.

Gdy łopata zazgrzytała o metal, wszyscy stanęli jak zahipnotyzowani. Serczuk i milicjant pobiegli do samochodów po latarki. Wyglądało na to, że nie było żadnej pułapki i skarb, najzwyczajniej w świecie, odnalazł swoich nowych właścicieli.

– Dokopali się! – cicho zakomunikował przez krótkofalówkę Witalij Bobriukow.

– Zaraz do was przyjdę – odpowiedział Misza Popowski i ruszył ostrożnie na górę po zasypanych gruzem schodach.

Ruiny klasztoru Bernardynów, czasami wykorzystywane przez okolicznych włóczęgów i narkomanów, były na tyle duże i pełne zakamarków, że pozwoliły skryć się siedmioosobowej ekipie SWZ FR. Właściwie czteroosobowej, bo trzej oficerowie byli ich tajnymi współpracownikami z białoruskiego KGB. Miejscowi z długą bronią mieli zrobić odpowiednie wrażenie. Strzelanie nie było zaplanowane.

– Trochę to wszystko dziwne... – stwierdził Popowski, obserwując przez lornetkę grupę mężczyzn nad wykopem. – Nie ma Wolskiego. Bladź! Szkoda.

– Może jest gdzieś w pobliżu.

– Może. Prawdę mówiąc, ci faceci nie wyglądają na Polaków – dodał niepewnie. – Dobra, Witalij. Tak czy inaczej zaraz zaczynamy, żeby nam nie uciekli z czymś, co do nich nie należy... Zresztą... jak będziemy mieć skrzynię i jego ludzi, Konrad sam będzie musiał do nas przyjść...

Najwięcej pracy miał milicjant. Wszedł do wykopanego dołu i próbował rozbić kilofem metalową płytę, która pod jego nogami wyglądała jak wieko od skrzyni. Po kilku uderzeniach okazało się, że pod spodem jest jedynie ziemia. Zaczął tłuc kilofem jeszcze intensywniej, coraz bardziej się upewniając, że nie ma żadnej skrzyni ze złotem. Wszyscy stali wokół dołu i patrzyli rozczarowani, jak milicjant podnosi metalową płytę podziurawioną jak durszlak. Próbował jeszcze grzebać w ziemi, kiedy odezwał się Kujbow.

– Serczuk! Nooo... kurwa... jesteś mi winien za benzynę i mój czas! Długo się nie wypłacisz...

– Dzień dobry, panowie! – usłyszeli nagle wypowiedziane po polsku słowa. – Witamy na Białorusi!

Odwrócili się i w świetle samochodowych reflektorów ujrzeli grupę mężczyzn, która właśnie ich otaczała.

Po chwili pierwszy zareagował Serczuk.

– Co to za cyrk?! – zawołał. – Polacy?

Wyraz twarzy całej siódemki nad dołem nie pozostawiał złudzeń, że są właśnie świadkami nadprzyrodzonego zdarzenia, czegoś na kształt zmartwychwstania.

– Jesteście aresztowani! – odezwał się znów ten sam mężczyzna o młodym głosie.

Dopiero teraz dostrzegli, że towarzyszy mu dwóch funkcjonariuszy w polowych mundurach KGB i z automatami na piersi.

– Odwaliło wam czy co?! Coście za przebierańcy? – zaczął Kujbow. – Kagiebieszniki po polsku napierdalają? Co jest grane?!

– Kim jesteście? – zapytał po rosyjsku Batyszkin zdecydowanym głosem, wysuwając się z cienia. – Co tu robicie?

– A co to was obchodzi! – odparł Kujbow i uczynił gest, jakby chciał chwycić za broń.

– Spokojnie! Tylko bez numerów, bo będziemy strzelać! – rzucił ostro Batyszkin.

– Ja nie mam broni – odparł Kujbow z uśmieszkiem. – Jak będzie trzeba, wystarczy mi ten kilof.

– Nie bądź taki kozak! – włączył się Fiedotow i podszedł bliżej, żeby wszyscy go zobaczyli. – Coście za jedni? Odpowiadaj!

– Koledzy z klasy! Przyjechaliśmy na pogrzeb kumpla, tego tu – odparł złośliwie Kujbow, bo Fiedotow z przepitą gębą nie mógł go przestraszyć, i ruchem głowy wskazał milicjanta wystającego do połowy z dołu. – A wy kto? Czego chcecie?

Bobriukow stał z otwartymi ustami, ale doświadczony Batyszkin wiedział już, że to nie jest ekipa Konrada Wolskiego z Agencji Wywiadu i że cały plan Michaiła Popowskiego, by zdjąć ich na gorącym uczynku, wziął w łeb. Zresztą od początku nie podobał mu się ten pomysł, bo osobiste sprawy i emocje zawsze źle wróżyły powodzeniu operacji. I stało się! Faceci z kilofami i łopatami nad dołem, a szczególnie dwumetrowy gość w czarnej skórze i z łysą pałą, już na pierwszy rzut oka nie mogli być oficerami polskiego wywiadu.

– Odpowiadaj na pytania! Bo jak ci...

Fiedotow zrobił się bardzo bojowy. Rozpierała go taka wściekłość, że rzeczywiście gotów był kogoś zabić. Najchętniej jednak kapitana Wasilija Krupę, który wpuścił ich w maliny albo jeszcze gorzej. To się miało dopiero okazać i to on, Fiedotow, będzie musiał zapłacić rachunek.

– No... chodź! – Kujbow rzucił kilof, podwinął rękawy i przyjął postawę bokserską.

– Spokój! – Batyszkin wkroczył między dwóch mężczyzn rwących się do bitki. – Zaraz sobie wszystko wyjaśnimy. Nic do was nie mamy. Pomyliliśmy was z kimś innym...

– Z Polakami? Odbiło wam? – wtrącił z przejęciem Serczuk.

– No... nieważne teraz – ciągnął Batyszkin. – Wykopaliście coś, co należy do nas, i musimy to zabrać. Niestety, to nie jest własność Białorusi, tylko Federacji Rosyjskiej, i nie przewiduję w tym zakresie żadnych targów... kolego! – Zbliżył się do Kujbowa i spojrzał mu w oczy tak, że ten już wiedział, iż jakikolwiek dalszy opór zupełnie się nie opłaci.

– Oczywiście, towarzyszu jakiś tam! Możecie zabrać sobie wszystko, tylko... po co to wam? – Kujbow zawołał do milicjanta w dole: – Daj to!

Po chwili pod nogami Batyszkina wylądował spory kawał ciężkiej blachy, podziurawiony i pogięty od uderzeń kilofa.

Bobriukow, Batyszkin i Fiedotow jak na komendę podeszli do dołu i zaświecili latarkami.

– Tak, tak, towarzysze Rosjanie, i nas, i was ktoś zrobił w chuja – zakomunikował Kujbow. – Trzeba znaleźć winnego i natychmiast mu podziękować. Chętnie wezmę to zadanie na siebie. Ten gość musi wiedzieć, kto przywłaszczył sobie sto pięćdziesiąt kilogramów złota i chciał nas wrobić...

– Co ty, człowieku?! – przerwał mu Bobriukow. – Jakiego złota? O czym ty gadasz?

– To wy nie jesteście z KGB? – z niekłamanym zaskoczeniem zapytał Batyszkin.

– Skąd! My jesteśmy inicjatywa obywatelska! – odparł Kujbow.

Batyszkin wziął Bobriukowa za ramię i odciągnął go na bok.

– Idź po Miszę! – powiedział cicho. – Sprawa się skomplikowała... Idź!

– Nie trzeba. – Tuż obok usłyszeli głos Popowskiego, który podszedł prosto do otwartego dołu i zajrzał do środka. – Kto tu rządzi? – zapytał.

– Kto pyta? – hardo zareagował Kujbow.

– Nazywam się Tichomirow i jestem majorem Federalnej Służby Bezpieczeństwa... z Moskwy.

– Nooo... to inna rozmowa! Nazywam się Kujbow, a to jest Serczuk – wskazał ruchem głowy.

– Przyjechaliście po złoto, tak? – zapytał Popowski, ale odpowiedziało mu milczenie. – Kto wam wskazał to miejsce?

Kujbow spojrzał na Serczuka, który wyciągnął z kieszeni kartkę papieru i podał ją Popowskiemu.

– To jest plan z oznaczeniem miejsca, gdzie w czterdziestym pierwszym roku NKWD miało ukryć skrzynię ze złotem...

– Kapitan Wasilij Krupa? Z mińskiego KGB? – Popowski zdał sobie sprawę, że w gruncie rzeczy jego pytanie ma wyłącznie retoryczny charakter. Trzymał bowiem w rękach identyczną kopię planu jak ta, którą dostali od Ruperta.

Nawet nie czekał na odpowiedź. Zastanawiał się intensywnie, gdzie popełnił błąd. Wyglądało na to, że wszystkie elementy operacji „Klaun" są dobrze zgrane i przemyślane. Choć sam kryptonim wydawał się teraz groteskowo proroczy.

Trudno było mu uwierzyć, że Wolski przejrzał jego plan i wykopał archiwum wcześniej. Najbardziej jednak natarczywa była myśl, że zupełnie niepotrzebnie podrzucił mu „list" do domu w Warszawie. Dotarło do niego, że podszedł do sprawy zbyt osobiście, zbyt emocjonalnie, a oficer wywiadu nie powinien tak robić. Nigdy! Konrad nie tylko kolejny raz go pokonał, lecz także, co gorsza, ośmieszył wobec podwładnych. Rozpierała go bezsilna wściekłość. Nie był zły na Wolskiego, bo takie są reguły gry i sam postąpiłby podobnie, co zresztą zdarzało mu się wielokrotnie. Był zły wyłącznie na siebie, że dał się wodzić za nos. Zakopana metalowa płyta miała oczywiście symulować na ekranie magnetometru poszukiwaną skrzynię, która w rzeczywistości była ukryta gdzie indziej. I Polacy wykopali ją bez problemu. Jego duma nie mogła znieść takiego ciosu!

Teraz wszystko jest jasne! Skoro Krupa pracował cały czas dla Polaków, to jak mogło być inaczej?! Brawo, Konrad! Brawo! – pomyślał i spojrzał na Fiedotowa, który nerwowo trącał nogą podziurawioną blachę. Po powrocie do Moskwy składam raport o zwolnienie ze służby. Koniec! Szkoda!

– Tak jest! Wasilij Krupa! – dotarł nagle do niego podniesiony głos Serczuka. – Kapitan Krupa! On! Skąd wiecie?

– Teraz to nieważne...

– Już ja się tym kapitanem zajmę! – Głos Kujbowa zabrzmiał wyjątkowo łagodnie, ale gdyby Krupa był jeszcze na Białorusi, nie miałby żadnych szans.

– Możecie tylko pomarzyć. Nigdy go nie znajdziecie...

– Szanowny towarzyszu majorze FSB! Nie znacie Kujbowa! Oj... nie znacie! Nie lubię, bardzo nie lubię, jak ktoś robi ze mnie wała, i to w stosunkach międzynarodowych. Teraz to sprawa zasad i honoru!

– Życzę powodzenia! – z politowaniem rzucił Popowski i po chwili dodał nieco głośniej: – Nic tu po nas. Zbieramy się!

– Zasypcie ten dół – powiedział Fiedotow. – To teren chroniony, muzeum pamięci bohaterów naszej ojczyzny.

Ich samochody stały zaparkowane sto pięćdziesiąt metrów dalej, po prawej stronie od Bramy Południowej. Musieli pokonać ten odcinek pieszo, lecz kiedy przeszli ledwie dwadzieścia metrów, minęły ich trzy pędzące samochody, z terenowym porsche na czele, co oznaczało, że dół pozostał nietknięty.

Popowski szedł z Batyszkinem, który niezręcznie próbował tłumaczyć, że nie zawsze wszystko wychodzi, że taki mają zawód, że to było ważne doświadczenie. Ale obaj wiedzieli aż nadto dobrze, że to zwykła porażka, i Batyszkin, tak jak każdy zawodowiec, obwiniał się o nią nie mniej niż Popowski. Przez moment się zastanawiał, czy nie powiedzieć o rozmowie w samochodzie, kiedy domagał się, żeby pojechać z Krupą do Brześcia, a Bobriukow odrzucił ten pomysł, twierdząc nawet, że to dla dobra koncepcji Popowskiego. Kapitan zresztą od pierwszego momentu nie budził jego zaufania, zachowywał się podejrzanie, ale największe wątpliwości zasiał w nim Fiedotow. Batyszkin znał ten typ oficerów, skorumpowanych pijaków, którzy okradali własnych informatorów i podrabiali dane. Zresztą tego wszystkiego można było prawdopodobnie uniknąć, gdyby nie ten arogancki gówniarz Bobriukow. Batyszkin czuł przez skórę, że poczucie godności i honoru nie pozwolą Miszy pozostać dłużej w służbie. Miał jednak nadzieję, nawet pewność, że generał nie pozwoli odejść jednemu z najlepszych oficerów Służby Wywiadu Zagranicznego.

Dochodzili już z Popowskim do samochodów. Reszta ciągnęła kilkadziesiąt metrów z tyłu. Batyszkin włożył klucz do zamka, gdy po lewej stronie wyłonił się z ciemności mężczyzna w bejsbolówce na głowie. Szedł spokojnym krokiem, z ręką w kieszeni i papierosem w dłoni. Był tak przeciętny, że nie zwrócił niczyjej uwagi. On też wydawał się ich ignorować. Teren był nieoświetlony, a mężczyzna wyraźnie zmierzał w kierunku bramy wyjściowej.

Batyszkin już wsiadł do samochodu, a Popowski właśnie otwierał drzwi, gdy nieznajomy zatrzymał się dwa metry przed maską.

– Major Popowski – powiedział nagle z dziwnym akcentem. – Trzymaj! To dla ciebie! – Położył coś na ziemi, po czym zaczął biec i po kilku chwilach zniknął w ciemnościach.

Batyszkin nawet się nie zorientował, że coś się stało, ale Popowski znieruchomiał i poczuł, jakby dostał pięścią pod mostek. Odebrało mu oddech. Na ziemi leżała biała koperta. Przez moment na nią patrzył i wiedział, kto ją przesłał. Zrobiło mu się nawet przyjemnie, bo lubił Wolskiego. Wiedział, że Konrad jest taki sam jak on, jest jego lustrzanym odbiciem, że są oficerami swoich wywiadów i wzajemnie się szanują.

Podniósł kopertę dokładnie w momencie, kiedy Batyszkin włączył światła i pojawiła się reszta grupy.

Witaj, Misza! Dziękuję Ci za list, który dotarł do mnie z pewnymi komplikacjami, ale zawsze. To miłe, że o mnie pamiętasz. Ja o Tobie, jak widzisz, też. Do rzeczy! Niestety, nie mogłem skorzystać z Twojego zaproszenia do Brześcia, bo miałem inną robotę, przypadkowo też w Brześciu. Aha! Mam nadzieję, że nie pobiłeś się z tymi panami nad otwartą mogiłą. No, byłby wstyd! Misza, przyjacielu! Mam dla Ciebie solidną i opłacalną propozycję. Biznes do zrobienia. To ma być biznes między Tobą a mną! Tylko i wyłącznie! Nie pomyśl sobie, że to podpucha jakaś, nie! Nasze generały nie muszą, póki co, o niczym wiedzieć. Zresztą zadecydujesz, jak się dowiesz, o co chodzi. Wiadomo, nie?! Miszka! Przyjacielu Mój Największy za Bugiem! Wrogu Mój Osobisty! Czekam na Ciebie w knajpie Manneken Pis w Brukseli o trzynastej we wtorek. Zapamiętasz czy mam powtórzyć? Bruksela to chyba neutralny teren? Tylko bez numerów, Stirlitz, bo jutro obejrzysz się na YouTube! No nie! To żart! Oczywiście!

Czekam i pozdrawiam
Konrad Wyzwoliciel

## 64

– Która godzina? – zapytał Tatar, nie odrywając od oczu lornetki.

– Zero dwadzieścia siedem – odpowiedział bez wahania Jagan.

– Jak to jest, masz jakiś implant w głowie, zegarek czy co? Czy to jakiś trik? Ty, kurwa, nie jesteś normalny. – Tatar mówił bardzo cicho i wciąż obserwował przez lornetkę łodzie i port. – Mówią, że jesteś nieśmiertelny. To prawda?

Jagan milczał i zupełnie nie zwracał uwagi na to, co mówi Tatar. Siedział ze skrzyżowanymi nogami na ziemi i starał się rozpocząć swój trening autogenny. Nagle poczuł szarpnięcie za ramię i usłyszał Tatara.

– Obudź się!

– Zero dwadzieścia dziewięć – powiedział nie bez ironii.

Tatar spojrzał na zegarek.

– Takiego wała! Pomyliłeś się o minutę!

– Twój zegarek źle chodzi...

– To go jebać! Przysuń się. Coś ci pokażę.

Po chwili obaj siedzieli, dobrze ukryci, w krzakach na wysokiej skale.

– Są cztery pomosty... Widzisz? Liczymy od prawej... – zaczął Tatar.

– Widzę...

– Drugi pomost od prawej...

– Mam!

– Piąta łódź po lewej...
– Mam!
– Wygląda na nową i szybką. Widzisz? Musi mieć ze trzysta koni...
– Ty to potrafisz poprowadzić? – Jagan spojrzał na niego z niedowierzaniem.
– Oficer rosyjskiego wywiadu wszystko potrafi! – Tatar odłożył lornetkę i uśmiechnął się. – Nie martw się! Potrafię... Ty też potrafisz. To prawie jak samochód. Mamy jednak pewien problem. Teren portu jest ogrodzony i zabezpieczony przed złodziejami... ale... nie przed specnazem! *Ponimajesz, pacan?*
Powrócił do obserwacji przez lornetkę.
– Pójdziemy sobie popływać. Chyba umiesz? Uczą tego w GRU?
– Wal się! – Jagan ignorował złośliwości Tatara.
Taką łodzią jeszcze nigdy nie płynął. Zaliczył ćwiczenia desantowe, ale to były pontony, dosyć szybkie, ale tylko pontony. Lubił takie niespodzianki.
– Co robimy?
– Zwyczajnie. Popłyniemy tam... odczepimy łódkę, wypchniemy jak najdalej od portu i uruchomimy w bezpiecznej odległości. Potem wrócimy po nasze rzeczy. Odpłyniemy w jakieś odpowiednie miejsce, schowamy się gdzieś i do świtu pośpimy w komforcie, jak jakiś Bierezowski, kurwa, albo Abramowicz.
– Podoba mi się! Kto nas, kurwa, znajdzie na łódce? Dobrze to wygląda, a już się bałem, że spierdolimy całą robotę. Byłby wstyd! Nie?
– Nie ze mną, Jagan! Nie ze mną! – Tatarowi wyraźnie zaczął dopisywać humor.

Odepchnięcie łodzi od kei było stosunkowo łatwe. Zrobili to szybko i cicho. Dużo problemów nastręczyło im natomiast wykierowanie jej w odpowiednią stronę, tak by nie uderzyła w skalisty brzeg wysepki. Na szczęście woda była zaskakująco ciepła, przynajmniej na powierzchni. Światło księżyca ułatwiało orientację i jednocześnie dawało doskonałe schronienie w cieniu.

Bez trudu uruchomili łódź urządzeniem do otwierania samochodów. Ciężki pomruk silnika rozniósł się po nieruchomej jak lustro wodzie. Tatar szybko zmniejszył obroty i zaczął powoli płynąć w kierunku miejsca, gdzie zostawili swoje rzeczy. Dobił do pomostu na kąpielisku. Jagan sprawnie wrzucił na pokład dwie zielone torby i Tatar odbił łódź, kierując ją na otwartą przestrzeń. Jak najdalej od portu.

Pierwszy obudził się Jagan. Dopiero teraz zobaczył, że kabina, w której spali, choć nieduża, wygląda bardzo komfortowo i elegancko. Wyszedł na pokład i rozejrzał się dookoła. Łódź stała zacumowana do wysokiego skalistego brzegu. Kołysała się leciutko, chociaż nie było wiatru. Słońce dopiero wznosiło się nad horyzont.

Spał trzy godziny i dwanaście minut. Szybko ocenił, że to w zupełności wystarczy. Cisza i bujna natura w zestawieniu z elegancką łodzią wprowadziły go w dobry nastrój. Nie miał najmniejszego pojęcia, gdzie jest, lecz w otoczeniu lasu i skał czuł się bezpieczniej niż w mieście.

Najważniejsze – pomyślał – żebym nie przegapił Tatara. Nie może mnie przechytrzyć, bladź! Będzie chciał to zrobić po wykonaniu zadania... Teraz jestem mu jeszcze potrzebny.

Wyciągnął pistolet zza paska i zaczął rozcierać plecy. Po chwili rozebrał się do naga i wskoczył do wody. Opłynął łódź. Na burcie przeczytał napis: „Bavaria 29 Sport".

– Muszę zapamiętać! – powiedział do siebie.

Wrócił na łódź i zajrzał pod pokład. Tatar wciąż spał, odwrócony do niego plecami.

Jeszcze wczoraj znalazł w kajucie biały szlafrok. Włożył go i wyszedł na zewnątrz. Usiadł na miękkim fotelu, żeby dokończyć trening autogenny. Musiał zdusić coraz bardziej natarczywy głód.

Po trzydziestu siedmiu minutach Tatar wyszedł na pokład i przerwał Jaganowi trening. Usiadł obok niego. Miał zmierzwione włosy i bladą, opuchniętą twarz. Wyglądał, jakby z trudem dochodził do siebie.

– Niezła łódeczka! – zaczął Jagan, wciąż siedząc po turecku z zamkniętymi oczami. I mimo że Tatar nie okazał zainteresowania, dorzucił po chwili: – Bavaria dwadzieścia dziewięć... Sport!

– Skąd wiesz? – Tatar ożywił się i spojrzał na niego ze zdziwieniem. – Zresztą... nieważne... Nie chce ci się pić?

– Poszukam czegoś. Może coś tu jest...

– Szukałem wczoraj. Nic tu nie ma... – stwierdził z żalem w głosie i splunął w kryształową toń. – Bladź! – przeklął i zaraz spytał: – Dzisiaj sobota?

– Sobota! Jest za trzy piąta!

– Zanim zajmiemy się naszym klientem, musimy gdzieś zaopatrzyć się w wodę i coś do jedzenia...

– Najlepiej na stacji benzynowej. Są takie czynne całą dobę – wtrącił Jagan.

– I co, podpłyniesz tą łódką i powiesz: „Do pełna proszę"? Ochujałeś?! Jeśli znają nasze mordy, to wywiesili je właśnie na wszystkich stacjach benzynowych, w sklepach i chuj wie gdzie jeszcze. Na szczęście dla nas szukają pewnie Łotyszy... Policja przetrząsnęła w hotelu, co tylko się dało, i mają nasze odciski palców... ale nie mogą ich mieć w bazie danych.

– Ale teraz już będą mieć! Trzeba będzie bardziej uważać w przyszłości – rzucił Jagan i Tatar spojrzał nań zdziwiony przebłyskiem jego inteligencji. – To co z tym zaopatrzeniem?

– No? Pomyśl, żołnierzu! – powiedział w typowy dla siebie sposób Tatar, jak zawsze kiedy chciał pokazać, że zna już odpowiedź.

Te jego zagrywki, dotąd tak wkurzające, nagle stały się Jaganowi obojętne. Tatar miał już u niego zatwierdzony wyrok. I ta myśl sprawiała mu coraz większą przyjemność, chwilowo zakłóconą pragnieniem wielkiego, zrobionego z grubego szkła kufla piwa z pianą. Kiedyś w Monachium wypił takich kilkanaście.

– Jak się zaopatrują piraci? – ciągnął Tatar. – Na morzu, żołnierzu! Na morzu!

Jagan musiał zrobić głupią minę, bo Tatar zapytał:

– Czego nie rozumiesz?! Wytypujemy jakąś łódkę zacumowaną w bezpiecznym miejscu i zrobimy zaopatrzenie. Mówisz, że dzisiaj sobota, więc pewnie będzie dużo łodzi. Ludzi się zwiąże i już. Teraz rozumiesz?!

– Jasne!

Tatar zszedł pod pokład i przyniósł swój komputer.

– Muszę go doładować – stwierdził i zaczął wystukiwać coś na klawiaturze. – Kurwa! – rzucił niespodziewanie i uderzył pięścią w stolik. – Gdzie masz telefon? Wyłączamy... wyjmujemy baterie. Teraz będziemy razem, więc nie będą nam potrzebne. Kurwa, mogli nas namierzyć! Bladź! Bladź! Bladź!

Obaj natychmiast odłączyli baterie od telefonów.

Jagan miał powody, by być przewrażliwionym na punkcie telefonów komórkowych, i chciał przygadać Tatarowi, ale zrezygnował, bo uznał, że to już nie ma sensu. Tatar popełniał coraz więcej błędów i to był fakt, którym Jagan zaczął się poważnie przejmować, bo facet mógł wpaść w panikę i zlikwidować go wcześniej niż on jego. Dlatego zrezygnował z komentarza, żeby go nie prowokować. Przysiągł sobie jednak w duchu, że jeżeli gość popełni jeszcze jedną pomyłkę, to go odstrzeli. Profilaktycznie.

– Sprawdzę, gdzie jesteśmy i jak dostać się wodą do tej Åkersbergi – zakomunikował Tatar i zaczął pisać na klawiaturze. – GPS się zalogował! – oznajmił po chwili z radością i polecił Jaganowi, żeby sprawdził, ile zostało paliwa. – Ta łódź ma swój GPS i pewnie dobre mapy satelitarne tego regionu, ale będziemy musieli to wszystko wyrzucić, bo mogą tam być jakieś niespodzianki i w mig nas znajdą. Że też ja, kurwa, wcześniej o tym nie pomyślałem! – powiedział cicho do siebie, ale Jagan tego nie usłyszał.

– Prawie pełny zbiornik…

– To dobrze! Teraz… wypierdalamy całą elektronikę za burtę!

– Nie będzie nam potrzebna?

– Nie! Nie znam tych programów. Poprowadzi nas mój komputer. Ma wszystko co trzeba. Według mojej mapy to całkiem niedaleko!

Usunięcie sprzętu zajęło im kilkanaście minut. Nawet się nie spodziewali, że pójdzie im tak łatwo. Dla pewności wyrzucili też radiostację.

Przez cały czas Jagan mruczał pod nosem. Był zachwycony łodzią i nie podobała mu się jej dewastacja. Skórzane fotele, chromowane detale i wykończenia z tekowego drewna sprawiały, że rzeczywiście czuł się jak Abramowicz albo przynajmniej właściciel jakiegoś jachtu na podmoskiewskich wodach.

Gdy skończyli, Tatar znów usiadł do komputera i zaczął szczegółowo przeglądać trasę, którą mieli przepłynąć do domu Jorgensena. Jaganowi polecił wziąć lornetkę i dokładnie przejrzeć okolicę w poszukiwaniu łodzi zaopatrzeniowej, jak się wyraził. Po piętnastu minutach był gotowy. Wskoczył na górny pokład i przeciągnął się zadowolony.

Jagan nie znalazł żadnej łodzi oprócz tych, które stały zacumowane w porcie, dwa kilometry siedemset metrów od nich, po drugiej stronie. Tak też zameldował Tatarowi.

– Nie jesteśmy na jeziorze Melar… Na szczęście! Czułeś? – zapytał. – Woda jest słona. Gdybyśmy byli na jeziorze, musielibyśmy przepłynąć przez śluzy w mieście, a mogłoby to być ryzykowne. Na tym archipelagu jesteśmy w naszej łódeczce bezpieczni, nikt nas tu nie znajdzie. Mogą nas szukać do usranej śmierci – zakończył pewny siebie i kazał Jaganowi odcumować łódź.

Jagan wciąż siedział w białym szlafroku, rozkoszując się porannym słońcem, i polecenie wykonał z wyraźnym ociąganiem.

Tatar włączył potężny silnik o mocy trzystu dziesięciu koni, aż łodzią wstrząsnęły dreszcze, a dźwięk odbił się od okolicznych skał. Usiadł w fotelu po lewej stronie i obracając kierownicą, powoli wyprowadził łódź na otwartą przestrzeń.

– Siadaj! – krzyknął.

Jagan zajął miejsce na fotelu obok. Tatar prawą ręką wcisnął manetkę obrotów i łódź najpierw jakby przysiadła, a po sekundzie rzuciło nią gwałtownie do przodu, czemu towarzyszył rozdzierający ryk silnika. Przyspieszenie wepchnęło ich w fotele jak w startującym samolocie i poczuli silny powiew zimnego powietrza.

Jagan w ostatniej chwili chwycił się drążka i obaj jak na komendę zawyli na całe gardło z podniecenia, ale ryk silnika nie pozwalał im usłyszeć nawet własnego głosu. Łódź niemal natychmiast osiągnęła prędkość pięćdziesięciu węzłów i można było odnieść wrażenie, że za chwilę uniesie się w powietrze.

## 65

Linda nie spała już od piątej rano. Wieczorem zapomnieli zasłonić okno, które wychodziło na wschód, i światło raziło ją nawet przez opuszczone powieki.

U żadnych lokatorów domu przy Götgatan słońce nie pojawiało się wcześniej niż u nich, gdyż mieszkanie Olafa to był przerobiony strych. Na szczęście okno sypialni znajdowało się od podwórza, przez co było w niej stosunkowo cicho. A nic tak nie przeszkadzało Lindzie jak nocny hałas.

Za to okno od salonu wychodziło na Götgatan, najgwarniejszą z ulic modnej od jakiegoś czasu dzielnicy Södermalm, z licznymi pubami i kawiarniami, tętniącymi życiem zwłaszcza w weekendowe wieczory.

Do szóstej Linda leżała w łóżku i próbowała wyciągnąć spod Olafa cienką kołdrę, którą swoim zwyczajem szczelnie się owinął razem z głową i kurczowo ścisnął rękami i nogami. Robił to bezwiednie, we śnie, jakby kołdra należała wyłącznie do niego. Kiedy się budził w nocy i widział odkrytą Lindę, zawsze delikatnie i czule ją okrywał, by po chwili znów owinąć się w kokon. Linda lubiła ten nawyk Olafa, nawet ją to bawiło, choć zaczynało zdarzać się nazbyt często. Już dawno powinna była sprawić sobie własną kołdrę.

Większym problemem ich wspólnych nocy były mecze unihokeja, które Olaf odgrywał we śnie przynajmniej raz w tygodniu, zarówno słowem, jak i ciałem. Jeśli Lindzie nie udało się go obudzić wcześniej, zdarzały się sporadycznie dość poważne kontuzje. Dwukrotnie wybił sobie palce u rąk, kiedy walcząc dzielnie o piłkę, uderzył pięścią w ścianę. Szczęśliwie liczba kontuzji, których mimowolnie doznawała Linda, było stosunkowo niewielka. Ta noc, przynajmniej pod tym względem, była wyjątkowo spokojna, mimo że Olaf miał przed sobą mecz rewanżowy.

Walka o kołdrę wydawała się beznadziejna, więc Linda postanowiła obudzić Olafa i rozpocząć dzień, prawdopodobnie jeden z najważniejszych w jej życiu. Rosjanin z blizną, Carl i Hans Jorgensenowie, sobota... tyle pytań! Męczyła się, walcząc z natłokiem myśli i denerwującym bałaganem faktów.

– Wstawaj, Olaf, już szósta... Obudź się! – Potrząsnęła nim zdecydowanie. – Musimy porozmawiać! Olaf!

Powoli, z ociąganiem wysunęła się z kokonu zmierzwiona blond głowa z rozbrajającym uśmiechem i pogodnymi oczami pełnymi słońca. To był jedyny znany Lindzie mężczyzna, który budził się zawsze z uśmiechem na twarzy.

Pocałowała go w nos.

– Wstawaj, Kłapouchy! Jestem głodna! Moja propozycja na najbliższe trzydzieści minut jest taka: ja nastawiam ekspres do kawy i biorę prysznic, a ty, Kłapouchy, wciągasz spodenki i idziesz po świeże kanebulle. W lodówce hula wiatr! Potem coś ci pokażę…

– Pokaż teraz, Puchatko… Mmmm… Wczoraj nie wszystko dokładnie obejrzałem…

Olaf próbował żartować, ale Linda już wstała i poszła do kuchni. Gdy się ubierał, usłyszał, że rozmawia przez telefon. Z kontekstu wywnioskował, że skontaktowała się z oficerami, którzy prowadzili w nocy obserwację Jorgensena. Rozmowa trwała na tyle krótko, że łatwo mógł się zorientować, iż nie zaszło nic szczególnego. Linda poszła do łazienki, on zaś zjechał na dół po świeże bułeczki.

Przed wejściem do kiosku zobaczył reklamę pierwszej strony dziennika „Dagens Nyheter" i nagłówek: *Tajemnicza strzelanina w Solna Vandrarhem. Dwie ofiary, policjant i recepcjonista. Drugi policjant walczy o życie*. Podszedł bliżej i wziął do ręki gazetę. Przez chwilę nie mógł sobie przypomnieć, gdzie ostatnio słyszał o tym hotelu. Ktoś mu o nim mówił, ale nie pamiętał kontekstu. Zaczął przeglądać gazetę i nagle zrobiło mu się gorąco.

Potrzebował kilkunastu sekund, by dojść do siebie i zrozumieć to, co przeczytał.

Na pierwszej stronie gazety widniało zdjęcie Garbinowa, dokładnie to, którego kopię przekazał mu dzień wcześniej Gunnar Selander, a poniżej zdjęcie samego Gunnara obok dwóch śmiertelnych ofiar strzelaniny.

Dopiero pod drzwiami uświadomił sobie, że nie zapłacił za gazetę, ale nie miał już zamiaru wracać. O bułeczkach zapomniał zupełnie. Wpadł do mieszkania w tej samej chwili, gdy Linda wychodziła z łazienki.

– Zobacz! – Podał jej gazetę.

– No wiem... Nie pamiętasz? Wspominałam ci o tym wczoraj...

– Zobacz zdjęcie, tu... na dole...

– Boże! To Gunnar! – krzyknęła. Znała Selandera ze spotkań towarzyskich po meczach unihokeja.

– Ten drugi to jego kolega, który mu pomagał... Portman czy jakoś tak... Widzisz to zdjęcie? – Olaf dotknął ręką gazety. – Ten człowiek... tutaj... to niejaki Garbinow, obywatel łotewski. Narodowości prawdopodobnie rosyjskiej... – przerwał i poszedł włączyć telewizor.

Linda stała w kuchni, wpatrzona w gazetę. Mimo rozchodzącego się po mieszkaniu świeżego aromatu nie mieli najmniejszej ochoty na kawę. Chyba po raz pierwszy w życiu.

– Gunnar był u mnie wczoraj w sprawie tego Garbinowa... Miał jakieś niejasne podejrzenia... – Olaf opanował się i zaczął nieco już składniej relacjonować rozmowę z Selanderem.

– Olaf! Policja nic o tym nie wie... Nie mają pojęcia, że Gunnar był z tą sprawą u ciebie. To oczywiste! Zadzwoniliby przecież... Nie wiadomo nawet, czy ten Garbinow jest rzeczywiście osobą z rejestru poszukiwanych...

Pełną emocji wypowiedź Lindy przerwał dzwonek. Olaf niemal rzucił się do telefonu.

– Cześć, Tom! – powiedział krótko i zasłaniając dłonią słuchawkę, wyjaśnił cicho Lindzie: – Hanson. – I po chwili: – Tak, tak... czytałem... Nie masz jeszcze odpowiedzi? Tom, zrób co się da... Odezwę się! W tej chwili jestem w domu, ale muszę pilnie jechać do pracy... Będę czekał! Hej!

Linda ze zrozumieniem pokiwała głową, więc Olaf nie musiał jej streszczać rozmowy.

Poszedł do łazienki, a Linda zaczęła się ubierać. Po dziesięciu minutach oboje byli gotowi do wyjścia. Wcześniej zadzwoniła jeszcze raz do oficera dyżurującego w volkswagenie transporterze, by dowiedzieć się jedynie, że Hans Jorgensen krząta się po domu, spędzając większość czasu w kuchni. W piwnicy był dwa razy. Ostatni raz piętnaście minut temu i po wyjściu zamknął za sobą klapę. Linda poinformowała oficera, że będzie za jakieś dwie godziny, na pewno jednak przed dziewiątą. Postanowiła, że teraz pojedzie z Olafem, który zdobył już numer telefonu inspektora prowadzącego sprawę strzelaniny w Solna i umówił się z nim na Polhemsgatan.

Wcześniej jednak zadzwonił do Kurta Lövenströma, który jak tylko usłyszał, że muszą natychmiast się spotkać, zapowiedział swój przyjazd do biura w ciągu dziesięciu minut.

Olaf nie mógł rozmawiać z policją, dopóki nie poinformuje o tym Kurta, chociaż dobrze wiedział, że w wypadku zabójstwa policjanta każdy zrobi wszystko, by ująć sprawcę, i nawet gdyby Kurt nie mógł przyjechać i dać mu formalnego pozwolenia, on i tak wziąłby decyzję na siebie.

Zastępca szefa Säpo mieszkał od dwudziestu pięciu lat na Torsgatan w dzielnicy Vasastan nad małym polskim sklepem spożywczym, w którym często zaopatrywał się w świeże wędliny i inne delikatesy.

Zderzyli się niemal w drzwiach biura. Kurt był w koszuli wypuszczonej na spodnie, a w kącikach ust pozostały mu jeszcze resztki pasty do zębów. Prawą nogawkę spodni miał spiętą. Olaf nawet nie przypuszczał, że Kurt przyjedzie tak szybko i do tego na rowerze. Z Torsgatan na Kungsholm miał do pokonania co najmniej półtora kilometra, lecz mimo jego tuszy nie widać było, żeby się specjalnie zmęczył.

Szli szybkim krokiem do jego gabinetu. Olaf zaczął już referować przebieg swojego spotkania z Gunnarem, starając się nie pominąć żadnego szczegółu. Odtwarzał w pamięci każde stwierdzenie, wątpliwość, wahanie, wyraz twarzy Selandera. Mówił także o własnych podejrzeniach, choć zbytnio ich nie eksponował, by nie przerodziły się w autosugestię. Wiedział, że za chwilę będzie musiał to wszystko powtórzyć jeszcze raz oficerowi prowadzącemu śledztwo w sprawie podwójnego zabójstwa.

Linda nie odzywała się, idąc krok w krok za Olafem i Kurtem. Chociaż wytężała słuch, słyszała w najlepszym razie połowę tego, co mówili.

Olaf skończył dokładnie w chwili, gdy weszli do gabinetu Lövenströma. Nie zdążyli nawet usiąść, kiedy Kurt zakomunikował:

– Włączamy się w to śledztwo. Zaraz zawiadomię o tym Paulssona i ministra Bergmana. Przygotuj się, być może trzeba będzie jechać do Rosenbadu i poinformować premiera. – Kurt podniósł słuchawkę telefonu, lecz ta zatrzymała się nagle w pół drogi. – Prowadzisz dzisiaj operację w Åkersberdze? – zwrócił się do Lindy.

– Zaraz tam jadę...

– Dobrze. Zaczekaj jeszcze chwilę... O której ma przyjechać Carl Jorgensen?

– Po południu...

– Jorgensen to ważna sprawa, ale zabójstwo w hotelu Solna jest teraz najważniejsze. Jest tam w Åkersberdze ktoś z głową? – Kurt stał ze słuchawką jak dowódca wydający rozkazy pod ostrzałem.

Linda zrobiła grymas, w którym wyczytał dokładnie to, co chciała mu przekazać.

– Na razie niech cię zastąpi Per Gustavsson...

– Musi mieć rozkaz generała Oscarssona!

Kurt nic nie odpowiedział, tylko wcisnął przycisk na konsoli.

– Proszę o natychmiastowe połączenie na linii alfa z Johnem Braggiem – rzucił krótko i odłożył słuchawkę.

– Zaczniemy od tego, co wiedzą na temat... Jak on się nazywa?

– Garbinow.

– ...co wiedzą na jego temat nasi angielscy koledzy z Security Service – dokończył.

Na chwilę zaległa cisza. Napięcie sięgnęło zenitu. Olaf i Linda czuli, że pod dowództwem Kurta gotowi są na każdy bój z Garbinowem, Jorgensenem i z kim tam jeszcze. I że żadna porażka nie wchodzi w grę.

Zadzwonił telefon. Odebrał Kurt i zaraz poinformował Olafa, że policjanci z grupy pościgowej oczekują go na korytarzu.

Gdy Olaf wyszedł, Kurt ponownie podniósł słuchawkę, ale zanim zdążył przystawić ją do ucha, odezwała się Linda:

– Kurt, wczoraj w Åkersberdze wydarzyło się coś niezwykłego. Nie miałam czasu powiedzieć o tym Olafowi, ale cała ta sprawa w hotelu Solna, Selander... Trochę się zagubiłam. To nie ma nic wspólnego z tym podwójnym zabójstwem, ale jest chyba bardzo ważne dla sprawy Jorgensena...

Lövenström stał wciąż ze słuchawką w ręku, wpatrzony w Lindę nieobecnym, jak się jej wydawało, wzrokiem.

– Mam mówić? – zapytała nieśmiało. – Może zaczekamy na Olafa?

– Mów! Olaf będzie się musiał zająć powołaniem naszej grupy w sprawie zabójstwa w hotelu. Nie pomoże ci. Sprawa Jorgensena spocznie teraz na twoich barkach. Masz do pomocy kolegów z KSI, Pera Gustavssona, Christiana Blooma... – Słuchawka dotarła w końcu do ucha Kurta, który poprosił o połączenie z szefem Säpo, Paulssonem. – Mów, Lindo... – powiedział. – I tak muszę trochę poczekać.

Linda zaczęła swoją relację od chwili przybycia do Åkersbergi na czele ekipy Säpo. Starała się nie pominąć niczego, co miałoby jakiekolwiek znaczenie dla zrozumienia sprawy. W niecałe trzy minuty doszła do zainstalowania kamer i mikrofonów.

Kurt nadal stał ze słuchawką przy uchu. Łączenie z Paulssonem wyraźnie się przeciągało, co w warunkach mobilizacji całej szwedzkiej policji było zupełnie naturalne.

Przeszła do okoliczności pojawienia się uzbrojonego Rosjanina z blizną i zaczęła wyjmować z teczki zdjęcia. Ze zdziwieniem zobaczyła, że ręka Kurta zaciśnięta na słuchawce odrywa się powoli od ucha i opada na biurko, a na jego okrągłej twarzy zaczyna się malować komiczny wyraz zaskoczenia.

Kiedy skończyła relację, Lövenström stał wciąż w tym samym miejscu, trzymając w obu rękach zdjęcia Rosjanina i przypatrując się im uważnie. Spojrzał na nią i uśmiechnął się gorzko. Poczuła się jak skarcony uczniak, który z lenistwa nie odrobił lekcji. Nie wiedziała jeszcze, skąd u Kurta taka reakcja, ale tak czy inaczej czuła się winna.

Postanowiła, że nie będzie już żadnego *Kubusia Puchatka* ani *Łowcy androidów* przed snem, dopóki nie załatwi z Olafem wszystkich spraw służbowych. Ale zaraz do niej dotarło, że przecież i tak mieli wkrótce przestać razem pracować, więc pewnie nie musi już dokonywać tego samosądu.

Kurt nie odezwał się do niej słowem. Przez interkom polecił sekretarce natychmiast wezwać Olafa, nawet jeśli nie skończył jeszcze rozmowy z policjantami z grupy pościgowej.

– Idę do Paulssona. Nie mamy czasu, trzeba bezzwłocznie przygotować wspólną grupę operacyjną.

Odkąd weszli do gabinetu, Kurt nie usiadł nawet na chwilę. Teraz wyszedł zza biurka i oddał Lindzie zdjęcia. Przez dłuższą chwilę patrzył jej w oczy. Wciąż nie mogła się pozbyć wrażenia, że coś zepsuła.

Nagle Kurt pierwszy raz tego dnia się uśmiechnął.

– Jak ty to robisz, Lindo? – zapytał zupełnie niesłużbowym tonem. – Zawsze jesteś w odpowiednim czasie w odpowiednim miejscu, a co najważniejsze, zawsze wiesz, jak wtedy postąpić. – W uszach Lindy zabrzmiało to jak niezasłużone rozgrzeszenie. – Wszystko to, co mi powiedziałaś, powtórz swojemu chłopakowi, jak tu przyjdzie. Najważniejsze są te zdjęcia! – wskazał ręką na biurko i ruszył energicznie w kierunku wyjścia.

Linda poczuła, jak pod jej stopami zakołysała się ziemia.

„Chłopakowi"?! Skąd on o nas wie?! – zagrzmiało jej w głowie.

Kurt otworzył drzwi i w progu zderzył się z wbiegającym Olafem, którego aż odrzuciło do tyłu.

– Co się stało? – zapytał, widząc Lindę stojącą jak słup pośrodku pokoju i uśmiechniętego Lövenströma. – Czy coś się stało, Kurt?

– Nie mam teraz czasu! Linda wszystko ci powie. Policjanci już wyszli? Zapomniałem powiedzieć, żeby zaczekali…

– Nie! Czekają – wtrącił Olaf. – Jeszcze nie skończyliśmy…

– To dobrze! Jest siódma piętnaście… – rzucił Kurt, przytrzymując prawą ręką mały złoty zegarek z czarnym paskiem na lewym przegubie. – Za… godzinę… powiedzmy o ósmej, musimy się spotkać. Chcę mieć wtedy gotowy plan działania. Gdyby coś się wydarzyło, informujcie mnie na bieżąco. Idę do Paulssona.

Kurt zapomniał, że wciąż ma spinkę na nogawce, i tak poszedł do dyrektora generalnego.

Gdy tylko zamknęły się za nim drzwi, Olaf już znowu miał zapytać, co się stało, lecz Linda nie dopuściła go do głosu.

– Idziemy do nas! – zarządziła. – Gdzie są ci policjanci?

– Przecież u nas…

– Idziemy! Powiem ci wszystko po drodze. Tymczasem zobacz! Kurt uważa, że to jest najważniejsze… – Wręczyła mu zdjęcie wpatrzonego w kamerę Rosjanina z blizną.

Olaf zdążył zrobić ledwie kilka kroków, gdy stanął jak wryty.

– Lindo! Kto… to… jest?! – Jego pytanie zabrzmiało ostro i nieprzyjaźnie. – Kto to jest? Skąd to masz? – Przerzucał zdjęcia jak talię kart. – Lindo!

– Zaraz ci… – chciała powiedzieć „wyjaśnię”, ale zreflektowała się natychmiast, że to teraz nieodpowiednie słowo. Dźwięczało jej jeszcze w uszach „opowiedz swojemu chłopakowi”, jednak tę kwestię postanowiła zostawić na później. – Zaraz ci opowiem…

Olaf przerwał jej i uniósł zdjęcia w obu rękach, jakby chciał zrobić na niej silniejsze wrażenie.

– To jest człowiek, którego wczoraj opisał mi Gunnar... Tego właśnie mężczyznę widział wychodzącego z pokoju Garbinowa... Ta blizna na twarzy! Nie sposób się pomylić... Gunnar to dobry policjant... Lindo! Kto to jest?! Skąd to masz?! – Olaf był śmiertelnie poważny.

– Olafie... – Linda z trudem wykrztusiła jego imię, jakby nie była pewna, czy jest prawdziwe. – Ten Rosjanin był wczoraj... jak założyliśmy kamery... on potem nagle wyszedł z piwnicy... – rwane frazy ledwie jej się przeciskały przez gardło.

– Lindo! – krzyknął. – Skup się! – I po chwili dodał już łagodniej: – On był w domu Jorgensena?! Tak? To zdjęcie jest z podglądu, widzę to... On tam był?! Tak? Skąd wiesz, że to Rosjanin?... *Fan! Fan! Perkele! Fuck!* – w Olafie odezwała się fińska krew. – Wiesz, co to znaczy?! – zapytał, chociaż widać było aż nadto wyraźnie, że Linda też już wiedziała, podobnie jak on sam i Kurt Lövenström, że strzelanina i zabójstwa w hotelu Solna łączą się ze sprawą Jorgensena.

Stali bez słowa naprzeciw siebie w odległości ponad trzech metrów na środku obszernego gabinetu Lövenströma i każde na własny sposób zastanawiało się, co teraz robić.

Napięcie spowodowane tym odkryciem ani trochę nie zaciemniało im obrazu sytuacji, nagle na nowo skomplikowanej. Więcej, powodowało, że oboje mieli wrażenie, jakby wzbierała w nich jakaś niezwykła moc i siła, by się z nią zmierzyć. Ale przede wszystkim pragnęli ująć zabójców policjanta i recepcjonisty, odpłacić za Gunnara. To była sprawa szwedzkiej dumy i honoru służby.

Do świadomości Lindy dotarło wówczas w zupełnie oczywisty sposób, że Hans i Carl Jorgensenowie są w tym starciu po jej stronie. Nie potrafiła tego jeszcze udowodnić, bo w obliczu ostatnich wydarzeń jej analiza konsekwencji była bezużyteczna. Podpowiadała jej to intuicja, dotychczas tak przez nią wyśmiewana i lekceważona.

– Opowiadaj wszystko po kolei! – zażądał Olaf i oboje ruszyli do swojego biura.

Linda miała wrażenie, że odkąd weszli do gabinetu Kurta, minęła godzina, a może więcej. Patrząc jednak na wielki zegar w korytarzu, ze zdumieniem stwierdziła, że upłynęło zaledwie piętnaście minut.

– Najważniejsze teraz to przekazać grupie pościgowej zdjęcia tego Rosjanina z blizną! Każda chwila ma znaczenie... – powiedział już znacznie spokojniej i przyspieszył kroku.

Linda tymczasem zaczęła mu szczegółowo referować przebieg wczorajszych wydarzeń.

## 66

Ulf i Margaretha spali jeszcze mocno. Poprzedniego wieczoru długo siedzieli przy ognisku, grillując dwie flinty z wieprzowego mięsa. Wypili też trzylitrowy karton wytrawnego czerwonego wina Foot of Africa za sto osiemdziesiąt dziewięć koron, najtańszego, jakie znaleźli w sklepie monopolowym System Bolaget.

Oboje chodzili do tej samej klasy w gimnazjum Södra Latin i wiosną ukończyli naukę. Ulf złożył papiery na Wydziale Medycyny Uniwersytetu w Uppsali, a Margaretha w Wyższej Szkole Handlowej. Mimo że w szkole średniej uzyskali maksymalną liczbę punktów wymaganą od kandydatów na te kierunki, do ostatniej chwili nie byli pewni, czy im się udało. Konkurencja tego roku była ogromna.

Tydzień temu oboje otrzymali ze swoich uczelni zawiadomienia, że zostali przyjęci. Postanowili więc podzielić się swoją radością i sobą nawzajem. Ulf wziął bez zgody ojca jego prawie trzydziestoletnią łódź typu Uttern 690 i popłynęli na archipelag.

Tego dnia rano zakotwiczyli w dzikiej zatoce wyspy Ägnö. Byli pierwsi, więc nikt więcej nie próbował zająć tego miejsca. Przez cały dzień kąpali się i czytali książki. Pod wieczór Ulf rozpalił na brzegu grilla. Wraz z ubywaniem wina w kartonie i zapadającym zmierzchem coraz natarczywiej próbował wydobyć z Marge, jak ją nazywał w wyrazie uwielbienia dla *Simpsonów*, deklarację wierności, równą tej, którą królowa Maria Eleonora obdarzyła Gustawa Adolfa. Z pasją przyszłego lekarza opisywał, jak w XVII wieku wyglądały królewskie zwłoki po wielotygodniowej podróży z pola bitwy pod Lü-tzen do Sztokholmu. Marię Eleonorę trzeba było siłą wyprowadzić z kaplicy, gdzie przez wiele dni spała z odkrytymi doczesnymi szczątkami małżonka złożonymi na katafalku.

Marge nie chciała słyszeć o przysiędze, a opowiadanie Ulfa wymieszane z czerwonym winem przyniosło wiadomy efekt.

Miała poważny kłopot, by z powrotem wejść na łódź, i mimo że była zła na Ulfa za udrękę, jaką jej zafundował, musiała poprosić go o pomoc. Obiecała sobie jednak, że na dzisiaj to będzie wszystko i więcej nie pozwoli się dotknąć. Po jego opowiadaniu na samą myśl o seksie zrobiło jej się znowu niedobrze. Nawet zaczęła się zastanawiać, jak w związku z jego przyszłym zawodem będzie wyglądać ich życie. Seksualne, oczywiście.

Zasnęła tak, jak stała. Zdążyła tylko postawić przy łóżku wiaderko. Słyszała jeszcze, że Ulf też miał trochę kłopotów z powrotem na łódź, i gdy była pewna, że mu się udało, odpłynęła na dobre.

Jagan schował się za niewysoką skałą porośniętą mchem, z dwiema dość dużymi sosnami. Przez chwilę się zastanawiał, jak to możliwe, żeby utrzymały się na takim podłożu. Sprawdził nawet nożem grubość ściółki na skale i z niedowierzaniem pokręcił głową. Zaraz jednak wrócił do obserwowania przez lornetkę łodzi zacumowanej w zatoce.

Musiała mieć nie więcej niż siedem metrów. Sprawiała przyjemne wrażenie, ale od razu ocenił, że to nie Bavaria 29 Sport, chociaż była nawet nieco większa. Z wysoka widział obie łodzie, które rozdzielała skała.

Tatar siedział na fotelu, z nogami na burcie, i obserwował Jagana, który po kilku minutach dał mu znak, że rusza na dół. W następnej chwili jego plecak zniknął za skałą.

Jagan zbliżył się do łodzi na odległość siedemnastu metrów i uważnie obserwował otoczenie. Na wodzie w oddali pojawiły się pierwsze żagle. Była ósma dwanaście i bardzo chciało mu się pić. Ale nie myślał o wodzie, myślał o piwie.

Łódź była tak zacumowana, że można było wspiąć się na nią bez większego problemu. Na brzegu stał stolik z brudnymi naczyniami i plastikowymi kieliszkami z czerwonym osadem na dnie, dwa leżaki i wypalony grill. Jagan szybko ocenił, że na łodzi są dwie osoby i muszą mocno spać po wczorajszym przyjęciu. Ulżyło mu trochę, bo nie zauważył żadnych przedmiotów, które mogłyby wskazywać na obecność dzieci. Przez dzieci tracił poczucie pewności siebie i samokontrolę.

Z łatwością dostał się na łódź. Wyjął pistolet. Poruszał się po cichu, stawiając ostrożnie stopy, tak by łódź nawet nie poczuła, że dotyka jej ktoś obcy. Próbował zajrzeć do kabiny pod pokładem przez wąskie okienka, te jednak były szczelnie zasłonięte. Po lewej burcie przeszedł na rufę i zobaczył, że Tatar już powoli dryfuje sto pięć metrów dalej, obserwując go przez lornetkę.

Wszedł do sterówki. Drzwi prowadzące pod pokład były zamknięte. Uznał zatem, że sytuacja jest pod kontrolą i ktokolwiek jest wewnątrz, nie może już stanowić dla niego zagrożenia. W sterówce zobaczył kontener zielonych kapslowanych butelek o pojemności jednej trzeciej litra. Wyciągnął jedną, otworzył zębami i próbował wypić, ale ciepłe spienione piwo poszło mu nosem i kącikami ust, aż się zakrztusił i zaczął intensywnie kaszleć. Próbował się powstrzymać, ale bezskutecznie.

Nagle otworzyły się drzwi do kajuty i pojawiła się w nich zaskoczona twarz chłopaka, a za nim zaspanej dziewczyny.

Chłopak powiedział coś agresywnym tonem, ale Jagan i tak nie zrozumiał, zwłaszcza że wciąż spazmatycznie pokasływał i chrząkał, zasłaniając twarz ręką. Do chłopaka dołączyła z głośnym protestem dziewczyna. Jagan zdenerwował się, że kaszel mu nie przechodzi, i nie patrząc, wycelował pistolet w stronę drzwi. Już chciał strzelić, ale głosy natychmiast umilkły i dwie twarze schowały się we wnętrzu kajuty.

Tymczasem Tatar dobił do łodzi i zaczął przywiązywać cumy.

– Chłopak i dziewczyna. Są pod pokładem... – powiedział Jagan, wciąż chrząkając. – Kurwa! Coś mi poleciało! – Walił się pięścią w pierś.

– Wziąłeś ich telefony komórkowe?! – krzyknął do niego Tatar. – Przecież ci mówiłem!

Jagan podszedł do drzwi kajuty. Na rozgrzebanym posłaniu siedział chłopak i obejmował skuloną, przerażoną dziewczynę. Ujrzawszy wycelowany pistolet, dziewczyna wtuliła się mocniej, a chłopak zamknął oczy.

– *Siditie ticho! Wsio budiet w poriadkie!* – powiedział Jagan, ale oni nie zareagowali. – *Silence, okay?* – odezwał się łamaną angielszczyzną. – Telefon? – zapytał i pokazał ręką, o co mu chodzi, chociaż chłopak wciąż siedział z zamkniętymi oczami.

– Wszystko w porządku. Otwórz oczy! – powiedział Tatar po angielsku, stojąc w drzwiach. – Nic wam nie zrobimy. Oddajcie telefony komórkowe!

Chłopak puścił dziewczynę, która zaczęła się jeszcze bardziej trząść, i sięgnął na półkę po dwa telefony. Podał je rozdygotanymi rękami Jaganowi, który przestał już kasłać.

– No, chyba mi przeszło. Bladź! – powiedział, wyciągając rękę. – Patrz, iPhone! – pokazał Tatarowi aparat. – Biorę go!

– Nic nie bierzesz! Dawaj! – rozkazał Tatar. – Zabieramy picie i jedzenie, nic więcej. I spadamy stąd!

Jagan oddał telefony, które natychmiast wylądowały pod butem Tatara, a potem poleciały daleko w wodę.

– Co z nimi zrobimy? – Jagan wskazał głową kajutę.

Tatar przeszukiwał szafki. Otworzył małą lodówkę. W szufladzie znalazł plastikową reklamówkę, do której zapakował wszystko, co mu wpadło w ręce.

– Co mamy z nimi zrobić? – zapytał ponownie Jagan.

Tatar wciąż go ignorował. Usiadł, otworzył piwo ze skrzynki, które wyciekło na jego rękę i dalej na podłogę.

– Zwiąż ich! – rzucił zdecydowanie.

– *W poriadkie! Choroszo!* Wiesz, co robisz...

– Masz inny pomysł?! – przerwał mu Tatar i popatrzył nań z obrzydzeniem, chociaż Jagan tego i tak nie zauważył. – Nie szkoda ci ich? Ty jesteś naprawdę bydlak! Przecież to dzieciaki. Wystarczy, że sobie posiedzą do jutra na łajbie. Nikt ich nie znajdzie do tej pory. Pospiesz się!

– Widziałem tu sracz. Przyjemnie byłoby posiedzieć jak...

– Dobra! Tylko nie za długo... Ja też skorzystam! – Tatar pociągnął piwo z butelki. – Straszne gówno! Jak ci Szwedzi mogą to pić?!

– Ciepłe! Dlatego... – odpowiedział Jagan przez zamknięte drzwi maleńkiej toalety.

Ściągnął spodnie i usiadł na sedesie. Z plecaka wyjął zestaw wielofunkcyjny Leatherman, a drugą ręką wypuścił ze swojego glocka magazynek, który złapał w powietrzu. Odłożył pistolet na bok, a kciukiem szybko wypchnął z magazynka cztery pociski.

– Co oni robią? – zapytał Tatara, by sprawdzić, gdzie jest.

– Pospiesz się! – usłyszał w odpowiedzi.

Za pomocą szczypiec nie bez trudu rozłożył pierwszy pocisk. Wysypał z niego proch do sedesu, po czym złożył go ponownie. Wiedział dobrze, jak to się robi. Pusty nabój od razu wepchnął z powrotem do magazynka. Opróżnienie wszystkich czterech zajęło mu minutę dwadzieścia sekund. Poczuł satysfakcję, że udało mu się to zrobić tak sprawnie, i to pod nosem Tatara. Wepchnął magazynek do pistoletu i dopiero teraz mógł naprawdę skorzystać z toalety.

Gdy wyszedł, Tatar wciąż siedział w tym samym miejscu, z pustą butelką w ręku, i wpatrywał się przed siebie, w wodę, skały i las. Po chwili podniósł się i wszedł do toalety.

Jagan przeskoczył na bavarię i zniknął pod pokładem. Nie pomylił się, glock Tatara leżał na koi, dokładnie w tym samym miejscu, w którym widział go rano. W kilka sekund sprawnie wymienił magazynki, wkładając do pistoletu Tatara swój ze spreparowanymi pociskami, i równie szybko wrócił na łódź.

Tatar wciąż siedział w toalecie.

Jagan otworzył piwo. Rozpierała go duma wzmocniona uczuciem radości, że przechytrzył Tatara w taki prosty, szkolny sposób. Ale najważniejsze, że poczuł się bezpiecznie i nie będzie już musiał cały czas o tym myśleć, uważać na każdy jego ruch, zastanawiać się, co za chwilę zrobi i dlaczego. Jeżeli Tatar będzie chciał do niego strzelić, pistolet klapnie ostrzegawczo spłonką, jak zabawka. Pewnie przeładuje jeszcze raz, a tu znów – kapiszon! Jagan aż się uśmiechnął i pokręcił z zadowoleniem głową. Zanim przeładuje jeszcze raz, on powoli wyciągnie swojego glocka, wymierzy Tatarowi między jego dzikie oczy i zupełnie się nie spiesząc, z pełnym uśmiechem na twarzy, właśnie tak, żeby drań wiedział, kto tu rządzi, wypuści dwa szybkie dziewięciomilimetrowe pociski typu Para.

*Budiet i na mojej ulicy prazdnik!* – pomyślał.

Tatar wyszedł z toalety.

– Co się tak głupio uśmiechasz? Widziałeś się kiedy w lustrze? – rzucił, zapinając spodnie. – Spierdalamy! Mamy co jeść i pić na cały dzień… – Spojrzał na zegarek. – Jest ósma trzydzieści. Płyniemy do Åkersbergi sprawdzić, czy nasz obiekt już tam jest. Módl się, żeby był, bo jak go nie będzie, to pewnie czeka nas sporo kłopotów.

– Co z nimi? – zapytał znów Jagan.

– Zwiąż ich i już. Tylko tak, żeby nie uwolnili się do jutra wieczorem i żeby nie wykitowali. Młodzi są! Żal mi ich! Tobie nie?

– Ja bym ich kropnął! – odpowiedział zdecydowanie. – Chuj wie... uwolnią się, wezwą pomoc, policję. Po naszych manewrach w hotelu będą tu raz-dwa i wszystko połączą... wezwą helikopter...

– Dobrze kombinujesz i masz łeb nie tylko do strzelania. – Tatar był wyraźnie ironiczny. – Znasz taki kanał Discovery? Oglądałeś kiedyś?

– Pewnie! Są tam czasem dobre programy o broni i o naszym specnazie był raz film...

– Jeśli ci się uda wrócić, to zobacz program *Jak to jest zrobione?* Pokazują tam, jak się robi różne rzeczy, proste i skomplikowane, w różnych fabrykach. Rzeczy proste czasem wymagają bardzo skomplikowanych działań, a skomplikowane są czasem banalnie proste w produkcji. Jest jednak dla wszystkich jedna zasada: robi się je według z góry zaplanowanego schematu i logiki. Nawet nie wiesz, jak robi się taką butelkę, którą trzymasz w ręku, albo piwo i wszystkie te rzeczy, co cię otaczają.

Jagan spojrzał na butelkę i zmarszczył brwi.

– Tak samo jest z nami! Naszą robotą tutaj. Od tego pierdolonego zdarzenia w hotelu pracuje cała fabryka policji, pograniczników, tutejszego KGB i co tam jeszcze, a wszystko tylko po to, żeby dobrać się nam do dupy. Jeszcze dzisiaj znajdą, jeśli już nie znaleźli, nasz samochód. Potem ustalą, że wzięliśmy sobie piękną łajbę i opalamy się w jakiejś zatoczce. Będą mieć może sto różnych wersji, ale sprawdzać będą każdą. To pewne! Rozumiesz?

– Jasne! – odparł Jagan, bo nawet dla niego było oczywiste, że ściga ich policja, ale nic nie zrozumiał z teorii Tatara o produkcji różnych rzeczy.

– Mówiąc inaczej, otaczają nas przedmioty, o których prawie nic nie wiemy. Nie wiemy nawet, jak mądrzy ludzie nad nimi pracowali. Ale nawet mądrzy ludzie potrzebują czasu! Czasu! I tu jest nasza szansa...

– Ja bym ich jednak... To w końcu... no, pewniej... bezpieczniej...

– Bydlak jesteś! – Tatar zrezygnował z dalszego wykładu, bo w głębi duszy sam nie bardzo zrozumiał, co chciał powiedzieć. – Zastanów się! Co oni wiedzą...? Znają nasze twarze i słyszeli, że mówimy po rosyjsku. A to już wie każdy policjant w Szwecji... Dopóki pozostajemy na wodzie, jesteśmy w miarę bezpieczni. Popatrz na mapę, ile tu jest wysp! Nie ma takiej policji na świecie, która by nad tym zapanowała, a ludzie na łódkach nie oglądają telewizji i nie czytają gazet, tylko walą piwko, palą grilla i się bzykają. Mylę się?!

Jagan wydął usta i pokiwał głową na znak, że w całej rozciągłości zgadza się z tym, co usłyszał.

– I wszystko idzie na konto tych łotewskich faszystów... – dorzucił tonem mającym potwierdzić, że już wszystko zrozumiał.

– To idź teraz i ich zwiąż! Tylko tak, żeby się nie udusili. – Tatar chwycił z podłogi zielony kontener z piwem. – Ja zaniosę zaopatrzenie na naszą łódź... Co za siki to szwedzkie piwo!

## 67

Przez godzinę Linda i Olaf pracowali jak oszalali. Przekazywali dyspozycje, polecenia, na zmianę odbierając telefony i dzwoniąc. Do pomocy zameldowało się czterech oficerów przysłanych przez przezornego Kurta.

Najważniejsze było przekazanie zdjęcia Rosjanina policyjnej grupie pościgowej. Trzej wysocy, dobrze zbudowani oficerowie wzięli je bez słowa i jeden z nich natychmiast opuścił pokój. Fotografia mężczyzny z blizną, tak jak wcześniej Garbinowa, w ciągu półgodziny była w rękach każdego policjanta od Ystad po FiNoSe.

Linda Lund poinformowała oficerów, w jakich okolicznościach zidentyfikowała Rosjanina, i nakreśliła im, bez zbędnych szczegółów, obraz sytuacji. Dobrze wiedziała, jakich potrzebują informacji, by skutecznie i sprawnie działać. Zresztą ich miny mówiły wyraźnie, czego chcą: dorwać Garbinowa i faceta z blizną. Jeńców nie przewidują.

Olaf i Linda uzgodnili z policjantami, że antyterrorystyczny oddział szturmowy policji Task Force będzie oczekiwał w stanie gotowości.

Tymczasem z volkswagena transportera zameldował się Per Gustavsson, informując, że Hans Jorgensen jest w domu i zajmuje się sprzątaniem. Według tego, co podała ekipa obserwacji kontrwywiadu wojskowego, Carl wciąż przebywa w swoim mieszkaniu na Gärdet.

Linda zdała Perowi krótką relację z aktualnych działań. Wysłuchał jej bez słowa komentarza. Doskonale rozumiał powagę sytuacji, a zwięzły, pozbawiony przymiotników język Lindy nie pozostawiał wątpliwości.

– Olaf! Musimy usiąść w spokoju i wszystko przedyskutować – powiedziała, uderzając pięścią w biurko. – W tym szaleństwie się pogubimy, ulecą nam szczegóły! Czuję, że ty wiesz swoje, ja swoje, musimy to poskładać... Rozumiesz?! Zaraz coś się wydarzy, będzie nieszczęście, a potem się okaże, że rozwiązanie byłoby takie proste, gdybyśmy tylko wcześniej o tym porozmawiali... Olaf? Nie czujesz, jak wokół nas wszystko wiruje, nie czujesz tego napięcia przed burzą?

Pokiwał głową, ale sprawiał wrażenie, jakby myślami był gdzie indziej.

– Olaf?

– Masz rację. Musimy porozmawiać – odpowiedział po kilkunastu sekundach. – Chodźmy do pokoju narad. Weź swoją kawę.

Linda poszła pierwsza. Olaf, stojąc już w drzwiach, poinformował oficerów, gdzie będą, i poprosił, żeby przez pół godziny im nie przeszkadzać, z wyjątkiem spraw niecierpiących zwłoki i ewentualnie telefonu od Lövenströma.

Ledwo zdążył się odwrócić, gdy jego sony-ericsson pozostawiony na biurku zagrał melodię *One More Kiss*. Wszyscy zebrani w pokoju zamilkli i bliscy śmiechu popatrzyli ze zdziwieniem w kierunku telefonu.

Olaf doskoczył do niego jak ukłuty ostrogą.

– Nareszcie, Tom! – Przez pół minuty słuchał, stojąc w bezruchu, i zakończył równie krótko: – Czekam na ciebie!

Gdy wszedł do pokoju konferencyjnego, Linda siedziała już na rogu długiego, pięciometrowego stołu, oplecionego równo ściśniętymi krzesłami o ratanowych oparciach, i robiła zapiski w swoim notatniku.

– Dzwonił Tom – zakomunikował. – Już tutaj jedzie. Wygląda na to, że Garbinow z hotelu Solna i człowiek z portretu pamięciowego, którego wyszukał Gunnar, to ta sama osoba. Głos Toma brzmiał bardzo poważnie, więc czuję, że coś musi być na rzeczy...

– Wczoraj rozmawiałam z ludźmi z techniki FRA. – Linda podniosła wzrok znad kartki i zmrużyła oczy. – Ktoś dzwonił dwa razy z telefonu komórkowego na domowy numer Jorgensena w Jakobsbergu. Ustalono, że dzwoniący znajdował się w odległości około pięćdziesięciu metrów. Trochę przeoczyłam ten fakt. To mógł być Rosjanin z blizną albo jego kompan. Było tak, jakby ktoś sprawdzał, czy stary jest w domu. – Linda przerwała i pogrążyła się w myślach.

Oboje milczeli przez dobrą minutę.

– Mówili, że potrzebują zgody szefa, żeby śledzić przemieszczanie się tego telefonu...

Nie zdążyła skończyć, gdy Olaf podniósł się i wyszedł z sali. Otworzyła cienką teczkę, którą zostawił na stole, wyjęła z niej fotografię w formacie A4 i zaczęła się przypatrywać podobiźnie Rosjanina z blizną. Następnie wyjęła zdjęcie Garbinowa i położyła obok. Dopiero teraz mogła się im dokładnie przyjrzeć. Paszportowe zdjęcie powiększone do rozmiaru A4 było trochę niewyraźne i z widoczną pikselozą. Charakterystyczna twarz przystojnego mężczyzny o przenikliwych azjatyckich oczach wydała jej się przez chwilę znajoma. Linda miała wrażenie, że postać na fotografii uśmiecha się do niej ironicznie, jakby chciała powiedzieć: „Pamiętasz mnie, Lindo?! Jesteś naiwna i śmieszna, jeżeli myślisz, że możesz mi coś zrobić".

Nawet nie zauważyła, że Olaf wrócił do pokoju.

– Za godzinę, dwie będziemy mieli całą trasę tego telefonu od wczoraj. Nawet nie musiałem prosić Kurta o zgodę. Już wiedzą, że mają nam udostępnić wszystko, o co poprosimy – stwierdził nie bez satysfakcji. – Ale najważniejsze, że technicy wykazali się czujnością i po rozmowie z tobą włączyli rejestrator komputerowy tego numeru.

Linda pokiwała znacząco głową, wciąż wpatrzona w widniejące przed nią twarze.

– Ten człowiek był wczoraj koło domu Jorgensena w Åkersberdze – wyrecytowała beznamiętnie jak automat i położyła dłoń na zdjęciu Garbinowa.

Olaf usiadł naprzeciw niej i popatrzyli sobie w oczy.

Po półminucie tym samym tonem dodała:

– Jechał granatowym saabem 9-5 i minął mnie na drodze dojazdowej do domu. To były sekundy, ale jestem pewna. Gdybym nie zobaczyła jego zdjęcia, nie potrafiłabym tego wszystkiego odtworzyć. Nie zapomnę tych oczu... W samochodzie był sam, bez tego z blizną...

– On mógł się ukrywać z tyłu albo w bagażniku! Wiesz przecież, z kim mamy do czynienia. To Tyrell Corporation! – stwierdził Olaf.

Linda energicznie odsunęła krzesło i niemal wybiegła z sali konferencyjnej. Weszła do gabinetu Olafa, gdzie pracowały trzy osoby, korzystając z telefonów komórkowych i komputerów. Linda zaczepiła pierwszego z brzegu młodego człowieka w białej koszuli, o ciemnobrązowej opaleniźnie. Przez moment nie mogła sobie przypomnieć jego imienia, chociaż pracował w ich wydziale już od dwóch miesięcy.

– Staffan! – dotarło do niej nagle. – Skontaktuj się natychmiast z dwoma oficerami z obserwacji, którzy zabezpieczali wczoraj nasze działania w Åkersberdze. Z tymi, którzy byli w samochodzie przy drodze. – Oficer w milczeniu notował, co do niego mówiła. – Ustal, czy zapisali numer rejestracyjny granatowego saaba 9-5. Weź też i pokaż im zdjęcie Garbinowa. Sprawdź, czy go rozpoznają. Ale najpierw numer samochodu! Rozumiesz? Do roboty, to pilne!

Odwróciła się energicznie, trochę na pokaz, i wróciła do Olafa.

To była najbardziej koszmarna noc, jaką dotąd pamiętał. Nigdy nie miał problemów ze snem. Tym razem jednak wypalone w pamięci wydarzenia poprzedniego dnia przesuwały się przed jego oczami jak żywe. I nie mógł tego powstrzymać, starał się jak mógł, lecz bezskutecznie.

Gdy wstał rano, nie był pewien, czy spał, czy tylko zapadł się we własne myśli niczym w wirujący czarny tunel. Czuł się jak wypalony, lecz sama myśl o tym, że dzisiaj zakończy swój fałszywy los, dodawała mu sił.

Postanowił, że powie Carlowi całą prawdę, zwyczajnie i po prostu. Tak jak było. Wiedział, że to będzie dla niego szok, ale miał silne przeczucie, że Carl zrozumie. Tylko on może to zrozumieć, bo jest jego synem i oficerem wywiadu. Zdawał sobie sprawę, że tkwi w tym wszystkim coś zupełnie irracjonalnego, niepojętego dla zwykłego człowieka.

Bo to tak, jakby syn się dowiedział, że ojciec był zbrodniarzem w obozie koncentracyjnym – pomyślał i po chwili doszedł do wniosku, że to jednak złe porównanie.

Do wszystkiego się przyznaje, jego skrucha jest prawdziwa i jeżeli Carl uzna go za winnego albo nie zrozumie, to wtedy on sam wykona na sobie wyrok. Jest na to przygotowany, od dawna.

Ma za sobą już osiemdziesiąt lat życia, ale dzisiejszy dzień będzie najważniejszy. Bez wątpienia Säpo jest blisko, a gdzieś w pobliżu czai się pewnie jakiś zabójca z Moskwy. Nawet się nie zastanawiał, co się stało, co zrobił źle, że akurat wczoraj tyle się zdarzyło. Teraz liczyła się tylko rozmowa z Carlem. Jedynie w ten sposób mógł przynajmniej spróbować go ochronić, spróbować naprawić to, co zepsuł.

Strach?! Odsuwał go od siebie przez całą noc, nawet w myślach unikał tego słowa, próbował je wykreślić ze swojego słownika, ale nie zdołał. Na dobrą sprawę nawet nie wiedział, czy to uczucie może nazwać strachem. To, co zdarzyło się w Miedwiedkach podczas wojny, odcisnęło na nim piętno na zawsze. Bał się, gdy ukrywał się w krzakach i widział śmierć Olgi i rodziców. Był jak sparaliżowany i nie mógł się ruszyć. Od tamtej pory już nigdy się nie bał. Po tym, czego się dowiedział od Siemiona Andriejewicza Zubowa, stare rany otworzyły się na nowo. I doszła wściekłość.

Hans Jorgensen dokończył kawę na tarasie swojego domu w Åkersberdze. Nawet nie pamiętał, czy była dobra, ale ucieszył się, że pogoda nie sprawiła mu zawodu. Wstał piękny słoneczny dzień. Na wodzie pojawiło się już sporo łodzi. Blisko brzegu przesuwała się majestatycznie nowiutka bavaria. Obserwował ją przez chwilę i gdy znikła za drzewami, powrócił do domu.

Zszedł do piwnicy. Zapalił światło w bunkrze i podszedł do otwartego sejfu. Wyjął z niego swój pistolet Walther PP zawinięty w naoliwioną szmatkę. Broń musiała mieć ponad pięćdziesiąt lat, bo dostał ją w poczcie specjalnej z Moskwy w 1954 roku, lecz wciąż wyglądała, jakby dopiero co została wyprodukowana. Dbał o nią zgodnie z załączoną instrukcją.

Rozwinął szmatkę i położył pistolet na dłoni. Zastanawiał się, czy jest sprawny, w końcu nigdy z niego nie strzelał. Uznał jednak, że właśnie z tego powodu mechanizm musi być sprawny. Bardziej martwił go stan amunicji. Otrzymał ją z Moskwy wiele lat temu, ale nie odnotował kiedy. Wyjął magazynek, w którym tkwiły pociski kalibru 7,65. Przeładował, lecz komora była pusta. Strzelił na sucho. Wyjął z sejfu przybory do czyszczenia broni. Pistolet rozłożył z trudem, ale nie dlatego, żeby nie pamiętał, jak to się robi, tylko dlatego, że nie mógł się skoncentrować. Czyszczenie zajęło mu prawie pół godziny. Nawet nie zauważył, że szmatki są czyste. Na koniec wyjął z magazynka naboje i każdy dokładnie przetarł, tak żeby mosiężny płaszcz nabrał połysku. Wydawało mu się to całkowicie niedorzeczne, ale pomyślał, że może w ten sposób uda mu się podtrzymać ich użyteczność.

Broń miała wystrzelić tylko raz. I musiała być skuteczna, bo nie wiedział, czy starczy mu odwagi, by zrobić to jeszcze raz. Załadował magazynek i przeładował broń. Powoli uniósł ją w wyciągniętej ręce i wycelował w plamę na ścianie. Przez chwilę chciał już nacisnąć spust, ale się rozmyślił.

Ten pistolet odda tylko jeden strzał... i koniec... – zadecydował z przekonaniem, bez smutku czy zawodu.

Zabezpieczył broń i położył ją na stosie dokumentów w sejfie, który tylko przymknął. Miał nadzieję, że już nigdy więcej nie będzie musiał go otwierać ani zamykać.

Minęło prawie półtorej godziny od czasu, kiedy Jagan solidnie związał Ulfa i Marge, używając do tego linki żeglarskiej, której na łodzi było pod dostatkiem. Był pewien, że sami się nie uwolnią, ale wciąż miał nieodparte wrażenie, że lepiej byłoby ich jednak zastrzelić. Tatar był na bavarii i nie powinien usłyszeć strzałów przez tłumik, zwłaszcza wyciszonych dodatkowo poduszką.

Ostatecznie zrezygnował z tego pomysłu i był na siebie zły. Zrezygnował nie dlatego, że bał się Tatara, ale dlatego, że go zabolało, gdy ten nazwał go bydlakiem. Wcześniej nawet by się tym nie przejął, lecz teraz poczuł się dotknięty. Nie wiedział dlaczego, ale tak było. Nawet w tej sytuacji, kiedy wydał już na niego wyrok i wiedział, że Tatar nie doczeka jutra.

Tatar prowadził łódź powoli, z prędkością najwyżej pięciu–sześciu węzłów. Wydawało mu się, że dziób rozcina wodę jak powietrze, mając w zapasie potężną siłę tajfunu. Płynął powoli, bo sądził, że w ten sposób nie zwraca na siebie uwagi, tak jak kierowca, który skrupulatnie przestrzega przepisów.

Tymczasem Jagan kontrolował przez lornetkę otoczenie, wypatrując policyjnych motorówek i helikopterów.

Zielona strzałka GPS w komputerze Tatara prowadziła ich najkrótszą drogą do Åkersbergi.

– Mówią, że nie lubisz dzieci. Masz już swoje lata... Nie dorobiłeś się jeszcze? A może gdzieś tam masz i nawet o tym nie wiesz... – Tatar z ironicznym uśmiechem spojrzał na Jagana, który wciąż trzymał przyciśniętą do oczu lornetkę. – Słyszysz?

– Pierdolą głupoty! Kto tak mówi? – odparł beznamiętnie.

– No... wielu, co cię znają... z wojny... Podobno odstrzeliłeś kilku nieletnich Ciechów* czy coś takiego.

– Kłamstwo!

– Bo co, nie polubiłeś darmowego jebania Czeczenek? Może biega tam po jakiejś jurcie mały rudy Ciech z blizną na buźce, podobny do słowiańskiego bojownika. Wychowają go na wojowniczego Hasana i jak pojedziesz na trzecią wojnę, może będzie miał szczęście i odrąbie ci głowę...

– Pierdolisz! – Jagan reagował obojętnie, bez emocji, ale po wojskowemu.

– Na drugą wojnę poszedłeś na ochotnika? Co... Jagan? Zapomniałem, dlaczego tak cię nazywają... Ach, teraz

---

* Rosyjskie żargonowe określenie Czeczenów.

pamiętam! Dostałeś od Putina pamiątkowy nóż, czyż nie? Ale podobno nie wisi nad twoim łóżeczkiem.

Jagan się zorientował, że Tatar sporo o nim wie. Teraz jednak nie miało to już dla niego znaczenia. Nie przerywał obserwacji.

Tatar zamilkł na dwie minuty, po czym spróbował nowej zagrywki.

– A może będziesz miał szczęście i pierwszy odstrzelisz szczeniaka...

– Posłuchaj! – Jagan energicznie odłożył lornetkę. – O tobie też opowiadają różne historie... mówią, żeby ci nie ufać, że matkę rodzoną sprzedasz, że jesteś pedałem i lubisz strzelać w plecy. Wystarczy?!

Tatar spojrzał z wściekłością i już chciał coś powiedzieć, ale zachłysnął się powietrzem.

– Powiedzieć można wszystko, nie?! – ciągnął Jagan. – Tak i o mnie pierdolą. *Kak by nie krutitsia, żopa wsiegda w zadi!*

– Nie denerwuj się! Ja tylko tak, dla jaj! – Tatar zrobił się nagle bardziej pojednawczy. – Krążą o tobie legendy, ale nikt nie wie, co jest prawdą, a co nie. Są tacy, co ci tego zazdroszczą i wymyślają różne bzdury. No bo tak naprawdę nikt cię nie zna... – przerwał i po dobrej minucie dodał: – Oprócz tych żołnierzy, którzy podobno dzięki tobie żyją, ale oni są tacy jak ty i nic nie mówią.

Jagan siedział wyprostowany w fotelu obok i wpatrywał się w horyzont.

– *Na wojnie kak na wojnie: patrony, wodka, mahorka w cenie...* – zaczął głośno śpiewać Tatar.

Nie wiedział, że ta piosenka zespołu Lube była cichą modlitwą Jagana i jego towarzyszy broni, z refrenem zwykle wykrzyczanym w późną noc, pełną oparów papierosowego dymu i wódki, w jakimś smutnym mieszkaniu moskiewskiego blokowiska albo gdzieś nad ogniskiem.

Tatar miał dobry, mocny głos i Jaganowi się wydawało, że słyszy samego Rastorgujewa. Powtarzał w myślach słowa i czuł, że ściska go w gardle. Nikt z jego „piątki" z Czeczenii nie mógł tego słuchać ani śpiewać na trzeźwo. Ta święta reguła obowiązywała od chwili, kiedy usłyszeli to po raz pierwszy. To była modlitwa „piątki", która została z drugiego plutonu pierwszej kompanii Batalionu Specjalnego „Zachód". Modlitwa za tych, którzy zostali z tyłu – jak nazywali poległych towarzyszy. Nigdy też nie mówili o niej „pieśń" czy „piosenka", tylko zwyczajnie – zaśpiewamy? I jasne było, co i za co!

## 68

Latem 2001 roku na Kaukazie było wyjątkowo upalnie, a szczególnie szesnastego lipca. Wszystko wskazywało, że siedemnastego będzie podobnie.

O piątej dwanaście rano w górach na wschód od Tałan--Jurtu było jeszcze zimno i warstwa rosy pokrywała skały. Sierżant Andriej Trubow, zwany przez kolegów Jaganem, leżał przemoczony w skalnej szczelinie, dobrze zamaskowanej wysokimi krzewami.

Gdy kilka godzin wcześniej znalazł tę kryjówkę, liczył, że odpocznie, zdrzemnie się choć chwilę, ale zrezygnował, bo ludzie Muhamedowa wciąż kręcili się po okolicy. Świadomość, że mogą wziąć go żywcem, w sposób niegodny rosyjskiego żołnierza, wyzwoliła w nim resztkę siły na nocne czuwanie.

Uciekał przed nimi cały dzień, ostrzeliwując się i klucząc po górach, co pozwalało utrzymać dystans i zyskać na czasie. Kończyła mu się amunicja, więc musiał nadrabiać sprytem i pomysłowością, błądząc po skałach i zagajnikach.

Pozostał mu tylko jeden granat, który nosił w kieszeni spodni. Ten granat trzymał dla siebie, sprawdzony przez wujków i niezastąpiony w Afganistanie, miły w dotyku RGD-5. Jeszcze podczas pierwszej wojny w Czeczenii postanowił, że użyje granatu, bo nie bał się śmierci, nie bał się bólu, tylko bał się odcięcia głowy. Wzbudzało to w nim tak dzikie przerażenie, że im bardziej o tym myślał – a myślał prawie stale – tym mocniej utwierdzał się w przekonaniu, że nie może pozwolić, by brodaci bawili się jego odciętą głową.

Co jakiś czas gubił pościg i chwilami wydawało mu się nawet, że jest już bezpieczny, gdy świst przelatującego obok głowy pocisku przypominał mu, że ludzie Muhamedowa znają te góry lepiej. Tacy są górale. Muszą zobaczyć go martwego, chociaż na pewno woleliby wziąć go żywcem. Wtedy byliby pewni, że umrze tak, jak oni zadecydują.

Dzień wcześniej Trubow i pięciu innych żołnierzy jego oddziału skutecznie wybiło całą rodzinę Muhamedowa ukrytą w górach i przy okazji kilku jego zbójów. Taką miał ponieść sprawiedliwą karę. I wszystko byłoby dobrze, gdyby mogli to zrobić tak, jak planowali, po cichu, nożami. Strzelanina ściągnęła oddział Muhamedowa, który, jak się okazało, był bliżej, niż sądzili. Trubow nie widział, czy jego żołnierze zginęli, ale zakładał, że po tym, co zrobili, nie mogli dać się wziąć żywi.

Szczelina, w której leżał, nie pozwalała na zbyt wiele. Z trudem mógł się przewrócić z boku na bok. Było mu zimno i co chwila jego ciałem wstrząsał dreszcz. Zarówno z powodu chłodu, jak i odwodnienia. Nie było jeszcze tak źle, żeby musiał lizać skały, ale robiło się coraz gorzej.

Ostrożnie wyczołgał się ze swojej kryjówki. Według jego obliczeń do bazy w Durbuzie zostało osiem kilometrów, co w tych warunkach powinno mu zająć kilka godzin. Wcześniej jednak będzie musiał przejść przez spaloną wieś. Płynie tamtędy strumień i dla Muhamedowa jest to dobre miejsce na zasadzkę.

Pragnienie nieznośnie narastało i wiedział, że dopiero tam będzie mógł się napić wody.

Poprawił granat w kieszeni i wysunął się z krzaków, by sprawdzić otoczenie. Żałował, że wczoraj porzucił swój plecak. Lornetkę i manierkę powinien był jednak zatrzymać. Nigdy więcej tak nie zrobi. Dobrze, że nie zgubił swojego kizlyara z ozdobną klingą i inkrustowaną rękojeścią z orzecha kaukaskiego. Ten nóż, który osobiście wręczył mu Putin, nie był zwykłym nożem. Gdyby go zgubił, to byłoby tak, jakby stracił nadzieję i odwagę. Jakby go opuściła magiczna opieka zaklęta w nożu z dedykacją Władimira Władimirowicza.

Do spalonej wsi dotarł później, niż zaplanował. Zaczaił się za skałą przed pierwszymi zabudowaniami i stwierdził, że wieś jest tylko częściowo zniszczona. Miesiąc wcześniej miała być zbombardowana przez Mi-24.

W dole słychać było szumiący górski potok. Przez chwilę Trubow myślał, że to złudzenie, bo strumienia nie widział, pamiętał jedynie, że tam jest. Zakrył rękami uszy, żeby się upewnić, czy to naprawdę szum wody. Teraz był już pewny! Powinien jakiś czas obserwować wieś, żeby sprawdzić, czy nie ma tam zasadzki Muhamedowa. Jednak z powodu upału i odwodnienia wydawało mu się, że zaraz zemdleje. Przeraził się, że wtedy mogą wziąć go żywcem. Ta świadomość dodawała mu sił. Sprawdził magazynek swojego AK-74M. Zostało mu dziesięć pocisków. Pistolet z tłumikiem, bez amunicji, wyrzucił jeszcze wczoraj.

Zaczął powoli schodzić do wsi. Nie podchodził zbyt blisko do zabudowań, żeby nie dać się zaskoczyć. Wyjął granat z kieszeni i zawiesił go na piersi. Gotów był strzelać do każdego podejrzanego cienia. Był coraz bliżej i widział już strumień. W ustach czuł tylko twardy śluz. Drżały mu kolana i bolały nogi. Nie zauważył żadnego ruchu. Otaczała go tylko cisza wypełniona jednostajnym szumem pędzącej wody.

Przeskoczył pochylony obok zburzonego domu i przywarł plecami do kamiennej ściany ocalałego zabudowania.

Przez chwilę chciał się skupić i wyczuć, czy ktoś tam jest, czy czai się jakieś zagrożenie, ale całą jego uwagę przyciągał rwący strumień. Wydawało mu się, że czuje dym. I to nie był dym z pogorzeliska. Ocenił, że to nie mogą być ludzie Muhamedowa, bo gdyby na niego czekali, nie rozpalaliby ognia. Z pewnością są to mieszkańcy, którzy przeżyli oranie wsi przez działka i rakiety helikopterów Mi-24. Ale samotnemu rosyjskiemu żołnierzowi w tym terenie zagrażały nawet domowe zwierzęta.

Sierżant Andriej Trubow, ubezpieczając się, pobiegł do wody. Automat i granat położył na brzegu i wskoczył w ubraniu do strumienia. Woda była bardzo zimna. Wydawało mu się, że ciało wchłania ją jak gąbka. Nabierał w garście kryształowy napój i połykał mimo bólu gardła.

Wtedy zobaczył, że dwa metry od niego, na brzegu, siedzi w kucki chłopak – może czternaście lat, a może mniej – i mierzy do niego z jego AK.

Podniósł się z wody i stanął z rękami lekko uniesionymi do góry. Chłopak miał spokojny wyraz twarzy i oczy pobudzone zaciekawieniem. Ale wymierzona lufa automatu nie pozostawiała złudzeń co do jego intencji. Trubow znał Czeczenów, Inguszów, Dagestańczyków i wiedział aż nadto dobrze, że dzieci tutaj też nie żartują i mogą być niebezpieczne, podobnie jak ich siostry, bracia, matki, ojcowie i dziadkowie.

Stał w środku strumienia, ociekając wodą. Poczuł się znacznie lepiej i zupełnie nie rozumiał sytuacji, w jakiej się znalazł. Początkowo wydawała mu się zupełnie irracjonalna, ale chłopak trzymał ciężki automat z wyraźną wprawą. Wtedy Trubow zrozumiał, że to rzeczywistość i że nie ma szansy uciec. Mimo wszystko nie mógł uwierzyć, że chłopak mógłby go zabić. Tak po prostu. Z zimną krwią. Tu, na środku tego strumienia.

Uśmiechnął się, ale chłopak nie zareagował. Zapytał, dlaczego wziął jego broń, i dodał, że byłoby lepiej, gdyby ją odłożył.

Chłopak wciąż się nie odzywał. Z zainteresowaniem oglądał mokry mundur, zatrzymując wzrok na różnych jego detalach. Co chwila jednak powracał wzrokiem do twarzy Trubowa i patrzył mu prosto w oczy. Po jakimś czasie dał znak, kręcąc palcem kółko, żeby się obrócił. Trubow zdał sobie sprawę, że chłopiec zobaczy kizlyara, który dotąd był poza jego polem widzenia. To była ostatnia nadzieja, ten nóż był zawsze ostatnią nadzieją, a teraz ten gówniarz mu go zabierze. Tak zwyczajnie. Nie miał najmniejszych szans, a chłopak sprawiał wrażenie, że wie, co robi, i nie spudłuje z tej odległości.

Trubow, trzymając wciąż podniesione ręce, wykonał powoli pełny obrót. Na twarzy chłopaka pojawił się nieśmiały uśmiech, co nie mogło oznaczać niczego innego, jak tylko to, że zauważył ozdobną rękojeść noża. Wstał i cofnął się dwa metry. Teraz Trubow zobaczył, że miał nie więcej niż metr czterdzieści pięć wzrostu i był wyjątkowo chudy.

Chłopak dał mu znak ręką, żeby wyszedł ze strumienia i położył się twarzą na ziemi. Trubow był zaskoczony i nie miał już żadnych wątpliwości, że musi być bardzo ostrożny, zanim coś zrobi. W głębi duszy wiedział jednak, że przeciwnik prędzej czy później popełni błąd, bo to tylko mały, chudy chłopiec, a on to starszyna Andriej Trubow ze specnazu, śmiertelnie niebezpieczny nawet z gołymi rękami. To wydawało się takie oczywiste!

Położył się na brzegu twarzą do ziemi, tak jak tamten mu kazał. Wtedy chłopak odezwał się pierwszy raz i łamanym rosyjskim kazał mu odwrócić głowę. Po chwili Trubow poczuł między łopatkami ucisk lufy automatu. Zanim zdążył się zorientować, chłopak wyszarpnął mu nóż z futerału i natychmiast odskoczył.

Trubow nie zdążył jeszcze odwrócić głowy, gdy usłyszał podniecone głosy małych Czeczenów. Zobaczył ładną dziewczynę, może szesnastoletnią, w zbyt dużych wojskowych spodniach i zielonej bejsbolówce. Na przewieszonym przez ramię pasku trzymała zniszczony automat AKS. Obok stało dwóch chłopców niższych od niej więcej niż o głowę. Byli brudni, rozczochrani, w mocno przetartych sportowych butach. Trubow od razu skojarzył, że muszą być braćmi. Jeden miał zatknięty za pas duży kuchenny nóż, a drugi stary pistolet TT.

Nic nie rozumiał, ale domyślił się, że ich rozmowa dotyczy kizlyara, którego oglądali, wyrywając go sobie z rąk. To było dziwne, bo prawdziwym trofeum powinien być jego AK-74M z celownikiem optycznym. Mimo całej tej gorączki wszyscy uważnie obserwowali leżącego Trubowa. Po chwili podeszła do niego dziewczyna. Zdjęła z ramienia automat, przeładowała i przyłożywszy go do karku jeńca, klęknęła mu na plecach i krzyknęła coś niezrozumiale. Trubow był całkowicie pewien, że nie zamierza go zabić, bo to wszystko wyglądało raczej na zabawę. Nawet nie czuł ucisku dziewczyny, taka była lekka.

Tymczasem bracia chwycili go każdy za jedną rękę i złożyli je na plecach. Związali mu przeguby paskiem, pomagając sobie przy zaciskaniu nogami. Zrobili to niezwykle sprawnie i mocno. Aż jęknął.

Kiedy skończyli, dziewczyna zeszła z jego pleców i zarządziła po rosyjsku: „Idziemy!". Podniósł się i niemal z rozbawieniem stwierdził, że wygląda jak olbrzym pojmany przez skrzaty. Zagrożenie, w jakim się znalazł, wydawało mu się całkiem nierealne, wręcz groteskowe.

Ruszyli pod górę w kierunku zabudowań. Próbował nawiązać rozmowę z dziewczyną, powiedział, że nazywa się Andriej Trubow i jest z Omska. Pytał ją, jak się nazywa, dokąd go prowadzą, gdzie są dorośli, ale nie odpowiadała. Dzieci szły w milczeniu z tyłu, w bezpiecznej odległości, zupełnie jakby były z jakiegoś dzikiego plemienia i nie rozumiały po rosyjsku.

Weszli do zniszczonej wsi. Domy, od wieków budowane tak, by wytrzymały trzęsienie ziemi, nie oparły się atakom

Mi-24. Ani jeden nie pozostał cały. Szli drogą zasypaną gruzem i drewnem, wokół panowała zupełna cisza. Żadnych mieszkańców, nikogo. Kiedy mijali zgliszcza, poczuł dobrze znany powiew trupiego smrodu.

Na skraju wsi skręcili do zabudowań z częściowo zawalonym dachem. Przed domem było palenisko ustawione z kamieni, a na nim duży kocioł. Przy ogniu stała kilkunastoletnia dziewczyna w sukience i chustce zawiązanej pod brodą. Obok na krześle siedział chłopak, mniej więcej jej rówieśnik, i kiwał się w przód i w tył. Pojawienie się grupy nie wzbudziło w nich żadnego zainteresowania.

Usiadł na drewnianych schodach przed domem i zaczął się zastanawiać nad sytuacją, w jakiej się znalazł. Wciąż nie potrafił tego wszystkiego zrozumieć. Te dzieci z bronią, brak dorosłych, jak w jakiejś bajce.

Zaczął się uważnie rozglądać i analizować, w jaki sposób mógłby się uwolnić. Dziewczyna stała przy kotle, a chłopak wciąż się kiwał. Trubow przyjrzał mu się uważniej i zrozumiał, że prawdopodobnie jest kontuzjowany albo chory psychicznie. Dziewczyna w sukience wyglądała na zupełnie normalną.

Przez chwilę nikt nie zwracał na niego uwagi, więc podniósł się i do niej podszedł. Zajrzał do kociołka i powiedział, że jest głodny. Uśmiechnęła się, wyłowiła z kociołka łyżką kawałek tłustego mięsa i podała mu do ust. Trubow rozgryzł niedogotowaną baraninę, uśmiechnął się i pochwalił jej smak. Pokazał dziewczynie związane z tyłu ręce i poprosił, by go rozwiązała.

Nie zdążył zrobić ruchu, gdy poczuł przeraźliwy ból najpierw w jednym pośladku, a potem w drugim. Przysiadł i musiał mocno zacisnąć zęby, żeby nie zawyć. Odwrócił się gwałtownie. Z bólu pociekły mu łzy. Jak przez mgłę zobaczył chłopaka, który z szyderczym półuśmiechem stał za nim z jego kizlyarem w dłoni. Trubow chciał go kopnąć i już nawet zebrał w sobie wszystkie siły pobudzone bólem i wściekłością, lecz zdał sobie sprawę, że mógłby to przypłacić życiem. Dziewczyna z automatem przyglądała się wszystkiemu beznamiętnie. Zrozumiał, że rany muszą być głębokie, bo czuł ciepło krwi spływającej po nogach. Dobrze wiedział, jak ostry jest jego nóż.

To, co zrobił chłopak, nie zwróciło, o dziwo, niczyjej uwagi. Nie było żadnego śmiechu czy okrzyków radości. Zatem nie był to okrutny żart, który miał rozbawić zdziczałe dzieci. Trubow zapytał chłopaka, dlaczego to zrobił, ten jednak nic nie odpowiedział, tylko pogroził mu nożem i odszedł. Zwrócił się więc do dziewczyny w sukience, ale ona uśmiechnęła się blado i wzruszyła ramionami, jakby nic nie rozumiała.

Zdrętwiałą od ucisku dłonią z trudem dotknął pośladków. Chciał poprosić o pomoc, jakiś opatrunek, ale wciąż stał na placyku przed domem i nikt nie zwracał na niego uwagi. Chłopak z nożem dołączył do dwóch braci siedzących na stercie kamieni. Nie mógł zrozumieć, o czym rozmawiają, wiedział jedynie, że na pewno nie o nim. Tylko dziewczyna z automatem naciągnęła bejsbolówkę na czoło i przyglądała mu się obojętnie z ganku na wpół zburzonego domu. Nagle stało się dla niego oczywiste, że nie może liczyć na jakąkolwiek litość.

Był jeńcem dzieci, okrutnych i nieobliczalnych, przez co poczucie absurdalności sytuacji i bezsilności było szczególnie bolesne. Pomyślał, że chyba lepiej byłoby wpaść w ręce Muhamedowa. Wciąż stał na dziedzińcu, rozglądając się wokół, i nie mógł zrozumieć, co tutaj robi – on, weteran dwóch wojen, żołnierz specnazu, odznaczony i nagrodzony osobiście przez prezydenta Federacji Rosyjskiej. Ogarnęło go straszliwe przerażenie. Nie miał już swojego granatu, lecz stało mu się teraz zupełnie obojętne, czy odetną mu głowę, czy nie. Był przekonany, że znalazł się w tej sytuacji, ponieważ pozwolił, by odebrano mu magiczny nóż Kizlyar. Dopiero teraz przypomniał sobie, że na rękojeści jest wygrawerowane jego imię i nazwisko oraz dedykacja Putina.

Dziewczyna z automatem podniosła się i zawołała coś po czeczeńsku do siedzących na gruzach chłopaków. Natychmiast się poderwali i jak młode wilki podbiegli do Trubowa. Otoczyli go, szarpiąc i krzycząc. Trubow przez chwilę miał wrażenie, że to jakaś zabawa, że otaczają go dzieci proszące o słodycze, kiedy nagle znów poczuł porażający ból w pośladkach. W ułamku sekundy zrozumiał, że to nie nowy cios nożem, lecz uderzenia w świeże rany. Zawył głośno i równocześnie poczuł jakąś dziwną ulgę, która wyzwoliła w nim wściekłość i wolę walki. Zebrał w sobie wszystkie siły, by kopnąć któregoś ze szczeniaków, gdy wtem ostry ból powalił go na kolana. Zrobiło mu się słabo i pociemniało w oczach. Po chwili upadł na twarz.

Ocknął się gwałtownie, jakby uderzył w niego rozpędzony pociąg. Zanim się zorientował, gdzie jest, z hukiem zamknęła się nad nim drewniana klapa. Leżał na wilgotnej ziemi w cuchnącym pomieszczeniu trzy na cztery metry, które pewnie musiało służyć za piwnicę. Do środka przez szpary w suficie przebijały się wątłe pasemka światła. Czuł ostry ból nie tylko w pośladkach i związanych rękach, lecz także wokół prawego oka. Zrozumiał, że został wrzucony jak worek do piwnicy i spadając, musiał uderzyć głową. Z łuku brwiowego sączyła mu się krew.

Leżał może minutę w tej samej pozycji, nie mogąc zebrać myśli, żeby ocenić swoją sytuację. Ogarnęły go obojętność i apatia. Było mu wszystko jedno. Męczył go ból promieniujący z trzech różnych miejsc. Najbardziej martwił się o zupełnie zdrętwiałe dłonie. Obawiał się, że kiedy się uwolni – a uwolni się na pewno – nie będzie mógł nimi sprawnie poruszać.

Niespodziewanie usłyszał za plecami ściszony głos.

– Kapral Aleksiej Zorin – przedstawił się ktoś po rosyjsku. – To ja tak śmierdzę! – dodał.

Trubow odwrócił się i musiał wytężyć wzrok, by dostrzec w rogu pomieszczenia na wpół leżącą postać, która wyglądała jak ulepiona z gliny i kamieni.

– Sierżant Andriej Trubow – odpowiedział i podniósł się na kolana, by podejść bliżej. – Nie znam cię, kapralu. Zresztą nieważne. Może lepiej teraz nie wiedzieć...

– Kiedyś widziałem film o takich małych potworkach zjadających ludzi. Widziałeś, sierżancie? – Cichy głos dobywał się z głębi piwnicy. – Więc jesteś teraz w rękach takich potworków. Niech cię nie zmyli ich wygląd. To nie żadne dzieci. Wprawdzie dopiero co wyszły z szamba tej wojny, ale poczekaj, jak dorosną!

Trubow zbliżył się do kaprala, wydając przy każdym ruchu jęk bólu. Przyjrzał się uważniej jego zarośniętej twarzy z oczodołami wypełnionymi zaschniętą czarną krwią.

– Co z twoimi oczami? – zapytał, chociaż się domyślał.

– Tak jak ci się wydaje! Oczu nie ma i już nie będzie... Tego chyba jeszcze nie można przeszczepić... – Zawahał się na chwilę. – Kaprala Zorina pewnie wkrótce też nie będzie. Bo mają teraz ciebie, sierżancie...

– Co tu się dzieje?

– A co ma się dziać? Wojna, sierżancie, wojna. Właśnie walczymy z bandami terrorystycznymi i bronimy integralności naszej ojczyzny...

– Oni ci to zrobili? Dlaczego? Nie rozumiem! – Trubow był przejęty, chociaż z okrucieństwem spotykał się od lat. – Dzieci... to... to... niemożliwe!

– Możliwe! Możliwe! To dopiero początek... Początek.

Zorin mówił cicho, spokojnie, wręcz beznamiętnie, jakby było mu wszystko jedno. Ale Trubowa bardziej zadziwiła jasność, z jaką się wypowiadał, pełna komunikatywność, jakby nie odczuwał bólu. Jakby gdzieś wewnątrz tego martwego ciała istniało uwięzione inne, zdrowe życie.

– Jak się tu dostałeś? Jak cię ujęli? Byłeś ranny?

– Nic takiego, sierżancie! Wpadłem w ręce ludzi Muhamedowa dość głupio... Nieważne! Muhamedow oddał mnie w niewolę tym potworkom. Mój oddział przyszedł do wsi dokończyć to, czego nie zrobiły nasze Mi-24...

Zorin złapał powietrze i zamilkł. Po chwili zaczął szybko oddychać. Trubow pomyślał, że to konwulsje. Chociaż każdy umierał inaczej, to oddech człowieka w tym momencie wygląda zawsze podobnie. Widział to tyle razy.

– Co z tobą? Zorin!

– Nie umieram jeszcze... Trochę później. Nie denerwuj się, sierżancie – odpowiedział kapral nadspodziewanie trzeźwo. – Nasi lotnicy, jak to często bywa, spierdolili robotę i trzeba było dokończyć to, co zostało. I dokończyliśmy! To było miesiąc temu... albo dwa...

– Miesiąc temu.

– Co tak stękasz? Ranny jesteś? – zapytał nagle Zorin.

– Zranili mnie w pośladki i bolą mnie związane ręce...

– Chętnie bym ci pomógł, ale połamali mi palce i wcale ich nie czuję. – Uniósł opuchnięte czarne dłonie. – To nawet dobrze, że ich nie czuję. Chodzić zresztą też nie mogę... Od dawna. Ale najgorsze, że nie mogę spać. Powinienem mieć gorączkę i normalnie tracić przytomność, ale jak zamknę oczy, to widzę tylko tę wieś, te potworki i Muhamedowa, wszystko jak żywe, mogę nawet z nimi porozmawiać... I nigdy nie udaje mi się ich przekonać, żeby nie łamali mi palców. I te oczy... tyle razy próbowałem. Bo te palce to Muhamedow, żeby pokazać potworkom, jak to się robi. Wcześniej demonstrował na Ławkinie, inne pomysły też. Ławkin powinien leżeć gdzieś w gruzach... albo nie...

– Tam jest dziewczyna z automatem, w czapce i wojskowych spodniach... Ona nimi dowodzi...

– To mój AKS, ale spodnie Ławkina. Miał pecha, była jego wybranką, tylko o tym nie wiedziała. Jej mamusia też nie chciała się zgodzić... Niepotrzebnie ją oszczędził! Teraz gdzieś tam leży. Szczęściarz! – Zorin zamilkł nagle.

Przez te jego oczy Trubow nie wiedział, czy śpi, czy stracił przytomność, czy po prostu nic nie mówi. Przybliżył do niego twarz i obserwował przez chwilę jego nozdrza i pierś. Miarowe, głębokie ruchy wskazywały, że śpi lub rozmawia z Muhamedowem.

Trubow położył się na boku i zaczął oglądać piwnicę. Oczy przywykły już do ciemności i teraz widział wszystko znacznie lepiej. Wewnątrz nie było żadnych przedmiotów, które mogłyby się do czegoś przydać. Połamane deski, trochę drewna, gnijące siano, wszystko zrzucone w jedno miejsce.

Z trudem podniósł się na nogi i podszedł do śmieci. Zaczął je rozgrzebywać i od razu zobaczył starą zieloną butelkę. Jej widok podziałał nań nie jak symbol nadziei, ale jak znak pewnej już wolności. Trubow wiedział, do czego i jak można jej użyć. Taka butelka w jego rękach to jak granat, nóż i AK w jednym. Przeciwko sobie miał dwa automaty, pistolet i noże kuchenne. Kizlyara od Putina nie traktował jak wroga.

Zapomniał o bólu, a jego umysł zaczął szybko oceniać położenie. Wnioski były po żołniersku proste. Najpierw trzeba rozbić butelkę tak, żeby została różyczka z ostrymi kantami, ale nikt nie może usłyszeć brzęku. To nie powinno być trudne. Lepiej też, żeby Zorin nic nie zauważył, bo w tym stanie może sprawić kłopot, a on jeszcze nie wiedział, co z nim zrobić. Potem za pomocą różyczki trzeba przeciąć więzy. To też nie będzie trudne, ale zajmie sporo czasu, zwłaszcza że ręce ma osłabione i związany jest skórzanym pasem. Ma na to całą noc. Uderzy, jak zwykle w takich sytuacjach, o świcie. I tak ma dużo szczęścia, że Muhamedow dotąd nie przyszedł do wsi, ale może przyjść jutro rano. Musi więc się spieszyć, jeżeli chce odzyskać kizlyara. To było najważniejsze!

Ocenił, że jest dziewiętnasta dwadzieścia, najwyżej trzydzieści, i póki Zorin śpi, powinien rozbić butelkę. Starał się poruszać możliwie najciszej. Ból w pośladkach był trochę mniejszy, ale Trubow i tak musiał cały czas zaciskać zęby.

Klęknął i wysunąwszy ręce w bok, chwycił butelkę. Położył się i wcisnął ją w róg piwnicy. Następnie w ten sam sposób wziął dużą kępę mokrego siana i obłożył nią swoją zdobycz. Znalazł kamień wielkości pomarańczy i usiadł tyłem, zakrywając ciałem cały róg, w którym tkwiła butelka. Po raz pierwszy usiadł na zranionych pośladkach i nic nie poczuł, żadnego bólu.

Przez chwilę nasłuchiwał głosów z zewnątrz. Z daleka dochodziła do niego niezrozumiała dziecięca rozmowa. Trubow uderzył kamieniem w butelkę i rozległ się pusty dźwięk, jakby pękła żarówka. Rozmowa na zewnątrz trwała dalej. Odetchnął z ulgą.

– Jak wpadłeś? – usłyszał nagle z drugiego rogu głos Zorina.

– Chciałem się napić wody. Przez trzy dni kluczyłem po górach, uciekałem przed Muhamedowem...

– Musi być gorąco – wtrącił Zorin. – Jest lipiec?

– Tak. Siedemnastego.

– Patrz! A w tej piwnicy jest klimatyzacja. Jak ci zbóje potrafią budować, że w takiej norze jest zawsze taka sama temperatura, czy w dzień, czy w nocy... – zawiesił na chwilę głos. – I co dalej? Chciałeś się napić wody...

– No i popełniłem błąd! Poważny błąd! Kurwa!

– Straciłeś kontakt z armatką i wzięli cię... gołymi rękami, tak?

Trubow położył się na boku, żeby zasłonić ciałem siano w rogu. Nie był pewien, czy Zorin to rzeczywiście kapral Zorin i czy na pewno nic nie widzi, bo mówił i myślał jak kumpel w bazie pod prysznicem. Było to co najmniej dziwne, więc postanowił być ostrożny.

– Właśnie... ten chłopak... ten najwyższy... nie żaden z tych braci...

– Oni wszyscy są rodzeństwem. Ona, ta najstarsza, to Amina, ten średni Rustam, a bliźniacy to Asłan i Szamil... Zgadnij... dlaczego tak się nazywają?

– To ten Rustam mnie zranił nożem – powiedział Trubow.

– Wyspecjalizował się! Kurwa mać! Moje oczy to też jego dzieło! Ma zadatki na mistrza... jeszcze... jeszcze świat o nim... usłyszy. Będzie z niego prawdziwy dżygit! – I po chwili tym samym tonem, bez cienia ironii, dorzucił: – Patrz, sierżancie, jaka paranoja! Iwan Groźny też oślepił tego... co zbudował tę cerkiew na placu Czerwonym... tę... Wasyla... Błogosławionego. A postawił ją car w podziękowaniu za zwycięstwo... nad... Tatarami. Też synami Allaha, nie? Teraz też tak... tak... jest... Nie, sierżancie?... Car Wołodia coś zbuduje po tej wojnie? – Zorin mówił z coraz większymi przerwami i coraz ciszej.

– Tyle czasu tu jesteś, Zorin. Nasi cię nie szukali? Tego Ławkina, pozostałych...

– Kurwa, a ty co tu robisz, sierżancie?! Byłeś na akcji... w górach? Tak?... Śmigłowce was... odebrały... po robocie? Jasne, że nie! Nie wiesz, jak jest?! Jasne, że nas szukają, i ciebie, i wielu innych wcześniej, tylko tak... wiesz, żeby nie trzeba było... szukać kolejnych... – Zorin znów zamilkł.

Trubow nie odzywał się i czekał. Minęło trzy i pół minuty. Pomyślał, że Zorin znowu negocjuje z Muhamedowem, więc postanowił zająć się butelką.

Wciąż leżąc na boku, wygrzebał spod siana różyczkę. Wymacał rękami najdłuższy ostry brzeg, przyłożył go do paska między dłońmi i zaczął miarowo poruszać rozbitą butelką. Początkowo ostrze zeskakiwało z paska i raniło ręce do krwi, ale po chwili nabrał wprawy. Entuzjazm, jaki go opanował, dodawał mu sił i sprawiał, że nie czuł bólu.

– Co... co... tam robisz? – odezwał się bardzo cicho cień Zorina.

– Nic! Przygotowuję sobie legowisko – odparł, po czym zapytał: – Jak się czujesz, kapralu?

– Już nic... nie... – przez pół minuty Zorin nie mógł wydobyć głosu – nie czuję. Wkurwia mnie...

– Co?

– Muhamedow... – znowu przerwał i zaczął ciężko oddychać. – Nie można się z nim... kurwa... dogadać...

Pomyślał, że Zorin zupełnie postradał zmysły. Chociaż był ślepy i nie dawał rady się poruszać, w takim stanie mógł się okazać nieobliczalny i niebezpieczny. Trubow poważnie się zaniepokoił.

– Podejdź... bliżej, sierżancie – usłyszał. – Coś ci powiem. – I po chwili zapytał: – Jesteś?

– Tak!

– No... to ja do jutra... już w tym... gównie swoim zdechnę... bo już z nim nic nie... nie załatwię...

– Z kim? Zorin!

– ...ale musisz wiedzieć... sierżancie... że jak skończy ze mną... weźmie się za ciebie! No... tak mi powiedział... ale żebym ci nie mówił. Muhamedow tylko mówi, a... a Amina i Rustam wykonują jego... rozkazy. Jutro zacznie się twój... twój dzień... Nie rozmawiaj z nim... szkoda... czasu... – Zorin ucichł i otwartymi ustami chwytał małe hausty powietrza.

Trubow zrozumiał, że Zorin pewnie nie doczeka jutra i jest tego świadomy. Jego stan wyraźnie się pogarszał. Ludzie umierali czasem od jednego uderzenia pięścią, a czasem dusza rozpaczliwie chowała się w ostatnich zakamarkach ciała i w żaden sposób nie można jej było wypędzić. Trubow widział już podobne przypadki i tak też mogło być teraz z Zorinem.

Sam jednak o świcie zamierzał być wolny i nic już nie mogło go zatrzymać. Postanowił rozliczyć się z bandą dzieciaków tak, jak by to zrobił z dorosłymi, za siebie i za Zorina, któremu w inny sposób nie mógł już pomóc.

Najważniejszy był jednak kizlyar, którego musiał odzyskać. Za nic by się nie przyznał, że go stracił. Bo nikt nigdy nie mógł się dowiedzieć, że on, żołnierz rosyjskiego specnazu, został pohańbiony przez jakiegoś czeczeńskiego szczeniaka, który zadał mu ciosy w dupę nożem z dedykacją Putina.

W piwnicy zrobiło się zupełnie ciemno i zniknął nawet cień Zorina. Cisza zaległa wewnątrz i na zewnątrz. Nie było słychać, jak ostre szkło butelki zmaga się powoli z grubą skórą paska. Każde zranienie w dłoń czy nadgarstek, zamiast sprawiać Trubowowi ból, powodowało przypływ entuzjazmu przed nadchodzącym uwolnieniem.

O drugiej dwadzieścia dwie pasek puścił. Znacznie wcześniej, niż się spodziewał. Uznał to za dobry znak. Mimo że wciąż siedział w piwnicy, było już oczywiste, że jest wolny. Przez moment nawet się zdziwił, że przyszło to tak naturalnie, że jest takie oczywiste. Miał jeszcze sporo czasu, więc poświęcił go na przywracanie do pełnej sprawności swoich dłoni i ramion.

Po trzydziestu pięciu minutach ćwiczeń uznał, że jest już gotów rozpocząć działania. Klęknął pod ścianą, zamknął oczy i zaczął miarowo oddychać, dokładnie wyliczając ilość wciąganego powietrza. Po kilkunastu minutach już nic nie czuł, żadnego bólu, nienawiści, strachu. Nic! Był gotowy do walki jak uniwersalny, starannie zaprogramowany cyborg.

Piwnica miała nie więcej niż półtora metra wysokości i bez trudu znalazł właz w suficie, przez który go wrzucono. Bardzo powoli pchnął właz, który uniósł się nieco i zaraz stawił opór, wydając cichy, metaliczny dźwięk. Przez chwilę pomyślał, że mocowaniem klapy z pewnością musiała zajmować się kobieta, bo czeczeński dżygit zwykle gardził pracą fizyczną, domową w szczególności. I tak jak przypuszczał, klapa oderwała się nadzwyczaj łatwo. Droga do następnego etapu była już otwarta.

Wśród niezwykle ciemnej kaukaskiej nocy z trudem rozróżniał nawet kontury otoczenia. Szybko ocenił, że w tych warunkach poruszanie się jest zbyt ryzykowne. Przypadkowy hałas może obudzić potworki, a on nie wie, gdzie one teraz są.

Postanowił zaczekać na świt. Skulił się w rogu jakiegoś pomieszczenia i wyłączył swoje ciało, wszystkie zmysły oprócz oczu i uszu, które zostawił w stanie czuwania. Czekał na chwilę, kiedy pierwsze tchnienie brzasku da mu znak do akcji. Zastanawiał się, gdzie może być Rustam, ten, który ma jego nóż.

Niebo powoli nabierało odcieni szarości. Zobaczył, że siedzi w na wpół zniszczonym pokoju, w którego ścianę musiał uderzyć pocisk.

Gdy uznał, że jest już wystarczająco jasno, by mógł przejść do działania, zdjął buty i postawił je obok siebie.

Przypomniał sobie z poprzedniego dnia, że druga połowa domu jest w dobrym stanie. Prowadziły tam szeroko otwarte drzwi, które widział teraz w odległości czterech i pół metra. Nie miał najmniejszej wątpliwości, że oni są właśnie tam, po drugiej stronie. Coś mu mówiło, że młode diabły muszą się bać nocy i z całą pewnością śpią jeszcze razem.

Miał do przejścia osiem, może dziewięć kroków. W tych warunkach oznaczało to trzydzieści pięć, maksymalnie czterdzieści pięć sekund.

Stawiał stopy, pewnie przenosząc ciężar ciała i odpowiednio wybierając miejsce, by niczego nie potrącić i wciąż mieć na oku otoczenie. Po chwili stanął już przy drzwiach.

Wewnątrz było ciemniej, niż mu się wydawało. Przywarł plecami do ściany i od razu poczuł, że tam są. Bezszelestnie wsunął się za próg i zamarł. Zmrużył oczy, by lepiej widzieć, i czekał. Świt, choć pochmurny, zaczął się wdzierać do pokoju przez zasłonięte grubymi kocami okna. Trubow mógł już rozpoznać kształty.

Na podłodze pod ścianami ułożone były materace. Leżało na nich pięć niedużych postaci. Trubow je policzył. Brakowało szóstej. Nie potrafił powiedzieć kogo, bo wszystkie wyglądały tak samo. Dziwne! Skulone i zakryte z głową identycznymi grubymi narzutami.

W martwej ciszy ten widok wywarł na nim przerażające wrażenie. Jakby wszedł do jaskini potwora, który gdzieś wyszedł, zostawiając kokony ze swoim potomstwem, i za chwilę pewnie wróci ich bronić. Wydało mu się, że jego instynkt nagle skruszył się jak niehartowane szkło, i przypomniał sobie słowa Zorina.

Nie miał jednak odwrotu i musiał działać. Odpędził od siebie te myśli i próbował przyjrzeć się lepiej, ustalić, w który kokon owinięty jest który potworek, kogo brakuje, gdzie jest broń, gdzie Amina, ale przede wszystkim – gdzie jest Rustam z jego kizlyarem.

Po chwili zauważył, że przy jednym kokonie, na materacu obok, leży AKS, który miała Amina. Ustalił zatem, gdzie jest przywódca. Jego szanse znacznie teraz wzrosły. Mógł jednym skokiem dopaść broni albo podejść do niej po cichu. Gdzieś jednak jest Rustam z jego AK-74M! Trubow był spięty jak nigdy dotąd. Szumiało mu w uszach, serce biło jak młotem. A przecież wcześniej nierzadko bywał w trudnych sytuacjach.

Ruszył w stronę automatu, gdy nagle kątem oka zauważył, że po lewej stronie coś się poruszyło, i natychmiast zdał sobie sprawę, iż rozwinął się jeden kokon.

Do dzisiaj Trubow nie jest w stanie dokładnie odtworzyć, co się potem stało. Pamiętał, że dopadł automatu. Po raz pierwszy i ostatni w życiu kierowała nim organicznie czysta panika. Ogarnęło go przerażenie i chaos! Usłyszał bolesne, przeszywające ciało wycie dziecięcych głosów. Narastające, jakby ktoś wrzucał kokony garściami do ognia. Potem nastąpił błysk i zapadła martwa cisza. Trwało to sekundy.

Ocknął się dopiero, gdy napotkał pierwszy rosyjski posterunek. W posiniałych rękach trzymał AKS i koledzy nieźle musieli się natrudzić, żeby mu go odebrać. Od nosa do ucha miał głęboką ranę szarpaną, zakrzepłą dużymi brunatnymi bryłami.

Pamiętał, że zabrał go helikopter.

Potem przeżył jeszcze wiele ciężkich chwil w górach Kaukazu, podczas akcji w Teatrze na Dubrowce, ale już nigdy nie przydarzyło mu się nic podobnego.

W szpitalu w Gudermesie napisał raport. Przedstawił w nim wiarygodną, standardową wersję, której dla dobra wszystkich nie trzeba było sprawdzać. Pominął zdarzenie z Aminą, Rustamem i Zorinem, bo sam nie był już pewien, czy to się działo naprawdę. Nie potrafił też logicznie wyjaśnić lekarzom, skąd wzięła się na jego twarzy ta niezwykła rana.

Pewien był tylko jednego: że wrócił bez noża. Ale to było ważne tylko dla niego.

## 69

Linda i Olaf czekali na Toma, który miał się zjawić lada moment.

Wiedzieli, że jedno z nich powinno pojechać do Åkersbergi i zająć się organizacją działań na miejscu. Postanowili jednak, że wcześniej podsumują wszystko, co wiedzą, co podejrzewają, ale przede wszystkim wysłuchają brytyjskich kolegów z Security Service. Dopiero wtedy zadecydują, które z nich pojedzie do Jorgensena.

– Trzeba poprosić policję, żeby sprawdziła, czy ktoś nie widział ich w Jakobsbergu – rzuciła Linda z pewnym wahaniem. – Twarze Garbinowa i tego blondyna z blizną są na tyle charakterystyczne, że może ktoś ich zauważył… Jeżeliby się okazało, że byli tam w czasie, gdy technicy FRA zarejestrowali głuchy telefon do Jorgensena, to mielibyśmy dodatkowe potwierdzenie, że ich przyjazd do Szwecji ma jakiś związek z Hansem.

Olaf podniósł się, by pójść do pokoju obok, gdzie pracował mały sztab zbierający wszystkie informacje i koordynujący działania służb zaangażowanych w poszukiwania duetu Garbinowa, jak teraz mówili. W drzwiach niemal zderzył się z Staffanem, który zgrabnie uniknął kolizji. Po raz drugi tego dnia.

– Mamy numer samochodu, którym poruszał się ten pół-Azjata – zakomunikował nienaturalnie radośnie Staffan. – Fredrik i Ulf nie tylko zanotowali numer, lecz także rozpoznali tego Garbinowa. W samochodzie był sam. Są pewni, że to on...

– To starzy wyjadacze z obserwacji... Oni nigdy się nie mylą! – przerwał mu Olaf.

– Samochód należy do Sunne Bergssona, zamieszkałego w Sundbybergu przy Tulegatan, ale... – zawiesił głos – jego kradzież nie została zgłoszona.

– Kto to jest ten Bergsson? – zapytała Linda.

– Nienotowany. Zatrudniony w Handelsbanken, wiek czterdzieści pięć lat, rozwiedziony, mieszka sam. Teraz przebywa na wczasach w Portugalii. Jego telefon nie odpowiada. Informacje pochodzą od syna, który mieszka z matką – skończył Staffan z zadowoleniem.

– Dobra robota, Staffan! Dziękuję – pochwaliła go Linda. – Samochód był skradziony, lecz oczywiście niezgłoszony, bo właściciela nie ma w kraju. Przypadek czy arcymistrzostwo rosyjskich służb? Nie wierzę w przypadki! To muszą być agenci rosyjskiego wywiadu! – Zmarszczyła czoło i spojrzała na Staffana.

– Informację o samochodzie przekazaliśmy natychmiast policji. Szukają go w całym kraju. Poprosiliśmy też kolegów z portugalskiej policji, żeby odnaleźli tego Sunne Bergssona... Jest w ośrodku w Algarve. My też próbujemy się do niego dodzwonić.

– Sprawnie, Staffan! – Olaf z uznaniem pokiwał głową.

Do pokoju zajrzał Hasan Mardan, pół Irakijczyk, pół Irańczyk, najprzystojniejszy oficer Wydziału Wschodniego Säpo, a może całej służby, i najinteligentniejszy. Oczywiście po Olafie i Lindzie, co lubili podkreślać, lecz z pewnością odważniejszy, co też było dla nich oczywiste. Hasan był jedynym oficerem na Polhemsgatan, który nosił dredy, dość krótkie, ale jednak dredy.

– Na dole czeka Tom Hanson. Idę po niego! – rzucił i zniknął, trzaskając drzwiami.

Na stole zaczął wibrować telefon komórkowy Lindy.

– Oddział antyterrorystów Task Force jest już na miejscu – zakomunikował Per Gustavsson, jak tylko odebrała. – Rozłożyli się w domu przy drodze, o którym mówiłaś. Dobre miejsce, są zupełnie niewidoczni.

– Niedługo ktoś cię wymieni... Albo ja, albo... Olaf – odparła. – Co robi stary?

– Nic szczególnego. Za to młody ze swoją kobietą chwilę temu wyruszył z domu...

– No to się zaczęło! – Linda powiedziała to głośno, żeby wszyscy usłyszeli. – Zarządzam pełną gotowość! Wszystkich! Komandosi mają być cały czas w butach – rzuciła dowcipnie, kryjąc tym swoje podniecenie. – Informuj Pera o wszystkim na bieżąco! Coś jeszcze? – I prawie natychmiast wyłączyła telefon. – Spróbuj złapać tego Bergssona i sprawdź go dokładniej – zwróciła się do Staffana, który wciąż stał w pokoju. – Musimy być pewni, że to nie jest znowu jakiś ruski szpieg. Mamy już chyba w Sztokholmie więcej szpiegów na kilometr kwadratowy niż w Brukseli czy Wiedniu.

– Carl i jego kobieta...

– Otóż to! – przerwała twardo Olafowi, podeszła do niego i wzięła go za uszy. – Coś mi się zdaje, Kubusiu, że wkrótce wszystko się wyjaśni. Ci Jorgensenowie, Garbinow, człowiek z blizną, wszystko! W Åkersberdze już się zaczęło! Czy uda nam się nad tym zapanować... czy dowiemy się tak naprawdę, o co w tym wszystkim chodzi... Olaf! Rozumiesz coś z tego?

Drzwi otworzyły się gwałtownie, zanim Linda zdążyła oderwać ręce od uszu Olafa. Hasan to zauważył i uśmiechnął się porozumiewawczo. Nie wyglądał na specjalnie zaskoczonego.

Za nim wkroczył do pokoju o połowę szerszy i połowę niższy Tom Hanson. Energicznie wyciągał krótkie nogi w żeglarskich butach, bez skarpet, a jego twarz zlewała się z czerwienią koszulki polo. W ręku trzymał cienki skoroszyt.

– *Hej!* – zawołał głośno po szwedzku i podszedł do stołu.

Nikt nie odpowiedział, bo każdy widział na jego twarzy czytelny znak, że... On Wie Wszystko.

Ze skoroszytu wyjął zdjęcie paszportowe Garbinowa i jego portret pamięciowy. Położył na stole. Wyjął też jednostronicowy dokument z czerwonym napisem u góry: *Top Secret – For Your Eyes Only*.

Otoczyli stół, a Olaf wziął pismo do ręki.

– Lepiej mnie posłuchajcie, będzie szybciej, później to przeczytacie... słyszysz, Olaf? – Tom zaczął tonem, jakiego dawno nie słyszeli, więc Olaf odłożył pismo. – Tego człowieka – dotknął ręką portretu pamięciowego – zapamiętali świadkowie w małej szkockiej miejscowości Burghead. A ten człowiek... – jego palec wciąż tkwił na portrecie – i Garbinow... To Ta Sama Osoba. Nie ma wątpliwości!

– Kto to? – zapytali jednocześnie.

– Tego jeszcze nie wiemy, ale jest duża szansa, że się dowiemy. Pokazaliśmy zdjęcie Garbinowa świadkom. Nie mieli najmniejszych wątpliwości, że to ten sam człowiek – kontynuował Tom Hanson tonem typu Ja Wiem. – W czerwcu dwa tysiące ósmego roku on i jeszcze jeden mężczyzna, którego tożsamości ani wyglądu nie udało się ustalić, zamordowali w Burghead rosyjskiego, w zasadzie radzieckiego jeszcze, nielegała, który przeszedł na naszą stronę w osiemdziesiątym siódmym roku. Był objęty specjalnym programem ochronnym, poddał się operacji plastycznej i nie udzielał się od lat. Sporadycznie wykorzystywaliśmy go jako konsultanta. Zamordowana została wówczas również jego żona. To była wyjątkowo brutalna zbrodnia...

– To znaczy? – zapytał Hasan.

– Oboje byli przed śmiercią torturowani...

– Dlaczego? Przecież nie byli już chyba groźni dla Rosjan... po ponad dwudziestu latach? – wtrąciła Linda i przysiadła na krawędzi stołu.

– Tego nie wiemy. Mamy różne hipotezy. Na dobrą sprawę dotychczas nawet nie byliśmy pewni, że to robota Rosjan. Mieliśmy również teorię, że to napad bandycki. Ich dom został splądrowany i ograbiony ze wszystkiego, co było wartościowe. Przeciwna koncepcja zakładała, że to wykonanie wyroku śmierci, który na nich wydano jeszcze w ZSRR. Jak zdajecie sobie sprawę, ta wersja uwzględniała siłą rzeczy rosyjskiego kreta w naszych szeregach, a zawsze znajdzie się jakiś klon Angletona. Dopiero wasza informacja rzuca nowe światło... Rozumiecie, że Londyn jest tą sprawą nadzwyczaj zainteresowany. Wiemy teraz więcej, chociaż zabójstwo policjanta w hotelu Solna nie uprawdopodabnia jeszcze żadnej wersji. A może nawet bardziej uwiarygodnia bandycko-mafijny motyw zabójstwa w Burghead.

– Hasan, przynieś zdjęcie tego blondyna, które zrobili w Åkersberdze – polecił Olaf. – A ty, Tom, usiądź i lepiej mnie posłuchaj – powiedział, naśladując jego ton. – Wiemy już znacznie więcej i hipoteza chyba jest teraz jedna.

Biedny Gunnar Selander miał nosa. Wyczuł coś dziwnego w tym Garbinowie – zamyślił się na chwilę Olaf.

Wszedł Hasan i położył przed Tomem zdjęcie blondyna wpatrującego się w niewidzialny zegar w domu Jorgensena.

Milcząca dotychczas Linda podniosła się, podeszła do Olafa, wzięła go pod ramię i odprowadziła na bok.

– Nie ma czasu, Olaf! Garbinow i człowiek z blizną to zabójcy. Likwidują nielegałów, którzy zdradzili. To proste jak drut! Brytole nic nam teraz nie pomogą, a pewnie zaczną się wtrącać i komenderować... – Jeszcze bardziej ściszyła głos. – Popatrz na niego, jaki jest nadęty. Nigdy wcześniej taki nie był...

– Przecież nie mogę... – zawahał się. – Mam mu nie mówić?! To niemożliwe!

– Oczywiście, że masz mu powiedzieć, ale nie daj sobą komenderować!

Nagle przerwała i spojrzała mu prosto w oczy. Jej twarz stężała na chwilę, aż pomyślał, że Linda źle się poczuła.

– Jorgensen chce przejść na naszą stronę – oznajmiła cicho, ale zdecydowanie.

Brwi Olafa z wolna się zeszły, tworząc dziwną fałdę. Dopiero po chwili, i to z wyraźnym trudem, zaczął się rozluźniać, przybierając w końcu groteskową minę złodziejaszka zaskoczonego z ręką w szufladzie.

– Nie rozumiem! Jak to? Przejść... na naszą... stronę...

– Boże, Olaf! Wysil się! Nie mamy czasu. – Ku zaskoczeniu Hasana i Toma Linda odciągnęła go głębiej w róg pokoju. – Garbinow i blondyn to nie jest komando ewakuacyjne, tylko egzekucyjne. Co zrobili w hotelu Solna?! Przecież nie przyjechali porozmawiać sobie z Jorgensenami. Po co im była broń automatyczna i taka determinacja? Pomyśl! Oni przyjechali zabić Jorgensena! – Wywód Lindy brzmiał coraz bardziej przekonująco.

Olaf pokiwał głową.

– To są nexusy! Nie ma wątpliwości... Wszystko zaczyna do siebie pasować. Zachowanie Hansa Jorgensena w ostatnich dniach. To spotkanie z synem dzisiaj też jest dziwne. Akurat dzisiaj! – podchwycił ton Lindy.

Oboje zamilkli. Stali naprzeciw siebie i patrzyli sobie prosto w oczy, zupełnie się nie krępując.

– Myślisz o tym samym co ja? – zapytała Linda.

Znowu pokiwał głową i zacisnął usta.

– Najprawdopodobniej mają u nas lub w wojsku kreta i wiedzą, że obserwujemy Jorgensenów, lub w inny sposób ustalili, że Hans planuje przejść na naszą stronę – stwierdziła pewna siebie Linda. – Tak czy inaczej oni zabiją ich obu, i to na naszych oczach, jeżeli będzie trzeba. Jorgensenowie muszą być dla nich bardzo cenni...

– I to będzie dzisiaj! Czuję to! Wiem! – rzucił krótko Olaf i po kilku sekundach dodał: – Idę do Kurta. A ty jedź do Åkersbergi. Zajmij się przygotowaniem terenu i ludzi. Per nic nie wie i sam może nie dać sobie rady. Weź ze sobą Hasana, to robota dla niego...

Oboje ruszyli energicznie w kierunku drzwi. Tom otworzył usta, żeby coś powiedzieć, ale Olaf powstrzymał go uniesioną dłonią.

– Muszę pilnie porozmawiać z Lövenströmem. Zaczekaj na mnie tutaj, Tom.

– Czy coś się stało? – zdążył zapytać Anglik, ale Olaf, Linda i Hasan byli już za drzwiami.

## 70

Sophie pierwsza wysiadła z samochodu i weszła do domu. W tym czasie Carl zaparkował swoje volvo XC90 na drodze. Po chwili Sophie i Hans wyszli razem, trzymając się za ręce.

Carl bardzo lubił ten zwyczaj, który przypominał mu szczęśliwe dzieciństwo. Jak daleko sięgał pamięcią, jego rodzice zawsze trzymali się za ręce. Nawet gdy szli po zakupy. Teraz zrobiło mu się przykro, że wcześniej tak surowo potraktował ojca. Podszedł do niego i mocno go uścisnął. Przez moment odniósł wrażenie, że Hans jest jakby niższy. Jakby się nagle postarzał.

Wyjął z bagażnika duży kosz wypełniony owocami, słodyczami, szampanem i butelkami czerwonego wina.

– Jak się masz, kapitanie? – Hans objął syna ramieniem, wciąż trzymając Sophie za rękę. – Po jakich morzach żeglowałeś? Przekroczyłeś swoją „smugę cienia"? – Puścił ich dopiero, gdy weszli na werandę.

– Świetnie wyglądasz, tato – odezwał się Carl i po chwili dodał z wyraźną skruchą: – Przepraszam cię za... za tamto...

– Nie wiem, o czym mówisz – przerwał mu Hans i uśmiechnął się do Sophie.

– Może usiądziemy na werandzie... – zaproponowała. – Co za zapach!

– Indyk dochodzi w piekarniku...

– Jak ty to robisz, Hans, że masz taką sylwetkę? – ciągnęła Sophie. – Robisz sobie lifting? Gdzie twoje dostojne zmarszczki? Wszyscy Duńczycy tak wyglądają w twoim wieku?! Ty też tak będziesz wyglądał? – zapytała z uśmiechem Carla. – Dobrze wybrałam! Zahartowane duńskie geny wspomogą szwedzkie chromosomy.

Usiadła obok niego na starej drewnianej ławie, którą na jakimś pchlim targu kupiła jeszcze Ingrid, i położyła głowę na jego ramieniu.

– Wspaniałe lato! Zostaniesz tu dłużej? – zwrócił się Carl do ojca, obejmując Sophie.

– Jeszcze nie wiem. Właściwie nie mam żadnych planów – odparł Hans i przeniósł wzrok na Sophie, która zamknęła oczy. – Jest piękną kobietą. Dbaj o nią. – Poczuł ucisk wspomnień. Ingrid też lubiła przytulać twarz do jego ramienia. W identyczny sposób.

– No co, Sophie? – powiedział Carl i pocałował ją w głowę. – Nie będziemy chyba dłużej czekać.

Sophie wyprostowała się z lekkim uśmiechem i poprawiła spięte z tyłu włosy. Carl wyjął z koszyka butelkę szampana i sprawdził dłonią jej temperaturę.

– Jeżeli przyniesiesz teraz kieliszki, to jeszcze będzie się nadawał do picia – rzucił do ojca.

Hans spojrzał na niego z ciekawością.

– Czy stało się coś, o czym nie wiem?

– Idź po kieliszki! Tylko weź te wasze ślubne, kryształowe, te, które dostaliście od babci Gerdy…

– Zostały dokładnie trzy – powiedział Hans, podnosząc się ze skrzypiącego wiklinowego fotelika.

Wrócił po dwóch minutach. W dłoniach niósł trzy smukłe wzorzyste kieliszki z grubego kryształu.

Ani Carl, ani Sophie, ani nawet Ingrid nie wiedzieli, że zestaw siedmiu kryształowych kieliszków był w rzeczywistości prezentem ślubnym od generała majora Anatolija Grigorijewicza Zujewa, ówczesnego szefa nielegałów KGB.

Kiedyś w latach siedemdziesiątych Ingrid z ciekawości zrobiła ekspertyzę tych kieliszków w firmie Bukowskis i okazało się, że pochodzą z XVIII wieku, z Niemiec, z fabryki w jakimś Schreiberhau, i są wyjątkowo rzadkim i cennym egzemplarzem. Jorgensen nie miał wątpliwości, że musiały być zdobyczą wojenną Armii Radzieckiej, tak jak jego walther PP. O ile jednak pistolet przedstawiał dla NKWD realną wartość użytkową, o tyle kryształowe kieliszki do szampana zapewne niekoniecznie, i nikt w Moskwie nie zadał sobie trudu, by ustalić ich wartość i pochodzenie. Od lat pił więc z nich wino i szampana, co więcej – patrząc na nie, zawsze pamiętał, że w Moskwie ma przyjaciół, którzy o nim myślą.

Miał jednak dziwne uczucie, że teraz nie powinien stawiać tych kieliszków na stole. Wznoszenie nimi toastu wydawało mu się niewłaściwe. Carl i Sophie będą trzymać je w dłoniach, a przecież miał dziś wyznać synowi całą prawdę o swoim życiu, kim jest, co robił i dlaczego. Wszystko! Zatem wcześniej czy później będzie musiał też powiedzieć, od kogo dostał te kieliszki.

Postawił je blisko siebie w równym rzędzie, zastanawiając się, jak powinien zareagować na to, czego od dawna się spodziewał i co nie będzie dla niego żadnym zaskoczeniem.

Carl i Sophie mieszkali razem już od dwunastu lat. Tworzyli zgraną, kochającą się parę. Ślub zatem byłby w tej sytuacji czymś naturalnym. Od dawna tak uważał i czekał na ich decyzję. Ale akurat dzisiaj myśli miał zaprzątnięte tym, co miało wkrótce nastąpić, a nie chciał im zrobić przykrości nie dość entuzjastyczną reakcją.

Korek od szampana wystrzelił i trochę piany wylało się na deski werandy. Carl powoli napełnił kieliszki jasnozłotym płynem. Podał jeden Sophie i wszyscy wstali.

– Tato! Mój tato... – Carl zawiesił na chwilę głos i uśmiechnął się szeroko. – Już nie będziesz tylko tatą. Wkrótce będziesz dziadkiem... wkrótce... na świat przyjdzie kolejny Jorgensen.

Hans stał z kieliszkiem w ręku i nie był pewien, czy dzieje się to naprawdę. Patrzył na dwie uśmiechnięte twarze i nie mógł sobie przypomnieć, do kogo należą.

– Tato! Nie cieszysz się? – obudził go głos Carla.

– To wspaniale! Nie mogliście mi sprawić większej radości! Pomyślałem przez chwilę o Ingrid...

– Mama już wie. Dowiedziała się pierwsza, kiedy byliśmy u niej w rocznicę...

– No to kiedy? Już wiecie, że to będzie... on?

– Za pięć miesięcy. Czekaliśmy, aż Carl wróci, żeby ci o tym powiedzieć – odparła Sophie.

Jorgensen podszedł i objął ich oboje. Czuł, że kręcą mu się łzy w oczach.

– Tak mi przykro, że Ingrid tego nie doczekała... No dobrze! – Puścił ich i stanęli wszyscy blisko siebie. – Wypijmy za nowego Jorgensena! Za mamę i tatę! Za was! – Stuknęli się kieliszkami, które wydały czysty, krystaliczny dźwięk.

– Na imię będzie miał... – Carl wziął Sophie za rękę – Poul, tak samo jak mój dziadek. Co prawda nigdy go nie widziałem, ale wiem, że jego wojowniczy duch drzemie gdzieś w Jorgensenach. No jak, tato? Zgadzasz się?

Hans usiadł na fotelu i odstawił kieliszek. Z aprobatą pokiwał głową.

– Dobrze się czujesz, Hans? – zapytała Sophie, przyglądając się mu uważnie.

– Jestem trochę zmęczony, no i... zaskoczony. Dajcie mi chwilę, muszę się oswoić z tą myślą – powiedział słabym głosem, wpatrzony w kryształowy kieliszek wciąż pełen musującego szampana.

Carl i Sophie weszli do domu, zabierając ze sobą kosz z winem i owocami. Nie zdążyli go rozpakować, gdy z werandy doszedł ich podniesiony głos Hansa. Natychmiast do niego pobiegli i zobaczyli, że stoi z dziwną miną obok stołu, a u jego stóp leży rozbity kieliszek.

– Jaka szkoda! – odezwała się Sophie. – Był przepiękny! Zostały już tylko dwa...

– To na szczęście – wtrącił Carl. – Nie przejmuj się... Zaraz to posprzątam! – I poszedł do kuchni po miotełkę.

Dlaczego on to zrobił? – pomyślał poruszony do głębi.

Miał wrażenie, że z ojcem dzieje się coś, czego dotąd nie zauważył. Było więcej niż oczywiste, że gruby kryształowy kieliszek nie mógł rozbić się w ten sposób o drewnianą podłogę. Hans musiał roztrzaskać go celowo!

## 71

Dochodziła szesnasta piętnaście, gdy Tatar znalazł miejsce do zacumowania łodzi. Była to podłużna zatoka zasłonięta z obu stron przez wysokie skały i przypominająca nieduży dok portowy. Gdy tam dotarli, słońce schowało się już za wysokimi świerkami, które rzucały cień.

Obaj byli zadowoleni, że bujna natura sztokholmskich szkierów zafundowała im tak bezpieczne schronienie akurat teraz, przed akcją i po wydarzeniach w Solna. Doskonale zdawali sobie sprawę, że muszą być bohaterami wszystkich szwedzkich mediów i celem numer jeden każdego policjanta.

Komputer zaprowadził ich bezbłędnie pod dom Jorgensena, który mogli teraz doskonale widzieć ze swojej kryjówki. Wcześniej przepłynęli blisko brzegu, żeby przyjrzeć się lepiej otoczeniu i samej posesji. Jagan zobaczył wtedy, że przed domem Jorgensena stoi jego samochód, otwarte są drzwi na werandę i okno, którym wczoraj wszedł do środka. Po chwili obserwacji dostrzegł też samego gospodarza, siedzącego na werandzie i wpatrującego się w wodę. Przez moment pomyślał, że Jorgensen patrzy właśnie na niego. Znał go wyłącznie ze zdjęć, ale nie miał żadnych wątpliwości, że to właśnie on. Oddał jednak lornetkę Tatarowi, który również go rozpoznał.

Teraz obserwowali dom ze swojej łodzi ukrytej w zacienionej zatoce, z odległości mniej więcej pięciuset czterdziestu metrów, jak ocenił Jagan. Mieli czekać do zmroku, gdyż tak zdecydował Tatar. Uznał, że wtedy będzie bezpieczniej, i Jagan nie mógł się z tym nie zgodzić, chociaż miał wątpliwości, czy Tatar będzie umiał prowadzić łódź w nocy. Sam w ciągu dnia opanował nie tylko jej obsługę, która okazała się niewiele trudniejsza niż kierowanie transporterem opancerzonym, lecz także prostą nawigację GPS w komputerze Tatara. Mieli na to dużo czasu, a Tatar wyraźnie chciał zaimponować „tępemu Jaganowi" i dał z siebie wszystko.

Teraz siedział z wyciągniętymi nogami w wygodnym fotelu i drzemał. Był zmęczony i chciał odpocząć przed robotą. Czuł, że jego zmysły pracują zbyt wolno i że ma mocno opóźniony czas reakcji. Prawdę mówiąc, nie przewidywał, że zamierzona akcja będzie specjalnie trudna, i nie spodziewał się jakichś przeszkód, które zmuszą jego organizm do zwiększonego wysiłku, wolał jednak trochę odpocząć.

Wokół nie działo się nic podejrzanego, nic, co mogłoby budzić w nim niepokój. Woda delikatnie i miarowo uderzała w łódź, wprawiając ją w niemal niewyczuwalne kołysanie. Z czasem przyszło rozprężenie, wzmocnione kolejną butelką podłego szwedzkiego piwa, wiatrem i słońcem, toteż Tatar postanowił nie bronić się już dłużej przed sennością.

Nagle mu się wydało, że szarpnęła nim jakaś potężna siła, i przez ułamek sekundy nie wiedział, gdzie jest ani co się stało. Zobaczył nad sobą twarz Jagana i poczuł wściekłość.

– Nie śpij! Bo będzie jeszcze gorzej... Nie zdążysz się zregenerować przed robotą – tłumaczył mu Jagan i dla Tatara było jasne, że doświadczony Czeczeniec wie, co mówi. – Przed robotą się wykąpiemy, to nas postawi na nogi – dorzucił i podał mu lornetkę. – Chodź i popatrz. Nasz cel ma gości. Wydaje mi się, że jedną osobę znam.

Tatar wyszedł na pokład i zaczął obserwować dom. Trwało to dwie minuty, może więcej. Po chwili bez słowa zszedł pod pokład i wybudził komputer. Jagan czekał na zewnątrz.

– To... Carl Jorgensen! Jego syn... – usłyszał głos z kajuty. – Nie możemy go tknąć. Absolutnie!

– Dlaczego?

– Nie wiem. Taką mam dyspozycję. Nie może mu spaść włos z głowy...

– To co, kurwa?! Mamy czekać, aż sobie pójdzie? A jak nie pójdzie? Dokąd będziemy tu siedzieć? Tatar, jak nie uwiniemy się tej nocy, to jutro nas namierzą i po ptokach. Dłużej nie możemy...

– Nie będę się teraz o to martwił... – odpowiedział beznamiętnie Tatar, wychodząc na pokład. – Czekamy! Obserwujemy! Czekamy! Mamy czas. Nie panikuj, żołnierzu!

Pierdolony muzułmanin! Za to „nie panikuj" powinienem już teraz wpierdolić mu kulkę w czoło – pomyślał Jagan w przypływie wściekłości, bo nienawidził tego słowa w jakiejkolwiek konotacji ze swoją osobą. I wcale go nie obchodziło, że Tatar o tym nie wie.

– Ten samochód przed domem... volvo 90... to jego – odezwał się ponownie Tatar.

– Skąd wiesz?

– Mam w komputerze jego numery rejestracyjne. Samochód pojedzie, pojedzie i gość. Proste! Nie będzie żadnej niespodzianki. Zrobimy, co mamy zrobić, i spierdalamy do domu.

– Widziałeś panienkę?

– Widziałem. Musi być z tym młodym Jorgensenem, bo wcześniej jej nie było. Jest jeden samochód, więc musieli przyjechać razem. Jak zostanie na noc, a ten Carl wyjedzie, to trudno, jej problem, że znalazła się w nieodpowiednim czasie w nieodpowiednim miejscu. Nic o niej nie mam, żadnych rozkazów ani zakazów. Nie wolno nam tylko tknąć młodszego Jorgensena. – Tatar przerwał i zszedł na niższy pokład. Z rękami za głową rozłożył się w fotelu, wyjął zza paska pistolet i powolnym ruchem położył go obok. – Ciekawe, dlaczego mamy go omijać? Masz jakiś pomysł, sierżancie?

Jagan nie miał żadnego pomysłu i nawet nie próbował się nad tym zastanawiać. To nie był jego problem, więc nie zareagował. Stał na górnym pokładzie, nie mogąc oderwać oczu od czarnego pistoletu, który leżał na białym skórzanym fotelu, i wydawało mu się, że Tatar zostawił go tam celowo.

Przejrzał mój plan i chce mnie sprowokować – pomyślał. Może nie powinienem czekać, tylko załatwić go już teraz.

Szybko jednak do niego dotarło, że sam nie da rady zakończyć akcji, a jeżeli w takim wypadku wróci bez Tatara, nie będzie mógł się w Moskwie logicznie wytłumaczyć. Co innego, gdy sprawa zostanie załatwiona jak należy.

– Sprawdź broń! – rzucił Tatar.

– Sprawdziłem wczoraj w hotelu – odpowiedział złośliwie Jagan, ale wiedział, że i tak musi ją sprawdzić przed akcją. – Co tam masz w tym futerale? Co to za tajemnica?

– Interesuje cię to?

– Tak sobie. Jak to coś ważnego, to i tak się dowiem podczas akcji, nie? – Popatrzył na Tatara i pomyślał, czy w jakiś sposób może mu to zagrozić. – Nie musiałbyś tak się z tym kryć. Mylę się?

Tatar zszedł pod pokład i wrócił ze swoją marynarką. Z wewnętrznej kieszeni wyjął futerał i uniósł prawą rękę.

– Wiesz, co to jest? Nie? – Zabrzmiało to groteskowo, wręcz śmiesznie. – To taki specjalny środek, który wdmuchujesz człowiekowi do nosa, a później wychodzi na to, że miał zawał. Idealne dla starego Jorgensena.

– Wiesz, dlaczego mamy go zlikwidować? Przecież to nasz człowiek – powiedział Jagan bez cienia ironii.

– Nie! I nie zamierzam się nad tym zastanawiać. Tobie też nie radzę. *Rossii umom nie pojmiosz...* Ale powód musi być poważny, jak za każdym razem, kiedy to robimy. Wcześniej nie zadawałeś takich pytań. Jakieś wątpliwości, sierżancie?! – W jego głosie zabrzmiało coś podobnego do groźby. – W Czeczenii się zastanawiałeś, dlaczego zabijasz? Tam wszystko było jasne? Nie masz sobie nic do zarzucenia? Ilu tam spotkałeś tchórzy, zdrajców, złodziei, morderców, naszych i ich, oficerów i żołnierzy?

Tu akurat Tatar miał rację i Jaganowi zrobiło się głupio, że zapytał. Nie wobec dowódcy, lecz wobec siebie samego, bo doskonale zdawał sobie sprawę, jak jest na wojnie, a szczególnie w Czeczenii.

Postanowił teraz zejść pod pokład, by sprawdzić broń i wszystko to, co wkrótce może mu być potrzebne.

# 72

Policyjny patrol numer 0971 z posterunku w Tyresö od rana kontrolował swój rejon, zaglądając w najdalsze zakątki rozległej podsztokholmskiej gminy przeplatanej morzem, skałami, lasami i tysiącami skąpanych w kwiatach domów. Sprawdzali wszystko, wszystkich i wszędzie, lecz zdjęcie Garbinowa wciąż pozostawało anonimowe.

Roger i Ann pracowali w Tyresö od pięciu lat. Roger skończył Wyższą Szkołę Policyjną w Solna rok przed Ann i wcześniej był zatrudniony w Sundbybergu. Wielokrotnie już im się zdarzało poszukiwać podejrzanych, lecz po raz pierwszy uczestniczyli w obławie na taką skalę, wyposażeni w kamizelki kuloodporne i broń automatyczną.

Tego dnia od rana zmobilizowano wszystkich policjantów, którzy mimo sezonu urlopowego byli na miejscu. Zresztą po wysłuchaniu porannych wiadomości o strzelaninie w Solna, brutalnym morderstwie policjanta i pościgu ogłoszonym w całym kraju funkcjonariusze sami zaczęli się zgłaszać do pracy. Rozdzwoniły się też wszystkie telefony: obywatele ze wszech miar starali się pomóc, lecz w efekcie, jak zawsze w takich przypadkach, okazywało się, że Garbinow był widziany w kilkudziesięciu miejscach jednocześnie.

Swój biało-niebiesko-pomarańczowy radiowóz Saab 9-5 Ann i Roger postawili przy drodze numer 229 na wysokości Öringe Strandväg, tak by kierowcy samochodów jadących w kierunku wschodnim, nad morze, mogli dostrzec ich w ostatniej chwili. Wystawili na drodze znak ograniczenia prędkości do trzydziestu kilometrów na godzinę i zapowiedź policyjnej kontroli. To było stałe miejsce blokad policyjnych, wybrane celowo, bo odcinające cwanych kierowców od większości gminnych dróg. Miejscowi wiedzieli o tym doskonale, ale nie przyjezdni, jak na przykład poszukiwany Garbinow. A tym razem chodziło tylko o niego.

Wysoka, dobrze zbudowana blondynka z grubym, krótkim francuskim warkoczem, w kamizelce kuloodpornej i z automatem MP5 A3 wzbudzała nieukrywane zainteresowanie kierowców i pasażerów, licznie ciągnących o tej porze w kierunku morza.

Zarówno Ann, jak i Roger świetnie się orientowali, jak z potoku przejeżdżających samochodów wyselekcjonować te, które należy poddać kontroli. Podejrzany samochód i kierowca zawsze wyglądają podejrzanie.

Wymienili kolegów na tej blokadzie trzy godziny temu i nie skontrolowali jeszcze ani jednego samochodu, ale nawet przez myśl im nie przeszło, że stoją tam na próżno.

Dokładnie w momencie, gdy przejeżdżał miejski autobus, zostawiając za sobą zapach strawionego alkoholu, Ann i Roger usłyszeli w radiostacjach Sepura SRH3800, że wysłano do wszystkich patroli nową informację dotyczącą sprawców zamachu w hotelu Solna.

Ann stała bliżej radiowozu i dała Rogerowi znak ręką, że sprawdzi w komputerze, o co chodzi. Gdy weszła do samochodu, z drukarki zwisała już fotografia człowieka z dużą szarpaną blizną od nosa do ucha, który patrzył jej prosto w oczy. Niżej była informacja o granatowym saabie 9-5 z 2006 roku i jego numer rejestracyjny.

– Nareszcie coś konkretnego – powiedziała z surową policyjną satysfakcją i tak spojrzała przez szybę na Rogera, że ten natychmiast przyszedł do radiowozu. – Teraz szukamy dwóch. – Pokazała koledze zdjęcie blondyna i dane samochodu.

– Najpierw objedziemy nasz rejon, a potem odpytamy tam gdzie zawsze – zdecydował Roger, siadając za kierownicą.

– Wydaje mi się, że widziałam takiego saaba – powiedziała Ann niezbyt pewnie. – Jedź dwieście dwudziestą dziewiątą na Nytorp. Skręcisz na prawo w Klockargårdsvägen, jest tam nieduża przystań. Pamiętasz?

– Oczywiście!

– Rano stał przy niej granatowy saab, taki jak ten poszukiwany. Pamiętasz?

– Nie bardzo...

– Mówiłam ci, że stoi nieprawidłowo zaparkowany... Nie mówiłam?

– No, nie pamiętam...

Roger włączył sygnał świetlny na dachu i ruszył ostro z miejsca.

– Coś mnie teraz tknęło! – rzuciła dziwnym tonem Ann. – Ten samochód nie tylko stał nieprawidłowo. Tak by go nie zaparkował żaden Szwed, żaden tutejszy. Już wtedy coś mi zaświtało, że musi być porzucony. Ale szukaliśmy przecież tego Garowa...

– Garbinowa – poprawił ją Roger i przyspieszył, włączając dodatkowo sygnał dźwiękowy.

Po niecałych trzech minutach dojeżdżali już do przystani. Jeszcze nie zdążyli się zatrzymać, gdy Ann włączyła swoją krótkofalówkę.

– Zero-dziewięć-siedem-jeden, odbiór. Zero-dziewięć-siedem-jeden, odbiór...

– Słucham, zero-dziewięć-siedem-jeden...

– Mamy samochód! Mamy samochód! Nytorp, przystań od Fiskarrovägen. Proszę o dyspozycje!

Przez krótkofalówkę nie dało się tego wyczuć, ale była bardzo zdenerwowana. Spojrzała zakłopotana na Rogera, który impulsywnie zaciskał wargi.

– Nie zbliżajcie się! – polecił głos z krótkofalówki. – Schowajcie się w bezpiecznej odległości i obserwujcie teren. Nic nie rób. Czekaj na dalsze dyspozycje. Czekaj na dyspozycje! Zrozumiałaś? Powtórz!

– Zrozumiałam! Czekamy! Jeżeli są w pobliżu, to nas widzieli. Jechaliśmy na sygnale!

– Czekaj na dyspozycje! – powtórzył ostro głos. – Potwierdź!

– Czekam na dyspozycje!

Roger przejechał powoli obok saaba i skrył radiowóz sto metrów dalej za drzewami. Oboje wzięli swoje automaty MP5, odbezpieczyli je i położyli na kolanach.

Linda Lund i Hasan Mardan nie zdążyli jeszcze dojechać do Åkersbergi, gdy zadzwonił jej telefon komórkowy.

– Jedziemy z Kurtem do ministra Bergmana, a potem wszyscy razem do Rosenbadu – zakomunikował Olaf. – Będzie też generał Gustavsson ze swoimi ludźmi.

Linda poczuła przypływ satysfakcji, że sprawa, której była autorem, przyciągnęła uwagę najważniejszych aktorów w kraju, z premierem włącznie. Martwiła się tylko, czy Olaf będzie umiał właściwie ją zreferować. Nie mogła jednak już nic zrobić.

– Powodzenia, Kubusiu! – rzuciła, nie kryjąc się przed Hasanem, który i tak się zorientował, co łączy ją i Olafa, więc tylko się do niej uśmiechnął. Odpowiedziała mu tym samym.

– Dzięki! Jest tam Hasan?

– Jest!

– No tak... – powiedział z lekkim zakłopotaniem. – Mogę być przez jakiś czas bez łączności. W biurze dowodzi teraz Staffan...

– Nie za wcześnie dla niego? – przerwała mu niezbyt pewnie. – Okay! Może to i dobrze...

– Odezwę się, jak tylko będę wolny. *Good luck!* – zakończył i rozłączył się.

Po kilkunastu minutach byli już w pobliżu domu Jorgensena. Hasan zaparkował samochód na tyłach opuszczonego domu obok volkswagena transportera. Poszedł do policjantów z grupy antyterrorystycznej, a Linda do volkswagena.

Wewnątrz zastała otyłego młodego mężczyznę w grubych okularach, który wpatrywał się w monitory i przebierał po klawiaturze pulchnymi palcami. Spojrzał na nią bez słowa.

– Gdzie jest ten... okularnik? – Nagle się zorientowała, że ten też ma grube szkła, ale nie poczuła się niezręcznie i zapytała: – U was wszyscy noszą takie okulary?

– Tak, to są specjalne okulary do pracy z komputerem w ciemnym pomieszczeniu, nasz pomysł. – Już chciał je zdjąć, żeby jej pokazać, gdy zobaczyła na dużym ekranie przechodzącą kobietę.

– Sophie! – powiedziała cicho takim tonem, jakby o coś prosiła.

– Często chodzi do toalety i do kuchni...

– A oni? Gdzie są Jorgensenowie?

– Niestety! Goszczą się na tarasie, a tam plaża, nic przecież nie mamy...

– *Fuck! Fuck! Fuck!* – zaklęła przez zaciśnięte zęby. – I nic nie słychać?

– Nic a nic! Czekamy do wieczora. Komary ich wygonią z tarasu, to pewne...

– Daj Boże! – Linda była wyraźnie zaniepokojona. – Pokaż mi raport.

Okrągły okularnik podał jej czasowy zapis wszystkich zdarzeń, jakie pojawiły się na monitorze.

– Gdzie jest ten twój... no... kolega, który był tu wcześniej? – Zrobiło jej się głupio, że zapomniała imienia, i pomyślała, że lepiej było nie pytać wcale.

– Śpi... tam... – wskazał ręką na opuszczony dom pełen ciężko uzbrojonych policjantów.

– Szef i minister są już u premiera. Musimy się pospieszyć, żeby czegoś nie popsuli – zakomunikował Kurt Olafowi z nieznacznym rozbawieniem, odłożywszy słuchawkę, i podniósł się z fotela.

Lövenströmowi zdarzała się czasami ironiczna, niezbyt dowcipna niesubordynacja. Mógł sobie pozwolić na takie zachowanie, bo po tylu latach nawet on miał prawo do kontrolowanego cynizmu.

Zjechali windą na parter i przeszli do służbowego samochodu, który czekał na nich z włączonym silnikiem i otwartymi drzwiami.

– Myślisz, że premier zrozumie, o co nam chodzi? – zaczął Olaf z powątpiewaniem, gdy tylko wsiedli.

– Na pewno zrozumiałby lepiej, gdyby odezwał się Gustavsson, ale on pewnie nabierze wody w usta, bo sprawa Carla Jorgensena jest dla wojska wyjątkowo niezręczna. Nie wiadomo jeszcze jak bardzo, ale znasz mentalność wojskowych. Na tę sprawę nie da się po prostu spuścić zasłony, ale to są ludzie, którzy uważają, że wszystko da się zrobić – tłumaczył Lövenström. – Myślę jednak, że nie zrozumie, o co nam chodzi. Generalnie rzecz w tym, że premier ma wszystko wiedzieć, ale nie musi tego rozumieć.

– Sytuacja jest dynamiczna i zmienia się z godziny na godzinę. Byle już nikogo nie zabili...

– Otóż to! Dlatego ma tylko wiedzieć. Nigdy nie zrozumie, dlaczego nie zależy nam na zatrzymaniu tych dwóch przez policję, bo jest mało prawdopodobne, by dali się wziąć żywcem. Jeśli się nam wymkną w taki czy inny sposób, nie dowiemy się niczego o ich misji, nawet tego, czy ma jakiś związek z Jorgensenem...

– To oczywiste! Teoria, że chce przejść na naszą stronę, ma uzasadnienie tylko w naszej świadomości...

– Dlatego musimy dopuścić ich tak blisko Jorgensena, jak to możliwe – wtrącił Kurt. – Tylko wtedy sprowokujemy Jorgensenów i rozwikłamy tę zagadkę. – Przerwał na chwilę, zastanowił się i zaraz zupełnie beznamiętnie dodał: – Sami nie rozumiemy do końca tego, co robimy, a co dopiero premier, nie mówiąc już o szefie! Nie mylę się? – zakończył ironicznie, nie oczekując odpowiedzi.

# 73

– Staffan! – usłyszał głos z rogu pokoju i zobaczył koleżankę ze słuchawką w wyciągniętej ręce. – Mårten Gregger z FRA!

Odebrał i z miejsca wyjaśnił, że Olaf jest w tej chwili nieobecny i on go zastępuje. Dodał zaraz, że wie, o co chodzi, i jest gotów odebrać wiadomość. Gregger krótko i rzeczowo, w sposób typowy dla oficerów FRA, zakomunikował, że wypełnił swoje zadanie, a informację zamieścił na stronie IT-crypto FRA2020. Staffan zapisał adres i hasło, dla pewności powtórzył i zakończył rozmowę.

Pierwszy raz korzystał z tej formy tajnej łączności. Oczywiście wiedział o jej istnieniu, ale nie przypuszczał, że działa tak sprawnie. Otworzył przesłany dokument na dwudziestosześciocalowym ekranie. Właściwie była to mapa Sztokholmu, na której zaznaczono dwie trasy, zieloną i czerwoną, a na nich rozmieszczono ponumerowane punkty. Obie trasy zaczynały się w tym samym miejscu, na Dworcu Centralnym w Sztokholmie. Staffan najechał kursorem na punkt numer 1 trasy zielonej. Na ekranie pojawiła się informacja podająca dwa numery telefonów i miejsce ich zakupu, kiosk na dworcu.

Telefon zielony zalogował się do sieci Comviq o czternastej dwadzieścia siedem w rejonie Vasagatan/Klarabergsgatan, to jest w promieniu od stu do stu pięćdziesięciu metrów od dworca. Telefon czerwony – o czternastej pięćdziesiąt dwie w rejonie hotelu Solna, tak wskazywał punkt 1. Między obydwoma telefonami nastąpiła wymiana SMS-ów, czerwony: „Resolved”, zielony: „Okiej”, i żadnych rozmów.

Staffan wyprostował się w fotelu i wziął głęboki oddech. Nawet nie zauważył, że jakiś czas temu w pokoju zaległa cisza, a za jego plecami zebrał się cały zespół. Okręcił się gwałtownie na foteliku.

– To jasne! Przyjechali pociągiem na Dworzec Centralny – odezwał się ktoś z tyłu.

– Na to wygląda. Pewne jednak jest tylko to, że tam kupili karty SIM – rzucił Staffan. – Zaczynamy od tego! Kto pojedzie na dworzec? Trzeba przejrzeć nagrania z kamer, mamy orientacyjny czas i miejsce…

– Staffan! – zawołał ktoś z zespołu. – Sprawdź, gdzie teraz są te telefony! To jest chyba najważniejsze, jeżeli mamy ich złapać!

Zrobiło mu się głupio, że sam o tym nie pomyślał i ktoś musiał mu to wytknąć. Obrócił się na fotelu i wyzoomował myszą obraz tak, by było widać całą mapę. Obie linie, czerwona i zielona, urywały się dzisiaj o piątej zero siedem w Nytorp w gminie Tyresö, z dokładnością około dwustu metrów.

– Trzeba to natychmiast przekazać policji. – Zabrzmiało to tak, jakby wydawał komuś polecenie, ale zaraz wstał i sam podszedł do telefonu.

Nie zdążył jeszcze dotknąć słuchawki, gdy rozległ się dzwonek. Staffan odebrał, znów przedstawiając się jako zastępca Olafa. Szef policyjnej grupy poszukiwawczej zakomunikował krótko, że przed chwilą patrol odnalazł w Nytorp koło Tyresö poszukiwany samochód marki Saab, będący w tej chwili pod obserwacją. Podał dokładne dane GPS i na zakończenie poprosił o natychmiastową dyspozycję dotyczącą dalszego postępowania.

W słuchawce zapadła pełna wyczekiwania cisza.

Staffan poczuł, że robi mu się sucho w ustach.

– Proszę kontynuować obserwację do czasu zmiany dyspozycji i aresztować ich, jeżeli się pojawią – zadecydował.

– Dziękuję! Zrozumiałem!

Staffan poinformował oficerów o rozmowie z Greggerem z FRA i przekazał dane GPS w celu ustalenia dokładnej pozycji samochodu na mapie satelitarnej.

Usiadł w fotelu i zaczął się zastanawiać, co ma teraz robić. Dręczyła go obawa, że zaczyna się gubić i może popełnić błąd, który będzie wszystkich drogo kosztował. Tak czy inaczej musi poinformować Olafa i Lindę. Na wszelki wypadek.

Uznał ostatecznie, że zadzwoni najpierw do Lindy, a dopiero potem do Olafa.

Od momentu przyjazdu Lindy i Hasana nie zaszło w Åkersberdze nic specjalnego. Jorgensenowie wciąż siedzieli na werandzie. Sophie rzeczywiście często kursowała między nimi a toaletą i kuchnią. Piękna letnia pogoda potęgowała sielską atmosferę.

Na małej plaży przy przystani obok domu Jorgensenów rozłożyła się wieloosobowa i wielopokoleniowa rodzina z Bliskiego Wschodu: oszczędnie korzystające ze słońca, zasłonięte chustami kobiety, mężczyźni z dużą wprawą lepiący kebaby i nad wyraz żywa, trudna do zliczenia grupa dzieci.

Taką informację przyniósł Hasan, który przespacerował się nad wodę, by zobaczyć bliżej, co się dzieje na werandzie. Linda była zła na siebie, że nie zauważyła, kiedy przejechały cztery samochody. W końcu jednak uznała, że pojawienie się w pobliżu domu piknikującej rodziny winno podziałać odstraszająco na Garbinowa i być może zmusić Jorgensenów, by weszli do środka.

Uzmysłowiła sobie teraz z całą mocą, że teren wokół domu nie jest właściwie zabezpieczony przez obserwację, która na dobrą sprawę ogranicza się do samej drogi dojazdowej. Pojawienie się Garbinowa i człowieka z blizną, jak również to, co usłyszeli od Toma, zmienia w dużym stopniu sens ich działania, zatem czekanie na granatowego saaba jest już stanowczo niewystarczające i trąci brakiem profesjonalizmu. Nie mogła dopuścić, by ktokolwiek jej to wytknął, szczególnie Olaf. A czas ucieka!

Gdy miała już wyjść z volkswagena, żeby zadzwonić do Rolfa Blomkvista i poprosić o przysłanie dwóch, trzech oficerów z Wydziału Obserwacji, którzy by wzmocnili jej grupę, odezwał się jej telefon. Dzwonił Staffan. Krótko, logicznie i wyczerpująco poinformował ją o wiadomości, jaką otrzymał z FRA, ale przede wszystkim o odnalezieniu samochodu w Nytorp.

I ta wiadomość zburzyła porządek wydarzeń, który Linda od jakiegoś czasu utrwalała sobie w myśli. Stało się oczywiste, że Garbinow nie porusza się już granatowym saabem, na który czekała. Jak mogła być tak naiwna, żeby się spodziewać, iż tacy zawodowcy jak nexusy trzeciej generacji będą po strzelaninie w Solna wciąż jeździć tym samym samochodem!

Tyresö jest po drugiej stronie archipelagu, w linii prostej około pięćdziesięciu kilometrów – zastanawiała się z prędkością światła. Do Åkersbergi dojechać mogą albo przez Sztokholm, ale tego nie zrobią, bo tam roi się od policji, albo drogą numer 274 przez Vaxholm. Nie ma innej możliwości. *Fy fan! Fuck!* Co ja bredzę?! Przecież od piątej rano już dawno zdążyli dotrzeć tutaj niezauważeni, to oczywiste! Musieli zdobyć nowy samochód! Oczywiście! Musimy szukać ich nowego samochodu, to jedyny ślad... Oni już gdzieś tutaj są!

– Słuchaj mnie uważnie, Staffan! To nadzwyczaj ważne!

Odpowiedziała jej cisza w słuchawce.

– Jesteś tam?! – niemal krzyknęła Linda.

– Oczywiście. Słucham.

– Najpierw przekaż policji, by szukała skradzionego gdzieś w pobliżu samochodu lub kogoś, kto zaginął z samochodem między piątą a dziewiątą rano. Mogli kogoś zabić albo porwać, żeby zdobyć pojazd. Rozumiesz?

– Oczywiście, Lindo!

– Dalej! Policja to pewnie wie, ale przypomnij im, żeby sprawdzili oba promy na Vaxholm. Zdaje mi się, że są tam kamery, więc mogli się pokazać. Rozumiesz?

– Oczywiście!

– Niech wyślą też dodatkowe patrole tutaj… – zawahała się. – Albo nie. Niech trzymają się z daleka od Åkersbergi. Tutaj my kontrolujemy sytuację. Muszę tylko wiedzieć, jakim jadą samochodem, ale przede wszystkim dokąd jadą! Czy jadą tutaj?! Rozumiesz, Staffan?!

– A co z tym saabem w Nytorp?

– Niech go cały czas obserwują! Tylko dyskretnie. Może wrócą, ale wątpię. Coś jeszcze?

Rozłączyła się i uznała, że nie ma czasu na dzwonienie do Kurta. Wybrała numer Blomkvista, naczelnika Wydziału Obserwacji.

Kurt i Olaf wracali z Rosenbadu do Centrali Säpo na Polhemsgatan. Tak jak założyli, premier już wiedział, ale nie rozumiał, więc mogli realizować to, co zaplanowali.

Zaraz po wyjściu Olaf zadzwonił do Lindy, której przekazał ostateczne dyspozycje dotyczące dalszego postępowania, i zaraz potem skontaktował się ze Staffanem.

Po tych dwóch rozmowach miał już pełny obraz sytuacji i o wszystkim natychmiast poinformował Kurta, który kazał kierowcy przyspieszyć.

– Skąd u premiera tyle złości na Rosjan? Nigdy go takim nie widziałem. Powiem więcej, wcześniej mi się wydawało, że jest wobec nich zbyt uległy… Politycznie, oczywiście – zaczął Olaf, wyraźnie zaskoczony atmosferą spotkania w Rosenbadzie.

– Jeszcze nie mieliśmy szpiegowskiej egzekucji w Szwecji. To nie jest Norwegia* – rzucił z uśmiechem Kurt i wszyscy się roześmiali, nawet kierowca. – No dobrze. Bez żartów. Nie mieliśmy też nielegała, który pod naszym nosem przez czterdzieści lat działał w Urzędzie Imigracyjnym i gdzieś jeszcze, a jego syn jest

* W 1973 roku komando Mosadu zabiło w Lillehammer kelnera Ahmeda Busziki, który był podobny do Salameha, organizatora zamachu w Monachium. Norweska policja z łatwością ujęła sześciu zamachowców.

oficerem naszego wywiadu. I nawet nie wiemy, czy tylko naszego! – Teraz Kurt wyraźnie podniósł głos. – To wstyd na całą Unię i resztę świata, a w dodatku kompromitacja wobec Rosjan...

– Strach pomyśleć, jakie mogą być straty, ile czasu i pieniędzy będzie kosztować naprawa tego wszystkiego. O ile w ogóle da się to naprawić – odparł Olaf na pozór obojętnie.

Minęli po lewej ratusz i jechali w górę zwężającą się Hantverkargatan.

Po chwili Kurt odezwał się ponownie.

– Nie trzeba mieć specjalnie rozbudzonej wyobraźni, żeby zrozumieć, co z rządem zrobią media i opozycja, jeżeli to wszystko wypłynie na zewnątrz. Będą się domagać głów, jak zawsze w takich przypadkach. I spróbuj wtedy wytłumaczyć, że to my wykryliśmy tę całą aferę Jorgensena... A wybory wkrótce – zakończył.

– Premier zdaje sobie sprawę, że mamy trupa w szafie, a szef i minister to zupełne pierdoły i trudno na nich liczyć...

– Nie pozwalaj sobie, Olaf! – Kurt skarcił go pro forma.

– Przepraszam.

– Premier wciąż pamięta ten artykuł w „Dagens Nyheter" o Martti Ahtisaari, Koivisto i innych. Taki bzdet, ale bardzo się nim przejął i od tego czasu ma fobię na tym punkcie. Ciągle mnie o to pyta, chociaż wszystko mu już wyjaśniłem. Nawet ściągnąłem prywatnie Seppo Tuominena z Helsinek żeby mu poopowiadał, jak to w rzeczywistości było.

– Nie wiem, o co chodzi – przyznał się Olaf z opóźnieniem. – Nie czytałem tego artykułu...

– Jakiś dziennikarz opisał historię rezydenta KGB w Helsinkach, Wiktora Władimirowa...

– Znana postać! Historyczna – wtrącił Olaf.

– No właśnie. W artykule napisali, że Władimirow był odpowiedzialny w KGB za zabójstwa dezerterów i inne operacje tego rodzaju. To on ponoć przygotowywał zamach na Golicyna w Montrealu. Potem wylądował w Helsinkach jako rezydent. I ponoć bez jego błogosławieństwa nikt nie mógł objąć ważniejszego stanowiska w Finlandii. Mieszanina prawdy, półprawdy i domysłów pseudonaukowców...

– Odwieczny problem z dziennikarzami. Może powinniśmy zacząć wydawać własną gazetę...

– Wiadomo, że Finlandia była mocno spenetrowana przez Rosjan i wschodnich Niemców, ale nie dlatego, że Supo* nie zwracało na to uwagi – ciągnął Lövenström. – Taki przecież musiał być koszt ich udziału w wojnie. Taka była ograniczona fińska niepodległość w tym czasie. I taką też cenę musieli zapłacić. Można zresztą powiedzieć, że Rosjanie obeszli się z nimi delikatnie, bo Finów lubią i szanują...

– Mimo że sprali im dupę w wojnie zimowej – wtrącił Olaf – i nieźle sobie radzili w wojnie kontynuacyjnej.

– Stalin nie zrobił z nich republiki jak z Bałtów, bo nigdy nie zburzyli pomnika cara Aleksandra w Helsinkach. – Kurt skomentował zaskakująco emocjonalną wypowiedź Olafa i nagle się zawahał. – No tak! Zapomniałem! O ile dobrze pamiętam, twoja matka jest Finką z wojennej emigracji.

– Tak. Jej ojciec, czyli mój dziadek, zginął w trzydziestym dziewiątym, a dwóch jego braci w czterdziestym trzecim i czterdziestym czwartym.

Samochód przejechał przez zapory i powoli wtoczył się na wewnętrzny dziedziniec Säpo.

## 74

– Szkoda, że nie wzięliśmy dwóch lornetek – wymruczał Jagan, obserwując drugi brzeg.

* Suojelupoliisi, specjalna fińska służba policyjna, która odpowiada za bezpieczeństwo wewnętrzne.

– A właściwie dlaczego wzięliśmy tylko jedną? Ty jesteś odpowiedzialny za sprzęt – zareagował Tatar.

– Nie planowałem desantu morskiego ani powietrznego, ani takich atrakcji jak ta w hotelu.

– Na wszystko trzeba być przygotowanym, sierżancie...

Obaj wiedzieli, że taka rozmowa nie ma sensu, bo w planie operacji specjalnej nie da się wszystkiego przewidzieć i zawsze może się zdarzyć coś nieoczekiwanego. Istotne jest to, by można było polegać na partnerze, a jeżeli nie, to żeby przynajmniej był on przewidywalny. Jagan nie mógł polegać na Tatarze, ale jego zachowanie potrafił przewidzieć. I to było teraz dla niego najważniejsze.

– Coś ciekawego dzieje się po drugiej stronie – znów zamruczał tak cicho, że Tatar na niższym pokładzie ledwo go dosłyszał.

– Co?

– Chodź tutaj. Zobacz.

Tatar sprawnie wskoczył na górę i wziął lornetkę. Przez minutę wpatrywał się w drugi brzeg.

– Co jest, kurwa?! – odezwał się w końcu. – Wycieczka z Bagdadu?! Saddam z rodziną przyjechał czy co?!

Spojrzał na Jagana, który odpowiedział mu złośliwym uśmieszkiem.

– Nie mamy tyle amunicji...

– Najpierw ta blondynka, teraz Arabowie. Coś się, kurwa, kom-pli-ku-je! – Tatar znów przyłożył lornetkę do oczu.

Jagan zaczynał dostrzegać komiczną stronę sytuacji.

– Ja bym tam podesłał ciężarówkę z trotylem, to teraz modne w Bagdadzie i ponoć skuteczne. Załatwił wszystko po męsku, a nie jakimś proszkiem do nosa. – Po chwili dodał poważniej: – Będą kłopoty. Tu akurat masz rację!

– I tak musimy czekać, aż wyniesie się ten jego syn...

– Ci wyznawcy proroka chyba nie będą wpierdalać kebabu całą noc i kiedyś sobie pojadą – rzucił złośliwie Jagan.

Nie musiał długo czekać na odpowiedź.

– Stul pysk! – Tatar wysylabizował tak twardo, jak tylko potrafił, aż Jagan poczuł błogą satysfakcję.

Obaj zamilkli na dobre dziesięć minut.

Jagan zszedł pod pokład i wyjął z pudełka pieczywo tostowe, żółty ser i szynkę. Zrobił sobie dwie przekładane kanapki bez masła i wyciągnął się na kanapie. Pistolet przełożył na brzuchu i posilając się na leżąco, obserwował nogi Tatara, który siedział na fotelu.

– Mogłeś zrobić i dla mnie!

Jak on, kurwa, zauważył, że przygotowałem sobie kanapki? – zdziwił się Jagan.

Wstał i wręczył Tatarowi jedną w nagrodę za niezwykłą spostrzegawczość.

Staffan zdał Olafowi szczegółowy raport ze wszystkiego, co się wydarzyło od chwili jego wyjazdu do Rosenbadu.

Trzej oficerowie już godzinę temu udali się na Dworzec Centralny, by przejrzeć nagrania z kamer. Saab w Nytorp jest wciąż pod dyskretną obserwacją policji, która również sprawdza, czy gdzieś w pobliżu nie skradziono innego samochodu lub czy ktoś nie zaginął razem ze swoim autem. Nikt z załogi promów kursujących na Vaxholm nie zauważył niczego podejrzanego. Nagrania z kamer też nic nie wykazały, bo mało kto opuszcza podczas rejsu samochód.

– Najczęściej wysiadają turyści, żeby przez parę minut popatrzeć na wodę – powiedział Staffan.

Olaf nie wydawał się przekonany.

– Mamy do czynienia z zawodowcami. Wiedzą, że są ścigani, i nie będą się wystawiać na widok kamer.

– Tak czy inaczej obie przeprawy są obstawione nieoznakowanymi radiowozami, a we Frederiksborgu przy zjeździe z promu jest zakamuflowana policyjna podstawka obserwacyjna – ciągnął Staffan.

– Dobre miejsce... Ale ja na ich miejscu nie jechałbym tą trasą. Wystarczy popatrzeć na mapę, by zauważyć, że obstawienie przepraw na Vaxholm załatwia sprawę. Jeżeli już, pojechałbym okrężną drogą przez Hammarby, a potem nowym skrótem. – Olaf przerwał na chwilę i zamyślił się. – Jeżeli strzelanina miała miejsce w Solna, a zmierzają do Åkersbergi, to dlaczego samochód porzucili w Nytorp? To się nie trzyma kupy. Bez sensu! Rozwiązanie najgorsze z możliwych!

Olaf i Staffan podeszli do monitora, na którym widać było mapę przysłaną przez FRA. Przez chwilę wpatrywali się w zielono-czerwoną linię, która od punktu numer 12, hotelu Solna, prowadziła do Tyresö.

– Ja już to dokładnie przejrzałem – zaczął Staffan. – Wygląda to tak, że zaraz po strzelaninie w hotelu przejechali na drugi koniec miasta. Niemal dosłownie, przeciwległy…

– Dobrze! Dalej, Staffan!

– To oczywiste, że uciekali, byli pod wpływem stresu, ale kierunek wybrali najlepszy. Co ciekawe, czas przejazdu do Tegelbruket… o, tutaj… – Staffan wskazał punkt 27 – świadczy o tym, że nie przekraczali dozwolonej prędkości.

– Czy centrum dowodzenia policji ma te dane? – zapytał Olaf.

– Oczywiście, przekazałem je natychmiast, ale, jak już mówiłem, materiał z FRA dotarł do mnie, kiedy już odnaleziono ten samochód w Nytorp. – Staffan przerwał i patrzył pytająco na Olafa, jakby nie zrozumiał, dlaczego o to pyta.

– Dobrze! Dalej, Staffan!

– Punkt dwudziesty siódmy z dokładnością do jakichś dwustu, dwustu pięćdziesięciu metrów wskazuje, że ukryli się w lesie i przebywali tam do pierwszej w nocy. Potem przyjechali na przystań w Nytorp, punkt trzydziesty pierwszy, i tu się sygnał urywa.

– Nie ma co dłużej czekać. Niech ekipa przejrzy samochód. Bardzo dokładnie. Może znajdzie tam coś, co nas na nich naprowadzi. Wprawdzie wątpię, żeby cokolwiek po sobie pozostawili, ale może dopisze nam szczęście. Dobra robota, Staffan! – Olaf był rzeczywiście zadowolony.

– Jest coś jeszcze. – Staffan spojrzał na niego z niepewnością w oczach. – Wydaje mi się, że duet popełnił jednak błąd. Jeżeli są takimi profesjonalistami, a jak widać są, to dlaczego porzucili samochód, i to w tak widocznym miejscu? Na dodatek w tym samym miejscu ich telefony znikają z sieci. Dwa błędy naraz?! Czy to nie za dużo na takich zawodowców? Mogli przecież ukryć samochód znacznie lepiej i zyskać przez to na czasie...

– Dobre pytanie, Staffan! – Olaf był wyraźnie poruszony tym prostym odkryciem. – Rzeczywiście! – Wstał z fotelika i zaczął chodzić po pokoju.

– Może chodzi o to, żeby odciągnąć naszą uwagę i siły od Åkersbergi? – niewyraźnie rzucił Staffan.

– Może... Jednak rzeczywistość bywa najczęściej bardzo prosta i pełna zwykłych ludzkich błędów. Od tego należy zacząć, a nie od zaawansowanych teorii. – Olaf popatrzył Staffanowi prosto w oczy dziwnym, nieobecnym wzrokiem i zamilkł. Po kilkunastu sekundach wydusił z siebie: – Trzeba sprawdzić, czy... nie zginęła... w okolicy jakaś łódź. – I zaraz niemal krzyknął: – Natychmiast!

To prawie niemożliwe! Nie-moż-li-we! – zastanawiał się, gdy został sam. I właśnie dlatego, że to niemożliwe, oni mogą teraz być na wodzie... Jak ich znaleźć wśród tysięcy łódek? Nie! Musieliby mieć program nawigacyjny, by trafić do Åkersbergi... Może mają! Mogli coś takiego zaplanować? Mogli! Ale po co tak skomplikowany plan, trudny i niepewny? Wystarczy błąd w programie, awaria, i zginiesz w labiryncie archipelagu, a na wodzie nie ma alternatywy.

Olaf analizował fakty.

Może zostawili samochód przy przystani właśnie po to, by dać nam na poty i zasugerować, że są na wodzie. Podwójny nelson! *Fy fan!* Penetrowali przecież okolicę samochodem, blizna wchodził do domu Jorgensena. A nic nie wskazuje na to, że mogą wiedzieć, iż łączymy ich ze starym. Dlaczego mieliby sobie tak komplikować robotę? Im więcej komplikacji, tym większe ryzyko, to jasne! Prawdopodobnie zakładają, że znamy tylko twarz Azjaty, a blondyn jest anonimowy, skoro w mediach nie było jego zdjęcia. Garbinow podróżuje w bagażniku i czują się zupełnie bezpieczni. Może uważają, że w tej nudnej Szwecji są sami głupcy i nikomu tu nie przyjdzie do głowy, że dwóch facetów na łotewskich papierach, z taniego hotelu w Solna, to nie jakaś mafia, tylko nexusy. Nie, to jednak mało prawdopodobne, żeby płynęli przez szkiery! – przekonał w końcu sam siebie i po chwili namysłu dorzucił na głos:

– No, chyba że z przystani zginęła jakaś łódź!

Wyszedł z pokoju do toalety. Dopiero po chwili się zorientował, że ktoś za nim biegnie korytarzem. Odwrócił się, zobaczył Toma i nie mógł uwierzyć, że on jeszcze czeka. Spojrzał na zegarek. Minęło sześć godzin.

– Jak tam chłopcy z grupy szturmowej? – zapytała Linda, gdy Hasan wszedł do volkswagena.

– W porządku. Trochę zmęczeni po ośmiu godzinach...

– Przecież nie mogę ich teraz wymienić! Jak ty to sobie wyobrażasz? Że podjedzie do was jakiś autobus z komandosami?! Garbinow z kolegą mogą już gdzieś tu być... Zrobimy to dopiero w nocy.

Hasan pokiwał głową.

– Okay! Ja to rozumiem. Ale mogłabyś chociaż pójść do nich na chwilę. – Hasan czuł rodzaj braterstwa dusz z policjantami z oddziału antyterrorystycznego.

– Pójdę, oczywiście! Za chwilę. – Linda, rozmawiając, cały czas obserwowała monitory. – Coś się dzieje u Jorgensenów... Sophie... – przerwała na chwilę. – Zobacz, zmywa naczynia.

– Wygląda na to, że obiad dobiegł końca – rzucił Hasan. – Może wejdą do środka?

– Tak, robi się już późno. – Zawahała się przez moment. – Dopóki jest z nimi Sophie, i tak nie będą rozmawiać o niczym poufnym...

– No, chyba że i ona jest w tym zespole – wtrącił bez przekonania.

– Mało prawdopodobne. Sprawdzaliśmy ją przecież. Możemy mieć tylko nadzieję, że Sophie pójdzie spać, a Jorgensenów wygonią z tarasu komary i ci... – chciała powiedzieć „Arabowie" – ci plażowicze z grillem.

– To nie są Arabowie – natychmiast zareagował Hasan. – To Kurdowie.

Linda spojrzała nań ze zdziwieniem i pomyślała, skąd u niego takie zdolności telepatyczne.

– Nie mamy wyboru. Będziemy czekać na to, co się wydarzy. A że coś się wydarzy, to pewne! – Nalała sobie z termosu kolejny kubek kawy. – Nie czujesz tego w powietrzu?

Hasan pokiwał dziwnie głową i wydął usta.

– Bo ja wiem...

– Będziemy tu czekać aż do ich wyjazdu. A jeżeli będą chcieli porozmawiać o czymś ważnym, to mogą pójść sobie na spacer i też nic nie usłyszymy. Wiadomo to od początku – mówiła z przekonaniem. – Cała sytuacja się zmieniła, odkąd ten blondyn z blizną pokazał nam swoją gębę w kamerze i okazało się, że to kompan Garbinowa. To zabójcy nie tylko z Solna, ale i ze Szkocji. – Spojrzała na Hasana i nie tyle zapytała, ile po prostu stwierdziła: – I czego tu nie czujesz, Hasan!

– Ale może być tak, że do poniedziałku albo do wyjazdu Jorgensenów z Åkersbergi nic się nie wydarzy. Albo w ogóle nic się nie wydarzy! Jutro, pojutrze, za miesiąc... – Spod tej na pozór chłodnej oceny sytuacji przebijała tęsknota za uciekającą okazją do spontanicznej operacji specjalnej.

– Wydarzy się! Ja to wiem! Ja to czuję! I Olaf też – skwitowała pewnym tonem i pociągnęła łyk gorącej kawy tak łapczywie, że aż się oparzyła.

– Zgłasza się Pierwszy – odezwała się nagle krótkofalówka. – Coś się dzieje w obiekcie.

– Co? – zapytała natychmiast Linda.

– Jeszcze nie wiem, ale wygląda na to, że... chyba... „C" zbiera się do wyjazdu...

– A ty co widzisz, Drugi?

– Z tej strony nic nie widać! – odezwał się inny głos w krótkofalówce. – Nic!

– Słyszałeś, Trzeci?

– Oczywiście! – zabrzmiał kolejny głos.

– Słuchajcie, wszyscy! Pełna gotowość! – Zastanowiła się chwilę. – Pierwszy, jeżeli tylko będziesz pewien, że „C" wyjeżdża, natychmiast daj znać! Trzeci, słyszałeś?

– Tak jest!

– Zamelduj, jak cię minie!

Trzech wywiadowców, którzy dołączyli do zespołu, Linda rozmieściła według własnego uznania. Pierwszy rozłożył się na pomoście i udawał, że łowi ryby. Drugi krył się w krzakach po drugiej stronie domu Jorgensenów. Trzeci siedział w samochodzie przy drodze głównej. Pomyślała, że trzech wywiadowców w tej chwili wystarczy i – jak czasami o sobie mówili – nie stworzy niepotrzebnego tłoku.

Nie zdążyła jeszcze odstawić krótkofalówki, gdy zadzwonił Olaf.

– Mamy sporo informacji o duecie nexusów – zakomunikował od razu, zanim zdążyła się odezwać. – Mamy ich na zdjęciach z Dworca Centralnego. To rzeczywiście duet. Teraz już nie ma najmniejszej wątpliwości! Najmniejszej! Posłuchaj...

– Tutaj też coś się zaczęło... – próbowała wejść mu w słowo.

– Najpierw ja! Nie przerywaj! – Z Olafa wyszedł dowódca. – Na dworcu wyjęli ze skrytki walizkę. Prawdopodobnie z bronią. Próbowali zakłócić pracę kamery, ale mieli pecha, bo była druga, niewidoczna. Według informacji techników FRA... nawiasem mówiąc, świetnie się sprawdzili... Garbinow i facet z blizną przebywali godzinę w promieniu trzystu metrów od domu Jorgensena. Czas zgadza się z tym, co podałaś... To jego widziałaś tam wczoraj. To oni dzwonili do starego w Jakobsbergu.

– Co jeszcze, Olaf?! – Tym razem przerwała mu zdecydowanie. – To niczego nowego do sprawy nie wnosi. O tym porozmawiamy później. Czy jest coś istotnego? Coś, co ma znaczenie w tej chwili? Gdzie oni teraz są? Gdzie jest ten cholerny duet egzekucyjny? Wiesz coś?

– No… nie. Na razie nic. Szuka ich cała policja. Myślałem, że ukradli łódź, ale to teraz trudno sprawdzić. Ludzie są na wodzie, na urlopach, telefony nie działają, nie ma zasięgu…

– O czym ty mówisz? Olaf! Jaką łódź?

– Nic takiego! Nieważne…

– To nie mieszaj! – Linda była lekko podenerwowana.

– Pierwszy – zameldował się wywiadowca z pomostu. – Uwaga! Wszyscy idą do samochodu.

Na minutę zaległa całkowita cisza.

Linda trzymała w jednej ręce telefon, a w drugiej krótkofalówkę. Patrzyli na siebie z Hasanem, jakby oczekiwali na orzeczenie wyroku w sądzie. Nawet komputerowiec przesunął na czoło swoje grube okulary.

– Pierwszy – odezwał się głos i po pięciu sekundach dodał: – „C" wyjeżdża sama, bez „B". „B" zostaje. „C" już nie wróci. Pożegnali się. „A" i „B" zostają. Koniec.

– Drugi. Zrozumiałem.

– Trzeci. Zrozumiałem.

– Słyszałeś? – Linda odezwała się do telefonu.

– Słyszałem! Jadę do ciebie – zakończył rozmowę Olaf.

# 75

Sophie wyjechała już ponad godzinę temu. Carl zniósł z werandy resztę naczyń i pozmywał.

Przez cały czas próbował rozmawiać z ojcem, namówić go do jakiegokolwiek dialogu, ale nie udawało mu się wydobyć z niego nic oprócz zdawkowych odpowiedzi. Żaden wątek nie pobudzał go wystarczająco, by dało się podtrzymać dłuższą wymianę zdań. W efekcie Carl musiał wygłaszać tyrady, a Hans jedynie potakiwał bądź reagował wypowiedziami luźno związanymi z tematem. Wydawało się, że albo nie nadąża za tym, co mówi Carl, albo go to nie interesuje i myślami jest gdzie indziej.

Zachowywał się tak prawie cały czas i Carl nie mógł zrozumieć dlaczego. Przecież to zupełnie nieprawdopodobne, by zareagował w ten sposób na wiadomość, że zostanie dziadkiem! Kiedy Sophie wyjechała i zostali sami, jego stan odrętwienia zaczął się jeszcze pogłębiać.

Carl zdecydowanie odrzucał myśl, że ojciec zachorował na alzheimera lub ma demencję, ale depresji nie mógł wykluczyć. Niemożliwe, żeby objawy wystąpiły tak szybko. Sprawność umysłowa ojca nie odbiegała dotąd od sprawności trzydziestolatka. Uznał zatem, że jedynym możliwym wyjaśnieniem jego stanu może być tylko jakaś inna choroba, którą ukrywa. Ta świadomość wprawiała go w przerażenie, bo oznaczała to, czego bał się najbardziej, czego się spodziewał, ale na co absolutnie nie był przygotowany.

Słońce skryło się za wierzchołkami wysokich świerków. Zbliżał się wieczór i wiatr wyraźnie zmienił kierunek. Wciąż siedzieli na werandzie, do której docierał teraz przyjemny zapach grilla z pobliskiego obozowiska Kurdów.

Carl nalał sobie do pełna kolejny kieliszek czerwonego wina i taki sam podał Hansowi.

– Co z tobą, tato! Co się z tobą dzieje? – zapytał z wyraźną troską w głosie.

Hans podniósł głowę i spojrzał na niego przenikliwym wzrokiem. Carlowi zrobiło się przykro: na moment ojciec stał się inny, obcy. Wydawało się, że minęła cała wieczność, zanim się odezwał.

– A co ma się ze mną dziać? Nie, nie, wszystko w porządku. Zauważyłeś coś? – Głos ojca rozwiał wcześniejsze wrażenie Carla. Był miły i ciepły jak zawsze, może nawet bardziej.

– Jesteś jakiś nieobecny, tato! Sophie też to zauważyła. Już kiedy rozmawiałem z tobą przez telefon, odniosłem wrażenie, że masz jakieś rozbiegane myśli... nie jesteś sobą... i jakbyś nie rozumiał, co się do ciebie mówi. Nigdy taki nie byłeś! – Carl był zdeterminowany zmusić ojca do wyjawienia prawdy. A przynajmniej próbował mu to ułatwić.

Teraz do niego dotarło, że ojciec nie przyjechał na grób mamy w ostatnią rocznicę, bo pewnie był w szpitalu. Cóż innego mogłoby mu przeszkodzić w uczczeniu tego najważniejszego dnia w roku?

– Wszystko w porządku. Nie przejmuj się, Carl! – Podniósł kieliszek do ust, ale po chwili wahania odstawił go z powrotem na stół. – Rzeczywiście, może jestem trochę nieswój. Od pewnego czasu trudno mi się skoncentrować... Chociaż nie! To nie to, to nie sprawa koncentracji, lecz coś zupełnie innego...

– Co, tato? Przecież jestem twoim synem. Nie trzymaj mnie w niepewności...

Hans Jorgensen spojrzał Carlowi prosto w oczy i uśmiechnął się gorzko. Znowu wziął kieliszek i tym razem pociągnął duży łyk czerwonego wina. Carl po chwili zrobił to samo.

– Nie, nie jestem chory, jeżeli o tym pomyślałeś. Tak pomyślałeś?

Syn skinął głową i postawił kieliszek.

– Są rzeczy gorsze niż choroba czy nawet śmierć. Zresztą sam nie wiem, jak to określić, co to jest i czy tak jest. Zagubiłem się zupełnie... Nie potrafię odpowiedzieć sobie na pytanie, gdzie jestem, chociaż w moim wieku nie powinno to być trudne. – Hans ponownie łyknął wina.

Carl patrzył na ojca i nie mógł go zrozumieć. Wiedział już, że nie jest chory, ale wcale nie poczuł się uspokojony. Stan psychiczny Hansa, celowo stłuczony kieliszek i ten dzisiejszy pociąg do czerwonego wina były zwiastunami czegoś bardzo groźnego, o czym nie miał najmniejszego pojęcia, a o czym miał się za chwilę dowiedzieć.

– Ten kieliszek dzisiaj... – Hans pstryknął paznokciem w szkło, które wydało krystaliczny dźwięk. – On nie rozbił się sam! Zbiłem go... zbiłem go pod wpływem chwili. Może to niemądre, ale nie mogłem na niego patrzeć. Był jak symbol mojego całego życia, który pojawił się w najbardziej nieodpowiednim momencie. Mojego życia w błędzie, całego życia... Czy człowiek może tak o sobie powiedzieć? Że żył w błędzie?

– Co masz na myśli, tato? Skąd ten dylemat? – Carl zmarszczył brwi i wyciągnął rękę po butelkę.

– Nalej i mnie – rzucił Hans i szybko dopił resztkę wina. – Te dwa ostatnie kieliszki oszczędzę. – I po chwili wahania dodał: – Albo nie! Ty zdecydujesz, czy je zatrzymamy.

– Co ty znowu?! – Carl dopełnił kieliszki i przesiadł się na ławę, bliżej ojca. – Człowiek nie żyje w błędzie. Nie można tak powiedzieć! Nie można przeżyć życia w błędzie, to jakiś absurd! Jak możesz w ogóle tak mówić! Czy ja też jestem jakimś efektem twojego życia w błędzie? Przerażasz mnie, tato! – Carl był coraz bardziej zdenerwowany i zaczął podnosić głos. – O czym ty mówisz?!

– Zastanawiam się nad sobą. Tak naprawdę to nie wiem, czy żyłem w błędzie, czy się zagubiłem...

– Wszystko jedno! To i tak absurd!

– Ten kieliszek... – Hans uniósł rękę. – Widzisz? – Przerwał na moment i po chwili podjął, już zwyczajnie i spokojnie: – Ten kieliszek to prezent ślubny od generała majora Anatolija Grigorijewicza Zujewa z KGB. Dzisiaj dowiesz się wszystkiego i sam będziesz musiał ocenić, czy żyłem w błędzie, kłamstwie, czy się zagubiłem, czy to wszystko jakaś iluzja. A może będziesz musiał poszukać innych odpowiedzi na to pytanie. Chciałbym jednak, żebyśmy zrobili to razem... – Zaczerpnął powietrza. – Nie jak dwaj oficerowie wywiadu, ale jak ojciec i syn...

– Jakiego... Zujewa?

Carl powiedział to mimowolnie, jakby bez sensu, i wyraźnie zbladł. Z trudem próbował zebrać myśli. Od tylu lat pracował jako oficer operacyjny wywiadu i potrafił się znaleźć w każdej sytuacji, rozwiązać każdy problem, nawet najtrudniejszy. Ale teraz?! Nie mógł znaleźć tego jednego właściwego pytania, tego, które powinien w tej chwili zadać.

– Zastanawiasz się, skąd wiem, że jesteś oficerem wywiadu? – Carl potrzebował chwili, by zrozumieć, że ktoś do niego mówi. Nie od razu usłyszał to pytanie i pojął jego sens. – Wiem, synu! Bo też jestem oficerem wywiadu. O ile pamiętam, pułkownikiem KGB... nie... teraz to się nazywa SWZ...

– Tato! To jakiś żart!... – Carl kręcił nerwowo głową i silił się na uśmiech. – To żart! Prawda? No, nieźle mnie nabrałeś! Udało ci się, muszę przyznać...

– To nie żart, Carl – powiedział cicho Hans Jorgensen. – To nie żart! Chodź, pójdziemy na spacer. – Wstał, wypił duszkiem pół kieliszka wina i odstawił go delikatnie na stół. – Pójdziemy na skałę Ingrid, dobrze?

Carl podniósł się, gotów wykonać każde jego polecenie. Wydawało mu się, że obserwuje siebie i ojca z zewnątrz, przez grube lustro, i męczy się z bezsilności: chce coś powiedzieć, ale nie może wydobyć z siebie głosu, chociaż wszystko słyszy.

# 76

Olaf wiedział, że wszyscy dyżurujący na posterunku w Åkersberdze od rana nic nie jedli. Dojechał tam w ciągu półtorej godziny, przywożąc dziesięć kartonów pizzy i tyle samo półtoralitrowych butelek coli. Wywołało to prawdziwy entuzjazm wśród antyterrorystów, chociaż pizza była już zimna, oraz prawdziwe niezadowolenie dowódcy, który nie godził się na jedzenie przed akcją.

Linda dostała swojego ulubionego dwustugramowego hamburgera z Grilla przy Valhallavägen, chociaż Olaf musiał nadłożyć drogi, by go kupić. Mimo że rozmawiał z nią tyle razy, nie poprosiła o dowiezienie czegoś do jedzenia. Wiedział, że jest tak przejęta swoją pierwszą wielką operacją, iż nie pamięta ani o sobie, ani o swoich ludziach. Przywiózł też broń, której celowo zapomniała, bo nie lubiła jej nosić. Przez chwilę nawet się zawahał, czy aby dobrze robi i czy nie sprowadzi tym na nią jakiegoś nieszczęścia, ale w końcu, nieustannie zagadywany przez Staffana, wziął jej sig-sauera odruchowo. Jednak po przyjeździe do Åkersbergi nie wyjął go z samochodu.

Wszyscy oczekiwali w napięciu na coś, co miało się zdarzyć, lecz nikt nie potrafił powiedzieć, co tak naprawdę ma się zdarzyć. Ani kiedy.

Całodzienne napięcie zaczęło objawiać się zmęczeniem i narastającym zwątpieniem w sens i celowość dalszego przebywania w tym miejscu. Nie mówili tego na głos ani Linda, ani Olaf, ani Hasan, ani też okularnik, ale gdyby to zrobili, zapewne by się zdziwili, jak bardzo się ze sobą zgadzają.

Najgorszy był brak jakichkolwiek wiadomości o duecie Garbinowa, chociaż w poszukiwania włączyła się już nawet policja z krajów ościennych. Staffan otrzymał niedawno mało pocieszającą informację z Łotwy, że ktoś taki jak Garbinow nie istnieje, a jego paszport jest duplikatem dokumentu Bogu ducha winnego mieszkańca Narwy.

Wciąż nie dawała im spokoju męcząca myśl, gdzie jest teraz Garbinow i co planuje. Może już ukrywa się w pobliskim lesie, czekając na odpowiedni moment do ataku? Albo zorientował się, że Jorgensen jest obstawiony przez Säpo, i wyruszył w drogę powrotną do Moskwy? Może, zamiast dalej tracić czas, powinni zacząć rozmowę z Jorgensenami? A może to wszystko w ogóle nie ma sensu...

– Pierwszy – odezwał się głos w krótkofalówce i postawił cały zespół na nogi. – „A" i „B" wychodzą razem z domu i idą w moim kierunku.

– Powtórz, Pierwszy! – zareagowała szybko Linda i spojrzała z niepokojem na Olafa.

Po kilkunastu sekundach ciszy powtórzyła, lecz Pierwszy wciąż milczał. Olaf zmarszczył czoło i rozłożył ręce, jakby sprawdzał, czy pada.

– *Fuck!* Co się dzieje? – rzucił przez zęby i chwycił krótkofalówkę. – Drugi!... Drugi?! Widzisz coś?

– Drugi – zameldował się ściszonym głosem. – Nic nie widzę. „A" jest z przeciwnej strony domu... Mam sprawdzić?

– Zostań! – odezwała się Linda. – My sprawdzimy! Nie spal swojej kryjówki!

– Czyżby się zorientowali, że są pod obserwacją? – z niezamierzonym defetyzmem wtrącił Hasan, co mu się dość często zdarzało.

– Idź sprawdzić! Zobacz, co się dzieje... Przecież powinni tam być jeszcze ci... grillownicy. – Nie lubiła jego napadów pesymizmu, ale je tolerowała, bo Hasan ostatnio bardzo przeżywał to, co się działo w jego rodzinnym Bagdadzie.

Poderwał się gotowy do działania. Zdjął turkusową koszulkę polo, odsłaniając tors greckiego boga, czym zrobił wrażenie nie tylko na Lindzie. Następnie zawiązał ją wokół pasa, chowając pod nią pistolet.

– Pierwszy – odezwał się głos i wszyscy aż podskoczyli. – „A" i „B" poszli ścieżką wzdłuż wody... na wschód.

– Nie strasz więcej, Pierwszy! – skarcił go Olaf. – Co się dzieje?

– Okay! Nie będę – obiecał i po chwili dodał: – Tu naprawdę coś się dzieje! „A" cały czas coś tłumaczy „B". „B" wygląda... tak jakoś... niewyraźnie. Hm, nic nie mówi... No, dziwny taki. Już poszli! – Zaległa cisza, lecz zanim ktokolwiek zdążył się odezwać, głos znów zabrzmiał. – Nie mogłem mówić, bo przyszli na pomost... stali dwa metry ode mnie. Mam nadzieję, że nie widzieli słuchawki w moim uchu... Mam tu zostać?

– To oczywiste! Czekaj, aż wrócą!

Tatar siedział ze spuszczonymi nogami na dziobie łodzi. Zdjął elastyczną koszulkę bez rękawów i próbował łapać ostatnie promienie słońca, które zbliżało się do wierzchołków drzew.

Obserwował przepływające od czasu do czasu łodzie różnych rozmiarów i typów. Ogarnęło go rozleniwiające zmęczenie. Już prawie od godziny nie rozmawiał z Jaganem.

Obok siebie, na koszulce, położył pistolet i lornetkę, tak by nie zsunęły się przypadkowo za burtę. Ze wzrokiem wbitym w skaliste dno pokryte wodorostami, doskonale widoczne przez kryształową wodę metrowej głębokości, starał się wypatrzyć jakieś ryby. Słyszał, że Jagan jest gdzieś z tyłu łodzi, ale zupełnie go nie obchodziło, co robi.

Położył się na plecach i przez kilka minut gapił się w błękitne niebo. Wziął swojego glocka, wyciągnął magazynek i sprawdził naboje. Zrobił to już po raz dziesiąty tego dnia. Miał taki nawyk. Przedmuchał magazynek i wprowadził go z powrotem do pistoletu. Przeładował i zabezpieczył. Wciąż leżąc na plecach, wyciągnął rękę i wymierzył w niebo. Zmrużył jedno oko i zaczął celować w ptaka, który niemal w bezruchu zawisł nad jego głową.

– Dzieje się coś nowego?

Aż się poderwał, gdy nagle usłyszał za sobą głos Jagana.

– Masz! Popatrz! – Wyciągnął do niego rękę z lornetką.

– Ja sprawdzałem całą poprzednią godzinę...

– No... sprawdź! Nie marudź...

– Wal się! – Jagan poszedł z powrotem na tył łodzi.

Tatar z ociąganiem przyjął pozycję siedzącą i przystawił lornetkę do oczu.

– Rodzina Saddama wciąż ucztuje – zakomunikował po półminucie. – Nie wydaje się, żeby mieli dość kebabu na dzisiaj... Rozsiedli się na dobre... Sam bym zjadł... Czekaj, czekaj... – Nagle zmienił się ton jego głosu. – Nie widzę tego samochodu... tego volvo 90...

Jagan w okamgnieniu znalazł się obok niego.

– Daj! – Wyjął Tatarowi lornetkę z rąk i zaczął obserwować drugi brzeg. – Rzeczywiście! Samochodu nie ma! – oznajmił po kilkunastu sekundach. – Nareszcie coś się dzieje!

– Wygląda na to, że stary w końcu został sam... jego samochód wciąż stoi! Czyli szykujemy się do roboty. Zaczekamy jeszcze, aż wyniesie się to stado z plaży, i po zmroku zaczynamy. – Tatar podniósł się, przeciągnął i dodał: – Zaraz sprawdzę, o której będzie zmrok.

Jagan zszedł pod pokład.

Wyjął z torby swój automat MP5 SD6 z celownikiem holograficznym i oświetleniem taktycznym, odłączył magazynek, przeładował na sucho, uwolnił spust, rozłożył i złożył kolbę. Zajęło mu to siedem sekund. Sprawdził celownik i oświetlenie, po czym delikatnie położył automat na tapczanie. Wypakował noktowizor i rzucił okiem, czy baterie są naładowane. Również położył go na tapczanie. Następnie powtórzył te same czynności z drugim noktowizorem. Wyciągnął dwa granaty błyskowe i jeden obronny, delikatnie umieścił je obok automatu. Zajrzał głębiej do torby i sięgnął po dwa noże taktyczne Gerber, dwie kominiarki i dwie pary skórzanych rękawiczek. Przymierzył jedną parę i rzucił ją na automat. Na końcu wyjął dwa tłumiki i dwie latarki Super Tac. Sprawdził, czy działają. Wszystkie przedmioty, które teraz leżały ułożone w ściśle określonym porządku, zostały zakupione poza Rosją. Broń, zarówno MP5, jak i glocki, okrążyła Ziemię kilkakrotnie, by zgubić ślad prowadzący do Rosji. Po takiej akcji jak ta całe wyposażenie już nigdy nie wracało do Moskwy. Było wykorzystywane tylko raz.

– Za dwie, dwie i pół godziny powinno być już zupełnie ciemno – stwierdził Tatar, wstając od komputera.

Podszedł do Jagana, który stał nad tapczanem, i położył mu rękę na ramieniu, ale on nawet tego nie poczuł. Już spięty, testował po kolei swoje zmysły, tak jak przed chwilą sprawdzał broń. Był jak tygrys syberyjski, który wraz z zapadającym zmrokiem zamienia się w perfekcyjnego zabójcę. Lubił tak o sobie myśleć, to porównanie dodawało mu sił i wiary. I dotychczas mu pomagało. Ale odkąd stracił w Czeczenii swojego kizlyara z dedykacją Putina, porażka była już tylko kwestią czasu. Zdawał sobie z tego sprawę. Miał jednak silne przekonanie, że jeszcze nie tym razem, że uda mu się uprzedzić Tatara i będzie miał szansę odszukać swój nóż. A wtedy wszystko da się odmienić.

– Teraz powinniśmy odpocząć – zarządził Jagan, bo za ten etap akcji on był odpowiedzialny. – Zrobić trening autogenny przez przynajmniej godzinę. Potem wykąpiemy się w zimnej wodzie. To nas orzeźwi i postawi na nogi... i... do roboty... *Za Rodinu!*

– *Bog trojcu lubit!* – dorzucił Tatar.

# 77

Słońce już zaszło, ale było jeszcze widno. O tej porze roku w Szwecji zmrok zapadał długo. Natomiast temperatura spadała szybko i siedząc na skale Ingrid, czuli nadciągający od morza chłód.

Carl miał dreszcze i powracający co kilka sekund spazm mięśni. Starał się opanować, ale te odruchy przychodziły mimowolnie. Zdał już sobie sprawę, że właśnie runął cały jego świat i musi stawić czoło temu, co się stało, a tym bardziej temu, co się wkrótce stanie.

Hans był jego ojcem i pozostanie nim na dobre i na złe, niezależnie od tego, jak naprawdę się nazywa. On pomoże mu przez to przejść. Nieważne jest, że będzie musiał pożegnać się ze służbą, z marynarką. Że któregoś dnia zostanie sam z historią Hansa Jorgensena.

Obaj noszą nazwisko Jorgensen i nigdy się go nie wyrzekną. Co z tego, że zostało wymyślone w Moskwie?! To jest ich nazwisko, wykute na pomniku matki. Zmienić go już nie mogą! I nie chcą! Andriej Wołkowski nie znaczyło nic, zupełnie nic!

Było jednak coś, co napawało go niepokojem. Jak zareaguje Sophie? To będzie dla niej trudny wybór, bo nosi w sobie kolejnego Jorgensena i pracuje w telewizji.

Minęło ponad półtorej godziny, odkąd ojciec zaczął mu opowiadać swoje życie. Relacjonował je dokładnie, rok po roku, miesiąc po miesiącu, niemalże dzień po dniu. Takie przynajmniej wrażenie odnosił Carl. Przez cały czas nie zadał mu żadnego pytania. Nie odezwał się ani razu. Chociaż na myśl o ciepłej, dobrej babci Gerdzie z Flensburga poczuł w gardle zimny kamień.

Wierzył ojcu, gdy ten mówił, że zawsze chronił jego i Ingrid przed zagrożeniami swojej pracy. Przytaczał zresztą na to wiele dowodów. Jakże nieprawdopodobnie brzmiało, kiedy zapewnił, że w ogóle nie poinformował Moskwy, iż jego syn pracuje w szwedzkim wywiadzie wojskowym! I rzeczywiście nigdy nie wykazywał najmniejszego zainteresowania tym, gdzie on służy, w jakiej jednostce i co robi. Nigdy też się nie zdradził, że domyślił się prawdy. Było to dla Carla z jednej strony niezrozumiałe, a z drugiej tak niezwykle prawdziwe. Hans przecież nawet nie wiedział, że on pracuje przeciw GRU, werbuje i prowadzi agentów w Kaliningradzie i Petersburgu. Rosjanom pewnie przez myśl nie przeszło, że Bert Carlsson czy Olle Stensson to właśnie on, Carl Jorgensen, syn Hansa, oficera KGB. Ojciec nie wiedział też, że Carl bardzo dobrze zna język rosyjski. Nie miał pojęcia, że wie o jego współpracy z Säpo w czasach, gdy pracował jeszcze w Urzędzie Imigracyjnym w Malmö i Sztokholmie.

Do tej pory spowiedź Hansa przypominała raczej beznamiętne zeznanie kogoś, kto popełnił przestępstwo w stanie wyższej konieczności, niż historię życia. Kiedy jednak zaczął się zbliżać do wydarzeń ostatnich dni, zmieniła się barwa i temperatura jego głosu. Było w nim coraz więcej emocji.

Carl dobrze znał Rosjan, ich obyczaje, mentalność. Jeszcze lepiej znał Szwedów i wiedział doskonale, że ojciec nie ma nic wspólnego ze Słowianami z drugiej strony Bałtyku. Uważał nawet, że czasami uosabia nie zawsze najlepsze, lecz typowe cechy charakteru Szwedów. Także z tego powodu historia, której właśnie słuchał, wydawała mu się zbyt irracjonalna, by mogła być prawdziwa.

A jednak! Przez moment nawet uśmiechnął się w duchu w poczuciu szacunku dla profesjonalizmu i potęgi rosyjskiego wywiadu. Że też mogli wyhodować kogoś takiego jak jego ojciec! Ale Hans Jorgensen ich przechytrzył, ukrywając, że jego syn jest oficerem wywiadu, i ta myśl, o dziwo, sprawiła mu prawdziwą satysfakcję.

Więcej! Nagle do niego dotarło, że ojciec musi mieć ogromną wiedzę o pracy rosyjskiego wywiadu, i to nielegalnego, w ciągu ostatnich ponad sześćdziesięciu lat! A przecież nielegałowie stanowią najważniejszą rosyjską agenturę na świecie i prowadzą najtajniejsze operacje wywiadowcze. Hans opowiadał o swoim życiu, przywołując niezwykłe szczegóły, więc powinien wiele pamiętać – uznał Carl.

Zaczynał myśleć coraz trzeźwiej i jak każdy zawodowiec w tej branży starał się na chłodno oceniać sytuację. Dlatego stało się dla niego teraz jasne to, co było przecież oczywiste w takich sytuacjach: że oficer przechodzący na drugą stronę w zamian za współpracę otrzymuje azyl. Odruchowo chwycił za kieszeń i zorientował się, że nie wziął telefonu.

Dotarło do niego, że będzie musiał jak najszybciej spotkać się z szefem KSI, generałem Oscarssonem, i wszystko mu wyjaśnić.

Carl znał rosyjskie służby jak mało kto, a szczególnie wywiad wojskowy GRU, i wiedział, że zdrajców tam nie tolerują. Jeden nieodpowiedzialny ruch, jeden nieodpowiedni kontakt, i ojciec może być narażony na śmiertelne niebezpieczeństwo.

Absolutnie nie mogę z tym czekać do poniedziałku... – pomyślał nieco zaniepokojony.

W tej właśnie chwili dotarło do niego pytanie ojca:

– Wiesz, dlaczego powiedziałem ci o tym wszystkim? Dlaczego zdecydowałem się mówić, chociaż mogłem zabrać tę tajemnicę do grobu i nikt nigdy by jej nie poznał... a i tobie byłoby pewnie łatwiej żyć? Dlaczego postanowiłem uczynić cię sędzią mojego życia...? Mojego wyboru! Co teraz zrobisz, jaka będzie twoja decyzja, wiem doskonale... Tak trzeba! Właśnie dlatego wyznałem ci to wszystko, byśmy mogli powiedzieć... Razem! Nie mogłem sam tego zrobić... Rozumiesz mnie?!

– To akurat rozumiem! Nie rozumiem jednak, dlaczego zdecydowałeś się przejść na naszą stronę... – Carl powiedział to odruchowo i ugryzł się w język, bo nie był pewien, po czyjej jest stronie. – To znaczy dlaczego dopiero teraz, tato?

– Wszystko, co pamiętam z okresu, zanim zostałem Hansem Jorgensenem, to obraz mojej siostry Olgi. Nawet twarze rodziców gdzieś mi umknęły... Została tylko Olga, pamiętam ją, jakby to było dzisiaj, jej twarz, włosy, głos... Była ode mnie młodsza, ale nie wiem o ile! Przez wszystkie te lata wciąż o niej myślałem i utrwalałem w pamięci jej obraz, rozmawiałem z nią... Wiesz, stworzyłem sobie jej wizję i chwilami mi się wydawało, że ona w ogóle nie istniała, że była tylko wytworem mojej wyobraźni. Nawet nie mam jej zdjęcia... – Hans przerwał na chwilę i zamyślił się. – Olga zginęła w czterdziestym trzecim roku razem z moimi rodzicami i dwudziestoma innymi ludźmi z naszej wsi. Widziałem to! Tylko ja przeżyłem tę masakrę! – mówił cicho i powoli.

Dopiero teraz zaczął opowiadać o tym, co wydarzyło się w deszczowy poranek 1943 roku w białoruskiej wsi Miedwiedki.

Po raz pierwszy od początku tej rozmowy Carl słuchał z taką uwagą. Poczuł więź z ojcem, jakiej do tej pory nie znał. Wydawało mu się, że ta historia dotyczy tak samo ojca, jak i jego. I nie miało to nic wspólnego ze współczuciem, to był zwykły smutek.

– Przez całe życie pracowałem dla Związku Radzieckiego, którego byłem... jestem... obywatelem! Teraz to Federacja Rosyjska... Związek Radziecki mnie uratował i przygarnął w czasie wojny, wykształcił... dał mi matkę i nowe życie. Byłem mu wierny i dobrze służyłem, najlepiej jak umiałem. Nie dostrzegałem zakłamywania historii, bo sam widziałem, co z moją rodziną zrobili Polacy. Ale w pewnym momencie zdałem sobie sprawę, że Związek Radziecki znam tylko pozornie, i zacząłem robić notatki ze wszystkiego, czym się zajmowałem. Nie do końca wiedziałem, dlaczego tak robię, ale czułem się z tym bezpieczniej. To się zaczęło, kiedy poznałem twoją matkę... – Hans znowu zawiesił głos. – O tym później! – Po chwili przerwy zmienił wątek. – Tydzień temu byłem w Gdańsku. Spotkałem się tam z jednym agentem. Młody człowiek, Polak, dobrze się zna na historii. Badałem jeden stary dokument, a właściwie plan, oraz zabrałem do Szwecji kopię innego dokumentu... z lat wojny... – przerwał, odetchnął głęboko i powiedział: – Przeczytałem go na promie podczas rejsu powrotnego...

– Co to za dokument? – nie wytrzymał Carl.

– Teraz to nieważne. Mam go w domu... przeczytasz... Aha, ale ty nie znasz polskiego...

– No widzisz! – Carl wreszcie się uśmiechnął. – Uczyłem się intensywnie polskiego na kursach w Uppsali w osiemdziesiątym ósmym i osiemdziesiątym dziewiątym roku, ale wkrótce ten język okazał się mało przydatny.

Hans Jorgensen też się szczerze uśmiechnął, po raz pierwszy od wielu dni. Był już pewien, że dobrze zrobił, opowiadając o wszystkim Carlowi. Nie pomylił się.

– W tym dokumencie... było napisane, że masakry w Miedwiedkach, które już nie istnieją, dokonał oddział specjalny NKWD przebrany w polskie mundury...

– Może to kłamstwo – przerwał mu Carl – pomyłka albo fałszerstwo.

– Dokument jest prawdziwy! Ja to wiem... Są w nim opisane rzeczy, które znali tylko oprawcy i ja...

Obaj zamilkli. Carl patrzył na ojca, który utkwił wzrok w czarnej linii horyzontu nad wodą.

– Zrozumiałem, że zostałem oszukany... Związek Radziecki mnie oszukał... W Moskwie wiedzieli, kto zamordował moją rodzinę, i przez całe moje życie... – Jorgensen znowu zamilkł.

– Nie musisz nic więcej mówić, tato! Ja cię rozumiem!

Carl wstał, podszedł do ojca i usiadł obok niego, by objąć go ramieniem. Po raz pierwszy, odkąd pamięta, zakręciła mu się łza w oku, zdołał się jednak powstrzymać.

– Która godzina? – zapytał po paru minutach zaniepokojony z lekka Hans.

– Dwadzieścia pięć po dziesiątej...

Poderwał się na nogi.

– Późno! A mamy jeszcze dużo pracy... – Ujrzał zdziwioną twarz Carla. – Tak, tak, dużo pracy. Zobaczysz! Coś przygotowałem! To bardzo ciekawe... A jutro rano zadzwonisz... gdzie trzeba...

– Pierwszy! – rzucił Olaf twardo do krótkofalówki. – Nie ma ich już pół godziny! Idź i sprawdź, gdzie są...

– Drugi? – Linda niemal wyrwała krótkofalówkę z ręki Olafa.

– Drugi. Słucham.

– Słyszałeś?

– Tak!

– „A" i „B" widzieli Pierwszego. Ciebie nie! Idź i zobacz, co się z nimi dzieje. Gdzie są!

Atmosfera stawała się coraz bardziej napięta. Hans i Carl wymknęli się nieszczelnej obserwacji i nikt nie wiedział, co się z nimi dzieje. Gdzie byli i dlaczego wyszli z domu.

– Sprawdź, co z tą kurdyjską rodziną na przystani. – Olaf zwrócił się do Hasana.

– FRA ma pod kontrolą telefon Carla Jorgensena... – przypomniał okularnik.

– Rzeczywiście! Byłabym zapomniała! To przecież zlecenie KSI! Teraz o tym mówisz?! – niemal wykrzyknęła Linda. – Połącz się z nimi! Niech podadzą położenie telefonu... Czekaj! – Przerwała na sekundę. – Niech podadzą też, czy były z niego wykonywane jakieś rozmowy.

Okularnik natychmiast połączył się specjalnym telefonem z oficerem na stanowisku dowodzenia w FRA na Drottningholm. Minęły najwyżej dwie minuty, gdy z głębi volkswagena usłyszeli jego głos. Olaf i Linda wtargnęli niemal równocześnie do środka.

Na ekranie monitora widoczna była mapa satelitarna, na której pulsował niebieski punkt.

– Powiększ obraz... – polecił Olaf.

Przyjrzeli się uważniej mapie. Widać na niej było najbliższą okolicę i kształt domu Jorgensena. Niebieski pulsujący punkt znajdował się dokładnie na werandzie domu.

– Co jest! Coś tu nie gra! – odezwała się Linda, wyraźnie zaniepokojona.

– No co?! – zareagował zdziwiony Olaf. – Po prostu zostawił telefon w domu... zapomniał...

– *Fuck!* Olaf, zastanów się! – rzuciła przez zaciśnięte zęby. – Na brzegu biwakuje kurdyjski czambuł... – ugryzła się w język i spojrzała za siebie, żeby sprawdzić, czy Hasan już poszedł – a Carl Jorgensen, oficer wywiadu, może nawet dwóch wywiadów, wychodzi na godzinę do lasu na spacer z ojcem, też szpiegiem, i zostawia swój telefon na werandzie pustego, otwartego domu? No, pomyśl!

– Rzeczywiście! Nie pomyślałem...

– Zostawił telefon, bo to ma być zmyłka. Dobrze wiedzą, że komórka działa jak *beacon* i można ją wykorzystać do podsłuchu pasywnego...

– Szkoda, że sędzia nie dał zgody na podsłuch! – wtrącił Olaf i podrapał się po głowie z wdziękiem dużego dziecka.

– Pewnie! Przynajmniej wiedzielibyśmy, o czym rozmawiali na werandzie. Bo o czym rozmawiają teraz, na pewno się nie dowiemy. Nie są tacy głupi. Wiedzą, co jest ważne... jak i gdzie można bezpiecznie rozmawiać...

– Wiesz co, Lindo? Jeżeli to nie przypadek, że zostawił telefon w domu, to może znaczyć, że jednak Carl też pracuje dla Ruskich...

– Wolałabym, żeby tak nie było. Chcę wierzyć, że to tylko przypadek.

– Drugi. Odbiór!

– Słyszymy cię, Drugi – odebrała Linda.

– „A" i „B" siedzą na wysokiej skale nad brzegiem, odwróceni do mnie tyłem, grzecznie rozmawiają. Jakieś... czterysta metrów od domu. Nie wydaje się, żeby specjalnie kontrolowali otoczenie...

– Znajdź dobrą pozycję i nie spuszczaj ich z oka. Melduj o każdej zmianie. Zrozumiałeś?

– Tak jest!

– Bez odbioru! – skończyła Linda i odstawiła radiostację.

– Kurdowie skończyli grillować... – dobiegł ją zza pleców głos Hasana, który właśnie wrócił – więc pewnie wkrótce będą się zbierać...

– Zapada zmrok. Najwyższy czas! – dorzucił Olaf.

## 78

Mimo że słońce zaszło dobre pół godziny temu, nisko wisząca tarcza srebrnego księżyca oblewała wszystko sinym światłem. Monumentalne świerki, woda i skały nabrały niesamowitego wyglądu. Cień drzew był doskonale czarny, bez domieszki najmniejszego odcienia szarości.

Carl i Hans zeszli bez problemu ze skały. Nawet gdyby nie było księżyca, i tak nie sprawiłoby im to większej trudności, bo znali to miejsce na pamięć. Chociaż tym razem Carl chętnie by ojcu pomógł. Żeby choć trochę poczuć jego bliskość.

– Nie możesz mówić, że Związek Radziecki cię oszukał – zaczął Carl, gdy tylko zeszli na ścieżkę u podnóża skały. – Związku Radzieckiego już nie ma i na razie nikt go nie wskrzesza... za to jest Rosja, a ona jeszcze jakiś czas pozostanie. Związek Radziecki oszukał siebie samego, cały świat, miliardy ludzi. Powiedz lepiej, kogo nie oszukał... Oszukał Hemingwaya, Picassa, Gorkiego, nawet takiego Pete'a Seegera. Oszukał też swoich wrogów... Hitlera, Churchilla i Salvadora Dali, Bóg wie kogo jeszcze... Olofa Palmego i Gerharda Schrödera... więc z tobą nie było inaczej... Jesteś w dobrym towarzystwie.

Carl stosował proste chwyty, wykorzystywane w pracy wywiadowczej, ale nagle poczuł się zawstydzony, że akurat teraz, w najważniejszym momencie swojego życia, pozwala, by sterowała nim wyuczona podświadomość, do tego w zachowaniu wobec własnego ojca.

– Daj spokój, Carl! Wiem, że chcesz dobrze... Teraz wiem, że to nie żaden Związek Radziecki mnie oszukał, oszukiwałem sam siebie i to jest najgorsze. Musimy ratować Jorgensenów, przynajmniej to, co z nich zostało... Musimy odebrać to, co nam zabrali... i zapłacić za Miedwiedki w imieniu wszystkich oszukanych, jak mówisz.

Szli powoli leśną ścieżką wzdłuż brzegu morza, uważając na kamyki i wystające korzenie.

– Ważne jest, tato, żeby człowiek zrozumiał, że był oszukiwany, i mógł coś z tym zrobić. Wiesz, dotarło teraz do mnie, jak okrutne jest to, że miliony, które poświęciły życie dla tej sowieckiej idei, nie mogą otrzymać zadośćuczynienia... jak muszą się czuć ich dzieci, wnukowie...

– Skąd u ciebie takie przemyślenia?

– To przecież oczywiste, dlaczego Putin i ten drugi nigdy nie potępią sowietyzmu. Bo inaczej Rosja by się rozpadła... i kiedyś się rozpadnie... Czy Rosjanie będą w stanie bez wojny domowej rozliczyć się ze swoją przeszłością? Nie wiem!

– Tylko że wtedy może być wielkie bum! – wtrącił Hans. – Widzę, że będziemy mieli o czym teraz rozmawiać. – Zamyślił się na chwilę. – Niełatwo jest przejść swoje życie w drugą stronę... zresztą nigdy tego nie robiłem... Można się tego gdzieś nauczyć?

– Będziemy szli razem, tato...

– Byłem wczoraj na swoim marszu...

– Järvafältet?

– Tak... i po raz pierwszy w życiu przeszedłem swoją drogę w inną stronę, skierowałem się w prawo, a nie w lewo. I wiesz co?! Nie mogłem długo rozpoznać swojego szlaku, aż się przeraziłem... potem... zobaczyłem w lesie czterdzieści osiem rozdeptanych wielkich ślimaków i nie spotkałem Norwega... Dziwne?! Nie uważasz?

– Przypadek, tato! – ze spokojem stwierdził Carl, zauważył jednak, że ojciec coraz częściej zachowuje się dziwnie. – Ta sama droga, przebyta po raz pierwszy w drugą stronę, zawsze wygląda inaczej. To wrażenie potęguje się jeszcze bardziej, gdy uruchamiasz swoją podświadomość...

– Tego was uczą w szkole wywiadu? – zapytał Hans i zatrzymał się.

Spojrzał na twarz Carla oświetloną sinym księżycowym światłem, uśmiechnął się i dotknął dłońmi jego policzków.

Nie robił tak od czasu, gdy Carl przestał być dzieckiem i odszedł z domu. Po kilku sekundach ciszy ruszyli ku widocznemu już za drzewami domowi.

– Mówiłeś, że znasz rosyjski. Rozumiem, że pracowałeś... znaczy pracujesz... przeciwko Rosji. Zresztą domyślałem się, bo dobrze się na tym znam...

– Tak! Od dwudziestu dwóch lat jestem w KSI...

Hans znów się zatrzymał. Stali dwadzieścia metrów od domu, w smudze światła, które timer zapalił na werandzie.

– Obawiałem się tego! – powiedział takim głosem, że Carl poważnie się zaniepokoił, bo cóż mogło być jeszcze bardziej irracjonalnego niż to, czego się już dzisiaj dowiedział? – Czyli jesteś oficerem HUMINT... – Pokiwał znacząco głową i rozejrzał się dookoła. – Operacyjnym?

– Tak, ale...

– Prowadziłeś szwedzką agenturę w Rosji... tak? Osobiście?

– Tak, ale... – Carl był coraz bardziej podenerwowany.

– Cały czas? Od początku? Do dzisiaj?

– Tak, tato! Ale o co chodzi...?

– Teraz wszystko rozumiem... – Jorgensen zmarszczył brwi i wydął usta. – Tak, chodź do domu. – Otoczył go ramieniem. – Wyjaśnię ci to... po kolei. Najpierw jednak pójdziemy do piwnicy!

Kurt Lövenström nie został długo. Zrobiło się już wystarczająco ciemno, żeby mógł wrócić do swojego samochodu zaparkowanego na stacji benzynowej Statoil trzysta metrów dalej.

Ubrany był w krótkie spodenki i hawajską koszulę, duże ciemne okulary, które wyglądały jak damskie, i kapelusik turystyczny z logo firmy Fjällräven. Przy jego niskiej i beczkowatej sylwetce wyglądało to śmiesznie, ale stanowiło wyjątkowo skuteczny kamuflaż. Nikt nie mógłby się domyślić, że to sam zastępca szefa Säpo pojawił się na podwórku opuszczonego domu w Åkersberdze. Nawet Hasan Mardan naiwnie chwycił za pistolet przy pasie, zanim się zorientował, że to jednak nie może być Garbinow.

Przyjechał bez zapowiedzi, chociaż Olaf na bieżąco informował go o rozwoju sytuacji. Sprawił im tym prawdziwą radość.

Przywitał się z każdym po kolei, nie zaniedbując nikogo. Więcej czasu poświęcił policjantom z oddziału antyterrorystycznego, którzy znali go słabo. Wszyscy byli już sfrustrowani całodziennym czuwaniem, brakiem informacji o rosyjskim duecie i kompletną porażką z podsłuchem w domu Jorgensena, więc wizyta pozytywnie wpłynęła na ich morale.

Kurt przekazał życzenia od szefa Paulssona, generała Gustavssona i premiera. Zapewnił, że cała szwedzka policja robi wszystko, by pomóc w ujęciu zabójców Portmana, i że do akcji włączyły się też policje i służby sąsiednich krajów. Zmobilizowano wszystkie rezerwy dostępne w czasie wakacji.

Lövenström nie powiedział niczego nowego. Jednak styl, w jakim to zrobił, w dodatku z zaskoczenia, rzeczywiście dodał im sił i wiary w powodzenie operacji.

Piknik kurdyjskiej rodziny zwinął się wraz z zapadnięciem zmroku, a Jorgensenowie wciąż siedzieli na skale i rozmawiali. I wszyscy wiedzieli, że rozmawiają właśnie o tym, co jest w tej sprawie najbardziej interesujące. Tymczasem w volkswagenie transporterze wciąż panowała denerwująca bezsilność, przerywana co jakiś czas komunikatem Drugiego: „Bez zmian".

Siedzieli we czwórkę w ciasnym samochodzie, którego wnętrze wypełniało sine światło monitorów. Zamknęli drzwi, bo komary tego roku cięły bardziej niż kiedykolwiek. Nikt nie mógł zrozumieć, jak Jorgensenowie wytrzymują na skale. Utwierdzało ich to dodatkowo w przekonaniu, że muszą mieć ku temu poważne powody.

– Czymże jest ukąszenie komara dla Rosjanina z KGB, jeżeli wie, że uniknie w ten sposób podsłuchu i wykona zadanie... – zaczął Hasan ku radości wszystkich. – Wiecie, że Arabów komary nie gryzą.

– To wyjdź na zewnątrz, bo tu jest trochę za ciasno, i zobaczymy. Tylko zostaw koszulę... i broń... – wtrącił Olaf i teraz wszyscy wybuchnęli śmiechem. – *Hospodi!* – Uderzył się dłonią w czoło. – Mam w samochodzie jakiś środek w aerozolu na komary... Zaraz was stąd uwolnię! Potem opowiem ważną historię, która przydarzyła mi się kiedyś w ZSRR.

Olaf wrócił w takim tempie, jakby go ścigały tygrysy, a nie komary. Wszyscy niemal wyrywali sobie pojemnik z rąk, by jak najszybciej wyjść na zewnątrz. Pierwsza była Linda i po chwili troje oficerów usiadło na składanych krzesełkach. Okularnik został w samochodzie.

– Kilka lat temu – zaczął Olaf – byłem na letnim kursie językowym w Petersburgu i zamieszkałem z rosyjską rodziną w domu nad kanałem na ulicy Gribojedowa. W Petersburgu to dopiero mają komary! Podobno zmutowane. To miasto, jak wiadomo, wzniesiono na bagnach i jest tam dużo kanałów...

– Widziałem – odezwał się okularnik – brud i zdechłe psy. Pływałem wodnym tramwajem, więc obejrzałem to sobie z bliska. Ale z daleka to jedno z najpiękniejszych miast.

– Przez te trzysta lat komary zaadaptowały się w nowym środowisku, czyli zamieszkały z ludźmi w ich domach... – Okularnik znowu chciał coś powiedzieć, ale Olaf powstrzymał go gestem ręki. – Jak skończę. I tak zaraz po przyjeździe nasi gospodarze zorganizowali dla uczestników kursu wieczorek zapoznawczy... dość ostry, taki bardzo rosyjski... No więc jak wróciłem do domu w środku nocy, to od razu się położyłem... przy szeroko otwartym oknie. Przez całą noc czułem, że coś mi nieustannie bzyka koło ucha, ale jakoś nie mogłem wstać i tylko nakryłem się kołdrą. Była krótka, więc wystawała mi albo głowa, albo nogi, na zmianę, ale częściej głowa. Obudziłem się rano z potężnym bólem i uznałem, że to sprawiedliwa kara za poprzedni wieczór. Poszedłem do łazienki, patrzę w lustro, a na czole, tuż pod włosami – Olaf zademonstrował miejsce, podnosząc opadającą grzywkę – mam gruby, czerwony, spuchnięty i wystający na centymetr wał od ukąszeń komarów. Dostałem nawet gorączki. Zaopiekowała się mną gospodyni i tego dnia już nie wychodziłem. Okazało się, że po otwarciu okna należało założyć moskitierę i wybić przed snem te, które się przedostały, a było ich mnóstwo! Od tego dnia noc zaczynałem od wybijania poduszką komarów na suficie...

– Poduszką? – zapytał zdziwiony Hasan.

– Najlepiej się nadawała do rzucania, bo można było ubić kilka naraz. A mieszkałem w starym domu. Pokoje mają tam ze cztery metry wysokości, jakby specjalnie zrobione dla komarów. Poduszka była aż czerwona od krwi...

– A dlaczego mówiłeś, że są zmutowane? – odezwała się Linda, która znała tę historię, lecz bez tego fragmentu.

– Przebywają w domach wśród ludzi i muszą przeżyć...

– Komarus domus – wciął się Hasan.

– Żebyś wiedział! Kiedyś nie było środków chemicznych i żeby przeżyć, musiały szybko latać. Stały się przez to bardzo małe, takie śmig-śmigu...

– Nie takie leniwe jak nasze, które jak się nażrą, to nawet latać im się nie chce – dowcipkował Hasan, wyraźnie zainteresowany opowiadaniem Olafa.

– Za to w tamte ledwo można trafić! Zmora jakaś!

Linda znała setki opowiadań Olafa i lubiła ich słuchać, ale gdy byli sami. Uważała, że nie jest to dobry sposób na budowanie autorytetu, tym bardziej że w tych anegdotkach było dużo jego fantazji.

– Ciekawa historia. Skądś ją znam. Coś mi się jednak wydaje, że jest lekko naciągana. Trzeba by to sprawdzić!

– To mogą być *noseem* – odezwał się okularnik, odwrócił się od komputera i widząc zainteresowanie na twarzach pozostałych, mówił dalej: – *Noseem* to takie małe insekty, jak komary czy muszki, które boleśnie gryzą i bardzo szybko latają. Stąd nazwa!

– Jak to? – zapytał zdziwiony Hasan.

– Kiedy pierwsi Europejczycy przypłynęli do USA, to bardzo cierpieli od ukąszeń tych owadów i pytali Indian, co to jest. Ale Indianie nie wiedzieli, jak im to określić, i łamaną angielszczyzną mówili: *no see them*, nie widać ich, i tak już zostało, *noseem*.

– Jak mieszkałem w Teheranie... – zdążył powiedzieć Hasan, gdy odezwała się radiostacja i wszyscy zamarli.

– Drugi. Ruszyli się! Zeszli ze skały i idą powoli z powrotem w kierunku domu.

– Zaczekamy, aż zapali się światło. Będziemy pewni, że jest w domu, a nie polazł gdzieś do sąsiada... Która jest? – zapytał Tatar, obserwując przez lornetkę drugi brzeg.

– Co ja jestem, zegarynka?! Przecież masz służbowy zegarek! Nie pasuje ci suunto za pięćset baksów? – odpowiedział złośliwie Jagan. Zbliżała się robota i Tatar takim gadaniem tylko go denerwował. – Jedenasta trzydzieści...

– W domu ciemno... może śpi...

– Samochód stoi przed domem?

– Tak! W tym samym miejscu – odparł z ociąganiem Tatar.

– Pewny jesteś?

– Bladź! Sam zobacz! – Podał mu lornetkę.

Jagan ponad minutę stał na dziobie łodzi jak rodyjski posąg.

– Drzwi do domu są otwarte. Światło wyłączone... Pewnie stary wypił z synem i zasnął albo rzeczywiście gdzieś polazł...

– Jeżeli światło nie zapali się do jedenastej... ruszamy! – stanowczo zakomunikował Tatar i po chwili dodał: – Zaczekamy na starego w domu, jeśli będzie trzeba! *Cziemu byt, togo nie minowat.*

Siedzieli na dziobie łodzi i wpatrywali się w ciemną linię lasu po drugiej stronie zatoki. Noc była przejrzysta i cicha, z pełnym księżycem zawieszonym nisko nad horyzontem.

Po kilku minutach Tatar zaczął śpiewać cicho piosenkę, którą Jagan uwielbiał, tak samo jak wszyscy Rosjanie, a może nawet jeszcze bardziej.

– „Wyjdę nocą w pole z koniem,/Nocką ciemną cicho pójdę...".

Tatar zaśpiewał całą pieśń i Jagan był pełen podziwu dla jego głosu i muzykalności. Żałował, że ostatniej zwrotki nie mógł zaśpiewać głośno, bardzo głośno, tak żeby jej słowa poleciały po wodzie, daleko w noc.

– Nieźle! – skomentował. – Żaden Żyd tego nie zrozumie... Nie ma na świecie drugiego takiego narodu jak nasz! Nikt nie pokona narodu, który ma takie pieśni...

Tatar spojrzał na Jagana ze zdziwieniem, bo po raz pierwszy zauważył u niego artystyczną wrażliwość.

– A może... dobrze ci idzie... zaśpiewaj jeszcze *Już nie dla mnie...*

– Innym razem. – Tatar podniósł się na nogi. – Coś się dzieje! Dawaj lornetkę!

Jagan pierwszy przystawił lornetkę do oczu i po kilku sekundach włożył ją w wyciągniętą rękę Tatara.

– Zaczynamy! – oznajmił z widocznym podnieceniem.

Zeszli pod pokład. Założyli kominiarki, rękawiczki i plecaki. Sprawdzili pistolety i przypięli do pasków noże. Jagan przewiesił przez ramię swój automat MP5, wziął do ręki noktowizor.

– Noc jest jasna. Chyba nie będą potrzebne? – zapytał z wahaniem Tatar.

– Będą! – ostro rzucił Jagan. – Idziesz za mną i robisz wszystko to, co ci powiem. Rozumiesz? Nie negocjujesz ze mną! Potem będziesz miał swoją część do wykonania, z tym futerałem czy co tam jeszcze masz…

– Stary ma broń! Pamiętaj!

Jagan nic nie odpowiedział. Wszedł na górny pokład i położył się na brzuchu na dziobie łodzi. Naciągnął kominiarkę i założył noktowizor.

Ciszą targnął niski pomruk i zaraz opadł. To Tatar włączył silnik. Wciągnął cumy i usiadł na fotelu. Powoli zaczął pchać manetkę gazu i łódź delikatnie ruszyła do przodu. Wysunęła się z zatoki i jej biała sylwetka była teraz dobrze widoczna w księżycowej poświacie. Po gładkiej jak lustro tafli wody niósł się niewyraźny dźwięk pracującego silnika.

Nakierował łódź na światła domu Jorgensena i obniżył obroty silnika. Bavaria sunęła delikatnie, rozcinając toń i pozostawiając na powierzchni symetryczne smugi.

Tatar obserwował, jak powoli zbliżają się światła domu i jego obraz z każdą chwilą staje się coraz wyraźniejszy. Dokładnie widział już zapalone na werandzie lampy i zaparkowane opodal volvo 245.

Na przystani nikogo nie było. Początkowo miał zamiar zacumować przy pomoście, ale teraz odrzucił ten pomysł. Może łatwiej byłoby wysiąść z łodzi, nie mocząc ubrań, ale w świetle księżyca byliby widoczni jak na dłoni.

Obrócił kołem sterowym piętnaście stopni w lewo i kiedy łódź się wyprostowała, wyłączył silnik. Zaczęli dryfować w kierunku ciemnej ściany drzew. Wokół panowała zupełna cisza i Tatar miał wrażenie, jakby łódź płynęła w powietrzu.

Jagan wciąż leżał na dziobie i obserwował przez noktowizor zbliżający się brzeg.

Ostatnie pięćdziesiąt metrów łódź sunęła prawie niezauważalnie. Tatarowi wydawało się nawet, że już się zatrzymała, kiedy poczuł delikatne stuknięcie. Teraz był już pewien, że dobili do brzegu.

Zaciągnął kominiarkę na twarz i czekał na Jagana, który wciąż trwał w bezruchu. Od tego momentu to on o wszystkim decydował i Tatar chętnie na to przystał. Bo Jagan był naprawdę dobry w tym, co robił.

Minęły dwie niekończące się minuty, zanim Jagan się odwrócił i dał Tatarowi sygnał, żeby pozostał na miejscu, podczas gdy on zejdzie na brzeg i sprawdzi teren. To były rutynowe czynności, ale Tatar przez moment stracił orientację, bo Jagan przewrócił się na plecy i do swojego glocka przykręcił tłumik.

Sprawnie, bezdźwięcznie zsunął się po krawędzi burty do wody i po chwili był już na brzegu. Światła domu Jorgensena słabo przebijały przez gęsty las. W linii prostej mieli do przejścia około stu dwudziestu metrów.

Tatar czekał na łodzi i był coraz bardziej zdenerwowany. Jagan zniknął w ciemnych zaroślach.

## 79

– Zapomniałem wyłączyć timer i zapaliło się światło – powiedział Hans, wchodząc na werandę. – Na pewno naleciało do domu mnóstwo komarów... Nie zamknęliśmy drzwi i okien.

– Komary to chyba dziś najmniejszy problem – skomentował trochę grubiańsko Carl i w tej samej chwili zrobiło mu się wstyd.

Hans poprosił syna, by wziął z kuchni taboret, i otworzył właz do piwnicy. Wewnątrz paliło się światło. Gdy zeszli na dół, Carl nagle się zatrzymał, zdumiony tym, co zobaczył. Był w tej piwnicy setki razy, może więcej. W dzieciństwie uważał ją za swoją kryjówkę. Znał każdy jej zakamarek i nigdy nie przeszkadzała mu woń stęchlizny. Teraz stał przed wejściem do drugiego pomieszczenia, o którym przez tyle lat nic nie wiedział. Nawet nie podejrzewał, że coś takiego może się tu znajdować. Drzwi były idealnie zamaskowane.

– Teraz wiesz, skąd zapach stęchlizny w piwnicy – powiedział Hans. – Kiedy przygotowywałem ten bunkier, musiałem zamurować okienka wentylacyjne, ale nie przypuszczałem, że będzie taka wilgoć.

Przez moment Carl poczuł się oszukany: to był przecież także jego dom, ale bez tego tajemniczego pomieszczenia! Zrozumiał jednak, że musi się z tym pogodzić.

Kiedy przekroczyli próg, rozejrzał się uważnie dookoła, jakby wszedł bez zezwolenia do cudzego mieszkania. W przeciwległej ścianie zauważył otwarty sejf, a w nim ułożone w stos książki, notatniki i pudełka.

Po lewej stronie od wejścia, pod nisko zawieszoną lampą o niespotykanym już dzisiaj wzorze, stał duży stół i krzesło. Pośrodku blatu leżał gruby, ponadpięciocentymetrowy notatnik oprawiony w zieloną skórę, z wytartymi rogami i grzbietem. Na okładce widniał tłoczony złotymi literami napis „Berlingske-Posten 1953".

Hans wyjął z rąk Carla taboret i postawił obok swojego krzesła. Kiedy już usiedli, przyciągnął do siebie zielony notatnik. Położył na nim rękę i przez chwilę milczał, oddychając głęboko.

– To jest notatnik, który dostałem od przyjaciół, jak odchodziłem z „Berlingske-Posten" w tysiąc dziewięćset pięćdziesiątym trzecim roku. Ma pięćset stron i został zamówiony specjalnie dla mnie u znanego kopenhaskiego introligatora. Bardzo się ucieszyłem z tego prezentu i postanowiłem, że muszę się poważnie zastanowić, zanim podejmę decyzję, o czym będę w nim pisał. W końcu zdecydowałem, że ten pięknie oprawiony notatnik będzie moim drugim sumieniem. Byliśmy wtedy tacy młodzi i tacy zakochani... – Hans przerwał i znów położył rękę na notatniku, jakby czerpał z niego jakąś magiczną moc. – Przez ponad pięćdziesiąt lat rejestrowałem w nim dokładnie wszystkie czynności, które wykonywałem... – odchylił okładkę – i nie jest to tylko zwykły dziennik, Carl. Tutaj zapisane są szczegółowe dane... dotyczące wszystkich nielegałów, których legalizowałem, szkoliłem, chłodziłem, którym wyrabiałem nową tożsamość w Urzędzie Imigracyjnym... dokumenty inspiracyjne... wszystkie operacje specjalne, w jakich uczestniczyłem, i nazwiska agentów z różnych zakątków świata, których obsługiwałem... – Znów przerwał i zaczął ciężko oddychać, jakby mówienie sprawiało mu trudność.

Carl był tak oszołomiony, że dopiero po chwili zdał sobie sprawę, że ojciec może źle się czuć.

– Wszystko w porządku, tato? – zapytał.

– W jak najlepszym... – odparł dziarsko Hans. – Po prostu szampan i wino zrobiły swoje...

Przeskakując po dwa stopnie, Carl pobiegł na górę do kuchni i przyniósł butelkę wody mineralnej. Sam nawet nie próbował się napić, bo wiedział, że ani jedna kropla nie przejdzie mu przez zaciśniętą krtań. Hans za to wypił całą szklankę.

– Spójrz! – Otworzył notatnik na przypadkowej stronie.

Carl zobaczył tekst zapisany bardzo drobnym, równym pismem, w określonym ładzie i porządku, podzielony równymi liniami na sekwencje.

– Na przykład tutaj... – Hans pokazał palcem i zawahał się przez chwilę. – Dwudziestego pierwszego marca tysiąc dziewięćset siedemdziesiątego trzeciego roku wystawiłem dokumenty dla Estończyka Toomasa Tuula... tu są jego wszystkie dane. Ze Szwecji przeniósł się potem do Niemiec... urodzony w tysiąc dziewięćset pięćdziesiątym roku... – Zamyślił się. – Tak, pamiętam... Przygotowywałem go przez dwa miesiące tutaj w Szwecji... Pewnie wciąż żyje. Na pewno! Musi jeszcze być aktywny. Odnalezienie go nie powinno przysporzyć większych problemów. – Znów przerzucił kilkadziesiąt kartek do przodu. – Tutaj, zobacz, dwunastego maja osiemdziesiątego szóstego roku odbyłem spotkanie z francuskim agentem i odebrałem od niego materiały... Roger... Rabal z Ministerstwa Obrony otrzymał pięć tysięcy dolarów...

Carl siedział jak zamroczony. Obaj doskonale wiedzieli, jaką wartość ma zielony notatnik „Berlingske-Posten" z 1953 roku. Niepewnie, jakby się czegoś bał, Carl przysunął go do siebie, zamknął i wziął do ręki. Przez chwilę trzymał na dłoni, jakby ważył jego ciężar, po czym otworzył i zaraz znowu zamknął.

– Muszę zadzwonić do generała Gustavssona. – Spojrzał na zegarek, a potem na ojca. – Mniejsza o to, która jest godzina... musi o tym wiedzieć... natychmiast! Gdyby się zorientowali, że to masz, że wszystko spisywałeś... znalazłbyś się w ogromnym niebezpieczeństwie! Tak! – Carl mówił jakby do siebie. – Tylko generał jest w mocy decydować w tej sprawie... Wystarczy jakiś przeciek, jakiś sprzedawczyk, i będzie nieszczęście... Twoje bezpieczeństwo, tato, jest najważniejsze! Trzeba będzie cię ukryć... – Zauważył, że ojciec patrzy na niego bezbarwnym, zmęczonym wzrokiem. – Nie wiem... coś trzeba będzie zrobić. Jeżeli Moskwa się dowie, co się stało, będzie musiała natychmiast wycofać wszystkich swoich ludzi, z którymi miałeś kontakt, a w pierwszej kolejności... zlikwidować ciebie... Zanim przerobimy informacje z twojego notatnika, oni mogą się już połapać, co zaszło... Boże, zupełnie nie mogę zebrać myśli... Muszę się uspokoić, pomyśleć!

– Myślę, że wystarczy, jeśli zadzwonisz do Gustavssona jutro rano, kiedy obaj trochę ochłoniemy. Wiesz... – Hans wypił pół szklanki wody – nie czuję się dobrze... Mam taką pustkę w głowie i boli mnie żołądek... Jestem zmęczony. Nie zniosę już dzisiaj kolejnych wydarzeń. Musimy się wyspać!

– Dobrze. Oczywiście... masz rację...

– Jest jeszcze coś... – Hans mówił coraz ciszej. – Wydaje mi się, że oni już tu są.

Carl spojrzał na ojca z niepokojem. Jego twarz wydała mu się nienaturalnie postarzała, prawie martwa.

– Jacy oni? O czym ty mówisz?

– Tak sądzę... może trochę przesadzam... Ostatnio widuję różne dziwne rzeczy, ludzi... – Hans znów kilka razy odetchnął. – Dobrze, że zostajesz na noc. Jutro ci wszystko opowiem...

– Jesteś w głębokim stresie. To zrozumiałe, że widzisz duchy. – Carl próbował uspokoić ojca. – Opowiesz mi jutro. Sam się przekonasz, że kiedy człowiek nabiera dystansu, wszystko staje się znacznie prostsze, niż mu się początkowo wydawało...

– Może...

Chciał coś jeszcze powiedzieć, gdy w piwnicy nagle zgasło światło.

Wstał i bezbłędnie trafił po ciemku ręką do elektrycznej lampki wiszącej na ścianie. W pomieszczeniu znowu zrobiło się jasno.

– Pewnie wyłączył się timer... – odpowiedział na zdziwione spojrzenie syna.

– Latarka jest tam gdzie zawsze? – zapytał Carl.

– Przy drzwiach... znajdziesz...

– Pójdę sprawdzić!

Carl wyszedł, zamykając za sobą drzwi do bunkra.

Hans zbliżył się do sejfu i wyjął z niego zawinięty w szmatkę pistolet. Odbezpieczył, przeładował i włożył do kieszeni spodni, ale po chwili zmienił zdanie, wyciągnął koszulę na zewnątrz i schował go z tyłu za pasek.

– *Fuck! Fuck!* – Linda nie potrafiła mocniej wyrazić swojej wściekłości, gdy zobaczyła na monitorze, jak Jorgensenowie znikają pod podłogą. – Co tam jest w tej pieprzonej piwnicy?! Najpierw ten Ruski z blizną wyskoczył z niej jak spod ziemi, teraz oni się tam zapadają! Mają jakiś tunel pod

Bałtykiem do Petersburga albo Kaliningradu? A może to jakiś szwedzki Fritzl? A my tu... *Fuck!*

– Lindo! Nie denerwuj się! – przerwał jej Olaf. – Coś się jednak dzieje.

– W porządku. Trochę mnie wkurwia, że nie zabezpieczyliśmy tej pieprzonej piwnicy!

– Nie mogliśmy wszystkiego przewidzieć...

– Przecież nie było nawet na to czasu! – wtrącił się Hasan, zdziwiony nieznaną mu dotąd nadpobudliwością Lindy. – To tylko osobliwości narodowego polowania.

– Pierwszy! Odbiór!... Pierwszy... – Linda włączyła krótkofalówkę.

– Pierwszy. Jestem.

– Co widzisz?

– Nic. Cisza. Światło w domu...

– Komary rżną?

– Mogą mnie rżnąć w dupę! Mam na takie okazje maskujący pokrowiec... Obserwacja nie pęka... Czuj, czuj, czuwaj!

– Za pół godziny zmieni cię Trzeci...

– Okay! Czekam!

Leżącego w zaroślach człowieka w stroju maskującym dostrzegł, gdy łódź jeszcze dryfowała. Nie miał najmniejszych wątpliwości, że to ktoś ze szwedzkich służb i że prowadzi obserwację domu Jorgensena.

W pierwszej chwili chciał powiedzieć o swoim odkryciu Tatarowi, szybko jednak zrezygnował z tego zamiaru. Tatar mógłby wtedy odwołać akcję, a on nie miałby możliwości go zlikwidować. Akcja musiała się odbyć bez względu na to, jaki będzie jej finał. Jagan miał przeczucie, że tak czy inaczej wyjdzie z tego cało. W końcu zna się na walce. Przed chwilą miał na to najlepszy dowód. Pierwszy zauważył tego obserwatora!

W pojedynkę łatwiej będzie się potem ukryć i przedostać do Rosji... W Moskwie już przecież wiedzą, że była strzelanina w hotelu... Tatara tam widziano, a mnie nie... – kombinował Jagan, dopóki łódź nie dobiła do brzegu.

Postanowił szybko zlikwidować obserwatora i sprawdzić dokładnie teren, zanim Tatar zdąży się zorientować.

Zszedł do wody, pochylił się możliwie nisko, by jego księżycowy cień był jak najkrótszy, i niemal bezszelestnie dotarł do brzegu. Przywiązał linę cumowniczą do konaru drzewa. Teraz doskonale widział schowanego w krzakach obserwatora: twarz miał zakrytą siatką maskującą i leżał na ziemi. Nie dało się jednak ustalić, czy jest uzbrojony. Zresztą i tak nie było to najważniejsze, bo Jagan zamierzał użyć noża.

Gęsty las mienił się czernią przeplataną cieniem i srebrną poświatą.

Idealne warunki do nocnej walki – ocenił Jagan i przewiesił automat na plecy, żeby nie krępował mu ruchów. Pistolet z tłumikiem przełożył do lewej ręki, bo strzelał z obu tak samo dobrze. Natomiast nożem potrafił walczyć tylko prawą ręką.

Posuwał się krok za krokiem, ostrożnie stawiając stopy, cały czas wpatrzony w sylwetkę obserwatora. Obchodził go od tyłu szerokim łukiem, by nie wejść w jego pole widzenia. Tamten leżał na ziemi, toteż Jagan nie mógł rzucić w niego nożem. Utrudniało to nieco zadanie, ale nie na tyle, żeby się tym zmartwił.

Po chwili był za nim. Zostało mu nie więcej niż dwadzieścia dwa metry, gdy usłyszał jego ściszony głos. Natychmiast zrozumiał, że obserwator rozmawia przez radiostację.

Czyli w pobliżu są jeszcze inni, ale z pewnością nie może być ich wielu... może jeszcze jeden, no... dwóch... – pomyślał ze stoickim spokojem.

Przez chwilę penetrował przez noktowizor otoczenie, ale nic nie zauważył. Było bardzo cicho. Minęły cztery minuty od chwili, gdy zszedł na ląd.

Zaczął oddychać powoli, głęboko, wciągając powietrze nosem. Zdjął noktowizor i ruszył w kierunku obserwatora.

Był więcej niż pewien, że nie dotyka stopami ziemi, że unosi się lekko i płynnie.

Po chwili był o pięć metrów od niego... cztery, dwa... i wiedział już, że osiągnął cel i że udało mu się go zaskoczyć. Zdążył jeszcze wsadzić pistolet za pas i spadł na plecy leżącego człowieka, przygniatając go do ziemi całym ciałem.

Nawet nie dał mu czasu na jakąkolwiek reakcję. W ułamku sekundy mocnym ruchem odchylił jego głowę do tyłu i prawą ręką przeciągnął głęboko nożem po gardle. Odczekał kilkanaście sekund, aż ciało zastygnie w bezruchu, i dopiero wtedy się podniósł.

Ponownie założył noktowizor, rozejrzał się i wrócił prosto na brzeg, gdzie stała łódź. Dał znak latarką i po chwili Tatar, robiąc sporo hałasu, zsunął się do wody.

– Wszystko w porządku? – wyszeptał, gdy dotarł na brzeg, trzymając się jeszcze liny.

Jagan skinął głową i zrobił dłonią gest oznaczający, że jest czysto.

Za drzewami widać było światła domu Jorgensena. Powoli ruszyli w jego kierunku. Jagan szedł pierwszy i obserwował otoczenie. Tatar trzy metry za nim, lekko pochylony. Czuł, że ma mokre dłonie, a pod kominiarką spływają mu po karku kropelki potu.

Pozostało nie więcej niż trzy metry do szeroko otwartego okna, gdy w domu nagle zgasło światło. Zatrzymali się niemal w miejscu i po sekundzie doskoczyli do ściany. Po chwili Jagan wspiął się na okno i zniknął w ciemnym domu. Tatar ruszył w ślad za nim, chociaż z nieco mniejszą wprawą. Cicho zaskrzypiała podłoga. Zajęli pozycje w najbardziej zaciemnionych miejscach kuchni i nasłuchiwali.

Wszystko szło dobrze.

Wiedzieli, że sypialnia Jorgensena jest na piętrze, a to, co ich interesuje – bunkier – w piwnicy.

# 80

– Pierwszy! Co u ciebie? Pierwszy! – Olaf już po raz któryś z rzędu wzywał obserwatora. – Trzeba sprawdzić, co się stało... – zadecydował w końcu. – Wysiadła mu radiostacja albo zasnął. Pójdziesz sprawdzić, Hasan?

– Oczywiście, że pójdę! – odpowiedział oficer zdrowym, dźwięcznym głosem.

Linda z trudem utrzymywała głowę w pozycji pionowej, a Olaf starał się co jakiś czas robić cokolwiek, by zwalczyć senność. Teraz próbował połączyć się z Pierwszym. Bezskutecznie.

Wszyscy pewnie już dawno by zasnęli, gdyby nie komary. Nie mogli zamknąć się w samochodzie, bo było w nim zbyt duszno.

W volkswagenie, przed sinymi monitorami, tkwił samotnie okularnik. Pozostali siedzieli na składanych krzesełkach w pobliżu otwartych drzwi. W opuszczonym domu obok panowała zupełna ciemność, chociaż wciąż przebywali tam antyterroryści z Task Force. Można byłoby pomyśleć, że wszyscy śpią.

Nikt nie zauważył, że monitory zmieniły nagle kolor, gdy zgasło światło w domu Jorgensena.

Nikt nie mógł tego zauważyć, bo wszyscy siedzieli na zewnątrz samochodu i nie wiedzieć czemu byli przekonani, że okularnik, który wciąż trwał w volkswagenie, absolutnie nie zaśnie.

Nikt nie pomyślał, że okularnik nie jest zrobiony z krzemu i nie zasypia wyłącznie na kliknięcie, że siedzi w samochodzie od rana i trzeba by go zmienić.

Nikt z jego przełożonych – ani Linda, ani Olaf, ani zastępca szefa Säpo Kurt Lövenström, ani nikt inny w Sztokholmie – o tym nie pomyślał, bo wszyscy byli zajęci polowaniem na duet Garbinowa.

Najpierw usłyszeli jakiś ruch w piwnicy, zaraz potem skrzypienie schodów i z otwartego włazu wystrzelił silny snop światła latarki.

Jagan uniósł noktowizor i wycelował pistolet. Tatar też mierzył nerwowo ze swojego glocka. Słychać było, że ktoś wchodzi po schodach. Pojawiła się głowa, a zaraz potem cała sylwetka mężczyzny z latarką w dłoni.

Tatar przyjrzał mu się uważnie i od razu nabrał wątpliwości.

To nie może być Hans Jorgensen! – pomyślał z wściekłością.

Światło latarki wzmacniało cień i nie mógł rozpoznać twarzy mężczyzny. Domyślił się jednak, że to musi być syn starego, i poczuł przeszywający strach. Doskonale pamiętał, że nie wolno im tknąć Carla Jorgensena. Wymienili spojrzenia i chociaż ledwo się widzieli pod kominiarkami, zrozumieli, że już nie mogą się wycofać.

Carl wyszedł na zewnątrz i przystanął. Rzucił snop światła w kierunku drzwi wejściowych, przy których zamontowany był timer. W pokoju było ciemno, po prawej stronie księżycowy cień wpadał przez szeroko otwarte okno. Zbyt szeroko – pomyślał Carl i nagle poczuł czyjąś obecność. Skierował w tę stronę latarkę i znieruchomiał.

W snopie światła zobaczył ludzkie oczy i usta na czarnym tle, a nad nimi noktowizor. Intruz celował do niego z pistoletu. Carl zauważył wystającą zza jego pleców lufę MP5. Nieznajomy ubrany był w koszulkę i dżinsy, a na piersi odznaczały mu się paski od plecaka.

Jagan przyłożył palec do ust, nakazując Carlowi milczenie. Dał mu znak, żeby wyłączył latarkę, i natychmiast włączył swoją, oświetlając jego przerażoną twarz.

Z przeciwległego rogu pokoju wystrzelił drugi snop światła. Carl nie mógł jednak dostrzec szczegółów. Zobaczył tylko zarys postaci w kominiarce. A więc jest ich dwóch! Obie ukryte dotąd postacie podniosły się jak na komendę.

Zaczęły się do niego zbliżać. Dom wypełniała cisza, tylko stara drewniana podłoga wydawała pod ciężarem trzech mężczyzn charakterystyczne jęki.

Pierwsza latarka nagle zgasła i została tylko druga.

Carl ochłonął i zrozumiał, że to nie jest bandycki napad. Przeczucia ojca były jednak uzasadnione.

Hasan nie wiedział dokładnie, gdzie Pierwszy miał swój punkt obserwacyjny. Wiedział jednak, że musi tam dotrzeć dużym łukiem, by nie wejść w pole widzenia któregoś z Jorgensenów.

Starał się iść jak najszybciej, lecz kilka razy potknął się w ciemności i zadrapał twarz o wystającą gałąź. Las w tym miejscu był wyjątkowo gęsty. Zaklął, że nie wziął latarki, a mógł przecież pożyczyć ją od komandosów. Teraz szedł powoli, zasłaniając się ręką. Po kilku minutach zorientował się, że prawdopodobnie zgubił drogę, bo nie widział już świateł z domu Jorgensenów, które dotąd były jego punktem orientacyjnym.

Znów zaklął siarczyście po arabsku i pomyślał, że przecież można było zadzwonić do Pierwszego na komórkę. Zatrzymał się i wybrał numer Olafa. Ten odezwał się po dłuższej chwili.

– Obudziłem cię? – zapytał Hasan, słysząc jego głos.

– Nie! Już nie...

– Zgubiłem się w lesie. Nie wiem, gdzie jestem. Zadzwońcie do Pierwszego na komórkę...

– Drugi już do niego dzwonił – przerwał mu Olaf. – Jego komórka milczy, mogła się rozładować. Idź na brzeg morza, tam łatwiej odzyskasz orientację...

Hasan wyłączył komórkę.

– Tyle to i ja wiem – powiedział szeptem i ruszył na wyczucie.

Kiedy zgasło światło, Hans od razu poczuł, że coś jest nie tak, chociaż doskonale wiedział, że to tylko timer. To przeczucie było tak silne, że musiał wziąć pistolet. Przygasił lampę do niezbędnego minimum i zaczął nasłuchiwać.

Nie powinienem był wysyłać Carla – pomyślał. Mogłem pójść sam.

Z każdą przeciągającą się chwilą jego przeczucie zmieniało się w pewność, a po kilkunastu sekundach nie miał już najmniejszych wątpliwości. Wszedł do piwnicy i zamknął za sobą drzwi do bunkra, tak że zupełnie znikła słaba poświata lampki.

W tym momencie usłyszał, jak zaskrzypiała nad nim podłoga.

Znał ten dom na pamięć, jego duszę i każdy zakamarek. Znał każdy dźwięk, jaki wydawała z siebie stuletnia podłoga, i natychmiast się zorientował, że w pokoju nad nim ktoś jest i że są to dwie osoby, które starają się poruszać cicho i powoli. Wiedział dokładnie, w którym znajdują się miejscu.

Stanął bliżej schodów. Ogarnął go niepokój o Carla. Nie wiedział, co robić. Na górze podłoga przestała na chwilę skrzypieć. Nie było też żadnych odgłosów walki.

Spojrzał na otwarty właz w suficie i zobaczył poruszające się światło dwóch latarek.

Wyjął i odbezpieczył pistolet.

Hasan zauważył srebrną poświatę księżyca odbijającą się w wodzie między drzewami.

Po lewej stronie powinien być dom Jorgensena – pomyślał.

Przyjrzał się uważnie i zauważył w oddali jego ciemny kontur. Zdziwił się, że w oknach nie palą się światła. Teraz zrozumiał, dlaczego wcześniej stracił orientację.

Pierwszy powinien być gdzieś w pobliżu – pomyślał i zaczął się rozglądać.

– Fred... Fred – wyszeptał dosyć głośno. – Jesteś tu? Fred!

Odczekał chwilę, nasłuchując. Przeszedł ostrożnie, schylając się przed gałęziami, w kierunku zarośli obrastających duży głaz. Wydawało mu się, że to właśnie tam powinno być miejsce Pierwszego.

– Fred... chłopie... odezwij się! Gdzie jesteś?! – zawołał głośniej. Nie do wiary, by Frederik, oficer obserwacji z dwudziestopięcioletnim stażem, zasnął na posterunku! – Obudź się, Fred! – kontynuował nawoływanie, posuwając się w kierunku zarośli.

Nagle z odległości dwóch metrów dostrzegł na ziemi kształt ciała obserwatora, dokładnie w tym miejscu, gdzie widział go wcześniej za dnia.

To dziwne, że Frederik nie usłyszał nawoływania. Niemożliwe, żeby spał tak mocno... żeby w ogóle spał!

Podszedł bliżej i był już pewien, że coś jest nie w porządku. Wokół panowała zupełna cisza, a Frederik, zakryty częściowo siatką maskującą, leżał nieruchomo, mimo że Hasan wciąż do niego mówił.

– Obudź się...

Szarpnął go i poczuł skurcz na całym ciele. Bezwładne ramię opadło na ziemię. Pomyślał natychmiast, że Fred zasłabł. Przewrócił go na plecy, by sprawdzić serce. W poświacie księżyca zobaczył szeroko otwarte, błyszczące oczy. Dotknął go mimowolnie ręką i poczuł lepką ciecz. Po chwili na szyi Freda dostrzegł szerokie cięcie.

Odskoczył gwałtownie do tyłu, aż oparł się plecami o głaz. Natychmiast do niego dotarło, że w pobliżu jest Garbinow.

Dlatego zgasło światło! – zrozumiał i zaraz pomyślał z niepokojem: Co się dzieje?! Co oni tam robią?!

Wyjął telefon komórkowy i drżącą ręką mokrą od krwi wybrał numer Olafa. Drugą wyjął i odbezpieczył swojego sig-sauera.

– *What's your name?* – zapytał szeptem Tatar, świecąc Carlowi w twarz.

– Carl! – odparł, wcale nie ściszając głosu.

– Jorgensen?

– *Yes!* – przyznał po chwili wahania.

Nawet nie zdążył się zastanowić, jaka odpowiedź byłaby w tej sytuacji najlepsza. Zaczynało jednak do niego docierać, że ojciec musiał się już zorientować, co się dzieje. Inaczej z pewnością odezwałby się z piwnicy.

– Bladź! Bladź! – zaklął cicho Tatar i zbliżając się do Carla na kilka centymetrów, wyszeptał mu do ucha po rosyjsku: – Bóg mi świadkiem, że tego nie chciałem... Miało cię tu, kurwa, nie być...

Carl zrozumiał, że nieznajomy mówi właściwie do siebie, gdyż wcześniej zagadał do niego po angielsku, no i skąd mógł wiedzieć, że on zna rosyjski!

– Na ciebie nie było rozkazu! Bladź! Jakoś się z tego wytłumaczymy...

W tym czasie Jagan sprawdził kuchnię i przechodząc obok włazu, poświecił latarką do piwnicy. Podszedł do schodów prowadzących na piętro, gdzie były dwie małe sypialnie. Skierował snop światła na Tatara, który spojrzał w jego stronę, wciąż trzymając pistolet przy brzuchu Carla.

Carl zobaczył, że mężczyzna przy schodach pokazuje na migi, że na górze może ktoś spać i że idzie to sprawdzić. Zrozumiał, że napastnicy za chwilę się rozdzielą i sytuacja zmieni się na jego korzyść. Musi podjąć decyzję i uderzyć. Było oczywiste, że nie obejdzie się bez walki. Wiedział, o czym mówił człowiek w masce i po co tu przyszli. Wiedział, kim są!

Jagan zaczął uważnie wspinać się po schodach. Najwyraźniej się obawiał, że mogą zaskrzypieć jak podłoga. Gdy był już w połowie drogi, Tatar popchnął lekko Carla lufą pistoletu w kierunku otwartego włazu.

– *Let's go down to the basement* – wyszeptał cicho.

Carl był już pewien, że ojciec zrozumiał, co się dzieje. Bał się tylko, że zechce podjąć walkę gołymi rękami z uzbrojonym komandosem. Zaplanował więc, że uderzy, gdy będą schodzić do piwnicy, a tamten będzie jeszcze na piętrze. Spróbuje odebrać napastnikowi broń i zepchnąć go ze schodów. Walka powinna trwać jak najkrócej, by ten drugi nie zdążył zbiec na dół. Musi unieszkodliwić pierwszego, zdobyć jego broń i przygotować się do następnego ataku. Wiedział dobrze, że jeśli nie wykorzysta elementu zaskoczenia, przeciwko MP5 nie będzie miał żadnych szans. Znał bardzo dobrze ten automat i wiedział, że jedna długa seria dziewięciomilimetrowych pocisków wpuszczona do piwnicy rozniesie wszystko na strzępy.

Liczył na to, że będą mogli schronić się w bunkrze ojca, aż ktoś usłyszy strzały i zaalarmuje policję. Wprawdzie przypomniał sobie z niepokojem, że najbliższy sąsiad, Jens, jest głuchy, miał jednak nadzieję, że napastnik nie będzie mógł w takich okolicznościach prowadzić oblężenia i w końcu się wycofa.

Gdy doszli do włazu, mężczyzna z MP5 zniknął już na piętrze.

– Pierwszy... Fred nie żyje... Garbinow jest w domu Jorgensena... – Olaf usłyszał w słuchawce ściszony, łamiący się głos Hasana. – Okno od strony morza otwarte! Idę sprawdzić!

Linda już po wyrazie twarzy Olafa poznała, że coś się stało. Zajrzała do wnętrza volkswagena i zobaczyła okrągłe, nieruchome plecy okularnika. W okamgnieniu zdała sobie sprawę, że zasnął. Obraz na monitorach był ciemny. Szarpnęła śpiącego za ramię, aż nim podrzuciło.

– Fred nie żyje! Garbinow jest w domu Jorgensena! – usłyszała za sobą głos Olafa i pomyślała przez chwilę, że to niemożliwe.

Widząc wciąż na wpół przytomnego okularnika, natychmiast wszystko zrozumiała. W pierwszej chwili chciała go uderzyć, ale natychmiast zdała sobie sprawę z bezsensu swojej reakcji.

– Drugi! Co widzisz?! – Olaf łączył się z obserwatorem, ruszając biegiem do opuszczonego domu, gdzie czekali antyterroryści.

Wszystko trwało sekundy. Linda nie mogła zebrać myśli. Bezwiednie pobiegła za nim. Na moment się zatrzymała i pomyślała, że może powinna czuwać przy monitorach, ale było oczywiste, że teraz przyszedł czas na komandosów.

Jak echo na zacinającej się płycie coraz mocniej wrzynały się w jej świadomość słowa Olafa: „Fred nie żyje!". I stojąc jak skamieniała na progu ciemnego korytarza, zrozumiała, że to ona jest winna śmierci Freda. Że nie dopilnowała! Czuła, jak gwałtownie wypełnia ją żal, jakiego nigdy dotąd nie zaznała, i rozpacz nieporównywalnie gorsza od najgorszego bólu. Do oczu napłynęły jej łzy. Dlaczego pozwoliła, by zginął Fred?! Jak to możliwe?! Myślała, że za chwilę zemdleje.

W tym momencie czyjeś ramię mocno odepchnęło ją na bok i dopiero po chwili się zorientowała, że stoi w korytarzu starego domu, a obok przebiegają komandosi w czarnych mundurach, zakładając kamizelki kuloodporne i przygotowując broń.

Za nimi z pistoletem w ręce biegł Olaf.

– Zostań tutaj! – zatrzymał się przy niej, objął ją i pocałował. – Powiadom Kurta i sztab! Ściągnij wsparcie! – Uśmiechnął się do przerażonej Lindy tak ciepło, jak potrafił, i wybiegł.

– Gdzie jest mój pistolet?! – krzyknęła za jego oddalającymi się plecami i poczuła, jak wzbiera w niej wściekłość.

# 81

Carl zaczął schodzić do piwnicy pierwszy, świecąc sobie pod nogi. Szybko się zorientował, że wejście do bunkra jest zamknięte. Oświetlił piwnicę, ale nie dostrzegł ojca. Od razu pomyślał, że musi być w bunkrze.

Kiedy doszedł do końca schodów, Tatar, który schodził półtora metra za nim, zatrzymał się i zaczął metodycznie omiatać piwnicę światłem własnej latarki, jakby starał się wyczuć czyjąś obecność, sprawdzić, czy w ciemności nie kryje się zagrożenie, upewnić się, że jest bezpiecznie.

– *Where is safe-house?* – zapytał. – *There?* – wskazał snopem światła na zamaskowane drzwi.

Carl nie odpowiedział. Stał u podstawy schodów, oparty mocno plecami o ścianę. Czekał, aż mężczyzna w kominiarce znajdzie się niżej.

Tatar zszedł trzy stopnie w dół i zbliżył się do Carla na mniej niż metr. Snop światła przerzucał nerwowo między nim a drzwiami do bunkra, jakby wyczuwał zagrożenie. Zdjął kominiarkę, ale Carl nie mógł dostrzec jego twarzy. Zrozumiał jednak, że poci się i denerwuje.

W tym momencie z pierwszego piętra dał się słyszeć jakiś hałas i zaraz potem głośne trzaśnięcie drzwiami. Tatar podniósł odruchowo głowę.

Carl w ułamku sekundy zrozumiał, że drugi przeszukał już górę i nie znalazł Hansa. To był jedyny moment do ataku.

Rzucił latarkę w głąb piwnicy, by zmylić napastnika, i gdy ten spojrzał w tamtą stronę, chwycił go oburącz za rękę trzymającą pistolet. Tatar puścił swoją latarkę i wolną ręką złapał Carla za szyję, lecz w tej samej sekundzie otrzymał potężny cios łokciem w mostek.

Leżące na podłodze latarki oświetlały piwnicę jak reflektory przeciwlotnicze, wydobywając z ciemności dwie splecione, szamoczące się ze sobą postacie. Po uderzeniu Tatar stracił oddech, ale pistolet trzymał mocno, a drugą rękę zaciskał na szyi Carla.

Jagan stanął nad otwartym włazem i wypuścił snop ze swojej latarki. Jak w teatrze oświetlił Carla i Tatara zastygłych w uścisku, opartych o ścianę piwnicy. Żaden nie mógł wykonać ruchu, bo musiałby poluźnić chwyt i tym samym oddać przeciwnikowi kontrolę nad bronią.

– A gdzie stary? – zapytał z ironią Jagan i uniósł brwi. Widok przerażonej twarzy Tatara w bladym świetle latarki sprawił mu na moment przyjemność, nawet go rozbawił. – Młodego złapałeś, widzę... No nie... dowódco! Czy to on ciebie złapał?

Zdał sobie jednak sprawę, że to nie jest dobry moment na żarty. Wprawnym ruchem zdjął z pleców MP5, który oparł na lewym przedramieniu, i włączył oświetlenie. Na głowie Carla pojawiła się drżąca czerwona plamka. Carl i Tatar wciąż trwali w uścisku, wkładając w jego utrzymanie wszystkie siły. Jagan, widząc ich wykrzywione twarze, zrobił się śmiertelnie poważny.

– Mam go, dowódco! – oznajmił wyraźnym, ostrym głosem, mierząc z automatu. Nie wiedział, że Jorgensen rozumie każde jego słowo, i po chwili wysylabizował: – Decyzja!

Carl nie widział czerwonego promienia dotykającego jego ucha, bo uchwyt Tatara wykrzywił mu głowę mocno na bok. Jagan, zaskoczony tym, co zobaczył w piwnicy, nawet nie pomyślał, gdzie może być teraz Hans.

„De-cy-zja!" – głos Jagana wciąż odbijał się od ścian głuchej piwnicy i Tatar nie wiedział, co ma zrobić. Młodego Jorgensena miało tu przecież nie być!

Ich splecione ciała drżały od wysiłku. Obaj wiedzieli, że jeżeli któryś poluźni uścisk, zapłaci za to życiem. Trwali w tym impasie dopiero kilkadziesiąt sekund, ale Carlowi się wydawało, że upłynęły minuty. Był tak skoncentrowany, że zupełnie zapomniał o ojcu.

– Decyzja! Dowódco! – znowu zawołał Jagan i zmierzył się do strzału.

Tatar czuł, że drętwieje mu dłoń na pistolecie, oburącz ściśnięta przez Carla, i obawiał się, że za chwilę nie będzie mógł nawet pociągnąć za spust. Już miał powiedzieć Jaganowi, żeby strzelał, i chciał nieco odsunąć twarz od głowy przeciwnika, którą miał za chwilę trafić dziewięciomilimetrowy pocisk, gdy w głębi piwnicy wyczuł jakiś ruch.

Tuż obok z lewej strony, w niesamowitym świetle leżących na podłodze latarek, wyłoniła się spod schodów sylwetka mężczyzny. Tatar zdał sobie sprawę, że to stary, i jego sytuacja stała się jeszcze bardziej dramatyczna. Nie widział twarzy i ta świadomość napawała go jeszcze większym przerażeniem. Pamiętał, że Jorgensen ma pistolet, i chociaż nie mógł nic dostrzec, był pewien, że trzyma go teraz w dłoni.

Gwałtownie szarpnął Carlem, by się nim zasłonić, i tym samym zdjął go z linii strzału Jagana.

– Co jest? Dowódco?! – krzyknął Jagan, zaskoczony reakcją Tatara.

Posunął się krok do przodu i stanął na pierwszym stopniu. Zaczął szperać celownikiem, lecz z tego miejsca widział niewiele więcej.

– Rzuć pistolet i puść go! – odezwał się po rosyjsku mężczyzna w cieniu.

Tatar był już niemal pewny, że Jorgensen ma wycelowany w niego pistolet. Próbował zasłonić się mocniej Carlem, ale ten wyraźnie zrozumiał to samo co on i stawił opór.

– Tu jest ten stary z pistoletem! – krzyknął Tatar, żeby Jagan zorientował się w sytuacji, i z całej siły gwałtownie pchnął do przodu Carla, który nie spodziewał się takiego ruchu i runął na twarz, zahaczając o stopień.

W tym momencie rozległ się huk strzału, spotęgowany w zamkniętym pomieszczeniu, i Tatar poczuł na policzku ostre odpryski tynku. Zrozumiał, że pocisk uderzył w ścianę tuż przy jego głowie. Od uchwytu Carla stracił czucie w dłoni i próbował przełożyć pistolet do lewej ręki, kiedy Hans wysunął się z cienia, oddał drugi strzał w kierunku Jagana i zaraz się cofnął.

Carl nie zdążył się jeszcze podnieść, gdy Hans znów strzelił. Wszystko trwało trzy, cztery sekundy. Pocisk ugodził Tatara w ramię, lecz on prawie tego nie zauważył. Podobnie jak Jagan, który po pierwszym strzale nieco się odchylił. Teraz był znowu przy włazie i widział, jak Tatar błyskawicznie, choć z wyraźnym trudem, przekłada glocka do lewej ręki i robi unik w kierunku schodów. Jagan złożył się do swojego MP5.

W tym momencie usłyszał, że pistolet Tatara zamiast wystrzału wydał głuche klapnięcie, a zaraz po nim rozległ się trzeci strzał Jorgensena. Jagan nie mógł dostrzec, czy Tatar został trafiony. Zobaczył tylko, jak niezdarnie przeładowuje swój pistolet i jak z jego komory, koziołkując, wylatuje pocisk.

Uzmysłowił sobie, że Tatar ma w magazynku rozbrojone cztery pierwsze pociski i że za chwilę otrzyma celne trafienie od Jorgensena. Był już gotów ruszyć na dół i mu pomóc, gdy trzy szybkie wystrzały od strony okna przydusiły go do podłogi. Pocisk trafił w noktowizor i zerwał go, raniąc Jagana w czoło i przesuwając mu kominiarkę. Nie był pewien, z której strony padły te strzały, i wydawało mu się, że w tym samym czasie rozległ się też strzał w piwnicy.

Jedną ręką pozbył się kominiarki, a drugą pociągnął serią z MP5 w kierunku okna, chociaż nikogo tam nie widział, po czym rzucił się na podłogę w kuchni.

Tatar, robiąc unik, zszedł na sekundę z linii strzału Jorgensena i zdążył przeładować swój pistolet, gdy z góry dobiegły go strzały, potem długa seria Jagana i na głowę posypały mu się łuski. Widział, jak Carl się podnosi, chwyta Hansa za ramię i ciągnie go w stronę drzwi do bunkra. Wymierzył w starego, który wciąż celował do niego z pistoletu, i nacisnął na spust. Pocisk znów nie wypalił i Tatar poczuł potężne uderzenie w brzuch. Zdążył jeszcze tylko zobaczyć, jak obaj Jorgensenowie znikają za drzwiami bunkra.

Seria z automatu Jagana dotarła do okna, gdy Hasan zdążył się już schować. Cudem udało mu się uniknąć trafienia, bo pociski z łatwością rozrywały cienkie drewniane ściany domu, wybuchając koło jego głowy gejzerami drzazg. Przez sekundę wydawało mu się nawet, że trafił tego człowieka, ale seria z jego automatu świadczyła o czymś zupełnie innym.

Skulił się pod oknem i próbował zebrać myśli. Postanowił szybko zmienić miejsce, żeby nie dać się zaskoczyć. Strzelanina wewnątrz, którą przed chwilą słyszał, nie wróżyła niczego dobrego dla Jorgensenów. I prawdę mówiąc, pomyślał, że obaj już nie żyją. Poczuł, że zaczyna go wypełniać obłąkańcza wściekłość. Miał ochotę wskoczyć do środka i strzelać, aż rozwali obu Ruskich na kawałki. Za Freda i Portmana!

Tymczasem w domu zaległa cisza. Hasan słyszał tylko gwizd w uszach i pomyślał, że jest ogłuszony od wystrzałów. Siedział skulony, oparty o podmurówkę i oburącz ściskał nad głową swojego sig-sauera, gdy kątem oka dostrzegł jakiś ruch. Przyjrzał się bliżej i rozpoznał czarne sylwetki komandosów, którzy otaczali dom.

Jeden z nich zajął pozycję dwadzieścia metrów od niego, uklęknął przy drzewie na jedno kolano, wycelował swój automat i dał znać, że go widzi. Hasan wystawił palce w symbolu „V", oznaczającym „dwóch", i wskazał na okno. Komandos potwierdził skinieniem, że zrozumiał, i widać było, że przekazuje informację przez radio.

Hasan pomyślał, że pięciu komandosów plus on i Olaf to trochę za mało w tej sytuacji. Lindy nie liczył. Zaklął w duchu, bo mógł poprosić o podwojenie oddziału na noc.

Pięciu komandosów jest dobrych do jednorazowego szturmu, a nie do nocnego oblężenia.

*Fuck!* Powinni natychmiast wezwać posiłki... jeżeli zdążą! Tu zaraz będzie bardzo gorąco – pomyślał z niepokojem. Kto mógł przewidzieć, że tak to się rozwinie!

Jagan leżał na podłodze w kuchni, dopóki nie zrobiło się cicho. Potem się przesunął i usiadł za lodówką, tak by widzieć wejście do piwnicy.

– Jesteś tam?! – zawołał i skierował swój automat w stronę włazu. Dopiero teraz się zorientował, że po twarzy spływa mu struga krwi.

– Kurwa! – odezwał się Tatar z głębi. – Mam dziurę w brzuchu...

– Przeszła na drugą stronę?

– Chyba nie...

– Co z nimi?

– Zamknęli się w bunkrze...

– Trafiłeś któregoś?

– Pukawka nie działa! Nie pali...

– Tu na górze też niewesoło! Podchodzą nas jakieś kmiotki... jednego zdaje się trafiłem... Hej! Słyszysz mnie? Możesz chodzić?

– Jasne!

– Wejdź tutaj na górę... zostaw ich, niech tam siedzą. Nie uciekną. Musimy się zastanowić, co dalej robić.

Po chwili z piwnicy wyłonił się skulony Tatar, trzymając się za brzuch. Usiadł na podłodze po drugiej stronie włazu, przy zlewie.

– Patrz! – Podniósł zakrwawioną dłoń.

Jagan i tak nic nie widział, bo wyłączył latarkę, a Tatar zostawił swoją w piwnicy.

– Stary miał mieć walthera, ale to na pewno nie była dziewięćdziesiątkadziewiątka...

– To jasne! Mów ciszej! – Jagan wiercił się i rozglądał nerwowo. – Dziewięćdziesiątkadziewiątka rozpierdoliłaby ci kręgosłup! To musiała być jakaś zabawka... – urwał w pół zdania. – Cicho! Coś się dzieje na zewnątrz... Za chwilę będziemy mieć towarzystwo!

– Jak to możliwe, że dwa razy mi nie odpalił? – Tatar mówił, jakby wcale nie dostał postrzału.

Jaganowi tylko przez chwilę, bardzo krótką chwilę, zrobiło się go żal. Był wściekły, że mimo tak wybornej sytuacji Jorgensenowi nie udało się go zabić i że teraz będzie musiał się nim zająć, bo przecież nie może go zostawić. Czy raczej jego ciała. Starał się szybko skalkulować swoje szanse, ale jakoś mu to nie wychodziło. Od kalkulacji był Tatar, lecz ten z minuty na minutę będzie coraz bardziej bredzić. Jagan dobrze wiedział, jaki efekt daje wykrwawienie.

– Teraz jest tak... Jorgensenowie w piwnicy, my nad nimi, a dookoła jacyś popaprani Szwedzi... Ile masz magazynków? – Tatar wciąż logicznie oceniał sytuację.

– Nie wiem... może... półtora... – odparł niepewnie, choć wiedział, że ma właśnie tyle.

– Mam pomysł! Wiem, jak z tego wyjdziemy i zakończymy to przedstawienie...

– Posłuchaj. Coś ci powiem. – Jagan ściszył głos jeszcze o ton. – Ja wszedłem do tego domu wtedy... wiesz... no i... jak siedziałem w piwnicy, to jacyś ludzie... Szwedzi... weszli tutaj i coś robili. Potem sobie poszli... – Powiedział prawdę, bo uznał, że w tej sytuacji może to tylko pomóc.

– No... to teraz już wiesz, dlaczego siedzimy na podłodze w tej pieprzonej kuchni, a ja mam wywierconą drugą dziurę w dupie. Czemu, kurwa, mi o tym nie powiedziałeś...? – Ku jego zaskoczeniu Tatar wcale nie był wściekły. – Wiesz już, dlaczego dostaliśmy na niego zlecenie... Do diabła z tym teraz! Posłuchaj... – mówił już tak cicho, że Jagan ledwo go słyszał. – Ten dom jest okablowany. Rozumiesz?

Jagan pokręcił głową.

– Nieważne! Ale to jest teraz nasza szansa... – I dorzucił złośliwie: – Nie uczą tego w GRU?

– Nie boli cię?

– Nie!

## 82

– Siedzą w kuchni. Nie widzę ich, ale coś mówią... Nie, nie da się zrozumieć... – Linda wpatrywała się z okularnikiem w monitory i podawała przez radio informacje Olafowi.

– Obserwuj wszystko. Każdy szczegół jest ważny. Będziemy czekać na wsparcie. Wszyscy są już rozstawieni, ale jest nas za mało...

– Uważaj na siebie! Będą za dziesięć minut...

– Oczywiście, Puchatko!

Lindzie zrobiło się na moment miło, chociaż wciąż była przybita tym, co się stało z Fredem, i przerażona tym, co jeszcze może się stać.

– Olaf! Zaczekaj! – Przerwała na chwilę. – Coś się poruszyło... nie widzę dokładnie... Czekaj! – Zamilkła na kilkanaście sekund. – Jeden wszedł do salonu... Wygląda na to, że będą się bronić!

– Skąd wiesz?

– Nie wiem! Wydaje mi się!

– Po Jorgensenach wciąż ani śladu?

– Nic nie widzę... nie wiem, gdzie są...

– W minutę możemy zrobić z tego domu Bejrut! Gdzie są Jorgensenowie?

– *Fuck!* Nie wiem! Nie widzę! Nic nie widzę!

Olaf wziął megafon i wysunął się nieco do przodu. Ciemna bryła domu jeszcze bardziej pociemniała, bo chmury przysłoniły księżyc.

– Garbinow! Słyszysz mnie?! – W lesie rozległ się twardy rosyjski Olafa. – Garbinow! Dom jest otoczony! Macie szansę wyjść z tego cało! To praworządny kraj... Szanujemy wasze prawa. Garbinow! Wyjdźcie na werandę z podniesionymi rękami, bez broni! Macie pięć minut!

– Sprawdź, co się dzieje – polecił Tatar.

Jagan, nisko pochylony, zbliżył się do okna wychodzącego na werandę. Ostrożnie wyjrzał na zewnątrz, potem uniósł się nieco i sprawdził przedpole przed wybitym oknem. Zmrużył oczy i dostrzegł przy drzewie kontur na wpół klęczącej postaci. Nie miał najmniejszej wątpliwości, że to strzelec.

– Wygląda na to, że rzeczywiście jesteśmy otoczeni – powiedział półgłosem, ale tak, żeby Tatar go usłyszał, i wrócił do kuchni.

Tatar, z opuszczoną głową i ręką na brzuchu, siedział na podłodze.

– Tak, słyszałem... – odezwał się cicho.

– Gdzie masz swojego glocka?

– Zepsuty... zostawiłem w piwnicy...

Jagan wyciągnął swój pistolet i puścił go po podłodze w kierunku dowódcy.

– Weź mój... Wygląda na to – zaczął szeptem i Tatar podniósł głowę – że jest ich niewielu, pięciu, ośmiu... żadnych świateł, samochodów, reflektorów... nie tak, jak powinno być w filmie gangsterskim...

– Dają nam pięć minut, bo czekają na posiłki, palanty – wtrącił Tatar. – Przebijemy się do naszej łodzi?

Jagan pokiwał głową.

– A co z nimi? – zapytał, wskazując na wejście do piwnicy.

– Co? Mamy pięć minut, nie?! Robotę trzeba skończyć!

– Jak? Zamknęli się... mogę spróbować wrzucić im granat...

– Szkoda. Będzie nam potrzebny... Masz też dwa błyskowe?

– Mam!

– Zrobimy tak... – Tatar poruszył się i głośno zajęczał z bólu.

Jagan wiedział już, że nie będzie w stanie zabrać go ze sobą, i zastanowił się, czy on zdaje sobie z tego sprawę. Tatar był tylko oficerem wywiadu, a nie żołnierzem specnazu, i niewielkie miał pojęcie o prawdziwej walce. Mimo to mu zaimponował. Jagan czuł się teraz trochę głupio, że odebrał dowódcy szansę w pojedynku ze starym. Dziwna była tylko jego reakcja, kiedy mu się przyznał, że wszedł do tego domu.

Może trzeba było wcześniej mu powiedzieć? – pomyślał z odrobiną żalu.

– Poczekaj! – odezwał się Tatar. – Przysuń się...

Jagan przeskoczył pod drugą ścianę i usiadł obok niego w kucki.

– Najpierw... – zasyczał, wciągając powietrze – na łodzi jest mój komputer... Zapamiętaj hasło. – Tatar wymienił pięć cyfr i pięć liter, ale Jagan nie musiał ich zapisywać. – Otworzysz okienko „ewakuacja" i będziesz wiedział, co dalej robić. To proste! Sam zobaczysz! Musisz się dostać do Maarianhaminy...

– O czym ty gadasz?! Przecież sam mówiłeś, że będą kłopoty z ewakuacją!

– Żartowałem, Jagan! Jakby było trzeba, tobyśmy nawet dwa słonie stąd wywieźli... co ty? My jesteśmy rosyjski wywiad!

Jagan zrozumiał teraz swój błąd. Pospieszył się, preparując mu pociski i ukrywając przed nim, że wszedł do domu Jorgensena. Nie był jednak przekonany, czy zrobił to wszystko ze strachu, czy z przezorności. Splunął przez zęby na podłogę i popatrzył z bliska na wykrzywioną od bólu, bladą twarz Tatara.

Okazałeś się dobrym towarzyszem broni, ale głupim – pomyślał Jagan. Dlatego zginąłeś!

– Co to za Maarianhamina? – zapytał zdziwiony.

– To miasto na Wyspach Alandzkich. Tam jest nasz konsulat... przeczytasz sobie w komputerze... – Tatar zajęczał z bólu i zamilkł na chwilę. – To już Finlandia, jakieś siedemdziesiąt pięć kilometrów stąd... Dasz radę z łodzią?

Było oczywiste, że Tatar zdaje sobie sprawę ze swojego położenia i nigdzie się nie wybiera. Jaganowi zrobiło się przykro, ale nie po raz pierwszy stykał się z podobną sytuacją. Najważniejsze jednak, żeby o tym nie rozmawiać, bo wszystko i tak jest jasne. W ocenie Jagana Tatar stanął na wysokości zadania i mógłby dołączyć do jego „piątki", ale nie dołączy.

– Zrobimy teraz tak... – zaczął szeptem Tatar.

– Nie widzę ich, ale słyszę! – Linda informowała na bieżąco Olafa. – To znaczy... nie rozumiem, bo mówią bardzo cicho... Wciąż siedzą w kuchni... chyba.

– Czyli wiedzą, że są otoczeni?

– Słyszałam to bardzo wyraźnie.

– Zastanawiamy się, czy czekać na wsparcie, czy uderzyć teraz, kiedy są w jednym pomieszczeniu. Axel uważa, żeby czekać... Jesteś pewna, że ma MP5?!

– Chyba tak. Wygląda jak te, które mają nasi. Co z Hasanem?

– W porządku! Wciąż siedzi pod oknem... z drugiej strony domu! To nasza pułapka!

– Poczekaj... coś się dzieje... – Linda przerwała na chwilę. – Wyszedł ten z automatem... podszedł do okna od strony morza. Obserwuje otoczenie! Ostrzeż Hasana!

Axel, dowódca oddziału Task Force stojący obok Olafa, polecił jednemu z policjantów, żeby przekazał Hasanowi sygnał ostrzegawczy.

– Tego drugiego nie widzę! Jest w kuchni... na pewno! Coś tam kombinuje...

– Obserwujemy okno od kuchni – odezwał się Olaf. – Nic nie widać, ale od tej strony mają najbliżej do lasu. Axel uważa, że jeżeli będą chcieli się wyrwać, to pewnie w tym kierunku... z drugiej strony jest morze...

– Poczekaj, Olaf! – przerwała mu w pół zdania. – Rozmawiają... rzeczywiście... poczekaj! Nie rozumiem! Tak... będą próbowali wyskoczyć od strony kuchni... do lasu! Zrozumiałeś mnie, Olaf?

– Zrozumiałem!

Axel natychmiast wydał rozkazy. Przerzucenie wszystkich komandosów na nowe pozycje zajęło chwilę.

Olaf nawet nie sprawdzał, czy minęło pięć minut, czy nie. Teraz to było zupełnie nieistotne. Wsparcie miało dotrzeć śmigłowcem w ciągu dziesięciu minut od wezwania Lindy o pomoc, ale Olaf był pewien, że minęło już więcej.

Wciąż nasłuchiwali szumu silników i przygotowywali się do starcia z duetem Garbinowa. Żaden z komandosów nie brał do tej pory udziału w prawdziwej walce i mimo że starali się tego po sobie nie okazywać, czuli respekt przed Rosjanami.

Strzelec dał znak Hasanowi, że ma pozostać na miejscu i pilnować swojej strony domu. Olaf i Axel również zajęli pozycje.

– Jesteśmy gotowi! Co się dzieje? – zapytał mocno podenerwowany Olaf.

– Ten z automatem zszedł do piwnicy! – odpowiedziała natychmiast Linda i po kilkunastu sekundach dodała niepewnie: – Chyba zapalił tam światło... nie... to nie jest światło... to ogień... Tak, to ogień! Olaf! On podpalił dom!

– Gdzie Jorgensenowie?!

– Nie wiem! – odparła.

– Co robimy? Szturmujemy? – Olaf zwrócił się do Axela.

– Warunki są niekorzystne. Nie będę ryzykował życia moich ludzi – zdecydowanie odparł Axel i spojrzał w niebo, jakby spodziewał się stamtąd pomocy.

Jagan przysiadł się blisko Tatara.

– Miałeś rację – wyszeptał mu do ucha. – Dobry jesteś! Przerzucili wszystkich na drugą stronę domu... wygląda, że od strony morza nikogo nie ma! Ale frajerzy! To możliwe, żeby tak się dali nabrać?

– Podpaliłeś? – zapytał Tatar.

– Nie czujesz?

– Czuję. No... to zaczynamy... – zarządził i odchylił głowę do tyłu.

Jagan już miał się podnieść, gdy usłyszał, jak Tatar cicho wyrecytował:

– *A dla mienia kusok swinca,/On w tieło biełoje wapjotsia,/I slezy gorkije proljutsia./Takaja żizń, brat, żdiot mienia.* Chciałeś, żebym ci zaśpiewał – dodał na końcu.

Jagan poczuł, jakby ktoś wbił mu nóż w serce. Teraz pożałował, że przyczynił się do śmierci Tatara, chociaż powinien ratować go ze wszystkich sił. A teraz to on ratuje jego!

– Pospiesz się, sierżancie. Ktoś musi zaświadczyć, że wykonaliśmy zadanie. Opowiedzieć, jak zginąłem. Daj ten automat. – Tatar wyciągnął rękę.

Jagan przewrócił lodówkę pod okno i pomógł mu się na niej położyć. Otworzył okno w kuchni, po czym natychmiast się skrył. Z piwnicy wydobywał się dym i coraz bardziej obfite płomienie wzmocnione ostrym zapachem chemikaliów. Nie padł żaden strzał. Tatar leżał z automatem na lodówce i czekał.

Na znak Jagana, który wyciągnął się na podłodze, wystawił MP5 przez okno i bez celowania oddał krótką serię. Z zewnątrz natychmiast odpowiedziało mu pięć automatów, w sekundy zamieniając kuchnię w rumowisko wirujących na wszystkie strony kawałków drewna, szkła i metalu.

Po chwili strzelanina ucichła. Poszarpane szczątki nie zdążyły jeszcze opaść, gdy Jagan ocenił, że Szwedzi to dobrze wyszkoleni amatorzy i że są bardzo zdenerwowani. Ani on, ani Tatar nie zostali trafieni. Uznał, że jego szanse ujścia z życiem są więcej niż znaczne.

Teraz część druga. Kucnął, wyjął z plecaka dwa granaty błyskowe i jeden obronny. Odbezpieczył pierwszy błyskowy i popatrzył na Tatara, który dał znak, że jest gotowy.

Cisnął granat przez okno, najdalej jak mógł, i zakrył oczy. Po trzech sekundach powietrzem wstrząsnął niezbyt głośny tępy wybuch. Zaraz potem Tatar wystawił automat i oddał krótką serię. Lecz tym razem nikt nie odpowiedział na jego strzały, bo granat odniósł skutek.

– Pospiesz się! – nakazał ostro Tatar.

– Do zobaczenia – odpowiedział Jagan i rzucił drugi granat błyskowy.

Nie czekając, aż rozlegnie się huk wybuchu, odwrócił się i ruszył biegiem w kierunku otwartego okna od strony morza. Był jeszcze wewnątrz, gdy zauważył błysk. Wyskoczył i spadł prosto na coś miękkiego. Przewrócił się, uderzając głową o podmurówkę. Zanim się podniósł, zobaczył, że obok leży nieruchomo jakiś ciemny mężczyzna z dredami. W pierwszym momencie nie mógł uwierzyć własnym oczom.

Jednak trafiłem skurwiela... Co za pajac?! – pomyślał z zadowoleniem i pobiegł w kierunku morza.

Gdy dotarł na miejsce, bavaria stała tak, jak ją zostawili, zacumowana niczym wierzchowiec uwiązany przed saloonem. W oddali za drzewami słychać było intensywną, jednostajną strzelaninę, przerwaną na sekundę eksplozją, i widać było coraz mocniejsze światło ognia.

Jagan uruchomił silnik i zupełnie swobodnie skierował łódź w prawo. Aż sam się zdziwił, jakie to proste.

Jest w porządku! Tak miało być! – pomyślał i podkręcił mocniej obroty. Mariamina... czy coś takiego... Muszę sprawdzić, gdzie to jest... Tatar miał naprawdę piękny głos!

Gdzieś zza wierzchołków drzew dochodził dźwięk policyjnego śmigłowca Eurocopter 135 i ryk syren radiowozów.

Księżyc przesunął się trochę wyżej i opadły z niego chmury. Woda przybrała połyskliwy szafirowy kolor.

Gdy był już wystarczająco daleko od brzegu, obejrzał się jeszcze za siebie i zobaczył płomienną łunę bijącą wysoko w niebo.

# 83

Jeszcze w nocy pojawiły się w Internecie pierwsze informacje o strzelaninie w Åkersberdze i pożarze domu nad brzegiem morza.

Domysłom internautów i naiwnych dziennikarzy nie było końca. Na podstawie długości i donośności strzałów oraz charakteru wybuchów skalkulowano liczbę ofiar na co najmniej dziesięć do trzydziestu. Zabici należeli do gangów motocyklowych Bandidos i Hells Angels, bojówek nazistowskich, szyickich i sunnickich organizacji terrorystycznych, jugosłowiańskiej mafii. Nie zabrakło też absolutnie pewnych informacji o udziale Albańczyków. Najczęściej jednak powtarzano, powołując się na sprawdzone źródła w policji, że były to porachunki mafii rosyjskiej. Natychmiast też z wydarzeniami w Åkersberdze połączono piątkową strzelaninę w hotelu Solna i obławę na Garbinowa, którą przez weekend żyła cała Szwecja.

Ekipy wszystkich stacji telewizyjnych od wczesnych godzin porannych szturmowały kordon otaczający szerokim promieniem miejsce zdarzenia. Od strony morza dostępu strzegły policyjne motorówki.

Natarczywe próby wydobycia jakiejkolwiek informacji od Jensa Svenssona okazywały się bezowocne. Jens spał tej nocy równie dobrze jak zawsze i o niczym nie wiedział. Rano obudzili go policjanci i wypili z nim kawę. Dlaczego spalił się dom Jorgensenów, nie miał najmniejszego pojęcia.

To był stary drewniany dom, więc siłą rzeczy był narażony na takie niebezpieczeństwo. Co się stało z Jorgensenami, nie wiedział, ale bardzo się o nich martwił.

Dziennikarze czuwali pod domem Hansa w Jakobsbergu i Carla na Gärdet, starając się ustalić, co wspólnego z tą bitwą mogli mieć osiemdziesięcioletni wdowiec, emerytowany pracownik Urzędu Imigracyjnego, i jego syn, oficer marynarki. Nikt z ich sąsiadów nie był w stanie pomóc w wyjaśnieniu tej zagadki.

Przyjaciele Sophie Lundberg z SVT24 już wcześnie rano poinformowali policję, że ich koleżanka, partnerka Carla Jorgensena, nie odpowiada na telefony i że nie ma jej w miejscu zamieszkania.

Około dziewiątej komentatorzy telewizyjni i poważni eksperci, w tym były szef Rikspolisstyrelsen* Gunwald Ericsson, skłaniali się do wersji, że ścigany Garbinow ukrył się w domu Jorgensenów, gdzie został otoczony przez policję. Wziął zakładnika i wywiązała się walka.

Spekulacje i domysły przerwała informacja o konferencji prasowej szefa policji Svena Bengtssona, zapowiedzianej na dziesiątą w siedzibie na Polhemsgatan 30. W związku z tym dziennikarze radiowi, telewizyjni, prasowi i wszyscy inni, którzy byli w mieście i dali radę zerwać się w niedzielę o tak wczesnej porze, wyruszyli na Kungsholmen.

Za kwadrans dziesiąta okazało się, że powołanie do zawodu dziennikarza ma w Szwecji nadzwyczaj wiele osób, a wydawcy prasowi mają nie mniejsze powołanie do robienia biznesu. Szkoda tylko, że obstawianie domu Carla na Gärdet i Hansa w Jakobsbergu wciąż nie przynosiło żadnego skutku.

Dziennikarze śledczy na etacie i wolni strzelcy, w nadziei, że jak zawsze uda im się odkryć więcej, niż jest do odkrycia, uruchomili już swoje ściśle utajnione kontakty. Myśl o własnych nazwiskach na pierwszych stronach gazet, wywiadach

---

* Państwowy Zarząd Policji.

w telewizji i ugruntowanym autorytecie obrońców interesu społecznego działa jak najmocniejszy z twardych narkotyków i tak samo uzależnia.

Teraz wszyscy z niecierpliwością wypatrują Svena Bengtssona i trwa intensywne wzajemne badanie, kto wie więcej, skąd i co planuje. Skończyła się dziennikarska solidarność i poczucie misji.

Ale na tę konferencję czekają nie tylko dziennikarze na Polhemsgatan. Z nie mniejszym napięciem wyczekują jej pracownicy ambasady Federacji Rosyjskiej w Sztokholmie i Centrum Informacyjnego SWZ w Jaseniewie.

Zgasł gwar podnieconych głosów i zaległa zupełna cisza, gdy na sali pojawili się Sven Bengtsson i Erik Dahl, dowódca Task Force. Mimo niedzielnego poranka Bengtsson ku ogólnemu zaskoczeniu wystąpił w granatowym policyjnym mundurze ze złotymi epoletami. Przywitał na stojąco wszystkich dziennikarzy, po czym usiadł za stołem.

– Jak już państwo wiecie, w piątek o dziewiętnastej trzydzieści cztery doszło do poważnego incydentu w hotelu Solna przy Enköpingsvägen – zaczął spokojnym, pozbawionym emocji głosem. – Zaatakowanych zostało dwóch policjantów. W wyniku strzelaniny zginął inspektor Sven Portman, a drugi policjant został ciężko ranny i wciąż walczy o życie. Śmierć poniósł również recepcjonista. W wyniku działań policji ustalono, że napastnikiem był Igor Anatolijewicz Garbinow, urodzony dziesiątego kwietnia tysiąc dziewięćset siedemdziesiątego szóstego roku w Rydze, posługujący się paszportem łotewskim. Natychmiast po tym wydarzeniu przeprowadziliśmy ogólnokrajową akcję poszukiwawczą na niespotykaną dotąd skalę. W sobotę rano patrol policyjny odnalazł w Tyresö porzucone auto, którym poruszał się napastnik. Samochód jest teraz badany przez naszych specjalistów.

Bengtsson przerwał na chwilę i siedząc na podwyższeniu, potoczył wzrokiem po sali. Na widok dziesiątków wpatrujących się w niego oczu poczuł dziwną, podszytą ironią radość. Nie lubił dziennikarzy, szczególnie niektórych, i wiedział, dlaczego tym razem to, co mówi, sprawia mu taką niezwykłą przyjemność.

– Wczoraj około dwudziestej drugiej trzydzieści otrzymaliśmy informację, że Garbinow był widziany w okolicy stacji benzynowej Shella w Åkersberdze. W tym czasie docierały do nas też inne informacje o możliwym miejscu jego pobytu, wymagające sprawdzenia. Na nasze apele o pomoc społeczeństwo zareagowało spontanicznie i w pełni odpowiedzialnie...

– W jaki sposób Garbinow przedostał się z Tyresö do Åkersbergi? – przerwał Bengtssonowi anonimowy głos z dalszych rzędów.

– Tego jeszcze nie wiemy! Proszę jednak pozwolić mi dokończyć. Potem będzie czas na pytania – uprzejmie, ale zdecydowanie odparł Bengtsson. – Wkrótce otrzymaliśmy informację, że Garbinow był widziany na przystani koło domu Hansa Jorgensena...

– O której otrzymaliście to doniesienie? – zabrzmiał ten sam głos co poprzednio.

– Kilkanaście minut później... – zupełnie spokojnie zareagował szef policji. – Ze szczegółami zapoznacie się państwo w naszym komunikacie, który jest w trakcie przygotowania.

Kobiecy głos:

– Kiedy?

– Wkrótce! – odpowiedział z uśmiechem Bengtsson. – W to miejsce udał się patrol, który sprawdził okolicę i następnie chciał sprawdzić także dom Jorgensena. Wewnątrz nie paliły się światła, lecz drzwi były uchylone. Policjanci powzięli uzasadnione podejrzenie, że Garbinow może się tam ukrywać. Gdy zbliżyli się do domu, zostali niespodziewanie ostrzelani z broni automatycznej. Odpowiedzieli ogniem i natychmiast wezwali wsparcie. Garbinow poinformował ich, że wziął zakładnika, i zażądał miliona dolarów... nie euro... a także podstawienia śmigłowca. Oddział Task Force dotarł nim na miejsce w ciągu dziesięciu minut...

– Czy zakładnikiem był Hans Jorgensen? – Niski blondyn o mysiej twarzy wyciągnął rękę z włochatym i wielkim jak buława mikrofonem.

– Tak!

– A skąd to wiadomo?

– To był jego dom – odparł wciąż wzorowo chłodny Bengtsson – a przed nim stał jego samochód...

– A nie myśleliście, że to tylko wybieg Garbinowa, żeby...

– Nie! – zdusił w zarodku bezsensowne pytanie. – Teren wokół domu został zabezpieczony przez policję i otoczony przez oddział Task Force.

– Czy na miejscu był już negocjator? – padło z pierwszego rzędu.

– Oczywiście! – Głos zabrał Erik Dahl, wysportowany mężczyzna w czarnym polowym mundurze, średniego wzrostu i w średnim wieku. – Jednak do negocjacji nie doszło. Garbinow, gdy tylko się zorientował, że jest otoczony, zaczął się intensywnie ostrzeliwać. Próbowaliśmy nawiązać z nim kontakt, lecz bezskutecznie. Śmiertelnie ranił policjanta. Podjąłem decyzję o użyciu broni, tym bardziej że rzucił w naszą stronę granaty...

– Ile?

– Dwa.

– Dlaczego zapalił się dom? Czy użyto miotacza ognia albo kul zapalających? – Pytania padały coraz częściej z różnych stron sali.

– Kim jest Garbinow? – zapytał donośnym głosem znany dziennikarz z publicznej SVT1. – Nasi łotewscy koledzy ustalili, że pan Garbinow jest spokojnym mieszkańcem Narwy i nigdy nie opuszczał kraju. O co chodzi?

– Pozwólcie państwo, że komisarz Dahl odpowie na pierwsze pytanie – włączył się Bengtsson.

– Garbinow rzucił dwa granaty i ostrzeliwał się z MP5, jak się później okazało. Musieliśmy użyć broni. Dom Jorgensena był stary i drewniany. Nasze pociski z pewnością dokonały wewnątrz poważnych zniszczeń. W takich sytuacjach nietrudno o wybuch ognia... Farby... płyny łatwopalne... Dom spłonął w ciągu dziesięciu minut... Doszczętnie!

– Wciąż trwa przeszukiwanie pogorzeliska – odezwał się Sven Bengtsson i po chwili oznajmił: – Znaleźliśmy dwa zwęglone ciała oraz broń. Są to prawdopodobnie ciała Garbinowa i Jorgensena. Identyfikacja zajmie trochę czasu. Przeprowadzają ją teraz specjaliści z SKL*. O wynikach poinformujemy w odpowiednim czasie. Jedno ciało było w piwnicy. Garbinow prawdopodobnie uwięził tam Jorgensena...

– Według mojego informatora znaleziono jedno ciało – odezwał się dziennikarz stojący obok kamery z logo SVT24. – Chciałem też zapytać, gdzie jest syn Hansa Jorgensena, Carl, i nasza koleżanka Sophie Lundberg.

– Drugie ciało odkryliśmy niespełna godzinę temu – odparł Bengtsson pewnym głosem, chociaż pytania mocno go zaniepokoiły. – Carl Jorgensen i Sophie Lundberg są pod opieką policji, na własną prośbę.

– Kiedy będziemy mogli z nią porozmawiać? Czy czegoś się obawia? – z wyraźnym podtekstem ciągnął ten z SVT24.

– To zależy tylko od niej. A co do pytania o pochodzenie Garbinowa, to oczywiście wiemy, że posługiwał się sfałszowanym paszportem, którego wciąż poszukujemy w pogorzelisku. Jesteśmy w stałym kontakcie z władzami łotewskimi... Europolem i Interpolem...

– Nie prościej zapytać policję rosyjską? – Dowodzenie na sali wyraźnie przejął dziennikarz SVT24. – Niemożliwe, żeby nie znali własnego Robocopa czy może bardziej Clyde'a Barrowa?

---

* Szwedzkie Państwowe Laboratorium Kryminalistyczne.

Po sali przeszedł szmer podobny do śmiechu.

– A może lepiej zapytać o Garbinowa w KGB, czy jak to się teraz nazywa... SWZ... chyba, albo FSB...

– Myślę, że pana teorie są zbyt odważne. Nie ma żadnych przesłanek do takich przypuszczeń. Niemniej jednak przygotowaliśmy już odpowiednie pismo do ambasady rosyjskiej w Sztokholmie.

– Czy Hansa Jorgensena łączyło coś z Garbinowem? Może pan to potwierdzić? Czy to był przypadek, że schronił się właśnie w tym domu? Czy może pan zaprzeczyć, że Garbinow nie był tam sam?

– To są nieuzasadnione spekulacje, panie redaktorze – naturalnie znudzonym głosem odparł Bengtsson.

– Czy to prawda, że na policję w Tyresö zgłosiła się para młodych ludzi, których obrabował na łodzi Garbinow w towarzystwie mężczyzny z blizną na twarzy?

– Tak. To prawda. Badamy tę sprawę. Jest jednak wiele wątpliwości, które musimy wyjaśnić. To możliwe, że Garbinow miał wspólnika, nawet bardzo prawdopodobne...

– Dlaczego pan kłamie, panie Bengtsson? – twardo zapytał reporter SVT24. – Wczoraj koło południa, a więc na długo przedtem, zanim zgłosili się ci młodzi ludzie, wszystkie oddziały policji otrzymały dokładny rysopis człowieka z blizną jako poszukiwanego wspólnika Garbinowa.

Bengtsson poczerwieniał, co na jego jasnej cerze było aż nadto widoczne. Przygotowany był na to pytanie, ale nie na zarzut, że kłamie! W telewizji musiało to zabrzmieć wyjątkowo źle!

– Tak, to prawda! Pościg za tym człowiekiem wciąż trwa. Jego twarz zarejestrowała jedna z kamer ulicznych. Nie mogłem ujawnić tego faktu ze względów operacyjnych... ale przy pana pomocy... nie będzie nam łatwiej...

– Kwestionuje pan prawo opinii publicznej, społeczeństwa... do prawdy?! O jakie względy operacyjne chodzi? Przecież opublikowanie tego zdjęcia mogłoby tylko pomóc w jego ujęciu...

– Nie! Twierdzę tylko, że nie ma żadnych dowodów na to, że ten człowiek był w hotelu Solna, a tym bardziej w Åkersberdze. Tak czy inaczej nie będzie nam teraz łatwiej...

– Zagadką jest, co robili na środku szkierów, przy małej wysepce!

– Owszem... ale to pewnie ma jakieś wytłumaczenie i ustalimy jakie!

– Miejmy nadzieję!

– Czy są jeszcze jakieś pytania? – zapytał Bengtsson i tak jak się spodziewał, odpowiedziało mu kilkanaście podniesionych rąk należących do mniej rozgarniętych dziennikarzy. Teraz nie mogło już być trudnych pytań.

## 84

Była ósma trzydzieści, poniedziałek. Szef Agencji Wywiadu, generał Zdzisław Pęk, przyjął Konrada od razu, choć ostatnio coraz częściej kazał mu czekać. Robił to celowo, ponieważ go nie lubił. Konrad zupełnie się tym nie przejmował, a gdy w sekretariacie siedziała akurat Małgosia, to nawet miło spędzał czas. Tym razem jednak nadzwyczaj się ucieszył, że nie musiał antyszambrować, bo miało to być jego najważniejsze spotkanie z szefem. I najprzyjemniejsze.

Zamiast „dzień dobry" Pęk swoim zwyczajem zaproponował kawę i zasiedli przy stoliku ze szklanym blatem i metalowymi nogami. Czarne skórzane krzesła w gabinecie szefa były bardzo wygodne i można było na nich długo siedzieć.

– Widzę, że przyniósł pan gotowy raport w sprawie tego archiwum – zaczął Pęk, zauważywszy na stole służbową teczkę do transportu dokumentów, wyposażoną w zamek cyfrowy.

– Mam tu kilka dokumentów do podpisu...

– Kiedy zaczynacie? – przerwał Pęk. – Co mam powiedzieć prezydentowi? Będę się z nim dzisiaj widział.

– O tym za chwilę. O dziewiątej trzydzieści... – Konrad spojrzał demonstracyjnie na zegarek – czyli za godzinę, szef ABW poinformuje prezydenta o aresztowaniu rosyjskiego szpiega w IPN, niejakiego Zenona Ruperta.

– Co pan mówi?! Kogo?! – Na twarzy generała pojawiło się coś podobnego do uśmiechu. – O czym pan mówi?! – Potrząsnął z niedowierzaniem głową.

– Zenon Rupert to asystent prezesa IPN Małeckiego... no i syn ministra obrony, też Ruperta.

– Niemożliwe! O czym pan mówi?! Ja o niczym nie wiem... nikt... mi nic... – Pęk podniósł się z krzesła, podszedł do telefonu. – Niech mnie pani połączy z szefem ABW.

Po chwili odezwał się telefon.

– Czy to prawda...? – zapytał i przez chwilę trzymał słuchawkę przy uchu. – Dobrze, zadzwonię później – rzucił przez zaciśnięte usta. – To polityczna prowokacja! – stwierdził, siadając przy stole. – Prowokacja przed wyborami prezydenckimi! To oczywiste!

– Rupert przyznał się od razu. Myślę, że do wyborów będą trzymać sprawę w tajemnicy. Strach pomyśleć, co by było, gdyby to teraz wyciekło do mediów!

Konrad powiedział to z oczywistą ironią i udawaną naiwnością, bo było wiadomo, że sprawa wycieknie natychmiast. Szef ABW dostał od losu przepustkę do nowego życia po wyborach, bo notowania prezydenta Zielińskiego leciały na łeb.

Tymczasem Pęk zamilkł i wyraźnie się zamyślił. Konrad był pewny, że szacuje teraz swoje ewentualne straty. Co aresztowanie Ruperta oznacza dla niego osobiście? Dlatego postanowił mu nie przerywać, pozwolić, aż strach wystarczająco dojrzeje, i dopiero wtedy powiedzieć mu całą resztę. Nie czerpał z tego najmniejszej satysfakcji, lecz jedynie niewielką nadzieję, że Agencja Wywiadu dostanie w końcu profesjonalne kierownictwo. Zasłużyła na to!

– U Ruperta w domu – zaczął po chwili – znaleziono między innymi oryginalne teczki i kopie akt personalnych oficerów będących aktualnie w służbie. W tym i moją. Oznacza to ni mniej, ni więcej, tylko to, że Rosjanie znali nasze prawdziwe dane personalne, życiorysy i inne informacje sprzed tysiąc dziewięćset dziewięćdziesiątego roku. Nie mówię już o oficerach, którzy odeszli wcześniej. Rozumie pan, generale, co to znaczy?! – Ostatnie zdanie Konrad wypowiedział w sposób, w jaki nigdy się nie zwracał do przełożonych.

– Skąd pan to wie? – Pęk spojrzał na Konrada zaskoczony.

– Będzie pan musiał teraz wytłumaczyć prokuratorowi, dlaczego teczki personalne oficerów Agencji nie zostały przekazane do zbioru zastrzeżonego w IPN. To była pana decyzja, na której skorzystał... rosyjski wywiad. To już wiemy! Na pewno! Myślę, że opinia publiczna prędzej czy później też się o tym dowie...

– Pan mi grozi?! – nieprzekonująco odparł Pęk.

– Nie! Skądże! Informuję. Chociaż w rzeczywistości to i tak jest pewnie bez znaczenia, bo Rupert mógł mieć, czego zapragnął, bo miał dostęp do poufnych dokumentów. Myślę, że bardziej będzie musiał się tłumaczyć Małecki.

Tymczasem sekretarka przyniosła kawę, a Pęk polecił jej, by do odwołania nie łączyła do niego żadnych rozmów i nikogo nie wpuszczała. „Nikogo!" – podkreślił.

– Skąd pan to wszystko tak dobrze wie, naczelniku? – nie ustępował.

– Bo to my przekazaliśmy ABW informację o Rupercie i wszystkie dowody – spokojnie stwierdził Konrad, a Pęk wyraźnie poszarzał. – Rupert wyszedł nam przy okazji przygotowywania akcji w Brześciu. Powiadomiłem ABW tydzień temu...

– Jak pan mógł?! – niemal krzyknął Pęk. – Jak pan mógł bez mojej wiedzy?! Z pominięciem drogi służbowej! To...

to... przestępstwo, co pan zrobił! Natychmiast wdrożę postępowanie... wniosek do prokuratury!

– Niech pan się uspokoi, generale – spokojnie zareagował Konrad. – Nie zna pan przepisów i nic mi pan nie zrobi, ale o tym za chwilę. I proszę mnie wysłuchać do końca. To się panu może przydać!

Pęk odsunął od siebie filiżankę z kawą, której nawet nie spróbował, i z nienawiścią wpatrywał się w Konrada. Wyrzuciłby go pewnie z gabinetu, ale teraz było oczywiste, że jest od niego uzależniony.

– Z pewnością prokurator będzie mnie pytał, dlaczego nie poinformowałem pana o Rupercie. Odpowiem, że gdybym to zrobił, nigdy nie mógłbym zdemaskować Ruperta, co więcej, moi oficerowie wpadliby w Brześciu w ręce Rosjan. Rozumie pan, generale?!

– Nie rozumiem, ale to nie ma znaczenia. To, co pan zrobił, to niedopuszczalna, karygodna niesubordynacja...

– Tak! Niesubordynacja, której dopuściłem się pierwszy i jedyny raz. Wiem! Właściwie powinienem poprosić o pistolet, ale nikt mi go teraz nie da, więc zrobię to w bardziej praktyczny sposób... – Konrad otworzył teczkę i wyjął dokument, który podsunął generałowi. – To jest mój raport o zwolnienie ze służby.

– Nie tak szybko, panie majorze! Trochę pan nabroił!

– Chcę również pana poinformować, że zespół Wydziału „Q” wykopał w piątek archiwum NKWD w twierdzy brzeskiej – dodał.

– Coś takiego! – niemal wykrzyknął Pęk. – Znowu niesubordynacja, ale to ciekawe. – Wyraźnie się rozpromienił. – W takim razie mogę jeszcze zweryfikować swój stosunek do pana.

– Ale ja nie mogę zweryfikować swojego stosunku do pana – odparł Konrad, po czym wyjął z teczki mikrofon z kablami i rzucił go na stół.

– Co to jest? – zapytał wyraźnie zdziwiony Pęk.

– To jest pluskwa, którą na pana polecenie założono u mnie w domu. Dorzucę do tego przesłuchiwanie przez WBW moich oficerów i szukanie na mnie haków. Pan myśli, generale, że jestem idiotą. – Konrad był coraz bardziej pobudzony. – Pan obraża mnie jako oficera wywiadu! Pan myślał, że ja tego nie zauważę, nie ustalę! Pan jest naiwny! – Chciał użyć mocniejszych słów, ale się powstrzymał.

– Dobrze – przyznał Pęk. – To prawda. Miałem informacje, że utrzymuje pan kontakty z byłymi oficerami...

– I co z tego?! Utrzymuję i będę utrzymywał! To wolny kraj! Niech pan mi nie robi wody z mózgu. Pan szukał sposobu, żeby się mnie pozbyć, bo jestem „komuchem"! Pan wie, generale, że złamał pan prawo, ale ja nie zgłoszę tego do prokuratury. Niech pan sobie z tym żyje! Niech pan dalej buduje swój autorytet u oficerów z pomocą WBW, wykrywacza kłamstwa i testów na inteligencję...

– Niech się pan nie denerwuje, panie majorze. Nic nie jest jeszcze przesądzone. – Pęk wyraźnie szukał porozumienia. Archiwum mogło uratować mu skórę, więc z ostatecznymi decyzjami wolał się wstrzymać, dopóki nie dowie się o nim czegoś więcej. A sprawa Ruperta dopiero się zaczynała i przy odpowiednim zaangażowaniu pewnie uda się nią odpowiednio pokierować. – Jak tego dokonaliście? No... gratuluję! Nawet w takich okolicznościach. ABW zmartwi dzisiaj pana prezydenta, ale Agencja Wywiadu go pocieszy. Jeśli przygotuje pan listę oficerów, którzy uczestniczyli w akcji, przyznam im nagrody specjalne. Nawet już nie pamiętam, że zrobiliście to bez formalnego raportu. Nooo... liczy się efekt!

– Najpierw proszę przeczytać mój raport – spokojnym już głosem powiedział Konrad.

Stuknął palcem w leżący na stole dokument i wyszedł z gabinetu, zostawiając generała brygady Zdzisława Pęka w stanie absolutnego zaskoczenia.

W sekretariacie minął bladego pułkownika „Ciężkiego" i wszystkich pozostałych zastępców „Generała". Byłby to widok niezwykły, gdyby nie aresztowanie Ruperta.

Zjechał windą do garażu, wsiadł do samochodu i włączył stacyjkę bez uruchamiania silnika. Odezwało się radio: „Na zakończenie kompozycja Wojciecha Kilara z filmu Romana Polańskiego *Dziewiąte wrota*. Mówiła do państwa Magda Miśka. Do usłyszenia". Po chwili z głośników popłynęła piękna kobieca wokaliza, którą słyszał jakiś czas temu w domu. Mimo że film znał doskonale, nigdy nie kojarzył z nim tego utworu. Dziwne!

# 85

Minęło prawie trzydzieści pięć lat, odkąd Hans Jorgensen kupił dom w Åkersberdze i urządził w piwnicy swoje „laboratorium", o którym wiedzieli tylko jego przełożeni w Moskwie. Przez ten czas dwukrotnie kontrolowali go oficerowie z Centrali i chwalili pomysł, wykonanie bunkra i jego zamaskowanie. Ostatni raz byli w 1994 roku. Nie przeszkadzał im zapach stęchlizny, który wciąż się utrzymywał, mimo że Jorgensen wywietrzył wcześniej całą piwnicę. Pokazał im, w którym miejscu były okienka do piwnicy, i wyjaśnił, dlaczego musiał je zamurować. Kontrolerzy w pełni potwierdzili konieczność tego kroku i pochwalili go za przenikliwość i umiejętności budowlane.

Okienka pod sufitem zamurował sam, ale szybko zapomniał, że była to cienka gipsowa płyta, łatwa do demontażu w razie nieprzewidzianych okoliczności. Uważał wówczas, że musi mieć jakieś zapasowe wyjście ze swojego „laboratorium".

Gdy tylko zamknęli się tej nocy w bunkrze, od razu solidnie zatarasowali drzwi stołem. Carl przyznał, że ojca nie zawiodło przeczucie, i wziął od niego broń, żeby uzupełnić magazynek. Następnie zgasili światło i zamarli w oczekiwaniu na atak. Zamiast strzałów usłyszeli jednak jakiś ruch i brzęk tłuczonego szkła. Drzwi do bunkra były wyjątkowo szczelne, więc dopiero po minucie dotarł do nich swąd spalenizny i przez szpary zaczął wciskać się dym.

I właśnie wtedy Hans sobie przypomniał, że okienko wentylacyjne pod sufitem zasłonięte jest tylko płytą gipsową. Wziął taboret, który wcześniej przyniósł Carl, i z łatwością wybił nim otwór w płycie. Nie zdążył jeszcze rozbić okna, gdy dobiegła do nich strzelanina, która wstrząsnęła niemal całym domem.

To, co się działo na zewnątrz, zaskoczyło ich bardziej niż napaść dwóch ludzi w kominiarkach. Hans zorientował się, że „znajomi Carla", którzy, jak tłumaczył Jensowi, złożyli mu wczoraj wizytę, musieli być oficerami Säpo. Ale nie mógł zrozumieć, skąd wzięli się teraz policjanci z bronią automatyczną. Był oszołomiony tym, co się stało, i nie potrafił zebrać myśli, ale najbardziej męczyła go świadomość, że przed chwilą strzelał do człowieka.

W piwnicy było coraz więcej duszącego dymu. Carl usunął gipsową płytę i miał już wybić okienko, kiedy strzelanina ucichła. Zaraz potem noc rozjaśnił błysk, następnie krótka seria z automatu i po chwili kolejny błysk.

Obejrzał się i zobaczył, że Hans stoi za nim i trzyma w rękach wszystkie swoje dokumenty. Na wierzchu wysokiego stosu leżał notatnik w zielonej skórzanej oprawie z wytłoczonym złotymi literami napisem „Berlingske-Posten 1953". Mimo gęstego dymu Carlowi się zdawało, że ojciec się do niego uśmiecha. Ale zaraz sobie uzmysłowił, że to tylko złudzenie.

Wiedział, że gdy wybije okno, tlen wessie ogień do wnętrza bunkra i mogą nie zdążyć się ewakuować przez małe okienko. Nie miał jednak wyjścia. Uderzył z całych sił i okienko wypadło razem z ramą. Powstał duży otwór, a wewnątrz zrobiło się duszno i gorąco. Drewniane drzwi do bunkra stanęły natychmiast w ogniu. Carl wziął od ojca dokumenty i krzyknął, że ma natychmiast wychodzić.

Na zewnątrz ponownie rozgorzała gwałtowna strzelanina. Hans wysunął się do połowy na zewnątrz, ale wychodzenie sprawiało mu sporą trudność. Carl zachłysnął się dymem i zaczął kaszleć, aż popłynęły łzy. Poczuł, że robi mu się ciemno przed oczami i osuwa się na podłogę.

Hans nie mógł wydostać się dalej, znaleźć punktu zaczepienia i zawisł w okienku. Krzyknął, by Carl podtrzymał jego nogę, dał mu oparcie. Szamotał się jeszcze chwilę i chciał już zsunąć się z powrotem do piwnicy, gdy poczuł silne szarpnięcie, które wyrwało go na zewnątrz. Nagle znalazł się na trawie. W pomarańczowej poświacie zobaczył nad sobą twarz mężczyzny o semickich rysach i dziwacznej fryzurze.

– Gdzie Carl? – zapytał nieznajomy i nie czekając na odpowiedź, wsunął się sprawnie przez okienko, z którego wybijał już gęsty siwy dym.

Po kilku sekundach Hans usłyszał z piwnicy wołanie. Zobaczył, że z okienka wystają bezwładne ręce. Chwycił je i pociągnął z całych sił. Po chwili nieprzytomny Carl leżał już na ziemi.

Wtedy Hans przybliżył się do okienka i krzyknął:

– Dokumenty! Dokumenty! „Berlingske-Posten”...

I w tym momencie przez dymiące okienko wyleciały na zewnątrz różne notesy, pudełka i inne przedmioty, a na końcu gruby notatnik oprawiony w zieloną skórę, inkrustowany złotymi literami. I zaraz po tym, dusząc się od dymu i kaszląc, pojawił się nieznajomy i sprawnie wychynął na zewnątrz.

Dzięki cucącym klapsom ojca Carl zaczął powracać do życia. Bijący z domu żar był coraz większy, więc Hans odciągnął syna na bezpieczną odległość. Mężczyzna z dredami pozbierał porozrzucane przedmioty i dokumenty.

Carl oprzytomniał po chwili na tyle, że mógł usiąść. Osmaleni i dymiący patrzyli, jak w ostatnim akcie dramatu dom z przerażającym hukiem zamienia się w gigantyczną, bezkształtną pochodnię.

– Jak w Noc Walpurgii… nie przymierzając! – rzucił mężczyzna, na którego głowie dymiły czarne kokony.

– Tak! To właśnie była Noc Walpurgii! – odpowiedział Hans, wciąż z trudem łapiąc powietrze. – Kim pan jest? – zapytał i przyjrzał mu się uważniej.

– Hasan… Hasan Mardan… – powiedział tamten niewyraźnie i zasyczał z bólu, dotykając głowy. – Oficer Säpo. – Skrzywił się i nie patrząc na Jorgensena, rzucił już właściwie tylko do siebie: – Kto mnie tak zaprawił?!

Wtedy zobaczyli, jak w łunie ognia biegną do nich Olaf i Linda, otoczeni przez czarne postacie policjantów z Task Force.

Gdzieś zza wierzchołków drzew dochodził miarowy turkot policyjnego eurocoptera 135.

## 86

– Pijemy dzisiaj? – rzucił Konrad.

Popowski odwrócił się z lekkim ociąganiem. Wstał i z kamiennym wyrazem twarzy wyciągnął rękę.

– Ja już zacząłem – odparł. – Siadaj, majorze!

– Pogadamy jak major z majorem?

– Pogadamy! – Misza Popowski uśmiechnął się nieznacznie i usiedli naprzeciwko siebie.

– Jestem ci coś winien.

– Co?

Konrad uniósł brwi, spojrzał na Popowskiego z udawanym zdziwieniem i po chwili wahania zapytał:

– Nie wiesz? Czy udajesz?

– Widzieliśmy się ostatni raz... bodaj w Skopie?! – Misza wydął usta i wyglądało na to, że rzeczywiście nie wie, o co Konradowi chodzi.

– Dwa lata temu...

– Nie przypominam sobie, żebym coś od ciebie wygrał.

– Nie żartuj sobie! – Konrad rzucił dość ostro, ale nabrał wątpliwości.

Tymczasem do stolika podeszła kelnerka, bez makijażu, o charakterystycznej urodzie mieszkanek flamandzkich miast, i pokazała szeroki uśmiech nieproporcjonalnych szczęk.

– Blanche de Bruges? – zapytał Konrad Popowskiego, uderzając palcem w jego prawie pustą szklankę. – *Deux fois une bière, s'il vous plaît. Blanche de Bruges, bien sûr...* – Zrewanżował się kelnerce własnym uśmiechem.

– Nie wiedziałem, że znasz francuski. – Popowski z uznaniem pokiwał głową.

– To dobrze! Nie powinieneś wiedzieć o mnie więcej, niż ci powiem.

– Drogi przyjacielu... – Popowski dopił resztkę piwa – wiem o tobie więcej, niż ci się wydaje...

– Ciekawe...

– Wiesz, że kuzyn twojego dziadka ze strony matki był generałem NKWD i realizował misję w Gdańsku w tysiąc dziewięćset czterdziestym szóstym roku?

– Co za brednie! Misza, trzymaj poziom!

– To nie brednie. – Głos Popowskiego zabrzmiał bardzo poważnie. – Twój pradziadek miał trzech starszych braci i jedną siostrę. Dwaj walczyli na Wołyniu w oddziale Edmunda Różyckiego w tysiąc osiemset sześćdziesiątym czwartym roku i tam zostali ujęci. Jednego powieszono, a drugiego zesłano na Syberię. Ten drugi osiadł w Irkucku, ożenił się i miał syna. Był nim Lew Henrykowicz Lenart, bohater WKPb, Czeka, NKWD i KGB.

Konrad patrzył na Popowskiego ze zdumieniem.

– Co ty bredzisz, Misza?

– A co? Dziadek nic ci nie mówił? – Popowski nieźle się bawił. – Twój generał o tym nie wie? To by dopiero było...

– Daj spokój.

– To prawda. Ale to nieważne! Kogo to dzisiaj obchodzi! Ten twój dziadek Jan był w AK?

– Tak. Jak widać, jednak nie wszystko o mnie wiesz!

– Popaprane polskie losy. – Popowski zadumał się na moment, patrząc przez szybę na turystów fotografujących się pod posążkiem Manneken Pis. – Jesteście cudownym, wspaniałym narodem. Mógłbym być Polakiem – dodał po chwili z domieszką nostalgii w głosie, nie odrywając wzroku od okna.

W lokalu wypełnionym ludźmi różnych ras i w różnym wieku rozbrzmiewały różne języki, a nad tym wszystkim delikatnie, niezbyt głośno, ale wyraźnie, dominował głos Edith Piaf.

– Mówisz już po polsku jak Polak, nie do odróżnienia. Musisz dużo rozmawiać z naszymi...

– Dużo też czytam... – ich spojrzenia się spotkały – ale głównie dla przyjemności.

– Wiesz też, gdzie mieszkam w Warszawie. – Konrad wyjął kopertę i położył ją na stole.

– *S'il vous plaît* – odezwała się nad ich głowami kelnerka i sprawnie, z ładnym zamachem postawiła przed nimi dwie duże szklanki pszenicznego piwa.

– Moja ukochana Warszawa! Zazdroszczę jej wam! Co nowego w mieście? – Mówiąc to, wyjął kartkę z koperty. – No i co? – Spojrzał na Konrada, jakby spodziewał się pochwały. – Fajny kawał, nie?

– Ale nie musiałeś wysyłać boksera jako listonosza!

– O czym ty mówisz?

– Jeszcze tydzień temu miałem śliwę pod okiem.

– O czym ty mówisz, Konrad? – powtórzył Popowski, wyraźnie zaskoczony.

– Nie wiesz? Czy grasz głupa? – Konrad popatrzył w jego szeroko otwarte oczy. – No nie! Twoje asy robią cię w wała! Misza...

– Co się stało?! – przerwał mu gwałtownie Popowski. Otrzymał krótką, lecz szczegółową opowieść o nocnym spotkaniu z „listonoszem" i gonitwie po ulicach Ursynowa. Konrad dobrze znał Miszę Popowskiego i miał duży szacunek dla jego profesjonalizmu, ale nie przypuszczał, by brał on lekcje u Meyerholda. Wyraz jego twarzy – autentyczne zaskoczenie łagodnie przechodzące we wściekłość – przypominał zbliżenia z *Pancernika Potiomkina*, więc pod koniec swojej relacji Konrad próbował bagatelizować zdarzenie.

– Naprawdę nie wiedziałem! Uwierz mi, Konrad! – Popowski był szczerze poruszony. – Nie sądzisz chyba, że ja... Nigdy bym tego nie zrobił! To niehonorowe!

– Okay! – przerwał mu Konrad z poczuciem narastającego zażenowania.

– Wal! – Misza wychylił się do przodu i nadstawił policzek. – Wiedziałem czy nie, ja za to płacę! Wal! Tylko mocno! Nie wahaj się! – Zacisnął powieki i wysunął do przodu szczękę.

– Kiedyś, Misza, ktoś ci naprawdę przypierdoli, jak będziesz tak pilnował swoich czekistów. – Konrad poklepał go po policzku. – A pierwszy przypierdoli ci ten twój generał Lebiedź!

– W takim razie za wszystko, co dzisiaj wypijemy i zjemy, płaci rząd Federacji Rosyjskiej, a wydatki zatwierdza szef SWZ, generał Lebiedź! – Popowski zgrabnie wywinął się z dwuznacznej sytuacji i uniósł szklankę pszenicznego piwa. – I żeby go zabolało, kiedy zobaczy nasze rachunki! – zakończył.

Stuknęli się szklankami i ku zdziwieniu okolicznych gości i kelnerki, która niejedno widziała, wypili piwo do dna. Konradowi zajęło to trochę więcej czasu i uradowany Popowski zdążył zamówić na migi następną kolejkę.

– Jak na studiach! – skomentował Konrad, łapiąc oddech.

– No to jedno mamy załatwione – stwierdził Misza. – Przepraszam cię – dodał bez cienia dwuznaczności.

– Nie ma sprawy!

– Dobra! To od czego zaczynamy? Ty pierwszy czy ja?

– Najpierw obowiązek, potem przyjemność – stwierdził Konrad, bo poczuł, że ośmioprocentowe piwo zadziałało.

– W takim razie idziemy się odlać... Razem! Potem włączamy nasze dyktafony i do roboty.

Konrad był przekonany, że Popowski, okazując dobry nastrój, jest całkowicie naturalny. Tym bardziej że wypił co najmniej jedno piwo więcej.

– Dziś nie nagrywam. Ciebie nie muszę. A ty co? U was wciąż obowiązuje *dowieriaj, no prowieriaj*? – rzucił Konrad.

– Oczywiście! Od zawsze! Ale nie tak jak teraz u was... jak wy to robicie... *nie dowieriaj, tolko prowieriaj*. Mylę się? – Popowski wstał i wziął swoją marynarkę, która wisiała na krześle obok. – No co? Idziesz? Nie martw się, Konrad, zrobię ci kopię nagrania. Chodź!

– Pleciesz, Misza! – odparł krótko Konrad i też się podniósł. Miał wrażenie, że Popowski dobrze wie, co mówi.

Toaleta przypominała saloon z kiepskiego westernu. Na ścianie obok pisuarów wisiał stary, może czterdziestoletni, mocno zużyty automat z prezerwatywami. Misza zainteresował się tym zabytkiem i chciał wrzucić monetę, ale zorientował się, że nie przyjmuje euro.

– Szkoda! Zbieram archiwalne kondomy. Mam piękną kolekcję. Musisz zobaczyć! – rzucił dowcipnie, ale wiadomo było, że to tylko blef.

Konrad pierwszy umył ręce i wyszedł.

Zatrzymał się przy barze oklejonym różnokolorowymi banknotami, bezwartościowymi darami klientów. Jego wzrok natychmiast wyłapał nieduży banknot z czerwonymi sztandarami i napisem „Proletaryat". Tuż obok był portret Reymonta na banknocie z sześcioma zerami.

– Chodź do roboty! – usłyszał za sobą i jednocześnie poczuł męskie klepnięcie w plecy.

Na stoliku stały już dwa kolejne blanche de Bruges.

– Kto pierwszy? – zapytał Popowski.

– Ty.

– Okay! – rzucił, kiwając głową. Odczekał chwilę i podniósł wzrok znad stołu. – Okay! – powtórzył. – Konrad... Obaj dobrze wiemy, co wykopałeś w Brześciu. – Popatrzył na niego spod zmrużonych powiek, co oznaczało, że skończył żartować. – To, co wykopałeś, nie należy do was. Podpierdoliłeś własność Federacji Rosyjskiej! To są nasze dokumenty i powinny wrócić do domu. Jak najszybciej!

Konrad wytrzymywał jego spojrzenie. Nie odzywał się. Czekał. Popowski powinien teraz przedstawić jakieś uzasadnienie swojego żądania. Jakieś propozycje. Przecież nie przyjechał na spotkanie do Brukseli tylko po to, żeby zademonstrować swoją rosyjską mocarstwowość.

– Co tak patrzysz? – Misza zrobił się nieco arogancki. – Mam sposób, żebyś sam mi to przywiózł do Moskwy. Drugi raz tak jak w Kijowie już ci się nie uda!

– Misza! Dlaczego jesteś niemiły? Wiesz, że taki ton na mnie nie działa. Możesz tylko pogorszyć sytuację. Przecież skrzynia jest u mnie! Zdenerwowałeś się czy co? To do ciebie niepodobne.

– Wiesz, co jest w tej skrzyni? – wycofał się Popowski.

– Przecież ci mówiłem, że mam ją u siebie – rzucił Konrad, wyraźnie sugerując, że doskonale wie, co jest wewnątrz.

– Jeżeli dobrze cię rozumiem, nie oddałeś jej jeszcze do IPN? Tak?

– Owszem. Dobrze mnie rozumiesz. Uznałem, że zanim to zrobię, musimy porozmawiać... jak major z majorem!

– No, nie zamierzasz mi chyba powiedzieć, że chodzi o kasę...

Konrad nawet tego nie skomentował, bo obaj doskonale wiedzieli, że Popowski musiał sprawdzić i taką wersję, choć zdawał sobie sprawę, że w tym przypadku jest ona co najmniej głupia.

– To co? Układ Redl-Batiuszyn*? – Konrad uniósł brwi.

– Coś w tym rodzaju.

Nagle się zorientowali, że ich szklanki są niemal puste. Konrad pomyślał, że piwo musiało wyparować. Tylko spojrzał na kelnerkę, a ona zrozumiała już, czego od niej oczekuje, i skinęła głową. Dopiero teraz zauważył, że Edith Piaf zastąpił Jacques Brel.

Z następnym pytaniem Popowski zwlekał jakieś trzy minuty.

– To czego chcesz? – padło w końcu.

– A co masz?

– Wiesz co, Konrad? Wybrałeś beznadziejną knajpę. Tłum ludzi, obsługuje nas Belfegor, automat z kondomami nie działa i nie ma nic do zjedzenia. Jestem głodny. A ty?

– Okay! – potwierdził Konrad, bo rzeczywiście był głodny. Poza tym rozumiał, że Misza potrzebuje czasu do namysłu. To był bardzo dobry znak. – Na co masz ochotę?

– Na kawał mięsa i frytki!

– Mało oryginalne w Brukseli, ale znam wyśmienitą restaurację niedaleko stąd, gdzie serwują doskonałe żeberka z grilla w czosnku albo miodzie... Aux Pavés de Bruxelles

---

* Pułkownik Alfred Redl (1864–1913), szef sekcji rosyjskiej Evidenzbüro (wywiad austro-węgierski), i major Nikołaj Batiuszyn (1874–1957), szef carskich służb wywiadowczych na Zachodzie (z siedzibą w Warszawie). Obaj oficerowie sprzedawali sobie nawzajem własnych agentów osiągając w ten sposób sukces zawodowy i awanse. Redl, zdemaskowany przez wywiad niemiecki w 1913 roku, popełnił samobójstwo. Jedna z najgłośniejszych afer szpiegowskich przed pierwszą wojną światową.

przy Chapeliers... Czy idziemy na żabie udka? A może wolisz mule?

– Idziemy! – Popowski poderwał się, wziął marynarkę i podszedł do bufetu, żeby zapłacić.

Po wyjściu z lokalu Konrad poczuł w głowie niewyraźny szmer wypitego litra piwa. Zrobiło się ciepło i pierwszy raz tego dnia pokazało się słońce. Dochodziła siedemnasta i wokół figurki Manneken Pis zebrało się jeszcze więcej turystów. Po chwili wyszedł też Popowski, niosąc marynarkę, i głęboko westchnął. Położył Konradowi rękę na ramieniu.

– Czy to w porządku – zapytał, patrząc na Siusiającego Chłopca – że w kraju wstrząsanym pedofilskimi aferami... był taki potwór parę lat temu...

– Marc Dutroux.

– Właśnie... że nagie dziecko, w dodatku z ptaszkiem w dłoni, jest symbolem miasta? To jak jakiś sygnał dla wszystkich zboczeńców świata. I jeszcze te sklepy z czekoladkami... Jakby specjalnie wymyślone, żeby wabić dzieci.

– Nie lubisz Belgów?

Konrad nie był pewien, czy Popowski gra, czy mówi tak z przekonania. Mimo że lubił go i szanował, w tej chwili było mu to obojętne. Misza mógł teraz wygadywać różne brednie, bo musiał zyskać na czasie i zastanowić się przede wszystkim, co robić i jak rozegrać sprawę.

Jasne było dla obu, że żaden układ Redl-Batiuszyn nie wchodzi w grę. Nie te czasy! Teraz się liczyło, kto potrafi lepiej udawać, tak by sprzedać jak najmniej, a mimo to zyskać jak najwięcej. I jeszcze wszystko opakować tak zgrabnie, by przeciwnik myślał, że to właśnie on zrobił dobry interes.

– Tak. Nie przepadam za nimi. Ale nie wiem dlaczego... mało tu ładnych kobiet... nie wiem, może dlatego. W którą stronę idziemy? – Wciąż trzymając rękę na ramieniu Konrada, pchnął go lekko do przodu. – Zaraz umrę z głodu i znowu będzie na Polaków.

– Dwieście, trzysta metrów. To blisko. Raz w prawo, raz w lewo, i już jesteśmy na miejscu.

Zupełnie bez sensu ruszyli w rue de l'Étuve, prosto pod prąd nacierającej armii turystów. Zjednoczone japońsko-polsko-rosyjskie formacje, uzbrojone po zęby w najnowocześniejszy sprzęt, parły, by zobaczyć Siusiającego Chłopca.

Z pewnym trudem dotarli po stu metrach do skrzyżowania z rue de Lombard i skręcili w prawo. Zrobiło się nagle pusto. Odetchnęli z ulgą i mogli teraz porozmawiać.

– Już wiem, dlaczego nie lubię Brukseli – zaczął Popowski. – Chodniki są tu strasznie obsrane przez psy.

– Myślałem, że przeszkadza ci tłok.

– Co ty, Konrad? Nie byłeś w moskiewskim metrze? To tutaj to żaden tłok!

Po minucie skręcili w lewo w rue des Chapeliers, która po przecięciu rue de la Violette zmieniła się w wąską starą uliczkę obstawioną po obu stronach zielonymi pachołkami. Po lewej, pod zniszczonym murem, siedział młody kloszard z psem i butelką osiemnastoletniego chivas regal w dłoni. Spod niego spływała po chodniku do krawężnika strużka moczu.

Popowski, podobnie jak większość turystów, ominął go łukiem.

– Manneken Pis... Kto wybrał Brukselę na stolicę Unii? – zapytał, patrząc na pijaka z obrzydzeniem.

Po chwili dotarli do Aux Pavés de Bruxelles. Był to nieduży, niewyróżniający się niczym lokal z otwartym grillem, dwiema salami na parterze, antresolą i ciasno ustawionymi stolikami. Szczycił się jednak niezaprzeczalną reputacją, opartą na doskonałej kuchni, grillowanych mięsach, argentyńskich stekach, a w szczególności Irish rib-eye beef. Właściciele, Grecy, dbali o miłą atmosferę i gdy przychodziło się tam po raz drugi, już można się było czuć jak w domu.

Konrad odwiedzał ten lokal zawsze, gdy był w Brukseli, ale nigdy nie chodził tam służbowo. Spotkania służbowe, nawet jeżeli odbywały się w najlepszych restauracjach, nie miały nic wspólnego ze smakowaniem kuchni. Nie miało znaczenia, co się je. Ważne były tylko zmysły słuchu i wzroku, nie smaku.

Dlatego zachował tę restaurację tylko dla siebie. I chociaż właściwie nie przepadał za czerwonym mięsem, a ceny za najmniejszą porcję żeberek zaczynały się od dwudziestu pięciu euro, pomyślał, że tym razem zamówi sześciusetgramową porcję za czterdzieści pięć sześćdziesiąt. Po raz pierwszy! Na koszt Federacji Rosyjskiej.

Dostali dwuosobowy stolik na antresoli, trochę za mały dla dwóch postawnych mężczyzn, ale i tak mieli dużo szczęścia, bo był to już ostatni wolny. Nie mogli swobodnie wyprostować nóg pod stołem, za to mogli swobodnie rozmawiać, ich twarze bowiem były blisko siebie.

Czarne włosy, mocny zarost i późnoletnia opalenizna powodowały, że trudno było odróżnić, który jest typem bardziej kaukaskim, a który bardziej semickim, lecz w Brukseli i tak nikogo by to nie zainteresowało. Nie licząc kobiet.

Zamówili największe porcje żeberek, frytki i półlitrową butelkę finlandii. Konrad wodę bez gazu, a Misza jak zawsze tonik, nawet do wódki. Przygotowanie żeberek miało zająć około czterdziestu minut.

Pierwszy kieliszek wypili, zanim jeszcze zaczęli rozmawiać. Gdy Popowski dolał wódki, wyjął z marynarki swój dyktafon, wyłączył go i położył na stole.

– Myślę, że tak będzie lepiej, jeżeli mamy poważnie pogadać.

Konrad ze zrozumieniem pokiwał głową.

– Archiwum jest w Polsce czy jeszcze na Białorusi? – zapytał Misza. – Od tego zaczniemy!

– To nie ma znaczenia. Jeśli ci je dam, będziesz mógł je sobie zabrać – odparł Konrad.

– Otwierałeś?

– Nie. To sprawa dla specjalistów. Skrzynia jest dobrze zabezpieczona! NKWD to nie byli partacze jak niektórzy inni.

– Okay! Jak ci mogę uwierzyć? Masz jakiś dowód?

Konrad wyjął swojego iPhone'a, włączył okienko Video i podał go Popowskiemu.

Misza podniósł kieliszek i wypili. Potem przez blisko dziesięć minut z niezwykłą uwagą oglądał film.

– Na oko przedstawia się to dobrze. Wolałbym jednak zobaczyć, co jest wewnątrz. Hm... No tak... – zawiesił na chwilę głos i zmarszczył czoło. – Nie możesz otworzyć skrzyni, bo jest jeszcze na Białorusi? Nie możesz jej wywieźć? Co się stało? Białoruskie KGB? – dopytywał się retorycznie.

Konrad nic nie odpowiedział. Nie drgnął mu ani jeden mięsień twarzy.

– Dlaczego ci tak na tej starej skrzyni zależy? – zapytał wreszcie. – Są tam jakieś twoje rodzinne dokumenty? Ojciec... dziadek?

– Tak. To też sprawa osobista, ale nie to, co myślisz.

– A co?

– To jest przecież całe archiwum naszego nielegalnego wywiadu do tysiąc dziewięćset czterdziestego pierwszego roku. Czy ty to rozumiesz? To jest nasze! – Popowski stał się wyraźnie pobudzony. – To jest nasza historia, naszych bohaterów. Gdybyśmy pozwolili wam czy komukolwiek innemu je zabrać, to byłoby tak, jakbyśmy oddali część naszej duszy. Rozumiesz to?

– Rozumiem, ale...

– Też jesteś oficerem wywiadu. Musisz to zrozumieć! Rosja trwa od wieków, raz było gorzej, raz lepiej, ale wciąż trwa. Zniknęła potęga Niemców, Anglików, Francuzów, zniknie potęga Amerykanów, ale Rosja pozostanie wielka. I ty to wiesz! Bo Polacy to wiedzą jak nikt inny! – Misza Popowski wyprostował się na krześle i palcem wskazującym prawej dłoni dotknął piersi Konrada. – Bo od Aleksieja Basmanowa* do Aleksandra Lebiedzia rosyjskie służby specjalne chronią państwo. Nieustannie! Teraz rozumiesz! – Docisnął palec, jakby chciał sprawdzić, ile Konrad wytrzyma. – To jest nasze archiwum. Jeszcze nikt nigdy nic nam nie odebrał!

– Nie denerwuj się, Misza. Ja cię nawet rozumiem, i to nie dlatego, że jestem Polakiem. Zwyczajnie wkurwiająca może być świadomość, że ktoś podprowadził ci twoje

---

* Jeden z założycieli Opriczniny, pierwszej politycznej służby bezpieczeństwa, za czasów Iwana Groźnego. Zamordowany w 1570 roku.

archiwum czy coś w tym rodzaju... – Konrad przerwał na moment i zaraz dorzucił: – Jak przeżyłeś takiego Mitrochina, Misza?

– Nie rozśmieszaj mnie! Co ma jedno do drugiego?! Co ty możesz o tym wiedzieć? A może... nie pomyślałeś, że Mitrochin to nasz produkt, dobrze sprzedany durnym Anglikom? Zresztą co ty możesz o tym wiedzieć, skoro wasze archiwa są w Londynie, Waszyngtonie, Berlinie i Moskwie, a to, co zostało, jest w IPN? Czyli każdy ma do nich dostęp... i my też! – Ostatnie słowa Popowski wypowiedział tonem na tyle szczególnym, że Konrad już się zorientował, do czego zmierza.

– Powiedz mi dokładnie, co jest w tej skrzyni. Archiwum wywiadu nielegalnego NKWD? Dlaczego „willa Zarubina" była w twierdzy brzeskiej?

– Odpowiem szczerze. Nie wiem, co jest wewnątrz. Nie interesuje mnie to za bardzo, to już odległa historia. Beria przeniósł Wydział Polski INO do Brześcia, żeby mu zapewnić dogodniejszą lokalizację. Dokumenty były przygotowane do wywiezienia zgodnie z planami mobilizacyjnymi, ale jak to się skończyło, wiemy. Archiwum przepadło. Są tam teczki naszych nielegałów działających w przedwojennej Polsce, ich agentury, operacji, które prowadzili. No... jest tam tego sporo!

– To znaczy, że my mamy takie samo prawo do tych materiałów jak wy. W końcu dotyczy to naszej historii i naszych obywateli, naszego kraju. – Konrad próbował sprowokować Popowskiego.

– Co ty?! A Anglicy oddali wam archiwum waszego wywiadu z czasów drugiej wojny? Daj spokój! O czym ty mówisz?! – Misza uśmiechnął się, stuknął swoim kieliszkiem o stojący na stole kieliszek Konrada i wypił, nie czekając na niego, bez popijania tonikiem. – Zresztą, Konrad... – Przełknął. – Zastanów się, co twoi opętani na punkcie historii politycy zaczną z tym archiwum wyprawiać... a jeszcze jak ich wesprą wasze media!

Będzie cyrk na kółkach! Potrzebne to wam? Bo nam nie! My to schowamy tam, gdzie powinno być, i wszyscy o tym zapomnimy... – urwał nagle i zamyślił się na moment. – Nie próbowałeś otwierać skrzyni? – zapytał z wyraźną troską.

– Oczywiście, że nie! Nie jest też uszkodzona, ale szczegółowych badań nie robiliśmy. Jest taka jak na filmie.

– To musi być otworzone w specjalnych warunkach.

– Okay! Co z układem, Batiuszyn? Wystarczy już tej propagandy. Trochę mnie obrażasz. Nie mówi się tak do oficera wywiadu...

– Sorry! W końcu jesteśmy *intelligence*, nie? A nie *counter-intelligence*! – wtrącił Popowski i obaj się uśmiechnęli. Wiedzieli, że wszyscy oficerowie wywiadu lubią tak mówić, bo uważają, że kontrwywiad to policjanci.

– Masz dużo racji i zgadzam się z opinią, że to archiwum może nam tylko przysporzyć kłopotów. Osobiście też uważam, że czas zakończyć rozliczenia i zacząć coś budować, ale jestem oficerem polskiego wywiadu...

– Nie nudź, Konrad! – Misza wskazał wzrokiem pełne kieliszki. – A ja jestem oficerem rosyjskiego! Rozumiem, że chcesz coś z tego mieć. No... nie ty osobiście. Ale mów tak od razu! Ja to rozumiem... w końcu układ...

– Co dla mnie masz?

Teraz to Konrad przerwał Miszy. Uznał, że zaczyna się on kręcić wokół własnego ogona, jakby nie był zdecydowany na to, co chce zrobić. Przez moment nawet mu zaświtało, że próbuje się wycofać. Niemożliwe, żeby był to skutek wypitego alkoholu, bo Misza mógł wypić cysternę i wciąż trzymać poziom. Tego jednak Konrad bał się najbardziej.

Zdawał też sobie sprawę, że Popowski chce się odegrać za akcję kijowską, kiedy sprzątnął mu sprzed nosa archiwum SBU. Jednak teraz nie chodziło mu o Konrada, chodziło o prestiż w szeregach własnej organizacji i szacunek dla samego siebie, nawet jeżeli będzie to znaczyło, że musi coś poświęcić. Zwykły dylemat szpiega. Teraz przyszło najtrudniejsze: jak zważyć ten ciężar poświęcenia?

– Co z naszymi żeberkami? – Popowski udawał, że jest cool, i spojrzał na zegarek. – No... mają jeszcze chwilę.

– Co masz dla mnie? – jeszcze raz zapytał Konrad.

– Dam ci agenta.

Konrad przygryzł wargę i uniósł brwi. Butelka była już więcej niż w połowie pusta.

– Dam ci prawdziwego agenta – powtórzył Popowski. – To zwykła bladź, ale jak najbardziej prawdziwa. Możesz mu zrobić piękny proces, potem będą krzyże i premie. No i będziecie mogli w końcu rozwiązać tę waszą policję historyczną... cały ten IPN.

– Majorze Miszo, musisz znaleźć coś lepszego – odparł Konrad i Popowski zamarł jak w stop-klatce. – Z tego szmaciarza Ruperta Zenona nie będziesz już miał pożytku – ciągnął. – Popatrz! Nie mogłem sobie odmówić tej przyjemności... – Znów wyjął swojego iPhone'a i wręczył go Popowskiemu, z którego wyraźnie uszło powietrze. – To są zdjęcia zrobione przedwczoraj wieczorem podczas jego aresztowania w Warszawie. Wiesz, ten twój agent zesrał się, jak go brała ABW. Nie zdążył jeszcze wyrzucić gówna ze spodni, a już złożył pełną gotowość do współpracy...

– Nooo... to świetnie! Hm... celny strzał! Zaskoczyłeś mnie, Konrad! Naprawdę! Zaskoczyłeś! – Popowski przeglądał zdjęcia. – Wiesz, nawet sprawiłeś mi przyjemność – dodał po chwili i oddał Konradowi iPhone'a. – Dobrze powiedziałeś, to szmaciarz. Miałem różnych agentów, ale do tego czułem wyjątkowe obrzydzenie. Ciągle podawał spoconą, tłustą łapę... takiego miękkiego fiuta... – Uniósł kieliszek. – Gratuluję! – Na jego twarzy rysowało się prawdziwe zaskoczenie, które po wypiciu wódki zmieniło się w złość. – Jak na niego wyszedłeś? Co spierdoliłem? – zapytał, kiwając niemal niezauważalnie głową. – Mów! Bądź kolegą!

– Chyba żartujesz!

– Okay! Skoro nie chcesz, sami to ustalimy.

– Opowiedz o nim. Jak to było? Zwerbowaliście go czy to oferent?

– Niech ci sam opowie, jeżeli tak bardzo chce z wami współpracować. Mogę cię tylko zapewnić, że to urodzony konfabulant i zwykły śmieć. Będziecie mieli sporo problemów, żeby ustalić, co jest prawdą, a co nie. Ten typ tak ma! – stwierdził z wyraźnym wstrętem i po chwili zastanowienia dodał: – Czeka was niezły skandal polityczny... – I widząc zdziwienie na twarzy Konrada, sprecyzował: – Ma przecież ciekawego tatusia.

– Liczyliśmy się z tym, jak słusznie przypuszczasz. Przecież takiej decyzji nie podjęlibyśmy bez zgody dużego i małego pałacu. Ojciec się go wyparł! Będzie dobrze, Misza!

Konrad blefował, ale czerpał satysfakcję z przewagi nad Popowskim. Wiedział doskonale, tak samo jak on, że ujawnienie sprawy Ruperta i proces wstrząsną sceną polityczną w Polsce i pogłębią wewnętrzne konflikty.

Ujrzawszy jednak na twarzy rozmówcy ironiczny uśmieszek, odniósł wrażenie, że Misza coś jeszcze chce przekazać. Może jest tak, jak przypuszczał: Rosjanie spalili Ruperta, bo jego możliwości już się wyczerpały, teraz zaś doprowadzą do dymisji ministra obrony, a przy wsparciu opozycji i mediów może nawet całego rządu. Zrobią nam gębę w NATO i Unii, a na koniec jeszcze kupią archiwum NKWD, które dla nich wykopaliśmy.

Misza Popowski wpatrywał się w Konrada z wciąż tym samym wyrazem twarzy. Ze spontaniczną albo wyreżyserowaną ironią.

– Będzie dobrze, Misza! – powtórzył bezwiednie Konrad. – To was zaboli.

– Co ty, Konrad?! Co ma nas zaboleć? Założę się, że ze względu na ojca proces się odbędzie przy drzwiach zamkniętych. Szpieg jest szpiegiem, to teraz wasz problem. Po wielkim pojednaniu naszych prezydentów w Katyniu i przed wyborami nikt nie będzie zainteresowany zaostrzaniem konfliktu z Rosją. Co wam to da? Nic! Nie zatrudniajcie takich szmat na odpowiedzialnych stanowiskach. Mniej nepotyzmu i będzie mniej kłopotów. Przecież to wasz problem wewnętrzny!

Konrad z trudem się powstrzymywał, by nie dać po sobie poznać, że Popowski ma całkowitą rację.

– W porządku, Konrad! – Misza zmienił ton na bardziej pojednawczy. – Jeden–jeden! Zobaczymy, co z tego będzie. Widzę, że za Ruperta u ciebie nic nie kupię. Zróbmy więc na początek mały biznes...

– Hm... lubię cię Misza! – przerwał mu Konrad w pół zdania. – Nie można cię nie lubić!

– Ja też cię lubię, a to już dobrze wróży naszemu małemu biznesowi. – Popowski podniósł kieliszek. – Za mały biznes!

– Nasze żeberka powinny być zaraz gotowe – zakomunikował Konrad. – Idę do toalety. Muszę umyć ręce przed jedzeniem. – Spojrzał na zegarek i wstał.

Dopiero wtedy poczuł, że pszeniczne piwo i fińska wódka odcisnęły już swoje piętno. Szczęśliwie, choć z trudem, przedarł się krętymi, wąskimi schodami do toalety.

Po kilku minutach wrócił do stolika.

Misza wciąż siedział zadumany, do czego w znacznej mierze przyczyniły się wypite trunki. Minęła dobra chwila, zanim się zorientował, że Konrad jest już z powrotem. Podniósł się nad wyraz żwawo. Ściągnął ramiona i pokręcił głową, jakby chciał się przekonać, czy jeszcze sprawnie się porusza, i pewnym krokiem ruszył do toalety. Konrad nie miał najmniejszych wątpliwości, że jakiekolwiek próby wykorzystania stanu Popowskiego są bezcelowe. Więcej, po alkoholu stawał się on jeszcze bardziej waleczny, czego Konrad nie mógł powiedzieć o sobie.

Zanim Misza wrócił, niewysoka kelnerka o kruczoczarnych włosach splecionych w długi warkocz podała żeberka. Choć Konrad z początku wątpił, czy to będzie w ogóle możliwe, z niezwykłą wprawą poprzestawiała jak na szachownicy wszystko, co stało na stole, tak by zmieściły się na nim dwa duże talerze z potężnymi porcjami żeberek i miska złocistych grubych frytek. Gdyby palił, nie miałby nawet gdzie postawić zapalniczki.

Misza długo siedział w łazience. Gdy wyszedł, żeberka już nieco wystygły, ale Konrad nie czekał z jedzeniem na jego powrót. Nie było to w końcu przyjęcie dyplomatyczne, a zimne żeberka są niesmaczne.

– Porządna porcja – skomentował Popowski. – Zamówiłeś? – zapytał, rozlewając wódkę.

– Damy radę?

– Jasne!

Konrad dał znać kelnerce, gdy tylko spojrzała w ich kierunku.

– Co to miało być...? A... mały biznes – zaczął Misza, ogryzając w rękach kawałek mięsa. Wypili po kieliszku. – Ty mi powiesz, jak wyszedłeś na pana Ruperta, a ja ci powiem, jak zaczął z nami współpracować.

– I co ci przekazał? Jakie informacje, co wam dał...?

– Ohoho! Zaraz, zaraz... To za dużo! Niech ABW i prokuratorzy trochę się wysilą, nie będę za nich odwalał roboty! *Ponimajesz, drug?*

– To czego chcesz? Archiwum za te informacje? – zapytał Konrad, jakby mu zależało na takiej wymianie.

– No... nie wiem. Muszę się zastanowić. – Popowski kręcił głową i systematycznie odcinał kawałki mięsa. – Bo ja wiem...

– Nie męcz się, Misza. To mnie nie interesuje. Z Ruperta wyciągniemy wszystko, z twoją pomocą czy bez niej. Ustalimy, gdzie kłamie, dlaczego... wszystko. Sam wiesz, że to typ tchórza.

– No dobrze! – Popowski zmienił nastawienie. – Teraz poważnie – powiedział i rzucił kość do miseczki.

Spojrzał na Konrada szklistymi oczami. Wykrzywił usta i teraz cała jego twarz nabrała japońskiego teatralnego dramatyzmu.

– Nalej! – rzucił do Konrada i zaczął mówić głosem, jakby nic nie wypił. – To ścierwo samo się do nas zgłosiło. Tutaj, w Brukseli, do naszego dyplomaty. I od razu dobrze trafił, bo to był nasz oficer. To było w październiku... nie, listopa... nie, dobrze, w październiku dwutysięcznego roku.

Konrad poczuł, że z wściekłości aż go ścisnęło w gardle, i pomyślał, że przez tyle lat Rupert musiał narobić wiele szkód.

– Był wtedy w Belgii na stypendium, które załatwił tatuś, ale mu nie szło i potrzebował pieniędzy, i tak dalej... Rozumiesz? Stary Rupert miał węża w kieszeni i kosztowny romans z pewną panienką, więc skąpił młodemu. A ten nadział się na naszego oficera na przyjęciu w waszej ambasadzie. No tak! To było w listopadzie, na przyjęciu z okazji Jedenastego Listopada! – Popowski uśmiechnął się zadowolony i wrócił do obrabiania żeberek. – Zwykły oferent, Konrad! Czyli takie małe gówno. Na początku myślałem, że to podpucha, i długo go sprawdzaliśmy. Nawet się wahałem, czy koszty nie będą zbyt duże, a zysk niepewny. Miał jednak jeden atut. – Misza rzucił kolejną kość i wytarł serwetką usta. – Papcio był dobrze ustawiony i pacan miał przed sobą perspektywy, więc gdyby dobrze nim pokierować... – Zaczerpnął głęboko powietrza, popatrzył ze smutkiem na Konrada i chociaż na talerzu pozostał mu tylko jeden kawałek, zakomunikował: – Mam dość!

– I co? Wepchnąłeś go do IPN? Jak ci się to udało?

– Nie mnie. Jemu. Potrzebowaliśmy tam kogoś i młody pasował jak ulał... historyk... Papcio pomógł, oczywiście! No... historyk w Polsce to teraz boska fucha, sędzia, prokurator, policjant i kat... cztery w jednym. Ale właśnie za to Polaków lubię, bo u was wszystko postawione jest na głowie, a rozwijacie się dobrze...

– Daj jakieś konkrety, żebyśmy nie musieli tracić czasu na podłączanie go do prądu i przytapianie. Żeby mu ułatwić na początku porozumienie się z prokuratorem.

– Jedna sprawa, Konrad. Myśmy go nigdy nie badali, ale kilka miesięcy temu zaczęliśmy podejrzewać, że coś z nim jest nie tak...

– Świr?

– Chyba tak. Może początek schizofrenii... Trudno powiedzieć. Planowaliśmy, że jeśli będzie się to pogłębiać, zakończymy z nim współpracę.

– Nie będziemy go badać tylko dlatego, że wy macie takie podejrzenia – rzucił Konrad i pomyślał, że w takim wypadku cała ta sprawa nie będzie miała sensu. Wszystko, co powie Rupert, stanie się bezwartościowe. Nie do zweryfikowania, nie do potwierdzenia, zwykłe śmieci... – Kiedy to zauważyliście?

– Podczas dwóch ostatnich spotkań kontrolnych. Także na podstawie tego, co pisał...

– To trochę mało!

– Wiem.

– Nie wpuszczasz mnie w maliny?

– Konrad, co ty?! Jeżeli jest chory, wyjdzie to w trakcie procesu albo badań. To oczywiste! – Popowski sprawiał wiarygodne wrażenie.

Konrad nabrał jednak podejrzeń, czy Rupert nie został odpowiednio przygotowany i przeszkolony, żeby symulować chorobę psychiczną.

Teoretycznie jest to możliwe – pomyślał. Gdyby się okazało, że tak jest w rzeczywistości – aż roześmiał się w duchu – byłby to chyba pierwszy taki przypadek w historii służb specjalnych... to byłoby mistrzostwo świata! Czy oni mogą być aż tak dobrzy? Jeżeli ja doszedłem do takich wniosków, to przecież oni też mogli... Świr szpiegiem? Kto w to uwierzy? Jaki sędzia?

Próbował się opanować, ale po alkoholu zawsze miał nienaturalnie rozbudzoną fantazję.

– Tak czy inaczej zbadamy sprawę. Proces odbędzie się przy drzwiach zamkniętych... – urwał jednak w pół zdania, bo Misza z politowaniem pokiwał głową.

– Dobrze. Posłuchaj. Rupert został ostatecznie zwerbowany przez naszego oficera, który nazywa się Igor Wiktorowicz. Werbunek miał miejsce w hotelu Sheraton w Amsterdamie. Na początku to był taki typowy werbunek z dobrodziejstwem inwentarza. Rupert obrał sobie pseudonim „Hook". Przez cały okres współpracy dostał od nas około stu pięćdziesięciu tysięcy dolarów... Ostatnie spotkanie odbyło się w lipcu w Gdańsku.

– Nieźle! Taki był cenny? – zareagował Konrad natychmiast, lecz wewnątrz poczuł przypływ radości. Popowski mówił prawdę! Nie mógł wiedzieć, że właśnie to spotkanie z Jorgensenem w Gdańsku, które odkrył Marcin, było początkiem końca Ruperta.

Misza odkręcił nową butelkę finlandii, ale Konrad nie był w stanie sobie przypomnieć, kiedy kelnerka ją przyniosła.

– Wystarczy? – zapytał Popowski. – Teraz ty, Konrad. Dawaj!

Konrad już wcześniej zrobił rachunek faktów i ustalił, jaką wersję powinien mu sprzedać, by była wiarygodna. Nie mógł przecież powiedzieć o tym, czego się dowiedział od George'a Gordona i Olafa Svenssona. Nie on był gospodarzem tych spraw i nie miał prawa tego zrobić. Choćby chciał, nie mógł wyjawić całej prawdy, ale nie mógł też skłamać. W takiej sytuacji nieuczciwość się nie opłaci. Lepiej już nic nie mówić. Ale Misza swoje powiedział i jeżeli przestrzegał tych samych zasad co Konrad, nie mógł skłamać. Wkrótce się okaże, czy mówił prawdę. Mógłby też z łatwością sprawdzić, czy to, co mu powie Konrad, jest zgodne z rzeczywistością. W końcu o Rupercie wie więcej.

– Rupert sam się wyłożył. Nadepnął sobie na sznurowadło. Zrobiliśmy mu w domu rutynowe przeszukanie. Miał dostęp do akt w IPN i zachowywał się dziwnie. To wystarczyło. Tajnego przeszukania dokonali młodzi oficerowie. Znaleźliśmy u niego kopie i oryginały teczek personalnych oficerów będących jeszcze w służbie...

– Bingo! – wtrącił Misza. – Jestem pełen podziwu!

– Teraz wiem, skąd miałeś mój adres na Ursynowie. Wiedziałem, jak tylko skojarzyłem oba fakty.

– Co ty?! – zdziwił się Popowski. – To są przecież akta sprzed dziewięćdziesiątego roku!

– Misza! Przecież wystarczy ci prawdziwa data urodzenia, imię ojca, nazwisko panieńskie matki, i masz wszystko o człowieku. Wiemy, że dobieracie się do naszych systemów informatycznych, meldunkowych, ZUS...

– A wy to co?! Święci!

– Tylko stwierdzam fakt...

– Wiesz, Konrad... – Misza był już wyraźnie wlany i zaczynał mieć kłopoty z motoryką. – Zbiór zastrzeżony w IPN jest bardzo ciekawy, naprawdę, ale pozostałe jeszcze bardziej. Ale nie ma co mówić... Nie chcę cię... denerwować... Co tam jeszcze znalazłeś u tego wała, bo to trochę mało, żeby go aresztować.

– Właściwie to by wystarczyło, ale nie za szpiegostwo. Znaleźliśmy też latarkę fluorescencyjną w zapalniczce i zapisaną w GPS pozycję. Okazało się, że to był ładny, profesjonalnie zrobiony kamyczek... Gratuluję waszym technikom.

– No tak! Mieliście szczęście... to przypadek... nieźle, nieźle! Dawaj dalej! – Popowski z uznaniem kiwał głową i przygotowywał się do uniesienia kieliszka. Dał znak Konradowi, żeby zrobił to samo. – I co?! Obstawiliście to miejsce? – dorzucił.

– To oczywiste. Pojawił się w którąś niedzielę młody człowiek, drugi sekretarz Witalij Bobriukow, i chciał się odlać w lesie, chociaż tuż obok była toaleta... Wy tak zawsze, Misza?

– Nie bądź taki dowcipny! W naturze przyjemniej, w kucki skuteczniej, a papier trzeba oszczędzać... Ekologia!

– Bobriukow w niedzielę coś podjął ze schowka i w poniedziałek poleciał do Moskwy...

– To wszystko?

– W zasadzie już by wystarczyło, ale na przewerbowanie Ruperta nie było czasu i wydawało się mało prawdopodobne, by stał się użyteczny.

– Prawda! – potwierdził zdecydowanym głosem Misza. – A jak go powiązałeś ze sprawą archiwum?

– Powiedziałem coś takiego? – z wyraźnym zdziwieniem odparł Konrad. – Nigdy niczego takiego nie mówiłem! Ale dziękuję, że to potwierdziłeś.

Popowski nalał nową kolejkę i trzymał już kieliszek na wysokości krawata, więc Konrad uznał, że to najlepszy moment na kolejny prezent. Liczył na ambicjonalne zmiękczenie Miszy, bo nie mógł liczyć na finlandię.

– Kiedy wrócisz do Moskwy, to dokładnie zbadaj plan z zaznaczonym miejscem ukrycia archiwum, przekazany ci przez Ruperta zwanego „Hookiem", schizofrenicznego asa sowieckiego wywiadu – wyrzucił z siebie, choć nie zabrzmiało to aż tak złośliwie, jak to pierwotnie zamierzał. – Dobra robota moich ludzi! Musicie solidnie się napracować, żeby stwierdzić, że to falsyfikat... ale tak jest. Niestety!

Popowski znieruchomiał z kieliszkiem pod brodą, a Konrad bez pośpiechu wziął swój.

– Na zdrowie!

Misza łyknął z opóźnieniem i nawet nie popił ciepłym już tonikiem. Tego dnia w ogóle mało popijał alkohol. Jakby był mocno rozkojarzony.

– Nie myśl sobie, że jest dziesięć do jednego! Rosyjski wywiad czasem przegrywa, ale nigdy tak wysoko. Z naszej statystyki wynika, że prawie zawsze wygrywamy, i to znacznie wyżej...

– Tak wynika z badań ONZ, co? Rupert skopiował plan brzeski na ksero... a tam była światłoczuła kropka.

– Kurwa! Wystarczy, Konrad! Daj pomyśleć! – przerwał mu Popowski i zapadł w stan podobny do katatonii.

To był najlepszy moment na sprzątnięcie ze stołu. Kelnerka z czarnym warkoczem natychmiast to wyczuła. W kilkanaście sekund potrafiła oczyścić stolik z jeszcze większą wprawą, niż go nakrywała. Wzbudziła w Konradzie prawdziwą sympatię. Aż pożałował, że jest taka niska.

– Okay, przyjacielu! W takim razie coś ci powiem! – ocknął się Misza, gdy tylko zostali sami. – Nie masz papierosów? – zapytał ni stąd, ni zowąd.

– Też bym zapalił... – odparł Konrad. – Ale tu jest dla niepalących...

– To się pospiesz. Łap kelnerkę, ja płacę, kończymy wódeczkę, a tymczasem zastanów się nad taką wiadomością...

Konrad nie miał już wątpliwości, że Misza zaczyna finiszować.

– Młody Rupert był przydatny, owszem, nie da się zaprzeczyć. Ale tak naprawdę nie chodziło o niego. Celem od początku był stary. Tak, tak! Stary Rupert! – powiedział z uśmiechem, który zamroził zaskoczenie na twarzy Konrada. – Czekaliśmy na niego, czekaliśmy, dokąd zajdzie, i zaszedł... na ministra obrony! Młody był już tak umoczony, że stary pękł od razu. Na początku myślał, że mu się uda nas wyruchać, ale to cymbał. Te jego opowieści, jakim był bojownikiem za komuny, to między bajki włożyć...

– Teraz Misza... – Konrad wciąż nie wierzył, żeby to mogło być prawdą – nawaliłeś się!

– Tak, Konrad! Teraz masz prawdziwy problem! Wiem! – Misza sprawiał nagle wrażenie rozluźnionego i obojętnego na to, co mówi. I właśnie to spowodowało, że Konrad się poczuł, jakby dostał kulę w plecy. – Wiem... myślisz, że cię robię... ale tak nie jest... Stary Rupert pracuje dla nas od dwa tysiące piątego roku... Młody oczywiście o tym nie wie. Jak stary zobaczył, w co wdepnął syneczek, pękł w ciągu piętnastu minut, a twierdził, że komuna go torturowała. Słabo sobie radziliście. Nic dziwnego, że Sojuz rozpierdolił się przez was...

– Udowodnij to!

– Chuj! Zdjęliście „Hooka"... pies go trącał. Przepadł agent. – Misza przerwał i wypił poza kolejką. – Ale zawaliła się moja piramidka. Czułem... kurwa, czułem! – Chwycił Konrada mocno za ramię. – Czułem, że jak wpadnie ten pionek, będę musiał położyć też króla... i stało się!

– Udowodnij to! – Konrad stał się bardziej agresywny.

– Dam ci Zbigniewa Ruperta, pseudonim „Dziurawy Kalosz". – Popowski uśmiechnął się tak, że można było mieć wątpliwości, czy wie, co mówi. Sprawnie jednak nalał sobie i Konradowi i wypił. – Żartuję, kalosz to on jest, ale pseudo miał „Baobab"... Dobre, co!

– Misza, spróbuj to udowodnić, bo na razie warte to tyle co Profumo...

– Oj, oj... obyś się nie pomylił! No tak! – Nagle Misza jakby wytrzeźwiał. – No to będzie w Polsce większy skandal niż Profumo! Nawet o tym nie pomyślałem. Ale jaja!

– Dowody! Dowody, Misza!

– Generalnie to ci współczuję, Konrad. Wiem, że porządny z ciebie człowiek. Znam cię lepiej niż ty sam siebie... mówiłem ci to już? Będziesz teraz miał poważny problem, co zrobić z tym, co ci powiedziałem... no nie? Ale tak jest! I już! Nie myśl, że jestem nawalony i bredzę! Wieczór dopiero się zaczyna...

– O co ci chodzi, Misza?! Skup się! Chcesz archiwum? Tak? Dlaczego? Co się z tobą dzieje? – Ton Konrada nie pozwalał wątpić w jego szczerość.

– Daj mi to archiwum! – powiedział Popowski tak głośno, że wszyscy goście na antresoli zamilkli.

Nagle obaj zdali sobie sprawę, że nie są sami w restauracji Aux Pavés de Bruxelles przy Chapeliers w mieście stołecznym Brukseli, że przez cały czas ktoś siedział obok, ktoś ich słuchał, patrzył, jak piją wódkę. Można by pomyśleć, że zapomnieli, kim są i co robią. Ale było im to obojętne i zlewali to solidarnie! Bo teraz, w tym lokalu, tylko ta rozmowa była dla nich ważna, żadna inna. Najważniejsza w ich życiu i może też w życiu jeszcze kilku osób...

– Spokojnie! – Konrad ściszył głos. – Spokojnie! Dam ci to archiwum...

– Starego Ruperta zwerbowali osobiście generał Ławkin i pułkownik Sorokin w dwa tysiące piątym roku w Oslo, kiedy przebywał tam z grupą waszych parlamentarzystów – zaczął Misza cicho i spokojnie. – Ja obsługiwałem podsłuch w drugim pokoju, więc znam przebieg rozmowy. Pękł dosyć szybko, kiedy zobaczył osiągnięcia syna w pracy dla nas. Wypił chyba półtora litra wódki, ale daliśmy mu B-52 i rano był jak nowy. Dobrze wiedział, że zawarł faustowski kompromis. Ja go nie prowadziłem. Osobiście kontaktowali go Ławkin i Sorokin, zawsze za granicą. Rupert często wyjeżdżał. Miał polecenie jeździć jak najwięcej.

– Teraz pamiętam! Pisała o tym prasa, że był najwytrwalszym turystą sejmowym – wtrącił Konrad.

– Otóż to! – roześmiał się Misza. – Przez jakiś czas zabezpieczałem spotkania, ale nie wszystkie. Urobek był imponujący... Wiązaliśmy z nim wspaniałe plany... i wszystko mi spierdoliłeś aresztowaniem „Hooka". – Niespodziewanie popadł w sentymentalny ton.

– Teraz cię rozumiem, majorze! Wszystko ładnie się układa w całość. Zrobimy tak... przerwij mi, jeżeli coś nie będzie się zgadzać, dobrze?

Patrzyli sobie prosto w oczy w nastroju ludzi przegranych. Obaj wiedzieli doskonale, że jest jeden–jeden, a nie zero–zero. Każdy dostał potężnego gola i będzie musiał się z tego rozliczyć.

W butelce zostało dokładnie tyle, żeby wystarczyło na dwa ostatnie kieliszki.

– Straciłeś archiwum, bo podstawiłem ci lipny plan – jeb! To twoja trzecia wtopa, a druga po Kijowie – jeb! Autorytet majora Michaiła Lwowicza Popowskiego – jeb! Aresztowałem twojego agenta „Hooka" – jeb! Co gorsza, „Baobab" znalazł się w takiej sytuacji, że już do niczego nie jest przydatny – jeb! Nawet generał armii nie pomoże twojej okaleczonej rosyjskiej duszy. – Pomiędzy zdaniami Konrad robił dramatyczne przerwy, ale Popowski nie odezwał się ani razu. – Jedno wielkie jebudu, Misza!

– To wszystko prawda, ale jednak jest jeden–jeden. Martwcie się teraz o to, co przez te lata „Hook" i „Baobab" nam sprzedali, bo tego ode mnie już się nie dowiesz. I co dzięki nim osiągnęliśmy, bo tego to nawet oni sami nie wiedzą. Tylko pomyśl, co się będzie działo w waszych mediach, Sejmie! Ciekawa też będzie reakcja Brukseli i Waszyngtonu, Unii i NATO. – Teraz Misza wymieniał polskie straty, a Konrad mu nie przerywał, bo doskonale wiedział, że to prawda.

– Masz tutaj dane. – Wyjął z kieszeni kartkę, na której były zapisane współrzędne geograficzne. – To w Brześciu, dom. Weźmiesz GPS i znajdziesz go bez trudu. Jak wytłumaczysz Lebiedziowi, skąd to zdobyłeś, to już twoja sprawa.

– Zrobi się! – Misza uśmiechnął się szczerze pierwszy raz tego dnia i po chwili dorzucił dziarsko: – No to co?! – spojrzał na zegarek. – Płacimy! Idziemy na piwo czy kupujemy flaszkę i ruszamy do hotelu? Trzeba w końcu pogadać!

## 87

Kiedy Konrad i Misza postanowili się przewietrzyć przed drugą częścią spotkania i szli pieszo do White Hotel na avenue Louise 212, Sara była jeszcze w pracy. Konrad nie odzywał się od rana, co w tym wypadku uznała za dobry znak. Siedziała teraz w swoim dużym skórzanym fotelu, paliła papierosa i odruchowo pstrykała zapalniczką Zippo. Za oknami było już ciemno i z dwudziestego piętra Warszawa wyglądała imponująco.

Gorzej z bliska – pomyślała Sara.

Cała ekipa specjalna Wydziału „Q" wróciła do Polski z Brześcia poprzedniego wieczoru. Sara czekała na Marcina, który odwoził Wasilija Krupę, oszołomionego swoją niezwykłą podróżą do Warszawy. Już nie kapitana białoruskiego KGB, lecz po prostu Wasię Krupę, syna Piotra. Teraz będzie mieszkał na Bielanach.

Nie miała ochoty jechać do domu. W gruncie rzeczy nic się jej nie chciało. Sprawa brzeska praktycznie zakończona, Konrad targuje się w Brukseli o jej resztki. Marcin ściele łóżko Krupie i robi mu kolację. Już nie „Travis", lecz prawdziwy Igor Sieniawski siedzi przy stole z matką, a w nocy będzie się kochał z Olą, która tak długo na niego czekała. Rupert spędza pierwszą noc poza domem, w areszcie na Rakowieckiej. Lutek wreszcie się umówił na randkę z Ewą...

– A ja siedzę sama w biurze – westchnęła z rozrzewnieniem.

Żeby zatem nie myśleć o niczym – także o tym, że dotąd nie przyszedł mail od Olka – postanowiła zrobić trochę porządku w swoich dokumentach. Przez ostatnie dwa tygodnie do niczego nie miała serca, tak ją pochłonęła sprawa archiwum NKWD. Zresztą nie tylko ją, wszystkich w Wydziale „Q".

Najpierw przejrzała szyfrogramy z zagranicznych rezydentur AW. Nie chciało jej się czytać wszystkiego. Zresztą już po pierwszych zdaniach potrafiła uznać, czy depesza warta jest dalszej lektury. Wiedziała też, po których oficerach może się spodziewać czegoś interesującego, toteż szczególną uwagę poświęciła kilkustronicowemu doniesieniu oficera łącznikowego ze Sztokholmu, oznaczonemu „ściśle tajne". Zawierało informację od Olafa Svenssona z Säpo, dotyczącą sprawy Hansa Jorgensena, oraz jego prośbę o pilne spotkanie.

Sara przeczytała depeszę dwa razy i uznała, że jest wystarczająco ważna, by natychmiast powiadomić o niej Konrada. W ciągu kilku minut napisała obszernego SMS-a i po chwili sprawdziła, czy doszedł. Wiedziała, że spotkanie z Miszą Popowskim potrwa bardzo długo, więc ta informacja może się Konradowi przydać.

W każdym razie powinna – stwierdziła w myślach i podeszła do swojej szafy pancernej.

Po prawej stronie na środkowej półce leżał gruby zielony skoroszyt w twardych okładkach, opatrzony numerem 09643 i kryptonimem „Zaraza". Wzięła go od Marcina jeszcze przed rozpoczęciem akcji z archiwum, ale nie zdążyła się z nim zapoznać. Właściwie dobrze wiedziała, co w nim jest, chciała tylko przypomnieć sobie niektóre fakty przed spotkaniem Konrada z Billem Stentonem.

Był to dziewiąty tom sprawy Karola Hamonda, alias Safira as-Salama, Polaka numer jeden w Al-Kaidzie! I na liście egzekucyjnej kilku służb specjalnych na świecie.

Sara położyła skoroszyt na biurku i zapaliła lampkę. Otworzyła na chybił trafił. Padło na kopertę z napisem „Zdjęcia K.H. z listopada 2001 roku". Widziała te fotografie już wcześniej, ale nie pamiętała, co na nich jest. Odsunęła skoroszyt i rozłożyła pięć zdjęć ukazujących grupy uzbrojonych brodatych mężczyzn w afgańskich strojach. Kółkiem oznaczona była głowa Safira w czapce i z krótką czarną brodą. Wzięła szkło powiększające i zanim jeszcze zdążyła się przyjrzeć, poczuła, jak krew odpływa jej z twarzy, a dreszcz, który ją ogarnął, przechodzi w przerażenie.

– To przecież niemożliwe!

Pod szkłem powiększającym pojawiły się te same niesamowite oczy, ten sam ciemny zarost. Włożyła rękę do koperty i wyczuła tam jeszcze jedną małą fotografię. Po krótkim wahaniu wyjęła czarno-białe zdjęcie paszportowe.

Choć bardzo chciała, żeby to nie była prawda, nie miała już najmniejszych wątpliwości: Aleksander Kurtz, bohater jej lwowskiej przygody, to Karol Hamond, Safir as-Salam.

## 88

Misza postawił na stole butelkę Jacka Daniel'sa, o mało jej nie rozbijając. Brak wyczucia był wyraźnym sygnałem, że w pięciostopniowej skali Generała Stakana osiągnął już poziom trzeci.

Konrad od paru chwil mocował się z ogromnym przesuwanym oknem, choć wystarczyło nacisnąć przycisk. Otworzyło się jednak i bez tego.

– Mógłbyś zamykać drzwi! – krzyknął Konrad, usłyszawszy odgłosy dochodzące z otwartej toalety, i wyszedł na taras.

– Przeczytałeś to? – zapytał Misza, wychodząc za nim po chwili. W jednej ręce trzymał dwie szklanki z whisky, a w drugiej książkę *Nazywam się Zacharski*. – Jego twarz to jak znak firmowy waszego wywiadu. Nooo... bladź, smutno... Najwyższy Oficer Wywiadu. – Podetknął książkę Konradowi pod nos.

Konrad odsunął rękę Popowskiego i wziął swoją szklankę. Pociągnął łyk i odetchnął głęboko. Widok z dziewiątego piętra na zadrzewioną avenue Louise i nudne, pozbawione wyrazu domy po jej drugiej stronie kontrastował z rześkim powietrzem i atramentowym niebem upstrzonym gwiazdami.

– Masz papierosy? – zapytał.

– Mam.

– Dawaj!

– Oj, Radeczku! Zbliżasz się do czwartego poziomu, a ja chcę jeszcze z tobą pogadać...

– Dawaj! Nie gadaj! – przerwał mu Konrad.

Popowski wszedł do pokoju i przez chwilę bez powodzenia przetrząsał kieszenie marynarki.

– No niemożliwe – zamruczał sam do siebie. – No przecież miałem... tutaj!

W końcu znalazł paczkę marlboro i otworzył ją z pewnym trudem. Od razu było widać, że nie ma w tym wprawy. Szczególnie na trzecim poziomie.

– Trochę gejowski ten twój hotel – rzucił – ale mnie się podoba. Co to za David Richiuso? Takie nazwisko jest na twoich drzwiach.

– Każdy pokój w tym hotelu został zaprojektowany przez innego artystę. Ten przez jakiegoś Richiuso.

Zaciągnęli się i obaj równocześnie poczuli to samo obrzydliwe ściśnięcie w gardle. Tak było do czwartego zaciągnięcia. Potem można już było palić normalnie.

– Przeczytałem. Z bólem i śmiechem. Szczególnie pierwszą i trzecią część. Druga część, opis jego procesu w Stanach, jest dobra.

– Gdzieś czytałem, chyba na Wikipedii, że Zacharski był nielegałem w USA – rzucił z przekąsem Popowski i obaj wybuchnęli śmiechem. – Musisz wprowadzić poprawki w tym haśle. A może razem to zrobimy?!

Znów się roześmiali.

– A ja oddałem jeden procent podatku na Wikipedię – dodał żartobliwie Konrad. – On przecież musi zaglądać do Internetu. Dlaczego godzi się na to, żeby pisano o nim takie głupoty?

Stuknęli się szklankami, wypili i zaciągnęli się dymem z papierosa.

Weszli do pokoju i usiedli na białych plastikowych fotelikach pasujących idealnie do ogródka w taniej kafejce.

Za ich plecami, na ścianie, rozpościerała się konstrukcja w kształcie drzewa sklonowanego z pajęczyną, mająca prawdopodobnie służyć za półkę.

Konrad poczuł w kieszeni wibrację swojego iPhone'a i wiedział, że to wiadomość od Sary. Już chciał wyjąć telefon, gdy Popowski zakomunikował poważnym tonem:

– A ja właśnie przeczytałem tę jego *Rosyjską ruletkę*.

Konrad spojrzał na niego z zaciekawieniem.

– Nawet nie wiedziałem, że się ukazała. Powiedz mi przy okazji, kto wymyślił nazwę „rosyjska ruletka". To u was jakiś narodowy sport? Wy w to gracie codziennie do śniadania czy jak was coś wkurzy? A może tylko w święta?

– Zacharski dał taki tytuł swojej książce, bo coś chciał powiedzieć... ale co? Nie mam najmniejszego pojęcia. Wydaje mi się, że ten sport rozsławili dwaj Amerykanie rosyjskiego pochodzenia, Michael i Nick...

– Okay! Mam! – Konrad zagryzł dolną wargę i szybko dodał z przekonaniem: – *Łowca jeleni*. Z filmu wynika, że to ulubiony sport Wietnamczyków... ale przy okazji, oni nie byli z pochodzenia Rosjanami, tylko Łemkami...

– A kto to? – zapytał Misza i nie czekając na odpowiedź, ciągnął dalej: – Ludzie myślą, że Rosjanie to jacyś durnie, którzy gardzą życiem i zabawiają się w taki sposób. Zacharski przystawił pistolet do własnej głowy, a ten mu wypalił. Taki pech! Tylko on jeszcze o tym nie wie. – Misza zgasił papierosa w napełnionej wodą szklance, która służyła im za popielniczkę. – Twoi podkomendni nie poinformowali cię, że ukazało się to dzieło?

– Misza, co ty! – Konrad z niedowierzaniem pokręcił głową. – Kogo obchodzi Zacharski?! Na sprawie „Olina" młodzi oficerowie się uczą, jak można spierdolić robotę, i tylko taki jest z tego pożytek. Nic więcej po nim nie zostało. Zrobił jedynie dwie duże sprawy... dwie wtopy, niestety...

– *Tisze jediesz, dalsze budiesz*. To obowiązuje w każdym wywiadzie. Ale nie przesadzaj z tym Zacharskim! Jankesi dali mu dożywocie, więc musiał tam nieźle nabroić.

– To była dobra robota. Taka profesjonalna amatorszczyzna. Znalazł się w odpowiednim czasie w odpowiednim miejscu... i nie zmarnował okazji!

– Tak... to prawda... – Popowski się zamyślił. – Co innego, gdybyście wcześniej wiedzieli, że ten Bell to dziwkarz, pijak i chciwiec, a potem celowo znaleźli w sąsiedztwie mieszkanie dla Zacharskiego. To byłby polski boski motek, a tak to tylko szpiegowski fart.

– Misza, nie pierdol – oburzył się Konrad. – Ile miałeś takich fartów, a ile przeszło ci koło nosa?! Lepiej opowiedz mi w końcu o „Olinie", Ałganowie i tej waszej krętackiej, podłej robocie w Warszawie... Byłeś przecież wtedy w Polsce! No... Misza! – Konrad zmarszczył czoło i spojrzał Popowskiemu w zamglone oczy. – Obiecałeś kiedyś, pamiętasz? Już czas! Powiedz!

– Jeszcze nie! Tu Bruksela, nie Majorka! – Roześmiali się obaj, a Konrad pokręcił głową. – Musisz mi coś dać, ale u ciebie nie ma nic, co byłoby warte takiej informacji. – Popowski zaczął już używać rosyjskiej składni, co było wyraźnym sygnałem, że zbliża się do poziomu czwartego. – Musisz, Radeczku, jeszcze popracować. Ale wiesz? To smutne, że taki Zacharski, generał wywiadu, nie jest żadnym autorytetem dla młodych oficerów... Oj, Polaki, źle się dzieje! Nie ma u was bohaterów?

– Za to u was jest ich pełno! Co jaczejka KGB, to zaraz izba pamięci... Tylko, kurwa, szkoda, że nie robicie izb pamięci waszych ofiar!

– Radek! Nie pierdol! Już ty nie musisz udawać...

– A co, Zarubin to nie jest wasz bohater? – Konrad uniósł głos i potrząsnął głupio głową.

– A bohater! – jeszcze głośniej odkrzyknął Popowski i identycznie pokiwał głową. – I wała wam od niego! To nasz bohater! – W jego głosie nie było ani śladu zwątpienia.

Na moment zamilkli. Misza uzupełnił szklanki herbacianym płynem Jacka Daniel'sa.

– A co? – zaczął Popowski. – Kukliński to nie jest bohater?

– Może i jest, ale nie mój – szybko odparł Konrad. – To zupełnie inna sprawa. Już ci mówiłem!

– No taaak, ty też masz medale od jankesów!

– Nie tylko od nich i nie za to samo! Popatrz, Misza! Od komunistów dostałem Srebrny Krzyż za utrwalanie władzy ludowej, od Solidarności Złoty Krzyż za obronę demokracji, a od Amerykanów Legię Zasługi za walkę ze światowym złem. Rozumiesz coś z tego?!

Konrad podniósł brwi i uśmiechnął się niewyraźnie. Już chciał powiedzieć Popowskiemu, że właśnie rzucił na biurko szefa raport o zwolnienie, ponieważ nie mógł znieść jego głupoty. Powstrzymał się jednak, bo głupota jako zjawisko dosyć powszechne nie jest niczym niezwykłym.

– Kto was tam zrozumie, Polaków?! – celnie skomentował Misza i po chwili dodał: – Wiesz, Radek, Zacharski to biznesmen-szpieg lub odwrotnie. Tych profesji nie da się połączyć... no, bladź, można udawać biznesmena, ale połączyć się nie da... nooo nie da się... Tylko Konon Mołody* to potrafił.

– To przecież jasne, Misza! Żeby odnieść sukces w biznesie, trzeba zapierdalać od rana do nocy, więc kiedy masz szpiegować?

– No, chyba że jesteś Zacharski! On ma takie bujne ego! Mało profesjonalne... Przystojny za to taki... nie? Jak to on o sobie mówi? Najwyższy Oficer Wywiadu! W sam raz na *Nazywam się Zacharski. Marian Zacharski*... Szkoda tylko, że cierpi na dziecięcą chorobę patriotyzmu. Mitoman czy megaloman?

– Skąd ty to możesz wiedzieć?!

– No, sam pomyśl! Zacharski dał swoje zdjęcie nawet na grzbiet książki, jednej i drugiej. Raz w ciemnych okularach, raz bez. I co? Teraz z półki patrzy na ciebie Zacharski i w twoim

---

* Konon Mołody (1922–1970) – sowiecki nielegał działający na Zachodzie w latach zimnej wojny jako Gordon Arnold Lonsdale.

domu jego zdjęcie stoi między fotką twojej dziewczyny i twojego kota... Dobre! – Popowski zaśmiał się ironicznie.

– Misza! Chcesz mi coś w ten sposób powiedzieć? O sprawie „Olina"? – Konrad puścił pytania jak z automatu i pomyślał, że Misza ma pełną rację.

– Chcę ci powiedzieć to, co słyszysz. Masz łeb, to się zastanawiaj! – odparł beznamiętnie Popowski. – Będę bardziej łaskawy... To megaloman! Wy kochacie mity, ale nie potraficie ich odróżniać ani od bajek, ani od fiction. Dlatego teraz podejdziemy do sprawy naukowo. *Sogłasien?*

Konrad pokiwał głową i przypomniał sobie, że powinien przeczytać SMS-a od Sary, który co jakiś czas wibrował mu w kieszeni.

– Dawaj, Misza!

– Na-u-ko-wo – wysylabizował Popowski i wygiął usta w odwrócone wielkie „U". – Teraz jak czekista z ubekiem, dobra? Powiem tak! I wiemy to obaj dobrze, co byś potem nie powiedział... Zacharski i spółka mają u nas Ordien Krasnogo Znamieni, każdy po jednym. Nie... Zacharski dostałby jeszcze drugi! Za „Olina"! *Mołodiec parień!* – Popowski uśmiechnął się i puścił oko. – Polska to moja druga ojczyzna i na pohańbienie nie zasłużyła. Pokaż mi normalny kraj, w którym służby obalają własnego premiera, nawet jeśli jest szpiegiem! Trzeba naprawdę nic nie rozumieć i mieć sieczkę w głowie, żeby nie przewidzieć skutków...

– Nooo... Misza! Przyznałeś się! Wy nie macie sieczki i przewidzieliście to wszystko! Tylko nie kłam, to wasza robota! – Konrad powiedział to, o czym i tak był przekonany. Wiedział też, że Popowski nigdy się nie przyzna, że SWZ stała za tą sprawą.

– Ty chytrusku! – Popowski pokręcił dziwnie palcem, jakby chciał wywiercić dziurę w powietrzu. – Jak służba obala premiera, to jest jej koniec. Żaden polityk, z lewa i prawa, żaden, już nigdy wam nie zaufa, bo będzie się bał, że znowu coś zmajstrujecie. Szczególnie wy, Polacy! Nawet jeżeli publicznie będą mówili co innego. I co, nie było tak?! Dziwiliśmy się, że nie rozpierdolili was do zera. Pluli na was politycy, media, zwykli ludzie. Może nawet lepiej się stało, bo dzisiaj bylibyście już prawdziwą potęgą, a tak rozkładaliście się przez lata i to trwa... Nie mów, że nie mam racji!

– Masz i nie masz – odparł Konrad. – Nie da się ukryć, że karnawał wokół służb wciąż w Polsce trwa, ale sprawa Zacharskiego to nie cała służba. To sprawa kilku facetów, i wszystko!

– Ile już lat szkodzisz Federacji Rosyjskiej? – zapytał Misza. – Piętnaście, dwadzieścia, dwadzieścia dwa, no ile? Tylko nie kłam!

– Dokładnie tyle!

– Ilu zwerbowałeś naszych? Mówię o oficerach wywiadu, oczywiście! Ilu? – A ponieważ Konrad ociągał się z odpowiedzią, Popowski sam jej sobie udzielił: – Jednego. Albo żadnego! Ale raczej żadnego! Białorusów i Chachłów nie liczę...

– Skąd ta pewność?

– Bo ty i ja dobrze wiemy, że zwerbować oficera wywiadu to sztuka niebiańska i dana jest tylko tam. A jeżeli już ci się to przydarzy, to ile lat trzeba ciągnąć różne kombinacje, żeby się upewnić, czy to nie podpucha, czy cię nie robią w konia. No! Ile?! Ci wszyscy wielcy sławni agenci to prawie sami zdrajcy, zwykli oferenci, psychole i szmaciarze... noo... tacy jak Rupert... No powiedz sam, Radek! Dałbyś się zwerbować, gdybyś nie dostał takiego rozkazu? To niemożliwe! Może i gdzieś siedzi taki bladź kret, ale na pewno nie zwerbowałby go Marian... Sam powiedz! Ile lat trzeba robić w tym rzemiośle, żeby zacząć cokolwiek z tego rozumieć. No! Ile? Ile razy trzeba wtopić, ile przeprowadzić werbunków, specoperacji, ilu zaznać porażek i sukcesów, widzieć bezsens swojego działania albo mieć radość z wielkiego zwycięstwa? No... ile razy?! I kto o tym wie? – Popowski podniósł się i przeczesał rękami włosy. – Idę się odlać! – zakomunikował, wyciągnął papierosa, przypalił i poszedł z nim do toalety. Tym razem zamknął za sobą drzwi.

Konrad wyjął z kieszeni swojego iPhone'a i otworzył SMS-a od Sary. Do powrotu Miszy zdążył przeczytać wiadomość cztery razy, zanim w końcu do niego dotarła. Zrozumiał, że może ją wykorzystać, by spróbować zmiękczyć Popowskiego.

– No... to teraz pomyśl! Radek! – Popowski zaczął, jak tylko usiadł na krzesełku. – W dziewięćdziesiątym roku rozpierdoliliście swoją służbę. O Rosji nie wiedzieliście nic! A co dopiero o KGB! Nic nie wiedzieliście! *Nol! Ziero!* I kilku facetów w Polsce myślało, że można nam podskoczyć... nam, Opricznninie! Nooo, mogło to być takie... polskie, ale nie było! Nie było szczere! Bo na początku lat dziewięćdziesiątych tacy jak Zacharski musieli jakoś przeżyć... i to... zrozumiałe! Ilu tam mieliście... dwóch, trzech oficerów, co byli po MGiMO?! I zaczęli oczywiście od wojny domowej. – Popowski dostał alkoholowej zadyszki. – I najlepiej było walnąć w rządzących komunistów, bo i tak wkrótce stracą władzę! Zresztą *odin chuj*!

Konrad się nie odzywał, ale mimiką starał się okazywać, że słucha uważnie. Zdawał sobie sprawę, że jeśli Popowski wypadnie z transu, on straci najlepszą okazję, by uzyskać odeń coś ciekawego.

– Ale od strony kuchni, Radek... – ciągnął z determinacją Misza. – Policz! Zacharski prowadził Bella przez dwa lata czy coś koło tego. Potem siedział cztery lata. Tak? Czekaj... – Zamyślił się na moment. – Muszę sprawdzić w jego aktach. On wtedy chyba nawet nie był oficerem... Muszę sprawdzić...

– Gdzie to sprawdzisz, Misza? Tego nie ma w Internecie! – zareagował natychmiast Konrad, chociaż znał prawdę.

– Za to jest... raczej był... Rupert w IPN. Tam są akta Zacharskiego sprzed dziewięćdziesiątego roku... czy może się mylę?! – Ironia Popowskiego wyraźnie wskazywała, że się nie myli. – Od osiemdziesiątego piątego do rozwała komunizma pił sake i handlował z Mitsubishi, a po godzinach podobno opowiadał w szkołach i przedszkolach o swoim zamiłowaniu do szyfrowania na podstawie *Ogniem i mieczem*. Tak? No to mamy już wolną Polszę. *Da?* I wiadomo, że będą ciąć. Tak już musi być. Każdy to wie! Szczególnie ktoś taki jak Zacharski, który Wujkowi Samowi szczególnie się naraził, a co gorsza, amerykańskim sądom, i co by nie mówić, tam za Wielką Wodą był bee... jak Polański. Albo jeszcze gorzej! Jankesi nie mogli przecież czcić Kuklińskiego i Zacharskiego jednocześnie. I co? Marian wie to dobrze, a może nawet bardzo dobrze. O wiele lepiej niż ty i ja! Byłby pierwszym szefem służb kraju NATO mającym zakaz wjazdu do USA. Można pęknąć ze śmiechu, nie?! Wyobrażasz sobie, jak szef CIA czy SIS ściska mu rękę?! Chyba tylko w Szwajcarii, oczywiście. I co ty myślisz, że myśmy o tym nie wiedzieli? Durne, pijane i pazerne Ruski w Jaseniewie, co grają w rosyjską ruletkę? Jak mówiłem do moich współpracowników, że Polacy to mądry naród, to się śmiali ze mnie i pokazywali Zacharskiego, weekendowego szefa wywiadu RP. No, sam pomyśl, co Primakow mógł o was myśleć, o jakości Polaków jako przeciwników, jeżeli prezydent Wałęsa dał się tak wrobić w tę nominację. Bo Milczanowski to propaństwowiec, jak boleśnie pisze Zacharski, a Brzeziński i Nowak-Jeziorański to nie?! Bo im się Zacharski nie spodobał?! Kim jest dzisiaj Milczanowski? Wiadomo! Tak przy okazji, co to znaczy „propaństwowiec"? Ile Zacharski był potem w służbie? Dwa, dwa i pół w Centrali? A Rosję znał z wczasów na Krymie, lotniska w Mineralnych Wodach i kortów tenisowych! Trochę mało, nie sądzisz?! Polsko, bądź silna. Potrzebujesz tego, mając oficerów wywiadu takiego formatu. Można by powiedzieć, używając jego własnego języka – podsumował Popowski dowcipnie, może nawet trochę ironicznie.

– Od początku o tym wiedzieliście? Misza! – Konrad trochę nieudolnie próbował łechtać Popowskiego, by ten ciągnął dalej.

– Tego się nie dowiesz! Niestety! – trzeźwo zareagował Popowski. – Próbujesz mnie macać! Chcesz, żebym ci odróżnił bajdurzenie Zacharskiego od prawdy? – Uczynił gest Kozakiewicza. – Taki rympał! Facet był szefem waszego wywiadu od piątku wieczorem do poniedziałku rano, a emisariusze z Langley, Londynu i Seulu już czekali za drzwiami, by złożyć ukłony i zapewnić o miłości i poparciu dla profesjonalizmu przez duże „P". Przecież urodził się wywiadowcą, jak ciągle powtarza, albo był nim nawet jeszcze wcześniej, zawsze przez duże „W". Aha, zapomniałem jeszcze o wybitnych Szwajcarach i Austriakach! Musiał pokazać światu, jakie to było niesprawiedliwe, bolesne i niesłuszne, że nie został tym, kim powinien, więc walnął w swojego premiera. I pokazał światu! Ooo tak! Pokazał! – Popowski wydał z siebie dźwięk podobny do rechotu żaby. – No, powiedz sam, Radek! Znasz nasze środowisko od ponad dwudziestu lat. Kto może mieć szacunek dla oficera za taki numer?!

– Misza! Albo masz coś do powiedzenia, coś konkretnego, coś, co... albo...

– Na-u-ko-wo! – powtórzył z wyraźną ironią Popowski. – Dobrze wiesz, że rosyjski oficer wywiadu gra codziennie w tenisa, *da*? Oczywiście najlepiej nam wychodzi po litrze wódy! Ale jak spotkasz NOW, to mu powiedz, że nasi grają teraz w golfa i polo. Tenis jest passé! Niech sobie kupi konia! To potrafi! Ale kupić Rosjanina? Nie jest łatwo! Powinien zapytać jankesów i Brytoli, oni coś jednak wiedzą! To nasze sporty narodowe, no nie? Nawet gra w kręgle z rosyjskim oficerem jest niebezpieczna. Ty to wiesz, ja to wiem, wszyscy w branży wiedzą, ale Zacharski nie wiedział. Rosyjska natura to nie ruletka!

Konrad kręcił głową i udawał, że Popowski mija się z prawdą. W rzeczywistości jednak wszystko to, co powiedział, było nawet bardziej niż prawdziwe. Poczuł, jak męczące jest skrywanie prawdy.

Kiedy wrócił do Polski w 1995 roku, otrzymał propozycję pracy w tak zwanej sekcji specjalnej Zacharskiego, jak to się wówczas nazywało. Mówiło się wtedy na Rakowieckiej, że nawet duch Iana Fleminga byłby zazdrosny o ten pomysł. Gdy jednak się zorientował, kto w niej pracuje – może z wyjątkiem jednego czy dwóch oficerów – postanowił poszukać przydziału gdzie indziej.

– Nie zżymaj się, Radek. Już kończę... zresztą sam tego chciałeś! – Popowski jakby wyczuł nastrój Konrada. – I co? Zacharski, który w życiu nie widział oficera rosyjskiego wywiadu, nagle stał się wybitnym specjalistą...

– Ja wtedy też nie widziałem! – przerwał mu Konrad.

– Ile lat musiałeś pić z naszymi w Moskwie, Petersburgu, Pietropawłowsku Kamczackim i jakimś Warowsku na Powołżu, żeby w końcu zrozumieć, o co nam chodzi i kim jesteśmy. Ale potem mamy udokumentowane przynajmniej dziewięć twoich prób werbunku naszych oficerów.

– Sprawiłeś mi przyjemność, Misza!

– A co? Coś nie tak?

– Nie trafiłeś!

– To oczywiste! Mam nadzieję... że nie miałeś większych sukcesów niż...

– Co z tym generałem Zacharskim? – przerwał Konrad, zniecierpliwiony.

– Okay! Na-u-ko-wo...! – zaczął Popowski, z coraz większym trudem podtrzymując opadające powieki. – No dobra. Idziemy na skróty, bo to się robi nudne. Ty Wołodii Ałganowa nie znasz? No nie! Bo skąd? Wołodia to as, u nas wszyscy go znają! Ma chłop klasę i szacunek. Do dzisiaj! Wiesz, jakie on zrobił sprawy?! Zacharski tylko może pomarzyć, by mieć taki szacunek. Co za partacka robota na tej Majorce! Nawet we własnym pokoju nie potrafił nagrać rozmowy. Podobno tej najważniejszej. A może nie chciał, żeby ktokolwiek usłyszał, co on tam pierdolił i co powiedział Wołodia... Nie kręć! Śmieszne, nie?! Jeździł z jakąś specjalną teczką! No sam sobie odpowiedz! Kabaret! Mógł kupić dyktafon w sklepie na Majorce! Kto by wam wtedy w dziewięćdziesiątym czwartym czy dziewięćdziesiątym piątym zaufał?! Radek! Może jakiś zapijaczony starszyna z bazy paliwowej w Bałtijsku... Gdyby było tak, jak pisze wasz generał wywiadu, to u was, w Berlinie i w Londynie byłaby superata agentów w Jaseniewie! To co, generał Zacharski jest jedyny na świecie asior? A co z Brytolami, Jewriejami z Tel Awiwu i Langley? Myślisz, że tam pracują same młoty pneumatyczne? Gdzie są ich książki?!

– Przeginasz, Misza! Ty niewiele o nas wiesz, i to dobrze!

– Wiesz, coś ci powiem. Ale nie obraź się...

– Wal! *Ja tiebia nie bojus!*

– W tamtych czasach to nawet Litwini byli od was lepsi... Radeczku! Ta książka Zacharskiego to najzwyklejsze typowo polskie dzieło „ku pokrzepieniu serc". A może bardziej „ku pokrzepieniu jednego niezaspokojonego egoserca"! Jak on taki as, to dlaczego dalej nie służy ojczyźnie? Co? Nie dali źli ludzie! Biedaczek! Nie chcą go?! A „Olin" w telewizji, w Sejmie, w polityce...

Tak rozbawionego Popowskiego Konrad jeszcze nie widział.

Misza ma dobrego nosa – pomyślał. To było celne stwierdzenie.

Zgadzał się prawie ze wszystkim, co mówił Popowski, ale nie mógł mu tego okazać, nawet w takim stanie i w tych okolicznościach. Doskonale zdawał sobie sprawę, co Misza chce mu przekazać, i nie mógł się z tym nie zgodzić. Oficer o takich cechach charakteru jak Zacharski nie znalazłby miejsca w jego Wydziale. U Popowskiego pewnie też nie.

– Ty wiesz co? – Misza nagle jakby spoważniał. – Ty wiesz, ile takich książek jak ta *Rosyjska ruletka*, na takim poziomie, moglibyśmy napisać?! Albo Niemcy, albo Turcy! O waszych oficerach, ambasadorach? Wiesz ile? Bladź, my do tej pory nawet nie napisaliśmy, że Stanisław August Poniatowski był obrzezany! Wiedziałeś o tym? Nie? A my tak! Oficer wywiadu, publikując coś takiego, hańbi siebie i swoją służbę. Dlatego my tego nie robimy i nikt tego nie robi! Mógłbyś takich książek napisać dziesięć! Nie? – Popowskiemu wrócił wesoły nastrój. – Jak go spotkasz, to mu powiedz! I to, że my o nim nie będziemy pisać, bo nie będziemy się zniżać do jego poziomu. Wiesz, ilu mamy bohaterów, asów, dla których nawet nie starcza miejsca na ścianie w naszej izbie pamięci? Macie takich?

– Coś mi się wydaje, Misza, że Zacharski naprawdę zaszedł wam za skórę. Masz problem...

– O nie, Radeczku! To wy macie problem! Z Zacharskim. Gość plecie i plecie, a ludzie to czytają i myślą... Nuuuu... macie problem...

– Nie jest tak, jak mówisz! Z Zacharskim zgadzam się tylko w jednym: że Czempiński boi się latać samolotami. – Konrad zaczął się już dobrze bawić, chociaż oceny Popowskiego były dla niego oczywiste. – Ale niewiele jednak o nas wiecie! I to, Michaile, bardzo, bardzo dobrze!

– Wiem sporo! Co trzeba, to wiem! Zresztą sam sobie odpowiedz! Ilu mieliście szefów wywiadu od dziewięćdziesiątego pierwszego roku, no ilu? Policz!

– Dwunastu... chyba...

– A u nas? Czterech! I co?! Porównaj Lebiedzia z Zacharskim... albo nie! Wtedy szefem naszego wywiadu był Primakow! U was zmiany kierownictwa robi się przy pomocy plutonu egzekucyjnego prokuratorów...

– To chyba u was, Misza! To wasza specjalność!

– U nas tylko raz... i to w tysiąc dziewięćset trzydziestym siódmym, ale robota cały czas szła dobrze...

– Nie pitol, że u was wszystko tak świetnie i macie samych geniuszy za szefów.

– Nie pitolę! Bo tak nie jest. My też mamy swoje problemy... mówiłem ci o tym kiedyś... najgorszy to nepotyzm!

Ale u nas historia nie składa się z samych zakrętów... A drugi to taki, że wszyscy oblegają Jaseniewo, cały świat, Chińczycy, Amerykanie, Anglicy i jacyś Czeczeni, kurwa! Co mamy zrobić? To nasza wina, że Rosja to prawie jedna szósta świata?

– A czyja?! – gwałtownie zareagował Konrad. – Właśnie na tym polega wasz problem!

– Ale Rosja jest wielka... bardzo wielka, potężna. – Misza wyraźnie zakończył już rozprawę o Zacharskim. – Ma lepsze i gorsze chwile, ale jest wielka... od Kaliningradu po Władywostok. Ty wiesz, co to jest?! *Rossji umom nie pojmiosz!* Znasz to?! Nasza historia jest prosta, a historia Polski składa się z samych zakrętów. – Popowski osiągnął poziom czwarty i nic już nie mogło go powstrzymać.

Konrad nawet lubił tę jego sołżenicynowską dostojewszczyznę, która pojawiała się w formie oralnej wyłącznie na czwartym poziomie. Na poziomie zero drzemała uśpiona w zakamarkach jego niezbadanej rosyjskiej duszy.

– Macie w tych naszych zakrętach spory udział – rzucił krótko i wyszedł do toalety.

Siedząc na brzegu wanny, próbował się skupić, by z niemałym trudem przeczytać jeszcze raz i zrozumieć info od Sary.

Gdy wrócił, Popowski rozpoczął już po raz kolejny objaśniać odmienność rosyjskiej filozofii życia od tej obowiązującej w reszcie świata.

Iwan Groźny, Piotr I czy Stalin to te same części tej samej historii i nikt jej nie będzie zmieniał na chwilowe potrzeby chwilowych polityków. Iwan, Piotr i Józef, jak wielu innych, to władcy, którzy szczodrze upuszczali krwi własnemu narodowi, od czego stawał się on jeszcze silniejszy, potężniejszy i bardziej nowoczesny. Czym jest człowiek w porównaniu z bezkresem Rosji? Niczym! Tak z doskonałą znajomością historii własnego kraju argumentował Misza Popowski.

Mówił, jak to Iwan Groźny wycinał własnych żołnierzy, którzy poddawali Polakom twierdze. Piotr własnoręcznie ścinał głowy swoim strzelcom i zbudował Petersburg na kościach tysięcy rosyjskich chłopów. Aleksander II pierwszy dał Finom niemal własne państwo, stłumił powstanie Polaków w 1863 roku i hekatombą z ciał rosyjskich żołnierzy pod Szipką w 1877 dał wolność Bułgarii. Stalin proponował Churchillowi i Rooseveltowi, że w Dniu Zwycięstwa rozstrzela na placu Czerwonym dwadzieścia tysięcy Niemców, na co tamci dali się nabrać, wiedząc, że ma do tego lekką rękę, jak wobec Polaków w 1940 czy własnych oficerów w 1937 roku.

Misza wiedział o tym wszystkim doskonale i wiedziało wielu wykształconych Rosjan. I z tego punktu widzenia zgwałcenie przez czerwonoarmistów w 1945 roku kilku milionów Niemek uważał za niezbyt wygórowaną karę za morze krwi, jakie upuścili na Wschodzie ich mężowie, ojcowie i synowie, których dziesiątki tysięcy nie zdołało wrócić do domu z radzieckiej niewoli.

– Stalin był okrutnikiem większym niż inni carowie. Ale też czasy były inne. Nie był jednak szaleńcem i historia rozliczy go sprawiedliwie – tak zwykle kończył swój wykład Misza i dodawał: – Co nas nie zabije, to nas wzmocni. I dotąd jakoś się nam udaje.

Był głęboko przekonany, że Wielki Duet mądrze poprowadzi Rosję w niebezpieczną przyszłość, spokojnie, pewnie i w dobrym kierunku. W podobnym przekonaniu trwała reszta jego rodaków, z nielicznymi może wyjątkami, głównie na Kaukazie.

W Rosji nie mówiło się o tym wprost, jednak każdy, kto był członkiem tego społeczeństwa i choć czasem zasiadał za ciężkim rosyjskim stołem, wiedział, że aby rozliczyć się ze stalinizmem, trzeba będzie znów przejść przez krwawą wojnę domową.

Konrad przelał bursztynowy płyn do szklanek i odstawił na bok pustą butelkę. Sprawdził paczkę marlboro, w której zostało pięć papierosów, i wyrzucił do sedesu zawartość szklanki pełnej śmierdzących petów, czym pogwałcił swoje oddanie ekologii. Wlał nową wodę i postawił szklankę-popielniczkę na stole.

– Dlaczego zabijacie... wciąż to robicie... zabijacie własnych ludzi? – zapytał, myśląc o sprawie Jorgensena, o której przeczytał w SMS-ie od Sary.

– O czym ty mówisz, Radek? – zapytał Misza zaskoczony.

– Ty dobrze wiesz! Mówię o waszych ludziach... defektorach... Czego tu nie rozumiesz, Misza?

Konrad nie mógł ujawnić, że wie o sprawie Jorgensena, gdyż – jak pisała Sara – została ona głęboko utajniona przez Szwedów. Na dobrą sprawę w ogóle nie powinien był zadawać tego pytania.

– Nie pamiętam, kiedy robiliśmy to ostatni raz – niespodziewanie szczerze odparł Misza. – Zresztą to są sprawy o szczególnym znaczeniu i nikt naprawdę nie wie, czy my to robimy, czy nie.

– Robicie!

– Jak tak mówisz, to pewnie tak jest, ale nikt tego nie udowodni... to ma znaczenie... musi mieć znaczenie psychologiczne dla naszych ludzi i tak dalej... Rozumiesz!

– Teraz, w tych czasach... już nie ma nawet letniej wojny...

– Posłuchaj, Konrad! – Popowski wyraźnie złapał drugi oddech. – Na pewno nie likwidujemy waszych... znaczy obcych oficerów czy obywateli. Likwidujemy zdrajców i terrorystów.

– Jak Jandarbijewa w Katarze! Ale partactwo, Misza! Złapali waszych na gorącym uczynku... I to kto?! Jacyś policjanci w galabijach. No wstyd, Misza!

– Nie robi błędów ten, co nic nie robi. *Poniatno!*

– To co? A Litwinienko? To majstersztyk!

– To był właśnie zdrajca! Ale... ja nie mówię, że to nasza robota... Wiesz, są też patrioci...

– Jak emeryci KGB z Honor i Godność imienia Sudopłatowa?

– Może, może… ja nie wiem… Wiem jedno, że jak kniaź Andriej Michajłowicz Kurbski zdradził Iwana Groźnego i przeszedł na stronę Polaków, to car osobiście zgładził jego matkę, żonę i dziewięcioletniego syna i do śmierci bezskutecznie nasyłał na niego zabójców. Matuszki Rossii nie można zdradzić! Taka już jest ta Matuszka!

– No to na zdrowie, Misza!

Konrad podniósł szklankę i pomyślał, że Popowski nie jest przecież taki naiwny i wie, że szpiegowska rzeczywistość jest znacznie bardziej skomplikowana i że nie chodzi o zdradę, tylko o władzę.

Wypili do dna i tym samym wspięli się na poziom piąty, kończący racjonalną rozmowę, a charakteryzujący się tak zwanym zespołem objawów dnia następnego. Identycznym w Rosji, jak i w Polsce.

## 89

Jak na początek października to były naprawdę piękne dni. Nad miastem przechodziły niespotykane o tej porze roku gwałtowne, prawdziwie letnie burze z piorunami i zapachem ozonu, a potem słońce osuszało ulice. Wydawało się, że przyroda złapała drugi oddech i zaraz pojawią się pąki. Kto mógł, korzystał z pogody.

Dochodziła trzecia. Starszy sierżant Andriej Trubow, zwany Jaganem, stał przed wejściem na cmentarz Wwiedienskoje. W przerzuconym przez jedno ramię plecaku miał dwie butelki wódki, słoik ogórków, pociętą na kawałki kiełbasę i pakiet kubków jednorazowych. W drugiej ręce trzymał czarną skórzaną kurtkę. Było tak ciepło, że włożył czarną koszulkę z krótkim rękawem. Do tego czarne spodnie i ciemne okulary. Nie miał tylko czarnych butów.

Zanim wyszedł z domu, przejrzał się w lustrze i uznał, że dobrze mu w czarnym. Po raz pierwszy ubrał się w ten sposób i zdawał sobie sprawę, że będzie to komentowane przez jego „piątkę".

Pięć razy w roku spotykali się na pięciu różnych cmentarzach w pięciu różnych miastach pięciu różnych guberni. Tym razem przyszła kolej na Wwiedienskoje w Lefortowie. Trubow lubił ten cmentarz bardziej od innych i – choć nie potrafił powiedzieć dlaczego – wybrał go także dla siebie.

Była za pięć trzecia. Jego jedyni przyjaciele, towarzysze broni z czeczeńskiej wojny, nigdy nie grzeszyli punktualnością, o którą zresztą niełatwo w takim mieście jak Moskwa. Jednak w tym wypadku nie miało to żadnego znaczenia. I tak przez następne dwa dni, nie licząc pierwszej szklanki na grobie porucznika, nikt już nie będzie nic liczył, ani czasu, ani wypitych butelek.

Andriej Trubow, awansowany w nagrodę na starszego sierżanta, zastanawiał się teraz intensywnie, czy powinien o wszystkim, co go niedawno spotkało, opowiedzieć swoim towarzyszom, czy też nie. W ich oddziale była prosta zasada: albo mówisz prawdę, albo nic. Żadna reżyserka czy ubarwianie nie wchodziły w grę.

Tatar, pośmiertnie mianowany majorem, miał rację, że ewakuacja ze Szwecji przez Wyspy Alandzkie będzie wyjątkowo łatwa. Jagan był w Moskwie w ciągu trzech dni.

Potem przez dwa tygodnie przesłuchiwano go w odosobnieniu. Nie było to dla niego niczym dziwnym ani przykrym. Dwóm nieznanym mu zupełnie oficerom relacjonował minuta po minucie, godzina po godzinie, co się działo od chwili, gdy przekroczył granicę Federacji Rosyjskiej. Po dwóch dniach przesłuchań następował dzień przerwy i potem znów od początku to samo. Oczywiste było, że wykrywacz kłamstwa w jego przypadku jest bezużyteczny, bo Jagan nigdy nie kłamał.

Wielu mogłoby się załamać i opowiadać to, co chcieliby usłyszeć przesłuchujący, ale nie Andriej Trubow. Dla niego to nie było żadne przesłuchanie. Sam przesłuchiwał jeńców nie raz, nie dwa i dobrze wiedział, jak to się robi. Grunt, że miał zapewnione dobre, regularne posiłki i dużo snu. Nawet więcej, wtedy akurat potrzebował tylko tego!

Opowiedział całą prawdę, do najdrobniejszego szczegółu. Dokładnie tak jak trzeba. Z pamięci wymazał jedynie swoją wizytę w domu Jorgensena, cztery puste pociski w glocku i jakiegoś Szweda w krzakach, którego musiał wyeliminować. To wszystko po prostu nie istniało, nie zdarzyło się, nie miało miejsca. O żadnym Carlu Jorgensenie nigdy nie słyszał.

Po dwóch tygodniach spisał to, co opowiedział śledczym. Raport sporządził tak, żeby wszyscy byli zadowoleni i pamięć o dobrym, choć głupim Tatarze nigdy nie zaginęła. Nawet nie wiedział, co się działo w Åkersberdze po tym, jak zostawił za plecami łunę pożaru, i niewiele go to obchodziło. Nie czytał żadnych rosyjskich gazet, a tym bardziej szwedzkich, nie miał więc pojęcia, że jego podróż do tego kraju odbiła się tam głośnym echem. Teraz, na początku października, nawet nazwisko Jorgensen wydawało mu się obce.

Pochwały i odznaczenia, jakie potem otrzymał, na pewno się liczyły, ale najwyżej cenił sobie awans. Nie bez znaczenia była obietnica przełożonych, że załatwią mu operację plastyczną, która usunie z jego twarzy charakterystyczną bliznę. Trubow wciąż miał w pamięci słowa Tatara. Nie wiedział nawet, że jego portret pamięciowy pojawił się we wszystkich szwedzkich mediach. Właściwie można by powiedzieć, że był to portret pamięciowy blizny z Jaganem w tle. Wiedzieli o tym natomiast jego przełożeni, a że mieli dla niego nową pilną robotę, prośba o zabieg spotkała się z szybką akceptacją.

Jasne więc było, że będzie mógł dalej walczyć, dostanie nowego partnera i po przeżyciach w okropnej Szwecji może powróci na swój ukochany Kaukaz, gdzie jest jeszcze tyle do zrobienia.

Pomyślał o „piątce", która za chwilę pojawi się przed bramą cmentarza Wwiedienskoje, i przypomniał sobie z ulgą, że przecież nie może im mówić, co i gdzie robi. To są zadania ściśle tajne.

Musi jeszcze odnaleźć swój nóż.